LE NUMÉRO 1 DEPUIS 49 ANS

LE GUIDE DE L'AUTO.MC

2015

LES ÉDITIONS DE L'HOMME

Coordination éditoriale
Alain Morin

Direction éditoriale
Denis Duquet
Gabriel Gélinas
Marc Lachapelle
Jean Lemieux
Alain Morin

Fondateur et Rédacteur Émérite
Jacques Duval

Coordination de production
Marie-France Rock

Journalistes
David Booth, Guy Desjardins, Denis Duquet, Jacques Duval, Nadine Filion,
Graeme Fletcher, Gabriel Gélinas, Jean-François Guay, Benjamin Hunting,
Marc Lachapelle, Frédérick Mercier, Alain Morin, Costa Mouzouris,
Gilles Olivier, Sylvain Raymond.

Photographe et vidéaste
Jeremy Alan Glover, Yohan Leduc

Révision, correction et traduction
Daniel Beaulieu, Hélène Paraire, Pierre René de Cotret, Julie Thibault

Fiches techniques
Jean-Charles Lajeunesse

Liste de prix
Guy Desjardins

Conception et production
LC Média Inc., Honok Média inc., Les Éditions de l'Homme

Adjointe de la production aux Éditions de l'Homme
Roxane Vaillant

Design graphique
Pauline Gaultier
Matthieu Derome
Edgar Nemere

Page Couverture
Photo : Pagani
Graphistes : François Daxhelet et Philippe Leblanc

Photos de Denis Duquet, Jacques Duval, Gabriel Gélinas et Marc Lachapelle :
© Josée Lecompte

Président
Jean Lemieux

Représentation publicitaire
Simon Fortin

Coordination publicitaire
Karine Phaneuf

Les marques de commerce *Le Guide de l'auto, Le Guide de l'auto
Jacques Duval* et les marques associés sont la propriété de

Site internet : www.guideautoweb.com

Donnez votre vieux véhicule à La Fondation canadienne du rein et financez
la recherche médicale sur les maladies rénales.

Outre le remorquage gratuit, vous recevrez en échange du don de votre
véhicule un reçu fiscal émis par La Fondation canadienne du rein.
Composez le 1 888 228-8673

Jacques Duval, Porte-parole du programme Auto-Rein

DISTRIBUTEUR EXCLUSIF :

Pour le Canada et les États-Unis :
MESSAGERIES ADP*
2315, rue de la Province
Longueuil, Québec J4G 1G4
Téléphone : 450-640-1237
Télécopieur : 450-674-6237
Internet : www.messageries-adp.com
* filiale du Groupe Sogides inc.,
   filiale de Québecor Média inc.

07-14

© 2014, Les Éditions de l'Homme,
division du Groupe Sogides inc.,
filiale de Québecor Média inc.
(Montréal, Québec)

Consultez nos sites Internet et inscrivez-vous à l'infolettre pour rester informé
en tout temps de nos publications et de nos concours en ligne. Et croisez aussi
vos auteurs préférés et notre équipe sur nos blogues !

EDITIONS-HOMME.COM
EDITIONS-JOUR.COM
EDITIONS-PETITHOMME.COM
EDITIONS-LAGRIFFE.COM

Tous droits réservés.

Dépôt légal : 2014
Bibliothèque et Archives nationales du Québec

ISBN 978-2-7619-4000-9

Gouvernement du Québec –
Programme de crédit d'impôt pour l'édition de livres –
Gestion SODEC – www.sodec.gouv.qc.ca

L'Éditeur bénéficie du soutien de la Société de développement des entreprises
culturelles du Québec pour son programme d'édition.

Canada Council   Conseil des arts
for the Arts   du Canada

Nous remercions le Conseil des Arts du Canada de l'aide accordée à notre
programme de publication.

Nous reconnaissons l'aide financière du gouvernement du Canada par l'entremise
du Fonds du livre du Canada pour nos activités d'édition.

LE GUIDE DE L'AUTO™ 2015

David **Booth**

Depuis deux décennies, David Booth, un ingénieur de formation, est la plume vitriolique de *Driving* (section automobile du *National Post*), ainsi que du magazine *Autovision*. Sa spécialité : les *supercars*.

Guy **Desjardins**

Ingénieur de formation, Guy joint l'équipe en 2005 après avoir remporté le concours « La Relève ». Il réalise plus de 60 essais par an, collabore à différents médias et alimente la section mécanique web.

Denis **Duquet**

Chroniqueur automobile depuis 1977, il collabore au *Guide de l'auto* depuis l'édition de 1981. Membre du jury du North American Car and Truck of the Year, il est également membre de l'AJAC .

Jacques **Duval**

Jacques Duval est le fondateur du *Guide de l'auto* qu'il a écrit seul pendant plus de 15 ans. Il a été intronisé au Temple de la renommée du sport automobile canadien pour ses exploits en course.

Nadine **Filion**

Journaliste automobile depuis 15 ans, Nadine Filion est la seule femme à avoir remporté le prix de Journalisme automobile du Canada — ce qu'elle a fait à trois reprises.

Gabriel **Gélinas**

Chroniqueur automobile depuis 1992, Gabriel Gélinas était instructeur-chef à l'école de pilotage Jim Russell. Il écrit également pour *The National Post* et est chroniqueur à *Salut Bonjour* au réseau TVA.

Jean-François **Guay**

Avocat de formation, Jean-François Guay a démarré sa carrière de chroniqueur automobile en 1983. Reconnu pour sa vaste expertise, il réalise des essais routiers et commente l'actualité dans les médias.

Benjamin **Hunting**

Benjamin Hunting a fait ses études entouré de voitures *Studebaker*. En 2008, après 10 ans de courses, de restaurations et de passion auto permanente, il est devenu journaliste automobile à temps plein.

Marc **Lachapelle**

Après ses débuts au *Guide* en 1982, Marc fut collaborateur ou rédacteur en chef pour divers médias, au Québec et ailleurs. Il a gagné des prix, courses et rallyes et fait encore partie de quatre jurys.

Alain **Morin**

C'est en 1997 que Alain Morin signe son premier texte portant sur l'automobile. Puis, la vie l'amène à signer la section des voitures d'occasion dans le *Guide de l'auto 2001*. Le reste appartient à l'Histoire...

Gilles **Olivier**

Passionné par l'automobile depuis 1970, Gilles a contribué à La *Tribune de Lévis*, à l'émission *Virage* et *Auto/Route*. Depuis 2007, il fait partie de l'équipe du *Guide de l'auto*.

Sylvain **Raymond**

Sylvain Raymond a amorcé son métier de journaliste automobile il y a plus de 12 ans. Ayant étudié en administration, il collabore au *Guide de l'auto* depuis 2007 et il en est aussi le directeur du contenu web.

Le *Guide de l'auto* tient à remercier les personnes et les organisations dont les noms suivent et qui ont apporté leur précieuse collaboration à la realisation de l'édition 2015.

Leeja Murphy (Agence Pink) - Denis Leclerc (Albi) - Cort Nielsen (Audi) - Éric Tremblay (Audi Park Avenue) - David Webber (Audi Park Avenue) - Christophe Georges (Bentley) - Joanne Bon (BMW) - Rob Dexter (BMW) - Alain Laforêt (BMW) - Barbara Pitblado (BMW) - Gemi Giaccari (BMW Laval) - Terry Grant (BMW Laval) - John Hill (Bugatti) - Lou-Ann Barrett (Chrysler / Dodge / Jeep) - Daniel Labre (Chrysler / Dodge / Jeep) - Normand Théberge (Code Rouge Média) - Mark James (Cohn & Wolfe) - Joel Siegal (Décarie Motors) - Cheryl Blas (Décarie Motors) - Susan Elliott (Elliott Clark Communications) - Antoine Bessette (Félino) - Umberto Bonfa (Ferrari Québec) - Sabrina Damico (Ferrari Québec) - Chantel Bowen (Ford) - Christine Hollander (Ford) - Tony McLoud (Ford) - Lauren More (Ford) - Rosemarie Pao (Ford) - Valérie Charron (General Motors) - Masha Marinkovic (General Motors) - Robert Pagé (General Motors) - Faye Roberts (General Motors) - George Saratlic (General Motors) - Norman JR Hébert (Groupe Park Avenue) - Maki Inoue (Honda / Acura) - Olechnowicz Karolina (Honda / Acura) - Patrick Danielson (Hyundai) - Chad Heard (Hyundai) - Alex Schteinberg (Hyundai) - John Vernile (Hyundai) - Jean-François Ménard (ICAR) - Barbara Barrett (Jaquar / Land Rover) - Bernard Durand (John Scotti (Lotus / Lamborghini) - John Scotti (John Scotti Auto) - Philippe-André Bisson (Kia) - Robert Staffieri (Kia) - Jack Sulymka (Kia) - Maxime Surette (Kia) - Corey Royal (Royal Automotive) - Kevin Smith (Lotus) - Bruno St-Jacques (Magnum MK5) - Alain Desrochers (Mazda) - Carole Guindon (Mazda) - Rania Guirguis (Mazda) - Sandra Lemaitre (Mazda) - Joanne Caza (Mercedes-Benz) - Eva Cheng (Mercedes-Benz) - Nathalie Gravel (Mercedes-Benz) - Karine McGown (Mercedes-Benz) - Arden Nerling (Mercedes-Benz) - Rob Tabacs (Mercedes-Benz) - Karen Zlatin (Mercedes-Benz) - Jacquie Adams (Mitsubishi) - John Arnone (Mitsubishi) - Lara Brown (Mitsubishi) - Sophie Desmarais (Mitsubishi) - Claudianne Godin (Nissan / Infiniti) - Didier Marsaud (Nissan / Infiniti) - Heather Meehan (Nissan / Infiniti) - Anthony Paulozza (Pneus Pirelli) - Patrick St-Pierre (Porsche) - Ghyslain Lavallée (Roch Lavallée et fils) - Elizabeth Williams (Rolls-Royce) - Jacques Guertin (Sanair) - Steve Spence (Services Spenco) - Stephen M. Dutile (Services Spenco) - Amyot Bachand (Subaru) - Joe Felstein (Subaru) - Julie Lychak (Subaru) - Richard Marsan (Subaru) - Shanna Hendriks (Tesla) - Martin Paquet (Tesla) - Paul Vaillancourt (Torchia Communications) - Sandy DiFelice (Toyota / Lexus / Scion) - Rose Hasham (Toyota / Lexus / Scion) - Mélanie Testani (Toyota / Lexus / Scion) - Thomas Tetzlaff (Volkswagen) - John White (Volkswagen) - Véronique Dagenais (Volvo) - Dustin Wood (Volvo) - Paul Chater (Volvo) - Justine Plourde (Zonefranche)

SOMMAIRE

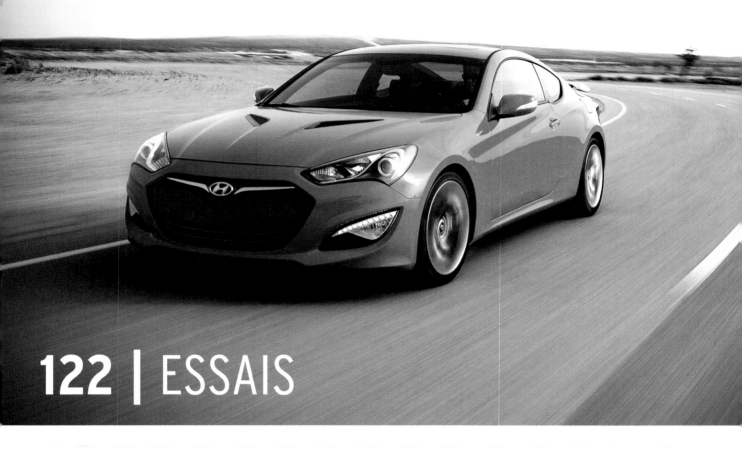

122 | ESSAIS

LE GUIDE DE L'AUTO,
TOURNÉ VERS L'AVENIR

L'an prochain, *Le Guide de l'auto* fondé par Jacques Duval fêtera ses 50 ans. Qui aurait pensé qu'un livre sur l'automobile aurait une si longue durée de vie? Il s'agit d'unphénomène unique, car il n'y a qu'au Québec qu'on produit des livres de si grande qualité sur l'automobile. D'ailleurs, on ne retrouve aucune publication semblable sur la planète. Ici, un livre est considéré comme étant un *best-seller* s'il se vend à plus de 7 000 exemplaires. *Le Guide de l'auto* se vend à plus de 90 000 exemplaires année après année, on parle donc ici dephénomène culturel.

Pourtant, le monde de l'édition a vécu des bouleversements majeurs durant ces dernières années : les journaux, les magazines et les livres se transforment puisque les gens s'informent différemment. Cependant, un élément est particulier au *Guide de l'auto* : sa version imprimée vit une augmentation de ses ventes depuis plusieurs années. Ce n'est pas pur hasard car pour fabriquer cette brique, il y a une équipe de journalistes réputés (vous trouverez leurs biographies en page 3), un éditeur sérieux, Groupe

Homme et un diffuseur chevronné, ADP qui distribue les copies aux multiples points de vente. Il y a aussi MAtv – la chaine de Vidéotron, Québecor et son réseau, ainsi que l'équipe d'édition et de production de LC Média. Tout ceci ne serait pas complet sans les 1 425 librairies et les grandes surfaces qui rendent le *Guide de l'auto* disponible partout au Québec. Sans vous oublier, chers lecteurs, qui vous procurez fidèlement ce livre. Sans vous, il n'y aurait tout simplement pas de *Guide de l'auto*.

Malgré tout le travail effectué pour vous remettre humblement la version imprimée du *Guide de l'auto* chaque année, LC Média, propriétaire de la marque de commerce et des droits du *Guide de l'auto* et du *Guide de l'auto Jacques Duval,* s'est donné la mission de vous rejoindre là où vous êtes et de la façon que vous voulez être informés. C'est pourquoi nous avons bâti des outils pour diffuser notre contenu, lesquels sont uniques au *Guide de l'auto*. Ainsi, sur le site web www.guideautoweb.com, vous trouverez un assistant d'achat qui vous guidera dans vos décisions d'achat selon vos critères préétablis. Il y a aussi une zone Concessionnaires afin de vous exprimer sur la satisfaction du service offert par votre concessionnaire. Mais ce n'est pas tout! Il y a également un outil de comparaison entre différents véhicules, une zone vidéo, des archives et bien plus. Nous avons aussi créé une application du *Guide de l'auto* pour iPad et les tablettes ayant comme système d'exploitation Android qui peut vous alerter d'un nouvel article en fonction des choix de véhicules que vous aurez faits. Sans compter notre site mobile pouvant être consulté sur tous les téléphones intelligents. Fait surprenant, parmi nos 550 000 visiteurs uniques mensuels, 40 % nous consultent sur une tablette ou avec un téléphone intelligent. Vous êtes « mobiles », nous le sommes donc aussi! En outre, il est possible de vous informer via les réseaux sociaux tels que notre page Facebook, Twitter, Instagram et j'en passe. Notre mission est de vous rejoindre là où vous êtes.

Le Guide de l'auto aura bientôt 50 ans, mais il est bien jeune de cœur et a su se renouveler et s'adapter à son environnement. Je pourrais par contre facilement gager que nous avons encore bien du chemin à faire juste à voir le rythme effréné avec lequel la technologie évolue.

« *LE GUIDE DE L'AUTO*, C'EST BIEN PLUS QU'UN LIVRE, C'EST UN LIEN UNIQUE AVEC LES QUÉBÉCOIS! »

Finalement, un autre beau projet en marche est notre Mustang 67 dont vous pouvez suivre l'évolution sur le site du *Guide de l'auto*. Nous en avons fait son acquisition l'an passé afin que les étudiants de l'École des métiers de l'équipement motorisé de Montréal (ÉMÉMM) puissent la restaurer. Le Comité paritaire de l'industrie des services automobiles de la région de Montréal (CPA) documente son évolution dans le but de monter un plan de formation sur les voitures anciennes, un programme actuellement inexistant au Canada. Ce cours ne sera pas un luxe puisque la relève dans le domaine de la restauration de voitures anciennes est pratiquement inexistante. Pourtant, l'intérêt est là puisque les étudiants qui travaillent sur notre Mustang démontrent énormément d'enthousiasme. Plusieurs partenaires participent à ce projet, entre autres, Uni-Select et Procolor. Une fois le travail de restauration terminée, cette Mustang 1967 décapotable fera l'objet d'un tirage et sera montrée au grand public au Salon International de l'auto de Montréal en janvier 2016. Tous les profits du concours seront remis à une fondation soutenant la persévérance scolaire. Nous parlons d'avantage de notre Mustang 1967 en page 10.

Le Guide de l'auto, c'est bien plus qu'un livre, c'est un lien unique avec les Québécois! C'est un passé, mais aussi un présent bien ancré dans notre culture... et dans notre futur. Pour toutes ses raisons, je suis fier de dire : NOUS SOMMES *LE GUIDE DE L'AUTO*!

Bonne lecture!

Jean Lemieux
Président LC Média inc.

VERS LE 50e

Dans un an, ce sera fait. Mon bébé, *Le Guide de l'auto*, aura un demi-siècle. Voilà qui ne rajeunit pas son créateur!

Cela paraîtra prétentieux aux yeux de certains, mais ce livre qui vu le jour en 1967 a joué un rôle crucial dans le paysage automobile québécois. Je ne compte plus le nombre de fois où l'on m'a demandé de donner les raisons qui font que l'automobile est si populaire dans notre province par rapport au reste du Canada. C'est simple. De concert avec l'émission de télévision, *Prenez le volant*, qui resta à l'affiche de Radio-Canada pendant presque neuf ans, le *Guide* a créé un engouement et une curiosité pour presque toutes les facettes de l'automobile. À tel point que je suis persuadé que nous avons joué un rôle dans les carrières de coureurs automobiles réputés, à commencer par Gilles Villeneuve.

Coureur et moniteur de conduite avancée, Richard Spénard ne se gêne pas pour dire que la fibre automobile s'est développée chez lui en regardant fidèlement chaque semaine les reportages de course automobile présentée à *Prenez le volant*. Et que dire de Michel Barrette qui me tient responsable d'une fièvre automobile dans laquelle il engouffre plus d'argent qu'il ne le souhaiterait! Comme animateur de l'émission, mon but était de faire partager ma passion aux Québécois en utilisant *Le Guide de l'auto* comme un autre vecteur de mon enthousiasme avec des essais de voitures exotiques ou de compétition.

Façon de parler

Ce livre a aussi contribué à l'enrichissement de la langue française à plusieurs échelons. Il faut savoir que dans les années 60, personne ou presque ne parlait de vilebrequin, d'arbre à cames, de parebrise, de freins ou de volant. Les mécaniciens réparaient les *brakes*, le *steering*, le *windshield*, les *springs*, les *tires* et les garages résonnaient d'un franglais lamentable : « y'a du *shimmy* dans le *steering* », « le *steering* a du lousse », « quand je fourre les *brakes*, le char tire à drette », « mes *tchocks* sont finis », « la *strap* de *fan* fait du train » ou autre jargon du genre. Même qu'un mécano français fraîchement débarqué chez Renault avait demandé à son contremaitre si les Renault étaient équipées d'une cloche au Québec après avoir entendu dire que « sa cloche (*clutch*) était fuckée »! En 1967, dans *Le Guide de l'auto*, on avait ajouté un petit lexique « anglais-français » pour que le lecteur s'y retrouve avec les cardans, le cric, le vilebrequin ou les arbres à cames.

Pour revenir à *Prenez le volant* , dont beaucoup de gens me parlent encore, dès les premières émissions, j'ai voulu transmettre mon amour de la langue française en multipliant les efforts pour enrichir le vocabulaire automobile très anglicisé des Québécois. J'ai d'ailleurs été particulièrement sensible à l'hommage que m'a rendu le gouvernement du Québec, il y a deux ans, en me décernant le prix Georges-Émile-Lapalme pour mon apport à la culture québécoise et principalement à la langue française au cours des 50 dernières années. Je tiens toutefois à partager ce prix avec tous ceux qui ont collaboré à faire du *Guide de l'auto* un outil de consultation écrit dans le plus pur respect de la langue.

Le Guide de l'auto, aussi surprenant que cela puisse paraître, a également contribué à la survie de bien des libraires au Québec. Je ne compte plus le nombre de fois où des gérants de librairie m'ont raconté que l'arrivée du livre dans leurs présentoirs chaque automne leur permettait de boucler leur année avec un bilan positif.

Quelques errances...

L'an prochain, à l'occasion du cinquantenaire, je vous raconterai nos principaux exploits, nos réussites, nos meilleurs coups, mais cette année, j'ai pensé qu'il serait drôle de s'attarder à quelques-uns de nos « flops »...

Lors de la première publication du *Guide de l'auto* en 1967, les autos coûtaient si peu cher que nous n'avions pas jugé utile de préciser le prix des 16 voitures à l'essai, autant celui de la Mercedes 250 S (4 800 $) que la Ford Galaxie 500 (2 000 $). Ce n'est qu'en 1969 que l'omission fut réparée.

Si vous me demandez quelle a été la pire couverture du *Guide de l'auto*, je n'aurais pas de mal à pointer celle de 1972 toute de noir vêtue et assez peu vivante pour se détacher dans le lot de nouveautés. Elle avait été faite à la va-vite pour je ne sais quelle urgence. Savez-vous ce qu'elle représentait? Les phares avant et la plaque d'immatriculation d'une Citroën SM Maserati! Une autre

qui lui fait concurrence comme summum de travail bâclé fut celle de 1976 dont la couverture arrière donnait congé à vos mirettes puisqu'il n'y avait strictement rien à part quelques lignes sur l'auteur.

Un objet de collection

L'espace me manque pour en rajouter, sauf pour préciser que *Le Guide de l'auto* a sa légion de collectionneurs et que le livre est devenu une institution qui fait partie des grandes réalisations du Québec en matière de littérature populaire. À l'intention des collectionneurs, justement, sachez que certains exemplaires du livre commandent désormais des prix étonnants allant jusqu'à 1 000 $ et plus pour un exemplaire de 1967 signé par l'auteur. Je signe Jacques Duval et vous donne rendez-vous pour la grande célébration de l'an prochain.

Jacques Duval

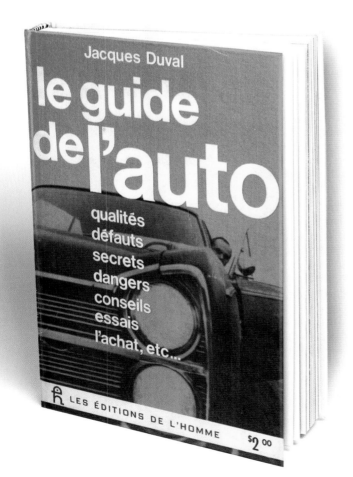

« LORS DE LA PREMIÈRE PUBLICATION DU *GUIDE DE L'AUTO* EN 1967, LES AUTOS COÛTAIENT SI PEU CHER QUE NOUS N'AVIONS PAS JUGÉ UTILE DE PRÉCISER LE PRIX DES 16 VOITURES À L'ESSAI [...] »

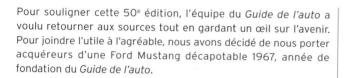

« POUR SOULIGNER CETTE 50ᵉ ÉDITION, L'ÉQUIPE DU *GUIDE DE L'AUTO* A VOULU RETOURNER AUX SOURCES TOUT EN GARDANT UN ŒIL SUR L'AVENIR. »

Pour souligner cette 50ᵉ édition, l'équipe du *Guide de l'auto* a voulu retourner aux sources tout en gardant un œil sur l'avenir. Pour joindre l'utile à l'agréable, nous avons décidé de nous porter acquéreurs d'une Ford Mustang décapotable 1967, année de fondation du *Guide de l'auto*.

En vérité, il s'agit d'une épave que nous faisons présentement restaurer par les étudiants de l'école des métiers en équipement motorisés de Montréal (EMEMM) située sur la rue Saint-Denis à Montréal.

Au moment d'écrire ces lignes (été 2014), la Mustang est entièrement démontée. La plupart des nouvelles pièces sont déjà livrées et celles qui sont conservées demanderont une réfection majeure. Le moteur et la transmission ont été ouverts et restaurés selon les règles de l'art.

Il est assez facile de restaurer une Mustang, peu importe son année, puisque toutes les pièces sont reproduites et généralement vendues à un prix juste. Il serait donc tentant pour nos restaurateurs en herbe de simplement acheter de nouvelles pièces mais cela ne respecterait pas le principe même de la restauration d'une automobile. Certes, plusieurs pièces cruciales de la Mustang originale ont dû être mises de côté car elles étaient trop abimées par la rouille mais, dans bien des cas, les jeunes doivent trouver des trésors d'imagination pour reproduire certains morceaux. Un jour, quand ils auront à restaurer une Packard ou une Jaguar, ils sauront…

L'heureuse personne qui repartira du Salon International de l'Auto de Montréal 2016 avec les clés de notre Mustang aura en sa possession une voiture mieux fabriquée que l'originale! Difficile à croire mais c'est le cas puisqu'à l'époque les méthodes de fabrication et le contrôle de la qualité étaient loin de satisfaire nos normes actuelles.

Pour en apprendre davantage, nous vous invitons à lire l'avant-propos de notre éditeur, Jean Lemieux à la page 8.

Alain Morin

POUR SUIVRE CE PROJET
SUR NOTRE SITE WEB
www.guideautoweb.com

QUAND DESIGN ET QUALITÉ SE RENCONTRENT.*

CADENZA
Au premier rang des grandes voitures
pour la qualité initiale aux États-Unis.

SPORTAGE
Au premier rang parmi des petits VUS pour la qualité
initiale aux États-Unis, deux années de suite.

Le pouvoir de surprendre

Notre gamme de véhicules s'est méritée à ce jour bon nombre de prix de design.* Mais ces deux nouvelles distinctions liées à la qualité démontrent que nos modèles ne se distinguent pas seulement par leur belle apparence. Le sondage J.D. Power sur la qualité initiale mesure la qualité des véhicules neufs dans les premiers 90 jours d'utilisation et cette année, la Cadenza 2014 s'est classée au premier rang dans la catégorie des voitures de luxe, alors que le Sportage a fait de même dans son segment pour une deuxième année consécutive. C'est dire que peu importe le modèle que vous choisissez, vous obtenez à la fois style et qualité. **Kia.ca.**

EN PAGE
COUVERTURE

PAR DAVID BOOTH | PHOTOS : DARREN BEGG

PAGANI, L'HOMME ET LA MACHINE

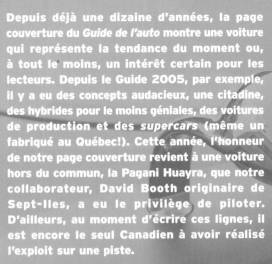

Depuis déjà une dizaine d'années, la page couverture du *Guide de l'auto* montre une voiture qui représente la tendance du moment ou, à tout le moins, un intérêt certain pour les lecteurs. Depuis le Guide 2005, par exemple, il y a eu des concepts audacieux, une citadine, des hybrides pour le moins géniales, des voitures de production et des *supercars* (même un fabriqué au Québec!). Cette année, l'honneur de notre page couverture revient à une voiture hors du commun, la Pagani Huayra, que notre collaborateur, David Booth originaire de Sept-Îles, a eu le privilège de piloter. D'ailleurs, au moment d'écrire ces lignes, il est encore le seul Canadien à avoir réalisé l'exploit sur une piste.

La Pagani n'est pas seulement qu'un jouet pour multimilliardaire. Certes, il y a un marché sans cesse grandissant pour ces voitures qui valent trois ou quatre maisons unifamiliales, mais c'est surtout l'histoire derrière cette fantastique bagnole qui nous a intéressés. Comment Pagani, parti de rien, a-t-il pu créer une telle bête?

Pour en connaître davantage sur le comportement de la Huyara, prière d'aller voir à la page 534. Pour l'histoire derrière cette fabuleuse routière, lisez ce qui suit...

LA PAGANI N'EST PAS SEULEMENT QU'UN JOUET POUR MULTIMILLIARDAIRE.

Horacio Pagani tient mordicus à ce que l'on comprenne bien que rien de ce qu'il a créé n'est le simple fruit de l'inspiration. Et il en a créé des choses : son entreprise de design de Modène en Italie, le carbotitane (un tissage de fibres de carbone et filaments de titane), des super voitures fabriquées à la main incroyablement puissantes d'une valeur de près de 1,5 million de dollars US l'unité, et même une mini moto construite à partir de zéro quand il avait 14 ans. Non ce n'est pas l'inspiration qui a permis tout cela, c'est le travail, explique l'homme de 58 ans originaire de Casilda en Argentine.

« Plusieurs personnes me décrivent comme un individu exceptionnel parce qu'en voyant mon entreprise, elles ont l'impression qu'elle est le résultat d'un super pouvoir quelconque... explique Pagani. En réalité, elle résulte simplement d'un mélange de méthode, de ténacité et de rigueur. » Cet ingénieur de haut vol, dont la créativité semble être une seconde nature, réduit toujours l'importance de son talent en faveur du travail assidu et de la détermination.

Tout jeune et déjà...

C'est sans doute cette détermination qui pousse déjà le tout jeune Pagani à sculpter des supercars en bois de balsa avec seulement quelques lames de rasoir Gillette et des feuilles de papier sablé (certaines de ces voitures ont d'ailleurs une ressemblance frappante avec la Zonda, une de ses futures créations). Dès l'âge de 20 ans, il fabrique son propre modèle d'auto à roues découvertes, destiné aux courses de F2 en Argentine (c'est le seul modèle de pure compétition dessiné par Pagani jusqu'ici). C'est également cette détermination qui le pousse à émigrer en Italie avec pour tout bagage deux bicyclettes et une tente (dans laquelle il dort, avec sa femme Cristina), même s'il sait que le poste qu'on lui avait promis chez Lamborghini a été résilié.

Pendant tout son cheminement, Pagani attire auprès de lui d'autres passionnés prêts à l'aider à réaliser ses rêves (des rêves que son père considérait comme « fantaisistes »; il aurait préféré que son fils se consacre à l'entreprise familiale de boulangerie). Parmi ces passionnés, il y a

eu Gustavito Marani : lui et le jeune Horacio étaient en concurrence, et cela les a poussés tous deux à construire des mini motos étonnamment sophistiquées (surtout quand on tient compte du fait qu'ils récoltaient toutes leurs pièces gratuitement). Il y a eu également Tito Ispani : son atelier est devenu un lieu de travail non officiel pour les deux jeunes inventeurs. Et de nombreux mécaniciens qui ont accepté de donner leurs vieux moteurs, des roues et toutes sortes d'autres pièces au petit adolescent têtu.

L'apport de Fangio

Mais surtout, il y a eu Juan Manuel Fangio, son compatriote argentin, cinq fois champion de Formule 1. Fangio s'est lié d'amitié avec le jeune Pagani à l'époque où ses bolides exotiques n'étaient encore que des rêves sculptés en balsa sur les étagères de la boulangerie familiale. Un jour, Pagani a confié à Fangio qu'il voulait devenir concepteur de voitures de GT et qu'il souhaitait « faire passer sa carrière à un niveau supérieur en Italie ». Pagani espérait que le grand champion pourrait lui ouvrir des portes chez un constructeur automobile. Fangio fait bien plus que cela. Impressionné par le portfolio de Pagani, il écrit à cinq

constructeurs : Osella, Ferrari, Lamborghini, De Tomaso et Alfa Romeo. À part Enzo Ferrari, tous acceptent de recevoir Pagani en entrevue.

C'est ainsi que Pagani entre chez Lamborghini (mais avec un retard causé par le ralentissement des ventes de supercars). Il n'y reste pas très longtemps, mais suffisamment quand même pour devenir un expert en matériaux composites. Il lance ensuite sa firme, Modena Design, crée le carbotitane, puis sa première super voiture, la Zonda. (Quand les gens de Lamborghini la voient, ils veulent réengager Pagani et utiliser son prototype pour la Diablo!)

L'avenir, c'est aujourd'hui

Et maintenant, Pagani doit agrandir sa petite usine de la Via dell'Artigianato, là où l'on construit à la main une grande partie de la Huayra. La demande pour ce bolide, capable de filer à plus de 320 km/h, a connu une hausse fulgurante malgré son prix effarant. À l'intérieur de la nouvelle usine, on retrouve ce souci du détail qui caractérise Pagani. Tout a été créé ou soigneusement approuvé par lui. Même les

chariots en aluminium allégé qui servent à déplacer les gros moteurs V12 turbo de Mercedes ont été conçus et fabriqués par le maître lui-même. Les cuves qui servent de châssis sont en fibres de carbone appliquées manuellement. Le cuir des panneaux intérieurs est apposé méticuleusement. Chaque pièce de carrosserie est testée et ajustée jusqu'à la perfection. La cabine de peinture est tellement impeccable que Rolls-Royce en serait jalouse. Quand Pagani quitte son atelier après tout le monde en soirée, il laisse des notes à ses ingénieurs et à ses artisans pour leur expliquer en détail les changements qu'il aimerait bien qu'on réalise avant son arrivée le lendemain.

Le résultat de tout ce travail est absolument exceptionnel. Les Pagani sont des œuvres d'art sur roues. Toutes les pièces que l'on voit — des panneaux extérieurs en fibre de carbone jusqu'aux plus petits ornements de l'habitacle — sont réalisées avec un soin et une précision extrêmes. Et c'est aussi le cas des pièces que l'on voit moins — des vis de fixation de la suspension jusqu'aux moyeux pour les gigantesques jantes en alliage AppTech. On trouve également sur

les Pagani des innovations techniques que même les constructeurs établis de voitures exotiques n'utilisent pas. C'est le cas, par exemple, du carbotitane, et des impressionnants freins pneumatiques à contrôle électronique de la Huayra. La firme se distingue aussi par sa fiabilité. L'exemplaire que j'ai piloté à fond de train pendant une cinquantaine de tours à l'autodrome de Modène affichait plus de 105 000 km au compteur. Les Pagani ne se contentent pas d'être superbes, elles sont aussi extrêmement rapides. En 2010, une Zonda R a établi un record de 6 minutes et 47 secondes sur le célèbre circuit de Nürburgring, un temps que les super hybrides de Porsche, Ferrari et McLaren n'ont pas encore officiellement réussi à égaler.

Les magnifiques créations automobiles de Pagani illustrent bien que les rêves les plus fous — même ceux d'un jeune Argentin fils de boulangers — peuvent devenir réalité. Oui, la Pagani Huayra mérite amplement de représenter le *Guide de l'auto 2015*!

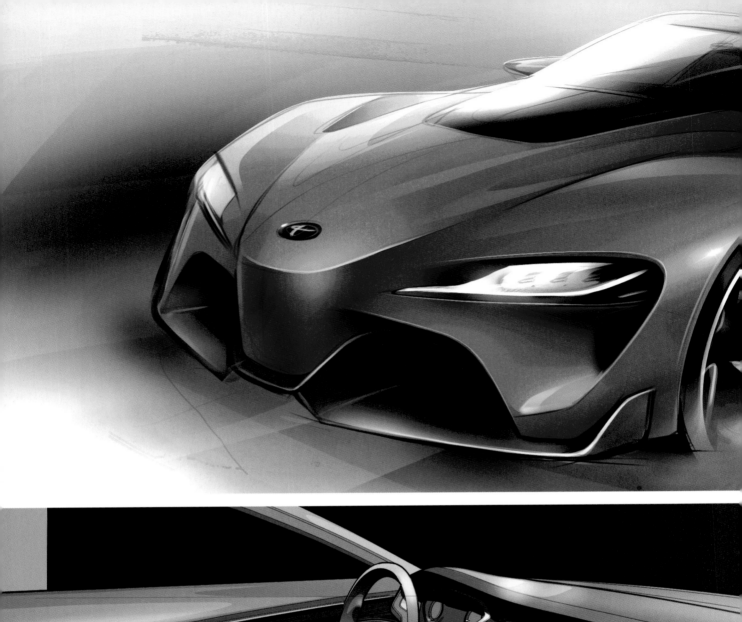
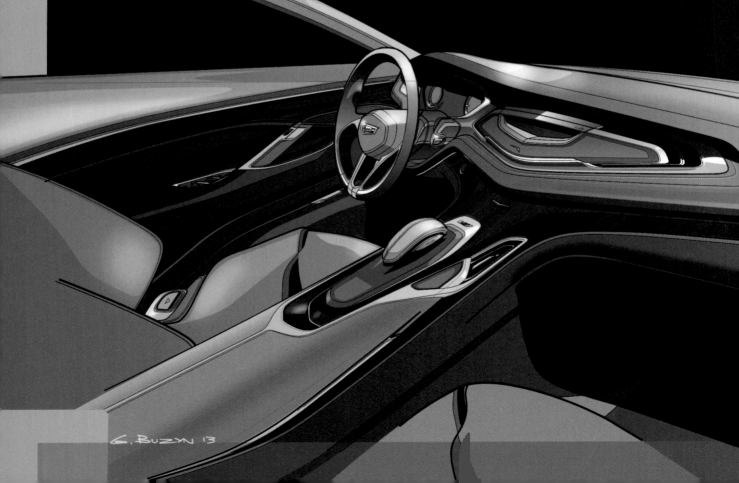

G. BUZYN 13

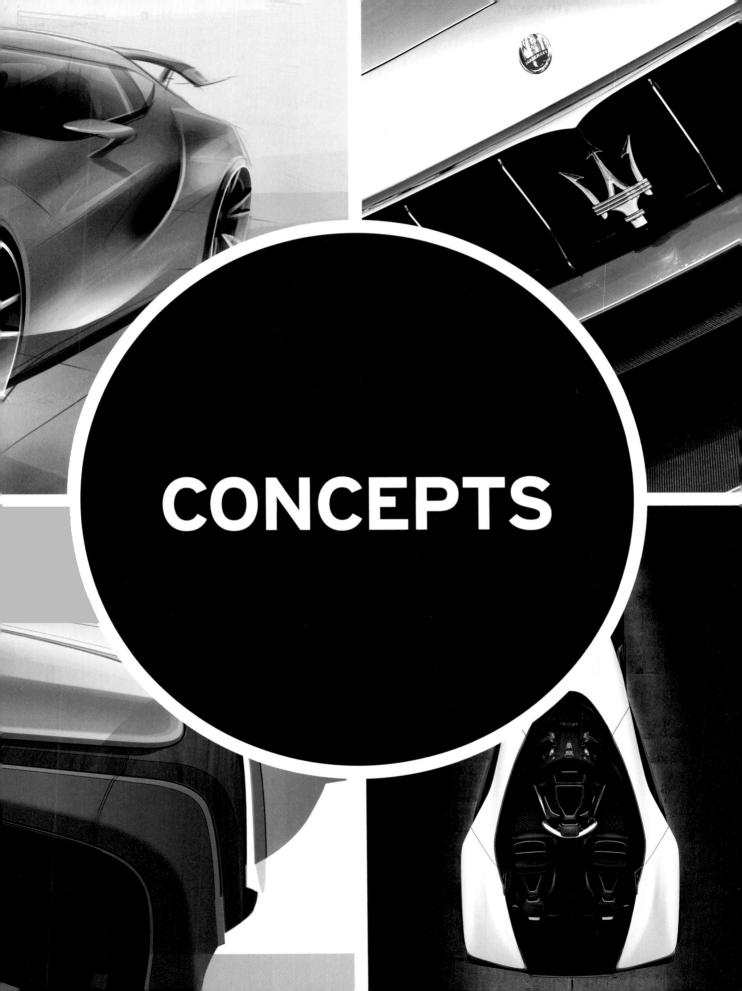

CONCEPTS

AUDI **ALLROAD SHOOTING BRAKE CONCEPT**

SALON DE **DETROIT,** 2014

Le constructeur aux anneaux présente un concept hybride bénéficiant de l'ADN de la TT 2015. Affichant un poids de seulement 1 600 kilos, c'est également un véhicule très léger, dont la carrosserie est faite d'aluminium et de fibre de carbone renforcée de polymère. Sous son capot, on retrouve une mécanique hybride e-tron rechargeable, composée d'un moteur TFSI de 2,0 litres associé à deux moulins électriques, lesquels développent en combinaison une puissance totale de 408 chevaux. Le tout est accouplé à une boîte e-S tronic à double embrayage à six rapports. En mode électrique, son autonomie est évaluée à 50 km, voire à 830 km en mode hybride rechargeable. Il passe de 0 à 100 km/h en 4,6 secondes et annonce un bilan énergétique de seulement 1,9 l/100 km sur le cycle de test européen.

BMW **VISION FUTURE LUXURY CONCEPT**

SALON DE **BEIJING**, 2014

À lui seul, ce nom précise les visées du constructeur bavarois concernant ses intentions d'offrir une berline encore plus sophistiquée que ne l'est l'imposante BMW de Série 7. D'ailleurs, on parle déjà d'un modèle de Série 9 en gestation. Il s'agit d'une voiture de grand luxe à long empattement qui disposerait de maints atouts pour affronter, comme par hasard, la future Mercedes-Benz Classe S Maybach. À l'intérieur, on retrouve une console centrale très branchée et surtout tournée vers le conducteur. À la fois élégant et athlétique, le Vision Future Luxury Concept adopte une motorisation hybride rechargeable. Les Chinois étant friands de berlines à empattement allongé, il n'est dont pas étonnant que BMW ait choisi le Salon de Beijing pour le dévoiler.

CADILLAC
ELMIRAJ CONCEPT

PEBBLE BEACH, 2013

Le concept Elmiraj est un imposant coupé haute performance. Pour certains, il était annonciateur des intentions de Cadillac à vouloir affronter de plein fouet les prestigieux coupés allemands offerts par BMW et Mercedes-Benz. Il tire son nom du lac asséché El Mirage, situé à Adelanto en Californie. Sa silhouette a été inspirée par celle de la Cadillac Eldorado 1967 et annonce la prochaine signature stylistique de la marque. Le coupé à quatre places, long de 5 207 mm, est pourvu d'un V8 biturbo de 4,5 litres qui génère 500 chevaux. Extrêmement luxueux et bien branché, l'habitacle se pare d'une boiserie rose brésilienne et de plusieurs écrans à haute résolution.

FIAT 500 **AMPHIBIOUS**

US OPEN SURFING, 2013

Superbe exercice de marketing de la part de la division américaine de Fiat, qui a utilisé des 500 amphibies pour amuser les spectateurs à Chicago, lors de l'édition 2013 de l'US Open Surfing d'Huntington Beach, ainsi qu'à Miami lors de l'inauguration du paquebot MSC Divina. Mais ne soyons pas dupes! Il s'agit simplement de coques de Fiat 500 en fibre de verre montées sur des motomarines conçues pour distraire les foules durant différents événements.

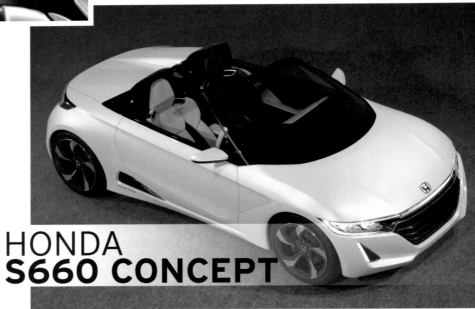

SALON DE **TOKYO**, 2013

Le Honda S660 Concept, tout comme le S600 d'antan, est un petit roadster. Il puise son inspiration du concept EV-Ster dévoilé en 2011, mais dont les formes sont nettement plus réalistes, voire très près d'un modèle de série à venir. Il pourrait éventuellement servir de base au développement d'un roadster visant la clientèle de la mégapopulaire Mazda MX-5 Contrairement au concept EV-Ster qui disposait d'une motorisation électrique, le S660 propose un trois cylindres turbo de 660 cc de 64 chevaux, accouplé à une boîte CVT.

HONDA **S660 CONCEPT**

HYUNDAI
INTRADO CONCEPT

SALON DE GENÈVE, 2014

Hyundai s'est inspirée du monde de l'aviation pour baptiser son Intrado, puisque ce nom est celui de la partie inférieure d'une aile d'avion servant à assurer la portance de l'appareil. Le châssis est en fibre de carbone et sa carrosserie est faite d'un acier ultraléger. Les techniques d'assemblage utilisées sont en instance d'être brevetées. Sa motorisation entièrement électrique associée à une batterie au lithium-ion de 36 kWh autorise une autonomie de 600 kilomètres.

SALON DE DETROIT, 2014

Au cours des dernières années, le constructeur sud-coréen nous a habitués à découvrir des concepts qui sont devenus des modèles de série, et il y a tout lieu de croire qu'il en sera de même pour le Kia GT4 Stinger Concept. Avec sa configuration 2+2, il se présente sous forme d'un coupé sport épuré aux lignes plutôt agressives. Sous son capot, ce coupé à propulsion cache un quatre cylindres suralimenté de 2,0 litres qui dégage une puissance de 315 chevaux. La transmission manuelle est à six rapports.

KIA
GT4 STINGER CONCEPT

JAGUAR
C-X17 CONCEPT

SALON DE **BRUXELLES**, 2014

À ce jour, trois déclinaisons du concept C-X17 de Jaguar ont été présentées au grand public. Ce concept a été conçu autour d'une nouvelle plate-forme appelée iQ. Ses lignes très raffinées constituent une autre grande réalisation du génial designer Ian Callum, dont la silhouette (celle du C-X17 pas celle de Callum!) est quasi identique à celle du modèle de série en développement. La dernière mouture du C-X17 de Jaguar a été vue au Salon de l'auto de Bruxelles, parée d'une carrosserie couleur rouge Italian Racing. L'habitacle très branché du véhicule montre une interface et des écrans tactiles, en plus de bénéficier d'un système audio Meridian à 12 haut-parleurs. Le VUS de série entièrement en aluminium devrait normalement utiliser des moteurs quatre cylindres turbo et V6 surcompressés.

Recommandée par

QUAND L'INNOVATION EN MATIÈRE DE CARBURANT MÈNE À DES MOMENTS EXCITANTS SUR LA ROUTE.

Une passionnante promenade en voiture repose sur l'utilisation d'un excellent carburant. Voilà pourquoi nos scientifiques ont mis au point l'essence super Shell V-Power^{md}, le choix de Ferrari pour profiter d'une meilleure performance. Faites le plein de Shell V-Power dès aujourd'hui et transformez nos innovations sur la piste en moments excitants sur la route.

shell.ca/vpowerf

Shell
V-Power®
Essence super

MASERATI
ALFIERI CONCEPT

SALON DE **GENÈVE**, 2014

Les futurs modèles de la marque au trident hériteront de l'ADN de l'Alfieri Concept, lequel se présente sous la forme d'une GT (Gran Turismo) pure et dure. La haute direction de Maserati a également profité de l'occasion pour souligner son 100e anniversaire. De par ses dimensions, le concept Alfieri vient se positionner sous la Maserati Gran Turismo, tout en disposant des attributs nécessaires pour affronter le séduisant coupé F-Type de Jaguar. Le moteur de la GT 2+2 italienne est un vigoureux V8 de 4,7 litres signé Maranello (ou si vous préférez : Ferrari), dont la puissance est de 460 chevaux. Un moteur d'une superbe sonorité qui n'a pour but que de vous faire tourner la tête à chaque passage de la bête.

CONSULTER LA BIBLE DE L'AUTOMOBILE

POUR ÉVITER DE BLASPHÉMER

LORS DE TON PROCHAIN ACHAT,

T'ES RENDU LÀ.

MAZDA, T'ES RENDU LÀ.

MAZDA.CA
VROUM-VROUM

MERCEDES-BENZ
CONCEPT COUPÉ SUV

SALON DE **BEIJING**, 2014

On connaissait déjà les intentions du constructeur allemand d'offrir un véhicule utilitaire sport épousant le style d'un coupé à cinq portières, visant directement le méga-populaire BMW X6. Finalement, c'est en Chine que fut dévoilé cet imposant et très joli véhicule, dont le style est très près de celui du modèle de série à venir. Sa longueur totale annoncée est de 5 mètres, tandis que sa largeur fait 2 mètres pour une hauteur de 1,75 mètre. Il se distingue entre autres, par ses volumineux passages de roues qui accueillent des roues de 22 pouces. Conçu sur la base du ML, le modèle définitif portera le nom MLC et sera produit en Alabama, tout juste après son dévoilement au Mondial de l'automobile de Paris.

LA NISSAN GT-R^MD.
545 CHEVAUX QUI VOLENT LA VEDETTE.

Chez Nissan, l'innovation n'arrête jamais. Voilà pourquoi chaque année depuis son lancement, nous avons travaillé sans relâche pour faire de la Nissan GT-R une supervoiture plus rapide, plus puissante et plus racée que jamais.

MERCEDEZ-BENZ **AMG VISION GRAN TURISMO CONCEPT**

SALON DE **LOS ANGELES,** 2013

Imaginé initialement pour le jeu vidéo *Gran Turismo 6* sous forme virtuelle, ce concept va devenir réalité et être assemblé en seulement cinq exemplaires. Conçu sur la base de la séduisante SLS AMG GT, le modèle de série sera produit par une société indépendante. Grâce à sa carrosserie toute en aluminium et recouverte d'une peinture chromée, il annonce un poids inférieur de 91 kilos à celui de la SLS AMG GT. Le moteur choisi est un V8 biturbo de 577 chevaux accouplé à une transmission SPEEDSHIFT DCT à sept rapports. Des cinq modèles produits, deux sont réservés pour l'Europe, deux autres pour le Moyen-Orient et un seul pour l'Amérique du Nord. Le prix demandé pour ce bolide exceptionnel est de seulement 1,5 million $. Une véritable aubaine!

MINI SUPERLEGGERA
VISION CONCEPT

VILLA D'ESTE, 2014

La marque britannique s'est associée au carrossier italien Touring Superleggera pour concevoir ce séduisant roadster, lequel a été dévoilé au prestigieux Concours d'élégance de la Villa d'Este. La voiture ultralégère, qui n'a pas de toit, bénéficie d'une utilisation des plus généreuses de l'aluminium. Sous le capot, on retrouve une motorisation électrique, dont la fiche technique est demeurée secrète. Il n'est pas exclu que ce concept puisse devenir un modèle de série à tirage très limité.

SALON DE DETROIT, 2014

Attendue pour les prochains mois, la prochaine Nissan Maxima offrira une silhouette similaire à celle d'un coupé à quatre portes, dont les lignes générales seront empruntées au concept Sport Sedan. Avec son « museau » V-Motion, sa robe orange, ses imposantes roues sport de 21 pouces et son habitacle très futuriste, il va sans dire que cette berline dispose d'atouts extrêmement convaincants. Son moteur est un V6 de 3,5 litres qui livre plus de 300 chevaux et il est accouplé à une boîte CVT XTronic.

NISSAN
SPORT SEDAN
CONCEPT

ROULEZ L'ESPRIT TRANQUILLE

Le Circuit électrique, le plus grand réseau de bornes de recharge publiques du Québec, compte maintenant plus de 250 bornes en service dans plus de 60 villes et 14 régions.

Une grande partie des besoins de recharge des propriétaires de véhicules électriques est comblée à la maison. Grâce au Circuit électrique, les conducteurs de véhicules électriques roulent l'esprit tranquille en sachant qu'ils peuvent se ravitailler pendant leurs déplacements pour aussi peu que 2,50 $ la recharge.

Pour voir où sont situées les bornes de recharge, visitez le**circuit**electrique.com.

Circuit
électrique
ALIMENTÉ PAR
HYDRO-QUÉBEC

PARTENAIRES FONDATEURS

NISSAN
BLADEGLIDER CONCEPT

Les formes futuristes de ce concept ne sont pas sans rappeler celles du Nissan Deltawing vu aux 24 heures du Mans. Triangulaire, la voie avant du véhicule est de seulement 1,1 mètre, tandis qu'à l'arrière elle est de 1,89 mètre. Ces dimensions réduisent la trainée aérodynamique et augmentent la stabilité dans les courbes. Grâce à la configuration trois places, le conducteur s'assoit dans le siège en position centrale. À propulsion, on retrouve deux moteurs électriques montés dans les moyeux des roues à l'arrière, lesquels sont alimentés par des batteries au lithium-ion. Il y a tout lieu de croire que Nissan produira ce véhicule très original en quantité limitée, devenant ainsi un sérieux rival au Volkswagen XL1.

RINSPEED
CONCEPT XCHANGE

Le préparateur suisse se lance à son tour dans l'aventure de la voiture autonome, en utilisant comme base une berline Tesla Model S. Le concept se distingue tout particulièrement par sa configuration intérieure qui permet aux passagers de placoter, de lire, de regarder la télévision ou de se reposer, pendant que la voiture se dirige vers sa destination de façon entièrement autonome, ou presque. Au besoin, un passager peut prendre le contrôle de la voiture à condition que celle-ci puisse le reconnaître avec l'aide de son téléphone intelligent. Le système d'infodivertissement comprend, entre autres, un écran de 32 pouces placé à l'arrière et un puissant système audio. On retrouve même une machine à espresso!

La marque smart offrira éventuellement un nouveau modèle à quatre places qui devrait une fois de plus porter le nom forfour, en continuité avec l'ancienne version qui était vendue en Europe il y a quelques années. Ce modèle viendra se joindre à la prochaine fortwo, deux voitures actuellement en développement sur la base de la Renault Twingo. Cependant, smart a déjà annoncé que la forfour ne viendra pas en amérique, du moins pas tout de suite. Le concept fourjoy sans toit et sans portières, peut accueillir aisément quatre personnes. Le concept est mu par un moteur électrique de 74 chevaux, tandis que les versions de série feront place à un trois cylindres turbo de 75 chevaux.

SMART
FOURJOY CONCEPT

SUBARU
VIZIV-2 CONCEPT

Avec cette deuxième mouture du concept Viziv, Subaru annonce ses intentions d'offrir un véhicule de type multisegment compact. Malgré les apparences, nous sommes bel et bien en présence d'un véhicule à quatre portières pouvant accueillir quatre personnes. Les portières avant s'ouvrent en élytre tandis qu'à l'arrière elles sont coulissantes. À motorisation hybride, on retrouve un quatre cylindres à plat turbo de 1,6 litre relié à deux moteurs électriques placés sur l'axe arrière.

TOYOTA
FT-1 CONCEPT

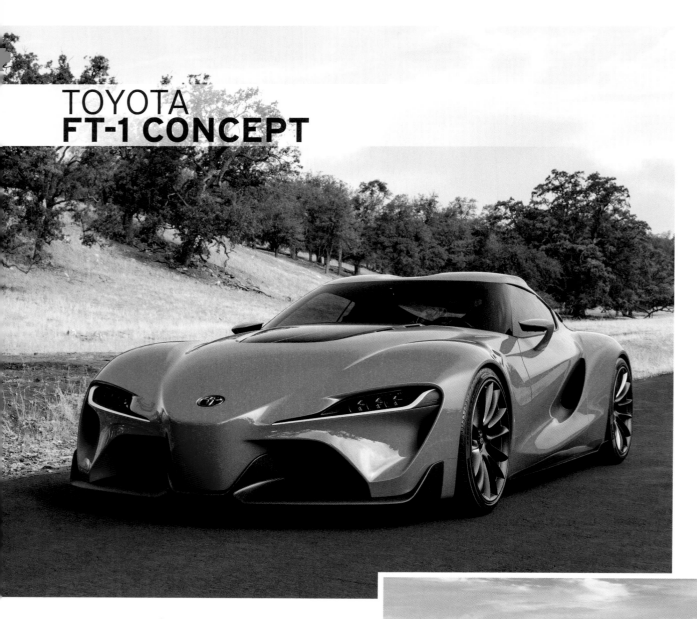

SALON DE **DETROIT**, 2014

Le constructeur nippon va faire renaître le nom Supra, et il y a de fortes chances que le coupé sport en développement hérite à sa façon des formes du concept FT-1, d'abord conçu par les studios de design Calty de Toyota en Californie pour le jeu vidéo *Gran Turismo 6*. Il est vite passé du mode virtuel au monde réel lors de son dévoilement au Salon international de l'auto de Detroit. Ses formes très musclées épousent le langage visuel « sculpture fonctionnelle », principalement axé sur l'aérodynamisme. Il appert que la Supra de série serait offerte en deux versions, l'une disposerait d'un moteur quatre cylindres turbo d'environ 250 chevaux, tandis que la seconde renfermerait d'une motorisation hybride de plus de 400 chevaux.

Jusqu'à

360 $

de réduction sur vos assurances

JUSQU'À
360 $
DE RÉDUCTION

- **Jusqu'à 360 $ de réduction** en regroupant vos assurances auto, habitation et véhicules de loisirs chez nous.[1]

- **Jusqu'à 20 % de rabais supplémentaire** pour les conducteurs sans réclamation.

- **Assistance routière gratuite** si vous possédez à la fois une assurance auto, habitation et protection juridique chez nous.

- **Protection Airmedic** offerte gratuitement ou à tarif réduit procurant des services de secours médicaux d'urgence par hélicoptère. Une valeur de 250 $ par année![2]

Obtenez une soumission aujourd'hui!

1 855 747-7805
lacapitale.com

La Capitale
Assurances générales

VOLKSWAGEN
T-ROC CONCEPT

Le T-ROC Concept sera à l'origine du développement d'un nouveau VUS urbain, qui viendra se positionner sous le Volkswagen Tiguan qui, en passant, sera bientôt remplacé par un modèle un peu plus volumineux. Le Tiguan actuellement offert mesure 4 427 mm, tandis que la longueur du T-ROC est de 4 180 mm. Il est propulsé par le moteur de la Volkswagen Golf, soit un superbe quatre cylindres TDI de 2,0 litres générant 184 chevaux. Il est accouplé à une boîte DSG à double embrayage à sept rapports.

SALON DE **GENÈVE**, 2014

Inspiré par les formes de la mythique Volvo P1800 ES de 1972, ce superbe concept indique les valeurs stylistiques de certains modèles Volvo à venir. À l'intérieur, on a largement réduit le nombre de boutons et de commandes qui se retrouvent condensées dans un bloc d'instruments sous forme d'une tablette tactile. Sous le plancher de la section de chargement, on a installé un coffret de kubb (une combinaison du jeu de quilles, du fer-à-cheval et des échecs), le jeu national des Suédois.

VOLVO
CONCEPT XC ESTATE

MATCHS COMPARATIFS

LE MATCH DES ÉTOILES

Trois grandes sportives s'affrontent

La Corvette Stingray a fait une entrée spectaculaire l'an dernier pour lancer en beauté la septième génération de cette grande sportive américaine. Révélation et vedette incontestée du Salon de Detroit, la Stingray a collectionné ensuite les prix et les honneurs. Y compris le titre de Voiture nord-américaine de l'année. Il nous fallait maintenant vérifier sérieusement les ambitions de cette nouvelle Corvette en la confrontant aux meilleures voitures sport actuelles dans un des matchs comparatifs dont le Guide de l'auto a le secret. La Stingray s'est donc mesurée à la Porsche 911, autre grand classique, et à une redoutable nouvelle venue qui porte également un nom légendaire : la Jaguar F-Type Coupé R. Ces trois sportives d'exception se sont affrontées au circuit ICAR et sur une boucle de plus de 400 kilomètres, à la faveur d'épreuves et d'essais fascinants dont nous vous présentons les résultats dans les pages qui suivent.

Par : Marc Lachapelle | Photos : Jeremy Alan Glover et Marc Lachapelle

VISIONNEZ LA VIDÉO ET ENCORE PLUS DE PHOTOS DE CE MATCH
http://2015.guideautoweb.com/dossiers/

La Porsche 911 abordait ce nouveau match de sportives comme tenante du titre, en quelque sorte. Renouvelée entièrement pour son 50e anniversaire il y a deux ans, elle avait alors devancé nettement les Audi TT-RS et Mercedes-Benz SL 550 au terme d'un match dans le Guide de l'auto édition 2013. La voiture fétiche du constructeur de Zuffenhausen se pointait cette fois-ci en version Carrera 4 S à rouage intégral. Une des trois variantes présentées depuis le lancement de ce classique qui en est, comme la Corvette, à sa septième génération. Notre voiture d'essai était dotée de la boîte de vitesses PDK à double embrayage automatisé de 7 rapports pour transmettre les 400 chevaux de son six cylindres à plat de 3,8 litres à ses roues d'alliage de 20 pouces, chaussées de pneus Pirelli P Zero. À ces options s'ajoutaient, entre autres, la suspension réglable, des sièges sport, le groupe Sport Chrono et une chaîne audio Bose qui ont fait de la 911 la voiture la plus chère du trio, par une bonne marge.

La première de ses rivales est britannique et provient d'une marque et d'une lignée célèbres. Elle n'a pourtant rien de sage ou de conservateur. La Jaguar F-Type Coupé est même la plus nouvelle des trois puisqu'elle nous arrive un an après la F-Type décapotable. Le coupé complète ainsi, avec splendeur, une série que Jaguar présente comme l'interprétation moderne de sa sublime E-Type, qui fut toujours produite en coupé et décapotable. Les F-Type Coupé sont construits, eux aussi, entièrement en aluminium et leur structure est plus rigide que celle des décapotables de 80 %, selon ses créateurs. De quoi soigner leur tenue de route et harnacher les 543 (SAE) chevaux que génère le V8 de 5,0 litres surcompressé du Coupé R de notre match, soit une cinquantaine de plus que celui de la décapotable V8 S qui est néanmoins plus lourde d'une quinzaine de kilos. Il y avait du cuir partout dans l'habitacle déjà cossu de la belle Jaguar, grâce à deux groupes optionnels qui ajoutent quelques milliers de dollars à la note, sans parler du toit vitré panoramique. Pas étonnant que la voiture la plus puissante du match soit aussi la plus lourde, malgré sa coque en aluminium.

Dans la Corvette Stingray, c'est le châssis qui est maintenant fabriqué entièrement en aluminium. Parce que la carrosserie est en matériaux composites, comme toujours pour cette grande sportive américaine. La fibre de verre des débuts a été remplacée par des polymères modernes et c'est de la fibre de carbone pour le capot et le panneau de toit amovible. La Stingray est propulsée par un V8 à culbuteurs de 6,2 litres LT1 qui profite de l'injection directe, du calage variable des soupapes et même de la cylindrée variable qui le transforme carrément en V4 à vitesse constante. La nôtre était équipée du groupe Z51, une aubaine absolue et incontournable qui ajoute des roues plus grandes, la lubrification du V8 par carter sec, un échappement variable qui augmente puissance et couple, des rotors avant plus grands pour les freins Brembo et un différentiel électronique avec refroidisseur intégré en plus d'un becquet avant et d'un aileron arrière. Ouf ! Elle avait aussi les excellents amortisseurs à variation magnétique mais nous aurions volontiers troqué ses jantes chromées, vestiges d'un folklore dépassé, pour les jantes noires ou « titane ». Parce que, croyez-nous, cette Stingray est une sportive parfaitement moderne, sérieuse et raffinée.

Après avoir complété nos mesures d'accélération, de reprises et de freinage, nous sommes passés au circuit ICAR à Mirabel pour évaluer pleinement la tenue de route de nos trois aspirantes en toute sécurité et inscrire des chronos de référence pour les départager. Le lendemain, nous avons parcouru 425 kilomètres sur un écheveau extrêmement varié de routes des Cantons de l'Est qui sont certainement parmi les plus belles et intéressantes au Québec. Il y avait de tout : descentes sinueuses, longues montées, courbes de tous les rayons imaginables, sections lisses et droites ou chaussées raboteuses, truffées de fentes et semées de trous. Aux commandes de nos trois sportives, un groupe d'essayeurs expérimentés qui se sont régalés, même sous la pluie, dans ces voitures d'une qualité rare. Place aux résultats, à l'analyse et aux conclusions de ce match exceptionnel.

1re CHEVROLET CORVETTE STINGRAY

Pointage	347,56 points
Prix de la version essayée	78 840 $

C'EST ZORA QUI SERAIT CONTENT

Vous pouvez mettre les vieilles blagues au recyclage. La Corvette est maintenant une sportive de calibre mondial qui peut affronter les étalons des grandes marques sans le moindre complexe.

Elle l'a prouvé avec panache, sur le circuit et sur la route, durant ce match fascinant. C'est l'ingénieur Zora Arkus-Duntov qui a fait de la Corvette une vraie sportive au tournant des années 60. Il serait ravi de voir et conduire cette Stingray qui amorce la septième génération d'une véritable icône américaine. S'il est difficile d'en tirer les meilleures accélérations en départ arrêté avec la boîte manuelle, la Corvette a

par contre inscrit la plus courte distance au freinage à 100 km/h. Elle s'est ensuite imposée sur le circuit grâce à son équilibre exceptionnel, au muscle rageur de son gros V8 et à ce freinage signé Brembo dont la puissance et l'endurance sont remarquables. La Stingray a inscrit un chrono de 53,84 secondes, soit 2,25 secondes de mieux que ses rivales, un avantage inouï sur un tracé aussi court. Ses sièges sont infiniment meilleurs, mais certains auraient préféré les baquets de compétition (une option de 2 095 $) qui sont encore plus sculptés, pour un meilleur maintien en courbe. Parce que la nouvelle Corvette n'impose aucun autre sacrifice pour livrer une telle performance.

Elle n'a effectivement cessé d'étonner et d'impressionner sur la route par son confort, sa civilité et un amalgame convaincant de douceur et de silence de roulement. Elle fut même presque aussi frugale que la Porsche malgré les 6,2 litres de son V8 et l'absence d'un mode d'arrêt automatique. La Stingray a obtenu les meilleures notes pour son tableau de bord, ses affichages, l'intégration et l'efficacité de ses systèmes, ses rangements commodes et le coffre le plus vaste où se range facilement le panneau de toit amovible. Bref, l'américaine offre plus de presque toute chose, à prix radicalement moindre. En vraie championne qu'elle est.

2ᵉ PORSCHE 911 CARRERA 4S

Pointage | 341,51 points
Prix de la version essayée | 140 405 $

NOBLESSE ET RAISON OBLIGENT

En se fiant uniquement aux chiffres, on pouvait croire que la Porsche 911 aurait du mal à défendre son titre face à des rivales aussi musclées. C'était compter sans le raffinement de sa mécanique, sans un équilibre et une stabilité exemplaires – sur un circuit comme sur la route – et sans une visibilité et une solidité du même calibre.

La Carrera 4 S (C4 S pour les intimes) a d'ailleurs devancé ses deux rivales sur les 21 points d'évaluation du match et coiffé de peu la Corvette au classement brut pour toutes ces qualités. C'est la pondération pour son prix qui lui a coûté une autre victoire, par quelques points seulement. Sa silhouette, classique ou intemporelle pour les uns, immortelle pour Jacques Duval qui « fréquente » la Porsche 911 depuis un demi-siècle, n'enflamme plus autant les passions. Tous ont par contre été impressionnés autant par son agilité et la qualité de son comportement que par la finesse et la précision d'une servodirection électri-

que qui n'est jamais affectée par le couple acheminé aux roues avant. Le volant sport gainé de cuir lisse ne fait qu'ajouter au plaisir, tout comme les cinq cadrans entrelacés typiques de la 911, impeccablement clairs et utiles. Nos essayeurs ont beaucoup moins apprécié la tonne de minuscules boutons qu'il faut déchiffrer et manipuler pour régler la climatisation, au bas de la console. Ils ont toutefois pardonné à la C4S son roulement ferme, ses réactions sèches sur les fentes et un bruit de roulement proportionnel à la rugosité du bitume en songeant au hurlement de son six cylindres en pleine accélération, à plus de 7 000 tours/minute, modulé du bout des doigts grâce à une boîte de vitesse PDK remarquablement précise et rapide. Comme le dit Claude Carrière, la 911 est « le choix des cartésiens » qui auront peut-être la patience de laisser la dépréciation faire son œuvre, lentement, à défaut de pouvoir se l'offrir dès maintenant.

3e JAGUAR F-TYPE COUPÉ R

Pointage	337,08 points
Prix de la version essayée	119 193 $

LA BELLE EST UNE BÊTE

Cette Jaguar vous accroche d'abord par les yeux, avec sa silhouette fuselée et la rondeur exquise de ses ailes arrière. C'est ensuite par les oreilles qu'elle se glisse en vous lorsque vous appuyez sur le bouton doré et que son V8 de 543 (SAE) chevaux s'éveille en crachant un rugissement rauque par ses échappements inoxydables. Mais c'est finalement aux tripes et au plexus qu'elle vous saisit dès que vous enfoncez sérieusement l'accélérateur une première fois.

Le plaisir est viscéral, irrésistible, indescriptible. Et il se prolonge à volonté si une route sinueuse et dégagée se déroule devant elle. La F-Type Coupé R a été jugée la plus belle de ce match, dehors comme dedans. Et l'équipe du chef styliste Ian Callum n'a pas raté son coup pour l'habitacle non plus, à en juger par les notes accordées pour la qualité de la finition et des matériaux. Nos essayers ont également apprécié l'ergonomie des commandes et le silence louable qui règne à bord. Sauf pour le bruit de vent autour de ses gros rétroviseurs extérieurs dont le gauche bloque d'ailleurs sérieusement la vue du pilote sur le point de corde. La ligne de toit fuyante et la lunette très inclinées n'aident pas non plus la visibilité vers l'arrière. Si la Coupé R a facilement largué ses rivales en accélération, elle a montré ses limites sur le circuit. Son surpoids de deux cents kilos, par rapport à la Porsche 911, produit un roulis que tous ont noté. Son pilotage est également délicat avec tout ce couple qui déferle aux roues arrière. De toute manière, l'attrait du fauve ne se mesure pas bêtement en chiffres. Une fois leurs notes remises et leurs commentaires soumis, c'est effectivement la Jaguar que nos essayers ont préférée, en majorité, dans leur classement personnel. Une affaire de sensations, de séduction ou de pure passion. En ajoutant confort, aplomb, performance et raffinement, le compte est bon.

TROIS GAGNANTES, UNE CHAMPIONNE

Trois grandes sportives au sommet de leur forme. Deux héritières parfaitement dignes de leur lignée et une troisième qui fait revivre l'esprit d'un grand classique dans la plus pure modernité. Après des heures à mesurer leurs performances avec rigueur, après une journée au circuit ICAR à explorer leur comportement à la limite, après des centaines de kilomètres de conduite et une soigneuse compilation des notes accordées, elles se sont retrouvées presque nez à nez au classement final.

Vous verrez, en examinant le tableau de pointage, que la Porsche 911 Carrera 4 S a devancé la Corvette Stingray d'un maigre 1,73 point au pointage brut et que la Jaguar F-Type Coupé R est seulement 3,73 points derrière. Des marges infimes, sinon microscopiques, sur un total possible de 500 points. Et lorsqu'on applique le facteur de pondération pour le prix, le même qui est utilisé pour les prix annuels de l'AJAC, l'écart entre les trois n'est encore que de 6,05 points. Cette fois, par contre, il est à l'avantage de la Corvette dont le prix est nettement inférieur. L'écart est quand même de 40 353 $ avec la Jaguar et de 61 565 $ avec la Porsche.

La nouvelle Stingray qui chauffe de si près la Porsche 911 et devance légèrement la Jaguar F-Type en comparaison directe, c'est déjà un exploit. D'autant plus que ses performances exceptionnelles ne sont plus livrées au détriment du confort ou du raffinement. Qu'elle réussisse à le faire à un prix aussi intéressant par rapport à ses rivales, c'est carrément remarquable. Surtout que Chevrolet affirme dégager un profit sur chacune des voitures produites à l'usine de Bowling Green dans le Kentucky. La victoire finale de cette nouvelle Corvette, dans notre match des étoiles, est pleinement méritée. Reste à voir comment elle subira le passage du temps avec les quelques peccadilles d'assemblage et de finition qu'ont remarquées nos essayeurs.

La longévité n'est certainement pas un problème pour la Porsche 911 dont c'est une des forces. Tout comme une valeur de revente élevée qui compense un prix vraiment corsé et le coût épicé des options. La Carrera 4 S est la plus facile à vivre au quotidien. La plus polyvalente aussi, avec un rouage intégral qui se moque des conditions routières et ne rechigne aucunement sur un circuit. C'est le couteau suisse du trio, comme l'a noté Claude Carrière. Une voiture robuste qui ne craint ni la route ni la piste, été comme hiver. Sa conduite est également la plus fine de ce trio et son comportement sûr met en confiance. On se glisse dans la 911 comme on enfile un gant avec des sièges sport qui vous enveloppent et vous tiennent en place impeccablement, pour la bagatelle de 3 360 $. Le volant sport gainé de cuir est superbe, les

commandes sont précises, les cadrans clairs et nets. La Carrera 4 S est par contre la moins douée des trois pour les longs trajets avec un bruit de roulement qui peut devenir agaçant et une suspension encore allergique aux lézardes et autres joints de dilatation qui foisonnent sur nos routes.

La Jaguar F-Type Coupé R est à la fois reine de beauté et bête féroce. Elle se transforme de voiture grand tourisme cossue en un missile terrestre redoutable en activant le mode Dynamique, en plaçant le sélecteur de la boîte automatique en mode Sport et en appuyant sur l'accélérateur. Son V8 est comme un cœur de dragon qui fait tout sauf cracher le feu. Le chant des quatre échappements est hallucinant et la poussée incroyable, avec ce différentiel autobloquant électronique remarquablement efficace. Chose certaine, il faut une mécanique d'exception pour éclipser des références comme le V8 costaud de la Corvette et le légendaire moteur boxer de la 911 qui sont pourtant meilleurs que jamais. La F-Type est la plus large, spacieuse et confortable de ce trio, et sur la route, son aplomb et la solidité de sa carrosserie impressionnent. Sur chaussée rugueuse ou bosselée, le roulement est ferme, jamais sec, et on n'entend jamais le moindre craquement. Aimer la belle anglaise, c'est toutefois se rappeler qu'elle apprécie moins les circuits que ses rivales. Ses kilos en plus sont la rançon probable du confort, de l'élégance et du raffinement.

Le portrait est complet. D'un côté, deux européennes racées au caractère tranché, presque opposé. Chacune a ses forces, ses préférences, ses spécialités et ses envers. Face à elles, on retrouve une grande sportive américaine qui sait tout faire pour beaucoup moins cher, toujours avec brio. C'est notre championne.

Merci à nos essayeurs : Claude Carrière, Jacques Duval, Théo De Guire-Lachapelle, Alexandre Langlois et Michel Sallenbach.

Merci à Éliane Gilain, Jean-François Ménard-Boissonneault et toute l'équipe du Circuit ICAR pour leur accueil et leur aide précieuse dans la réalisation de ce match.

Circuit ICAR
12800, Henri-Fabre
Mirabel (Québec) J7N 0A6
Téléphone : 514 955-ICAR (4227)
Web : www.circuiticar.com
Courriel : info@circuiticar.com

POINTAGE DÉTAILLÉ

	RANG	CHEVROLET **CORVETTE STINGRAY** 1	PORSCHE 911 **CARRERA 4 S** 2	JAGUAR F-TYPE **COUPÉ R** 3
DESIGN / STYLE				
Extérieur (silhouette, proportions, originalité, style, attrait visuel pur)	/30	24,7	25,7	28,2
Intérieur (design, couleurs, style, originalité, agencement des matériaux)	/20	17,1	16,8	17,5
CARROSSERIE				
Finition carrosserie (qualité de peinture, écarts, assemblage)	/20	15,8	18,0	17,5
Qualité des matériaux intérieur (texture, couleur, surface, odeur)	/20	16,6	16,7	17,4
Tableau de bord (clarté, lisibilité des cadrans, graphisme, disposition)	/10	9,0	8,6	7,9
Rangements (accès, nombre, taille, commodité)	/10	7,6	6,6	6,9
Équipement (accessoires, multimédia, intégration, audio, etc.)	/5	4,4	4,0	4,2
Coffre (accès, volume, commodité, modularité, polyvalence)	/5	4,3	3,7	3,9
CONFORT / ERGONOMIE				
Places avant (volant, sièges avant, repose-pied, réglages)	/25	21,3	22,7	22,0
Ergonomie (facilité d'atteindre les commandes, douceur, précision)	/10	8,0	7,5	8,3
Silence de roulement (sur chaussée lisse ou raboteuse, bruit de vent)	/10	7,9	7,9	8,8
Places arrière (accès, confort, espace, appuie-tête)	/5	0,0	1,5	0,0
CONDUITE				
Tenue de route (équilibre, agilité, adhérence, facilité, marge de sécurité)	/50	44,3	47,3	41,0
Moteur (rendement, puissance, couple à bas régime, réponse, agrément)	/40	36,5	34,1	38,0
Direction (précision, 'feedback', résistance aux secousses, braquage)	/20	17,6	17,9	17,3
Freins (sensations, modulation, constance, performances, résistance)	/20	17,3	18,3	16,9
Transmission (précision, rapidité, étagement, douceur, embrayage)	/10	8,9	9,0	8,3
Qualité de roulement (suspension, solidité structurelle, stabilité)	/10	8,5	8,7	8,5
SÉCURITÉ				
Visibilité (surface vitrée, largeur des montants, angles morts)	/10	7,4	8,3	7,4
Rétroviseurs (taille, forme, emplacement, clarté)	/10	7,7	8,1	7,5
Systèmes d'aide à la conduite (efficacité, ajustabilité, rapidité)	/10	8,8	9,0	8,6
TOTAL ÉVALUATION	350	293,6	300,3	295,9
PERFORMANCES MESURÉES *				
Chrono tour de piste - circuit ICAR	/40	34,8	28,4	26,8
Accélération 0-100 km/h	/10	9,30	9,30	9,50
Accélération 1/4 de mille	/10	9,30	9,30	9,50
Reprise 80-120 km/h	/10	9,85	9,80	9,85
Freinage de 100 km/h	/20	19,3	19,0	18,4
Consommation réelle (parcours de 425 km)	/10	3,89	4,00	2,97
CHOIX DES ESSAYEURS	/50	38,3	40,0	41,7
POINTAGE BRUT	/500	418,34	420,07	414,61
POINTAGE FINAL **	/500	347,56	341,51	337,08

	CHEVROLET CORVETTE STINGRAY Z51	PORSCHE 911 CARRERA 4 S	JAGUAR F-TYPE COUPÉ R
RANG	1	2	3
Empattement (mm)	2 710	2 450	2 622
Longueur (mm)	4 492	4 491	4 470
Largeur (mm)	1877	1852	1923
Hauteur (mm)	1239	1296	1321
Voie avant / arrière (mm)	1600 / 1568	1538 / 1552	1586 / 1628
Poids (kg)	1496	1465	1650
Coefficient de traînée	0,29	0,30	0,35
Places	2	2 + 2	2
Boîte de vitesses / rapports	manuelle / 7	double embrayage / 7	automatique / 8
Rouage	propulsion	intégral	propulsion
Moteur	V8 / culbuteurs	H6 / DACT	V8 / DACT / surcompresseur
Cylindrée	6,2 litres	3,8 litres	5,0 litres
Cylindrée	6 162 cm³	3 800 cm³	5 000 cm³
Puissance maximale	460 ch à 6 000 tr / min[1]	400 ch à 7 400 tr/min	550 (543 SAE) ch à 6 500 tr / min
Couple maximal	465 lb-pi à 4 600 tr / min[1]	325 lb-pi à 5 600 tr/min	502 lb-pi à 2 500 tr / min
Rapport poids / puissance (kg / ch)	3,25	3,66	3,03 (SAE)
Essence requise	super *	super	super
Suspension avant	double bras triangulaire	jambes de force	double bras triangulaire
Suspension arrière	double bras triangulaire	bras multiples	double bras triangulaire
Freins avant / diamètre (mm) / pistons	disques / 345 / 4	disques / 340 / 6	disques / 380 / 6
Freins arrière / diamètre (mm) / pistons(s)	disques / 338 / 4	disques / 330 / 4	disques / 376 / 4
Pneus avant	245 / 35 ZR19	245 / 35 ZR20	255 / 35 ZR20
Pneus arrière	285 / 30 ZR20	305 / 30 ZR20	295 / 30 ZR20
Direction	crémaillère servoélectrique	crémaillère servoélectrique	crémaillère servohydraulique
Diamètre de braquage (m)	11,5	11,1	10,7
Réservoir de carburant (litres)	70	68	72
Capacité coffre (litres)	425	125	311
Accélération 0-100 km/h (sec)	4,46	4,61	4,03
Reprise 80-120 km/h (sec)	3,1	3,3	3,2
Accélération 1/4 de mille (sec / km/h)	12,53 / 188,79	12,69 / 182,72	12,07 / 194,3
Freinage de 100 km/h (mètres)	33,86	34,52	35,91
Chrono circuit routier ICAR (secondes)	53,84	56,09	56,26
Cons. RNC (ville / route l/100 km) 2 cycles	12,2 / 6,9	10,8 / 7,8	14,7 / 10,2
Cons. RNC (ville / route l/100 km) 5 cycles	13,7 / 8,2	12,3 / 8,9	n.d.
Cons. mesurée sur route (L/100 km)	13,56	13,18	14,67
Prix de base	59 880 $	120 500 $	109 900 $
Prix du modèle essayé **	78 840 $	140 405 $	119 193 $
Lieu de fabrication	Bowling Green, KY	Stuttgart, DE	Birmingham, GB

CHRONO SUR PISTE

CHEVROLET CORVETTE **STINGRAY Z51**	PORSCHE 911 **CARRERA 4 S**	JAGUAR F-TYPE **COUPÉ R**
53,84	**56,09**	**56,26**

ACCÉLÉRATIONS

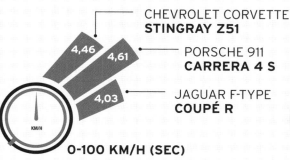

CHEVROLET CORVETTE **STINGRAY Z51** — 4,46
PORSCHE 911 **CARRERA 4 S** — 4,61
JAGUAR F-TYPE **COUPÉ R** — 4,03

0-100 KM/H (SEC)

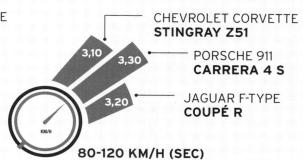

CHEVROLET CORVETTE **STINGRAY Z51** — 3,10
PORSCHE 911 **CARRERA 4 S** — 3,30
JAGUAR F-TYPE **COUPÉ R** — 3,20

80-120 KM/H (SEC)

CONSOMMATION MESURÉE (L/100 KM)

CHEVROLET CORVETTE **STINGRAY Z51**	PORSCHE 911 **CARRERA 4 S**	JAGUAR F-TYPE **COUPÉ R**
13,56	13,18	14,67

PRIX DU MODÈLE ESSAYÉ

CHEVROLET CORVETTE **STINGRAY**	78 840 $
PORSCHE 911 **CARRERA 4 S**	140 405 $
JAGUAR F-TYPE **COUPÉ R**	119 193 $

NEIGE
GLACE
& BERLINES
COMPACTES

FORD
FOCUS

CHEVROLET
CRUZE

KIA
FORTE

TOYOTA
COROLLA

MAZDA
3

NISSAN
SENTRA

VW
JETTA

HONDA
CIVIC

SUBARU
IMPREZA

Les berlines compactes,

jouissent d'une grande popularité sur notre marché. En fait, plusieurs d'entre elles dominent le palmarès des ventes. Il est donc normal que celles-ci soient testées de toutes les manières. Cela a inspiré l'équipe du *Guide de l'auto* à soumettre la douzaine de voitures compactes sur notre marché à un essai en hiver. Et de la neige, il y en a eu...

Par : Denis Duquet | Photos : Jeremy Alan Glover

DODGE
DART

MITSUBISHI
LANCER

HYUNDAI
ELANTRA

VISIONNEZ LA VIDÉO ET ENCORE PLUS DE PHOTOS DE CE MATCH
http://2015.guideautoweb.com/dossiers/

Organiser un match comparatif hivernal ? Pourquoi pas ? Il sera alors possible de départager les voitures en lice autrement que sur du pavé sec et par une belle journée ensoleillée. Ça, c'était la théorie. En pratique, un tel test représente plusieurs difficultés, ce qui explique la rareté de ces matchs. Puisque les routes sont inégalement enneigées, comment s'assurer que toutes les voitures pourront rouler sur une même surface et surtout sur une surface d'une même qualité ? De plus en hiver, la traction est de première importance. Là encore, comment procéder ? Inutile de préciser que nous étions en terrain inconnu. Enfin, quel itinéraire d'essai conviendrait le mieux ?

Après avoir analysé toutes sortes de solutions, nous avons opté pour le circuit ICAR parce que cet endroit nous permettrait de bénéficier de surfaces enneigées et glacées qui seraient d'égale qualité tout au long notre essai. En effet, on y donne des cours de conduite de rallye et de conduite hivernale, ce qui oblige les administrateurs à maintenir les surfaces enneigées et glacées tout au long de l'hiver. D'ailleurs, chaque soir on procède à l'entretien de ces surfaces. Nous avons donc été en mesure d'organiser un slalom et un test d'efficacité de traction en plus de bénéficier d'un circuit routier enneigé. En outre, les routes environnantes ont facilité l'évaluation sur des voies dégagées en grande partie et, détail intéressant, un garage sur le site doté d'un système de lavage haute pression s'est révélé être un atout majeur pour nos capteurs d'images !

Les dates choisies ont été les 13 et 14 mars. Ce choix fut tout d'abord basé sur le fait que nous étions à l'enseigne de l'heure avancée de l'Est. Cette heure d'ensoleillement supplémentaire a facilité la tâche notamment à notre photographe Jeremy Alan Glover, notre vidéaste Yohan Leduc et à l'équipe de tournage de l'émission Le *Guide de l'auto* de MAtv. De plus, au cours de cette semaine, il y avait encore quelques commissions scolaires qui étaient en relâche, ce qui devait théoriquement alléger le trafic pour nous permettre de nous rendre

plus aisément à Mirabel, site du circuit ICAR, mais même les planifications les plus songées sont tributaires de dame Nature. Un printemps chaud et hâtif aurait signifié un test hivernal sur l'asphalte, rien de plus. Heureusement pour notre match, l'hiver a été interminable. Et comme si cela n'était pas suffisant, le jeudi 13, il est tombé entre 25 et 30 centimètres de neige ! Bref, nous avons été comblés pour notre match hivernal. À tel point que nous avons dû retarder le début de nos activités d'une heure et demie la première journée afin de permettre à tous nos participants de se rendre au circuit ICAR, souvent en suivant des équipes de déneigement ! Soulignons que les manufacturiers avaient monté des pneus d'hiver de marques populaires sur toutes nos voitures.

En général, la première partie d'un match consiste en un examen statique de tous les véhicules, un exercice pas très intéressant en hiver. Le tout s'est bien déroulé malgré nos appréhensions. Nous étions protégés du vent par le bâtiment principal tandis que le soleil nous a pratiquement tenus au chaud. La neige étant tombée dans la nuit, le ciel bleu a été miraculeusement de la partie toute la journée, ce qui nous a permis d'effectuer le slalom et le test de traction sous des conditions stables. Ces deux exercices se sont déroulés sur une surface de neige durcie et partiellement glacée. Le slalom était un exercice aller-retour à basse vitesse effectué sur un parcours de 300 mètres dont les cônes étaient espacés de 30 mètres.

Pour déterminer l'efficacité de la traction et des aides électroniques à la conduite, chaque essayeur immobilisait sa voiture sur la ligne de départ et accélérait à fond en ligne droite sur une distance de 300 mètres. Les voitures offrant une meilleure traction sont celles qui ont enregistré le temps le plus court. Par la suite, nos participants ont circulé sur des routes secondaires dont le revêtement alternait entre l'asphalte et des sections enneigées. Le lendemain, journée grise et glaciale de la photo de groupe et de vidéographie, les essayeurs se sont amusés sur la piste, évaluant ainsi le comportement hivernal des 12 voitures. Les résultats ont été compilés, analysés, la fiche technique révisée et voici ce que ça donne.

1re MAZDA 3

| Pointage | 381,5 points |
| Prix de la version essayée | 28 855 $ |

SURDOUÉE

Peu importe que le mode de compilation soit brut ou pondéré, la Mazda3 a totalement dominé ce match, remportant 14 catégories sur 27. À titre de référence sa plus proche rivale, la VW Jetta, n'a devancé toutes ses concurrentes qu'à sept reprises. Cette fois encore, la Mazda3 a eu le dessus sur sa rivale germanique. Cette domination peut s'expliquer de plusieurs façons, la plus simple étant le fait que notre lauréate était le modèle le plus récent en lice.

En fait, à part des places arrière plus étroites, une visibilité perfectible ainsi qu'un classement moyen dans l'évaluation de l'efficacité du système de traction, cette Nippone a survolé le match. L'esthétique tant intérieure qu'extérieure a décrochée la première position. Son tableau de bord original avec l'ingénieux affichage tête haute a également mérité une première place. D'ailleurs, son habitacle a été nommé parmi les 10 meilleurs par la prestigieuse revue américaine *Ward's*. Un seul essayeur sur 12 l'a pris en grippe puisqu'il n'y avait pas suffisamment de place pour ses bottes Sorel. Notre essayeur a même noté que seule la Mazda3 présentait cette particularité. Sa mécanique, son comportement routier et son agrément de conduite lui ont valu de devancer les onze autres voitures de ce match. Et sa tenue de route n'est pas obtenue au détriment du confort.

La Mazda3 se classe en milieu de peloton lors du test de traction alors que le système antidérapage est trop sensible, mais elle a largement compensé dans le slalom alors qu'elle a terminé avec brio. Ce résultat s'explique en bonne partie par son équilibre général qui lui a permis de dompter le parcours enneigé parsemé de cônes.

En conclusion, son équilibre général associé à un moteur de 2,5 litres performant et son équipement complet et sophistiqué ont convaincu nos essayeurs. Force est d'admettre qu'il s'agit de la berline compacte la plus polyvalente sur le marché offrant en plus un agrément de conduite très relevé.

2ᵉ VOLKSWAGEN JETTA

Pointage	367,7 points
Prix de la version essayée	25 490 $

AMÉLIORÉE MAIS...

Lors de la confrontation des berlines compactes organisée dans l'édition 2013 du *Guide de l'auto*, la Jetta l'avait emporté. Cependant, cette fois, malgré ses nombreuses qualités, elle n'a pu avoir le dessus sur la Mazda3, un modèle plus récent qui a davantage à offrir. Cela ne fait pas de cette allemande une mauvaise voiture, car elle a devancé tout le lot au chapitre de la finition et de la qualité des matériaux. Son moteur et sa transmission ont également été plébiscités en première place. Et à bien d'autres égards, elle a suivi de près la Mazda3 au classement.

Ce que les gens ont le plus apprécié, c'est l'impression de solidité qui se dégage de la Jetta tandis que sa suspension, calibrée avec justesse et maintenant indépendante à l'arrière, assure une tenue de route relevée tout en offrant un bon niveau de confort. Sur le sec comme sur les surfaces enneigées, la voiture est demeurée facile à contrôler. Cependant, une pédale de frein trop molle est en désaccord avec les performances du groupe propulseur. Ce moteur 1,8 litre TSI lancé récemment offre un bon rendement avec des accélérations initiales franches. Toutefois, cette fougue initiale explique sans doute le piètre classement de la Jetta au chapitre de la traction alors que le système ralentit la voiture de façon énergique.

Même si sa silhouette a été jugée très sobre par la majorité des essayeurs, tous ont aimé l'équilibre des formes. Par contre, la disposition de certaines commandes au tableau de bord explique un classement à peine au-dessus de la moyenne du match à ce chapitre. La générosité des places arrière est digne de mention, et ce caractère pratique se traduit également par un coffre de très grandes dimensions. Enfin, le désembuage du pare-brise et des vitres latérales s'est révélé fort efficace.

Ces résultats font taire les nombreuses critiques qui ont ciblé la plus récente édition de la Jetta, attaquant les modifications apportées afin de la rendre plus compétitive.

3e FORD FOCUS

Pointage | 357,4 points
Prix de la version essayée | 25 664 $

COMPÉTITIVE

Si vous êtes un tantinet observateur, vous avez remarqué que la Focus inscrite à notre match hivernal était un modèle à hayon et non pas une berline comme l'étaient les onze autres voitures. Mais comme la berline et le modèle à hayon possèdent le même équipement et un comportement routier similaire, il n'y a pas raison de s'alarmer.

En contrepartie, cette configuration explique pourquoi la lunette arrière se salit plus rapidement, ce qui est désagréable en conduite hivernale. Soulignons au passage que le tableau de bord a mérité de bonnes notes pour sa présentation et il semble que les commandes vocales n'aient pas tellement

indisposé nos essayeurs. Il se peut que le caractère concentré du match ne leur ait pas donné le temps de découvrir les qualités et défauts du controversé système SYNC avec MyFord Touch! La silhouette a été appréciée au second rang et puisque celle du modèle *hatchback* est similaire à celle de la berline, elle n'a pas été avantagée par la présence d'un hayon.

Le quatre cylindres 2,0 litres de 160 chevaux livre des performances dans la bonne moyenne. Toutefois, sa transmission automatique à double embrayage n'a pas mérité de très bonnes notes, notamment en raison de passages des rapports secs en rétrogradation.

Toujours au sujet de la conduite, nos essayeurs ont apprécié la précision de la direction. La Focus figure également parmi le premier tiers du peloton au chapitre de la tenue de route. En revanche, lors du test visant à évaluer la traction pure, elle a été rétrogradée dans le bas du classement. Il lui a fallu 2,67 secondes de plus pour effectuer ce test par rapport à la Subaru Impreza qui a réalisé le temps le plus rapide.

La troisième place de la Focus s'explique en partie par un certain manque d'homogénéité avec de très bons éléments et quelques lacunes qui détonnent. D'ailleurs, elle se classe en milieu de peloton en ce qui concerne le choix des essayeurs.

4e KIA FORTE

REMONTÉE SPECTACULAIRE

Pointage 352,7 points
Prix de la version essayée 27 930 $

La génération précédente de la Forte se serait sûrement classée dans le dernier tiers du classement. Mais c'est une tout autre affaire avec cette mouture qui a été dévoilée en 2014. Comme la majorité des autres nouveaux modèles Kia, la silhouette est élégante et classique. Ce design a cependant un côté négatif alors qu'il faut se pencher plus que la moyenne pour prendre place sur la banquette arrière. La planche de bord est également réussie sur le plan esthétique bien que sa couleur « noir intégral » en ait déçu plusieurs. En contrepartie, les essayeurs ont accordé de bonnes notes à son ergonomie.

Bien que mécaniquement jumelle de la Hyundai Elantra, elle devance celle-ci de très peu. Si l'on parcourt le tableau des résultats, c'est un chassé-croisé entre ces deux Coréennes. Curieusement, la Forte s'incline dans le slalom, mais sa tenue de route lui permet de devancer l'Elantra sous ce rapport. Le différentiel de pointage entre les deux pour le slalom s'explique par la méthode de pointage utilisée privilégiant les trois premiers (15-14-13 points)

pour ensuite donner 10 points au quatrième et en donnant une note décroissante d'un point par rang par la suite. Par contre, lors de la conduite sur un circuit glacé et enneigé, les commentaires ont été partagés. Certains vantaient la facilité à contrôler la voiture en jouant de l'accélérateur, mais les dérapages ont été fréquents et plus impressionnants qu'avec les autres voitures en lice, le système antidérapage ayant semblé être pris au dépourvu par la surface enneigée de la piste, et en particulier par les plaques de glace. Lors du slalom, la direction a été l'une des plus appréciées bien que le temps enregistré soit moyen mais une fois de plus, les aides électroniques au pilotage ne l'ont pas aidée. Par ailleurs, sur la route, la direction n'a pas particulièrement brillé, et ce, malgré les réglages proposés par le système Flex que Kia ne semble pas maîtriser correctement.

Cette berline est bien équilibrée malgré une direction décevante et des aides électroniques à la conduite manquant de constance. En contrepartie, elle nous donne l'impression de conduire une voiture beaucoup plus luxueuse.

5e HYUNDAI ELANTRA

Pointage	352,1 points
Prix de la version essayée	25 649 $

ÉLÉGANTE ET EFFICACE

La Kia Forte et la Hyundai Elantra se partagent la même plateforme et le même groupe propulseur. Il n'est donc pas surprenant qu'elles obtiennent des notes similaires. En fait, seulement quelques poussières de point les départagent. À part du slalom où la Hyundai a devancé la Kia, cette dernière a un mince avantage à presque tous les points d'évaluation. La différence est généralement très faible, mais l'Elantra doit quand même s'incliner.

La silhouette tout comme la planche de bord n'ont rien à envier à la concurrence. D'ailleurs, cette élégance associée à un équipement complet en plus d'une garantie rassurante

explique pourquoi l'Elantra est l'un des modèles les plus vendus au Québec. En revanche, cette silhouette élégante rend l'accès aux places arrière plus difficile. Bref, les deux Coréennes se partagent les mêmes points forts et points faibles.

Le moteur 2,0 litres de 173 chevaux produit une puissance intéressante sur papier, mais ses performances ne sont pas aussi incisives que les chiffres permettent de croire. La direction n'est pas la plus précise malgré la possibilité de régler l'assistance avec le système DSSM (*Driver Selectable Steering Mode*). Celui-ci ne fait que rendre l'assistance plus ou moins ferme, mais rien pour gérer la précision. Le système de traction et de

stabilité est vraiment très sensible, ce qui risque de surprendre certains conducteurs sur une chaussée à faible adhérence. Ajoutez une direction perfectible et vous comprendrez que cela laisse à désirer en conduite hivernale...

Parmi les notes positives, il faut souligner le confort des sièges avant, une bonne position de conduite et un système de navigation facile. Et bien que la température ambiante fût assez clémente la première journée du match, le chauffage pour les pieds a été jugé moyen. Très populaire sur notre marché, la Hyundai Elantra souffre malgré tout d'un certain manque d'homogénéité du point de vue de la conduite hivernale.

6e MITSUBISHI LANCER

LA SURPRISE

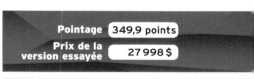

| Pointage | 349,9 points |
| Prix de la version essayée | 27 998 $ |

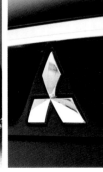

La surprise de ce match est sans contredit la Lancer. Ce modèle est demeuré inchangé depuis des années et il était permis de se demander s'il allait faire bonne figure. En premier lieu, sa silhouette équarrie était en net contraste avec les silhouettes arrondies des autres concurrentes. On peut aimer ou pas cette forme, mais elle a pour avantage d'offrir une excellente visibilité et un bon dégagement pour la tête aux places arrière. Par contre, l'aileron placé sur le couvercle du coffre à bagages alourdit ce dernier et réduit la visibilité. Ce caractère quasiment rétro propose également des commandes traditionnelles qui sont de maniement facile, surtout avec des gants, un fait apprécié de nos essayeurs.

Avec la Subaru Impreza, la Lancer était la seule à posséder la traction intégrale. Mieux encore, son système de gestion permet de régler le rouage en mode deux roues motrices, quatre roues motrices et en mode 4X4 verrouillé, contrairement au système de Subaru qui n'offre aucune possibilité de réglage. Malgré cet avantage, la Lancer a terminé un peu en retrait de l'Impreza dans notre exercice d'efficacité de traction. Cela s'explique sans doute par des pneumatiques différents. Curieusement, la Mitsubishi a terminé le slalom devant la Subaru.

Le groupe propulseur est fort convenable avec son 2,4 litres de 168 chevaux associés à une transmission CVT qui se défend assez bien. La tenue de route est l'un des autres points forts de cette voiture et elle se débrouille aussi bien sur pavé sec qu'enneigé, tandis que la direction est précise et son diamètre de braquage dans la moyenne. Soulignons qu'elle était la seule de toutes les voitures en lice à posséder une direction à assistance hydraulique alors que les autres sont à assistance électrique, ce qui lui assurait un meilleur *feedback* de la route. Cette sixième place est loin d'être usurpée. Si certains éléments sont un peu vieillots, la qualité du rouage d'entraînement, la tenue de route saine, l'habitabilité ainsi qu'une solide garantie sont à placer dans la colonne des plus.

TOYOTA COROLLA 7ᵉ

Pointage	346,9 points
Prix de la version essayée	24 860 $

Il ne faut pas s'attarder au septième rang de la Corolla puisque seulement une poignée de points la sépare du quatrième rang. De plus, avec la Nissan Sentra, c'était la voiture la moins chère de notre groupe d'essai. Toyota a claironné avec vigueur la transformation de cette berline il y a plusieurs mois. La silhouette tout comme la planche de bord ont été changées tandis que la mécanique a été en bonne partie recondut. Les changements esthétiques extérieurs ont été appréciés par nos essayeurs qui lui ont accordé de bonnes notes. C'est beaucoup moins drabe que précédemment, mais les stylistes se sont tout de même gardé une petite gêne en dessinant une carrosserie plutôt conservatrice. C'est cependant beaucoup mieux qu'avant. L'habitacle est spacieux tandis que les avis ont été partagés quant à la planche de bord que plusieurs ont trouvé trop rétro.

Avec celui de la Nissan Sentra, le moteur de 1,8 litre de la Corolla est l'un des moins vigoureux de la catégorie. Associé à une transmission automatique CVT exemplaire, sa modeste puissance permet tout de même de compter sur des accélérations correctes bien qu'il soit bruyant. Même si cette nouvelle génération est beaucoup plus agréable à conduire que l'ancienne, il y a de la place pour de l'amélioration. En outre, plusieurs essayeurs n'ont pas tellement apprécié son comportement sur la neige alors que la voiture devient instable dans les virages. Le système de contrôle de la stabilité latérale semblait moins sophistiqué que sur plusieurs des autres voitures en lice. Faute d'adopter une conduite excitante et d'impressionner la galerie avec une silhouette attrayante, cette Toyota représente toujours une excellente valeur. Sa fiabilité est légendaire sa finition sérieuse et sa longévité remarquable. Sans oublier une habitabilité de bon aloi. Voiture sage et pratique, la Corolla a cependant de la difficulté à se démarquer face à des adversaires au style plus spectaculaire, dotés de moteurs plus puissants et offrant une conduite plus relevée.

8ᵉ HONDA CIVIC

Pointage	346,4 points
Prix de la version essayée	26 851 $

Dans l'éternelle lutte à laquelle se livrent ces deux ténors nippons que sont la Toyota Corolla et la Honda Civic, cette dernière s'incline de cinq dixièmes de point par rapport à la Corolla. Chez Honda, on peut toujours se consoler avec la domination de la Civic au chapitre des ventes canadiennes depuis les 16 dernières années. Ce classement en retrait surprend alors que cette voiture a été jugée pendant longtemps comme étant la plus sportive et la plus agréable à conduire de sa catégorie. Il faut souligner que la refonte effectuée en 2013 avait pour but de corriger la transformation ratée l'année précédente. Ainsi, on a révisé la planche de bord et la silhouette en plus de modifier la suspension avant, entre autres. Depuis 2014 on fait dorénavant appel à une transmission de type CVT qui s'est classée dans le premier tiers du classement. Bref, plusieurs changements destinés à rendre la voiture meilleure, donc plus compétitive et ainsi ralentir la chute des ventes sur le marché américain.

Il faut également prendre en considération que la concurrence a été fort active depuis quelques années. Il suffit de conduire successivement une Mazda3 et une Civic pour se rendre compte de la différence. La Civic demeure toujours très intéressante, profitant d'une bonne habitabilité, propulsée par un moteur nerveux et possédant l'une des meilleures boîtes CVT sur le marché. Malheureusement, il lui manque ce punch qu'elle possédait auparavant et qui la faisait apprécier des conducteurs plus sportifs. Ce titre appartient dorénavant à la Mazda3.

Plusieurs inconditionnels de la Civic vont nous accuser d'avoir un parti pris contre cette Honda. Pourtant, ses prestations dans le slalom, le test de traction et ses temps d'accélération ne mentent pas : plusieurs voitures lui sont supérieures.

Toutefois, sa fiabilité, son équipement, son caractère pratique et une excellente valeur de revente continueront de mousser ses chiffres de vente.

CHEVROLET CRUZE 9e

Pointage	345,3 points
Prix de la version essayée	27 995 $

Le neuvième rang de la Chevrolet Cruze doit être pris avec un grain de sel puisque seulement 4,6 points la séparent du sixième rang. En fait, cette voiture n'a aucune faiblesse majeure à part une silhouette anonyme qui commence à révéler son âge, ce qui lui a valu de se classer dans le dernier tiers des 12 voitures en lice à ce chapitre. Aussi, plusieurs ont été déçus par la planche de bord dont certaines commandes étaient déconcertantes. En outre, certains auraient apprécié des matériaux de meilleure qualité dans l'habitacle. Chevrolet a accompli de grands progrès à cet effet, mais il suffit de comparer l'habitacle de la Cruze avec celui de la Mazda3 pour se convaincre que Chevrolet a des croûtes à manger.

Notre Chevrolet était propulsée par un moteur diesel 2,0 litres de 151 chevaux qui a impressionné tout le monde autant par sa souplesse que par son silence. La transmission automatique à six rapports ne s'est attiré aucun commentaire négatif, contrairement à la direction à assistance électrique qui manquait de feedback, ce qui explique sa très faible note sur ce plan. Dans l'ensemble, le comportement routier de cette Américaine, que ce soit sur le sec ou sur pavé enneigé, s'est révélé neutre et prévisible. La Cruze a terminé en milieu de peloton aussi bien dans le slalom que dans le test de traction. Il est permis de croire que le couple élevé à bas régime explique en partie ces résultats, l'impulsion initiale activant l'antipatinage et réduisant ainsi les temps d'accélérations et les reprises.

Somme toute, la Cruze est une berline bien équilibrée qui a un bon niveau d'équipement et qui offre un moteur diesel à un prix très compétitif. Mais la révision annoncée pour 2015 s'impose car sa silhouette et son intérieur ont pratiquement complété leur cycle; cela lui permettrait d'offrir une concurrence plus musclée face aux ténors de la catégorie.

10e SUBARU IMPREZA

Pointage	344,8 points
Prix de la version essayée	26 895 $

Il a déjà été écrit que si un match comparatif des compactes était disputé en hiver, l'Impreza terminerait facilement dans le peloton de tête. Ce n'est pas ce qui s'est produit. Pourtant, cette berline propose le rouage intégral de série, sa fabrication est soignée, son habitabilité supérieure à la moyenne et sa fiabilité sont réputées. Autant de raisons qui lui valent une excellente cote de la part de la revue Consumer Reports, la bible de la consommation chez nos voisins du Sud.

La différence entre les deux évaluations est que la publication américaine juge les véhicules avec la raison sans tenir compte de l'émotion et de la passion. Pour paraphraser une chanson populaire, c'est également « une question de feeling », du moins en partie. Son intérieur dépouillé, une radio de piètre qualité sonore et un design banal ont influencé les gens dans leur jugement.

Nous avions deux tractions intégrales dans ce match, la Mitsubishi Lancer et l'Impreza, et elles ont obtenu des résultats opposés dans le slalom et le test de traction. La Subaru a reçu la meilleure note en traction suivie de près par la Lancer, prouvant hors de tout doute l'avantage du rouage intégral en ligne droite. Par contre, la Lancer a facilement remporté le duel dans le slalom alors que l'Impreza a peiné à la tâche. Il faut conclure que l'aide électronique à la conduite est trop précoce tandis que la voiture sous-vire fortement. Le véritable talon d'Achille de l'Impreza est son malingre moteur 2,0 litres de 148 chevaux qui semble toujours forcer. Heureusement que la transmission CVT est l'une des meilleures de sa catégorie.

Malgré quelques notes déficientes, l'Impreza est une voiture fort intéressante ne serait-ce pour la bonne visibilité qu'elle procure, son rouage intégral, la qualité de sa fabrication et une fiabilité de bon aloi. Une fois de plus, une concurrence plus affûtée et plus sophistiquée sous certains égards a relégué Subaru en queue de peloton d'un match du *Guide de l'auto*.

NISSAN SENTRA 11^e

Pointage	337,4 points
Prix de la version essayée	24 865 $

La Sentra n'est pas dénuée de qualités. Sa silhouette, bien qu'un peu anonyme, est équilibrée et respecte la plupart des credo esthétiques du jour, tandis que son habitabilité est impressionnante pour la catégorie, sans oublier une finition soignée, une planche de bord bien agencée et un grand coffre. Ajoutez à cela un prix très compétitif et vous avez la recette du succès. Alors pourquoi, diantre, se classe-t-elle en avant-dernière place et plusieurs points derrière l'Impreza, au dixième rang?

Elle a été trahie en grande partie par sa transmission CVT qui a été jugée la moins bonne de la catégorie. Celle-ci ne fait pas bon ménage avec le moteur 1,8 litre de 130 chevaux. En forte accélération, ce tandem se traduit par un moulin qui beugle à qui mieux mieux. C'est un irritant majeur et on a l'impression que tout va sauter sous le capot. Ces performances en demi-teinte expliquent des résultats désarmants dans le slalom. Ce manque de puissance a cependant été un atout dans le test de traction alors que le système antipatinage a été moins intrusif. Cette petite berline sans prétention est un bon achat compte tenu de son prix et de son homogénéité. Bref, si vous faites partie des personnes qui se contentent de conduire sagement et se rendent à destination sans se préoccuper des performances et des sensations de conduite, la Sentra est un choix intéressant. Il faut également ajouter que la boîte manuelle de série devrait permettre de relever l'agrément de conduite. Pour beaucoup d'automobilistes qui utilisent leur voiture pour se rendre du point A au point B, la transmission CVT ne sera pas un irritant majeur. Sur la grande route, elle se fait presque oublier.

Moins spectaculaire, moins puissante et certainement moins sportive, la Sentra n'en demeure pas moins une voiture pratique, économique à l'achat et qui offre en plus une bonne habitabilité. Malheureusement, toutes les autres concurrentes font mieux que ça.

12e DODGE DART

Pointage	335,5 points
Prix de la version essayée	29 335 $

La Dodge Dart est une voiture énigmatique. Sa silhouette a plu à nos essayeurs tandis que la présentation de l'habitacle se méritait, au mieux, une note moyenne. En fait, sa grande faiblesse est son manque d'homogénéité. Et au tout début du match, nous avons eu la surprise de découvrir qu'elle était équipée d'une boîte manuelle, contrairement aux autres véhicules du match. Pour trouver une solution la plus juste possible, nous avons donné une note mitoyenne à l'évaluation de la transmission afin de ne pas avantager ou pénaliser la Dart.

Dans les tests du slalom et de traction, c'est un euphémisme de dire qu'elle a déçu e classant au huitième rang dans le premier et bonne dernière dans le second. Lors du test de traction, il se peut que l'essayeur assigné à cette tâche n'ait pas su tirer tout le potentiel de la boîte manuelle dont le point de friction était délicat, mais le principal coupable est un antipatinage trop sensible. Par contre, ses temps d'accélérations sont plus rassurants. Elle a par ailleurs obtenu la meilleure note au freinage en fait de distance. Toutefois, elle a perdu des points au chapitre de la modulation des freins et du « feeling » de la pédale de frein. Cette Dodge alterne entre le meilleur et le pire. Une fois qu'on est à l'intérieur, on découvre une planche de bord moderne et relativement bien dessinée. La qualité des matériaux est correcte tandis que l'écran d'affichage est de bonnes dimensions. À une exception près, tous ont apprécié la présentation affichée à l'écran qu'ils ont jugée simple à déchiffrer et à utiliser. Par ailleurs, son niveau d'équipement la place dans le premier tiers du classement.

Pris individuellement, tous les éléments de la voiture sont intéressants. Pourtant, une fois réunis, ça manque nettement de cohésion. Malheureusement, cette Dodge ne semblait pas tellement apprécier le revêtement enneigé et encore moins la glace. Vive l'été pour la Dart!

MALGRÉ LA NEIGE

Ce test hivernal tentait de démarquer les voitures les unes par rapport aux autres essentiellement en tenant compte de leur comportement sur des surfaces à faible coefficient d'adhérence et de leurs aptitudes à affronter l'hiver. Malgré la présence de deux voitures équipées de la traction intégrale, ces systèmes ne leur ont pas donné un avantage déterminant. Ils ont fait bonne figure dans les tests de traction et se sont assez bien débrouillés dans le slalom, mais ce facteur ne fut pas décisif. Tout simplement parce que les voitures modernes équipées de multiples systèmes d'aide électronique à la conduite associés à de très bons pneus d'hiver ont permis à notre dizaine de compactes à traction de bien paraître sur le circuit enneigé de la piste d'ICAR où s'est déroulé le match. Cela aurait été un tout autre résultat si l'on avait désactivé l'antipatinage, le système de stabilité latérale ou encore roulé sur des pneus quatre saisons. Mais ce ne fut pas le cas et les résultats ont été plus serrés que jamais. Une autre chose à souligner est le fait qu'en dépit de fortes précipitations de neige le premier jour et un froid glacial le lendemain, il nous a été permis de constater l'efficacité de toutes les voitures à désembuer les vitres tandis que le chauffage a été plus que généreux. Malheureusement, le temps nous a manqué pour déterminer si les occupants des places arrière bénéficiaient eux aussi d'un chauffage adéquat.

Quant aux résultats de ce match, il n'y a vraiment pas de surprise en ce qui concerne le groupe de tête. La Mazda3 l'emporte presque avec aisance. Cette première place vient s'ajouter à une foule d'autres accessits que cette nouvelle édition de la berline a récoltée au cours des derniers mois, autant en Amérique du Nord qu'ailleurs, et souvent elle s'est retrouvée sur la courte liste de plusieurs titres de « Voiture de l'année », notamment aux États-Unis et au Canada. Élégante, performante et offrant un agrément de conduite relevé, elle a séduit nos essayeurs et les dures conditions hivernales ne l'ont pas inquiétée, pas plus que la Volkswagen Jetta qui a défendu chèrement son titre acquis lors du match comparatif de la catégorie, organisé par le *Guide de l'auto* dans l'édition 2013.

Il aura fallu une voiture plus récente pour la déposséder du premier rang. Par la suite, les autres protagonistes se livrent une lutte serrée alors que six d'entre eux ne sont séparés que par une dizaine de points.

Pour résumer, les différences de pointage entre les voitures engagées dans ce match s'expliquent par une plus grande homogénéité chez les leaders du groupe et celle-ci va en décroissant plus on descend au classement. Cet exercice hivernal nous permet de conclure que toutes les compactes sur le marché se tirent fort bien d'affaire face à de fortes chutes de neige et une conduite sur une surface glacée ou enneigée, preuve de l'amélioration en qualité et en sophistication mécanique et électronique des voitures de cette catégorie. À vous de trancher le débat en faveur du modèle qui répond le mieux à vos attentes et à vos goûts!

Merci à nos essayeurs: Daniel Beaulieu, Michel Brosseau, Daniel Duquet, Robert Gariepy, Frédéric Boucher-Gaulin, Jean-Charles Lajeunesse, André Lalanne, Gilles Olivier, François Rock, Marie-France Rock, Eric Sarrasin et Richard Stallini.

Merci également au Circuit ICAR pour l'aide apportée dans la réalisation de ce match.

Circuit ICAR
12 800, Henri-Fabre
Mirabel, Québec J7N 0A6
Téléphone: 514 955-ICAR (4227)
Web: www.circuiticar.com | Courriel: info@circuiticar.com

FICHES TECHNIQUES

	MAZDA 3	VOLKSWAGEN JETTA	FORD FOCUS	KIA FORTE	HYUNDAI ELANTRA	
RANG	1	2	3	4	5	
Empattement (mm)	2 700	2 651	2 649	2 700	2 700	
Longueur (mm)	4 580	4 628	4 358	4 560	4 550	
Largeur (mm)	2 053	1 778	1,824 - (2,045)	1 780	1 775	
Hauteur (mm)	1 455	1 453	1 465	1 435	1 430	
Poids (kg)	1 366	1 393	1 337	1 342	1 342	
Coefficient de traînée	0,26	0,30	0,30	0,27	0,28	
Nbre de coussins	6	6	7	6	6	
Places	5	5	5	5	5	
Boîte de vitesses / rapports	auto / 6	auto / 6	auto / 6	auto / 6	auto / 6	
Rouage	traction	traction	traction	traction	traction	
Moteur	4L / DACT	4L / DACT	4L / DACT	4L / DACT	4L / DACT	
Cylindrée (litres)	2,5	1,8 TSI	2,0	2,0	2,0	
Puissance maximale (HP)	184	170	160	173	173	
Couple maximal (lb-pi)	185	184	146	154	154	
Essence recommandée	ordinaire	ordinaire	ordinaire, E85	ordinaire	ordinaire	
Suspension avant	jambes de force	jambes de force	jambes de force	jambes de force	jambes de force	
Suspension arrière	ind/multibras	ind. / multibras	ind/ multibras	poutre de torsion	poutre de torsion	
Freins avant / diamètre (mm)	disques (295)	disques (287)	disques (277)	disques (280)	disques (280)	
Freins arrière / diamètre (mm)	disques (265)	disques (272)	disques (272)	disques (260)	disques (262)	
Pneus	P215/45R18	P225/45R17	P215/50R17	P215/45R17	P255/45R17	
Direction	crémaillère élec.	crémaillère élec.	crémaillère élec.	crémaillère élec.	crémaillère élec.	
Diamètre de braquage (m)	10,6	11,6	11,0	10,6	10,6	
Réservoir de carburant (litres)	50	55	54	50	50	
Capacité coffre (litres)	350	440	674	421	420	
Accélération 0-100 km/h (sec)	8,1	8,3	9,3	9,0	9,5	
Reprise 80-120 km/h (sec)	5,2	5,8	6,3	5,9	6,2	
Freinage de 100 km/h (mètres)	43,3	43,2	44,0	42,8	44,5	
Slalom (sec)	48,9	53,5	52,9	54,0	50,1	
Traction (sec/30 mètres)	7,45	8,35	7,98	7,28	7,14	
Cons. RNC (ville / route l/100 km)	7,2 / 5,1	8,2 / 5,6	7,4 / 5,3	8,5 / 5,5	8,4 / 5,6	
Prix de base	15 995$	14 990$	15 164$	17 450$	15 999$	
Prix de la version essayé	28 855$	25 490$	25 664$	27 930$	25 649$	
Lieu de fabrication	Hofu, JP	Puebla, MX	Wayne, MI	Hwasung, KR	Montgomery, AL	

SLALOM (SEC)

MAZDA **3** — 48,89
VOLKSWAGEN **JETTA** — 53,46
FORD **FOCUS** — 52,94
KIA **FORTE** — 54,00
HYUNDAI **ELANTRA** — 50,10
MITSUBISHI **LANCER** — 50,52

TOYOTA **COROLLA** — 53,47
HONDA **CIVIC** — 56,22
CHEVROLET **CRUZE** — 52,79
SUBARU **IMPREZA** — 55,06
NISSAN **SENTRA** — 55,64
DODGE **DART** — 53,98

MITSUBISHI **LANCER**	TOYOTA **COROLLA**	HONDA **CIVIC**	CHEVROLET **CRUZE**	SUBARU **IMPREZA**	NISSAN **SENTRA**	DODGE **DART**
6	**7**	**8**	**9**	**10**	**11**	**12**
2 635	2 700	2 670	2 685	2 645	2 700	2 703
4 570	4 650	4 556	4 597	4 580	4 625	4 671
1 760	1 776	1 752	1 796	1,740 - (1,988)	1 760	1 829
1 480	1 455	1 435	1 476	1 465	1 495	1 466
1 425	1 295	1 332	1 576	1 350	1 293	1 445
0,33	0,28	0,27	0,30	0,30	0,29	0,29
7	8	6	10	7	6	10
5	5	5	5	5	5	5
CVT	CVT	CVT	auto / 6	CVT	CVT	man / 6
intégrale	traction	traction	traction	intégrale	traction	traction
4L / DACT	4L / DACT	4L / DACT	4L DACT	H4 DACT	4L DACT	4L DACT
2,4	1,8	1,8	2,0	2,0	1,8	2,4
168	132	143	151	148	130	184
167	128	129	264	145	128	171
ordinaire	ordinaire	ordinaire	diesel	ordinaire	ordinaire	ordinaire
jambes de force	jambes de force	jambes de force	jambes de force	jambes de force	jambes de force	jambes de force
ind. / multibras	poutre de torsion	ind/multibras	poutre de torsion	ind. / multibras	poutre de torsion	ind. / multibras
disques (276)	disques (274)	disques (282)	disques (276)	disques (277)	disques (279)	disques (305)
disques (262)	disques (259)	disques (259)	disques (268)	disques (274)	disques (292)	disques (264)
P205/60R16	P215/45R17	P215/45R17	P215/55R17	P205/50R17	P205/50R17	P225/40R18
crémaillère hydraulique	crémaillère élec.	crémaillère élec.	crémaillère élec.	crémaillère élec.	crémaillère élec.	crémaillère élec.
10,0	11,5	10,8	10,9	10,6	10,6	11,5
55	50	50	59	55	50	60
348	368	353	377	340	428	371
9,2	10,5	9,9	9,3	11,1	10,4	9,6
6,3	7,3	7,1	6,7	7,6	8,7	8,4
43,0	44,6	45,0	43,3	43,5	43,6	42,3
50,5	53,5	56,2	52,8	55,1	55,6	53,9
5,60	7,23	7,59	7,01	5,31	6,34	9,65
10,5 / 8,2	6,9 / 5,2	6,7 / 5,0	7,5 / 4,2	7,5 / 5,5	6,6 / 5, 0	10,2 / 7,1
22 998$	17 640$	17 241$	26 995$	19 995$	16 665$	15 995$
27 998$	24 860$	26 851$	27 995$	26 895$	24 865$	29 335$
Mizushima, JP	Cambridge, ON	Alliston, ON	Lordstown, OH	Gunma, JP	Aguascalientes, MX	Belvidere, IL

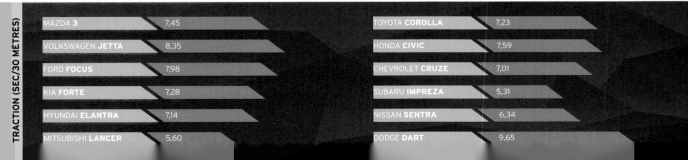

TRACTION (SEC/30 MÈTRES)

MAZDA **3** — 7,45	TOYOTA **COROLLA** — 7,23
VOLKSWAGEN **JETTA** — 8,35	HONDA **CIVIC** — 7,59
FORD **FOCUS** — 7,98	CHEVROLET **CRUZE** — 7,01
KIA **FORTE** — 7,28	SUBARU **IMPREZA** — 5,31
HYUNDAI **ELANTRA** — 7,14	NISSAN **SENTRA** — 6,34
MITSUBISHI **LANCER** — 5,60	DODGE **DART** — 9,65

POINTAGE DÉTAILLÉ

RANG		MAZDA 3	VOLKSWAGEN JETTA	FORD FOCUS	KIA FORTE	HYUNDAI ELANTRA
		1	2	3	4	5
DESIGN / STYLE						
Extérieur (silhouette, proportions, originalité, style, attrait visuel pur)	/30	26,5	22,9	25,4	24,5	23,9
Intérieur (design, couleurs, style, originalité, agencement des matériaux)	/10	8,3	8,0	7,5	7,6	7,5
TOTAL	**/40**	**34,8**	**30,9**	**32,9**	**32,1**	**31,4**
CARROSSERIE						
Finition intérieure + extérieure (qualité de peinture, écarts, assemblage)	/20	17,4	17,6	15,6	16,7	16,6
Qualité des matériaux (texture, couleur, surface, odeur)	/20	16,8	17,0	15,5	16,1	16,2
Tableau de bord (clarté, lisibilité des cadrans, graphisme, disposition)	/10	8,4	7,6	7,8	8,0	7,8
Équipement (accessoires, innovations, gadgets, système audio, etc.)	/10	8,3	7,0	7,7	7,6	7,1
Coffre (accès, volume, commodité, modularité, polyvalence : passage)	/10	5,7	6,6	8,2	6,3	6,3
Rangements (accès, nombre, taille, commodité, efficacité)	/10	7,7	7,6	6,5	7,0	7,0
TOTAL	**/80**	**64,3**	**63,4**	**61,3**	**61,7**	**61,0**
CONFORT / ERGONOMIE						
Position de conduite (volant, sièges avant, repose-pied, réglages)	/20	17,7	16,7	16,1	16,8	16,6
Ergonomie (facilité d'atteindre les commandes, douceur, précision)	/20	16,9	16,6	16,7	17,4	16,2
Places arrière (accès, confort, espace, appuie-tête)	/20	16,3	17,7	13,4	15,6	15,4
Silence de roulement (sur chaussée lisse ou raboteuse, bruit de vent)	/20	17,2	16,6	17,3	16,5	15,4
TOTAL	**/80**	**68,1**	**67,6**	**63,5**	**66,3**	**63,6**
CONDUITE						
Tenue de route (équilibre, agilité, adhérence, facilité, marge de sécurité)	/30	26,1	22,9	25,1	22,8	20,6
Moteur (rendement, puissance, couple à bas régime, réponse, agrément)	/30	25,6	25,9	24,2	23,0	23,2
Direction (précision, « feedback », résistance aux secousses, braquage)	/10	8,2	8,1	7,8	7,1	6,8
Freins (sensations, modulation, constance, performances, résistance)	/20	18,0	14,6	16,1	16,0	15,4
Transmission (précision, rapidité, étagement, douceur, embrayage)	/20	16,7	16,9	14,7	14,5	15,3
Consommation de carburant	/10	8,0	7,8	7,6	6,7	6,5
TOTAL	**/120**	**102,6**	**96,32**	**95,5**	**90,1**	**87,8**
SÉCURITÉ						
Visibilité (surface vitrée, largeur des montants, angles morts)	/5	3,2	4,0	3,2	3,6	3,3
Rétroviseurs (taille, forme, emplacement, clarté)	/5	3,3	4,0	4,0	3,7	3,3
Systèmes d'aide à la conduite (efficacité, ajustabilité, rapidité)	/20	16	18	17	16	16
TOTAL	**/30**	**22,5**	**26,0**	**24,3**	**23,2**	**22,5**
PERFORMANCES MESURÉES						
Traction	/20	6,0	3,0	4	7	9
Slalom	/15	15,0	8,0	9,0	5,0	14,0
Accélération 0-100 km/h	/15	10,0	9,3	8,8	8,9	8,4
Reprise 80-120 km/h	/15	13,9	12,9	12,2	13,0	12,9
Freinage de 100-0 km/h	/15	12,8	12,9	11,9	12,8	11,6
TOTAL	**/80**	**57,7**	**46,1**	**45,9**	**46,7**	**55,9**
POINTAGE FINAL*	**/500**	381,5	367,7	357,4	352,7	352,1
CHOIX DES ESSAYEURS	**/70**	70,0	69,0	65,0	67,0	62,0
TOTAL	**/500**	**420**	**399,2**	**388,4**	**387,1**	**384,2**

RANG		6	7	8	9	10	11	12
DESIGN / STYLE								
Extérieur (silhouette, proportions, originalité, style, attrait visuel pur)	/30	22,3	24,0	21,9	22,0	21,5	20,8	22,9
Intérieur (design, couleurs, style, originalité, agencement des matériaux)	/10	6,0	7,3	7,9	6,9	6,8	6,5	6,8
TOTAL	**/40**	**28,3**	**31,3**	**29,8**	**28,9**	**28,3**	**27,3**	**29,7**
CARROSSERIE								
Finition intérieure + extérieure (qualité de peinture, écarts, assemblage)	/20	15,5	16,8	16,3	15,0	15,7	15,2	14,5
Qualité des matériaux (texture, couleur, surface, odeur)	/20	13,3	15,6	16,0	13,0	16,0	14,4	15,0
Tableau de bord (clarté, lisibilité des cadrans, graphisme, disposition)	/10	6,6	7,3	7,3	7,0	7,8	7,0	7,6
Équipement (accessoires, innovations, gadgets, système audio, etc.)	/10	6,3	7,1	7,8	6,9	6,4	6,8	7,9
Coffre (accès, volume, commodité, modularité, polyvalence : passage)	/10	5,6	5,8	5,6	6,1	5,6	6,3	5,8
Rangements (accès, nombre, taille, commodité, efficacité)	/10	7,4	7,1	7,6	6,4	6,9	6,8	7,1
TOTAL	**/80**	**54,7**	**59,7**	**60,6**	**54,4**	**58,4**	**56,5**	**57,9**
CONFORT / ERGONOMIE								
Position de conduite (volant, sièges avant,repose-pied, réglages)	/20	15,6	16,9	14,9	15,9	16,3	16,6	16,4
Ergonomie (facilité d'atteindre les commandes, douceur, précision)	/20	14,5	16,5	16,6	15,7	14,9	15,7	15,2
Places arrière (accès, confort, espace, appuie-tête)	/20	15,4	16,0	15,6	16,1	16,2	16,0	14,3
Silence de roulement (sur chaussée lisse ou raboteuse, bruit de vent)	/20	14,0	15,8	15,6	16,2	15,4	15,7	15,5
TOTAL	**/80**	**59,5**	**65,2**	**62,7**	**63,9**	**62,8**	**64,0**	**61,4**
CONDUITE								
Tenue de route (équilibre, agilité, adhérence, facilité, marge de sécurité)	/30	24,2	22,1	24,8	24,9	22,6	21,4	22,9
Moteur (rendement, puissance, couple à bas régime, réponse, agrément)	/30	23,2	22,8	23,1	23,6	23,1	22,0	23,0
Direction (précision, « feedback », résistance aux secousses, braquage)	/10	7,5	6,9	7,7	6,2	7,6	6,3	6,5
Freins (sensations, modulation, constance, performances, résistance)	/20	14,5	15,1	16,5	12,9	13,8	14,3	14,2
Transmission (précision, rapidité, étagement, douceur, embrayage)	/20	15,8	15,7	16,2	16,0	15,1	14,0	16,1
Consommation de carburant	/10	6,5	7,4	7,7	6,9	7,5	7,1	6,0
TOTAL	**/120**	**91,7**	**90,0**	**96,0**	**90,5**	**89,7**	**85,1**	**88,7**
SÉCURITÉ								
Visibilité (surface vitrée, largeur des montants, angles morts)	/5	3,3	3,7	4,1	3,9	3,8	3,7	3,1
Rétroviseurs (taille, forme, emplacement, clarté)	/5	3,7	3,7	4,1	3,8	3,7	3,6	3,6
Systèmes d'aide à la conduite (efficacité, ajustabilité, rapidité)	/20	17	16	17	15	16	16	16
TOTAL	**/30**	**23,8**	**23,5**	**24,8**	**22,5**	**23,3**	**23,5**	**22,2**
PERFORMANCES MESURÉES								
Traction	/20	18	8	5	10	20	16	2
Slalom	/15	13,0	7,0	2,0	10,0	4,0	3,0	6,0
Accélération 0-100 km/h	/15	9,5	7,3	7,8	8,4	6,9	7,3	8,5
Reprise 80-120 km/h	/15	12,0	10,3	11,4	12,3	10,5	7,8	8,7
Freinage de 100-0 km/h	/15	12,6	11,0	11,0	12,8	12,0	11,9	13,0
TOTAL	**/80**	**65,1**	**43,6**	**37,2**	**53,5**	**53,4**	**46,0**	**38,2**
POINTAGE FINAL*	**/500**	349,9	346,9	346,4	345,3	344,8	337,4	335,4
CHOIX DES ESSAYEURS	**/70**	61,0	64,0	68,0	63,0	66,0	59,0	60,0
TOTAL	**/500**	**384,1**	**377,3**	**379,1**	**376,7**	**381,9**	**361,4**	**358,1**

LES ALLEMANDES... & LES AUTRES!

BMW
228i

LEXUS
CT200h

MERCEDES BENZ
CLASSE CLA 250

Nous n'apprendrons à personne que pour rejoindre le plus d'acheteurs potentiels, les manufacturiers doivent élargir leur offre. Par exemple, ceux qui ont fait leur réputation dans le bas de gamme vendent maintenant des véhicules de plus de 70 000 $ (Hyundai avec sa Equus, pour ne nommer que celui-ci), tandis que ceux qui ont toujours été reconnus pour faire dans le huppé tâtent allègrement le marché de la petite voiture. Attention... petite voiture ne veut pas dire *cheap*. Oh que non !

Par : Alain Morin | Photos : Jeremy Alan Glover et Marie-France Rock

ACURA
ILX

CHEVROLET
VOLT

VISIONNEZ LA VIDÉO ET ENCORE PLUS DE PHOTOS DE CE MATCH

http://2015.guideautoweb.com/dossiers/

Toujours est-il que ces dernières années, le créneau des compactes de luxe a littéralement explosé, les gens préférant souvent une petite voiture « full au bouchon » à une plus grande mais moins équipée. Il est possible aujourd'hui de se promener dans une Audi ou une Mercedes-Benz à peine plus grosse qu'une Honda Civic! Évidemment, le prix fait davantage Audi ou Mercedes-Benz que Honda, et les manufacturiers ont su transposer dans leurs petites bagnoles les caractéristiques qui leur ont permis de se démarquer depuis des décennies. Ce qui, semble-t-il, les autorise à demander assez cher...

Cette année seulement, deux nouvelles venues tentent d'imposer leur loi. Un match comparatif entre ces bagnoles était donc plus que justifié, question d'y voir clair. Dans cette catégorie fort populaire, on retrouve, en ordre alphabétique : l'Acura ILX, la nouvelle Audi A3, la toute aussi nouvelle BMW Série 2, la Buick Verano, la Chevrolet Volt, la Lexus CT200h et la récente Mercedes-Benz CLA. Quoi, une Volt parmi ces voitures? Ben oui, une Volt! De par son prix, sa sophistication technique et ses dimensions, elle « fitte » parfaitement dans cette catégorie.

De ces autos, seule la Verano n'a pu se présenter à notre match, General Motors du Canada n'ayant pas réussi à nous dénicher une. Et une s'est pointée... en retard! En effet, nous avons dû faire notre match sans l'Audi A3, retenue au port d'Halifax. Comme nous ne pouvions pas réaliser un tel comparatif sans cette voiture tant attendue, nous avons dû user d'imagination. Il était hors de question de déplacer les dates du match qui s'est déroulé au début du mois juin. Nous avons reçu « notre » A3 à la fin de juin. Tout en sachant que ce n'était vraiment pas l'idéal, nous avons répété avec la A3 les exercices que nous avions déjà effectués avec les autres. C'est-à-dire que nous sommes retournés à Sanair, sur la même piste (triovale), nous lui avons fait subir les mêmes tests - slalom de 8 cônes distants de 80 pieds (24,4 mètres) pour une distance chronométrée de 170 mètres et piste d'environ 450 mètres parsemée de 9 virages - avec le même pilote, Costa Mouzouris (on avait apporté les mêmes cônes!). Ensuite, chaque personne qui avait participé au match a parcouru le même circuit routier et a passé la même période de temps pour faire l'analyse statique de la voiture. Évidemment, la température n'était pas la même (25 degrés et piste sèche pour tout le groupe, 20 degrés et piste humide pour la A3). Mais, comme m'a appris ma mère, dans la vie, on fait ce qu'on peut, pas ce qu'on veut.

Au final, six voitures passablement différentes, faisant néanmoins partie de la même catégorie!

1re AUDI A3

| Pointage | 360 points |
| Prix de la version essayée | 47 600 $ |

ON PEUT ARRIVER EN RETARD
MAIS AVEC PANACHE...

Et du panache, la Audi A3 en a à revendre! Est-ce que notre gagnante aurait été avantagée par le fait qu'elle n'a pas été testée en même temps que les autres? Difficile de répondre oui à 100 % ou non à 100 %. Une chose est certaine, elle a tellement survolé les autres qu'elle aurait gagné de toute façon. Et même si son prix était le plus élevé, ce qui lui a valu la plus forte pénalité lors de la pondération pour les prix, elle est demeurée en tête.

Tous, ou presque, ont apprécié son style, autant à l'intérieur qu'à l'extérieur. Le fait qu'elle ressemble à une diminutive A4 aurait pu lui nuire mais il n'en n'est rien, la A4 jouissant d'une très belle popularité. Audi est reconnu depuis plusieurs années pour la qualité et le design de ses tableaux de bord et la petite A3 ne fait pas exception à cette règle. Sur la piste et sur la route, la A3 ne déçoit pas non plus. Si sa direction n'est pas aussi vive que celle de la BMW 228i et de la Mercedes CLA250, elle se reprend de belle façon par une

tenue de route extraordinairement sûre, gracieuseté d'un rouage intégral quattro au point et de suspensions composant parfaitement avec le confort et la sportivité. La A3 a remporté cinq des sept catégories, dont la prestigieuse «Choix des essayeurs», perdant de peu celle de la sécurité au profit de la BMW 228i et celle des performances mesurées aux mains de la... Chevrolet Volt! Pourquoi? L'explication est donnée dans la partie consacrée à la Chevrolet.

«L'intérieur ne déborde pas d'espaces de rangement»,
Jean-Charles Lajeunesse.

«Ce n'est pas vraiment une voiture familiale. J'ai eu beaucoup de difficultés à détacher le banc d'appoint de ma fille»,
Marie-France Rock.

Le mot de Costa, notre pilote :
«Étonnamment agile! À la limite, on sent du sous-virage mais il est très facile à contrôler à l'accélérateur».

2e MERCEDES-BENZ CLASSE CLA

Pointage	336,6 points
Prix de la version essayée	38 550 $

QUAND MERCEDES PARLE **AUX JEUNES...**

Même si tous les regards sont braqués sur la sportive version AMG, on ne peut pas dire que la variante de base, la CLA250 soit mal née! En fait, c'est son équilibre général qui lui a valu cette deuxième place.

Elle est arrivée deuxième dans le choix des essayeurs qui lui ont pardonné ses places arrière peu invitantes (mais plus que celles de la BMW 228i et de la Volt) et ses bruits de roulement prononcés. Certains ont aimé la sobriété de son tableau de bord, d'autres l'ont décriée. L'écran central non tactile, qui semble avoir été ajouté là à la dernière seconde, a été sévèrement critiqué. Nos trois essayeurs de moins de 30 ans ne sont pas

encore revenus de ce manque à l'éthique technologique. D'ailleurs, notre essayeuse de 5 pieds 2 pouces n'a vraiment pas apprécié l'emplacement de la molette servant à contrôler les divers paramètres. Puisqu'elle doit conduire très près du volant, elle avait peine à y accéder.

D'aucuns ont trouvé la suspension plutôt ferme et certains ont vertement pesté contre le foutu levier du régulateur de vitesse, une tare que traine Mercedes depuis des lunes... Mais tout le monde a été ravi par le confort des sièges avant et leur maintien ainsi que par la direction, la meilleure du groupe. Pour sa plus petite voiture, la marque à l'étoile n'a pas hésité à donner dans la sportivité, même

pour la variante de base qu'est la 250. Certains abonnés à Mercedes depuis des décennies risquent de ne pas apprécier... mais il serait très surprenant qu'ils se retrouvent derrière le volant de la CLA!

« Conduite terriblement agréable », Marie-France Rock.

« Angles morts importants », Frédérick Boucher-Gaulin.

Le mot de Costa, notre pilote : *« Ma surprise du match. Même s'il s'agit d'une voiture d'entrée de gamme pour Mercedes, c'est celle qui avait la meilleure plate-forme, la suspension la plus ferme et les meilleurs freins ».*

3ᵉ BMW 228i

| Pointage | 321,6 points |
| Prix de la version essayée | 47 045 $ |

L'INDISPENSABLE GAMME SPORT M...

Nouvelle venue cette année, la BMW Série 2 a terminé au troisième rang. Son style extérieur et extérieur lui on fait mal.

La 228i s'est payé la dernière place pour la catégorie Carrosserie, alors que la finition et l'aspect bon marché des matériaux ont été impitoyablement contestés par nos essayeurs. À cet effet, on ne peut passer sous silence une moulure de « chrome » boursoufflée sur le dessus d'un des naseaux de la grille avant, comme si la feuille de chrome avait été mal collée… Par contre, quand vient le temps de conduire la 228i, elle se reprend, sans toutefois ce petit quelque chose qui nous a fait craquer pour la A3 et la CLA.

S'il y a un point qui nous a déçus de la 228i, c'est son freinage. Sauf pour la Lexus, ce fut le pire de la journée. On a même fait un freinage supplémentaire après avoir attendu que les freins soient bien refroidis et pour être sûrs que notre appareil de mesure, un *Racelogic PerformanceBox*,

ne nous avait pas joué un vilain tour. Mais non!

La troisième place de la 228i n'est pas déshonorante, toutefois, on s'attend à tellement plus d'une BMW! Si notre exemplaire avait été doté de la gamme Sport M à 2 000 $, les choses se seraient peut-être passées différemment.

« Difficile de rouler dans les zones de 50 km/h sans dépasser la limite. Ça roule tout seul, ce char-là! »,
Karine Phaneuf.

« Les places arrière sont difficilement accessibles et c'est encore pire pour s'en extirper! »,
Jean-Charles Lajeunesse.

Le mot de Costa, notre pilote :
« Elle doit son temps rapide dans le slalom (NDLR 2ᵉ derrière la A3) bien plus à sa puissance qu'à la qualité de son châssis ».

4ᵉ CHEVROLET VOLT

| Pointage | 302,1 points |
| Prix de la version essayée | 41 910 $ |

ON AURA **TOUT VU!**

À première vue, inclure la Volt dans ce groupe sélect peut paraitre inopportun... Pourtant, elle s'est permis de remporter une catégorie, et non la moindre, celle des performances mesurées. Un coup d'œil au tableau des pointages montre cependant que n'eût été la sous-catégorie Consommation où elle a littéralement planté toutes les autres, elle aurait terminé en avant-dernière position, ex aequo avec l'Acura ILX.

Pour soigner l'aérodynamique, les ingénieurs ont dû installer des becquets ici et là sous la voiture et l'abaisser le plus possible. Nos esclaves, pardons essayeurs, ont aimé le système d'infodivertissement facile à programmer et à utiliser et, surtout, le fait qu'on pouvait rouler plus de 60 km par jour sans une seule goutte d'essence. À ce sujet, mentionnons que la consommation d'essence sur piste a été de... 1,3 litre/100 km! Lorsque la voiture est arrivée à Sanair, sa batterie était pratiquement chargée à bloc et ce n'est que vers la fin de nos essais que le moteur à essence s'est mis de la partie. Si je n'ai pas noté le kilométrage total effectué sur la piste, je sais par contre qu'il ne dépassait pas les cinq kilomètres... mais quels cinq kilomètres pour une voiture électrique!

Les exercices du slalom et de la piste ont fait ressortir une des lacunes propres à une voiture électrique, soit un poids élevé qui entrainait un roulis et un sous-virage certains.

« Le seuil du coffre est très élevé. Aller y chercher un sac lourd peut être problématique », Karine Phaneuf.

« Le temps de charge indiqué est véridique : 10 hr à 110V », Jean-Charles Lajeunesse.

Le mot de Costa, notre pilote : *« L'absence de transmission n'enlève rien au plaisir de conduire cette voiture ».*

5e LEXUS CT200H

DE BELLES MANIÈRES NE VEUT PAS DIRE DE BONNES MANIÈRES

La CT200h joue à fond la carte du luxe et du prestige rattaché au logo qui orne sa jolie calandre, elle semble oublier les bonnes manières dès qu'on veut avoir le moindrement de plaisir à son volant!

Dans la colonne des éléments positifs, on peut inscrire sa finition très bien réalisée et la grande qualité de ses matériaux. Elle s'est aussi très bien débrouillée dans la catégorie du confort et de l'ergonomie, mais elle a perdu énormément de points au chapitre de la conduite et, curieusement, à celui de la sécurité. Pourtant, dans les commentaires, personne n'a exprimé de dédain majeur face à la mauvaise visibilité de cette voiture alors qu'elle est arrivée avant-dernière dans la feuille de pointage. Comme quoi les perceptions et la réalité chiffrée peuvent être deux choses bien différentes.

Bien peu ont apprécié la transmission CVT. Parmi les notes des gens-qui-se-font-payer-la-pizza-pour-se-promener-dans-

des-voitures-qu'ils-n'ont-pas-à-payer, on apprend que cette boite est soit bruyante, soit anémique, soit plutôt transparente. Ce dernier point est une qualité. Tous ont trouvé le coffre trop petit. D'ailleurs, même si la fiche technique dit le contraire, c'était le plus petit coffre du groupe.

Bref, une voiture pour ceux qui désirent confort, luxe et qui ont plus le cœur à l'environnement qu'au plaisir.

« La CT200h manque de puissance », Marie-France Rock.

« La "souris" n'est vraiment pas pratique. Changer de poste de radio en conduisant a été toute une aventure! », Karine Phaneuf.

Le mot de Costa, notre pilote : *« Selon moi, c'est la voiture la moins inspirante du groupe. Elle parait plus sportive qu'elle ne l'est en réalité. Le pire freinage de la journée ».*

6e ACURA ILX

Pointage	291 points
Prix de la version essayée	31 990 $

NE LUI EN DEMANDONS PAS **TROP**

Décidément, ce n'était pas la journée de l'ILX. Tout d'abord, Acura devait nous remettre une version à moteur 2,4 litres (201 chevaux / 170 livres-pied de couple), mais c'est plutôt une version à 2,0 litres (150 chevaux / 140 livres-pied) à laquelle nous avons eu droit. Dans une catégorie aussi relevée, autant aller à la chasse au lion avec une balle de ping-pong!

Même si ce n'est pas évident à première vue, l'ILX partage plusieurs de ses éléments avec la Honda Civic. Ce qui ne l'a pas empêchée de terminer deuxième dans les catégories carrosserie et confort/ergonomie. Mais pour le reste...

Soyons réalistes. Il ne faut pas trop en demander à une voiture dont les origines sont modestes. Oh, elle n'est pas mauvaise, loin de là, surtout si l'on ne cherche pas la performance à tout prix. Pourtant, aux performances mesurées, elle n'a pas été la pire. Si l'on exclut la consommation, elle est arrivée à égalité avec la Volt et devant la pauvre CT200h. Malheureusement, son petit moteur a consommé passablement. C'est que, voyez-vous, un petit moteur doit travailler très fort quand on le sollicite le moindrement. Et lors de notre virée à Sanair, le 2,0 litres a travaillé très fort!

La finition extérieure a été décriée puisque les différents panneaux de notre voiture n'étaient pas toujours bien alignés. On a beau dire que la qualité Honda n'est plus ce qu'elle était, n'empêche que pour une Acura, c'était vraiment décevant. Tout comme la direction, vague.

« Look anonyme. Difficile à repérer dans un stationnement », Frédérick Boucher-Gaulin.

« Le siège arrière est assurément la référence du groupe », Jean-Charles Lajeunesse.

Le mot de Costa, notre pilote : *« La plate-forme présentait passablement de flexion, à l'opposé de celle, ultrarigide, de la CLA ».*

CONCLUSION

Des six voitures que nous avions, deux groupes se sont formés. Les allemandes détiennent le haut du pavé grâce, surtout, à leurs qualités dynamiques. Audi est demeurée fidèle à ce qui a fait sa réputation : qualité, design intérieur, tenue de route superlative et confort soigné. Voilà pourquoi elle a gagné.

Le deuxième groupe est plus disparate. Une électrique, une hybride et une à moteur à combustion. Une américaine, deux japonaises. Les trois préfèrent l'économie d'essence et l'environnement au dynamisme. Notez que si l'Acura ILX n'a pas tellement bien paru au niveau de la consommation, c'est que nous l'avons poussée dans ses derniers retranchements. En conduite de tous les jours, elle est très économique.

Si nous avions eu la Buick Verano, où se serait-elle retrouvée? Il s'agit d'une voiture confortable, qui peut tenir son bout en termes de tenue de route et elle est bien motorisée. D'après nos essais hebdomadaires et notre expérience, nous la plaçons en plein centre, dépassée par les allemandes mais devançant le deuxième trio.

Dans la guerre que se livrent les manufacturiers pour rejoindre le plus de monde possible, les voitures compactes de luxe sont devenues des incontournables. Tellement que cette tendance se retrouve maintenant chez les VUS compacts...

Le *Guide de l'auto* tient à remercier les participants du match : Frédérick Boucher-Gaulin, Jean-Charles Lajeunesse, Costa Mouzouris (pilote), Karine Phaneuf et Marie-France Rock. Nous tenons aussi à remercier Christine Imbeau du Manoir Rouville-Campbell pour la séance de photos et Jacques Guertin du circuit Sanair.

Manoir Rouville-Campbell
125, chemin des Patriotes Sud
Mont-Saint-Hilaire QC J3H 3G5
Tél. : 450 446-6060
www.manoirrouvillecampbell.com

Sanair
669, le Bas du Petit Rang Saint-François
Saint-Pie QC J0H 1W0
450 772-6400
www.sanair.ca

	AUDI **A3**	MERCEDES-BENZ **CLA**	BMW **228i**	
RANG	1	2	3	
Prix de base	35 900 $	34 300 $	36 000 $	
Prix du modèle essayé **	47 600 $	38 550 $	47 045 $	
MOTORISATION				
Moteur	4L - 2,0 litres	4L - 2,0 litres	4L - 2,0 litres	
Puissance	220 CH @ 4500 tr/min	208 CH @ 5500 tr/min	241 CH @ 5000 tr/min	
Couple	258 lb·pi @ 1600 à 4400 tr/min	258 lb·pi @ 1200 à 4000 tr/min	258 lb·pi @ 1450 - 4800 tr/min	
Alimentation	Turbo	Turbo	Turbo	
Type de carburant	Super	Super	Super	
Transmission	Auto, 6 rapports	Auto, 7 rapports	Auto, 8 rapports	
Rouage	INTÉGRAL	TRACTION	PROPULSION	
MOTEUR ÉLECTRIQUE				
Puissance	n/a	n/a	n/a	
Couple	n/a	n/a	n/a	
Énergie	n/a	n/a	n/a	
Émission co2 (kg/an)	3 970	3 029	3 319	
Émission co2 (g/km)	198	152	166	
CONSOMMATION / AUTONOMIE				
Consommation ville	9,8 l/100 km	7,8 l/100 km	8,7 l/100km	
Consommation autoroute	7,2 l/100 km	5,1 l/100 km	5,4 l/100km	
Consommation combinée	8,6 l/100 km	6,6 l/100 km	7,2 l/100km	
Consommation réelle lors du match	9,4 l/100 km	9,3 l/100 km	10,1 l/100 km	
DIMENSIONS / POIDS				
Longueur	4456 mm	4630 mm	4432 mm	
Largeur	1960* mm	2032* mm	1984* mm	
Hauteur	1416 mm	1436 mm	1418 mm	
Empattement	2637 mm	2699 mm	2690 mm	
Voie avant	1555 mm	1547 mm	1521 mm	
Voie arrière	1526 mm	1544 mm	1556 mm	
Poids	1525 kg	1480 kg	1497 kg	
Coffre	283 l	470 l	390 l	
Pneus avant	P225/40R18	P225/45R17	P225/40R18	
Pneus arrière	P225/40R18	P225/45R17	P225/40R18	
Marque pneus lors du match	Continental ProContact	Continental ContiproContact SSR	Pirelli Cinturato P7	
PERFORMANCE				
Slalom	11,68 s	12,39 s	12,05 s	
Piste	1:04,87 min	1:03,65 min	1:05,03 min	
(0-100 km/h) Accélération	6,7 s	7,5 s	6,5 s	
(100-0 km/h) Freinage	41,22 m	40,68 m	43,52 m	
GARANTIE				
Garantie de base	4 ans / 80000 km	4 ans / 80000 km	4 ans / 80000 km	
Groupe motopropulseur	4 ans / 80000 km	4 ans / 80000 km	4 ans / 80000 km	
Groupe hybride	n/a	n/a	n/a	

CHEVROLET VOLT	LEXUS CT200h	ACURA ILX
4	**5**	**6**
38 845 $	33 120 $	27 990 $
41 910 $	41 478 $	31 990 $
4L - 1,4 litre	4L - 1,8 litre	4L - 2,0 litres
63 CH @ 4 800 tr/min	98 CH @ 5 200 tr/min	150 CH @ 6 500 tr/min
n.d.	105 lb·pi @ 4 000 tr/min	140 lb·pi @ 4 800 tr/min
Atmosphérique	Atmosphérique	Atmosphérique
Super	Ordinaire	Super
CVT	CVT	Auto, 5 rapports
TRACTION	TRACTION	TRACTION
149 ch	80 ch	n/a
273 lb·pi	153 lb·pi	n/a
16 kWh	1,3 kWh	n/a
2 2916	2 132	3 335
146	107	167
6,7 l/100km	4,5 l/100km	8,6 l/100km
5,9 l/100km	4,8 l/100km	5,6 l/100km
6,4 l/100km	4,6 l/100km	7,2 l/100km
4,5 l/100 km	7,1 l/100 km	10,4 l/100 km
4 498 mm	4 350 mm	4 550 mm
1788 mm	1765 mm	1794 mm
1439 mm	1445 mm	1412 mm
2 685 mm	2 600 mm	2 670 mm
1554 mm	1524 mm	1509 mm
1577 mm	1519 mm	1532 mm
1715 kg	1453 kg	1350 kg
300 l	405 à 900	348 l
P215/55R17	P215/45R17	P215/45R17
P215/55R17	P215/45R17	P215/45R17
Goodyear Assurance	Michelin Primacy MXM4	Michelin Pilot HXMXM4
13,14 s	13,55 s	13,14 s
1:10,50 min	1:08,12 min	1:10,41 min
10,8 s	12,5 s	11,2 s
41,93 m	43,84 m	42,06 m
3 ans / 60 000 km	4 ans / 80 000 km	4 ans / 80 000 km
5 ans / 160 000 km	6 ans / 110 000 km	5 ans / 100 000 km
8 ans / 160 000 km	8 ans / 160 000 km	n/a

POINTAGE DÉTAILLÉ

	RANG	AUDI A3	MERCEDES-BENZ CLA	BMW 228i	CHEVROLET VOLT	LEXUS CT200h	ACURA ILX
		1	2	3	4	5	6
DESIGN / STYLE							
Extérieur (silhouette, proportions, originalité, style, attrait visuel pur)	/40	35,2	34,0	31,6	28,4	29,2	26,4
Intérieur (design, couleurs, style, originalité, agencement des matériaux)	/40	33,2	30,0	26,8	28,8	29,6	28,8
TOTAL	/80	**68,4**	**64,0**	**58,4**	**57,2**	**58,8**	**55,2**
CARROSSERIE							
Finition intérieure + extérieure (qualité de peinture, écarts, assemblage)	/10	8,8	7,6	7,4	7,4	7,9	7,0
Qualité des matériaux (texture, couleur, surface, odeur)	/10	9,0	8,0	7,1	6,9	8,1	7,5
Tableau de bord (clarté, lisibilité des cadrans, graphisme, disposition)	/10	8,8	7,8	7,8	7,8	8,0	8,0
Équipement (accessoires, innovations, gadgets, système audio, etc.)	/10	8,5	7,0	6,9	8,3	7,4	6,9
Coffre (accès, volume, commodité, modularité, polyvalence)	/10	5,8	6,6	6,5	5,4	5,3	7,8
Rangements (accès, nombre, taille, commodité, efficacité)	/10	6,5	6,5	6,1	7,1	6,0	6,8
TOTAL	/60	**47,4**	**43,5**	**41,8**	**42,9**	**42,7**	**44,0**
CONFORT / ERGONOMIE							
Position de conduite (volant, sièges avant, repose-pied, réglages)	/20	16,3	15,6	16,6	13,6	16,4	15,6
Ergonomie (facilité d'atteindre les commandes, douceur, précision)	/20	17,5	14,6	16,4	14,4	15,0	13,4
Places arrière (nombre, accès, confort, espace, appuie-tête)	/20	15,0	12,5	9,5	11,8	13,5	15,5
Silence de roulement (sur chaussée lisse ou raboteuse, bruit de vent)	/20	16,5	14,4	16,2	16,8	15,0	15,6
TOTAL	/80	**65,3**	**57,1**	**58,7**	**56,6**	**59,9**	**60,1**
CONDUITE							
Tenue de route (équilibre, agilité, adhérence, facilité, marge de sécurité)	/20	18,4	17,8	18,0	13,6	15,0	13,2
Moteur (rendement, puissance, couple à bas régime, réponse, agrément)	/20	18,0	18,0	19,0	13,2	13,0	11,4
Direction (précision, «feedback», résistance aux secousses, braquage)	/20	18,0	18,2	18,4	13,6	14,0	13,6
Freins (sensations, modulation, constance, performances, résistance)	/20	17,8	17,2	12,6	14,6	12,6	15,6
Transmission (précision, rapidité, étagement, douceur, embrayage)	/20	16,6	16,4	18,2	15,2*	12,8	11,8
Qualité de roulement (suspension, solidité structurelle)	/20	18,2	17,2	17,2	15,2	15,0	13,2
TOTAL	/120	**107,0**	**104,8**	**103,4**	**85,4**	**82,4**	**78,8**
SÉCURITÉ							
Visibilité (surface vitrée, largeur des montants, rétroviseurs, angles morts)	/5	3,6	2,8	3,9	3,1	3,0	3,8
Systèmes d'aide à la conduite (efficacité, ajustabilité, rapidité)	/5	4,0	3,5	4,0	3,5	3,5	3,0
TOTAL	/10	**7,6**	**6,3**	**7,9**	**6,6**	**6,5**	**6,8**
PERFORMANCES MESURÉES							
Accélération 0-100 km/h	/25	19,8	17,8	19,8	11,5	9,3	11,5
Freinage de 100 km/h	/25	16,0	16,0	11,5	14,5	11,5	14,5
Consommation	/50	34,5	34,5	33,0	46,9	41,5	31,5
TOTAL	/100	**70,3**	**68,3**	**64,3**	**72,9**	**62,3**	**57,5**
AUTRES CLASSEMENTS							
Choix des essayeurs	/50	**48**	**36**	**35**	**22**	**21**	**21**
	/500	360,0	336,6	321,6	302,1	294,9	291,0
TOTAL	/500	**414**	**380**	**369,5**	**343,6**	**333,6**	**323,4**

MAGNUM MK5

FELINO
CB7

MAGNUM MK5 / TRACK STAR

PAR GABRIEL GÉLINAS | PHOTOS: JEREMY ALAN GLOVER

Elle a une gueule d'enfer, un rapport poids-puissance délirant, le comportement d'une authentique voiture de course et elle s'adresse à l'amateur qui veut s'éclater sur un circuit. Cette voiture, c'est la Magnum MK5, laquelle a été conçue par le pilote québécois Bruno St-Jacques et qui sera construite à Boucherville au rythme de 20 exemplaires par année. Le Guide de l'auto est le premier média à avoir fait l'essai de cette déjà populaire Magnum MK5. Voici le compte rendu de notre prise en mains sur le circuit routier de l'Autodrome St-Eustache.

Magnum est une marque de voitures de course fondée par Jean-Pierre St-Jacques à la fin des années soixante et Gilles Villeneuve a remporté le Championnat québécois de Formule Ford en 1973 au

VISIONNEZ ENCORE PLUS DE PHOTOS DE CE DOSSIER
http://2015.guideautoweb.com/dossiers/

volant d'une de ses Magnum. Bruno, le fils de Jean-Pierre, a donc grandi en contact étroit avec le monde du sport automobile et est lui-même devenu un pilote de course accompli en Formule Atlantique, Formule 3000 ainsi qu'en courses d'endurance de la Série Rolex.

Gueule de *star* !

Au premier contact, j'ai bien sûr été frappé par la gueule de *star* de la MK5, mais surtout par la qualité de sa fabrication et de son assemblage. Un examen rapide m'a permis de déterminer que c'est du travail très sérieux qui a été accompli par Bruno St-Jacques et son équipe, et que la MK5 n'a rien à voir avec une voiture de fabrication artisanale. Elle a plutôt l'ADN d'une authentique voiture de course : châssis tubulaire, moteur logé en position centrale,

boîte séquentielle à six vitesses, différentiel à glissement limité, suspensions à doubles leviers triangulés avec amortisseurs ajustables, aucune aide électronique au pilotage, deux sièges moulés avec harnais de sécurité à cinq points d'ancrage et un pédalier ajustable en fonction de la taille du pilote.

Le moteur et la boîte de vitesses séquentielle de la MK5 sont empruntés à la moto Suzuki Hayabusa. On a donc affaire à un quatre cylindres en ligne de 1,3 litre et 250 chevaux pouvant atteindre 11 000 tours/minute. Comme la voiture n'affiche que 1200 livres (544 kg) à la pesée, on obtient un rapport poids-puissance équivalent à 460 chevaux par tonne.

Lancé sur le circuit, je me suis dit que je prendrais quelques tours pour réchauffer

LE CRI DE GUERRE DU MOTEUR À SA ZONE ROUGE EST TOUT SIMPLEMENT INTOXICANT

les pneus et m'habituer aux sensations de conduite plus radicales de cette authentique bête de course, mais dès le troisième tour, je me suis surpris à pousser la voiture et à rouler beaucoup plus vite que je ne l'anticipais. Ce fut toute une surprise de constater à quel point la MK5 est facile à conduire et qu'elle incite à la vitesse. Le cri de guerre du moteur à sa zone rouge est tout simplement intoxicant, la voiture s'inscrit en virage avec une précision chirurgicale grâce à une direction ultra-précise. Aussi, il est facile

de bien doser la transition entre le freinage vers le point de corde et la réaccélération en sortie de virage puisque la MK5 est remarquablement équilibrée.

En fait, la bagnole répond instantanément à la moindre sollicitation, même la plus subtile, mais elle n'est jamais vicieuse ou caractérielle, ce qui fait qu'il est facile de l'apprivoiser. La rapidité de la décélération en zone de freinage impressionne, tout comme le niveau d'adhérence mécanique

en virage qui est stupéfiant, la MK5 étant capable d'une accélération latérale de deux G en virage. Bref, son potentiel de performance garantit un plaisir de conduire inégalé sur circuit et la MK5 est capable d'aligner les tours rapides sans montrer aucun signe de faiblesse.

GABRIEL GÉLINAS (AU VOLANT) LIVRE SES IMPRESSIONS À BRUNO ST-JACQUES, MAÎTRE D'OEUVRE DE LA MAGNUM MK5.

Pour aller faire l'épicerie?

Pour l'amateur qui veut rouler sur un circuit, la MK5 représente une alternative très convaincante aux voitures sport de série adaptées pour la piste comme les Porsche 911 GT3 RS, Ferrari 458 ou McLaren 650S. Avec un prix avoisinant 165 000 $, la MK5 n'est certes pas donnée, mais elle demeure moins chère que ces voitures exotiques dont les coûts d'exploitation sont aussi nettement plus élevés. En effet, comme la Magnum est très légère, ses plaquettes de frein et ses pneus vont durer beaucoup plus longtemps, même lors d'un usage intensif sur circuit, ce qui est un facteur non négligeable.

En plus, il est même possible d'immatriculer la MK5 puisqu'elle est conforme aux normes exigées d'un constructeur à faible volume de production. Elle peut être équipée d'un pare-brise et d'essuie-glaces et ainsi être conduite sur les routes balisées pour se rendre au circuit ou simplement pour une balade au cours de laquelle elle devient instantanément le centre d'attraction partout où elle passe. Il est clair que le créneau d'acheteurs ciblé par cette voiture est très limité et que la Magnum MK5 compte des rivales comme la KTM X-Bow, la Vühl 05, la Ariel Atom ou la BAC Mono, mais comme le volume de production est limité à 20 exemplaires par année, la MK5 conservera son cachet exclusif pendant longtemps.

Merci à Bruno St-Jacques (Magnum) et Antoine Labrosse (Autodrome St-Eustache) pour l'aide apportée dans la réalisation de cet essai.

Magnum MK5
http://www.magnummk5.com/

Autodrome St-Eustache
1016, boulevard Arthur-Sauvé,
Saint-Eustache, Qc J7R 4K3
Tél: 450 472-6222 | 514 591-4388
http://www.autodrome.ca/

FELINO CB7 / UN DÉVELOPPEMENT À LA VITESSE GRAND V

PAR GABRIEL GÉLINAS | PHOTOS: MATTHIEU LAMBERT

L'OBJECTIF EST DE PRODUIRE UNE VOITURE QUI POURRA ÊTRE CONFIGURÉE SELON LES CHOIX FAITS PAR LE CLIENT ...

La Felino CB7 créée par l'ex-pilote québécois Antoine Bessette a sans contredit été la grande vedette de l'édition 2014 du Salon de l'auto de Montréal. Après un bain de foule et l'assaut des caméras, les deux exemplaires de cette sportive de haut calibre ont retrouvé les circuits pour la suite du développement.

« Étonnamment, nous respectons l'échéancier prévu... », dit Antoine en riant avant de préciser que les tests menés par son équipe d'ingénieurs et de pilotes professionnels se poursuivent en vue de peaufiner le modèle de deuxième génération qui est animé par un V8 et équipé d'une boîte séquentielle mécanique. « Après avoir étudié toutes les options, j'ai décidé d'opter pour le moteur LS3 de General Motors qui est, de loin, le plus intéressant de tous ceux que nous avons testés ». Avec une puissance chiffrée à 525 chevaux, ce moteur de 6,2 litres permet à la CB7 d'obtenir un rapport poids-puissance plus que favorable puisque la version actuelle de la voiture pèse 2 200 livres (moins de 1 000 kg). Son concepteur vise encore à alléger la CB7 dont la mission est de cibler un créneau très restreint, celui des conducteurs qui veulent s'offrir une bagnole conçue pour s'éclater sur circuit.

« L'objectif est de produire une voiture qui pourra être configurée selon les choix faits par le client. Par exemple, il sera possible de l'équiper de freins en composite de carbone, d'une boîte à commande électronique ou même d'aides électroniques au pilotage puisque nous avons déjà choisi plusieurs de ces systèmes spécifiquement pour la CB7. Pour l'instant, elle est dépourvue de toute forme d'aides au pilotage afin que l'on puisse bien sentir les moindres réactions du châssis lors des essais, mais ce sera possible de les ajouter pour un pilote-client qui souhaiterait en disposer. À l'heure actuelle, la CB7 est très adaptable... », explique Bessette qui prévoit en produire 100 exemplaires et de pouvoir l'offrir à un prix plancher approximatif de 100 000 dollars, prix qui augmentera en fonction des options choisies. Au moment d'écrire ces lignes, Antoine Bessette n'était pas prêt à dévoiler les données de performances obtenues par la CB7 ou de nous permettre de l'essayer puisque le programme de développement suit son cours avec une approche très méthodique, typique de celle d'une véritable équipe de course et qui met justement à contribution l'expérience de pilotes professionnels chevronnés. Mais comme Antoine nous a promis que nous pourrons éventuellement la tester sur circuit, ce n'est que partie remise...

TECHNOLOGIE

V2V : VOITURE À VOITURE
La techno qui précède la voiture sans pilote

Par: Denis Duquet

Il ne se passe pas une semaine, voire une journée, sans qu'une vidéo ne montre les exploits d'une voiture sans conducteur. Il y a quelques années, c'était la voiture Google mais maintenant, à peu près tous les manufacturiers y vont de leur interprétation de la voiture autonome. Une entreprise américaine, Cruise Automation (www.getcruise.com) commercialise même son propre système qui ne fonctionne pour l'instant qu'avec les Audi A4 et S4. Par contre, son utilisation est restreinte aux autoroutes, et de surcroît le cadre législatif actuel n'en permet pas l'usage sur des voies publiques.

Si la voiture de Monsieur et Madame tout le monde ne se conduit pas encore toute seule, elle peut quand même, dans le cas de modèles haut de gamme ou très bien équipés, être dotée d'un système de détection d'obstacles qui permet un arrêt complet. La voiture peut être guidée entre les lignes blanches, détecter un objet qui empêche un changement de voie, etc. Bref, les possibilités techniques sont déjà présentes dans plusieurs bagnoles. Mais l'autonomie totale n'est pas encore pour un avenir rapproché.

Présentement, il existe plusieurs voitures qui peuvent se conduire toutes seules. Or, chacune de ces voitures embarque sa propre technologie et agit par elle-même, indépendamment des autres. De la même façon qu'un conducteur réagit au comportement de ses semblables, les voitures autonomes devront interagir l'une avec l'autre, de façon active comme préventive, afin d'évoluer efficacement dans la circulation. Les scientifiques travaillent donc présentement à établir des normes pour une technologie qui permettrait à toutes les voitures de communiquer entre elles. Cette technologie est appelée V2V (Vehicle to Vehicle)

Malgré les rêves des amateurs de technologie, les gens les plus optimistes prévoient que la voiture à conduite autonome ne sera pas chose faite et démocratisée avant 2020 au plus tôt. Car si la faisabilité technique des autos sans conducteur a déjà été démontrée dans des projets pilotes, il faut laisser le temps aux législateurs d'établir des règles. S'il faut se fier aux échéanciers du gouvernement américain, ces règles ne seront pas instituées avant 2017 et ne seront mises en application que vers 2020. Ces lois ne visent pas la voiture autonome elle-même, mais l'étape préparatoire que constitue la normalisation de la communication entres les autos, le fameux V2V.

Réseau sans fil localisé

Le système V2V est relativement simple, car il permet aux véhicules branchés sur le réseau d'envoyer des messages les uns aux autres et de les informer de ce qu'ils font, soit leurs freinages, accélérations, leur vélocité, leur direction et toute autre information semblable.

Voici une liste des paramètres analysés par chaque véhicule relié au système V2V dans l'état actuel des recherches:

• Vitesse du véhicule;

• Position de la voiture et sa direction;

• Utilisation (ou pas) de l'accélérateur;

• Utilisation des freins ou même de l'ABS;

• Changement de voie;

• Contrôle de stabilité, antipatinage actionnés;

• Fonctionnement des essuie-glaces, du dégivreur;

• Rapport de boîte utilisé (incluant la marche arrière).

Cette liste est préliminaire et il est possible que plusieurs de ces éléments soient éliminés afin de réduire les coûts ou de simplifier le système.

Toutefois, plus il y aura d'éléments monitorés, plus il y aura moyen d'extrapoler des applications tirant avantage des informations combinées des paramètres qui seront supervisés.

Le V2V utilise un réseau de communication à courte distance (DSRC pour Dedicated Short Range Communication) qui est déterminé par les organismes de standards internationaux tels l'ISO (International Organization for Standardization). Ce réseau est parfois désigné comme étant un Wi-Fi puisqu'il utilise la même fréquence de 5,9 GHz. Mais on pourrait affirmer plus précisément que c'est un « presque Wi-Fi » avec une portée de 1000 mètres, soit un délai d'avertissement de 10 à 15 secondes pour un véhicule circulant à une vitesse d'autoroute. En clair, vous obtenez des informations sur ce qui se passe dix à quinze secondes autour de votre véhicule.

DANS CERTAINS CAS, LES INFORMATIONS SONT AFFICHÉES TRÈS DISCRÈTEMENT. CETTE FOIS, ON ANNONCE UN FEU DE CIRCULATION À L'AVANT.

AVEC LE SYSTÈME V2V, LE CONDUCTEUR EST AVERTI SUR UN ÉCRAN D'AFFICHAGE DE LA PRÉSENCE D'OBSTACLES À PLUS DE 1 000 MÈTRES.

LA COMMUNICATION V2V EST ÉTABLIE GRÂCE À UN MINIRÉSEAU WI-FI PLACÉ DANS CHAQUE VÉHICULE.

Les amateurs de calculs auront tôt fait de faire remarquer que 10 secondes à 100 km/h équivalent à 28 mètres... Or on parle plutôt ici de la vitesse du signal, qui voyage à une vitesse considérablement plus élevée que celle de la voiture.

Pour l'instant, les centaines de prototypes construits pour mettre à l'essai le système V2V se contentent d'un clignotant sur le tableau de bord pour indiquer la possibilité d'un danger ou d'un problème en voie de s'aggraver. Compte tenu de la sophistication des systèmes de sécurité embarqués sur certaines voitures, cela semble bien peu évolué. Il ne servirait à rien de tenter d'intégrer toutes les technologies actuellement offertes par les manufacturiers. Il faut commencer par normaliser le protocole de communication entre les voitures. Ensuite, on pourra considérer de passer à la prochaine étape.

Le V2V en soi ne prévoit donc pas de contournement d'obstacle ni d'immobilisation de véhicule. Il s'agit tout simplement d'un protocole d'échange d'information entre véhicules ou même entre des véhicules et des infrastructures routières, comme la signalisation, le marquage, un feu de circulation ou tout autre objet du genre. Son utilisation anticipée peut sembler simpliste aux yeux de certains, son seul apport pour l'instant étant d'avertir le conducteur d'un danger dans un rayon d'action étendu, mais limité quand même. Reste à trouver une harmonisation entre les différentes déclinaisons de V2V avancées dans les projets de recherche, avant de développer des applications harmonisées telles que les systèmes d'évitement embarqués et la conduite autonome.

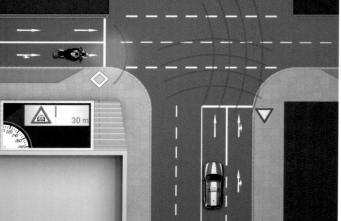

Comme si cela n'était pas assez confus, le gouvernement américain veut rendre obligatoire l'installation de radios V2V dans toutes les voitures neuves d'ici quelques années, en utilisant le protocole DSRC, question de graduellement rendre le parc automobile compatible avec les applications qui seront développées grâce à ce « langage » commun.. Comme c'est souvent le cas quand on parle de normalisation, les systèmes semblables développés en Europe et au Japon ne seront pas compatibles avec le standard américain, du moins au début.

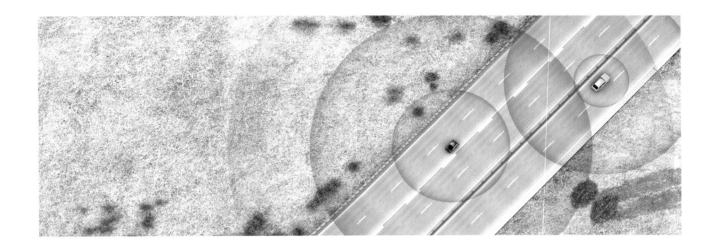

V2V assistera la voiture autonome

Pour l'instant, la principale faiblesse de la voiture autonome est son rayon de détection limité, qui limite sa capacité à anticiper des situations. En général, sa « vision » en solitaire est de quelques mètres en périphérie, variant selon les prototypes de 30 à 100 mètres. Le système V2V permettra d'augmenter grandement les informations quant à l'environnement routier à moyen terme, tout au moins en raison de l'interconnexion entre les voitures dotées du système. Ces dernières agiront comme des stations-relais, transmettant des informations d'un véhicule à l'autre, depuis le premier « témoin » d'un événement jusqu'au dernier véhicule en aval d'un peloton.

Ainsi averti, le conducteur – ou plus tard le système de conduite autonome – aura plus de temps pour réagir et prendre les actions qui s'imposent. Mais encore faut-il que bon nombre de voitures soient équipées de ce système, afin que l'information puisse passer d'une auto à l'autre dans les limites offertes par le rayon d'action du DRSC.

Il faudra du temps

Supposons que le V2V soit disponible dès demain. En sachant que la vie d'une voiture avant son remplacement est à peu près de 11 ans, il faudra au moins cinq ans avant que le nombre d'autos équipées du V2V soit assez élevé pour avoir une influence significative.

À terme, cette technologie aura en effet une influence bénéfique sur le flot de la circulation tout en prévenant les accidents. On est même en droit de prédire que le nombre de fatalités sur les routes ira en diminuant. Plusieurs experts parlent de 6 000 à 8 000 décès de moins chaque année sur le continent nord-américain.En outre, le propriétaire d'une voiture V2V sera informé en temps réel des événements ou informations suivants :

• Panneaux d'arrêt

• Feux de circulation

• Intersections avec virage à gauche

• Température

• Approche d'un véhicule d'urgence.

Ce sont autant d'éléments actifs ou passifs qui auront un effet positif sur la sécurité routière et faciliteront le développement des voitures à pilotage sans conducteur. Toutefois, il reste encore beaucoup de travail à faire.

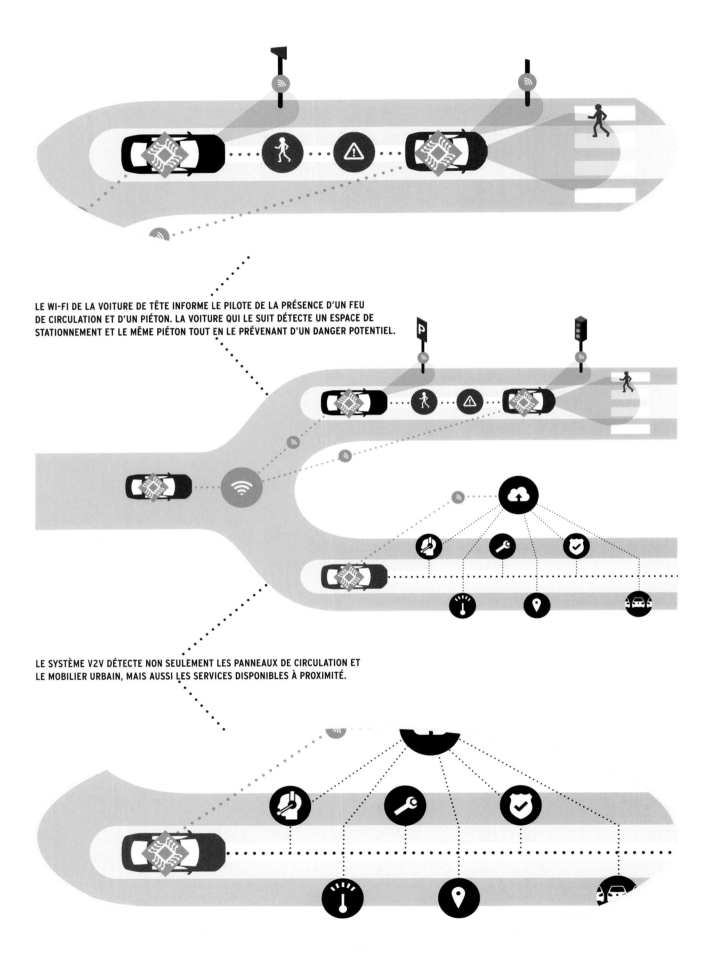

LE WI-FI DE LA VOITURE DE TÊTE INFORME LE PILOTE DE LA PRÉSENCE D'UN FEU DE CIRCULATION ET D'UN PIÉTON. LA VOITURE QUI LE SUIT DÉTECTE UN ESPACE DE STATIONNEMENT ET LE MÊME PIÉTON TOUT EN LE PRÉVENANT D'UN DANGER POTENTIEL.

LE SYSTÈME V2V DÉTECTE NON SEULEMENT LES PANNEAUX DE CIRCULATION ET LE MOBILIER URBAIN, MAIS AUSSI LES SERVICES DISPONIBLES À PROXIMITÉ.

Les lois et la confidentialité

Curieusement, ce n'est pas l'état de la technologie qui retardera l'entrée en fonction du réseau V2V et des voitures autonomes. Ce sont les lois qui n'ont pas encore été établies pour gérer ce réseau routier en pleine transformation. Par exemple, qui sera tenu responsable si une voiture sans pilote en frappe une autre qui est elle aussi à conduite autonome? Et toutes ces informations transmises sur les ondes concernant les déplacements de millions de véhicules moteurs sont maintenant du domaine public. Est-ce que Big Brother sera intéressé par ces données?

Bref, à long terme, la communication entre les voitures permettra d'effectuer de nets progrès en matière de sécurité routière et de gestion du flot de la circulation. Par exemple, prévenu d'avance du freinage intempestif de plusieurs véhicules à l'avant sur une autoroute, le pilote ainsi averti aura plus de temps pour agir en conséquence. Selon Jamie Fox, le secrétaire américain du transport, le V2V pourrait réduire de 70 % les accidents impliquant un conducteur ayant toutes ses facultés (qui n'est pas intoxiqué).

Et il est important de souligner que l'information entre véhicules obtenue par le système V2V existe indépendamment de la conduite autonome. Par contre, celle-ci sera optimisée par l'apport de renseignements provenant de plus loin sur le réseau routier, grâce au relais des informations. Malgré les promesses que fait miroiter le système V2V, il semble créer plus de problèmes que de solutions pour l'instant, notamment pour les aspects législatifs et de mise à niveau du parc automobile. Après réflexion, le V2V sur les voitures à interface humaine classique pourrait être une étape intermédiaire plus ou moins efficace qui sera rapidement dépassée par l'avènement d'une voiture autonome plus sophistiquée qui intégrera le V2V et prendra en charge les décisions à la place du « conducteur », sans en alarmer ce dernier.

Mais puisque le V2V risque d'être rapidement dépassé sur le plan technologique, il faut se demander si ce système ne sera pas mort-né lorsqu'on tentera de l'appliquer... D'autant plus qu'on ne semble pas s'entendre sur les standards de communication d'un continent à l'autre.

Son avenir ne semble pas très prometteur.

MEILLEURS ACHATS

MEILLEURS ACHATS

CITADINES

1: NISSAN **MICRA**

2: CHEVROLET SPARK

3: FIAT 500

EN LICE – Chevrolet Spark, Fiat 500, Mitsubishi Mirage, Nissan Micra, Scion iQ, smart fortwo

SOUS-COMPACTES

1: HONDA **FIT**

2: FORD FIESTA

3: KIA RIO & HYUNDAI ACCENT

EN LICE – Chevrolet Sonic, Ford Fiesta, Honda Fit, Hyundai Accent, Kia Rio, Mazda2, Mitsubishi i-MiEV, Nissan Versa Note, Toyota Prius C, Toyota Yaris

COMPACTES

1: MAZDA**3**

2: VOLKSWAGEN GOLF

3: TOYOTA COROLLA

EN LICE – Chevrolet Cruze, Dodge Dart, Ford Focus, Honda Civic, Hyundai Elantra, Kia Forte, Kia Soul, Mazda3, Mitsubishi Lancer, Nissan LEAF, Nissan Sentra, Scion xB, Scion xD, Subaru Impreza, Toyota Corolla, Toyota Prius/Prius V, Volkswagen Beetle, Volkswagen Golf, Volkswagen Jetta.

COMPACTES DE LUXE

1: AUDI **A3**

2: M-B **CLASSE CLA**

3: BMW **SÉRIE 2**

EN LICE — Acura ILX, Audi A3, BMW i3, BMW Série 2, Buick Verano, Chevrolet Volt, Lexus CT200h, Mercedes-Benz Classe B, Mercedes-Benz Classe CLA, MINI Clubman, MINI Cooper, MINI Countryman, MINI Paceman

BERLINES INTERMÉDIAIRES

1: MAZDA**6**

2: SUBARU **LEGACY**

3: HONDA **ACCORD**

EN LICE — Buick LaCrosse, Buick Regal, Chevrolet Malibu, Chrysler 200, Ford Fusion, Honda Accord, Hyundai Sonata, Kia Optima, Mazda6, Nissan Altima, Subaru Legacy, Toyota Camry, Volkswagen CC, Volkswagen Passat

BERLINES ET FAMILIALES MOINS DE 50 000 $

1: BMW **SÉRIE 3**

2: CADILLAC **ATS**

3: M-B **CLASSE C**

EN LICE — Acura TLX, Audi A4, Audi allroad, BMW Série 3, Cadillac ATS, Infiniti Q50, Lexus ES, Lexus IS, Lincoln MKZ, Mercedes-Benz Classe C, Volvo S60, Volvo V60

BERLINES ET FAMILIALES 50 000 $ À 100 000 $

1: MERCEDES-BENZ **CLASSE E** & **CLS**

CLASSE E

2: AUDI **A6** & AUDI **A7**

3: BMW **SÉRIE 5**

CLASSE CLS

EN LICE – Acura RLX, Audi A6, Audi A7, BMW Série 5, Cadillac ELR, Cadillac XTS, Cadillac CTS, Hyundai Equus, Infiniti Q70, Jaguar XF, Kia K900, Lexus GS, Lincoln MKS, Mercedes-Benz Classe E, Mercedes-Benz Classe CLS, Volvo S80

VOITURES ÉLECTRIQUES ET RECHARGEABLES

1: TESLA **MODEL S**

2: CHEVROLET **VOLT**

3: KIA **SOUL EV**

EN LICE – BMW i3, BMW i8, Cadillac ELR, Chevrolet Volt, Ford C-Max Energi, Ford Focus EV, Ford Fusion Energi, Kia Soul EV, Mitsubishi i-MiEV, Nissan Leaf, Porsche 918 Spyder, Porsche Cayenne S E-Hybrid, Porsche Panamera S E-Hybrid, smart fortwo ED, Tesla Model S, Toyota Prius PlugIn

GRANDES BERLINES

1: HYUNDAI **GENESIS**

2: TOYOTA **AVALON**

3: CHEVROLET **IMPALA**

EN LICE – Chevrolet Impala, Chrysler 300, Dodge Charger, Ford Taurus, Hyundai Genesis, Kia Cadenza, Nissan Maxima, Toyota Avalon

SPORTIVES MOINS DE 50 000 $

1: VOLKSWAGEN **GTI**

2: FORD **FOCUS ST**

3: SUBARU **BRZ** & SCION **FR-S**

EN LICE – Chevrolet Camaro, Dodge Challenger, Fiat Abarth, Ford Fiesta ST, Ford Focus ST, Ford Mustang, Honda Civic Si, Hyundai Genesis Coupe, Hyundai Veloster, Infiniti Q60, Lexus RC, MINI Coupe, Mitsubishi Lancer Evolution, Nissan 370Z, Scion FR-S, Scion tC, Subaru BRZ, Subaru WRX/STi, Volkswagen GTI

SPORTIVES 50 000 $ À 100 000 $

1: CHEVROLET **CORVETTE**

2: PORSCHE **CAYMAN**

3: JAGUAR **F-TYPE COUPÉ**

EN LICE – Alfa Romeo 4C, Audi S4, Audi S5, BMW M3, BMW Série 6, Cadillac CTS, Chevrolet Corvette, Jaguar F-Type Coupé, Mercedes-Benz Classe C AMG, Porsche Cayman

VOITURES DE PRESTIGE

1: TESLA **MODEL S**

2: MERCEDES-BENZ **CLASSE S S**

3: PORSCHE **PANAMERA**

EN LICE – Aston Martin Rapide, Audi A8, Bentley Continental, Bentley Flying Spur, Bentley Mulsanne, BMW Série 7, Jaguar XJ, Lexus LS, Maserati Ghibli, Maserati Quattroporte, Mercedes-Benz Classe S, Mercedes-Benz Classe S Coupé, Porsche Panamera, Rolls-Royce Drophead Coupe / Ghost / Phantom / Phantom Coupe / Wraith, Tesla Model S

CABRIOLETS ET ROADSTERS MOINS DE 50 000 $

1: MAZDA **MX-5**

2: FORD **MUSTANG**

3: VOLKSWAGEN **BEETLE**

EN LICE – Chevrolet Camaro, Fiat 500, Ford Mustang, Mazda MX-5, MINI Cooper, MINI Roadster, Nissan 370Z, smart fortwo, Volkswagen Eos, Volkswagen Beetle

CABRIOLETS ET ROADSTERS 50 000 $ À 100 000 $

1: CHEVROLET **CORVETTE**

2: PORSCHE **BOXSTER**

3: JAGUAR **F-TYPE**

EN LICE – Audi A5, Audi TT, BMW Série 4, BMW Z4, Chevrolet Camaro ZL1, Chevrolet Corvette, Infiniti Q60, Jaguar F-Type, Jaguar XK, Mercedes-Benz Classe E, Mercedes-Benz Classe SLK, Nissan 370Z, Porsche Boxster

GT / SPORT PERFORMANCE

1: AUDI **R8**

2: FERRARI **458 ITALIA**

3: PORSCHE **911**

EN LICE – Aston Martin DB9, Aston Martin Vanquish, Aston Martin Vantage, Audi R8, BMW i8, Bugatti Veyron, Chevrolet Corvette Z06, Dodge Viper SRT, Ferrari 458, Ferrari California T, Ferrari F12 Berlinetta, Ferrari FF, Jaguar XK / XKR / XKR-S, Lamborghini Aventador, Lamborghini Huracán, Lotus Evora, Maserati Gran Turismo, McLaren 650S, McLaren P1, Mercedes-Benz Classe SL, Nissan GT-R, Porsche 911, Porsche 918 Spyder

1: SUBARU **OUTBACK**

2: VOLVO **XC70**

3: MAZDA **CX-9**

EN LICE – Buick Enclave, Chevrolet Traverse, Chevrolet Trax, Dodge Journey, Fiat 500L, Ford C-Max, Ford Edge, Ford Flex, GMC Acadia, Honda Accord Crosstour, Kia Rondo, Mazda CX-9, Nissan Juke, Nissan Murano, Subaru Outback, Subaru XV Crosstrek, Toyota Venza, Volvo XC70

VUS COMPACTS MOINS DE 40 000 $

1: MAZDA **CX-5**

2: HONDA **CR-V**

3: TOYOTA **RAV4**

EN LICE – Chevrolet Equinox, Ford Escape, GMC Terrain, Honda CR-V, Hyundai Tucson, Jeep Cherokee, Jeep Compass / Patriot, Jeep Wrangler, Kia Sportage, Mazda CX-5, Mitsubishi Outlander, Mitsubishi RVR, Nissan Rogue, Subaru Forester, Toyota RAV4, Volkswagen Tiguan

VUS COMPACTS PLUS DE 40 000 $

1: AUDI **Q5**

2: PORSCHE **MACAN**

3: MERCEDES-BENZ **GLA**

EN LICE – Acura RDX, Audi Q3, Audi Q5, BMW X1, BMW X3, BMW X4, Infiniti QX50, Infiniti QX70, Land Rover LR2, Land Rover Ranger Rover Evoque, Lincoln MKC, Lincoln MKX, Mercedes-Benz Classe GLA , Mercedes-Benz Classe GLK, Porsche Macan, Volvo XC60

1: HYUNDAI **SANTA FE**

2: TOYOTA **HIGHLANDER**

3: JEEP **GRAND CHEROKEE/** DODGE **DURANGO**

EN LICE – Dodge Durango, Ford Explorer, Honda Pilot, Hyundai Santa Fe, Jeep Grand Cherokee, Kia Sorento, Nissan Pathfinder, Nissan Xterra, Toyota 4Runner, Toyota Highlander

1: PORSCHE **CAYENNE** & VOLKSWAGEN **TOUAREG**

PORSCHE CAYENNE

2: MERCEDES-BENZ **ML**

3: ACURA **MDX**

VOLKSWAGEN TOUAREG

EN LICE – Acura MDX, Audi Q7, BMW X5, BMW X6, Infiniti QX60, Infiniti QX70, Land Rover LR4, Land Rover Range Rover Sport, Lexus GX, Lexus RX, Mercedes-Benz Classe G, Mercedes-Benz Classe ML, Porsche Cayenne, Volkswagen Touareg, Volvo XC90

1: MERCEDES-BENZ **CLASSE GL**

2: CHEVROLET **TAHOE/** **SUBURBAN/** GMC **YUKON/** CADILLAC **ESCALADE**

3: FORD **EXPEDITION/** LINCOLN **NAVIGATOR**

EN LICE – Cadillac Escalade, Chevrolet Suburban, Chevrolet Tahoe, Ford Expedition, GMC Yukon, Infiniti QX80, Land Rover Range Rover, Lexus LX, Lincoln Navigator, Mercedes-Benz Classe GL, Nissan Armada, Toyota Sequoia

1: HONDA **ODYSSEY**

EN LICE – Chevrolet City Express, Chrysler Town & Country, Dodge Grand Caravan, Ford Transit Connect, Honda Odyssey, Kia Sedona, Mazda5, Nissan NV200, RAM Cargo Van, Toyota Sienna

2: CHRYSLER **TOWN & COUNTRY** / DODGE **GRAND CARAVAN**

3: TOYOTA **SIENNA**

1: FORD **F-150**

EN LICE – Chevrolet Silverado, Ford F-150, GMC Sierra, Nissan Frontier, Nissan Titan, RAM 1500, Toyota Tacoma, Toyota Tundra

2: RAM **1500**

3: CHEVROLET **SILVERADO** / GMC **SIERRA**

VOLKSWAGEN **GOLF** / **GTI**

Il y a de ces voitures qui savent bien vieillir... dont la Volkswagen Golf et son pendant sport, la GTI. Bien que la septième génération, qui débarque en Amérique du Nord cette année, ait gagné en empattement, en longueur et en largeur, elle conserve les attributs qui l'ont rendue si célèbre, et célébrée, depuis ses tout débuts en 1974. À l'époque, sur notre continent, elle s'appelait Rabbit.

Toujours est-il que la nouvelle Golf perpétue le plaisir de conduire grâce à un châssis très solide, une direction vive et des moteurs à l'avenant. La GTI reprend ces qualificatifs et leur apporte à un niveau encore supérieur. La gamme Golf est complète avec des moteurs à essence ou diesel et d'excellentes transmissions automatiques et manuelles.

La Golf, sportive ou non, n'est sans doute pas la voiture qui attire le plus l'attention. Mais qu'est-ce qu'elle est efficace! À tel point qu'elle a rapidement éclipsé toutes ses rivales au titre de nouvelle voiture de l'année du *Guide de l'auto 2015*.

FORD **F-150**

En 1908, Henry Ford révolutionnait l'Amérique en créant une voiture qui répondait parfaitement aux besoins de l'époque, le Modèle T. 107 ans plus tard, Ford offre encore un véhicule qui répond parfaitement aux besoins de son époque, le F-150. Son titre de plus vendu en Amérique du Nord est récurant, année après année.

La sagesse serait de se contenter de sages évolutions afin de conserver ce titre. Mais voilà que Ford fait tout le contraire avec un modèle que l'on peut qualifier d'audacieux et de révolutionnaire. En effet, ce millésime fait appel à une utilisation massive de l'aluminium qui permet une

réduction de poids de 300 kilos (660 livres). Pour faire bonne mesure, l'offre des moteurs a été revue. Du nouveau V6 de 2,7 litres EcoBoost au V6 de 3,5 litres de 420 livres-pied de couple, chacun y trouvera son compte. La consommation de carburant est ainsi réduite de façon substantielle.

Cette audace technologique ainsi qu'une une cabine entièrement revue et plus sophistiquée justifient amplement le titre de Meilleur nouvel utilitaire de l'année du *Guide de l'auto 2015*.

JAGUAR **F-TYPE COUPÉ**

Habituellement, lorsque vient le temps de discuter des prétendants au titre de meilleur design de l'année du *Guide de l'auto*, les émotions sont à fleur de peau. Ce que l'un trouve génial est vertement critiqué par l'autre qui n'en revient pas d'un tel manque de goût. Pas cette année. Tout le monde, même ceux qui se sont donné le mandat d'être toujours en désaccord avec l'opinion générale, tout le monde était vraiment d'accord. Le plus beau véhicule (car nous incluons les voitures, les camions, les concepts, les prototypes et tout ce qu'il y a entre ces catégories) est la Jaguar F-Type Coupé. Nous étions bouche bée devant le modèle décapotable? Nous avons été bouche extraordinairement bée devant le coupé.

Du bonheur pour les yeux que cette F-Type Coupé!

Il y a de un $ à cinq $. Plus il y a de $, plus la voiture coûte cher à assurer.

Échelle de prix : Du prix le plus bas de toute la gamme au prix le plus élevé, sans les options.

Frais de transport et de préparation, une donnée importante qui ajoute au coût d'achat.

 HONDA ACCORD

▸ **Catégorie :** Berline, Coupé

▸ **Échelle de prix :** 23 990$ à 37 596$ (2014) ◂

▸ **TRANSPORT ET PRÉP. :** 1851 $ ◂

▸ **Cote d'assurance :** $$$$ ◂

▸ **Garanties :** 3 ans/60 000 km, 5 ans/100 000 km

▸ **Ventes CAN 2013 :** 17 165 unités ◂

Pour mieux évaluer la popularité d'un modèle, nous indiquons la quantité vendue au Canada pour l'année calendrier 2013.

Emp : Empattement
Lon : Longueur
Lar : Largeur
Haut : Hauteur

Châssis - Berline Touring

▸ Emp / lon / lar / haut	2775 / 4862 / 1849 / 1465 mm
Coffre / Réservoir	439 litres / 65 litres
Nombre coussins sécurité / ceintures	6 / 5
Suspension avant	indépendante, jambes de force
Suspension arrière	indépendante, multibras
Freins avant / arrière	disque / disque
Direction	à crémaillère, ass. variable électrique
Diamètre de braquage	11,8 m
Pneus avant / arrière	P235/45R18 / P235/45R18
▸ Poids / Capacité de remorquage	1521 kg / n.d.
Assemblage	Marysville, OH

Poids : Poids à vide du véhicule
Capacité de remorquage : Dans plusieurs cas, la remorque doit posséder son propre système de freinage. Vérifiez auprès du concessionnaire.

Type de moteur : 2L, 4L, 6L, V6, V8, V10, V12, W12, W16, H4, H6

atmos : atmosphérique.
Turbo : turbocompressé.
Surcomp : surcompressé - ou suralimenté.

Composantes mécaniques

Hybride

Cylindrée, soupapes, alim.	4L 2,0 litres 16 s atmos.
Puissance / Couple	141 chevaux / 122 lb-pi
▸ Tr. base (opt) / rouage base (opt)	CVT / Tr ◂
▸ 0-100 / 80-120 / V.Max	8,0 s / 6,3 s / n.d.
▸ 100-0 km/h	46,3 m
Type / ville / route / CO_2	Ord / 3,7 / 4 l/100 km / 1745 kg/an

Tr.base (opt) / rouage base (opt) : Transmission de base et, entre parenthèses, la transmission optionnelle suivi du rouage de base et, entre paranthèse, le rouage optionnel.

Chevaux / lb-pi : Si la puissance s'exprime en chevaux, le couple, lui, l'est en livres-pied.

Moteur électrique

▸ Puissance / Couple	166 ch (124 kW) / 226 lb-pi
Type de batterie	Lithium-ion
Énergie	1,3 kWh

Les données de performances et de freinage proviennent majoritairement de l'Association des journalistes automobile du Canada (AJAC). Sinon, il s'agit de nos propres données mesurées à l'aide d'un appareil Racelogic.

Pour chaque véhicule hybride ou branchable, nous décrivons le moteur électrique et la batterie.

Berline, Coupé / Sport

Cylindrée, soupapes, alim.	4L 2,4 litres 16 s atmos.
Puissance / Couple	185 ch (189 Sport) / 181 lb-pi (182 Sport)
Tr. base (opt) / rouage base (opt)	M6 (CVT) / Tr
0-100 / 80-120 / V.Max	8,7 s / 5,8 s / n.d.
100-0 km/h	46,6 m
Type / ville / route / CO_2	Ord / 8,8 / 5,8 l/100 km / 3427 kg/an

CVT, transmission à rapports continuellement variables (Continuously Variable Transmission)
Transmission A4 (automatique 4 rapports), A5, etc.
M5 (manuelle 5 rapports), M6, etc.

Rouage : Tr : traction (roues avant motrices).
Pr : propulsion (roues arrière motrices).
Intégral (toutes roues motrices à prise constante avec variation du couple de l'avant vers l'arrière ou vice versa.
4x4, toutes roues motrices débrayables.

Ord : Essence ordinaire (octane 87).
Sup : super (91). **Die :** diesel. **kg/an :** kilos de CO_2 rejetés par année selon RNC. Cette année, nous utilisons les cotes à deux cycles puisqu'au moment de mettre sous presse, RNC n'avait pas encore fourni toutes les cotes à cinq cycles.

n.d. : donnée non disponible
est : donnée estimée
s : nombre de soupapes

LOGO DIESEL

LOGO ÉLECTRIQUE

LOGO HYBRIDE

LOGO ÉCONOMIQUE

Les modèles qui consomment peu (moins de 8,9 l/100 km en ville) ou qui sont à motorisation diesel, électrique ou hybride sont identifiés par des symboles.

À la page 658, vous retrouverez davantage de données techniques
Dans le but d'alléger les différents textes du Guide de l'auto, seul le masculin est utilisé et englobe le féminin.

ESSAIS

ACURA **ILX**

▶ **Catégorie :** Berline

▶ **Cote d'assurance :** $$$$

▶ **Échelle de prix :** 30 100 $ à 37 300 $

▶ **Garanties :** 4 ans/80 000 km, 5 ans/100 000 km

▶ **Transport et prép. :** 2 110 $

▶ **Ventes CAN 2013 :** 3 192 unités

Nord-américanisée

Denis Duquet

Plusieurs rumeurs avancent que l'Acura ILX sera être sérieusement transformée dans la même vague de changements provoquée par la nouvelle TLX qui amalgame dorénavant les modèles TSX et TL. Toujours selon les rumeurs qui circulent sur le Web, la prochaine génération de l'ILX sera basée sur une plate-forme modifiée de la TLX.

C'est beau de rêver et ces prédictions se révéleront peut-être vraies un jour, mais en attendant, l'ILX 2015 nous revient pratiquement inchangée. Cette compacte presque de luxe poursuit ainsi sa carrière et on peut affirmer sans se tromper que sa présence dans les salles de démonstration sera la bienvenue en attendant que la TLX soit commercialisée à l'automne. La ILX permet donc à des milliers de personnes de se familiariser avec les produits de la marque de prestige de Honda.

L'exécution avant les origines

Il faut se rappeler que l'ancêtre de l'ILX était la CSX, une exclusivité canadienne fabriquée à l'usine d'Alliston en Ontario. Avec des moyens plutôt modestes, Honda Canada avait réussi à concocter un modèle suffisamment huppé pour être à la hauteur de la réputation de la marque Acura.

Il faut croire que cette réalisation a plu aux Américains qui se sont emparés non seulement du modèle canadien, mais l'ont étoffé, américanisé d'une certaine manière et ont déplacé sa fabrication aux États-Unis. Disposant de moyens plus importants, stylistes et ingénieurs américains ont réussi à transformer une berline Civic en Acura fort potable. Les retouches extérieures sont suffisamment importantes pour différencier la version bourgeoise de l'original. Cette fois, la calandre typique des Acura fait du bon travail pour la départager de la Civic et s'intègre bien à l'ensemble.

Impressions de l'auteur			Concurrents
Agrément de conduite :	★★★★	4	Audi A3, BMW Série 2, Buick Verano,
Fiabilité :	★★★★⯪	4,5	Lexus CT, Mercedes-Benz Classe CLA
Sécurité :	★★★★	4	
Qualités hivernales :	★★★⯪	3,5	
Espace intérieur :	★★★★	4	
Confort :	★★★⯪	3,5	

Mais la grande différence se situe dans l'habitacle alors que la planche de bord est nettement mieux réussie que celle de la Civic. On retrouve l'écran d'information surplombant un module regroupant les pavés de commande et l'incontournable bouton de contrôle propre à toutes les Acura et plusieurs Honda par la même occasion. Il faut ajouter que les matériaux sont de bonne qualité et les sièges nettement plus confortables que ceux de la petite sœur.

Malgré les dimensions de la ILX, les places arrière sont spacieuses, et ce, même pour des adultes. On attribue de bonnes notes également au coffre à bagages. Bref, ceux qui rejettent l'ILX du revers de la main en la qualifiant de Civic « pimpée » font fausse route.

Le modèle à moteur hybride est un quatre cylindres de 1,5 litre produisant 111 chevaux et associé à un moteur électrique placé entre le moteur thermique et la transmission CVT, la seule disponible. Amateurs d'accélérations sportives, prière de vous abstenir. Pour le conducteur « écolo », les performances permettent de suivre le flot de la circulation sans trop de problèmes. En fait, pour apprécier cette version, il faut savoir adapter sa conduite. Vous bénéficierez alors d'une consommation d'environ 5,0 l/100 km.

Acura propose aussi le modèle à moteur 2,0 litres de 150 chevaux et uniquement offert avec une transmission automatique à cinq rapports. Celle-ci est adéquate, mais on est en droit de se demander pourquoi on ne propose pas la boîte manuelle à six rapports disponible avec le moteur 2,4 litres, d'autant plus que celle-ci est excellente. Quant à la transmission automatique, elle est dans la moyenne. Grâce aux jeux des groupes d'options, il est possible de transformer son Acura en mini-limousine. L'ILX à moteur 2,0 litres est la version la plus populaire et celle qui s'adresse à la majorité des acheteurs.

Fidèle à sa tradition, Honda ne néglige pas les conducteurs sportifs, ce qui explique la présence du moteur 2,4 litres de 201 chevaux. Il n'est offert toutefois qu'avec une boîte manuelle à six rapports. Désolé pour les amateurs de transmission automatique.

Si le choix de moteurs a un effet direct sur les performances et l'agrément de conduite, tous souffrent d'une insonorisation nettement perfectible alors que les bruits de la route s'infiltrent dans l'habitacle. De plus, peu importe le modèle, la suspension est sèche quoique celle qui équipe les ILX à moteur 2,0 litres est plus souple que celle du modèle doté du moteur plus puissant.

Quoiqu'on en dise, l'ILX est un moyen alléchant et tout à fait honorable pour plusieurs de pouvoir exhiber son porte-clés Acura.

Châssis - Tech

Emp / lon / lar / haut	2670 / 4550 / 1794 / 1412 mm
Coffre / Réservoir	348 litres / 50 litres
Nombre coussins sécurité / ceintures	6 / 5
Suspension avant	indépendante, jambes de force
Suspension arrière	indépendante, multibras
Freins avant / arrière	disque / disque
Direction	à crémaillère, ass. variable électrique
Diamètre de braquage	11,0 m
Pneus avant / arrière	P215/45R17 / P215/45R17
Poids / Capacité de remorquage	1350 kg / n.d.
Assemblage	Greensburg, IN

Composantes mécaniques

Hybride

Cylindrée, soupapes, alim.	4L 1,5 litre 16 s atmos.
Puissance / Couple	111 chevaux / 127 lb-pi
Tr. base (opt) / rouage base (opt)	CVT / Tr
0-100 / 80-120 / V.Max	11,7 s / 10,5 s / n.d.
100-0 km/h	n.d.
Type / ville / route / CO_2	Sup / 5,0 / 4,8 l/100 km / 2260 kg/an

Moteur électrique

Puissance / Couple	23 ch (17 kW) / n.d.
Type de batterie	Lithium-ion
Énergie	n.d.

Base, Premium, Tech

Cylindrée, soupapes, alim.	4L 2,0 litres 16 s atmos.
Puissance / Couple	150 chevaux / 140 lb-pi
Tr. base (opt) / rouage base (opt)	A5 / Tr
0-100 / 80-120 / V.Max	10,1 s / 7,8 s / n.d.
100-0 km/h	44,1 m
Type / ville / route / CO_2	Sup / 8,6 / 5,6 l/100 km / 3335 kg/an

Dynamic

Cylindrée, soupapes, alim.	4L 2,4 litres 16 s atmos.
Puissance / Couple	201 chevaux / 170 lb-pi
Tr. base (opt) / rouage base (opt)	M6 / Tr
0-100 / 80-120 / V.Max	8,3 s / 7,0 s / n.d.
100-0 km/h	n.d.
Type / ville / route / CO_2	Sup / 9,8 / 6,5 l/100 km / 3825 kg/an

Du nouveau en 2015

Aucun changement majeur. Une nouvelle couleur. Nouvelle génération devrait apparaitre pour 2016.

Photos : Jeremy Alan Glover

FEU VERT
- Bon choix de moteurs
- Habitabilité surprenante
- Bonne tenue de route
- Finition sérieuse
- Boîte manuelle agréable

FEU ROUGE
- Suspension ferme
- Absence de certaines transmissions
- Insonorisation perfectible
- Buses de ventilation mal placées

ACURA **MDX**

▸ **Catégorie :** VUS	▸ **Échelle de prix :** 49 990 $ à 65 990 $ (2014)	▸ **Transport et prép. :** 2 110 $
▸ **Cote d'assurance :** $$$$$	▸ **Garanties :** 4 ans/80 000 km, 5 ans/100 000 km	▸ **Ventes CAN 2013 :** 6 114 unités

Entre confort et anesthésie

Nadine Filion

Même si son dernier passage générationnel a un peu anesthésié sa conduite, on l'aimerait inconditionnellement, cet Acura MDX – s'il était plus « apprivoisable ». Ah, ces foutus pitons... Reste que cet utilitaire demeure l'un des plus confortables et des plus logeables de sa catégorie.

L'Acura MDX s'est refait une beauté l'an passé et sous cette 3e génération se cache une nouvelle plate-forme. On a dit « be-bye » à l'architecture des Honda Odyssey et Ridgeline, pour adopter une plate-forme exclusive (à ce jour) qui allonge l'empattement de 7 cm, gage d'une meilleure assise. Et question de faciliter les manœuvres d'insertion dans les garages résidentiels, la largeur a été réduite de 3 cm.

L'utilitaire qui évolue sur notre marché depuis une décennie et demie peut toujours accueillir sept personnes en grand confort, du moins à l'avant et au centre. Besoin d'accommoder

deux adultes à l'arrière? Un beau bravo pour le mécanisme qui fait s'avancer ou reculer la rangée médiane, afin de répartir l'espace aux jambes, au gré des envies. Une fois toutes les banquettes rabattues, on a droit à l'un des chargements les plus généreux de la catégorie.

Grand confort, mais conduite anesthésiée

Sur la route, avec le contrôle des amortisseurs (de série) en mode Confort, c'est la douceur d'un mouton bien frisé. Non seulement la suspension arrière mise sur le multibras, plus conventionnel que le bras oscillant de la génération précédente, mais son système « amortisseur dans l'amortisseur » absorbe grandes et petites crevasses de la chaussée. Sauf que l'on ne sent plus grand liaison avec la route. Le mode Sport en accorde plus, mais c'est alors un brin bondissant sur les cahots, ce qui cadre mal avec ce véhicule.

L'utilitaire est assuré en virage, merci à une garde au sol diminuée (de 22 mm, à 185 mm) et à sa traction intégrale SH-AWD qui

Impressions de l'auteur		Concurrents
Agrément de conduite : ★★★☆ 3,5		Audi Q7, BMW X5, Buick Enclave,
Fiabilité : ★★★★ 4		Cadillac SRX, Infiniti QX70, Lexus RX,
Sécurité : ★★★★ 4		Lincoln MKX, Mercedes-Benz
Qualités hivernales : ★★★★☆ 4,5		Classe M, Porsche Cayenne,
Espace intérieur : ★★★★ 4		Volkswagen Touareg, Volvo XC90
Confort : ★★★★ 4		

distribue le couple de gauche à droite à l'essieu arrière. Ajoutez un dispositif de vectorisation, le Agile Handling Assist, qui fait intervenir le freinage aux roues intérieures, et voilà qu'on a ce qu'il faut pour prévenir, plutôt que juste guérir. Ceci dit, les freins manquent de mordant pour immobiliser cette masse de presque 2 000 kilos; La faute incombe à ce V6 de 3,5 litres (à injection directe) qui développe sa puissance de 290 chevaux de façon si souple et linéaire que l'on n'a pas l'impression de filer aussi vite.

Les palettes au volant sont de série? En temps normal, on vous dirait « bravo! », mais lors de notre semaine d'essai, il ne nous est pas venu l'idée de les manier — c'est vous dire que la boîte automatique (six rapports) fait du bon boulot. Non, il n'y a pas de septième ou huitième rapport, mais avant de crier au scandale, rappelez-vous que Honda/Acura a toujours su régler ses motorisations pour obtenir, dans la vraie vie (et pas que sur papier), parmi les plus frugales consommations. Sur l'autoroute 50, qui va par monts et par vaux entre Mirabel et Ottawa, nous avons enregistré 9,8l/100km, merci à la désactivation des cylindres, qui a enfin choisi de monter à bord du MDX.

Quand la logique prend le bord...

Les pitons... Ces foutus pitons. Jusqu'au plafond, les pitons! La journaliste automobile que je suis a pourtant l'habitude d'en découdre avec des commandes allemandes une semaine, américaines l'autre semaine, coréennes et japonaises ensuite... Je peux vous dire qui fait les meilleurs systèmes de navigation (Nissan), qui permet les connexions Bluetooth les plus aisées (Chrysler) et... que si un prix citron était accordé pour le tableau de bord le moins intuitif, c'est l'Acura MDX qui le remporterait.

La génération précédente souffrait d'une abondance de commandes peu instinctives (une cinquantaine bien comptée) et Acura a apparemment voulu simplifier la chose. Vrai qu'on a réduit les contrôles de moitié. Le hic, c'est qu'on a transmuté ça en un écran tactile qui demande une (sur)multiplication des manœuvres. Vous optez pour la navigation? Cet écran-là n'est pas tactile, lui; il se contrôle à partir d'une roulette installée... de façon inappropriée sous l'autre écran. Enfin, les indications à l'instrumentation ont la logique d'un labyrinthe.

Un dernier« reproche technologique », si vous le voulez bien. L'Acura MDX ne se démarque pas de la concurrence avec des gadgets avant-gardistes. Certes, il propose les principales aides à la conduite que l'on apprécie, comme l'alerte aux angles morts, aux collisions, aux écarts de voie et le régulateur de vitesse intelligent, mais quelques équipements brillent toujours par leur absence. Telle l'alerte à la circulation transversale, question de sécuriser les manœuvres de recul. Dommage.

Châssis - Base

Emp / lon / lar / haut	2820 / 4917 / 1962 / 1716 mm
Coffre / Réservoir	425 à 2364 litres / 79 litres
Nombre coussins sécurité / ceintures	7 / 7
Suspension avant	indépendante, jambes de force
Suspension arrière	indépendante, multibras
Freins avant / arrière	disque / disque
Direction	à crémaillère, ass. variable
Diamètre de braquage	11,4 m
Pneus avant / arrière	P245/60R18 / P245/60R18
Poids / Capacité de remorquage	1944 kg / 1 588 kg (3 500 lb)
Assemblage	Lincoln, AL

Composantes mécaniques

Base, Technologie, Elite

Cylindrée, soupapes, alim.	V6 3,5 litres 24 s atmos.
Puissance / Couple	290 chevaux / 267 lb-pi
Tr. base (opt) / rouage base (opt)	A6 / Int
0-100 / 80-120 / V.Max	7,2 s / 4,6 s / n.d.
100-0 km/h	43,6 m
Type / ville / route / CO_2	Sup / 11,2 / 7,7 l/100 km / 4430 kg/an

Du nouveau en 2015

Aucun changement majeur

- L'un des plus logeables de la catégorie
- Douceur laineuse
- Traction intégrale raffinée (SH-AWD)
- L'une des meilleures insonorisations

- Les pitons. Les foutus pitons!
- Conduite anesthésiée
- Freins qui manquent de mordant
- Pas d'alerte à la circulation transversale

Photos: Acura Canada

ACURA **RDX**

▶ **Catégorie :** VUS

▶ **Cote d'assurance :** $$$$

▶ **Échelle de prix :** 41 190 $ à 44 190 $ (2014)

▶ **Garanties :** 4 ans/80 000 km, 5 ans/100 000 km

▶ **Transport et prép. :** 2 110 $

▶ **Ventes CAN 2013 :** 6 112 unités

Qualités compensatoires

Nadine Filion

L'Acura RDX de 1re génération était avant-gardiste avec son quatre cylindres turbo, alors que tout le monde en était encore aux V6. Il l'était avec son AWD Super-Handling, il l'était même avec son comportement à la limite trop connecté. La 2e génération a voulu rejoindre un public plus large. Du coup, son charme a disparu et la conduite s'est assagie. Heureusement, il reste moult qualités compensatoires.

Dans une ère qui délaisse les V6 pour de plus petits – et supposés plus économes – moteurs turbo, l'Acura RDX roule à contre-courant. Il a abandonné le quatre cylindres turbo de sa 1re génération, au profit du V6 de 3,5 litres connu de la famille (sans injection directe, mais avec la désactivation des cylindres). Bien connue est cette puissance (273 chevaux) douce et linéaire, deux qualités qu'on ne pouvait attribuer à l'ancien moulin, il faut le dire. La vigueur n'a toutefois plus d'ivresse et le comportement se fait plus serein, assurément plus zen.

Autre abandon : l'AWD Super-Handling, qui permettait la répartition du couple entre les roues arrière, pour encore plus d'assurance en virage. On a repris le système plus traditionnel du Honda CR-V : c'est dans la moyenne des « intégrales », sans plus. Et la direction à assistance électrique (venue remplacer l'hydraulique) a perdu de sa précision ; on doit même composer avec un flou en manœuvres centrales. Ajoutez une suspension (toujours à multibras) plus conciliante avec ses amortisseurs deux dans un et vous obtenez une balade certes plus confortable, mais sans communication avec la route comme avec le premier Acura RDX – ce qui avait le mérite de livrer une bataille équitable aux concurrents européens.

Neutralité diplomatique

Suffit les regrets et voyons plutôt le côté positif des choses : les qualités compensatoires. Avec son RDX de 2e génération, Acura a indéniablement voulu s'adresser à un public plus large – et vrai que les acheteurs d'utilitaires compacts de luxe y

Impressions de l'auteur		Concurrents
Agrément de conduite : ★★★	3/5	Audi Q5, BMW X3, Infiniti QX50,
Fiabilité : ★★★★	4/5	Land Rover LR2,
Sécurité : ★★★★	4/5	Mercedes-Benz Classe GLK,
Qualités hivernales : ★★★★	4/5	Volvo XC60
Espace intérieur : ★★★★	4/5	
Confort : ★★★★	4/5	

trouvent confort et espace, avec en prime la fiabilité japonaise. Le légendaire rationnel qui prend le pas sur le passionnel...

Première qualité compensatoire : le confort règne en roi et maître à bord. Même après un millier de kilomètres en 24 heures, pas besoin de rendez-vous avec son chiropraticien. L'Acura RDX est également l'un des plus spacieux de sa catégorie et ça se traduit par un bon dégagement à la tête, des rangements impressionnants et une aire de chargement parmi les plus généreuses. Dommage cependant que la banquette n'avance ni ne recule, au gré des besoins.

Autant le grand frère Acura MDX, avec son dédale d'écrans, d'infos et de lectures, perd le pilote en conjectures, autant l'Acura RDX réussit à faire dans la simplicité. Certes, la planche est d'une neutralité diplomatique (on est loin de la somptuosité de Lexus), mais les commandes s'apprivoisent vite et on aime ce système qui lit nos textos lorsqu'on roule.

Pour le comptable en vous

Ce dernier équipement se fait de série, tout comme le démarrage sans clé, la caméra de recul, le Bluetooth, voire le revêtement en cuir et le toit ouvrant (malheureusement pas panoramique). Voilà qui nous amène à vous parler prix : à un peu plus de 41 000 $ « de base », l'Acura RDX est l'un des moins coûteux de sa catégorie et il est l'un des mieux nantis. L'offre a le mérite d'être simple et efficace — de quoi plaire au comptable qui sommeille en nous.

Justement, parlant comptabilité : l'Acura RDX est d'une redoutable frugalité. Sur l'autoroute, en suivant le trafic, notre ordinateur a enregistré 8,3 l/100 km, une bonne moyenne pour un V6 délié par une boîte automatique qui n'a que six (et non sept ou huit...) rapports. Mieux encore : en « descendant la 15 » à vitesse légale, c'est 6,8 l/100 km qui s'est enregistré.

Un seul groupe d'options est proposé avec la navigation, une caméra de recul plus élaborée (l'équipement de base fait pourtant l'affaire) et le hayon à ouverture électrique. Notre paresse aime beaucoup ce dernier, mais pas assez pour allonger les 3 000 $ requis pour ce groupe d'options.

Remarquez, on vous recommanderait de payer des bidous de plus pour l'alerte à la circulation transversale en recul, l'avertisseur d'angles morts, le régulateur de vitesse intelligent et l'anticollision, toutes des aides à la conduite qui se démocratisent à la vitesse grand V. Malheureusement, l'Acura RDX ne les offre toujours pas...

Châssis - Technologie TI

Emp / lon / lar / haut	2685 / 4660 / 1872 / 1678 mm
Coffre / Réservoir	739 à 2178 litres / 60 litres
Nombre coussins sécurité / ceintures	6 / 5
Suspension avant	indépendante, jambes de force
Suspension arrière	indépendante, multibras
Freins avant / arrière	disque / disque
Direction	à crémaillère, ass. variable électrique
Diamètre de braquage	11,9 m
Pneus avant / arrière	P235/60R18 / P235/60R18
Poids / Capacité de remorquage	1747 kg / 680 kg (1499 lb)
Assemblage	Marysville, OH

Composantes mécaniques

Cylindrée, soupapes, alim.	V6 3,5 litres 24 s atmos.
Puissance / Couple	273 chevaux / 251 lb-pi
Tr. base (opt) / rouage base (opt)	A6 / Int
0-100 / 80-120 / V.Max	7,1 s / 5,5 s / n.d.
100-0 km/h	42,9 m
Type / ville / route / co_2	Sup / 10,7 / 7,3 l/100 km / 4232 kg/an

Du nouveau en 2015

Aucun changement majeur

- Grand confort
- Puissance (V6) douce et linéaire
- Bonne économie en carburant
- Volume de chargement très généreux
- Haut niveau d'équipements pour le prix

- Adieu, « super » traction intégrale
- Habitacle et comportement neutres
- Pas d'innovations technologiques
- Direction au flou central

Photos: Acura Canada

ACURA **RLX**

▶ **Catégorie :** Berline

▶ **Cote d'assurance :** n.d.

▶ **Échelle de prix :** 49 900 $ à 65 000 $ (2014)

▶ **Garanties :** 4 ans/80 000 km, 5 ans/100 000 km

▶ **Transport et prép. :** 2 110 $

▶ **Ventes CAN 2013 :** 185 unités

Entre deux eaux

Jacques Duval

Motoriste émérite et constructeur de la sous compacte la plus prisée au monde, Honda ne semble pas aussi à l'aise quand vient le temps de retenir la clientèle en quête d'une voiture de grand luxe. Les vprécédents essais ont été des échecs et sans utiliser la même épithète, on peut dire que l'on ne se bousculera pas aux portes pour se procurer le dernier modèle haut de gamme faisant carrière comme le porte-étendard de la bannière Acura sous le patronyme RLX.

Si je devais résumer en un mot mes impressions d'une semaine au volant de cette voiture, je dirais qu'elle est plutôt inintéressante et que son insuccès est pleinement mérité. D'abord et avant tout, ses lignes sont banales et sans aucune originalité et ne permettent pas de la distinguer de n'importe quelle autre intermédiaire. Ensuite, le choix de la traction avant m'apparaît discutable pour une auto qui entend rivaliser avec des modèles comme la série 5 de BMW, la A6 d'Audi ou

encore les Mercedes de classe E à traction intégrale. Cette architecture du tout à l'avant va à l'encontre des préceptes de l'agrément de conduite. Voilà deux prises contre la RLX qui, si j'en juge par les annotations de mon carnet de notes, se dirige allègrement vers un retrait sur trois prises, pour reprendre la langue du baseball. À moins que l'on consente à allonger 15 000 $ de plus pour la version hybride SH-AWD beaucoup mieux nantie. En effet, en cours d'année, Acura corrigera légèrement le tir avec ce nouveau modèle d'une technologie assez audacieuse empruntant les quatre roues directrices pour améliorer le comportement routier ainsi que trois batteries, dont deux servent à faire fonctionner un petit moteur électrique relié à chacune des roues arrière.

Quatre roues directrices

Si l'on se contente de la RLX normale, on devra composer avec la sécheresse de l'amortissement et un châssis que la mauvaise qualité de nos routes soumet à rude épreuve. Le bruit qui émane alors du train avant est, soyons polis, désagréable.

Impressions de l'auteur		Concurrents
Agrément de conduite : ★★★☆☆ 3/5		Audi A6, BMW Série 5, Cadillac XTS,
Fiabilité : ★★★★½ 4,5/5		Infiniti Q70, Jaguar XF, Lexus GS,
Sécurité : ★★★★½ 4,5/5		Mercedes-Benz Classe E, Volvo S80
Qualités hivernales : ★★★★ 4/5		
Espace intérieur : ★★★★½ 4,5/5		
Confort : ★★★★½ 4,5/5		

Mue par un V6 de 3,5 litres et 310 chevaux (377 combinés en version hybride) faisant corps avec une transmission automatique à 6 rapports (l'hybride en aura 7), cette Acura se débrouille plutôt bien face au chrono avec un 0-100 km/h bouclé en 6,5 secondes. La consommation pour sa part tient sa frugalité du système de désactivation des cylindres qui intervient lorsque la demande de puissance est faible (à une vitesse stabilisée sur l'autoroute par exemple). Dans de telles conditions, la voiture affiche 6,9 litres aux 100 km à une vitesse de croisière. Attendez-vous cependant à voir ce chiffre grimper à 9 litres en moyenne lors d'une utilisation ville et route.

La présence de roues arrière directrices (comme dans une Honda Prélude d'il y a fort longtemps) aide à compenser l'effet de couple que l'on ressent habituellement dans des tractions. Leur intervention est assez transparente et à part dans les virages serrés à basse vitesse, il est difficile de détecter leur effet sur la conduite. Une direction assez peu informative et une tenue de route très moyenne font partie de tout ce qui rend cette voiture peu intéressante à conduire. La RLX voit son tempérament sage se transformer légèrement si l'on enclenche le mode Sport. Le régime moteur bondit de 500 tours, la direction devient mieux branchée avec moins d'assistance alors que la suspension se raffermit. Le freinage est lui aussi d'une belle efficacité et ne perd pas une miette de sa force de décélération après trois arrêts successifs à haute vitesse.

Finition perfectible

On devine malgré tout que la RLX est plus à l'aise dans un rôle de limousine silencieuse et confortable. Sa floraison d'accessoires de luxe, de gadgets et d'équipements sophistiqués en est la meilleure preuve. La liste est si longue que l'espace nous empêche de nous y attarder, mais notons tout de même que l'avant de la carrosserie a été conçu pour mieux absorber l'énergie si jamais vous heurtiez un piéton. Acura a réuni dans cette voiture tout ce qui existe à l'heure actuelle d'accessoires, certains très commodes et d'autres plus futiles. Détail important, le tableau de bord fort élégant est presque dépourvu de boutons. Ceux-ci sont remplacés par des touches sur le volant contrôlant deux écrans situés sur la console centrale. Leurs ressources sont multiples si l'on arrive à trouver où elles se cachent. Comble de malchance, la voiture prêtée pour cet essai affichait une finition imparfaite avec des panneaux de caisse mal ajustés. Du côté de l'habitabilité, l'Acura RLX profite de son important gabarit pour offrir des places spacieuses, de grands espaces de rangement et un coffre de bonnes dimensions.

S'il y a une voiture qui laisse perplexe, c'est bien cette berline haut de gamme du groupe Honda-Acura. Sous certains rapports, elle sait se faire apprécier, mais cela ne semble pas suffisant pour contrebalancer ses trop nombreuses faiblesses.

Châssis - SH - AWD	
Emp / lon / lar / haut	2850 / 4982 / 1890 / 1466 mm
Coffre / Réservoir	340 litres / 57 litres
Nombre coussins sécurité / ceintures	7 / 5
Suspension avant	indépendante, double triangulation
Suspension arrière	indépendante, multibras
Freins avant / arrière	disque / disque
Direction	à crémaillère, ass. variable électrique
Diamètre de braquage	12,4 m
Pneus avant / arrière	P245/40R19 / P245/40R19
Poids / Capacité de remorquage	1956 kg / n.d.
Assemblage	Saitama, JP

Composantes mécaniques

SH - AWD

Cylindrée, soupapes, alim.	V6 3,5 litres 24 s atmos.
Puissance / Couple	310 chevaux / 273 lb-pi
Tr. base (opt) / rouage base (opt)	A7 / Int
0-100 / 80-120 / V.Max	n.d. / n.d. / n.d.
100-0 km/h	n.d.
Type / ville / route / co_2	Sup / 6,3 / 6,2 l/100 km / 2877 kg/an

Moteur Électrique

Puissance / Couple	83 ch (62 kw) / 109 lb-pi
Type de batterie	Lithium-ion
Énergie	1,3 kwh

Base, Technologie, Elite

Cylindrée, soupapes, alim.	V6 3,5 litres 24 s atmos.
Puissance / Couple	310 chevaux / 272 lb-pi
Tr. base (opt) / rouage base (opt)	A6 / Tr
0-100 / 80-120 / V.Max	6,8 s / 4,2 s / n.d.
100-0 km/h	43,2 m
Type / ville / route / co_2	Sup / 10,5 / 6,4 l/100 km / 3960 kg/an

Du nouveau en 2015

Version hybride SH-AWD arrivera en cours d'année.

FEU VERT
- Consommation raisonnable
- Mécanique à point
- Bonne habitabilité
- Visibilité appréciable
- Freinage sûr

FEU ROUGE
- Très faible valeur de revente
- Agrément de conduite mitigé
- Châssis perfectible
- Instrumentation étourdissante
- Finition imparfaite

Photos: Acura Canada

ACURA **TLX**

▶ **Catégorie :** Berline

▶ **Cote d'assurance :** $$$$$

▶ **Échelle de prix :** 34 990 $ à 47 490 $

▶ **Garanties :** 4 ans/80 000 km, 5 ans/100 000 km

▶ **Transport et prép. :** 2 110 $

▶ **Ventes CAN 2013 :** 2 374 unités*

Sur la bonne voie

Guy Desjardins

Vraisemblablement, on a fait nos devoirs chez Acura en coupant dans le gras pour la gamme des berlines. Entre la compacte ILX et la voiture amirale RLX, les TL et TSX ne se démarquaient pas suffisamment, autant par le produit offert que par la fourchette de prix. Au final, c'est la TSX qui écope et qui s'éclipse du catalogue au profit d'une TL redessinée et rebaptisée TLX.

Une « X » de plus

Classée entre la luxueuse RLX et l'accessible ILX, la TLX est un excellent compromis. Cette nouvelle « X » se positionne dans le créneau hyper compétitif des berlines sportives intermédiaires de luxe aux côtés de joueurs de grand calibre allemands et japonais qui dominent outrageusement le marché. Lors de sa présentation officielle au Salon de l'auto de New York en avril dernier, plusieurs éléments intéressants s'inscrivaient sur les documents du dossier de presse. Outre

les changements apportés à la carrosserie, cette TLX profite de plusieurs technologies renouvelées et améliorées.

Le design très angulaire du précédent modèle fait dorénavant place à des lignes plus fluides et harmonieuses. On remarque une nette amélioration visuelle au niveau des flancs qui proposent des reliefs plus dynamiques au bas et au haut des portières. D'ailleurs, la ligne qui passe juste sous les poignées de portes monte vers le pilier C afin de créer un renflement au niveau des ailes. Mais les changements les plus notables affectent l'arrière de la voiture. Le design très « ordinaire » de l'ancien modèle disparaît et laisse place à un style à la fois agressif et raffiné.

À l'intérieur, on a pratiquement tout repensé et le résultat est sobre, harmonieux et exempt de fioritures. On a épuré la présentation des commandes et repositionné l'écran supérieur plus bas en l'intégrant discrètement à la console centrale.

Impressions de l'auteur		Concurrents
Agrément de conduite :	★★★★⯪ 4,5/5	Audi A4, BMW Série 3, Cadillac ATS,
Fiabilité :	★★★★⯪ 4,5/5	Mercedes-Benz Classe C,
Sécurité :	★★★★⯪ 4,5/5	Infiniti G50, Lexus IS, Volvo S60
Qualités hivernales :	★★★★ 4/5	
Espace intérieur :	★★★★☆ 4/5	
Confort :	★★★★⯪ 4,5/5	

* Modèle TL

Un deuxième écran, juste en dessous, permet de régler le système audio et la ventilation.

Technologie à gogo

Afin d'alléger la TLX, les ingénieurs ont intégré à la carrosserie des matériaux légers, notamment de l'aluminium au niveau du capot et des pare-chocs ainsi que du magnésium à ultrahaute résistance pour la colonne de direction et le support du moteur. La TLX retranche donc quelques kilogrammes qui sont également attribuables aux 10 cm perdus que l'on remarque principalement au niveau des porte-à-faux, surtout à l'avant.

Alors que la TL proposait deux V6, la TLX troque le moteur 3,7 litres de l'an dernier pour un quatre cylindres. Ce moteur 2,4 litres à injection directe fournit tout de même 206 chevaux dont la puissance est maximisée grâce à une nouvelle transmission automatique à double embrayage disposant de huit rapports. L'objectif est nettement celui de la performance alors que les rapports serrés permettront des changements ultrarapides et des rétrogradations synchronisées avec les révolutions. L'autre moteur, le seul V6 offert, a recours à la gestion variable des cylindres qui permet de désactiver trois des six cylindres afin d'améliorer la consommation de carburant. Ce 3,5 litres livre 290 chevaux via une nouvelle boîte automatique à neuf rapports. On espère que les changements de vitesse ne s'effectueront pas à outrance et resteront discrets. On déplore cependant qu'aucune transmission manuelle ne soit offerte pour ces deux ensembles motopropulseurs.

Pour livrer la puissance aux roues, les modèles à deux roues motrices bénéficient de la dernière version du système « P-AWS » qui rend les roues arrière directionnelles afin de favoriser une conduite plus précise. Les versions à rouage intégral sont équipées du système « SH-AWD » qui permet de contrôler très efficacement la trajectoire de la voiture. Une autre des technologies qui équipent la TLX permet de personnaliser la conduite grâce à quatre modes qui ajustent la résistance du volant, la réaction à l'accélération, la logique d'embrayage, la ventilation et le réglage des systèmes « P-AWS » et « SH-AWD ».

Malheureusement, au moment de mettre sous presse, il nous avait été impossible de faire l'essai de cette TLX. Néanmoins, la fiche technique laisse présager une conduite rehaussée par rapport à celle du modèle de l'an dernier. Comparativement à la concurrence, Acura se devait également de mettre à jour la transmission en proposant des rapports additionnels, permettant à la fois de diminuer la consommation de carburant et d'améliorer les prestations sportives du véhicule.

La TLX permet de replacer les cartes dans la gamme Acura. Elle combine une bonne dose de luxe et de performance en plus de rester abordable.

Châssis - Technologie Elite AWD

Emp / lon / lar / haut	2775 / 4831 / n.d. / n.d. mm
Coffre / Réservoir	n.d. / n.d.
Nombre coussins sécurité / ceintures	6 / 5
Suspension avant	indépendante, jambes de force
Suspension arrière	indépendante, multibras
Freins avant / arrière	disque / disque
Direction	à crémaillère, ass. variable électronique
Diamètre de braquage	n.d.
Pneus avant / arrière	n.d. / n.d.
Poids / Capacité de remorquage	1633 kg / n.d.
Assemblage	Marysville, OH

Composantes mécaniques

Technologie

Cylindrée, soupapes, alim.	4L 2,4 litres 16 s atmos.
Puissance / Couple	206 chevaux / 182 lb-pi
Tr. base (opt) / rouage base (opt)	A8 / Tr
0-100 / 80-120 / V.Max	7,0 s (estimé) / n.d. / n.d.
100-0 km/h	n.d.
Type / ville / route / CO_2	Sup / 9,0 / 5,9 l/100 km / 3498 kg/an

Technologie: Elite / AWD

Cylindrée, soupapes, alim.	V6 3,5 litres 24 s atmos.
Puissance / Couple	290 chevaux / 267 lb-pi
Tr. base (opt) / rouage base (opt)	A9 / Tr (Int)
0-100 / 80-120 / V.Max	5,4 s (estimé) / n.d. / n.d.
100-0 km/h	n.d.
Type / ville / route / CO_2	Sup / 9,5 / 6,2 l/100 km / 3687 kg/an

Du nouveau en 2015

Refonte du modèle, TL rebaptisée et retrait de la TSX.

- Style amélioré
- Habitacle inspirant
- Choix de motorisation
- Transmissions à jour

- Transmission manuelle abandonnée
- Dimensions à la baisse = habitacle plus petit
- Retrait de la TSX

Photos: Acura Canada

ALFA ROMEO **4C**

- ▶ **Catégorie :** Coupé
- ▶ **Cote d'assurance :** n.d.
- ▶ **Échelle de prix :** 61 995 $ à 75 995 $
- ▶ **Garanties :** 3 ans/60 000 km, 3 ans/60 000 km
- ▶ **Transport et prép. :** n.d.
- ▶ **Ventes CAN 2013 :** 0 unités

La nouvelle sportive abordable

Sylvain Raymond

Lorsque Fiat a pris le contrôle de Chrysler, l'un des principaux objectifs du groupe italien était de faciliter son retour en Amérique du Nord en utilisant les ressources et surtout, le réseau de concessionnaires du constructeur américain.

Bonne nouvelle, puisque depuis nous avons droit à plusieurs nouveautés venues directement de l'autre continent, notamment la Fiat 500 et ses multiples déclinaisons. Cette fois, c'est Alfa Romeo qui fait son retour en Amérique du Nord en proposant la 4C, un petit coupé sport à deux places destiné à rivaliser avec des modèles tels la Jaguar F-Type, la Porsche Cayman et surtout, la Lotus Evora.

La marque Alfa Romeo, née à Milan au début des années 1900, est l'une des plus prestigieuses, ayant bâti sa renommée en course automobile. En période de difficulté financière,

elle fut rachetée par le Groupe Fiat en 1986 qui détient aussi les marques Ferrari, Lancia et Maserati.

Construite dans le berceau des voitures sport

Lancée en Europe il y a deux ans, la 4C est issue d'une collaboration assez poussée. Alfa Romeo s'occupe de son design et de sa conception alors que Maserati assure la production dans son usine de Modena, véritable berceau des voitures sport italiennes. En fin de compte, la voiture est importée et vendue en Amérique du Nord par Chrysler. Ça, c'est de la convergence ! Proposée à un prix légèrement supérieur à 60 000 $, elle rend ses charmes italiens relativement accessibles, beaucoup plus que les modèles issus de chez Ferrari et Maserati.

La 4C se présente sous les traits d'un coupé biplace à moteur central et tire son nom de son moteur quatre cylindres. Construit tout en aluminium, ce moteur de 1,7 litre turbocompressé (à 21,8 psi !) et doté de l'injection directe

Impressions de l'auteur		Concurrents
Agrément de conduite : ★★★★⯪ **4,5**/5		Audi TT, BMW Z4, Lotus Evora,
Fiabilité : **Nouveau modèle**		Mercedes-Benz Classe SLK,
Sécurité : **Données insuffisantes**		Porsche Cayman
Qualités hivernales : ★★☆☆☆ **2**/5		
Espace intérieur : ★★★⯪☆ **3,5**/5		
Confort : ★★★⯪☆ **3,5**/5		

développe 237 chevaux et un excellent couple de 258 lb-pi dont 80 % sont disponibles dès les 1 700 tr/min. Il équipe aussi la Giulietta, un modèle qui devrait arriver en Amérique du Nord un peu plus tard.

C'est non sans surprise que l'on découvre que la puissance est transmise aux roues arrière par l'unique transmission offerte, une automatique à double embrayage TCT (*twin-clutch transmission*). Les puristes seront déçus d'apprendre que la 4C ne dispose pas d'une boîte manuelle, mais au moins, l'automatique est dotée de palonniers situés derrière le volant qui permettent de sélectionner manuellement les rapports.

Côté conception, le mot d'ordre était légèreté. Grâce à l'utilisation de fibre de carbone et d'aluminium pour le châssis ainsi que de fibre de verre pour la carrosserie, la 4C ne pèse que 1 050 kg (2 315 lb). Tout un exploit ! C'est malheureusement 342 lb (155 kg) de plus que la version européenne en raison d'équipements supplémentaires et d'une mise à niveau visant à répondre à notre législation.

Tel un bolide course

Difficile de ne pas être emballé par les lignes de la 4C. Son style est en fait inspiré de la 33 Stradale de 1967, l'une des plus belles voitures de sport jamais construites. L'avant reprend indéniablement les formes associées à Alfa Romeo avec son museau qui se termine en pointe et sa grille en triangle typique. De côté, on apprécie son profil bas et ses rétroviseurs latéraux ancrés dans les portières. Les prises d'air intégrées à la carrosserie et les jantes de 17 pouces à l'avant et de 18 pouces à l'arrière ajoutent à l'exotisme de la voiture.

À l'arrière, la sportivité est soulignée par son diffuseur d'air qui remonte assez haut et qui enrobe l'échappement double. Tout l'arrière, surtout avec les feux ronds, n'est pas sans rappeler celui d'une Ferrari. Par contre, le format compact de la voiture atténue cet effet. On adore pouvoir jeter un œil au moteur central par la lunette arrière.

Une fois glissé à bord, on a littéralement l'impression d'être au volant d'un bolide, surtout dans la version Launch Edition. Les seuils de portes sont très larges et recouverts de panneaux de fibre de carbone. Le conducteur dispose d'un large repose-pied en aluminium, tout comme le passager qui en a un, également de pleine largeur et situé au fond du puits, histoire de bien s'ancrer en conduite plus sportive. Tout est fait pour diminuer le poids de la voiture, même les poignées de porte formées d'une bande de cuir.

ALFA ROMEO **4C**

« En découvrant la 4C, on comprend rapidement qu'on a affaire à une sportive s'adressant à des puristes. »

@guideauto

Photos: Sylvain Raymond, Alfa Romeo

ALFA ROMEO 4C

Le tableau de bord est simple et l'instrumentation très minimaliste. La partie centrale est orientée vers le pilote et comprend quelques commandes supplémentaires,notamment celles du climatiseur et du système de sonorisation. C'est lorsque l'on aperçoit la console centrale que l'effet « bolide » est le plus marquant. On y retrouve quatre boutons au fini métallisé servant à régler l'embrayage et un levier de sélection pour les différents modes de conduite. L'ensemble est mal illustré et peu intuitif, il faut pratiquement deviner, mais on aime quand même! C'est ce qui fait le cachet unique de la 4C. Le seul élément qui détonne, c'est le volant. Malgré sa partie inférieure à plat, on aurait pu lui apporter un peu plus de soins. Il fait grossier. Pas facile non plus de trouver une bonne position de conduite en raison du nombre réduit de possibilités d'ajustements des sièges.

Une voiture de pilote

En découvrant la 4C, on comprend rapidement qu'on a affaire à une sportive s'adressant à des puristes. Le moteur démarré, on apprécie sa riche sonorité malgré sa petite cylindrée. Une fois le premier rapport sélectionné, la voiture se lance avec vigueur dès qu'on enfonce l'accélérateur. L'échappement sport est responsable d'une sonorité aiguë, ressemblant à celle d'une formule. Le moteur hurle à haut régime, rapport après rapport, et pétarade chaque fois que l'on rétrograde. Les ingénieurs ont accompli tout un travail au chapitre des acoustiques et c'est là un des principaux charmes de la 4C.

Malgré sa petite cylindrée, ce 1,7 litre n'est jamais hors d'haleine. Il réagit rapidement à la moindre pression de l'accélérateur et son couple généreux ajoute à l'effet de « punch ». Le format ultra compact de la voiture et son poids réduit fournissent un excellent rapport poids/puissance, 4,7 kg/chevaux, ce qui lui permet de réaliser le 0 à 100 km/h en moins de 4,5 secondes et d'atteindre une vitesse de pointe maximale de près de 260 km/h.

Dès que l'on aborde un virage, on remarque rapidement la lourdeur de la direction qui n'offre aucune assistance. Elle se maîtrise mieux à haute vitesse et à sa défense, elle procure une excellente sensation de la route. Le pilote a l'impression de pouvoir contrôler la voiture du bout des doigts. Le centre de gravité très bas jumelé à une répartition de poids optimale (50/50) permet d'avoir un comportement neutre, que ce soit en virage ou au freinage.

Lorsque la voiture est poussée un peu plus, il est possible de faire déraper le train arrière tandis que les modes « dynamique » ou « piste » sont activés. Du reste, on note un léger sous-virage alors que les pneus d'origine laissent rapidement crier leur perte d'adhérence.

Histoire de maximiser ses performances et de donner à son pilote un certain contrôle sur sa personnalité, la 4C bénéficie du sélecteur Alfa DNA (Dynamic, Normal et All Weather), qui permet de choisir entre trois modes de conduite : sportive, normale et toutes conditions. Ce système fait notamment varier la réponse de l'accélérateur, de la boîte et du contrôle de stabilité. Un quatrième mode, soit le mode « course », est disponible et déconnecte toutes les aides à la conduite, laissant libre cours à vos talents de pilote. Rares sont les voitures sport qui de nos jours nous laissent une telle liberté d'action.

Si vous succombez aux charmes de cette jolie Italienne, ce ne sera pas une mince affaire que de mettre la main sur un exemplaire, surtout la première année. Le réseau de distribution ne comprendra initialement que quatre concessionnaires au Canada, dont deux au Québec, et seules 1 000 unités seront proposées en Amérique du Nord. On peut donc en déduire que le Canada n'en recevra qu'une centaine. Quant à la version Launch Edition, elle sera encore plus rare avec uniquement 500 unités.

Châssis - Coupé

Emp / lon / lar / haut	2380 / 4000 / 1868 / 1183 mm
Coffre / Réservoir	105 litres / 40 litres
Nombre coussins sécurité / ceintures	2 / 2
Suspension avant	indépendante, double triangulation
Suspension arrière	indépendante, jambes de force
Freins avant / arrière	disque / disque
Direction	à crémaillère
Diamètre de braquage	12,1 m
Pneus avant / arrière	P205/45ZR17 / P235/40ZR18
Poids / Capacité de remorquage	1050 kg / n.d.
Assemblage	Modène, IT

Composantes mécaniques

Coupé

Cylindrée, soupapes, alim.	4L 1,7 litre 16 s turbo
Puissance / Couple	237 chevaux / 258 lb-pi
Tr. base (opt) / rouage base (opt)	A6 / Prop
0-100 / 80-120 / V.Max	4,3 s (const) / n.d. / 260 km/h
100-0 km/h	36,0 m
Type / ville / route / CO_2	Sup / 9,8 / 5,0 l/100 km / 3514 kg/an

Du nouveau en 2015

Nouveau modèle

FEU VERT
- Bolide exclusif
- Finition sportive
- Bon ratio prix/performance
- Sonorité du moteur exquise

FEU ROUGE
- Diffusion limitée
- Pas de boîte manuelle
- Peu de réglages des sièges
- Fiabilité à prouver

ASTON MARTIN VANQUISH

ASTON MARTIN **DB9 / VANQUISH**

▶ **Catégorie :** Cabriolet, Coupé   ▶ **Échelle de prix :** 200 860 $ à 330 000 $ (estimé)   ▶ **Transport et prép. :** n.d.

▶ **Cote d'assurance :** n.d.   ▶ **Garanties :** 3 ans/illimité, 3 ans/illimité   ▶ **Ventes CAN 2013 :** n.d.

Dans le groupe des centenaires

Jean-François Guay

Ces derniers temps, plusieurs marques automobiles ont célébré leur centième anniversaire. En plus de Maserati et Rolls-Royce qui ont fêté leurs 100 ans au cours de la dernière année, Aston Martin peut être fière d'avoir soufflé ses 100 bougies un an avant. Un exploit assez rarissime dans le monde l'automobile où les marques centenaires présentes en Amérique du Nord se comptent sur les dix doigts.

Pour la petite histoire, Lionel Martin a mis au point sa première voiture de course en 1913, laquelle avait remporté l'épreuve d'Aston Hill en Angleterre. Suite à ce triomphe, Lionel Martin avait uni son nom à celui de cette première victoire pour créer Aston Martin. Si les activités de la compagnie ont été suspendues durant la Première Guerre mondiale et la Seconde Guerre, la marque britannique a repris de la vigueur en 1947 sous la gouverne de Sir David Brown. Ce dernier a donné ses initiales « DB » à une série de modèles mythiques des années 1950 et

1960 comme les DB1, DB2, DB2/4, DB Mark III et DB4. Finalement, la DB5 de 1963 a propulsé Aston Martin au rang de légende grâce aux films de James Bond. Après s'ensuivront les DB6, DBS, Lagonda, AM V8, Vantage, Virage, DB7, DB9, Vanquish et Rapide.

Aston Martin a appartenu à des investisseurs américains dans les années 1970 pour aboutir dans le giron des armateurs grecs Livanos au milieu des années 1980. Dirigé par Ford de 1987 à 2007, Aston Martin est ensuite cédée à un consortium mené par Prodrive et deux sociétés koweïtiennes. En 2012, le fonds d'investissement italien Investindustrial a acquis presque la moitié des actions.

Petit constructeur avec des moyens financiers limités, Aston Martin a dû se rabattre au fil des ans sur d'autres constructeurs pour alimenter son usine d'assemblage. Du côté des groupes motopropulseurs, Ford fournira des moteurs jusqu'en 2018, et

Impressions de l'auteur	
Agrément de conduite :	★★★★⯪ 4,5/5
Fiabilité :	★★★★☆ 4/5
Sécurité :	★★★☆☆ 3/5
Qualités hivernales :	★☆☆☆☆ 1/5
Espace intérieur :	★★⯪☆☆ 2,5/5
Confort :	★★★⯪☆ 3,5/5

Concurrents

Audi R8, Bentley Continental, Ferrari F458 Italia, Lamborghini Aventador, Mercedes-Benz SLS AMG

ASTON MARTIN **DB9** / VANQUISH

ce, même si la division Mercedes-AMG de Daimler AG a conclu récemment une entente pour la fourniture de moteurs V8 et différentes composantes mécaniques et électroniques.

Regard sur la DB9

Il y a trois ans, la DB9 avait pris sa retraite pour laisser la chance à la Virage — à ne pas confondre avec la citadine Mirage de Mitsubishi! Mais face aux insuccès de sa remplaçante, Aston Martin avait fait mea culpa pour réintroduire une DB9 rafraîchie dès l'année suivante. Oui, rafraîchie... car la « nouvelle » DB9 a conservé la même plateforme et le même groupe propulseur que la génération précédente. Toutefois, les ingénieurs ont pris soin d'améliorer la rigidité structurelle du coupé de 20 % et du cabriolet Volante de 30 %. Côté moteur, la cavalerie du V12 de 6,0 litres avait été rehaussée à 510 chevaux — comparativement à 470 chevaux auparavant — afin de lui permettre de rivaliser avec les Bentley Continental, Ferrari California, Jaguar XKR et Maserati GranTurismo.

Pourvue de quatre places, dont deux minuscules à l'arrière, la DB9 est considérée comme la Grand Tourisme de la famille. Néanmoins, elle se débrouille fort bien en piste grâce à sa suspension adaptative, sa direction à assistance variable et un système de freinage comprenant des disques ventilés en fibre de carbone.

Dévoilée au dernier Salon de Genève, la DB9 offre cette année deux éditions spéciales appelées Black Carbon et White Carbon. Ces livrées se distinguent par leur teinte de carrosserie et des éléments en fibre de carbone (jupes avant et arrière, prises d'air latérales et rétroviseurs) qui ajoutent une touche de sportivité ou d'élégance, selon la version. Les mêmes ornements s'appliquent à bord.

L'ultime Vanquish

À la différence des Ferrari dont les carrosseries ne partagent aucun point en commun entre elles — sauf le logo du cheval cabré, le design des Aston Martin se ressemble et il faut être attentif pour les différencier les unes des autres. Comme la DB9, la Vanquish est offerte en format coupé et cabriolet Volante, et dispose d'une banquette arrière. Même si la calandre et le profil sont similaires, les ressemblances s'arrêtent là.

Plus légère et dotée d'un V12 de 565 chevaux, la Vanquish est la voiture ultime de la marque britannique et lorgne des exotiques comme les Ferrari F12 et Lamborghini Aventador. Même si les performances ne sont pas aussi exaltantes que les italiennes, la Vanquish offre en contrepartie un meilleur confort et une finition plus soignée. De même, elle s'avère plus discrète et peut être utilisée sur une base quotidienne à l'abri des paparazzis en tout genre.

Châssis - Coupé Carbon Edition

Emp / lon / lar / haut	2740 / 4720 / 2061 / 1282 mm
Coffre / Réservoir	142 litres / 78 litres
Nombre coussins sécurité / ceintures	4 / 4
Suspension avant	indépendante, double triangulation
Suspension arrière	indépendante, double triangulation
Freins avant / arrière	disque / disque
Direction	à crémaillère, ass. variable
Diamètre de braquage	11,5 m
Pneus avant / arrière	P245/35ZR20 / P295/30ZR20
Poids / Capacité de remorquage	1785 kg / n.d.
Assemblage	Gaydon, GB

Composantes mécaniques

Coupé, Volante, Coupé Carbon Edition

Cylindrée, soupapes, alim.	V12 6,0 litres 48 s atmos.
Puissance / Couple	510 chevaux / 457 lb-pi
Tr. base (opt) / rouage base (opt)	A6 / Prop
0-100 / 80-120 / V.Max	4,6 s (const) / n.d. / 295 km/h
100-0 km/h	n.d.
Type / ville / route / co_2	Sup / 16,2 / 10,7 l/100 km / 6305 kg/an

Vanquish: Coupé 2+0, Volante

Cylindrée, soupapes, alim.	V12 6,0 litres 48 s atmos.
Puissance / Couple	565 chevaux / 457 lb-pi
Tr. base (opt) / rouage base (opt)	A6 / Prop
0-100 / 80-120 / V.Max	4,1 s (const) / n.d. / 295 km/h
100-0 km/h	n.d.
Type / ville / route / co_2	Sup / 16,2 / 10,7 l/100 km / 6305 kg/an

Du nouveau en 2015

Versions Black Carbon et White Carbon.

- Lignes intemporelles
- Sportive et confortable
- Sonorité du V12
- Possibilité d'usage au quotidien
- Moins chère que les italiennes

- Faible réseau de distribution
- Places arrière symboliques
- Absence d'un V8 (DB9)
- Pas de boîte à double embrayage
- Valeur de revente peu élevée

ASTON MARTIN VANQUISH VOLANTE

Photos: Aston Martin

ASTON MARTIN **RAPIDE**

▶ **Catégorie :** Berline

▶ **Cote d'assurance :** n.d.

▶ **Échelle de prix :** 214 860 $ (2014)

▶ **Garanties :** 3 ans/illimité, 3 ans/illimité

▶ **Transport et prép. :** n.d.

▶ **Ventes CAN 2013 :** n.d.

Rentrez les enfants!

Benjamin Hunting

O r donc, il vous faut une voiture neuve avec quatre portières et un moteur 12 cylindres sous le capot ? Ah, et en plus, il faut qu'elle provienne d'Angleterre ? Bon, il y a une solution (mais une seule): l'Aston Martin Rapide S. On connaît surtout la marque britannique pour ses coupés exotiques de grand luxe, mais au cours de sa longue histoire, la firme a aussi produit quelques modèles à quatre places très stylés. C'est le cas, par exemple, de la Lagonda et de la Rapide originale des années 1960.

Cela dit, l'édition 2015 de la Rapide S n'a rien de rétro. C'est une voiture extrêmement véloce qui propose certaines solutions de design très originales. Avec ses quatre portières et son toit incliné, elle s'inscrit dans la lignée des Porsche Panamera et Maserati Quattroporte. Ce sont des berlines modernes de très grand luxe, mais sans l'allure « berline ».

Une berline déguisée en coupé

La nouvelle Rapide S reproduit presque à la perfection les lignes fluides et élancées des coupés à deux portières de la marque. En fait, il faut la regarder attentivement pour réaliser qu'on a pratiqué deux autres ouvertures dans le fuselage. Et pour ajouter à l'effet coupé, les poignées sont discrètement intégrées à la carrosserie. Bien sûr, il y a un prix à payer pour cette élégance: les places arrière sont plus petites que dans une berline classique, aussi faut-il un effort supplémentaire pour y descendre ou s'en extraire. Mais on pardonne tout cela à la belle anglaise dès qu'on pose les yeux sur ses lignes absolument magnifiques. Elle n'a pas du tout ce côté un peu étrange de la Porsche Panamera. En fait, visuellement, elle est au sommet de ce petit créneau de voitures exclusives.

La console centrale de la Rapide S se prolonge jusqu'à l'arrière, ce qui crée quatre places distinctes à bord. Combiné à la pente du toit, cet aménagement vient cependant réduire encore un peu l'espace pour les passagers arrière. À l'avant,

Impressions de l'auteur		Concurrents
Agrément de conduite : ★★★★★ 5/5		Jaguar XJ, Maserati Quattroporte,
Fiabilité : ★★★ 3/5		Mercedes-Benz Classe CLS,
Sécurité : ★★★★ 4/5		Porsche Panamera
Qualités hivernales : ★⯪ 1,5/5		
Espace intérieur : ★★★⯪ 3,5/5		
Confort : ★★★★ 4/5		

par contre, l'habitacle est spacieux et on a tout le loisir d'admirer la finesse du cuir et l'élégance du tableau de bord et des commandes centrales. Certaines de ces commandes peuvent sembler un peu excessives – les boutons en verre pour la transmission et les modes de conduite, par exemple – mais dans l'ensemble, l'aménagement est très fonctionnel.

Des performances époustouflantes

Quand on démarre le moteur de l'Aston Martin Rapide S et qu'on donne un coup d'accélérateur, on réalise immédiatement que le risque de dépendance est fort élevé. Le V12 de 6,0 litres émet une symphonie colérique à la limite du démoniaque, du genre qui pousse les mamans à dire aux enfants de rentrer à la maison. C'est absolument délicieux !

Avec ses 550 chevaux et son couple de 457 lb-pi, ce V12 offre des accélérations exceptionnelles : 0 à 100 km/h en 4,9 secondes. En mode Sport, la réponse de l'accélérateur est instantanée et on oublie qu'on est au volant d'une berline de deux tonnes. En mode Circuit, la stabilité est accrue et on obtient un accès presque illimité à la bande de puissance de la bête. Une paire de leviers au volant permet de passer soi-même les vitesses de la boîte à six rapports, mais on peut également opter pour le mode entièrement automatisé.

A priori, on pourrait s'attendre à ce qu'une voiture de cette taille soit réticente quand on la pousse dans les virages avec un peu trop d'exubérance. Mais en réalité, le système de suspension de la Rapide S est calibré pour donner un feedback précis et la bagnole est prête à s'élancer dans les virages avec entrain, même sur les routes étroites et sinueuses. À l'opposé, si vous avez simplement envie de conduire en douceur, vous n'avez qu'à désactiver le mode Sport. La machine perd alors son côté menaçant et adopte un verni de confort et de civilité. En fait, c'est comme avoir deux automobiles en une. Et pour passer de l'une à l'autre, il suffit d'appuyer sur un bouton (et sur l'accélérateur !).

L'Aston Martin Rapide S 2014 est un modèle très spécifique qui vise une clientèle tout aussi spécifique, c'est-à-dire les amateurs de véhicules de luxe qui disposent d'un budget de plus de 200 000 $, mais qui ne sont pas impressionnés par les joueurs traditionnels dans cette catégorie. Avec la Rapide S, vous n'avez pas besoin de choisir entre la civilité d'une berline à quatre portières d'un côté, et le style et les performances d'un coupé deux portes de l'autre. Elle vous offre les deux personnalités dans une même enveloppe particulièrement élégante. À vous de choisir celle qui vous convient à votre humeur du moment.

Châssis - S

Emp / lon / lar / haut	2989 / 5020 / 2140 / 1350 mm
Coffre / Réservoir	317 à 886 litres / 91 litres
Nombre coussins sécurité / ceintures	8 / 4
Suspension avant	indépendante, double triangulation
Suspension arrière	indépendante, double triangulation
Freins avant / arrière	disque / disque
Direction	à crémaillère, ass. variable
Diamètre de braquage	12,5 m
Pneus avant / arrière	P245/40ZR20 / P295/35ZR20
Poids / Capacité de remorquage	1990 kg / n.d.
Assemblage	Gaydon, GB

Composantes mécaniques

S

Cylindrée, soupapes, alim.	V12 6,0 litres 48 s atmos.
Puissance / Couple	550 chevaux / 457 lb-pi
Tr. base (opt) / rouage base (opt)	A6 / Prop
0-100 / 80-120 / V.Max	4,9 s (const) / n.d. / 306 km/h
100-0 km/h	n.d.
Type / ville / route / CO_2	Sup / 16,2 / 10,7 l/100 km / 6305 kg an

Du nouveau en 2015

Aucun changement majeur

FEU VERT
- Capable d'accueillir quatre personnes
- Lignes superbes
- Incroyablement rapide
- Très agile pour une grosse voiture
- Moteur 12 cylindres enivrant

FEU ROUGE
- Places arrière un peu serrées
- Consommation d'essence plutôt élevée
- Commandes parfois un peu inhabituelles
- Portes difficiles à actionner de l'intérieur

Photos : Aston Martin

ASTON MARTIN **VANTAGE**

▶ **Catégorie :** Coupé, Roadster	▶ **Échelle de prix :** 106 000 $ à 195 500 $ (2014)	▶ **Transport et prép. :** n.d.
▶ **Cote d'assurance :** n.d.	▶ **Garanties :** 3 ans/illimité, 3 ans/illimité	▶ **Ventes CAN 2013 :** n.d.

Une version « écono »

Denis Duquet

L a Vantage est non seulement l'un des plus anciens modèles de la gamme Aston Martin, mais ses versions sont offertes à meilleur prix que les DB9, Rapide et Vanquish. Cette année, la marque britannique, aujourd'hui propriété – en partie – de Prodrive, propose même la GT, un modèle d'entrée de gamme, si on peut parler de la sorte d'une voiture se vendant un peu plus de 100 000 $.

La gamme Vantage est donc passablement étoffée avec la GT, la V8, la V8 S et la V12 S. Si les V8 sont disponibles en modèles coupé ou roadster, la GT et la V12 S ne sont offertes qu'en version coupé.

Une aubaine!

La Vantage GT peut être considérée comme une aubaine, mais avant que vous mettiez en doute mon équilibre mental, je précise qu'il s'agit d'une aubaine pour une super voiture de luxe. En effet, elle se vend environ 25 000 $ de moins que la version régulière. Pourtant, l'acheteur n'est pas pénalisé car le moteur V8 de 4,7 litres n'est pas réduit en puissance dans cette version puisqu'il produit 430 chevaux, soit autant d'équidés que ce que nous propose le modèle « S » passablement plus cher (la version V8 régulière doit se contenter de 420 chevaux).

La boîte manuelle à six rapports est offerte de série. Il est possible de choisir en option une boîte manumatique à simple embrayage Sportshift II, mais elle n'est pas recommandée puisque les passages de rapports sont saccadés et souvent hésitants. Ce comportement serait irritant en conduite quotidienne dans une berline compacte, imaginez dans une voiture valant au moins cinq fois plus cher! Toutefois, sur une piste, lorsque la voiture est poussée à fond, cette transmission performe sans problème. Sauf que la plupart des gens, même ceux qui se promènent dans des Aston Martin, visitent peu souvent les pistes de course. Mieux vaut conserver son argent

Impressions de l'auteur		Concurrents
Agrément de conduite : ★★★★⯪ 4,5/5		Audi R8, BMW Série 6, Chevrolet
Fiabilité : ★★★☆☆ 3/5		Corvette, Ferrari California,
Sécurité : ★★★★☆ 4/5		Jaguar XK, Lamborghini Huracan,
Qualités hivernales : ★⯪☆☆☆ 1,5/5		Maserati Gran Turismo,
Espace intérieur : ★★⯪☆☆ 2,5/5		Mercedes-Benz Classe SL,
Confort : ★★★★☆ 4/5		Nissan GT-R, Porsche 911

pour se procurer certains éléments en option comme les sièges chauffants, un régulateur de croisière, une radio satellite ou un siège du conducteur à mémoire. Mieux encore, cette GT peut être dotée en option d'éléments graphiques contrastants. La grille de calandre est entourée d'un anneau de couleur tranchante du plus bel effet, inspiré par les Aston Martin de course. De plus, pour s'harmoniser avec cette présentation extérieure, la suspension est plus sportive que celle du modèle « standard » et se rapproche de celle du modèle S.

La Vantage GT cible les acheteurs qui désirent une voiture sportive un peu moins chère et qui n'est pas équipée d'accessoires onéreux qu'ils jugent inutiles.

La nouvelle Vantage V12 S

Cette année, on a décidé de radicaliser davantage le coupé S à moteur V12. Ce gros moulin de 6 litres produit 565 chevaux et 457 lb-pi de couple. Tout ce muscle sous le capot permet d'effectuer le 0-100 km/h en moins de quatre secondes tandis que la vitesse de pointe est annoncée à 330 km/h. Pour ce millésime, la boîte manuelle n'est plus disponible. Seule la transmission manumatique Sportshift III fabriquée par le fournisseur italien Graziano est offerte. Selon Aston Martin, la nouvelle génération de cette transmission est améliorée et les rapports sont plus souples et plus rapides.

Le caractère sportif sans compromis a été accentué. De l'avis même d'Ulrich Baez, le grand patron d'Aston Martin, la V12 est extrême de nature, et même « brutale ». Avis aux amateurs d'émotions fortes. Parmi les touches esthétiques, un encart en carbone décore la grille de calandre tandis que le capot est doté de deux rangées longitudinales d'évents. La planche de bord demeure toujours orientée vers le pilote et la console centrale verticale accueille deux boutons très importants pour la conduite d'un tel bolide. Le premier permet de régler l'assistance du volant et la fermeté des amortisseurs selon trois modes : Normal, Sport ou Piste. Le second actionne un autre mode sport qui assure une réponse plus rapide de l'accélérateur, des passages de rapports plus rapides en plus d'obtenir une sonorité plus sportive de l'échappement. À ce chapitre, peu de voitures sur le marché possèdent une sonorité aussi envoûtante que ce moteur V12, mode Sport ou pas.

Évidemment, si vous avez le moindre sentiment écologique ou si donner de l'argent aux pétrolières vous rend malade, une Vantage, surtout la V12, n'est pas pour vous. Peu importe le moteur, la consommation est délirante. Pour les autres, la Vantage est un plaisir à pousser dans les courbes où les limites de sa tenue de route sont carrément inatteignables. Les accélérations sont foudroyantes, les décélérations aussi! Et la sonorité du moteur... délirante! Malgré tout, la Vantage est plus une Grand Tourisme qu'une bête de course. Vous voilà avisé.

Châssis - V8 Coupé GT

Emp / lon / lar / haut	2600 / 4385 / 2022 / 1260 mm
Coffre / Réservoir	300 litres / 80 litres
Nombre coussins sécurité / ceintures	4 / 2
Suspension avant	indépendante, double triangulation
Suspension arrière	indépendante, double triangulation
Freins avant / arrière	disque / disque
Direction	à crémaillère, assistée
Diamètre de braquage	11,4 m
Pneus avant / arrière	P245/40ZR19 / P285/35ZR19
Poids / Capacité de remorquage	1610 kg / n.d.
Assemblage	Gaydon, GB

Composantes mécaniques

V8 Coupé / Roadster

Cylindrée, soupapes, alim.	V8 4,7 litres 32 s atmos.
Puissance / Couple	420 chevaux / 346 lb-pi
Tr. base (opt) / rouage base (opt)	M6 (A7) / Prop
0-100 / 80-120 / V.Max	4,9 s (const) / 4,5 s / 290 km/h
100-0 km/h	39,0 m
Type / ville / route / CO_2	Sup / 16,3 / 10,4 l/100 km / 6302 kg/an

V8 Coupé GT / Coupé S / Roadster S

Cylindrée, soupapes, alim.	V8 4,7 litres 32 s atmos.
Puissance / Couple	430 chevaux / 361 lb-pi
Tr. base (opt) / rouage base (opt)	M6 (M7) / Prop
0-100 / 80-120 / V.Max	4,8 s (const) / n.d. / 305 km/h
100-0 km/h	n.d.
Type / ville / route / CO_2	Sup / 15,7 / 9,6 l/100 km / 5934 kg/an

V12 Coupé S

Cylindrée, soupapes, alim.	V12 6,0 litres 48 s atmos.
Puissance / Couple	565 chevaux / 457 lb-pi
Tr. base (opt) / rouage base (opt)	A7 / Prop
0-100 / 80-120 / V.Max	3,9 s (const) / n.d. / 330 km/h
100-0 km/h	n.d.
Type / ville / route / CO_2	Sup / 24,1 / 11,6 l/100 km / 7750 kg/an

Du nouveau en 2015

Version Roadster V12 S à venir.

Photos : Aston Martin

FEU VERT
- Version GT plus « abordable »
- Moteurs très performants
- Tenue de route superlative
- Roadster fort élégant

FEU ROUGE
- Transmission auto à revoir (versions V8)
- Conception ancienne
- Fiabilité moyenne
- Version régulière inutile

⨀⨀⨀ AUDI **A3**

▶ **Catégorie :** Berline, Cabriolet	▶ **Échelle de prix :** 31 100 $ à 44 000 $ (estimé)	▶ **Transport et prép. :** n.d.
▶ **Cote d'assurance :** $$$$$	▶ **Garanties :** 4 ans/80 000 km, 4 ans/80 000 km	▶ **Ventes CAN 2013 :** 354 unités

« Made for Chimerica »

Gabriel Gélinas

Chimerica. C'est l'expression consacrée par Niall Ferguson, historien en économie, pour caractériser la relation presque symbiotique qui unit actuellement les économies de la Chine et des États-Unis d'Amérique. Cette expression s'applique parfaitement à la nouvelle A3 qui a comme mission de s'imposer sur ces deux marchés en modifiant son code génétique, passant d'une configuration de voiture à hayon à celle d'une berline « tri-corps » conventionnelle. L'offre de Audi dans ce créneau des compactes « premium » se trouve également bonifiée avec l'ajout d'un modèle cabriolet, de la très performante S3 et le retour du modèle Sportback à 5 portes animé par le moteur turbodiesel.

Côté style, deux pistes sont à explorer. La première, c'est que cette compacte de luxe se place en opposition à la Mercedes-Benz CLA. La seconde c'est que l'A3 est l'œuvre du designer automobile québécois Dany Garand, qui fait partie du département de

design d'Audi à Ingolstadt depuis 2000, et qui a travaillé en parallèle sur le style de la berline, du cabriolet et du modèle Sportback à 5 portes. Rencontré au Salon de l'auto de Francfort, Dany Garand expliquait les enjeux associés à la réalisation en parallèle des deux modèles distincts que sont la berline et le cabriolet. Ces derniers partagent des éléments de sportivité symbolisés par les prises d'air élargies à l'avant, la ligne « tornado » qui sculpte les flancs, le coffre avec déflecteur intégré, et la ligne des bas de caisse qui est surélevée vers l'arrière. Tous ces éléments sont réunis pour souligner la nouvelle identité plus dynamique de l'A3 qui affiche son caractère de façon affirmée, sans artifices.

Finition soignée

La marque Audi nous a habitués à une qualité de finition irréprochable concernant l'assemblage et la présentation intérieure. C'est encore le cas ici, mais avec un bémol pour la partie supérieure de la planche de bord, laquelle est réalisée d'une seule pièce avec un matériau de qualité qui est souple

Impressions de l'auteur		Concurrents
Agrément de conduite : ★★★★☆ 4/5		BMW Série 2,
Fiabilité : ★★★★☆ 4/5		Mercedes-Benz Classe CLA
Sécurité : ★★★★☆ 4/5		
Qualités hivernales : ★★★★☆ 4/5		
Espace intérieur : ★★★★☆ 4/5		
Confort : ★★★★☆ 4/5		

AUDI A3

au toucher mais dont l'aspect fait plus Volkswagen qu'Audi. Le système de télématique MMI (*Multi Media Interface*) est contrôlé à partir d'une molette et d'un écran central — ressemblant beaucoup à un iPad Mini — qui s'élève de la planche de bord. Si on la compare au modèle de la génération précédente, la nouvelle A3 offre un peu plus de dégagement pour les jambes des passagers arrière. L'espace de chargement passe de 425 litres pour le coffre seulement à 880 litres avec les dossiers des places arrière repliés. Le modèle Sportback sera le choix de ceux qui privilégient la polyvalence en vertu de sa configuration de type familiale.

Essence ou diesel

Chez nous, l'A3 est vendue avec trois motorisations misant toutes sur la turbocompression. Deux moteurs carburent à l'essence avec des cylindrées respectives de 1,8 litre et 2,0 litres, mais seul ce dernier peut être jumelé avec le rouage intégral de type Haldex, le premier étant réservé aux modèles à simple traction qui peuvent aussi être animés par un quatre cylindres de 2,0 litres carburant au diesel qui livre 150 chevaux mais surtout un couple de 251 livres-pied, dont la livrée est constante entre 1750 et 3 000 tours/minute. Les amateurs de boîtes manuelles seront cependant déçus par son absence sur l'A3 qui ne mise que sur la boîte à double embrayage à six rapports pour les modèles vendus sur le marché nord-américain. Précisons également que le modèle Sportback n'est livrable qu'avec le moteur turbodiesel et en simple traction seulement. Quant à la version e-tron à motorisation hybride rechargeable, sa commercialisation chez nous est prévue pour le printemps 2015.

Sur la route, les différentes A3 sont à la hauteur des attentes avec des performances relevées aussi bien en accélération qu'en reprise. Précisons également que le moteur diesel se démarque lors des manœuvres de dépassement sur les routes secondaires. Tous les modèles font preuve d'un bel aplomb, la tenue de route est très bonne mais pas nécessairement inspirante, la direction étant un peu trop surassistée.

S3 versus CLA 45AMG

Si l'Audi A3 est la rivale directe de la Mercedes-Benz CLA, cela signifie que la S3 affronte la CLA 45AMG. Avec un moteur quatre cylindres de 2,0 litres turbocompressé développant 290 chevaux, la S3 concède une soixantaine de pur-sang à sa rivale qui a également un couple supérieur. Côté puissance, la marque à l'étoile d'argent a développé un véritable cœur de feu avec son 4 cylindres turbocompressé construit par les spécialistes de la division AMG et Audi se trouve déclassée à ce chapitre. On attend vivement la RS3 qui pourrait offrir une riposte plus éloquente pour ce qui est de la motorisation.

Châssis - S3

Emp / lon / lar / haut	2631 / 4469 / 1960 / 1392 mm
Coffre / Réservoir	283 à 544 litres / 55 litres
Nombre coussins sécurité / ceintures	6 / 5
Suspension avant	indépendante, jambes de force
Suspension arrière	indépendante, multibras
Freins avant / arrière	disque / disque
Direction	à crémaillère, ass. variable électronique
Diamètre de braquage	11,0 m
Pneus avant / arrière	P225/40R18 / P225/40R18
Poids / Capacité de remorquage	1430 kg / n.d.
Assemblage	Gyor, HU

Composantes mécaniques

1.8 TFSI

Cylindrée, soupapes, alim.	4L 1,8 litre 16 s turbo
Puissance / Couple	170 chevaux / 199 lb-pi
Tr. base (opt) / rouage base (opt)	A6 / Tr
0-100 / 80-120 / V.Max	7,7 s (const) / n.d. / 209 km/h
100-0 km/h	n.d.
Type / ville / route / CO_2	Sup / 10,2 / 7,1 l/100 km / 4050 kg/an

2.0 TDI

Cylindrée, soupapes, alim.	4L 2,0 litres 16 s turbo
Puissance / Couple	150 chevaux / 236 lb-pi
Tr. base (opt) / rouage base (opt)	A6 / Tr
0-100 / 80-120 / V.Max	8,6 s (const) / n.d. / 216 km/h
100-0 km/h	n.d.
Type / ville / route / CO_2	Dié / 5,4 / 4,1 l/100 km / 2600 kg/an

2.0 TFSI

Cylindrée, soupapes, alim.	4L 2,0 litres 16 s turbo
Puissance / Couple	220 chevaux / 258 lb-pi
Tr. base (opt) / rouage base (opt)	A6 / Int
0-100 / 80-120 / V.Max	6,7 s / 5,1 s / n.d.
100-0 km/h	41,2 m
Type / ville / route / CO_2	Sup / 9,8 / 7,2 l/100 km / 3970 kg/an

S3

Cylindrée, soupapes, alim.	4L 2,0 litres 16 s turbo
Puissance / Couple	290 chevaux / 280 lb-pi
Tr. base (opt) / rouage base (opt)	A6 / Int
0-100 / 80-120 / V.Max	5,3 s (const) / n.d. / 250 km/h
100-0 km/h	n.d.
Type / ville / route / CO_2	Sup / 9,1 / 5,8 l/100 km / 3500 kg/an

Du nouveau en 2015

Retour du modèle Sportback à 5 portes, arrivée du modèle e-tron hybride rechargeable.

FEU VERT
- Moteurs performants
- Qualité d'assemblage et de finition
- Bonne tenue de route
- Modèle S3 performant

FEU ROUGE
- Prix élevés
- Visibilité vers l'arrière
- Moteur diesel non disponible avec rouage intégral
- Absence de boîte manuelle

Photos : Audi Canada

AUDI **A4**

▶ **Catégorie :** Berline, Familiale

▶ **Échelle de prix :** 37 800 $ à 54 600 $ (2014)

▶ **Transport et prép. :** 1995 $

▶ **Cote d'assurance :** $$$$

▶ **Garanties :** 4 ans/80 000 km, 4 ans/80 000 km

▶ **Ventes CAN 2013 :** 5 956 unités

L'aînée de la catégorie

Denis Duquet

C'est un peu curieux à dire, mais le modèle le plus vendu chez Audi, l'A4, est le plus vieux dans cette catégorie d'intermédiaires de luxe. Et cette « ancienneté » est encore plus marquée depuis l'arrivée récente des Acura TLX, Cadillac CTS, Lexus IS et Mercedes-Benz Classe C. Cela n'enlève rien aux qualités de l'A4, mais il est certain que Audi travaille au développement d'un modèle de remplacement dont la silhouette sera plus agressive et dont la plate-forme fera usage de la seconde génération de la technologie MLB — *Modularer Längsbaukasten* ou, si vous préférez modulaire et longitudinale — développée par Audi et qui regroupe les véhicules à moteur... longitudinal.

Si l'on se fie aux informations préliminaires, les moteurs actuels seront de retour et il est possible qu'un diesel vienne se joindre à la gamme tandis que l'habitacle sera modernisé. Enfin, la version Allroad sera reconduite et continuera de cibler les gens qui apprécient davantage sa silhouette que celle du Q5. Mais d'ici à ce que cette nouvelle génération soit commercialisée chez nous, cela ne sera pas avant l'été 2015, si je me fie à ma boule de cristal. Voyons donc ce que nous offrent les modèles actuels.

Classique de partout

Les stylistes d'Audi sont reconnus pour le classicisme des formes de la carrosserie et le caractère équilibré de la planche de bord. Ici, pas d'effets visuels spectaculaires qui accrochent au premier regard mais dont on se lasse rapidement. Ce conservatisme de la part d'Audi est une bonne chose car même si la A4 est vieillissante, ses lignes demeurent à la fois classiques et d'actualité. D'autant plus que les stylistes, au fil des années, ont effectué de multiples retouches afin de maintenir constamment l'A4 à la fine pointe de l'esthétisme, les feux de route et la grille de calandre en étant un bel exemple.

Impressions de l'auteur		Concurrents
Agrément de conduite : ★★★★☆ 4/5		Acura TLX, BMW Série 3,
Fiabilité : ★★★★☆ 4/5		Cadillac CTS, Infiniti Q50, Lexus IS,
Sécurité : ★★★★⯪ 4,5/5		Mercedes-Benz Classe C, Volvo S60
Qualités hivernales : ★★★★⯪ 4,5/5		
Espace intérieur : ★★★⯪ 3,5/5		
Confort : ★★★★☆ 4/5		

Le tableau de bord mérite toujours une pluie d'éloges et continue d'être la référence en fait de design, d'ergonomie et de qualité des matériaux. De plus, l'agencement des couleurs et des appliques en aluminium brossé donne une impression de grande classe. Un design réussi est intemporel et celui de l'A4 fait partie de cette élite. Il faut toutefois souligner que comme tous les dispositifs similaires faisant appel à un unique bouton de gestion des commandes, le système MMI nécessite un certain temps d'adaptation et il est recommandé de potasser le manuel du propriétaire pour en découvrir toutes les subtilités et éviter de faire monter votre tension artérielle. Le secret de son fonctionnement réside dans les pavés qui l'entourent et qui servent de raccourci, on vous aura averti!

Les sièges avant, bien que fermes, demeurent confortables même lorsqu'on effectue de longs parcours. Par contre, il faudra sans doute planifier quelques pauses lors du voyage afin de permettre aux occupants arrière de se dégourdir les jambes, car ils y sont quelque peu à l'étroit.

Imperturbable

Peu importe la version, l'A4 est une routière de première classe. Sa plate-forme est rigide et permet donc aux ingénieurs d'optimiser la tenue de route sans créer d'inconfort avec une suspension trop dure. De plus, grâce au système Audi Drive Select vous roulerez en mode Confort ou Sport, selon votre humeur ou les circonstances. De prime abord, le moteur 2,0 litres turbo semble produire une écurie assez modeste avec ses 220 chevaux, mais la puissance nécessaire est toujours au rendez-vous et ce quatre cylindres travaille en parfaite harmonie avec la boîte automatique à huit rapports offerte en option. La tenue de route est sans reproche, aidée par un rouage intégral livrable bien au point.

La gamme A4 comprend également une familiale qu'Audi désigne comme étant l'Allroad (Toute route). Il ne s'agit pas d'un véhicule tout-terrain mais d'un onéreux et polyvalent multisegment de luxe. On lui a fait subir ni plus ni moins le même traitement que celui appliqué à la Subaru Outback : garde au sol plus élevée, suspension modifiée, jantes exclusives, etc. Bref, le compagnon urbain du Q5 pour les gens qui ne veulent pas conduire un VUS.

Enfin, la S4 est la cerise sur le gâteau pour les amateurs de voitures sportives. Dans le jargon de cette catégorie, la S4 est un sleeper, soit une auto dont on ne se doute pas des performances au premier coup d'œil. Mais avec son V6 suralimenté produisant 333 chevaux reliés soit à une boîte manuelle à six rapports ou à une automatique à sept vitesses, le paysage défile très rapidement. Les accélérations sont musclées, 5,2 secondes pour le 0-100 km/h, tandis que la tenue de route est impeccable.

Donc, en attendant l'arrivée de la relève, la famille A4 n'est pas dépourvue de moyens. Bien au contraire!

Châssis - allroad

Emp / lon / lar / haut	2805 / 4721 / 2006 / 1473 mm
Coffre / Réservoir	782 litres / 61 litres
Nombre coussins sécurité / ceintures	6 / 5
Suspension avant	indépendante, multibras
Suspension arrière	indépendante, multibras
Freins avant / arrière	disque / disque
Direction	à crémaillère, ass. variable électronique
Diamètre de braquage	11,5 m
Pneus avant / arrière	P215/55R17 / P215/55R17
Poids / Capacité de remorquage	1765 kg / 750 kg (1653 lb)
Assemblage	Ingolstadt, DE

Composantes mécaniques

2.0 TFSI: Berline, allroad

Cylindrée, soupapes, alim.	4L 2,0 litres 16 s turbo
Puissance / Couple	220 chevaux / 258 lb-pi
Tr. base (opt) / rouage base (opt)	CVT (A8) / Tr (Int)
0-100 / 80-120 / V.Max	n.d. / n.d. / n.d.
100-0 km/h	42,2 m
Type / ville / route / co_2	Sup / 9,0 / 6,3 l/100 km / 3580 kg/an

S4

Cylindrée, soupapes, alim.	V6 3,0 litres 24 s surcomp
Puissance / Couple	333 chevaux / 325 lb-pi
Tr. base (opt) / rouage base (opt)	M6 (A7) / Int
0-100 / 80-120 / V.Max	5,2 s / 4,1 s / 250 km/h
100-0 km/h	38,7 m
Type / ville / route / co_2	Sup / 12,1 / 7,9 l/100 km / 4692 kg/an

Du nouveau en 2015

Aucun changement majeur, révision de certaines options. Nouveau modèle en préparation.

FEU VERT
- Finition sans pareille
- Élégance classique
- Rouage intégral efficace
- Moteurs bien adaptés
- Fiabilité en progrès

FEU ROUGE
- Modèle en sursis
- Options onéreuses
- Certaines commandes complexes
- Places arrière un peu justes

Photos : Audi Canada

⊙⊙⊙⊙ AUDI **A5**

▶ **Catégorie :** Cabriolet, Coupé   ▶ **Échelle de prix :** 48 000 $ à 89 900 $ (2014)   ▶ **Transport et prép. :** 1 995 $

▶ **Cote d'assurance :** $$$$ ▶ **Garanties :** 4 ans/80 000 km, 4 ans/80 000 km   ▶ **Ventes CAN 2013 :** 2 351 unités

Le coupé oui,
le cabriolet non

Jacques Duval

J e ne pense pas que l'on ait besoin de 450 chevaux pour se promener cheveux aux vents par une belle journée d'été dans un cabriolet. Voilà qui exclut illico la version décapotable de la récente Audi RS5, d'autant plus que son prix exorbitant donne sérieuse matière à réflexion.

En plus, qu'importe la rigidité de la structure de ce cabriolet, je suis persuadé que la caisse souffrira au fil des kilomètres et se chargera de vous faire entendre quelques couacs en guise de protestation contre l'état délabré de notre réseau routier... Cela dit, c'est tout de même la version découvrable de l'Audi RS5 que la marque allemande a choisi de nous faire essayer récemment.

Cette voiture a de la poigne, nul doute là-dessus. Et elle se déplace avec une rare vélocité. À tel point, qu'elle s'adonne au culte de l'inutilité en ne nous permettant pas de profiter à

plein régime des performances époustouflantes qui sont siennes. Ce qui remet en cause la nécessité d'avoir une telle cavalerie sous le capot. La même voiture avec un moteur moins déshumanisé peut s'acheter à un prix inférieur d'environ 40 000 $, ce qui devrait, en principe, clore le débat sur la raison d'être de ce modèle.

Le juste milieu

Sans négliger totalement cette RS5 carabinée, je pense qu'il y a lieu de brosser un portrait de l'une des gammes les plus étoffées du catalogue Audi. Elle comprend pas moins de 8 modèles proposés en deux types de carrosseries (coupés et cabriolets) avec 3 motorisations différentes et autant de boîtes de vitesses. Partisan du juste milieu, la S5 avec son moteur V6 de 3 litres et 333 chevaux m'apparaît comme la version idéale.

Acclamé comme l'une des plus belles voitures du monde à son apparition sur le marché, le coupé n'accuse aucune ride 7 ans plus tard et a merveilleusement résisté à l'épreuve du temps.

Impressions de l'auteur		Concurrents
Agrément de conduite : ★★★★☆	4/5	BMW Série 4, Infiniti Q60,
Fiabilité : ★★★★☆	4/5	Mercedes-Benz Classe E
Sécurité : ★★★★☆	4/5	
Qualités hivernales : ★★★★⯪	4,5/5	
Espace intérieur : ★★★☆☆	3/5	
Confort : ★★★⯪☆	3,5/5	

AUDI A5

Raison de plus d'opter pour ce modèle, même si le plaisir de rouler à ciel ouvert n'est pas négligeable.

Avant de faire grimper à nouveau mon taux d'adrénaline au volant de ma RS5 d'essai, il est bon de rappeler que la version d'accès à la gamme, l'A5, est la plus répandue et que son 4 cylindres turbo de 2 litres et 220 chevaux peut se jumeler à une boîte manuelle à six rapports ou une automatique à 8 rapports chargée principalement de réduire la consommation. Cette combinaison doit sa popularité à un prix qui n'est rien de moins que la moitié de celui de la RS5. Son tempérament sportif n'est évidemment pas aussi affiné, mais elle n'en constitue pas moins une voiture agréable en usage quotidien. Et, comme toujours chez Audi, la traction intégrale est de rigueur, faisant de cette série des voitures quatre saisons.

La ligne suave de ce coupé doit toutefois assumer la responsabilité de rendre les places arrière difficiles d'accès et strictement réservées à des occupants de taille moyenne. Le coffre souffre aussi d'une capacité réduite par rapport à celui d'une berline. À l'intérieur, les sièges sont fermes (peut-être trop pour certains), mais le conducteur est choyé par la position légèrement décalée de l'écran central posé sur la console. Il l'est beaucoup moins par après quand il doit se dépatouiller pour démêler l'avalanche de boutons qui sévit au tableau de bord. Heureusement, ils sont clairement identifiés, soit par un symbole ou une abréviation.

Sur la ligne de départ

De retour dans le cabriolet RS5, la puissance est exaltante tout comme le son du V8 qui nous ramène à la belle époque des pony cars américains. Il reste que les chevaux piaffent et qu'ils sont loin de s'exprimer en douceur. Il en résulte une atteinte au confort avec des réactions brutales du châssis. Les envolées du moteur jusqu'aux 8 250 tr/min de la zone interdite sont contrôlées par les palettes d'une boîte robotisée à double embrayage brillante d'efficacité. On peut la programmer selon son humeur, mais il est préférable d'oublier le mode Dynamic plutôt inconfortable. Le petit volant, plat dans sa partie inférieure, est bien joli quoique l'on puisse lui reprocher une trop grande légèreté. Autre détail : dans la RS5 de 103 000 $, ledit volant se règle en hauteur ou en profondeur manuellement et non électriquement comme toute voiture de ce prix qui se respecte.

Projetée vers les 100 km/h en tout juste 4,6 secondes (telle une Tesla), on a nettement l'impression d'être sur la ligne de départ tellement cette RS5 est rapide et collée au bitume. J'oubliais, à plus de 200 km/h, la capote du cabriolet est impeccablement étanche et ne laisse filtrer aucun bruit d'air. N'empêche que si j'ai envie d'aller vite, je préfère le coupé. Au moins, j'ai un vrai toit au-dessus de ma tête.

Châssis - RS 5 Cabriolet

Emp / lon / lar / haut	2751 / 4649 / 2020 / 1380 mm
Coffre / Réservoir	320 à 380 litres / 61 litres
Nombre coussins sécurité / ceintures	4 / 4
Suspension avant	indépendante, multibras
Suspension arrière	indépendante, multibras
Freins avant / arrière	disque / disque
Direction	à crémaillère, ass. variable électronique
Diamètre de braquage	11,6 m
Pneus avant / arrière	P265/35R19 / P265/35R19
Poids / Capacité de remorquage	1920 kg / n.d.
Assemblage	Ingolstadt, DE

Composantes mécaniques

Composantes mécaniques

2.0 TFSI

Cylindrée, soupapes, alim.	4L 2,0 litres 16 s turbo
Puissance / Couple	220 chevaux / 258 lb-pi
Tr. base (opt) / rouage base (opt)	M6 (A8) / Int
0-100 / 80-120 / V.Max	6.7 s / n.d. / 209 km/h
100-0 km/h	n.d.
Type / ville / route / CO_2	Sup / 10,1 / 6,8 l/100 km / 3965 kg/an

S5 3.0 T

Cylindrée, soupapes, alim.	V6 3,0 litres 24 s surcomp
Puissance / Couple	333 chevaux / 325 lb-pi
Tr. base (opt) / rouage base (opt)	M6 (A7) / Int
0-100 / 80-120 / V.Max	5,2 s / 4,0 s / 250 km/h
100-0 km/h	36,3 m
Type / ville / route / CO_2	Sup / 11,8 / 8,0 l/100 km / 4640 kg/an

RS 5

Cylindrée, soupapes, alim.	V8 4,2 litres 32 s atmos.
Puissance / Couple	450 chevaux / 317 lb-pi
Tr. base (opt) / rouage base (opt)	A7 / Int
0-100 / 80-120 / V.Max	4,6 s / n.d. / 250 km/h
100-0 km/h	n.d.
Type / ville / route / CO_2	Sup / 14,6 / 8,5 l/100 km / 5450 kg/an

Du nouveau en 2015

Aucun changement majeur

FEU VERT
- Qualité de construction
- Grand choix de motorisations
- Traction intégrale de série
- Comportement routier exaltant
- Ligne intemporelle

FEU ROUGE
- Direction légère
- Commandes déroutantes
- Suspension sèche
- Mauvaise visibilité arrière (cabriolet)
- Puissance peu utilisable (RS5)

Photos : Audi Canada

DIESEL

⏣ AUDI **A6**

▶ **Catégorie :** Berline

▶ **Cote d'assurance :** $$$$$

▶ **Échelle de prix :** 53 500 $ à 85 500 $ (2014)

▶ **Garanties :** 4 ans/80 000 km, 4 ans/80 000 km

▶ **Transport et prép. :** 1995 $

▶ **Ventes CAN 2013 :** 1033 unités

Une guerre sans merci

Jean-François Guay

L a guerre fait rage sur le territoire des berlines de luxe... et le front le plus animé est celui opposant l'Audi A6 aux BMW Série 5 et Mercedes-Benz Classe E. Pour pointer leur mire dans toutes les directions, les trois belligérantes ont fourbi leurs motorisations et ajouté de nouvelles technologies à leur arsenal au cours des dernières années. S'il fut une époque où les constructeurs tentaient de gagner les batailles à coups de cylindrées en déployant des armes de destruction massive comme les S6, M5 et E 63 AMG, cette époque est maintenant révolue.

Certes, les gros canons de l'axe germanique demeurent en service. Cependant, la stratégie a changé pour faire place à des moteurs de plus petits calibres. À présent, l'A6 confie ses déplacements à un quatre cylindres turbo à essence. Les constructeurs qui n'auront pas les moyens techniques de suivre

cette nouvelle tendance seront en eau trouble à brève échéance. Contrairement à la croyance populaire, les acheteurs de grosses berlines de luxe ne sont pas indifférents à la consommation de carburant, et encore moins au tarif des véhicules. Et qui dit petite cylindrée, dit petit prix !

L'arrivée de motorisations hybrides ou s'alimentant au diesel paraît attrayante de prime abord, mais les coûts pour acquérir et entretenir ces engins sont plus élevés que ceux d'un moteur conventionnel. Pour ne pas laisser le champ libre à l'A6, les Série 5 et Classe E, sans oublier les Cadillac CTS, Jaguar XF et futures Lincoln MKS et Volvo S80, offrent également des moteurs à quatre cylindres.

Choix de moteurs

Pour sa part, l'A6 2.0T propose l'une des meilleures motorisations du moment — il faut dire qu'Audi profite savamment du savoir-faire des motoristes du groupe Volkswagen en la

Impressions de l'auteur		
Agrément de conduite :	★ ★ ★ ★ ☆	4/5
Fiabilité :	★ ★ ★ ⯪ ☆	3,5
Sécurité :	★ ★ ★ ★ ⯪	4,5
Qualités hivernales :	★ ★ ★ ★ ⯪	4,5
Espace intérieur :	★ ★ ★ ★ ☆	4/5
Confort :	★ ★ ★ ★ ☆	4/5

Concurrents

Acura RLX, BMW Série 5, Infiniti Q70, Jaguar XF, Lexus GS, Lincoln MKS, Mercedes-Benz Classe E, Volvo S80

matière. Pourvu de l'injection directe, le moteur 2,0 litres à turbocompresseur de l'A6 développe 220 chevaux et un couple de 258 livres-pied. Comparativement à des modèles concurrents qui n'offrent pas de quatre cylindres avec le rouage à traction intégrale, l'A6 2.0T conserve son système quattro de série. Malgré le poids de tous ces engrenages, l'A6 2.0T accélère de 0 à 100 km/h en 7 secondes et des poussières. Un chrono fort respectable pour une berline dont la longueur frôle les 5 mètres. Si la puissance vous paraît trop juste pour déplacer une masse de 1 800 kg, l'A6 offre des motorisations plus costaudes.

L'an dernier, Audi a introduit un V6 turbodiesel de 3,0 litres. Développant 240 chevaux et un couple de 428 livres-pied, ce moteur TDI s'avère plus performant en piste et moins gourmand à la pompe que le 2,0 litres turbo. Mais à quel prix... puisque l'A6 TDI quémande environ 10 000 $ de plus que la version 2.0T!

Vendu moins cher que le moteur TDI, le V6 à essence de 3,0 litres suralimenté par compresseur représente un compromis au niveau du prix, sans compromettre les performances. Les 310 chevaux de ce moteur sont cravachés par une transmission Tiptronic à 8 rapports, laquelle possède un mode sport qui s'adapte aux conditions de la route et au style de conduite. À quelques différences près, on trouve la même boîte de vitesse avec les moteurs 2.0T et TDI — seul le rapport d'entraînement final étant différent.

Mine de rien, le capot de la S6 cache de la grosse artillerie. Non, il ne s'agit plus du V10 d'origine Lamborghini. Depuis 2013, la S6 dispose d'un V8 de 4,0 litres suralimenté par 2 turbocompresseurs. Disposant de 420 chevaux (et 440 chevaux plus tard en saison), ce moteur à injection directe est capable de catapulter ses occupants de 0 à 100 km/h en moins de 5 secondes. Pour maintenir sa consommation sous 10 l/100 km, les ingénieurs l'ont équipé d'un système de désactivation des cylindres et d'un dispositif de coupure automatique à l'arrêt. Pour diriger la puissance aux quatre roues motrices, la S6 est pourvue d'une boîte automatique à 7 rapports et double embrayage.

Quant à l'hybride rechargeable, on ignore pour l'instant si cette motorisation sera offerte chez nous. Dévoilée au dernier Salon de Pékin, cette A6 *plug-in* sera commercialisée en Chine dès 2015. L'autonomie en mode tout électrique est estimée à 50 km — et à 80 km à une vitesse constante de 65 km/h.

De petits détails
Fidèle à ses habitudes, l'A6 propose des petits changements esthétiques en 2015. La partie avant révèle une calandre légèrement redessinée et la possibilité d'avoir en option de nouveaux phares Matrix DEL, lesquels permettent de modifier la portée et la forme du faisceau lumineux.

Dans l'habitacle, le tableau de bord accueille un écran central de plus grande dimension alors que système MMI bénéficie d'une mise à jour.

Châssis - 2.0T	
Emp / lon / lar / haut	2912 / 4925 / 2086 / 1468 mm
Coffre / Réservoir	530 litres / 75 litres
Nombre coussins sécurité / ceintures	10 / 5
Suspension avant	indépendante, multibras
Suspension arrière	indépendante, multibras
Freins avant / arrière	disque / disque
Direction	à crémaillère, ass. variable électronique
Diamètre de braquage	11,9 m
Pneus avant / arrière	P245/45R18 / P245/45R18
Poids / Capacité de remorquage	1674 kg / n.d.
Assemblage	Neckarsulm, DE

Composantes mécaniques

2.0T
Cylindrée, soupapes, alim.	4L 2,0 litres 16 s turbo
Puissance / Couple	220 chevaux / 258 lb-pi
Tr. base (opt) / rouage base (opt)	A8 / Int
0-100 / 80-120 / V.Max	7,5 s (const) / n.d. / 210 km/h
100-0 km/h	n.d.
Type / ville / route / co_2	Sup / 9,4 / 7,1 l/100 km / 3850 kg/an

3.0 TDI
Cylindrée, soupapes, alim.	V6 3,0 litres 24 s turbo
Puissance / Couple	240 chevaux / 428 lb-pi
Tr. base (opt) / rouage base (opt)	A8 / Int
0-100 / 80-120 / V.Max	6,1 s (const) / n.d. / 250 km/h
100-0 km/h	n.d.
Type / ville / route / co_2	Dié / 7,2 / 5,2 l/100 km / 3000 kg/an

3.0T
Cylindrée, soupapes, alim.	V6 3,0 litres 24 s surcomp
Puissance / Couple	310 chevaux / 325 lb-pi
Tr. base (opt) / rouage base (opt)	A8 / Int
0-100 / 80-120 / V.Max	5,5 s (const) / n.d. / 210 km/h
100-0 km/h	n.d.
Type / ville / route / co_2	Sup / 11,3 / 7,4 l/100 km / 4370 kg/an

S6
Cylindrée, soupapes, alim.	V8 4,0 litres 32 s turbo
Puissance / Couple	420 chevaux / 405 lb-pi
Tr. base (opt) / rouage base (opt)	A7 / Int
0-100 / 80-120 / V.Max	4,8 s (const) / n.d. / 250 km/h
100-0 km/h	n.d.
Type / ville / route / co_2	Sup / 11,4 / 7,8 l/100 km / 4500 kg/an

Du nouveau en 2015
Phares Matrix DEL, retouches esthétiques, système MMI amélioré, écran central agrandi, puissance à la hausse (S6).

Photos : Audi Canada

FEU VERT
- Choix de moteurs
- Comportement routier
- Traction intégrale quattro
- Finition soignée

FEU ROUGE
- Coût des options
- Prix du moteur TDI
- Sonorité trop discrète (S6)
- Tableau de bord fade

⓪⓪⓪ AUDI **A7**

▸ **Catégorie :** Berline

▸ **Cote d'assurance :** n.d.

▸ **Échelle de prix :** 70 400 $ à 115 000 $ (2014)

▸ **Garanties :** 4 ans/80 000 km, 4 ans/80 000 km

▸ **Transport et prép. :** 1995 $

▸ **Ventes CAN 2013 :** 730 unités

L'élégance faite automobile

Gabriel Gélinas

On a beau dire que des goûts on ne discute pas, n'empêche que l'Audi A7 est la plus belle des voitures de type « coupé à quatre portes » que l'on retrouve actuellement sur le marché. Déclinée en modèles à motorisation essence ou diésel , la gamme A7 se complète avec la S7, animée par avec un biturbo livrant des performances très vives, et l'arrivée de la RS7 dont le moteur développe 560 chevaux. Portrait d'une lignée aussi élégante que racée.

Afin de mieux émuler l'A8 qui a été rafraîchie l'an dernier, l'A7 s'offre également un *lifting* pour l'année-modèle 2015. Ainsi, de subtiles modifications ont été apportées à la calandre Singleframe, aux pare-chocs avant et arrière, de même qu'aux phares et aux feux arrière. De plus, le système télématique Multi Media Interface (MMI) a été modifié et cette nouvelle version, inaugurée en 2014 au Consumer Electronics Show de Las Vegas, est présente à bord des modèles 2015.

Le grand luxe

Avec son allure de star et son habitacle à la finition irréprochable, l'A7 fait partie de ces voitures à bord desquelles la vie est on ne peut plus agréable. Le dégagement pour la tête aux places arrière est un peu limite pour des adultes mesurant environ six pieds (1M80) en raison de la ligne de toit fuyante vers l'arrière, mais c'est à peu près le seul reproche que l'on peut formuler au sujet de cet habitacle où tout respire le luxe.

L'Audi A7 adopte également la suralimentation pour tous ses moteurs. Le V6 turbodiésel de 3,0 litres, proposé sur ce modèle depuis l'an passé, se démarque par l'abondance de son couple, chiffré à 428 livres-pied, ainsi que par sa consommation frugale, ce qui en fait un excellent choix pour ceux qui doivent faire de longs trajets à vitesse d'autoroute.

L'an dernier, dans le cadre du *Guide de l'auto 2014*, nous avons opposé l'Audi S7 à la Tesla Model S lors d'un match comparatif. Nous avons ainsi pu valider ses données de performance avec

Impressions de l'auteur	
Agrément de conduite :	★★★★⯪ 4,5/5
Fiabilité :	★★★★☆ 4/5
Sécurité :	★★★★★ 5/5
Qualités hivernales :	★★★★★ 5/5
Espace intérieur :	★★★★☆ 4/5
Confort :	★★★★⯪ 4,5/5

Concurrents
BMW Série 5, Jaguar XF,
Mercedes-Benz Classe CLS,
Porsche Panamera

un chrono de 5,1 secondes pour le sprint de 0 à 100 kilomètres/heure ou encore une distance de freinage de 36,9 mètres à partir de 100 kilomètres/heure, mais surtout nous avons démontré que le comportement routier de cette berline sport de luxe était précisément incisif. Avec son moteur biturbo, la S7 est rapide mais, si elle ne l'est pas assez pour vous, Audi a un as dans sa manche...

L'ultime *sleeper*...

Avec la RS7, les ingénieurs de Quattro Gmbh ont créé ce qui est peut-être l'ultime *sleeper*. Pour les non-initiés, c'est juste une très belle A7. Pour les *cognoscenti*, c'est une voiture de luxe qui offre des performances dignes d'un *supercar* avec son V8 biturbo de 4,0 litres qui développe 560 chevaux, soit autant que la Porsche 911 Turbo S... La 911 Turbo S atteint 100 kilomètres/heure en 3,2 secondes alors que la RS7, d'un poids plus élevé, vous y amène en 3,9 secondes.

On ne peut pas choisir un meilleur terrain de jeu que les Alpes autrichiennes pour évaluer le comportement d'une voiture, et c'est précisément à cet endroit que j'ai pris contact avec la Mercedes-Benz S63 AMG et la RS7. Dans les virages, la S63 AMG paraissait beaucoup plus lourde tandis que la RS7 s'est avérée plus agile et plus apte à attaquer les courbes à haute vitesse. Elle demeure une bête à rouage intégral de 1920 kg, mais elle le cache bien et son comportement est très équilibré grâce, en partie, à son différentiel arrière vectoriel. Le couple maximal de 516 livres-pied est disponible sur une très large plage, soit de 1750 à 5 500 tours/minute, ce qui permet d'accélérer vivement, peu importe le rapport sélectionné sur la boîte automatique à huit rapports. Cette transmission est à la fois rapide et réactive, mais elle n'est pas aussi sublime qu'une boîte à double embrayage. En raison du couple très élevé du moteur, la boîte S Tronic ne peut être utilisée ici et c'est l'un des points faibles de cette voiture.

Malgré ce léger impair, la RS7 est absolument délirante parce qu'il est facile de la conduire très vite et tout en souplesse en même temps. Avec le système Audi Drive Select, il suffit de choisir le mode Individual pour sélectionner le calibrage Normal pour la suspension et le Dynamic pour tout le reste afin de rendre la voiture agréable à piloter pour le conducteur et confortable pour les passagers.

Le prix de base de la RS7 est de 115 000 dollars. Si vous avez un tel budget, voici mon conseil : commandez-la en Gris Suzuka, le déflecteur avant sera moins apparent, et demandez à ce qu'elle soit dépourvue des écussons RS7 afin d'obtenir un *sleeper* qui offrira soit une conduite souple et relaxe ou un comportement beaucoup plus affûté selon votre humeur du moment. De ce côté, il est vraiment difficile de faire mieux que la RS7 qui est une pure merveille...

Châssis - 4.0 RS7 Quattro

Emp / lon / lar / haut	2915 / 5012 / 2139 / 1419 mm
Coffre / Réservoir	535 à 1390 litres / 75 litres
Nombre coussins sécurité / ceintures	6 / 4
Suspension avant	indépendante, multibras
Suspension arrière	indépendante, multibras
Freins avant / arrière	disque / disque
Direction	à crémaillère, ass. variable électrique
Diamètre de braquage	11,9 m
Pneus avant / arrière	P275/35R20 / P275/35R20
Poids / Capacité de remorquage	1920 kg / n.d.
Assemblage	Neckarsulm, DE

Composantes mécaniques

3.0 TDI Quattro

Cylindrée, soupapes, alim.	V6 3,0 litres 24 s turbo
Puissance / Couple	240 chevaux / 428 lb-pi
Tr. base (opt) / rouage base (opt)	A8 / Int
0-100 / 80-120 / V.Max	3,9 s (const) / n.d. / 305 km/h
100-0 km/h	n.d.
Type / ville / route / co_2	Dié / 7,3 / 5,1 l/100 km / 3400 kg/an

3.0 TFSI Quattro Premium

Cylindrée, soupapes, alim.	V6 3,0 litres 24 s surcomp
Puissance / Couple	310 chevaux / 325 lb-pi
Tr. base (opt) / rouage base (opt)	A8 / Int
0-100 / 80-120 / V.Max	5,4 s (const) / n.d. / 210 km/h
100-0 km/h	n.d.
Type / ville / route / co_2	Sup / 11,4 / 7,4 l/100 km / 4460 kg/an

4.0 TFSI S7 Quattro

Cylindrée, soupapes, alim.	V8 4,0 litres 32 s turbo
Puissance / Couple	420 chevaux / 405 lb-pi
Tr. base (opt) / rouage base (opt)	A7 / Int
0-100 / 80-120 / V.Max	5,1 s / n.d. / 250 km/h
100-0 km/h	36,9 m
Type / ville / route / co_2	Sup / 13,4 / 7,5 l/100 km / 4945 kg/an

4.0 RS7 Quattro

Cylindrée, soupapes, alim.	V8 4,0 litres 32 s turbo
Puissance / Couple	560 chevaux / 516 lb-pi
Tr. base (opt) / rouage base (opt)	A8 / Int
0-100 / 80-120 / V.Max	3,9 s (const) / n.d. / 250 km/h
100-0 km/h	n.d.
Type / ville / route / co_2	Sup / 13,9 / 7,5 l/100 km / 5070 kg/an

Du nouveau en 2015

Modifications esthétiques, nouvelle version du système de télématique, arrivée du modèle RS7.

FEU VERT
- Silhouette élégante
- Qualité d'assemblage et de finition
- Performances relevées (S7 et RS7)
- Rouage intégral performant

FEU ROUGE
- Prix élevés
- Options coûteuses
- Espace limité aux places arrière
- Pas de boîte à double embrayage (RS7)

Photos : Audi Canada

AUDI **A8**

▶ **Catégorie :** Berline	▶ **Échelle de prix :** 90 700 $ à 173 000 $ (2014)	▶ **Transport et prép. :** 1 995 $
▶ **Cote d'assurance :** n.d.	▶ **Garanties :** 4 ans/80 000 km, 4 ans/80 000 km	▶ **Ventes CAN 2013 :** 273 unités

Pour contrer la Classe S

Gabriel Gélinas

Face à une Mercedes-Benz de Classe S entièrement renouvelée l'an dernier et devant la concurrence plus affûtée de la nouvelle Série 7 de BMW, Audi propose une évolution de l'A8, dont le modèle actuel est au milieu de son cycle de vie. À ce titre, l'A8 a été rafraîchie avec de subtiles modifications à sa carrosserie, elle est maintenant animée par des motorisations carburant à l'essence ou au diesel, offrant plus de puissance et de couple, et l'agrément de conduite est en hausse par rapport aux modèles antérieurs.

Pour ce qui est du style, la nouvelle A8 s'inscrit dans la continuité et les non-initiés ne remarqueront peut-être pas les très subtiles retouches qui y ont été apportées comme, entre autres, la calandre *single-frame* plus basse, les nouvelles entrées d'air à l'avant, la double nervure sur le capot ou la bande de chrome reliant les feux arrière. Une allure sobre et classique a toujours été le propre de l'A8 et le nouveau modèle respecte

en tous points ce design. Même constat pour la présentation intérieure où la qualité supérieure de la finition continue encore et toujours d'impressionner. Le nouveau modèle en rajoute avec des appliques en bois recouvertes de pigments argentés, ainsi qu'avec une sellerie Unicum dont les cuirs ont été traités avec des agents naturels produits à partir de feuilles et d'herbes afin de produire un cuir d'une belle souplesse qui offre une sensation particulièrement agréable au toucher. Autre nouveauté pour l'A8 : l'ajout d'un dispositif de visualisation tête haute qui est bienvenu, cependant le système de vision nocturne déçoit un peu dans la mesure où l'écran de visualisation, localisé entre le tachymètre et l'indicateur de vitesse, est très petit.

Une berline de deux tonnes ? Vraiment ?
Sur la route, l'A8 ne donne jamais l'impression d'être une berline de deux tonnes. Le comportement routier est plutôt incisif, le transfert du poids entre les trains avant et arrière est toujours bien maîtrisé, en accélération comme au freinage, et le confort est souverain en à peu près toutes circonstances. De ce côté,

Impressions de l'auteur	
Agrément de conduite :	★★★★☆ 4/5
Fiabilité :	★★★★☆ 4/5
Sécurité :	★★★★⯪ 4,5/5
Qualités hivernales :	★★★★⯪ 4,5/5
Espace intérieur :	★★★★☆ 4/5
Confort :	★★★★⯪ 4,5/5

Concurrents
BMW Série 7, Jaguar XJ, Lexus LS, Maserati Quattroporte, Mercedes-Benz Classe S

le seul bémol est que la direction semble constamment trop légère ce qui ne permet pas de sentir parfaitement la route. Le V6 de 3,0 litres suralimenté par compresseur développe 310 chevaux (20 de plus qu'avant), le couple est chiffré à 325 livres-pied et ce moteur s'avère à la hauteur pour la plupart des occasions. Si vous voulez compter sur plus de punch, le V8 de 4,0 litres turbocompressé répond présent avec ses 435 chevaux et 442 livres-pied de couple et il impressionne par son silence même lorsque la voiture accélère à un rythme élevé. Le V6 de 3.0 litres turbodiesel est aussi très généreux de son couple, mais la grande vedette des motorisations proposées est sans contredit le fabuleux V8 de 4,2 litres turbodiesel qui livre 385 chevaux et 626 livres-pied de couple. Avec ce moteur, l'A8 se révèle dans toute sa splendeur mais, malheureusement, il ne sera pas disponible en Amérique du Nord, ce qui est dommage.

La S8 de 520 chevaux : puissance et prestance

Au volant de la S8, le comportement routier est souverain et les performances sont au rendez-vous. Sur les autoroutes et les routes secondaires bien entretenues de la région de Pampelune en Espagne, la S8 a conjugué souplesse, agilité et puissance avec brio. Animée par un V8 biturbo de 520 chevaux livrant 479 livres-pied de couple, la S8 est capable d'une poussée phénoménale vers l'avant, accompagnée d'un défilement toujours plus rapide du paysage, alors que la sonorité du moteur devient plus évocatrice mais jamais trop forte ou trop soutenue. De la puissance avec de la prestance, voilà ce que livre la S8! Toutes les S8 essayées lors du lancement international du modèle étaient équipées de freins à composite de céramique, dont la performance sur routes balisées était sans faille, et du système Audi Drive Select qui permet, entre autres fonctions, de calibrer la fermeté des suspensions et de la direction selon la préférence du conducteur.

La S8 est une grande routière qui enfile les kilomètres à des vitesses élevées dans un confort souverain mais, exception faite des performances livrées par son fabuleux moteur, son côté sportif n'est toutefois pas aussi affirmé que celui d'une Porsche Panamera Turbo ou d'une BMW Alpina B7 qui sont des concurrentes beaucoup plus typées que la S8.

Dans ce créneau des berlines de très grand luxe, l'A8 conserve son aspect empreint de sobriété et d'un conservatisme de bon aloi et son comportement routier offre un agrément de conduite relevé d'un cran face à la récente Classe S de Mercedes-Benz qui priorise le luxe et le confort accordé aux passagers arrière plutôt qu'une conduite dynamique.

Châssis - 6.3L W12

Emp / lon / lar / haut	3122 / 5267 / 2111 / 1471 mm
Coffre / Réservoir	374 litres / 90 litres
Nombre coussins sécurité / ceintures	10 / 4
Suspension avant	indépendante, pneumatique, bras inégaux
Suspension arrière	indépendante, pneumatique, multibras
Freins avant / arrière	disque / disque
Direction	à crémaillère, ass. variable électronique
Diamètre de braquage	12,7 m
Pneus avant / arrière	P265/40R20 / P265/40R20
Poids / Capacité de remorquage	2165 kg / n.d.
Assemblage	Neckarsulm, DE

Composantes mécaniques

3.0 TDI

Cylindrée, soupapes, alim.	V6 3,0 litres 24 s turbo
Puissance / Couple	240 chevaux / 407 lb-pi
Tr. base (opt) / rouage base (opt)	A8 / Int
0-100 / 80-120 / V.Max	6,2 s (const) / n.d. / 250 km/h
100-0 km/h	n.d.
Type / ville / route / co$_2$	Dié / 8,1 / 5,7 l/100 km / 3790 kg/an

3.0T

Cylindrée, soupapes, alim.	V6 3,0 litres 24 s surcomp
Puissance / Couple	310 chevaux / 325 lb-pi
Tr. base (opt) / rouage base (opt)	A8 / Int
0-100 / 80-120 / V.Max	5,5 s / n.d. / 209 km/h
100-0 km/h	n.d.
Type / ville / route / co$_2$	Sup / 12,4 / 7,6 l/100 km / 4710 kg/an

4.0T

Cylindrée, soupapes, alim.	V8 4,0 litres 32 s turbo
Puissance / Couple	435 chevaux / 442 lb-pi
Tr. base (opt) / rouage base (opt)	A8 / Int
0-100 / 80-120 / V.Max	4,7 s / n.d. / 209 km/h
100-0 km/h	n.d.
Type / ville / route / co$_2$	Sup / 13,2 / 8,2 l/100 km / 5040 kg/an

6.3L W12

W12 - 6,3 l - 500 ch/463 lb-pi - 0-100: 4,4 s - 16,4/10,8 l/100 km

S8

V8 - 4,0 l - 520 ch/481 lb-pi - 0-100: 4,1 s - 13,8/8,3 l/100 km

Du nouveau en 2015

Modifications apportées à la carrosserie, motorisations plus performantes, dispositif de visualisation tête haute.

FEU VERT
- Moteurs performants (V8 turbo et S8)
- Qualité d'assemblage et de finition
- Bonne tenue de route
- Bon agrément de conduite
- Rouage intégral efficace

FEU ROUGE
- Prix élevés
- Options onéreuses
- V8 turbodiesel (4,2 litres) pas pour l'Amérique
- Direction surassistée

Photos: Audi Canada

AUDI Q3

▶ **Catégorie :** VUS	▶ **Échelle de prix :** 34 000 $ (estimé)	▶ **Transport et prép. :** 1 995 $
▶ **Cote d'assurance :** n.d.	▶ **Garanties :** 4 ans/80 000 km, 4 ans/80 000 km	▶ **Ventes CAN 2013 :** 0 unités

Petit format, grandes ambitions

Gabriel Gélinas

Le Q3 d'Audi roule en Europe depuis trois ans déjà et il fait finalement son entrée chez nous, après avoir subi un lifting révélé au Mondial de l'automobile de Paris, afin de concurrencer directement les BMW X1, Mercedes-Benz GLA et Land Rover Range Rover Evoque. Ce n'est un secret pour personne, le créneau des VUS compacts de luxe est en pleine explosion, et Audi entend bien en faire partie avec le Q3 afin de capturer une clientèle plus jeune, plus branchée, et d'ainsi la fidéliser à la marque.

Si l'on se fie au Q3 présenté au Salon de l'auto de Detroit, la dotation d'équipement proposée aux acheteurs nord-américains s'avère très complète avec un toit ouvrant panoramique, des sièges chauffants, des phares au xénon avec accents de type DEL, et le démarrage sans clé, entre autres. On peut qualifier le style du Q3 de la plus pure interprétation d'un certain classicisme germanique propre à Audi. Ce VUS compact de luxe offre assez d'espace pour accueillir quatre adultes en tout confort. Le volume de chargement est chiffré à 356 litres avec tous les sièges en place et peut atteindre 1 261 litres en abaissant les dossiers des places arrière, mais il est cependant impossible de disposer d'un plancher parfaitement plat.

Nous n'avons pas pu conduire les variantes du Q3 qui feront leur entrée chez nous au cours de l'année-modèle 2015 avant la date de tombée de cet ouvrage, mais j'ai eu l'occasion de rouler avec le plus performant de la gamme, le RS Q3, lors d'un premier contact dans les Alpes autrichiennes. L'arrivée de ce modèle plus typé, avec son moteur de 310 chevaux, suivra sans doute le lancement des Q3 plus conventionnels puisque BMW commercialise déjà un X1 animé par un moteur de 300 chevaux et que le nouveau Mercedes-Benz GLA 45AMG compte sur une cavalerie de 355 chevaux... Il serait surprenant que Audi se laisse ainsi damer le pion sans réagir.

Impressions de l'auteur		Concurrents
Agrément de conduite : ★★★★	4	BMW X1, Infiniti QX50
Fiabilité : ★★★★	4	
Sécurité : ★★★★	4	
Qualités hivernales : ★★★★½	4,5	
Espace intérieur : ★★★½	3,5	
Confort : ★★★½	3,5	

AUDI Q3

Dès le démarrage du RS Q3, le son du moteur annonce clairement que vous n'êtes pas au volant d'un utilitaire sport conventionnel. En prenant la route, cette première impression est confirmée alors que le couple abondant du moteur accélère le véhicule de façon constante et linéaire et que la boîte à double embrayage passe les rapports sans aucune hésitation. L'as dans la manche du RS Q3 est son moteur cinq cylindres de 2,5 litres turbocompressé, emprunté à la TT RS, et qui est jumelé au rouage intégral Quattro par l'entremise d'une boîte à double embrayage à sept rapports. Avec une puissance et un couple chiffrés respectivement à 310 chevaux et 310 livres-pied, ce moteur a mérité le prix International Engine of The Year au cours des quatre dernières années et peut faire accélérer le RS Q3 de 0 à 100 kilomètres/heure en seulement 5,2 secondes. Mais ce qui est plus impressionnant, c'est la manière avec laquelle il s'exprime puisque le couple maximal est disponible de 1 500 à 5 200 tours minute. Sur un graphique, la ligne du couple monte en flèche puis devient horizontale sur un très large plateau, ce qui explique pourquoi la force d'accélération est si constante et linéaire, permettant au conducteur de dépasser les véhicules plus lents avec une facilité déconcertante.

Dynamique inspirée

Les liaisons au sol sont assurées par une suspension sport qui maintient une bonne tenue de route dans les virages et un comportement routier plutôt neutre. Les freins sont impressionnants puisque nous n'avons noté aucune faiblesse même en descendant les cols des Alpes à haute vitesse. À la lecture de la fiche technique, on comprend pourquoi : les disques avant sont de 365 millimètres et sont pincés par des étriers à huit pistons, donc aucune inquiétude ici. La direction est précise et linéaire mais s'est avérée un peu trop légère, même lorsque le mode Dynamic était sélectionné sur le système Audi Drive Select.

Un style résolument sportif

Comme modèle à vocation sportive, le RS Q3 coche toutes les cases appropriées. Garde au sol surbaissée, jantes en alliage de 19 pouces (20 pouces en option), palettes de changement de vitesse au volant pour la boîte à double embrayage à sept rapports, volant sport à partie inférieure rectiligne, sièges sport, etc. Le RS Q3 affiche une allure sportive, si l'on tient compte du fait qu'il est plutôt difficile de rendre un VUS compact aussi stylé et *cool* qu'une RS7. Les touches de luxe sont abondantes dans l'habitacle comme en témoignent les coutures contrastantes des sièges habillés de cuir et d'alcantara sur lesquels on retrouve également la signature RS. Des appliques au fini Noir piano, un pédalier en aluminium et une chaîne audio à dix haut-parleurs, tous de série, complètent le portrait. Il est rapide et luxueux. La question maintenant est de savoir quand il se pointera chez nous, et à quel prix. On garde le contact...

Châssis - 2.0 Quattro

Emp / lon / lar / haut	2603 / 4385 / 1831 / 1590 mm
Coffre / Réservoir	356 à 1261 litres / 64 litres
Nombre coussins sécurité / ceintures	6 / 5
Suspension avant	indépendante, jambes de force
Suspension arrière	indépendante, multibras
Freins avant / arrière	disque / disque
Direction	à crémaillère, ass. variable électrique
Diamètre de braquage	11,8 m
Pneus avant / arrière	P215/65R16 / P215/65R16
Poids / Capacité de remorquage	1640 kg / 750 kg (1653 lb)
Assemblage	Wolfsburg, DE

Composantes mécaniques

2.0 Quattro

Cylindrée, soupapes, alim.	4L 2,0 litres 16 s turbo
Puissance / Couple	200 chevaux / 207 lb-pi
Tr. base (opt) / rouage base (opt)	A6 / Int
0-100 / 80-120 / V.Max	6,9 s (const) / n.d. / 230 km/h
100-0 km/h	n.d.
Type / ville / route / co$_2$Sup	10,2 / 6,4 l/100 km / 3905 kg/an

Du nouveau en 2015

Nouveau modèle.

- Excellente tenue de route
- Moteur performant
- Freinage puissant
- Qualité d'assemblage et de finition

- Volume de chargement limité
- Prix élevé à prévoir
- Carbure au super
- Arrivée tardive sur notre marché

Photos : Audi Canada

HYBRIDE DIESEL

AUDI **Q5**

▶ **Catégorie :** VUS	▶ **Échelle de prix :** 46 200 $ à 59 600 $ (2014)	▶ **Transport et prép. :** n.d.
▶ **Cote d'assurance :** $$$$$	▶ **Garanties :** 4 ans/80 000 km, 4 ans/80 000 km	▶ **Ventes CAN 2013 :** 7 547 unités

De tout pour tous

Gabriel Gélinas

Avec le Q5, un VUS de luxe, Audi fait flèche de tout bois. Proposé avec des motorisations hybride, turbodiesel et surcompressée à essence, le Q5 permet à la marque allemande d'occuper plusieurs créneaux. Lancé l'an dernier en Amérique du Nord, le modèle TDI s'avère être le plus intéressant de la gamme.

Le Q5 TDI d'Audi se démarque par sa consommation chiffrée à seulement 6,5 litres aux 100 kilomètres sur l'autoroute, le moteur tournant à moins de 1 800 tours/minute alors qu'il file à 120 kilomètres/heure. Pour un utilitaire à rouage intégral qui affiche 2 030 kilos à la pesée (le modèle TDI est plus lourd que les modèles carburant à l'essence), cette cote de consommation est pour le moins impressionnante et s'explique en partie par le fait que le Q5 TDI est doté d'une transmission automatique à huit rapports, ce qui en fait un véhicule particulièrement bien adapté pour couvrir de longues distances avec armes et bagages.

428 livres-pied de couple

Dans ce créneau, Mercedes-Benz offre une version alimentée au gazole de son GLK et BMW vient tout juste d'ajouter un modèle diesel pour son X3, mais ces deux concurrents directs sont animés par des moteurs quatre cylindres alors que le Q5 TDI peut compter sur un V6 turbocompressé de 3,0 litres développant 240 chevaux mais surtout 428 livres-pied de couple dès 1 750 tours minute. Voilà qui explique pourquoi le Q5 TDI fait le sprint de 0 à 100 kilomètres/heure en 6,7 secondes, mettant seulement une demi-seconde de plus que le Q5 TFSI dont le V6 suralimenté par compresseur carbure au super-sans-plomb. Il faut juste apprendre à composer avec une légère hésitation au décollage, avant que le turbo n'entre en action. Quant au Mercedes-Benz GLK à motorisation diesel, précisons qu'il est carrément largué par le Q5 TDI en accélération franche ainsi que lors des reprises ce qui n'est pas étonnant lorsque l'on considère que le couple du GLK diesel est chiffré à 369 livres-pied alors que celui du Q5 TDI est de 428 livres-pied.

Impressions de l'auteur		Concurrents
Agrément de conduite :	★★★★☆ 4/5	Acura RDX, BMW X3, Infiniti EX,
Fiabilité :	★★★☆☆ 3,5/5	Land Rover LR2,
Sécurité :	★★★★☆ 4/5	Mercedes-Benz Classe GLK,
Qualités hivernales :	★★★★☆ 4,5/5	Volvo XC60
Espace intérieur :	★★★☆☆ 3,5/5	
Confort :	★★★★☆ 4/5	

AUDI Q5

Sur la route, le Q5 TDI impressionne également par sa conduite plus agréable avec une direction plus précise et des freins qui sont plus faciles à moduler par rapport au GLK. La conjonction du rouage intégral quattro et de la boîte automatique à huit rapports fait en sorte que le Q5 TDI s'est moqué littéralement de l'hiver plutôt difficile que nous avons connu. Conduire le Q5 TDI, c'est pouvoir compter sur un couple abondant qui facilite les manœuvres de dépassement sur les routes secondaires et les entrées sur l'autoroute, tout en appréciant la grande quiétude qui règne à bord. En effet, le moteur ne nous rappelle qu'il carbure au diesel seulement au démarrage et, en plus, la boîte automatique se fait oublier par le passage presque imperceptible des rapports. Et si l'on poursuit la comparaison directe avec le GLK, le Q5 se démarque complètement de son rival germanique pour ce qui est de la qualité des matériaux et de la finition intérieure, un domaine où Audi s'impose en maître par rapport à la concurrence.

Bien sûr, le Q5 TDI est plus cher à l'achat que les modèles alimentés à l'essence et il est également plus rare sur le marché en raison d'une allocation plus limitée, ce qui pose parfois problème pour les concessionnaires canadiens de la marque qui pourraient en vendre un plus grand nombre d'unités. Mais pour ceux qui peuvent mettre la main sur un Q5 TDI, les avantages sont nombreux et indéniables.

La version sport
Le SQ5 est le modèle à vocation sportive de la gamme. Il affiche des éléments provenant de la ligne S comme la calandre et le diffuseur arrière de couleur gris platine, les rétroviseurs latéraux de couleur aluminium et les échappements à quatre embouts. Dans l'habitacle, le SQ5 reçoit un volant multifonctions à trois branches avec paliers de changements de vitesse, un levier de vitesses en cuir et aluminium, un pédalier avec inserts en aluminium et des cadrans à fond gris avec aiguilles blanches.

Sur la route, c'est une pure merveille, rien de moins, car sa tenue de route est largement bonifiée grâce à une monte pneumatique surdimensionnée assurée par des jantes de 20 pouces en équipement de série (des roues de 21 pouces sont proposées en option), des freins plus performants, des suspensions qui adoptent des calibrations plus fermes, et une assiette abaissée de 30 millimètres. Sous le capot des SQ5 livrables en Amérique du Nord, le V6 à essence suralimenté par compresseur remplace le moteur turbodiesel de la version européenne. Fort de ses 354 chevaux et 347 livres-pied de couple, ce moteur permet au SQ5 de s'exprimer pleinement ce qui bonifie largement l'agrément de conduite.

Châssis - S Quattro

Emp / lon / lar / haut	2807 / 4647 / 2089 / 1658 mm
Coffre / Réservoir	540 à 1560 litres / 75 litres
Nombre coussins sécurité / ceintures	6 / 5
Suspension avant	indépendante, multibras
Suspension arrière	indépendante, multibras
Freins avant / arrière	disque / disque
Direction	à crémaillère, ass. variable électronique
Diamètre de braquage	11,6 m
Pneus avant / arrière	P255/45R20 / P255/45R20
Poids / Capacité de remorquage	2000 kg / n.d.
Assemblage	Ingolstadt, DE

Composantes mécaniques

TDI

Cylindrée, soupapes, alim.	V6 3,0 litres 24 s turbo
Puissance / Couple	240 chevaux / 428 lb-pi
Tr. base (opt) / rouage base (opt)	A8 / Int
0-100 / 80-120 / V.Max	6,7 s (const) / n.d. / 209 km/h
100-0 km/h	n.d.
Type / ville / route / co_2	Dié / 9,0 / 6,5 l/100 km / 4253 kg/an

3.0 Quattro

Cylindrée, soupapes, alim.	V6 3,0 litres 24 s surcomp
Puissance / Couple	272 chevaux / 295 lb-pi
Tr. base (opt) / rouage base (opt)	A8 / Int
0-100 / 80-120 / V.Max	6,2 s (const) / n.d. / 209 km/h
100-0 km/h	n.d.
Type / ville / route / co_2	Sup / 11,4 / 7,8 l/100 km / 4499 kg/an

S Quattro

Cylindrée, soupapes, alim.	V6 3,0 litres 24 s surcomp
Puissance / Couple	354 chevaux / 347 lb-pi
Tr. base (opt) / rouage base (opt)	A8 / Int
0-100 / 80-120 / V.Max	5,3 s (const) / n.d. / 250 km/h
100-0 km/h	n.d.
Type / ville / route / co_2	Sup / 13,2 / 8,5 l/100 km / 5099 kg/an

Hybride

4L - 2,0 l - 211 ch/258 lb-pi - A8 - 0-100: 7,0 s - 8,6/6,9 l/100 km
Moteur élect: 54 ch (40 kW) / 155 lb-pi - Batterie: Lithium-ion

2.0 Quattro

4L - 2,0 l - 220 ch/258 lb-pi - A8 - 0-100: 7,1 s - 10,5/7,2 l/100 km

Du nouveau en 2015

Aucun changement majeur

FEU VERT
- Rouage intégral performant
- Qualité d'assemblage
- Disponibilité de moteurs diesel et hybride
- Performances relevées (SQ5)
- Consommation du modèle TDI sur autoroute

FEU ROUGE
- Coût des options
- Poids élevé
- Complexité de certaines commandes
- On aurait préféré le turbodiesel (SQ5)
- Style qui commence à dater un peu

Photos: Sylvain Raymond

AUDI **Q7**

▶ **Catégorie :** VUS

▶ **Cote d'assurance :** n.d.

▶ **Échelle de prix :** 63 200 $ à 73 500 $ (2014)

▶ **Garanties :** 4 ans/80 000 km, 4 ans/80 000 km

▶ **Transport et prép. :** 1995 $

▶ **Ventes CAN 2013 :** 1781 unités

Retard de style

Denis Duquet

La prochaine génération de l'Audi Q7 est l'objet de bien des supputations sur de nombreux sites internet. Les photos-espionnes pullulent, dévoilant un véhicule fortement camouflé que l'on dit être la prochaine version de ce gros multisegment. Peu importe la mouture, son arrivée sur le marché a été retardée à au moins deux reprises et nul doute qu'elle ne sera pas dans les salles de démonstration des concessionnaires Audi avant plusieurs mois.

Ce retard ne serait pas dû à des problèmes techniques, mais bien à un changement de direction en fait de stylisme. Il semblerait que le nouveau grand patron du design chez Audi n'apprécie pas le travail de son prédécesseur et veut qu'on adoucisse les angles de la carrosserie, entre autres. Mais il y a quand même des certitudes ! Par exemple, la prochaine génération sera fortement allégée. Selon les rumeurs, on parle de 300 kg (660 livres) en moins, ce qui n'est pas superflu étant donné que la version

actuelle fait osciller la balance à plus de 2 500 kg ! Cet allègement est en partie dû à l'utilisation de la seconde génération de la plate-forme MLB (*Modularer Längsbaukasten* dans le jargon du groupe Volkswagen) qui regroupe tous les véhicules à moteur longitudinal de ce constructeur. Cette plate-forme, plus auto que VUS, sera moins robuste et donc plus légère. Par contre, cela ne devrait pas avoir d'incidence sur le futur Q7 puisque la grande majorité des gens ne l'utilisent jamais en hors route.

En attendant cette prochaine génération, le Q7 tel qu'on le connaît depuis quelques années nous revient sans subir de modifications importantes pour 2015.

Toujours la référence

Cela fait des années que tous les spécialistes dans le domaine s'entendent pour vanter les qualités des habitacles et des planches de bord d'Audi. Le Q7 ne fait pas exception à la règle et tous les éléments sont harmonieux tandis que les commandes sont faciles d'accès et leurs qualités tactiles sont à souligner.

Impressions de l'auteur		Concurrents
Agrément de conduite :	★★★★½ **4,5**	Acura MDX, BMW X5, Cadillac SRX, Infiniti QX70, Land Rover Range Rover Sport, Lexus RX, Mercedes-Benz Classe GL, Mercedes-Benz Classe M, Porsche Cayenne, Volkswagen Touareg, Volvo XC90
Fiabilité :	★★★★ **4**	
Sécurité :	★★★★½ **4,5**	
Qualités hivernales :	★★★★½ **4,5**	
Espace intérieur :	★★★★½ **4,5**	
Confort :	★★★★½ **4,5**	

Mentionnons au passage qu'Audi a été un pionnier dans la mise au point d'un éclairage d'ambiance et que le Q7 en bénéficie avec bonheur. Le choix et la qualité des matériaux et l'agencement des couleurs est digne de la réputation de la marque aux anneaux.

Cependant, certains détails de présentation commencent à démontrer des origines de plus en plus lointaines. Comme, par exemple, le système de gestion des principales fonctions de la voiture, le MMI, (pour *Multi-Media Interface*) qui est commandé par un gros bouton placé sur la console. Il est entouré de pavés qui permettent de se rendre plus rapidement dans un champ de commande particulier. Il faut un certain temps pour s'acclimater au MMI et il est important de prendre le temps de bien comprendre son fonctionnement. C'est laborieux au départ, mais c'est quand même plus convivial que chez certains concurrents.

Les sièges avant sont très confortables et les places arrière le sont aussi, mais un peu moins. Quant à la troisième rangée, elle est non seulement difficile d'accès, mais son confort est relatif. Ce sont plutôt des sièges de dépannage qu'autre chose.

Un trio fort intéressant

Suivant la tendance actuelle, on ne retrouve plus de V8 sous le capot de ce modèle depuis belle lurette. L'acheteur a le choix parmi un trio de V6 qui ont tous la même cylindrée de 3,0 litres et qui sont tous couplés à une boîte automatique à huit rapports dont le fonctionnement impeccable contribue à réduire la consommation de carburant. Et avant de l'oublier (et pour faire taire les mauvaises langues), la cote de fiabilité de ce modèle est supérieure à la moyenne.

Le moteur le plus populaire est le 3,0 litres de 280 chevaux dont le rendement et les performances sont dans la bonne moyenne de la catégorie. Pour les conducteurs pressés, Audi propose une version plus puissante de ce même moteur dans le Q7 Sport qui bénéficie d'un surcroît de 53 chevaux. Ce ne sont pas tellement les temps d'accélération qui profitent de ces équidés additionnels, mais les reprises et la vivacité générale du groupe propulseur. Enfin, les diésélistes opteront sans doute pour le V6 3,0 litres TDI dont la puissance est de 240 chevaux et le couple de 407 lb-pi.

Malgré ses dimensions imposantes, ce VUS urbain impressionne par son agilité et son comportement routier fort équilibré. Une succession de virages en lacets ne le déséquilibrent pas du tout. Toutefois, la direction pourrait offrir une meilleure rétroaction. Et il ne faut pas oublier de souligner l'excellence du rouage intégral quattro offert de série sur toutes les variantes du Q7.

Reste à savoir maintenant quand son successeur sera commercialisé. Après tout, l'arrivée du modèle de remplacement est annoncée depuis trois années maintenant.

Châssis - 3.0 Quattro Sport

Emp / lon / lar / haut	3002 / 5089 / 2177 / 1737 mm
Coffre / Réservoir	308 à 2053 litres / 100 litres
Nombre coussins sécurité / ceintures	6 / 7
Suspension avant	indépendante, bras inégaux
Suspension arrière	indépendante, multibras
Freins avant / arrière	disque / disque
Direction	à crémaillère, ass. variable électronique
Diamètre de braquage	12,0 m
Pneus avant / arrière	P295/35R21 / P295/35R21
Poids / Capacité de remorquage	2455 kg / 2495 kg (5500 lb)
Assemblage	Bratislava, SK

Composantes mécaniques

TDI

Cylindrée, soupapes, alim.	V6 3,0 litres 24 s turbo
Puissance / Couple	240 chevaux / 407 lb-pi
Tr. base (opt) / rouage base (opt)	A8 / Int
0-100 / 80-120 / V.Max	9,3 s / 6,7 s / 209 km/h
100-0 km/h	46,9 m
Type / ville / route / CO_2	Dié / 12,3 / 7,7 l/100 km / 5525 kg/an

3.0 Quattro Premium

Cylindrée, soupapes, alim.	V6 3,0 litres 24 s surcomp
Puissance / Couple	280 chevaux / 295 lb-pi
Tr. base (opt) / rouage base (opt)	A8 / Int
0-100 / 80-120 / V.Max	7,6 s / n.d. / 209 km/h
100-0 km/h	n.d.
Type / ville / route / CO_2	Sup / 13,6 / 9,3 l/100 km / 5336 kg/an

3.0 Quattro Sport

Cylindrée, soupapes, alim.	V6 3,0 litres 24 s surcomp
Puissance / Couple	333 chevaux / 325 lb-pi
Tr. base (opt) / rouage base (opt)	A8 / Int
0-100 / 80-120 / V.Max	7,1 s / n.d. / 209 km/h
100-0 km/h	n.d.
Type / ville / route / CO_2	Sup / 13,6 / 9,3 l/100 km / 5336 kg/an

Du nouveau en 2015

Aucun changement majeur. Nouveau modèle annoncé.

FEU VERT
- Moteurs enjoués
- Habitacle raffiné
- Excellente tenue de route
- Rouage intégral efficace
- Boîte auto à huit rapports sérieuse

FEU ROUGE
- Dimensions encombrantes
- Poids exagéré
- Prix élevé
- Modèle en sursis
- Consommation importante

Photos : Audi Canada

AUDI **R8**

▶ **Catégorie :** Coupé, Roadster	▶ **Échelle de prix :** 134 000 $ à 187 000 $ (2014)	▶ **Transport et prép. :** 2 795 $
▶ **Cote d'assurance :** n.d.	▶ **Garanties :** 4 ans/80 000 km, 4 ans/80 000 km	▶ **Ventes CAN 2013 :** 111 unités

L'exotique raisonnable

Marc Lachapelle

Un constructeur doit compter, parmi ses créations, une sportive d'exception pour accéder au cercle des grandes marques, même avec un riche palmarès sportif. Pour Audi, cet oiseau rare fut assurément la R8 à moteur central qui a fait ses débuts il y a déjà sept ans avec un succès remarquable, à la hauteur de ses qualités. Elle a progressé depuis mais on a hâte au prochain chapitre.

La R8 avait tout pour elle. D'abord la beauté, avec une silhouette inspirée du prototype Le Mans quattro. Les lignes fluides de ce classique instantané sont tracées par une carrosserie en aluminium, posée sur un châssis à caissons fait du même métal. Une technique qu'Audi perfectionne depuis vingt ans.

Cette structure solide a permis aux ingénieurs d'offrir à la R8 une tenue de route fine et un confort de roulement exceptionnel, grâce à des amortisseurs à variation magnétique et une suspension particulièrement réussie.

Dedans aussi

La beauté de la R8 s'étend au dessin de son habitacle, dont la finition est digne de la réputation du constructeur d'Ingolstadt en cette matière. Les stylistes ont même porté une attention particulière à la présentation du moteur dont on peut admirer par une lunette de verre, les culasses illuminées par des rangées de minuscules DEL.

En soulevant le capot du coupé, on peut contempler une belle mécanique dans un espace qui tient de l'écrin tellement on l'a dégagé du fatras habituel de conduits, fils et bidules. C'est à se demander où ils ont placé la multitude de pièces pourtant essentielles au fonctionnement d'une telle machine.

La R8 Spyder décapotable est apparue ensuite, son V10 caché sous un couvercle en fibre de carbone dont les panneaux s'ouvrent pour laisser la capote se replier ou se déployer sur son châssis ultraléger. Un ballet d'une quinzaine de secondes

Impressions de l'auteur		Concurrents
Agrément de conduite : ★★★★⯪ 4,5/5		Aston Martin Vantage,
Fiabilité : ★★★★☆ 4/5		BMW Série 6, Chevrolet Corvette,
Sécurité : ★★★★⯪ 4,5/5		Ferrari F458 Italia, Jaguar XK,
Qualités hivernales : ★★★★☆ 4/5		Lamborghini Huracán, Mercedes-Benz
Espace intérieur : ★★★☆☆ 3/5		Classe SL, Nissan GT-R, Porsche 911
Confort : ★★★★☆ 4/5		

AUDI R8

qui peut s'exécuter jusqu'à 50 km/h. Audi a complété la série R8 à rebours en y ajoutant une version V8 de cette Spyder.

Beaux les moteurs

Le premier moteur de la R8 était un V8 de 4,2 litres lubrifié par carter sec dont un des avantages est d'abaisser le centre de gravité. Ce V8 profite de l'injection directe et du calage variable des soupapes. Sa puissance était de 414 chevaux et il en a gagné une quinzaine depuis.

Vint ensuite un V10 de 5,2 litres qui partage ses éléments de base avec celui de la nouvelle Huracán qui a succédé à la Gallardo chez Lamborghini. Avec ses 525 chevaux, celui de la R8 est moins puissant mais plus souple et raffiné. En accord avec la vocation de l'allemande et ses qualités de grand tourisme dont la seule limite sérieuse est un coffre de seulement 100 litres.

Le coupé V10 5,2 expédie quand même le sprint 0-100 km/h en 4,2 secondes et le 1/4 de mille en 12,2 secondes tandis que la Spyder s'exécute en 4,3 et 12,4 secondes. C'est toutefois à peine mieux que les 4,4 et 12,8 secondes du coupé V8 4,2 pour une centaine de chevaux et une soixantaine de kilos en plus.

Ça, c'est avec la boîte manuelle. Les chronos seraient meilleurs avec la boîte S tronic à double embrayage qui offre 7 rapports et un mode Départ-canon. Les démarrages sont un peu secs mais les vitesses se passent ensuite avec une rapidité et une netteté réjouissantes. Surtout en jouant des manettes au volant en mode Sport.

Toujours plus

Dans la série actuelle, la R8 V10 plus Coupé fut la première à disposer de la boîte S Tronic. C'est toujours la plus sportive avec son V10 de 550 chevaux, une suspension plus affûtée et des éléments en métaux légers et composites qui ont réduit son poids d'une soixantaine de kilos. Y compris les freins en carbone-céramique offerts en option sur les autres modèles.

La version la plus puissante à ce jour est toutefois la R8 LMX dont le V10 livre 562 chevaux. Produite à 99 exemplaires, elle se distingue par la première utilisation du laser pour les phares d'un modèle de série. Une technologie qu'on ne verra pas de sitôt chez nous. La LMX non plus.

Audi devrait dévoiler bientôt une nouvelle R8 qui sera vraisemblablement plus longue, plus large et propulsée par des moteurs turbocompressés. Elle devra être plus légère, solide et rapide pour rester dans le peloton de tête.

C'est sur cette base que serait également produite une R8 e-tron électrique avec 450 kilomètres d'autonomie. À cinq ou sept fois le prix d'une Tesla Model S, à qui la chance?

Photos : Audi Canada

Châssis - V10 Coupé

Emp / lon / lar / haut	2650 / 4435 / 1930 / 1252 mm
Coffre / Réservoir	100 litres / 90 litres
Nombre coussins sécurité / ceintures	4 / 2
Suspension avant	indépendante, double triangulation
Suspension arrière	indépendante, double triangulation
Freins avant / arrière	disque / disque
Direction	à crémaillère, ass. variable
Diamètre de braquage	11,8 m
Pneus avant / arrière	P235/35ZR19 / P295/30ZR19
Poids / Capacité de remorquage	1695 kg / n.d.
Assemblage	Neckarsulm, DE

Composantes mécaniques

V8

Cylindrée, soupapes, alim.	V8 4,2 litres 32 s atmos.
Puissance / Couple	430 chevaux / 317 lb-pi
Tr. base (opt) / rouage base (opt)	A7 (M6) / Int
0-100 / 80-120 / V.Max	4,4 s (const) / n.d. / 299 km/h
100-0 km/h	n.d.
Type / ville / route / co_2	Sup / 19,1 / 11,4 l/100 km / 7192 kg/an

V10

Cylindrée, soupapes, alim.	V10 5,2 litres 40 s atmos.
Puissance / Couple	525 chevaux / 391 lb-pi
Tr. base (opt) / rouage base (opt)	M6 (A7) / Int
0-100 / 80-120 / V.Max	4,2 s / n.d. / 312 km/h
100-0 km/h	n.d.
Type / ville / route / co_2	Sup / 19,1 / 11,8 l/100 km / 7275 kg/an

V10 plus Coupé

Cylindrée, soupapes, alim.	V10 5,2 litres 40 s atmos.
Puissance / Couple	550 chevaux / 398 lb-pi
Tr. base (opt) / rouage base (opt)	M6 (A7) / Int
0-100 / 80-120 / V.Max	3,9 s (const) / n.d. / 319 km/h
100-0 km/h	n.d.
Type / ville / route / co_2	Sup / 19,1 / 11,8 l/100 km / 7275 kg/an

Du nouveau en 2015

Aucun changement majeur

FEU VERT
- Beautés mobiles
- Conduite sûre et sportive à l'année
- Moteurs réjouissants
- Confort étonnant
- Qualité et solidité

FEU ROUGE
- Moteurs plutôt gloutons
- Peu de rangements pratiques
- Coffre minuscule
- Visibilité arrière limitée
- Boîte S tronic très chère

AUDI **TT**

▸ **Catégorie :** Coupé, Roadster

▸ **Cote d'assurance :** n.d.

▸ **Échelle de prix :** 49 500 $ à 63 600 $ (2014)

▸ **Garanties :** 4 ans/80 000 km, 4 ans/80 000 km

▸ **Transport et prép. :** 1 995 $

▸ **Ventes CAN 2013 :** 370 unités

Patience!

Denis Duquet

Depuis l'an dernier, on nous annonce l'arrivée imminente de la troisième génération de l'Audi TT. Mais au moment d'écrire ces lignes, nous sommes toujours en mode attente. Au moins, nous sommes mieux éclairés quant à ce qui nous attend puisque la voiture a finalement été dévoilée au Salon de l'auto de Genève en mars 2014. Le constructeur allemand a donc mis fin aux rumeurs de toutes sortes en présentant l'une des voitures les plus iconiques des deux dernières décennies.

Il faut souligner que redessiner la TT n'était pas tâche facile puisque la première génération nous proposait une voiture fortement typée et tout en rondeurs, quasiment caricaturale. La présente génération a vu sa silhouette conserver ces caractéristiques visuelles tout en s'affinant. La carrosserie plus allongée a par le fait même rendu la voiture plus élégante. La prochaine TT affiche des lignes très peu différentes du modèle actuel. Les parois latérales sont épurées, les passages de roues sont marqués

par un léger relief et le pavillon se prolonge sur la poupe qui est caractérisée par un porte-à-faux très réduit. On a donc conservé les proportions initiales qui ont fait le succès de cette sportive tandis que les dimensions de la carrosserie n'ont pas progressé. Pourtant, on a trouvé le moyen d'agrandir le coffre, ce qui est une bonne nouvelle. Le principal changement esthétique est la calandre flottante qui a été remodelée tout comme les feux de route. La nouvelle TT a également été allégée d'environ 50 kg en associant acier, acier haute résistance et aluminium avec plus d'efficacité qu'auparavant.

Dans l'habitacle, les stylistes ont conservé les buses de ventilation circulaires qui sont propres à la TT et qui ont fait sa renommée, en quelque sorte. Par contre, l'écran d'affichage est dorénavant placé devant le conducteur et incorpore les cadrans indicateurs en un écran de plus de 12 pouces. Cela permet au pilote de choisir le type d'affichage qu'il désire.

Impressions de l'auteur		Concurrents
Agrément de conduite : ★★★★☆	4/5	BMW Z4, Lotus Evora, Mercedes-Benz
Fiabilité : ★★★★☆	4/5	Classe SLK, Nissan Z, Porsche Boxster,
Sécurité : ★★★★☆	4/5	Porsche Cayman
Qualités hivernales : ★★★★☆	4/5	
Espace intérieur : ★★★☆☆	3/5	
Confort : ★★★☆☆	3/5	

AUDI TT

Pour le marché européen, trois moteurs seront au catalogue. Comme c'est le cas présentement chez nous, la TTS sera le modèle le plus sportif et son quatre cylindres 2,0 litres « TFSI » produira 310 chevaux, assurant un 0-100 km/h en 4,7 secondes. La boîte manuelle six rapports qui y est associée est de série tandis que la transmission S tronic six rapports à double embrayage est en option. Le rouage quattro est de série. Un autre moteur 2,0 litres est offert pour propulser le modèle de base. Cette fois, sa puissance est de 230 chevaux. Il boucle le 0-100 km/h en six secondes avec la boîte S tronic combinée au quattro. Enfin, le diesel 2,0 litres « TDI » produit 184 chevaux. Il est proposé en Europe, mais les chances qu'il soit commercialisé en Amérique sont à peu près inexistantes.

En attendant

Fidèle à son habitude, Audi Canada est avare quant aux dates de commercialisation de ce modèle. Entre-temps, puisque la version actuelle est toujours considérée comme une valeur sûre, les gens peuvent combler leurs attentes au volant du coupé ou du cabriolet. De plus, compte tenu de l'efficacité du rouage intégral quattro, c'est une excellente voiture de sport pour affronter nos hivers québécois.

Comme ce sera le cas avec le nouveau modèle, les moteurs offerts sont des quatre cylindres 2,0 litres turbo assurant de bonnes performances. Le moteur de la TT actuelle produit 211 chevaux, soit dix de moins que celui de la version 2015 ½, mais les temps d'accélération sont presque similaires. La TTS bénéficie d'un moteur de même cylindrée, mais plus fringant avec une puissance de 265 chevaux. Cette fois, le moteur destiné à le remplacer aura un net avantage en fait de puissance.

L'habitacle est d'une finition impeccable et le design de la planche de bord est passé à l'histoire. Il faut également souligner que la position de conduite est bonne et que le volant se prend bien en main. Bref, c'est une voiture à vocation sportive qui a été conçue pour répondre aux moindres désirs du pilote. Par contre, les personnes le moindrement claustrophobes auront l'impression d'être emmurées dans cette voiture dont la ceinture de caisse est très élevée. Et n'allez pas croire que vous pourrez inviter quelqu'un aux places arrière du coupé…

La TT de la nouvelle génération a progressé de façon intelligente tant au chapitre du design que de la conception mécanique. Mais en attendant, les modèles actuels méritent également notre attention.

Châssis - S Coupé

Emp / lon / lar / haut	2468 / 4198 / 1952 / 1345 mm
Coffre / Réservoir	371 à 700 litres / 60 litres
Nombre coussins sécurité / ceintures	4 / 4
Suspension avant	indépendante, jambes de force
Suspension arrière	indépendante, multibras
Freins avant / arrière	disque / disque
Direction	à crémaillère, ass. variable électrique
Diamètre de braquage	11,0 m
Pneus avant / arrière	P245/40R18 / P245/40R18
Poids / Capacité de remorquage	1430 kg / n.d.
Assemblage	Gyor, HU

Composantes mécaniques

Coupé, Roadster

Cylindrée, soupapes, alim.	4L 2,0 litres 16 s turbo
Puissance / Couple	211 chevaux / 258 lb-pi
Tr. base (opt) / rouage base (opt)	A6 / Int
0-100 / 80-120 / V.Max	5,5 s / n.d. / 209 km/h
100-0 km/h	n.d.
Type / ville / route / CO_2	Sup / 9,1 / 6,4 l/100 km / 3650 kg/an

S Coupé, S Roadster

Cylindrée, soupapes, alim.	4L 2,0 litres 16 s turbo
Puissance / Couple	265 chevaux / 258 lb-pi
Tr. base (opt) / rouage base (opt)	A6 / Int
0-100 / 80-120 / V.Max	5,2 s / n.d. / 250 km/h
100-0 km/h	n.d.
Type / ville / route / CO_2	Sup / 10,1 / 7,4 l/100 km / 4100 kg/an

Du nouveau en 2015

Aucun changement majeur. Nouveau modèle imminent.

FEU VERT
- Nouvelle version plus moderne
- Excellente tenue de route
- Rouage intégral légendaire
- Cabriolet fort exclusif
- Moteurs performants

FEU ROUGE
- Visibilité arrière
- Attente de la nouvelle version
- Options onéreuses
- Places arrière inutiles (coupé)

Photos: Audi Canada

BENTLEY CONTINENTAL GT

BENTLEY **CONTINENTAL GT / FLYING SPUR**

▶ **Catégorie :** Cabriolet, Coupé, Berline　　▶ **Échelle de prix :** 220 724 $ à 294 754 (2014)　　▶ **Transport et prép. :** n.d.

▶ **Cote d'assurance :** n.d.　　▶ **Garanties :** 3 ans/illimité, 3 ans/illimité　　▶ **Ventes CAN 2013 :** n.d.

Des tonnes de légèreté

David Booth

Contrairement à bien des voitures de luxe à prétention sportive, la Bentley Continental n'est pas devenue de plus en plus grosse et embourgeoisée avec les années. C'est même le contraire : elle est plus légère, plus puissante et plus sportive qu'à l'origine (et c'est encore plus vrai dans le cas de la GT3-R de production limitée).

Les esprits critiques diront que c'est normal compte tenu de son embonpoint d'origine. Effectivement, elle avait beau compter sur 12 pistons et deux turbocompresseurs, la Continental était sérieusement pénalisée par son poids. Presque 10 ans plus tard, elle nous revient dans une déclinaison de « seulement » 2 295 kg (un poids plume pour une Bentley !). Résultat : la Continental GT V8 S en version coupé ou cabriolet met seulement 4,5 secondes pour passer de 0 à 100 km. En remplaçant le W12 par un V8 de chez Audi, la cylindrée est passée de 6,0 à 4,0 litres, mais la puissance est

toujours au rendez-vous : 521 chevaux et un couple de 502 lb-pi. Ce V8 produit seulement 46 chevaux de moins que le W12 de la GT de base.

Évidemment, avec un moteur puissant, tout véhicule peut devenir rapide. Mais ce qui distingue la Continental GT, particulièrement cette version V8 S, c'est sa capacité à accélérer et à se faufiler comme si elle pesait 500 kg de moins. La S est dotée d'une série d'améliorations visant à renforcer son côté sportif. Elle a été abaissée de 10 mm, les joints de suspension sont plus serrés et les ressorts sont plus fermes (45 % de plus à l'avant, 33 % à l'arrière).

Suspensions dures, confort préservé

Avec ses amortisseurs adaptatifs, sa traction intégrale qui applique 60 % du couple à l'arrière et sa nouvelle direction électronique à assistance variable, la GT V8 S peut offrir des sensations de conduite passablement sportives si on la pilote de façon fluide. (À ce chapitre, elle fait même mieux que la

Impressions de l'auteur		Concurrents
Agrément de conduite :	★ ★ ★ ★ ☆ 4/5	Aston Martin DB9, Audi A8,
Fiabilité :	★ ★ ★ ★ ☆ 4/5	Maserati Quattroporte,
Sécurité :	★ ★ ★ ★ ½ 4,5/5	Mercedes-Benz Classe S
Qualités hivernales :	★ ★ ★ ★ ☆ 4/5	
Espace intérieur :	★ ★ ★ ☆ ☆ 3/5	
Confort :	★ ★ ★ ★ ★ 5/5	

BENTLEY CONTINENTAL / FLYING SPUR

version Speed à moteur W12 parce qu'elle est plus légère et sa direction est plus précise.) Évidemment, avec son poids de pachyderme, la S ne se comporte pas comme un petit coupé sport, mais elle est incroyablement agile pour une voiture de cette taille. Signalons toutefois que les ressorts plus fermes ont un effet sur la souplesse de roulement. Bien sûr, une suspension de Bentley ne sera jamais dure ; disons plutôt que la V8 S ne vous dorlotera pas autant qu'une Flying Spur.

Côté aménagement intérieur, la Continental incarne l'hédonisme à l'état pur. Les cuirs sont si souples que même des gants Gucci paraissent rugueux en comparaison. Les sorties de ventilation sont en chrome véritable. Les surfaces au fini noir lustré de mon modèle d'essai semblaient provenir directement d'un grand piano de concert. Les Audi sont acclamées pour la haute qualité de leurs matériaux de finition intérieure, mais Bentley fait encore mieux.

La firme anglaise a accordé beaucoup d'attention au toit souple du modèle cabriolet. Généralement, ces toits sont supportés par cinq tiges, ce qui peut créer de légères dépressions entre chacune. Pour s'assurer que le toit conserve parfaitement l'élégante ligne d'un coupé, Bentley a installé deux tiges de support supplémentaires. Entre les revêtements intérieur et extérieur, une couche de caoutchouc veille à l'isolation acoustique.

Si gros en dehors, si petit en dedans

Le seul élément qui empêche l'habitacle de la Continental d'obtenir une note parfaite, c'est sa relative petitesse. L'aménagement de l'espace intérieur a fait un bond prodigieux depuis le lancement de la première GT il y a une dizaine d'années. Mais pour un véhicule plus lourd qu'une Porsche Cayenne, on peut dire qu'on est nettement à l'étroit. On souhaiterait notamment avoir un meilleur dégagement pour les épaules à l'avant. Quant aux places arrière, elles ne sont pas plus spacieuses que celles d'une Porsche 911.

Voilà d'ailleurs pourquoi Bentley fabrique également la Flying Spur à quatre portières, un modèle qui offre beaucoup d'espace à l'arrière. La Flying Spur utilise en bonne partie la même technologie que la Continental, notamment la traction intégrale et la transmission ZF à huit rapports. Côté motorisation, la version W12 est dotée du douze cylindres de 616 chevaux de la GT Speed. Le huit cylindres biturbo de la version V8 produit 500 chevaux. Évidemment, avec l'espace intérieur supplémentaire vient également un poids supplémentaire. La Flying Spur V8 pèse 2425 kg, mais elle accélère tout de même de 0 à 100 km/h de façon très convaincante : en 5,2 secondes seulement. En version W12, elle enregistre un temps remarquable de 4,6 secondes. La signature des Bentley, qu'elles aient deux ou quatre portières, c'est de bondir avec force et élégance.

Châssis - Continental GT Speed	
Emp / lon / lar / haut	2746 / 4806 / 2227 / 1394 mm
Coffre / Réservoir	358 litres / 90 litres
Nombre coussins sécurité / ceintures	6 / 4
Suspension avant	indépendante, bras inégaux
Suspension arrière	indépendante, multibras
Freins avant / arrière	disque / disque
Direction	à crémaillère, ass. variable
Diamètre de braquage	11,3 m
Pneus avant / arrière	P275/35ZR21 / P275/35ZR21
Poids / Capacité de remorquage	2320 kg / n.d.
Assemblage	Crewe, GB

Composantes mécaniques

GT V8, GT convertible V8

Cylindrée, soupapes, alim.	V8 4,0 litres 32 s turbo
Puissance / Couple	500 chevaux / 487 lb-pi
Tr. base (opt) / rouage base (opt)	A8 / Int
0-100 / 80-120 / V.Max	4,8 s (const) / n.d. / 301 km/h
100-0 km/h	n.d.
Type / ville / route / co$_2$	Sup / 15,4 / 9,8 l/100 km / 5925 kg/an

GT V8 S / convertible

Cylindrée, soupapes, alim.	V8 4,0 litres 32 s turbo
Puissance / Couple	521 chevaux / 502 lb-pi
Tr. base (opt) / rouage base (opt)	A8 / Int
0-100 / 80-120 / V.Max	4,5 s (const) / n.d. / 308 km/h
100-0 km/h	n.d.
Type / ville / route / co$_2$	Sup / 15,8 / 8,0 l/100 km / 5653 kg/an

GT, GT convertible

Cylindrée, soupapes, alim.	W12 6,0 litres 48 s turbo
Puissance / Couple	567 chevaux / 516 lb-pi
Tr. base (opt) / rouage base (opt)	A8 / Int
0-100 / 80-120 / V.Max	4,5 s (const) / 2,9 s / 314 km/h
100-0 km/h	n.d.
Type / ville / route / co$_2$	Sup / 18,8 / 11,5 l/100 km / 7137 kg/an

GT Speed / convertible

Cylindrée, soupapes, alim.	W12 6,0 litres 48 s turbo
Puissance / Couple	616 chevaux / 590 lb-pi
Tr. base (opt) / rouage base (opt)	A8 / Int
0-100 / 80-120 / V.Max	4,2 s (const) / n.d. / 325 km/h
100-0 km/h	n.d.
Type / ville / route / co$_2$	Sup / 22,4 / 9,9 l/100 km / 7717 kg/an

Du nouveau en 2015

Flying Spur V8, Continental GT3-R.

FEU VERT

- Intérieur voluptueux
- Puissance et couple à revendre
- Conduite étonnamment légère pour sa taille
- Confort indécent

FEU ROUGE

- C'est tout de même une voiture lourde
- Le châssis commence à prendre de l'âge
- Un peu trop de déclinaisons sur un même thème
- Trop chère pour mes moyens

BENTLEY FLYING SPUR

Photos : Bentley

BENTLEY **MULSANNE**

▶ **Catégorie :** Berline

▶ **Cote d'assurance :** n.d.

▶ **Échelle de prix :** 361 680 $ (2014)

▶ **Garanties :** 3 ans/illimité, 3 ans/illimité

▶ **Transport et prép. :** n.d.

▶ **Ventes CAN 2013 :** n.d.

Un peu plus haut, un peu plus loin...

Alain Morin

« Je veux aller un peu plus loin, je veux voir comment c'est, là-haut... Si tu voyais le monde au fond, là-bas, c'est beau ! C'est beau ! La mer plus petite que soi... » La Bentley Mulsanne est sans doute la meilleure expression physique de cette chanson interprétée par Ginette Reno. Certes, lorsque Jean-Pierre Ferland a écrit ces paroles, la dernière chose qu'il devait avoir en tête était assurément une vulgaire voiture !

Sauf que la Bentley Mulsanne n'est pas une vulgaire voiture. En fait, est-ce une voiture ? Est-ce qu'on la prend pour aller chercher un sac de lait ? Est-ce qu'on y transporte un 2x4 de huit pieds ? Est-ce qu'on va chercher les enfants après leur joute de hockey avec une telle voiture ? Bien sûr que non ! Est-ce qu'on la conduit pour le plaisir qu'elle procure dans les courbes ou pour la sonorité gutturale de son V8 ? Toujours non.

Les gens qui ont les moyens d'avoir une voiture de près d'un demi-million de dollars ont des nounous qui iront chercher le lait ou les enfants au volant de leur Toyota Yaris. D'ailleurs, quand on s'achète une voiture qui coûte plus cher que la plupart des maisons unifamiliales normales, ce n'est pas une voiture qu'on recherche. C'est un statut social.

Ostentatoire au pluriel

La Bentley Mulsanne joue dans la même arène que le symbole qu'est la Rolls-Royce Phantom. Un peu plus petite que cette dernière (si peu...), la Mulsanne se veut moins tape-à-l'œil. Pourtant, en présence de cette Bentley, même les personnes qui ont de la difficulté à faire la différence entre un RAV4 et une 458 Italia se rendent rapidement compte qu'elles ont affaire à quelque chose de spécial. Les dimensions imposantes, les immenses phares aux DEL, les impressionnantes roues, tout de la Mulsanne dégage un parfum de sérénité, de puissance, de prestige.

Impressions de l'auteur		Concurrents
Agrément de conduite : ★★★☆☆	3/5	Rolls-Royce Phantom
Fiabilité : ★★★☆☆	3/5	
Sécurité : ★★★★☆	4/5	
Qualités hivernales : ★★★☆☆	3/5	
Espace intérieur : ★★★★★	5/5	
Confort : ★★★★★	5/5	

Le tableau de bord est à la fois digne et majestueux. Le vaste habitacle, recouvert des cuirs les plus fins, respire la noblesse. Inutile de chercher une couture un peu croche ou un bout de cuir grossièrement retroussé… on est loin de la finition indigne des Bentley d'avant Volkswagen (car Bentley fait partie du conglomérat Volkswagen, tandis que l'éternelle ennemie qu'est Rolls-Royce appartient à BMW). Les chromes (du vrai chrome, pas du plastique plaqué chrome !) sont omniprésents et quand le soleil darde juste au bon endroit sur la console centrale, le conducteur est aveuglé. Beau problème. Les sièges sont d'un confort, mais d'un confort… Ça, c'est à l'avant. À l'arrière, je ne trouve pas de qualificatif adéquat. Divin serait peut-être celui qui se rapproche le plus de ce que je veux dire.

Exagération exponentielle

Sous le long capot trône un moteur qui montre fièrement ses superbes tubulures d'admission. Ce V8 de 6,8 litres mérite les mêmes superlatifs que le reste de la voiture : puissant, noble, prestigieux, imposant, immense, impressionnant, etc. Dans le fond, on se fout pas mal de cet organe tout plein d'huile en dedans. Il faut juste savoir qu'il permet à la Mulsanne des accélérations dignes des superlatifs ci-haut mentionnés. La transmission, un système compliqué mélangeant hydraulique et engrenages, fonctionne avec une transparence tout à fait appropriée. Elle permet de transporter les lipizzans-vapeur (pas de vulgaires chevaux-vapeur) aux roues arrière. La consommation d'essence, super il va sans dire, est à l'avenant et obtenir une moyenne de 19,0 l/100 km en conduite pépère est tout à fait envisageable. Ce qui, j'imagine, est un véritable trophée pour le propriétaire d'une Mulsanne.

Contrairement à ce qu'on serait porté à croire, les Bentley sont surtout conduites par leurs propriétaires. Ces derniers apprécieront sans aucun doute la lenteur et le manque de *feedback* qui siéent très bien au caractère de la Mulsanne. Les freins sont d'une extraordinaire puissance, ce qui tient quasiment du surnaturel quand on considère qu'ils ont près de 2 600 kg à ralentir. Toutefois, j'hésiterais à me prononcer sur leur endurance sur une piste de course. Ou avec une remorque à l'arrière. C'est une blague… Sur la console toute chromée, il y a un bouton qui permet de choisir entre les modes Custom (Spécial), Sport ou Confort. Même si le mode Sport aiguise les sens du monument roulant, la Ferrari FF n'a encore rien à craindre.

Bien que la Bentley Mulsanne se retrouve dans les pages de ce *Guide de l'auto*, on doit l'évaluer avec des critères différents. Ce n'est pas une voiture, c'est un palace roulant, un hymne au statut social, une ode à la richesse. Qu'elle effectue le 0-100 km/h en moins de six secondes n'a aucune importance. Ni qu'elle consomme davantage qu'un barrage hydroélectrique. Ce qui est important, c'est qu'elle soit immense, intensément luxueuse et d'un prix parfaitement indécent. Elle amène le statut social de son propriétaire un peu plus haut, un peu plus loin et c'est tout ce qui compte.

Châssis - Base

Emp / lon / lar / haut	3266 / 5575 / 2208 / 1521 mm
Coffre / Réservoir	443 litres / 96 litres
Nombre coussins sécurité / ceintures	6 / 5
Suspension avant	indépendante, pneu, bras inégaux
Suspension arrière	indépendante, pneu, multibras
Freins avant / arrière	disque / disque
Direction	à crémaillère, ass. variable
Diamètre de braquage	11,3 m
Pneus avant / arrière	P265/45ZR20 / P265/45ZR20
Poids / Capacité de remorquage	2585 kg / n.d.
Assemblage	Crewe, GB

Composantes mécaniques

Cylindrée, soupapes, alim.	V8 6,8 litres 32 s turbo
Puissance / Couple	505 chevaux / 752 lb-pi
Tr. base (opt) / rouage base (opt)	A8 / Prop
0-100 / 80-120 / V.Max	5,8 s / 3,6 s / 296 km/h
100-0 km/h	37,1 m
Type / ville / route / CO_2 Sup	20,4 / 11,9 l/100 km / 7636 kg/an

Du nouveau en 2015

Aucun changement majeur.

- Confort allégorique
- Performances surréelles
- Prestige implacable
- Silence de roulement épatant
- Prix parfait (pour éloigner 99 % de la populace)

- Prix indécent (pour 99 % de la populace)
- Poids d'un tank
- Conduite assez ordinaire, merci
- Consommation obscène
- Dimensions sidérales

Photos : Bentley, Alain Morin

ÉLECTRIQUE

BMW i3

▶ **Catégorie :** Hatchback	▶ **Échelle de prix :** 44 950 $ à 49 000 $ (2014)	▶ **Transport et prép. :** 2 095 $
▶ **Cote d'assurance :** n.d.	▶ **Garanties :** 4 ans/80 000 km, 4 ans/80 000 km	▶ **Ventes CAN 2013 :** 0 unités

L'ambition électrique bavaroise

Sylvain Raymond

Lors qu'il n'a jamais réussi à faire décoller les ventes de ses modèles à motorisation hybrides, BMW déploie cette année un ambitieux plan de réduction d'émissions de CO_2. Au cœur de cette stratégie, on retrouve une toute nouvelle gamme de véhicules plus propres, 100 % électriques et hybrides. La BMW i3 est la première de la nouvelle lignée des « i » à être offerte, elle qui sera bientôt accompagnée de la i8, un véritable superbolide qui n'a pas fini de faire jaser avec son style exotique et ses performances relevées.

Afin d'assurer le succès des « i », BMW compte bien utiliser la même recette qu'il s'est employé à suivre avec MINI, soit leur octroyer une personnalité unique et surtout multiplier rapidement les modèles si les ventes sont bonnes. Bref, on demeure dans le giron de BMW, mais ces véhicules électriques seront fort différents, tout comme l'expérience d'achat qui sera adaptée à la cause. Le constructeur allemand a investi une somme colossale dans cette nouvelle division et le succès se doit d'être au rendez-vous.

Une motorisation à sa plus simple expression

La i3 se présente comme une petite citadine et tout comme les autres véhicules de chez BMW, elle profite d'une architecture à propulsion. La grande différence ? Son moteur électrique de 127 kW, l'équivalent de 170 chevaux. Ce moteur, qui est situé à l'arrière, est jumelé à un ensemble de batteries à lithium-ion de 18,8 kWh. Bien entendu, le nerf de la guerre chez les voitures électriques, c'est l'autonomie. Ceci représente bien souvent le principal frein à l'achat et chez BMW, on est conscient que la i3 ne convient pas à tous les styles de vie. Son autonomie en condition idéale est d'environ 130 à 160 kilomètres, la même autonomie que ses rivales électriques moins huppées. Seule la Tesla Model S fait tomber cette barrière, mais son prix très élevé le reflète également.

Impressions de l'auteur		Concurrents
Agrément de conduite : ★★★★	4/5	Aucun concurrent
Fiabilité :	Nouveau modèle	
Sécurité :	n.d.	
Qualités hivernales : ★★★½	3,5/5	
Espace intérieur : ★★★	3/5	
Confort : ★★★½	3,5/5	

La i3 a tout de même un as caché dans sa manche, soit un prolongateur d'autonomie (*range extender*) qui ajoute à peu près 5 000 $ à la facture initiale de près de 45 000 $. Il comporte un moteur de moto de 650 cm³, logé directement à côté du moteur électrique. Il agit comme génératrice qui permet de maintenir le niveau de courant des batteries, doublant pratiquement l'autonomie. Si vous croyez qu'il vous faudra régulièrement compter sur ce prolongateur, la i3 n'est probablement pas pour vous. Ce moteur n'est pas conçu pour une utilisation intensive.

Poids plume

Lorsqu'il a lancé son projet « i » en 2007, BMW a décidé de repenser entièrement la voiture. Il aurait été plus rapide et simple d'adapter une motorisation électrique à un modèle existant, mais le résultat n'aurait certainement pas été aussi frappant. On en a profité pour exploiter pleinement les possibilités et repartir sur des bases spécifiques à cette motorisation. Les ingénieurs se sont tout d'abord attaqué au poids, histoire de favoriser le plaisir de conduite, mais surtout l'autonomie. On a utilisé une conception unique et modulaire composée d'une structure de base tout en aluminium qui intègre dans le plancher l'ensemble de batteries. On a ensuite assis l'habitacle, entièrement composé de matières plastiques et renforcées par de la fibre de carbone. Les panneaux de carrosserie, facilement remplaçables, complètent le tout.

Au final, on obtient une voiture d'un peu plus de 1200 kg soit pratiquement 300 kg de moins qu'une Nissan Leaf.

Une BMW ?

Oubliez ce à quoi vous êtes habitué en termes de style chez BMW, la i3 renverse toutes les conventions. Tout d'abord elle n'a que deux portes, mais l'on remarque – une fois ces dernières ouvertes – deux demi-portières qui s'ouvrent en sens inverse, des « portes suicide » dans le jargon. Outre une économie de poids supplémentaire – il n'y a pas de pilier au centre – celles-ci facilitent l'accès à bord aux passagers arrière. Néanmoins, une telle configuration n'est pas toujours très pratique, notamment dans les stationnements alors que l'on peut se retrouver coincé entre les deux portes.

Son style très compact découle de ses dimensions assez réduites. Elle est beaucoup plus courte que la Nissan Leaf, mais pratiquement aussi large. Difficile de l'associer à BMW à la base, seuls sa grille à naseaux et son logo rappellent la marque bavaroise. Elle comporte un trait de caractère qui sera présent dans tous les modèles « i », soit une section entièrement noire baptisée *Black Belt*, qui constitue le capot, le toit et une bonne partie de l'arrière du véhicule. On remarque aussi ses jantes de 19 pouces, rien de moins, sur lesquelles sont montés des pneus très étroits de 155/70 R19. Le tout est assez étrange vu de l'arrière.

«Une fois la i3 démarrée, dans un silence complet, elle profite du couple instantané que livre son moteur électrique »

@guideauto

Photos : Sylvain Raymond, BMW Canada

BMW I3

Le dépaysement est tout aussi étonnant lorsque l'on monte à bord. L'impression d'espace est apportée par un tableau de bord entièrement ouvert et une colonne de direction qui semble flotter dans le vide. Ces formes irrégulières et ces espaces creux ont bien entendu été pensés ainsi afin d'économiser du poids, alors qu'on a réduit l'empreinte écologique de la voiture en utilisant principalement des matériaux recyclés.

On retrouve peu de commandes sur le tableau de bord, on les a plutôt réunies dans deux écrans d'affichage. Le principal, situé au centre et mesurant 6,5 pouces, regroupe notamment toutes les fonctionnalités, dont le système audio et de navigation. Il n'y a rien de tactile, il faut se rabattre sur une molette pour contrôler le tout. Le second écran, d'apparence beaucoup moins moderne, a été placé derrière le volant et agit à tire de groupe d'instrumentation.

Capable d'accueillir quatre personnes, la i3 est beaucoup plus une voiture à vocation urbaine qu'une familiale. Les passagers avant profitent d'un espace assez généreux et d'une excellente vision, notamment en raison des nombreuses surfaces vitrées. Malgré ses formes plus carrées qui favorisent le dégagement à la tête à l'arrière, c'est un peu plus exigu pour les deux autres occupants. D'autres modèles électriques en offrent plus à ce chapitre, même constat pour l'espace de chargement qui demeure assez limité. Bref, la i3 ne se destine certainement pas à remplacer votre fourgonnette!

Des performances impressionnantes

Les petites voitures sont plus axées sur l'économie de carburant, rarement sur les performances. Format compact et économie vont rarement de pair avec performance. Ce n'est pas tout à fait vrai dans le cas des voitures électriques, surtout la i3 qui doit honorer ses origines. On a pris soin de travailler les dynamiques de la voiture, notamment la précision de sa direction et la fermeté de ses suspensions. L'équilibre est bon, mais on sent qu'on a tout de même favorisé le confort. Même si l'on a placé les roues aux extrémités, son empattement court et ses pneus étroits ne lui confèrent pas le même ADN que la MINI, par exemple.

Une fois la i3 démarrée, dans un silence complet, elle profite du couple instantané que livre son moteur électrique. 100 % de la puissance et du couple sont disponibles dès le départ. Enfoncez la pédale et la voiture accélère promptement, franchissant le 0-60 km/h en tout juste 3,7 secondes alors que le 0-100 est l'affaire d'environ 7,9 secondes. Peu de voitures pourront demeurer à vos côtés lors des départs, chose assez étonnante. L'autre avantage d'une telle motorisation, ce sont les reprises qui demeurent énergiques à plus grande vitesse, ce qui est rare avec des moteurs thermiques de petite cylindrée.

Si la conduite de la i3 est relativement similaire à celle d'une voiture normale, c'est la fonction de régénération qui rend sa conduite plus unique. Tout comme c'est le cas avec la Tesla Model S, dès que l'on relâche l'accélérateur, la voiture ralentit rapidement, un peu comme si elle freinait seule. En fait, c'est l'accumulateur qui s'active et qui fait ralentir la voiture en régénérant les batteries. C'est assez étonnant, on peut pratiquement conduire la voiture d'une seule pédale.

Bien entendu, l'autonomie de la voiture demeure théorique. Elle variera en fonction de la température mais surtout, de la vitesse à laquelle vous circulez et de la manière dont vous conduisez. Trois modes de conduites sont offerts, dont le EcoPro qui tempère vos ardeurs afin de maximiser l'autonomie. Quant à la recharge, il faut compter 6 à 8 heures pour obtenir 80 % de l'autonomie avec une borne de 120 volts.

Châssis - avec Range Extender

Emp / lon / lar / haut	2570 / 3999 / 2039 / 1578 mm
Coffre / Réservoir	260 à 1100 litres / 9 litres
Nombre coussins sécurité / ceintures	6 / 4
Suspension avant	indépendante, jambes de force
Suspension arrière	indépendante, multibras
Freins avant / arrière	disque / disque
Direction	à crémaillère, ass. variable électrique
Diamètre de braquage	9,9 m
Pneus avant / arrière	P155/70R19 / P155/70R19
Poids / Capacité de remorquage	1315 kg / non recommandé
Assemblage	Leipzig, DE

Composantes mécaniques

avec Range Extender

Cylindrée, soupapes, alim.	2L 0,7 litre 8 s atmos.
Puissance / Couple	34 chevaux / 41 lb-pi
Tr. base (opt) / rouage base (opt)	Rapport fixe / Prop
0-100 / 80-120 / V.Max	7,9 s (const) / 2,6 s / 150 km/h
100-0 km/h	n.d.
Type / ville / route / co$_2$	Ord / n.d. / n.d. l/100 km / 260 kg/an

Moteur électrique

Puissance / Couple	170 ch (127 kW) / 184 lb-pi
Type de batterie	Lithium-ion
Énergie	18,8 kWh
Temps de charge (120V / 240 V)	6,0 / 3,0 hres

Du nouveau en 2015

Nouveau modèle

FEU VERT
- Conduite dynamique
- Style et habitacle hors du commun
- Économique à rouler
- Attention marquée aux détails

FEU ROUGE
- Format compact et plus ou moins pratique
- L'autonomie est un souci constant
- Espace de chargement réduit
- Sensible aux vents latéraux

BMW i8

- ▶ **Catégorie :** Coupé
- ▶ **Cote d'assurance :** n.d.
- ▶ **Échelle de prix :** 145 000 $
- ▶ **Garanties :** 4 ans/80 000 km, 4 ans/80 000 km
- ▶ **Transport et prép. :** 2 095 $
- ▶ **Ventes CAN 2013 :** 0 unités

Le futur de la voiture hybride

Graeme Fletcher

Toute super voiture se doit d'avoir des éléments saisissants et uniques. Avec ses portières papillon et ses lignes sensuelles, la BMW i8 est une machine exotique qui donne un aperçu de ce que pourrait être l'avenir des hybrides rechargeables et des autos sport. Pas si mal pour une voiture qui est passée du concept théorique à la mise en production en seulement 38 mois !

L'i8 se distingue notamment par son habitacle en plastique renforcé de fibres de carbone et par son groupe motopropulseur. Celui-ci permet de livrer des performances impressionnantes tout en affichant une consommation d'essence combinée de 6,0 l/100 km en conduite normale. Et en roulant sagement, on peut la réduire à 2,8 l/100 km.

L'i8 utilise un moteur à essence pour entraîner les roues arrière et un moteur électrique pour les roues avant. Les roues arrière sont mues par un trois cylindres de 1,5 litre à turbocompresseur avec refroidissement intermédiaire. Il produit 228 chevaux et un couple de 236 lb-pi. Il est relié à une transmission automatique à six rapports avec modes de conduite Normal et Sport. De son côté, le moteur électrique avant livre une puissance de 129 chevaux et un couple de 184 lb-pi. Il est associé à une transmission automatique à deux rapports (un pour le mode tout électrique et un pour le mode hybride). Ce moteur est alimenté par une batterie de 7,1 kWh, que l'on peut recharger entièrement en quatre heures à partir d'une prise électrique de 120 volts.

Au total, ces moteurs produisent 357 chevaux et 420 lb-pi de couple. On peut donc s'attendre à des prestations relevées. Et, effectivement, l'i8 accélère de 0 à 100 km/h en 4,4 secondes. Plus important encore, elle peut passer de 80 à 120 km/h en 4,1 secondes et donc effectuer des dépassements rapides. Elle affiche également une vitesse de pointe digne des *supercars*, soit 250 km/h. En mode tout électrique, elle a une autonomie de 37 km. En mode Confort, le moteur à essence intervient de

Impressions de l'auteur		Concurrents
Agrément de conduite : ★★★★⯪ 4,5/5		Aucun concurrent
Fiabilité :	Nouveau modèle	
Sécurité : ★★★★☆ 4/5		
Qualités hivernales : ★★★★☆ 4/5		
Espace intérieur : ★★☆☆☆ 2/5		
Confort : ★★★⯪☆ 3,5/5		

BMW i8

façon à assurer un équilibre entre l'économie et les performances ; l'autonomie totale est alors de 600 km. Le mode EcoPro permet d'augmenter l'autonomie de 20 %, mais il est surtout utile lorsque le réservoir et la batterie sont presque à sec.

Écolo et sportive

Pour faire l'expérience de l'i8 à son meilleur, il faut sélectionner le mode Sport. La voiture répond alors de façon musclée aux commandes du pilote et le son du moteur devient plus sportif (du moins pour un trois cylindres). Le freinage régénératif joue un rôle important pour maximiser le rendement. En mode Sport, même le démarreur/alternateur est mis à contribution pour emmagasiner l'énergie (en plus du moteur électrique principal). La transition entre les modes électrique et à essence est douce et fluide.

La tenue de route est solide et équilibrée. La suspension réglable (modes Confort et Sport) limite le roulis, la direction est précise et la pédale de frein donne un bon *feedback*. Le système de traction intégrale sur demande est un atout précieux. En éliminant le patinage non désiré des roues, il permet d'améliorer sensiblement la dynamique de conduite. Lorsqu'on entre dans un virage, le système dirige plus de puissance aux roues arrière, ce qui réduit le sous-virage. Puis, le surplus de puissance passe aux roues avant pour des sorties de courbe canon. Ajoutez à cela une répartition des masses identiques à l'avant et à l'arrière et vous obtenez une conduite parfaitement neutre dans les virages.

Quelques bémols

Le plus gros défaut de cette BMW, ce sont ses pneus à faible résistance au roulement. Ils permettent d'augmenter l'autonomie et l'efficacité énergétique, mais ils perdent de leur adhérence plus tôt que des pneus conventionnels. BMW offrira d'autres types de pneumatiques en option : prenez-les ! Par ailleurs, les glaces des portières ne s'abaissent pas entièrement, ce qui peut être déplaisant dans certaines conditions. Et il n'y n'a pas de dispositif de surveillance des angles morts, ce qui me paraît impardonnable dans une voiture dont le prix de base sera de 145 000 $

Pour le reste, cette BMW hybride arbore les qualités traditionnelles de BMW : niveau de luxe élevé, sièges avant très confortables et équipement complet. BMW qualifie l'i8 de modèle 2+2, mais ce n'est pas vraiment le cas. Les sièges arrière sont très petits et ils seront surtout utiles comme espaces de chargement supplémentaires vu le faible volume du coffre (154 litres).

La BMW i8 est une super voiture dynamique et d'une frugalité remarquable. Au cours de cet essai, elle s'est comportée comme une véritable sportive, mais sa consommation moyenne a été de seulement 5,07 l/100 km. Essayez ça avec une Audi R8 ou une Porsche 911, pour voir...

Châssis - Base

Emp / lon / lar / haut	2800 / 4689 / 1942 / 1293 mm
Coffre / Réservoir	154 litres / 30 litres
Nombre coussins sécurité / ceintures	6 / 4
Suspension avant	indépendante, bras inégaux
Suspension arrière	indépendante, multibras
Freins avant / arrière	disque / disque
Direction	à crémaillère, ass. variable électrique
Diamètre de braquage	12,3 m
Pneus avant / arrière	P195/50R20 / P215/45R20
Poids / Capacité de remorquage	1485 kg / n.d.
Assemblage	Leipzig, DE

Composantes mécaniques

Base

Cylindrée, soupapes, alim.	3L 1,5 litre 12 s turbo
Puissance / Couple	228 chevaux / 236 lb-pi
Tr. base (opt) / rouage base (opt)	A6 / Int
0-100 / 80-120 / V.Max	4,4 s (const) / 4,1 s / 250 km/h
100-0 km/h	n.d.
Type / ville / route / co₂	Sup / n.d. / n.d. / 1160 kg/an

Moteur électrique

Puissance / Couple	129 ch (96 kW) / 184 lb-pi
Type de batterie	Lithium-ion
Énergie	7,1 kWh
Temps de charge (120V / 240 V)	4,0 / 1,5 hres
Autonomie	37 km

Du nouveau en 2015

Nouveau modèle

FEU VERT
- Économie d'essence réelle
- Performances solides
- Tenue de route relevée
- Direction précise et bon *feedback*
- Style réussi

FEU ROUGE
- Pas de système de surveillance des angles morts
- Pneus à faible résistance au roulement
- Glaces qui ne s'abaissent pas au complet
- Mode EcoPro peu intéressant
- Visibilité arrière très restreinte

Photos : BMW Canada

BMW **SÉRIE 2**

▶ **Catégorie :** Coupé	▶ **Échelle de prix :** 36 000 $ à 48 750 $ (2014)	▶ **Transport et prép. :** 2 095 $
▶ **Cote d'assurance :** $$$$	▶ **Garanties :** 4 ans/80 000 km, 4 ans/80 000 km	▶ **Ventes CAN 2013 :** 881 unités

Le plaisir croît avec l'usage

Jean-François Guay

Ans la lignée des Série 4 et 6 (et de la prochaine Série 8), BMW a choisi d'utiliser la nomenclature Série 2 pour désigner son nouveau coupé deux portes d'entrée de gamme. Cette décision a pour but de laisser toute la place à une éventuelle berline Série 1 pour rivaliser avec les Audi A3 et Mercedes-Benz CLA, d'ici 2016. À noter que l'actuelle Série 1 vendue en Europe – non commercialisée chez nous – adopte la forme d'un modèle à hayon et n'a rien en commun avec la future berline Série 1 à traction avant, laquelle partagera sa plate-forme avec les produits MINI.

La refonte d'une voiture à succès n'est pas une mince affaire. C'est pourquoi les nouveaux modèles gagnent généralement en volume et en équipement. La nouvelle Série 2 ne déroge à ces préceptes en accroissant ses proportions – par rapport à l'ancien coupé de Série 1 – alors que la longueur gagne 72 mm, la largeur 26 mm et l'empattement 30 mm.

Impressions de l'auteur	
Agrément de conduite : ★★★★✩ 4,5/5
Fiabilité : ★★★☆☆ 3/5
Sécurité : ★★★★☆ 4/5
Qualités hivernales : ★☆☆☆☆ 1/5
Espace intérieur : ★★★☆☆ 3/5
Confort : ★★★☆☆ 3/5

Concurrents
Mercedes-Benz CLA, Audi A3

Une vraie « béhème »

La Série 2 propose une configuration assez unique dans sa catégorie : un moteur implanté longitudinalement et des roues arrière motrices. À l'inverse, les autres constructeurs installent le moteur de façon transversale pour entraîner les roues motrices avant. La recette de BMW a le mérite d'améliorer l'agrément de conduite grâce à un centre de gravité abaissé et une meilleure répartition des masses entre l'avant et l'arrière. En contrepartie, l'habitacle est plus étriqué puisque le moulin, la boîte de vitesses et l'arbre de transmission grugent de l'espace aux passagers au niveau des hanches et des jambes.

À l'instar de la défunte Série 1, la Série 2 est loin d'être sous-motorisée. D'entrée de jeu, la 228i ouvre son capot à un 2,0 litres turbo, lequel développe 241 chevaux et un couple assez impressionnant de 258 livres-pied. L'arrivée de ce moteur à quatre cylindres représente une nouveauté pour le petit coupé de BMW puisque l'ancienne 128i était animée par un six cylindres atmosphérique de 230 chevaux.

Pour accroître le plaisir de conduire, la M235i est propulsée par un six cylindres turbo de 3,0 litres. Par rapport à la version précédente 135i, le moteur de la M235i génère 22 chevaux de plus pour un total de 322 chevaux. Le couple est aussi en augmentation à 332 livres-pieds. Pour le changement des vitesses, l'acheteur a le choix entre une boîte manuelle à 6 rapports – une mécanique de plus en plus rare dans les voitures de luxe – ou une boîte semi-automatique à 8 rapports. Pesant moins de 1600 kg, la M235i affiche un rapport poids/puissance estimé à 4,8 kg/ch. Des chiffres qui font saliver puisqu'elle est capable de passer de 0 à 100 km/h en moins de 5 secondes. Au cours des prochains mois, une Série 2 à traction intégrale xDrive fera son apparition. De même, un modèle cabriolet se joindra éventuellement à la gamme.

Pour réduire la consommation d'essence, les ingénieurs de BMW ont eu recours au dispositif ECO PRO, lequel désolidarise le mouvement du moteur et de la transmission automatique lorsque le conducteur relâche l'accélérateur à plus de 50 km/h pour laisser la voiture rouler en mode « roues libres », sans friction au niveau mécanique. De même, tous les groupes motopropulseurs sont équipés de série d'une fonction d'arrêt et de redémarrage automatique du moteur.

Dans la pure tradition des produits munichois, la Série 2 colle à la route comme si elle était chaussée de ventouses. Les mouvements de caisse sont maîtrisés à la perfection par sa suspension adaptative à commande électronique et ses larges pneumatiques de 18 po. Quant au dispositif Servotronic équipant la direction, il a le mérite de faciliter les manœuvres de stationnement. En contrepartie, on peut reprocher à cette direction à assistance électrique d'avoir perdu de sa rigueur alors que les coups de volant n'ont pas la précision du système hydraulique d'antan.

Contrairement aux berlines de luxe s'inscrivant dans son échelle de prix, la Série 2 n'a pas été conçue pour chouchouter les passagers arrière. Malgré l'accroissement de l'empattement, la banquette à deux places est difficile d'accès et inconfortable pendant les longs trajets. Au niveau du design, la planche de bord s'inspire de la Série 3 alors que les matériaux et la finition sont de meilleure qualité qu'auparavant.

Le nouveau Active Tourer

Pour répliquer à la Mercedes-Benz Classe B, BMW introduit l'Active Tourer de Série 2 en 2015, lequel rivalisera également avec les Kia Rondo et Dodge Journey. Compte tenu de la multiplication des modèles à hayon chez BMW – et sa division MINI, on peut se questionner sur la pertinence d'ajouter ce multisegment compact à sa gamme. Pour se démarquer des modèles concurrents, l'Active Tourer mise sur un comportement routier plus dynamique et un habitacle plus soigné.

Photos : Jeremy Alan Glover, BMW Canada

Châssis - 228i x Drive coupé

Emp / lon / lar / haut	2690 / 4454 / 1984 / 1408 mm
Coffre / Réservoir	390 litres / 52 litres
Nombre coussins sécurité / ceintures	6 / 4
Suspension avant	indépendante, jambes de force
Suspension arrière	indépendante, multibras
Freins avant / arrière	disque / disque
Direction	à crémaillère, ass. variable
Diamètre de braquage	11,3 m
Pneus avant / arrière	P225/40R18 / P245/40R18
Poids / Capacité de remorquage	1495 kg / n.d.
Assemblage	Leipzig, DE

Composantes mécaniques

228i

Cylindrée, soupapes, alim.	4L 2,0 litres 16 s turbo
Puissance / Couple	241 chevaux / 258 lb-pi
Tr. base (opt) / rouage base (opt)	M6 (A6) / Prop (Int)
0-100 / 80-120 / V.Max	6,5 s / n.d. / n.d.
100-0 km/h	43,5 m
Type / ville / route / CO_2	Sup / 10,2 / 5,8 l/100 km / 3781 kg/an

M235i

Cylindrée, soupapes, alim.	6L 3,0 litres 24 s turbo
Puissance / Couple	322 chevaux / 332 lb-pi
Tr. base (opt) / rouage base (opt)	M6 (A8) / Prop (Int)
0-100 / 80-120 / V.Max	4,6 s (const) / 4,2 s / 250 km/h
100-0 km/h	39,0 m (est)
Type / ville / route / CO_2	Sup / 10,8 / 6,1 l/100 km / 3995 kg/an

Du nouveau en 2015

Nouveau modèle. Modèle Active Tourer sera bientôt offert. Traction intégrale et cabriolet à venir.

FEU VERT
- Tenue de route
- Choix de moteurs (L4 ou L6)
- Choix de transmissions (manuelle ou automatique)
- Consommation à la baisse
- Finition intérieure en progrès

FEU ROUGE
- Conduite délicate en hiver
- Places arrière étriquées
- Volume du réservoir à essence
- Coût des options
- Suspension sèche

HYBRIDE DIESEL

BMW **SÉRIE 3**

▸ **Catégorie :** Berline, Familiale, Hatchback   ▸ **Échelle de prix :** 35 990 $ à 70 000 $ (2014)   ▸ **Transport et prép. :** 2 095 $

▸ **Cote d'assurance :** $$$$$ ▸ **Garanties :** 4 ans/80 000 km, 4 ans/80 000 km   ▸ **Ventes CAN 2013 :** 12 507 unités

Sur tous les fronts

Marc Lachapelle

Es coupés et décapotables logeant désormais sous la Série 4 dans la gamme en expansion de BMW, la Série 3 rassemble maintenant les pragmatiques de la famille : les berlines, les familiales Touring et cette transgenre de Gran Turismo. De la plus modeste à la nouvelle M3, elles ont toutes des moteurs turbos à essence ou diesel, avec le choix du rouage intégral pour certaines. Et le plaisir n'est pas réservé qu'aux plus chères.

Être considérée comme LA référence des berlines sportives depuis plus de trois décennies, c'est bien mais ça ne paye pas les comptes. Or, la Série 3 est au cœur de la gamme BMW. Celle qui génère le plus de ventes et de profits pour le constructeur bavarois aux grandes ambitions. Il faut donc toujours vendre ces compactes de luxe en grand nombre.

C'est pourquoi Munich multiplie les variantes pour accrocher plus d'acheteurs tout en ciblant des créneaux sans cesse plus

nombreux. La dernière refonte complète, il y a trois ans, a été faite dans les règles actuelles du genre. Cette sixième génération de la berline de Série 3 est plus longue de 9,3 cm, plus large et plus spacieuse que sa devancière. Elle est malgré tout plus légère de 40 kilos et sa coque plus rigide, grâce à l'utilisation systématique d'acier à haute résistance, d'aluminium et autres matériaux composites légers et résistants. Même recette pour la familiale sport Touring, arrivée un an plus tard.

Drôle de grand tourisme

C'est une autre histoire pour la Série 3 Gran Turismo qui a suivi peu après. Les intentions de ses créateurs ne sont pas très claires, à part leur volonté manifeste de chasser dans tous les créneaux, comme leurs rivaux. La GT est plus longue que la Touring de 20 cm et plus haute de 8,1 cm sur un empattement allongé de 11 cm. Des gains substantiels qui profitent évidemment au volume intérieur. Le coffre est vaste, sous le hayon, avec un dossier arrière qui se replie en trois sections pour jouer à fond la modularité.

Impressions de l'auteur		Concurrents
Agrément de conduite :	★★★★☆ 4/5	Acura TLX, Audi A4, Audi A5,
Fiabilité :	★★★☆ 3,5/5	Cadillac CTS, Infiniti Q50, Lexus IS,
Sécurité :	★★★★☆ 4/5	Mercedes-Benz Classe C
Qualités hivernales :	★★★★☆ 4/5	
Espace intérieur :	★★★☆ 3,5/5	
Confort :	★★★★☆ 4/5	

Cette GT a le mérite d'être moins massive et trapue que son homonyme de Série 5. Contrairement à cette dernière, elle affiche un bel aplomb, une tenue de cap nette et un roulement bien amorti après vous avoir d'abord donné l'impression d'être perché haut et d'être déconnecté de la route. Sensations forcément étranges dans une Série 3, quels que soient le modèle ou la motorisation.

La version 335i de la GT se fait pardonner doublement par la sonorité et les performances toujours exceptionnelles du six cylindres en ligne turbocompressé de 3,0 litres et 300 chevaux, jumelé à une boîte automatique à 8 rapports vive et précise. Il l'emporte de 0 à 100 km/h en seulement 5,6 secondes. C'est un peu plus que les 5,0 secondes de la berline 335i, qui est plus légère que la GT de quelque 140 kilos. Ces deux modèles étaient équipés pour nos essais du rouage intégral xDrive de BMW, invariablement superbe d'équilibre et d'efficacité.

Trois fois quatre

Il faut souligner qu'à la surprise de plusieurs, cette sixième Série 3 a renoué avec le quatre cylindres, uniquement sous forme turbocompressée, avec une cylindrée de 2,0 litres. Un mariage de raison pour profiter des performances et de la frugalité que permet le couple abondant de ce type de moteur. Le groupe à essence des modèles 328i produit 241 chevaux et un sprint vers 100 km/h fort respectable de 6,4 secondes pour la berline à propulsion. Sa sonorité rugueuse au ralenti est décevante. Il se rachète à plus haut régime. Bon sang bavarois ne sait mentir.

Le moteur diesel parfaitement moderne des berlines et familiales 328d livre 181 chevaux, tout comme le groupe à essence de la berline 320i. Son couple de 280 lb-pi à 1 750 tr/min est plus généreux que les 200 lb-pi de l'autre, qui sont cependant au poste à 1 250 tr/min. La berline 328d atteint 100 km/h en 7,5 secondes, à peine mieux que les 7,7 secondes de la 320i, les deux avec rouage xDrive. Leurs cotes de consommation ville/route sont de 7,6/5,5 et 10,2/7,0 l/100km. La version diesel est plus chère mais son équipement plus complet. Ce sera le choix des grands rouleurs.

Un mot pour la 320i, la moins onéreuse des Série 3. Une berline fort agréable si l'on a la sagesse d'ajouter le groupe Sport optionnel. Pour un meilleur tonus de la suspension mais aussi pour des sièges nettement meilleurs que les fauteuils de série qui eux sont médiocres.

Quelques mots pour la nouvelle berline M3 qui marque l'apogée de cette série. Elle est propulsée à nouveau par un six cylindres en ligne de 3,0 litres gavé par deux turbos pour une puissance de 425 chevaux à 5 500 tr/min et un couple de 406 lb-pi à 1 850 tr/min. La berline M3 est également plus légère de 80 kg. Avec toutes les options ou presque, dont un quatuor de freins au carbone-céramique pour 8 500 $, le prix actuel de la M3 est de près de 100 000 $. C'est la rançon de la gloire.

Châssis - 320i berline

Emp / lon / lar / haut	2810 / 4627 / 2031 / 1429 mm
Coffre / Réservoir	480 litres / 60 litres
Nombre coussins sécurité / ceintures	8 / 5
Suspension avant	indépendante, jambes de force
Suspension arrière	indépendante, multibras
Freins avant / arrière	disque / disque
Direction	à crémaillère, assistée
Diamètre de braquage	11,3 m
Pneus avant / arrière	P225/50R17 / P225/50R17
Poids / Capacité de remorquage	1474 kg / n.d.
Assemblage	Munich, DE

Composantes mécaniques

M3

Cylindrée, soupapes, alim.	6L 3,0 litres 24 s turbo
Puissance / Couple	425 chevaux / 406 lb-pi
Tr. base (opt) / rouage base (opt)	M6 (A7) / Prop
0-100 / 80-120 / V.Max	4,3 s (const) / n.d. / 250 km/h
100-0 km/h	n.d.
Type / ville / route / CO_2	Sup / 11,6 / 7,4 l/100 km / 4470 kg/an

328i Berline

Cylindrée, soupapes, alim.	4L 2,0 litres 16 s turbo
Puissance / Couple	241 chevaux / 255 lb-pi
Tr. base (opt) / rouage base (opt)	M6 (A8) / Prop (Int)
0-100 / 80-120 / V.Max	6,4 s / 4,2 s / 210 km/h
100-0 km/h	45,1 m
Type / ville / route / CO_2	Sup / 9,4 / 6,1 l/100 km / 3640 kg/an

328d

4L - 2,0 l - 181 ch/280 lb-pi - A8 - 0-100: 7,5 (est) - 6,5/4,5 l/100 km

320i

4L - 2,0 l - 181 ch/200 lb-pi - M6 (A8) - 0-100: 7,7 s - 8,9/5,6 l/100 km

328i Touring / GT

4L - 2,0 l - 241 ch/258 lb-pi - A8 - 0-100: 6,3 s - 9,4/6,1 l/100 km

335i GT

6L - 3,0 l - 300 ch/300 lb-pi - M6 (A8) - 0-100: 5,6 s - 10,4/6,7 l/100 km

ActiveHybrid 3

6L - 3,0 l - 300 ch/ 300 lb-pi - A8 - 0-100: 5,5 s - 8,0/5,9 l/100 km

Du nouveau en 2015

Aucun changement majeur. Changements dans les groupes d'options.

Photos: BMW Canada

FEU VERT

- Comportement toujours excellent (groupes Sport)
- Moteur diesel performant et très frugal
- Rouage intégral xDrive impeccable
- Version 320i à ne pas ignorer
- Commandes vocales efficaces

FEU ROUGE

- Sonorité du quatre cylindres à bas régime
- Pas de réglage de température synchrone
- Sièges et pneus de base à éviter
- Petits accrocs de qualité
- Sensible au vent

BMW **SÉRIE 4**

▶ **Catégorie :** Cabriolet, Coupé, Hatchback ▶ **Échelle de prix :** 44 900 $ à 90 000 $ (estimé) ▶ **Transport et prép. :** 2 095 $

▶ **Cote d'assurance :** n.d. ▶ **Garanties :** 4 ans/80 000 km, 4 ans/80 000 km ▶ **Ventes CAN 2013 :** 546 unités

Les princesses du milieu

Marc Lachapelle

Au-delà des mécaniques et des composantes qu'ils partagent avec leurs cousines de la Série 3, les coupés, cabriolets et versions Gran Coupé de la nouvelle Série 4 ont un parti pris avoué pour le style, la performance et le plaisir sous toutes ses formes. Des vertus qu'on retrouve forcément en concentré dans les nouvelles M4, héritières racées d'une longue tradition de performance.

BMW a poursuivi sa stratégie de regrouper les machines vouées d'abord au plaisir dans des séries à nombre pair en créant la Série 4, le pendant hédoniste de la vénérable Série 3. On y retrouve actuellement des versions 428i et 435i du coupé, de la décapotable à toit rigide rétractable et du nouveau Gran Coupé à quatre portières avec sa ligne de toit fuyante.

Les 428i sont dotées d'un quatre cylindres de 2,0 litres et 241 chevaux tandis que les 435i jouissent de la sonorité, de la

puissance et du couple du merveilleux six cylindres en ligne à double turbo de 3,0 litres et 300 chevaux. Les coupés et cabriolets peuvent recevoir le rouage intégral xDrive de BMW qui excelle sur la neige et la glace, mais ce dernier est par contre réservé pour l'instant à la version 428i du Gran Coupé.

Plaisirs multiples

Les cadrans principaux sont toujours magnifiquement clairs et les affichages superbement nets et lumineux sur le grand écran central de dix pouces. On devient vite accro aux aperçus de trafic en temps réel du système de navigation qui font passer les routes du vert au rouge en passant par le jaune, question de vous aider à éviter les bouchons et les zones de travaux.

Il y a un plaisir certain à toucher le cuir du volant, sentir la texture satinée des commandes ou manier le court levier de la boîte de vitesses manuelle. Celle de BMW est toujours exemplaire, jumelée à des embrayages superbement progressifs. Le débattement du levier n'est pas le plus court, mais le guidage

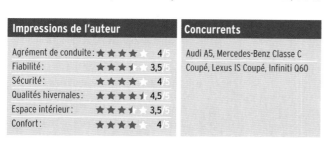

Impressions de l'auteur		
Agrément de conduite :	★ ★ ★ ★ ☆	4/5
Fiabilité :	★ ★ ★ ⯪ ☆	3,5/5
Sécurité :	★ ★ ★ ★ ☆	4/5
Qualités hivernales :	★ ★ ★ ★ ⯪	4,5/5
Espace intérieur :	★ ★ ★ ⯪ ☆	3,5/5
Confort :	★ ★ ★ ★ ☆	4/5

Concurrents

Audi A5, Mercedes-Benz Classe C Coupé, Lexus IS Coupé, Infiniti Q60

BMW SÉRIE 4

est précis, le mouvement fluide et les composantes très robustes, surtout les bagues de synchronisation. Des boîtes manuelles créées par et pour de vrais passionnés de conduite. Ce qui n'a rien d'étonnant chez BMW.

Le sens de l'ouïe trouve également son compte dans les voitures de la Série 4, que ce soit avec le son des mécaniques ou celui des chaînes audio. C'est aussi une joie de disposer de commandes vocales claires et impeccablement efficaces qui composent un numéro du premier coup pour votre cellulaire en mode mains libres sans vous imposer un chapelet de commandes ou de répétitions. BMW offre sans doute la meilleure reconnaissance vocale du moment. Tout pour maintenir votre attention sur la conduite. Parfaitement logique à Munich. Ajoutons le plaisir de humer le cuir Dakota bien épais dont les sièges de tous ces modèles sont enveloppés pour compléter ce portrait.

On ne trouve pas de diesels ni d'hybrides en Série 4, du moins pas chez nous. Ce qui n'empêche aucunement ses groupes propulseurs d'offrir un bon rendement en profitant entre autres des technologies de récupération d'énergie Efficient Dynamics et de la coupure automatique du moteur à l'arrêt.

Pas manchot non plus puisqu'un coupé 428i xDrive boucle le 0-100 km/h en 5,9 secondes, ce qui nous permet de souligner du même coup l'efficacité de la boîte automatique à huit rapports. En comparaison, le coupé 435i xDrive a réalisé le même sprint en 6,5 secondes avec la boîte manuelle, malgré ses 300 chevaux.

Passez les épices

Malgré tout, le caractère traditionnellement bien trempé des coupés BMW de ce gabarit semble dilué dans cette série avec des silhouettes trop douces qui manquent de caractère, ainsi qu'une direction et un comportement quelconques pour un tel pedigree. C'est mieux avec les groupes M et Sport optionnels, surtout le coupé 428i qui est plus léger d'une cinquantaine de kilos. Un avantage qui se traduit par un aplomb et une agilité meilleurs qu'au volant du coupé 435i, grâce à un moteur plus léger auquel on pardonne mieux la sonorité creuse à bas régime. Le comportement des cabriolets à toit rigide rétractable de cette famille a toujours été moins affûté que celui de leurs frères, les coupés.

Ce sera évidemment différent avec les nouvelles M4, déclinées en versions coupé et cabriolet. D'abord parce qu'elles sont revenues au six cylindres en ligne à double arbre à cames en tête de 3,0 litres. Il s'agit d'un nouveau moteur auquel on a greffé une paire de turbos qui lui permettent de livrer 425 chevaux à 5 500 tr/min et 406 lb-pi de couple à seulement 1 850 tr/min. En plus de la boîte manuelle à six rapports, on peut l'équiper d'une boîte à double embrayage automatisé de sept rapports. L'honneur sera vraisemblablement sauf au sommet de la gamme.

Châssis - 428i xDrive Gran Coupé

Emp / lon / lar / haut	2810 / 4638 / 1825 / 1389 mm
Coffre / Réservoir	480 à 1300 litres / 60 litres
Nombre coussins sécurité / ceintures	8 / 5
Suspension avant	indépendante, jambes de force
Suspension arrière	indépendante, multibras
Freins avant / arrière	disque / disque
Direction	à crémaillère, ass. variable électrique
Diamètre de braquage	11,8 m
Pneus avant / arrière	P225/45R18 / P225/45R18
Poids / Capacité de remorquage	1696 kg / n.d.
Assemblage	Munich, DE

Composantes mécaniques

435i Gran Coupé

Cylindrée, soupapes, alim.	6L 3,0 litres 24 s turbo
Puissance / Couple	300 chevaux / 300 lb-pi
Tr. base (opt) / rouage base (opt)	A8 / Prop
0-100 / 80-120 / V.Max	5,2 s (const) / n.d. / 210 km/h
100-0 km/h	n.d.
Type / ville / route / CO_2	Sup / 10,0 / 6,1 l/100 km / 3790 kg/an

435i coupé

Cylindrée, soupapes, alim.	6L 3,0 litres 24 s turbo
Puissance / Couple	300 chevaux / 300 lb-pi
Tr. base (opt) / rouage base (opt)	A8 (M6) / Prop (Int)
0-100 / 80-120 / V.Max	5,0 s (const) / n.d. / 210 km/h
100-0 km/h	n.d.
Type / ville / route / CO_2	Sup / 10,2 / 6,5 l/100 km / 3930 kg/an

M4

Cylindrée, soupapes, alim.	6L 3,0 litres 24 s turbo
Puissance / Couple	425 chevaux / 406 lb-pi
Tr. base (opt) / rouage base (opt)	M6 (A7) / Prop
0-100 / 80-120 / V.Max	4,3 s (const) / n.d. / 250 km/h
100-0 km/h	n.d.
Type / ville / route / CO_2	Sup / 12,4 / 7,2 l/100 km / 4628 kg/an

428i Coupé / Cabriolet

4L - 2,0 l - 240 ch/255 lb-pi - M6 (M7, A8) - 8,8/5,7 l/100 km

428i Gran Coupé

4L - 2,0 l - 241 ch/258 lb-pi - A8 - 0-100: 5,9 s - 9,4/6,1 l/100 km

Du nouveau en 2015

Coupé et cabriolet M4 redessinés.

FEU VERT
- Bienvenue aux nouvelles M4
- Silhouettes racées (Gran Coupé + M4)
- Moteurs toujours exceptionnels
- Ergonomie de conduite exemplaire
- Transmissions et rouage xDrive excellents

FEU ROUGE
- Lignes adoucies presque banales
- Comportement décevant (coupé 435i xDrive)
- Sonorité creuse du quatre cylindres
- Passage vers le coffre en supplément
- Prix vite corsé avec les groupes d'options

Photos: BMW Canada

BMW **SÉRIE 5**

▶ **Catégorie :** Berline, Familliale, Hatchback ▶ **Échelle de prix :** 54 600 $ à 101 500 $ (2014) ▶ **Transport et prép. :** 2 095 $

▶ **Cote d'assurance :** $$$$ ▶ **Garanties :** 4 ans/80 000 km, 4 ans/80 000 km ▶ **Ventes CAN 2013 :** 2 717 unités

Quand la retenue est primordiale

Gabriel Gélinas

Les constructeurs allemands, BMW en tête, sont passés maîtres dans l'art de décliner plusieurs modèles, à partir d'une même plate-forme, pour cibler précisément plusieurs créneaux du marché. La Série 5 est un des exemples les plus éloquents de cette récente tendance. Le constructeur bavarois BMW ne propose rien de moins qu'une gamme pléthorique pour la Série 5 qui a pour mission de rivaliser avec les multiples déclinaisons de l'Audi A6 et de la Mercedes-Benz de Classe E, entre autres. C'est ce qui explique pourquoi le modèle d'entrée de gamme de la Série 5 est animé par un moteur 4 cylindres turbocompressé développant 241 chevaux et pourquoi la M5 reçoit un V8 biturbo de 560 chevaux, soit plus du double.

Le diesel, une belle découverte

Aux modèles animés par des moteurs à quatre ou six cylindres en ligne et V8 alimentés à l'essence, BMW ajoute la 535d carburant au diesel qui s'est avérée remarquablement homogène au cours d'un essai réalisé en plein hiver. La combinaison d'un moteur au couple généreux, d'une boîte automatique à huit rapports et du rouage intégral s'est montrée particulièrement séduisante en toutes conditions. Encore mieux, la 535d a livré une consommation moyenne de 7,5 litres aux 100 kilomètres, ce qui est loin d'être banal lorsque l'on considère que ce modèle n'est devancé que par les 550i et M5 pour le couple et la force d'accélération. Seule ombre au tableau, le moteur diesel de BMW est plus « sonore » que celui produit par Audi.

Les cas d'exceptions

Le cas de la Série 5 Gran Turismo demeure toujours aussi énigmatique puisque ce modèle, élaboré sur la plate-forme de la Série 7 et non sur celle de la 5, livre des performances nettement moins affûtées, en raison d'un poids très élevé, et un style tarabiscoté par la présence de son hayon arrière fractionnel inutilement complexe qui fait en sorte que la

Impressions de l'auteur		Concurrents
Agrément de conduite : ★★★★⯪ 4,5/5		Acura RLX, Audi A6, Infiniti Q70,
Fiabilité : ★★★☆☆ 3/5		Jaguar XF, Lexus GS, Lincoln MKS,
Sécurité : ★★★★⯪ 4,5/5		Mercedes-Benz Classe E, Volvo S80
Qualités hivernales : ★★★★☆ 4/5		
Espace intérieur : ★★★★☆ 4/5		
Confort : ★★★★☆ 4/5		

poupe de la Série 5 Gran Turismo ne cadre absolument pas avec le reste de la voiture. Le vilain petit canard de la famille, c'est lui – le hayon – et c'est sans doute pourquoi les ventes de la GT ne suivent pas le rythme imposé par les autres modèles de la gamme.

L'autre Série 5 qui se démarque du lot est la superlative M5, laquelle peut aisément être qualifiée d'Über-Série 5 en raison d'un potentiel de performance démentiel et de la facilité avec laquelle on peut la conduire à vitesses légales sur des routes balisées. Tout à fait à l'aise en conduite normale sur le réseau routier public, la M5 se transforme en véritable bête à la pression du bouton « M », localisé sur le volant, avant de se porter à l'assaut d'un circuit; ce que j'ai évidemment été tenté de faire… Ce fameux bouton « M » permet de paramétrer la suspension pilotée, la servodirection électrique et la boîte à double embrayage sur leurs réglages les plus incisifs, ce qui autorise des vitesses de passage très élevées en virage et une grande stabilité à haute vitesse. Avec une cavalerie de 560 chevaux livrée par le V8 turbocompressé, la M5 est capable d'abattre le sprint de 0 à 100 kilomètres/heure en 4,4 secondes et, surtout, de s'immobiliser à partir de 100 kilomètres/heure en 38 mètres; les ingénieurs de BMW ayant compris il y a longtemps que si l'on donne une telle puissance à une voiture, il faut obligatoirement lui donner des freins très performants. Je me souviendrai également toujours d'un essai de la M5 réalisé sur les *autobahns* allemandes, où sa très grande force de décélération s'est avérée absolument essentielle.

Elle n'est pas aussi radicale que la M5, mais la ActiveHybrid 5 est une version à motorisation hybride qui met l'accent sur les performances plutôt que sur la sobriété, comme en témoigne une consommation moyenne chiffrée à 9,5 litres aux 100 kilomètres en favorisant le mode de conduite ECO PRO qui a pour mission d'augmenter la contribution du moteur électrique en vue d'optimiser la consommation de carburant. Cette ActiveHybrid affiche tout près de 2 000 kg à la pesée, mais elle est capable de performances très vives en accélération provoquant un effet de dissonance cognitive par rapport aux voitures hybrides conventionnelles qui sont nettement moins performantes.

La gamme pléthorique proposée par le constructeur bavarois permet à la Série 5 de combler les besoins, ou les désirs, d'une plage très large d'acheteurs. Il faut toutefois bien cibler son choix parmi tous les modèles et, surtout, exercer une certaine retenue dans la sélection des équipements livrables en option pour éviter que le montant final de la facture ne grimpe en flèche.

Châssis - 535d xDrive

Emp / lon / lar / haut	2968 / 4899 / 2094 / 1464 mm
Coffre / Réservoir	520 litres / 70 litres
Nombre coussins sécurité / ceintures	6 / 5
Suspension avant	indépendante, double triangulation
Suspension arrière	indépendante, multibras
Freins avant / arrière	disque / disque
Direction	à crémaillère, ass. variable
Diamètre de braquage	12,1 m
Pneus avant / arrière	P245/40R19 / P245/40R19
Poids / Capacité de remorquage	1930 kg / n.d.
Assemblage	Dingolfing, DE

Composantes mécaniques

535d xDrive

Cylindrée, soupapes, alim.	6L 3,0 litres 24 s turbo
Puissance / Couple	255 chevaux / 413 lb-pi
Tr. base (opt) / rouage base (opt)	A8 / Int
0-100 / 80-120 / V.Max	6,0 s (const) / n.d. / 210 km/h
100-0 km/h	n.d.
Type / ville / route / co_2	Dié / 7,9 / 5,3 l/100 km / 3630 kg/an

M

Cylindrée, soupapes, alim.	V8 4,4 litres 32 s turbo
Puissance / Couple	560 chevaux / 500 lb-pi
Tr. base (opt) / rouage base (opt)	A7 (M6) / Prop
0-100 / 80-120 / V.Max	4,4 s / 4,6 s / 250 km/h
100-0 km/h	38,0 m
Type / ville / route / co_2	Sup / 13,2 / 8,6 l/100 km / 5120 kg/an

528i, 528i xDrive
4L - 2,0 l - 241 ch/258 lb-pi -A8 - 0-100: 6,6 s - 8,8/5,9 l/100 km

ActiveHybrid 5
6L - 3,0 l - 300 ch/300 lb-pi - A8 - 0-100: 6,0 s - 8,3/6,4 l/100 km

535i GT xDrive
6L - 3,0 l - 300 ch/300 lb-pi - A8 - 0-100: 6,5 s - 11,1/7,6 l/100 km

535i xDrive
6L - 3,0 l - 300 ch/300 lb-pi - A8 - 0-100: 5,9 s - 9,7/6,6 l/100 km

550i xDrive, 550i GT xDrive
V8 - 4,4 l - 445 ch/ 480 lb-pi - A8 - 0-100: 4,9 s - 13,6/8,9 l/100 km

Du nouveau en 2015

Aucun changement majeur

FEU VERT
- Bonne tenue de route
- Gamme complète
- Disponibilité du rouage intégral
- Modèle turbodiesel performant et efficient
- Performances très relevées (M5)

FEU ROUGE
- Prix élevés
- Coût des options
- Rétroviseurs latéraux trop petits
- Style et conduite peu inspirés (modèle GT)

Photos : BMW Canada

BMW **SÉRIE 6**

▶ **Catégorie :** Berline, Cabriolet, Coupé

▶ **Échelle de prix :** 87 800 $ à 131 000 $ (2014)

▶ **Transport et prép. :** 2 095 $

▶ **Cote d'assurance :** n.d.

▶ **Garanties :** 4 ans/80 000 km, 4 ans/80 000 km

▶ **Ventes CAN 2013 :** 428 unités

La GT selon BMW

Gabriel Gélinas

C oupé, cabriolet et berline aux allures de coupé, voilà la proposition faite par le constructeur allemand avec la Série 6, qui se décline aussi en versions M très performantes pour tous les styles de carrosserie. Également au catalogue, l'Alpina B6 Gran Coupe, une variante encore plus typée que la M6 Gran Coupe, produite en petite série par le préparateur associé au constructeur allemand depuis plus de 40 ans.

Pour BMW, la Série 6 est la voiture grand tourisme de la marque. Elle a beau avoir des airs de voiture sport, son gabarit et son poids ne l'autorisent pas à adopter une conduite aussi dynamique en virage que d'authentiques sportives au format plus conséquent et, surtout, au poids mieux adapté à l'exercice. Même les superlatives versions M souffrent de cet embonpoint presque chronique qui vient compliquer les choses. Difficile en effet d'escamoter les quelque 1 900 kilos que le coupé M6 affiche à la pesée et qui ont une incidence directe sur le comportement routier.

Sur un circuit, la M6 est prompte en ligne droite, grâce à la poussée très linéaire de son V8 biturbo de 560 chevaux et le passage très rapide des rapports de la boîte DSG, mais elle n'est pas en mesure d'enfiler les virages au même rythme que de vraies sportives en raison d'une direction qui ne communique pas parfaitement le *feedback*. Couvrir de longues distances avec style, c'est plus l'affaire de la M6 coupé. Elle ne rechigne pas à rouler vite lorsqu'on le veut, mais ses réactions ne sont souvent pas aussi incisives qu'on le souhaite.

La M6 est, si l'on veut, l'antithèse de la voiture sport dont le génial Colin Chapman avait parfaitement résumé l'essence même en déclarant que « Light is right » ou en français, la légèreté, c'est bien.

Un système iDrive plus convivial

La vie à bord est agréable pour les deux personnes assises à l'avant, mais les places arrière ne conviendront qu'à des passagers

Impressions de l'auteur		Concurrents
Agrément de conduite : ★★★⯪★ 3,5/5		Aston Martin Vantage,
Fiabilité : ★★★⯪★ 3,5/5		Chevrolet Corvette, Jaguar XK,
Sécurité : ★★★★⯪ 4,5/5		Maserati Gran Turismo,
Qualités hivernales : ★★★⯪★ 3,5/5		Mercedes-Benz Classe SL,
Espace intérieur : ★★★☆☆ 3/5		Nissan GT-R, Porsche 911
Confort : ★★★★☆ 4/5		

de petite taille qui ne souffrent pas de claustrophobie. L'espace est compté et la hauteur de la ceinture de caisse ainsi que l'étroitesse du vitrage peuvent faire en sorte que l'on se sente un peu emprisonné par la voiture.

Le système de télématique iDrive nécessite une certaine période d'acclimatation. BMW a fait d'énormes progrès pour simplifier les menus proposés et l'affichage des informations, ce qui fait que c'est maintenant presque un jeu d'enfant de paramétrer les réglages et d'ainsi « personnaliser » sa voiture en quelques clics de la molette localisée sur la console centrale.

BMW étant passé maître dans l'art de décliner plusieurs modèles à partir d'une même plate-forme, doit-on s'étonner de la présence de la Série 6 Gran Coupe? Conçu afin de rivaliser directement avec les Audi A7 et Mercedes-Benz Classe CLS, le modèle Gran Coupe ne fait pas dans la dentelle côté style et affiche sans retenue une certaine vision de l'opulence. C'est très subjectif, mais la Série 6 Gran Coupe m'a toujours semblé être « enflée » par rapport à la très svelte Audi A7.

Côté mécanique, ce coupé à quatre portes partage ses motorisations avec les autres modèles de la Série 6, ce qui signifie qu'il peut être animé par le six cylindres en ligne (640i), le V8 de 445 chevaux (650i) ou le V8 biturbo (M6 Gran Coupe).

Au sommet de la pyramide

La Alpina B6 Gran Coupe se veut l'expression la plus aboutie du modèle dont elle est dérivée. 540 chevaux, 540 livres-pied de couple et une vitesse maximale de 320 kilomètres/heure, tout ça dans une voiture qui respire le luxe et l'opulence. L'habitacle est drapé de cuir, comme il se doit, mais l'Alpina B6 Gran Coupe affiche sa personnalité distincte par des cadrans à fond bleu et par la présence de l'écusson de la marque spécialisée. Le style est subtilement rehaussé par un bouclier avant redessiné sur lequel apparaît le nom « Alpina », par de superbes jantes en alliage de 20 pouces comportant 21 branches, ainsi que par un déflecteur juché sur le couvercle du coffre et les quatre tubulures d'échappement.

Sportivité et sobriété, voilà bien l'essence de la marque Alpina. Au volant d'un modèle développé par Alpina, on est frappé par le confort surprenant d'une voiture au potentiel de performance aussi éloquent. Les ingénieurs ont brillamment relevé le défi de rejoindre ces deux objectifs souvent diamétralement opposés qui sont d'assurer une tenue de route ainsi qu'une dynamique inspirée, avec la sélection des modes Sport et Sport Plus, et d'offrir un niveau de confort superlatif en optant plutôt pour les modes Confort et Confort Plus. Pour ceux qui peuvent se la payer, une BMW Alpina, c'est vraiment le summum.

Châssis - B6 xDrive Gran Coupe

Emp / lon / lar / haut	2968 / 5009 / 2081 / 1398 mm
Coffre / Réservoir	460 à 1265 litres / 70 litres
Nombre coussins sécurité / ceintures	6 / 5
Suspension avant	indépendante, double triangulation
Suspension arrière	indépendante, multibras
Freins avant / arrière	disque / disque
Direction	à crémaillère, ass. variable
Diamètre de braquage	12,0 m
Pneus avant / arrière	P255/35ZR20 / P265/30ZR20
Poids / Capacité de remorquage	2168 kg / n.d.
Assemblage	Buchloe, DE

Composantes mécaniques

640i Gran Coupé xDrive

Cylindrée, soupapes, alim.	6L 3,0 litres 24 s turbo
Puissance / Couple	315 chevaux / 330 lb-pi
Tr. base (opt) / rouage base (opt)	A8 / Int
0-100 / 80-120 / V.Max	5,3 s (const) / n.d. / 210 km/h
100-0 km/h	n.d.
Type / ville / route / co$_2$	Sup / 11,3 / 6,6 l/100 km / 4225 kg/an

650i xDrive cpé / Gran Cpé / cabriolet

Cylindrée, soupapes, alim.	V8 4,4 litres 32 s turbo
Puissance / Couple	445 chevaux / 480 lb-pi
Tr. base (opt) / rouage base (opt)	A8 / Int
0-100 / 80-120 / V.Max	4,5 s (const) / n.d. / 250 km/h
100-0 km/h	n.d.
Type / ville / route / co$_2$	Sup / 16,5 / 8,3 l/100 km / 5890 kg/an

B6 xDrive Gran Coupe

Cylindrée, soupapes, alim.	V8 4,4 litres 32 s turbo
Puissance / Couple	540 chevaux / 540 lb-pi
Tr. base (opt) / rouage base (opt)	A8 / Int
0-100 / 80-120 / V.Max	3,9 s (const) / n.d. / 320 km/h
100-0 km/h	n.d.
Type / ville / route / co$_2$	Sup / 14,7 / 9,8 l/100 km / 5748 kg/an

M6 cpé / Gran Cpé / cabriolet

Cylindrée, soupapes, alim.	V8 4,4 litres 32 s turbo
Puissance / Couple	560 chevaux / 500 lb-pi
Tr. base (opt) / rouage base (opt)	A7 (M6) / Prop
0-100 / 80-120 / V.Max	4,2 s (const) / n.d. / 250 km/h
100-0 km/h	n.d.
Type / ville / route / co$_2$	Sup / 13,2 / 8,6 l/100 km / 5152 kg/an

Du nouveau en 2015

Aucun changement majeur

- Motorisations performantes
- Gamme étendue
- Qualité de finition
- Freinage performant

- Poids élevé
- Gabarit imposant
- Espace limité aux places arrière
- Prix élevé

Photos : BMW Canada

BMW **SÉRIE 7**

▸ **Catégorie :** Berline	▸ **Échelle de prix :** 107 000 $ à 192 300 $ (2014)	▸ **Transport et prép. :** 2 095 $
▸ **Cote d'assurance :** n.d.	▸ **Garanties :** 4 ans/80 000 km, 4 ans/80 000 km	▸ **Ventes CAN 2013 :** 373 unités

En attendant...

Denis Duquet

Pour peu que vous fréquentiez les sites internet portant sur les modèles BMW, vous ne pouvez pas ne pas être au courant de l'arrivée de la future génération de la Série 7, cette berline de luxe qui devrait, toujours selon les rumeurs, être dévoilée en grande pompe au Salon de l'auto de Francfort en 2015 avant d'être commercialisée quelques mois plus tard.

Comme ce ne sera pas demain la veille, je vous fais grâce des détails ! Concentrons-nous plutôt sur la version actuelle qui sera encore offerte pendant quelques mois. Et puisque le modèle de prestige de la marque bavaroise a connu une succession de changements et d'améliorations au fil des années, il est loin d'être distancé par la concurrence.

Sport et confort
Selon le choix du modèle et du moteur, il est possible de bénéficier d'une conduite relativement sportive à son volant

en dépit des dimensions quelque peu généreuses de la Série 7. Nous y reviendrons. Mais il est certain que cette voiture dorlote ses occupants de la plus belle façon. Il y a deux ans maintenant, on avait procédé à une révision de l'habitacle en concevant des sièges avant dont les bourrelets latéraux avaient été modifiés afin d'assurer plus de confort et de soutien. Quant aux places arrière, l'acheteur peut opter entre une banquette ou deux sièges individuels. La climatisation et un système de massage peuvent également être de la partie. Toujours à propos des places arrière, la version allongée propose 35 cm de plus en fait de dégagement pour les jambes. Bien entendu, la qualité de la sellerie en cuir est à l'égale de ce que la concurrence peut offrir.

La planche de bord est toujours aussi sobre avec un minimum de commandes et de vastes appliques en bois exotique. Plusieurs trouvent toutefois que cela manque un peu de relief et qu'un long parcours devant une présentation aussi sobre devient déprimant à la longue. Ce côté épuré est la résultante

Impressions de l'auteur		Concurrents
Agrément de conduite :	★★★★⯪ **4,5**/5	Audi A8, Jaguar XJ, Lexus LS,
Fiabilité :	★★★⯪★ **3,5**/5	Maserati Quattroporte,
Sécurité :	★★★★⯪ **4,5**/5	Mercedes-Benz Classe S
Qualités hivernales :	★★★★⯪ **4,5**/5	
Espace intérieur :	★★★★⯪ **4,5**/5	
Confort :	★★★★☆ **4**/5	

BMW SÉRIE 7

du système iDrive qui concentre toutes les commandes en un seul bouton de navigation en association avec l'écran d'affichage. BMW a joué un rôle de pionnier dans le développement de cette technologie et a réalisé plusieurs modifications au fil des années. C'est vrai que l'iDrive est plus convivial qu'auparavant, mais s'y adapter exige quand même quelques jours. Cette année, un pavé tactile est placé en périphérie de cette commande. C'est un gadget de plus qui peut se révéler pratique en certaines occasions. Par contre, sur une mauvaise route, les sautillements des doigts peuvent rendre l'opération imprécise.

Depuis le lancement de la si controversée troisième génération de ce modèle en 2001, la ligne s'est assagie et les éléments de style apportés à cette époque par Chris Bangle ont été révisés ou éliminés. Il y a deux ans, la voiture a bénéficié d'un remodelage et il faudra attendre la prochaine génération pour que sa carrosserie soit changée.

Motorisation à gogo

Les ingénieurs de Munich semblent être atteints d'une fièvre créatrice lorsque vient le temps de choisir un moteur pour la Série 7. En effet, le client peut choisir entre cinq moteurs différents. Il y a tout d'abord le six cylindres en ligne turbo de l'ActiveHybrid (une version écolo qui consomme relativement peu), le V8 4,4 litres des 750i XDrive et 750Li xDrive, le V8 4,4 litres de 540 chevaux de l'Alpina ainsi que le V12 6,0 litres de la 760Li, le modèle le plus luxueux de la gamme tandis que l'Alpina est le plus sportif. Et il ne faut pas oublier la 740Li xDrive et son six cylindres 3,0 litres de 315 chevaux. Nos cousins américains ont même droit à la 740Ld xDrive, une version diesel offerte uniquement en traction intégrale. Il existe donc une Série 7 pour tous les goûts et tous les budgets... ou presque. Après tout, le prix de départ de la plus basique Série 7 démarre au-delà des 100 000 $!

Peu importe le moulin choisi, cette grosse berline est d'une surprenante agilité compte tenu de ses dimensions et de son poids très élevé. Peu importe le rayon de la courbe négociée et la vélocité de la voiture, son comportement routier est exemplaire. En plus, la suspension pneumatique est de série sur toutes les versions et celle-ci est réglée par le système Driving Dynamics Control qui permet d'associer confort et tenue de route. Mais toute cette électronique semble avoir un effet sur la direction qui manque de *feedback*. Malgré tout, rares sont les conducteurs qui seront déçus du comportement routier et des performances de cette berline.

Un mot enfin sur l'ensemble Alpina, une option de plus de 40 000 $ qui fait d'une Série 7 une véritable voiture de course. Elle est peut-être moins puissante qu'une 760Li V12, mais qu'est-ce qu'elle est efficace! Et rare aussi.

Châssis - 740Ld xDrive

Emp / lon / lar / haut	3210 / 5214 / 2134 / 1481 mm
Coffre / Réservoir	500 litres / 80 litres
Nombre coussins sécurité / ceintures	6 / 5
Suspension avant	indépendante, double triangulation
Suspension arrière	indépendante, pneumatique, multibras
Freins avant / arrière	disque / disque
Direction	à crémaillère, ass. variable
Diamètre de braquage	13,0 m
Pneus avant / arrière	P245/50R18 / P245/50R18
Poids / Capacité de remorquage	2130 kg / n.d.
Assemblage	Dingolfing, DE

Composantes mécaniques

740Ld xDrive

Cylindrée, soupapes, alim.	6L 3,0 litres 24 s turbo
Puissance / Couple	255 chevaux / 413 lb-pi
Tr. base (opt) / rouage base (opt)	A8 / Int
0-100 / 80-120 / V.Max	6,1 s (estimé) / n.d. / 210 km/h
100-0 km/h	n.d.
Type / ville / route / co_2	Dié / 10,2 / 7,6 l/100 km / 4876 kg/an

750i xDrive, 750Li xDrive

Cylindrée, soupapes, alim.	V8 4,4 litres 32 s turbo
Puissance / Couple	445 chevaux / 480 lb-pi
Tr. base (opt) / rouage base (opt)	A8 / Int
0-100 / 80-120 / V.Max	4,8 s / 4,1 s / 240 km/h
100-0 km/h	40,4 m
Type / ville / route / co_2	Sup / 11,6 / 7,5 l/100 km / 4490 kg/an

760Li

Cylindrée, soupapes, alim.	V12 6,0 litres 48 s turbo
Puissance / Couple	535 chevaux / 550 lb-pi
Tr. base (opt) / rouage base (opt)	A8 / Prop
0-100 / 80-120 / V.Max	4,7 s / n.d. / 250 km/h
100-0 km/h	n.d.
Type / ville / route / co_2	Sup / 16,8 / 10,4 l/100 km / 6405 kg/an

ActiveHybrid 7L

6L- 3, 0 l - 315 ch/330 lb-pi - A8 - 0-100: 4,8 s - 9,5/6,5 l/100 km

740Li xDrive

6L - 3,0 l - 315 ch/332 lb-pi - A8 - 0-100: 5,7 s - 11,0/7,5 l/100 km

Alpina xDrive B7 / B7L

V8 - 4,4 l - 540 ch/538 lb-pi - A8 - 0-100: 4,8 s - 14,3/8,2 l/100 km

Du nouveau en 2015

Aucun changement majeur, révision de certaines options.

FEU VERT
- Choix de moteurs
- Version Alpina démente
- Silhouette équilibrée
- Tenue de route exemplaire
- Rouage intégral efficace

FEU ROUGE
- Prix élevé
- Mécanique complexe
- Plusieurs commandes à revoir
- Freins capricieux

Photos : BMW Canada

BMW **X1**

▸ **Catégorie :** VUS

▸ **Cote d'assurance :** $$$$

▸ **Échelle de prix :** 36 900 $ à 39 900 $ (2014)

▸ **Garanties :** 4 ans/80 000 km, 4 ans/80 000 km

▸ **Transport et prép. :** 2 095 $

▸ **Ventes CAN 2013 :** 2 910 unités

L'usine à lapins

Jean-François Guay

Les véhicules à hayon se multiplient comme des lapins chez BMW. Ainsi, la marque bavaroise ne compte pas moins de 10 modèles *hatchback* dans ses rangs — et ce nombre pourrait augmenter à plus d'une douzaine au cours des prochaines années. Du côté des véhicules multisegments, on trouve les X1, X3, X4, X5 et X6. Et d'ici un an ou deux, les X2 et X7 devraient s'additionner à ce lot. En plus de la gamme X, il faut compter les modèles Touring et Gran Turismo de Série 3, et la Gran Turismo de Série 5. Si l'on pousse plus loin le décompte, mentionnons la récente i3 à hayon et le nouveau modèle Active Tourer de Série 2.

En résumé, le X1 et ses pairs évoluent dans un marché compartimenté où il sera de plus en plus difficile de fidéliser la clientèle. Mais ce qui risque encore plus de désorienter les acheteurs est l'arrivée du prochain X1, attendu pour 2016. Les caractéristiques techniques de ce dernier risquent de chambouler les préceptes à l'égard de BMW. En effet, la plate-forme du X1 sera commune à celle du MINI Countryman — à traction avant donc. Ce qui dérogera au mode propulsion qui caractérise les véhicules BMW depuis des lustres. Ce crime de lèse-majesté a d'ailleurs été commis avec le dévoilement de l'Active Tourer. La même plate-forme servira à l'éventuel X2, lequel sera l'émule du X1 en format coupé avec un design et un comportement routier plus sportif — soit la même logique qui s'applique aux duos X3/X4 et X5/X6.

En attendant la relève

La commercialisation d'un X1 à traction avant n'est pas nécessairement une bonne nouvelle — même si les tarifs devraient diminuer — puisque la magie entourant ce VUS compact risque de disparaître. En effet, il faut mettre la main sur un modèle équipé d'un moteur à six cylindres turbocompressé de 3,0 litres et 300 chevaux pour comprendre le sens des mots « agrément de conduite » dans le jargon des chroniqueurs automobiles. Pesant 1 765 kg, la version xDrive35i du X1 profite de l'un des meilleurs rapports poids/puissance

Impressions de l'auteur		Concurrents
Agrément de conduite : ★★★★⯪ 4,5		Infiniti QX50, Volkswagen Tiguan,
Fiabilité : ★★★⯪☆ 3,5		Volvo XC60
Sécurité : ★★★★☆ 4		
Qualités hivernales : ★★★★☆ 4		
Espace intérieur : ★★★☆☆ 3		
Confort : ★★★⯪☆ 3,5		

(5,88 kg/ch) de sa catégorie. La petite bête accélère de 0 à 100 km/h en moins de 6 secondes et les reprises sont aussi spectaculaires. Le groupe Sport M propose une tenue de route améliorée grâce à une suspension plus ferme et des pneumatiques de 18 ou 19 po, au choix. Le comportement routier se compare aux voitures de Série 3 – une conception unique au niveau du châssis, de la direction et des suspensions dont seule la marque à l'hélice détient le secret.

Mais, soyons réalistes... la version xDrive35i se vend au compte-goutte et la majorité des acheteurs choisissent plutôt la version xDrive28i avec son quatre cylindres turbocompressé de 2,0 litres. Développant une puissance de 241 chevaux, il faut admettre que les performances de ce moteur ne sont pas piquées des vers non plus grâce à son généreux couple de 258 livres-pied. À son avantage, le quatre cylindres consomme moins de carburant que le six cylindres grâce à sa boîte automatique à 8 rapports — le 3,0 litres devant se contenter d'une boîte à 6 rapports.

Si l'on doit vilipender le 2,0 litres, nos critiques s'adressent à son claquement caractériel par temps froid, au démarrage — un genre de cliquetis qui détonne pour un motoriste aussi réputé. Dans le même ordre d'idée, on peut reprocher à la transmission à 8 rapports de manquer de souplesse et d'engourdir le moteur. Du côté positif, soulignons que le mode ECO PRO optimise le fonctionnement de l'accélérateur, de la transmission et de la climatisation pour obtenir une consommation d'essence plus faible. Parmi les autres astuces visant à réduire la consommation, on trouve une direction à assistance électrique, une fonction d'arrêt et de redémarrage automatique du moteur et un système de récupération d'énergie au freinage servant à recharger la batterie et à désengager l'alternateur, au besoin.

Rouage intégral allergique au hors route

Pourvu d'un rouage à traction intégrale, le X1 utilise cette motricité pour offrir une tenue de route plus sécuritaire sous la pluie et en hiver. Cet attribut ne lui sert aucunement en conduite hors route où le soubassement du véhicule est exposé aux obstacles.

À l'intérieur, la planche de bord est simple et son design est dans la lignée des produits de la marque avec une console centrale légèrement inclinée vers le conducteur. Le boudin du volant offre une bonne prise et invite à la conduite sportive. L'habitable garantit suffisamment d'espace pour 4 adultes. Quant au volume du coffre, il est un peu étriqué, mais les dossiers divisés 40-20-40 de la banquette arrière — une rareté dans le segment, s'avèrent utiles pour transporter des skis et planches à neige entre les deux passagers arrière. Le seul hic est le passage exigu des portières obligeant tant le conducteur que les passagers à faire quelques acrobaties (attention à la tête!) pour s'extirper de la cabine.

Châssis - xDrive 28i	
Emp / lon / lar / haut	2760 / 4484 / 2044 / 1545 mm
Coffre / Réservoir	420 à 1350 litres / 63 litres
Nombre coussins sécurité / ceintures	6 / 5
Suspension avant	indépendante, jambes de force
Suspension arrière	indépendante, multibras
Freins avant / arrière	disque / disque
Direction	à crémaillère, ass. variable
Diamètre de braquage	11,8 m
Pneus avant / arrière	P225/50R17 / P225/50R17
Poids / Capacité de remorquage	1690 kg / n.d.
Assemblage	Leipzig, DE

Composantes mécaniques

xDrive 28i

Cylindrée, soupapes, alim.	4L 2,0 litres 16 s turbo
Puissance / Couple	241 chevaux / 258 lb-pi
Tr. base (opt) / rouage base (opt)	A8 / Int
0-100 / 80-120 / V.Max	6,8 s / 5,5 s / 205 km/h
100-0 km/h	39,2 m
Type / ville / route / co_2	Sup / 9,1 / 6,2 l/100 km / 3590 kg/an

xDrive 35i

Cylindrée, soupapes, alim.	6L 3,0 litres 24 s turbo
Puissance / Couple	300 chevaux / 300 lb-pi
Tr. base (opt) / rouage base (opt)	A6 / Int
0-100 / 80-120 / V.Max	5,6 s (const) / n.d. / 205 km/h
100-0 km/h	39,2 m
Type / ville / route / co_2	Sup / 11,4 / 7,4 l/100 km / 4416 kg/an

Du nouveau en 2015

Aucun changement majeur, prochaine génération en préparation.

FEU VERT

- Faible consommation
- Moteurs efficaces
- Tenue de route dynamique
- Banquette arrière divisée 40-20-40

FEU ROUGE

- Prix corsé (xDrive35i)
- Portes étroites
- Long diamètre de braquage
- Modèle en fin de carrière

Photos : BMW Canada

DIESEL

BMW **X3**

| ▶ **Catégorie :** VUS | ▶ **Échelle de prix :** 43 300 $ à 48 900 $ (2014) | ▶ **Transport et prép. :** 2 095 $ |
| ▶ **Cote d'assurance :** $$$$$ | ▶ **Garanties :** 4 ans/80 000 km, 4 ans/80 000 km | ▶ **Ventes CAN 2013 :** 5 658 unités |

Relooké et « dieselé »?

Denis Duquet

Au premier coup d'œil, cela ne paraît pas trop, mais le X3 est l'objet d'une légère refonte pour 2015. Il voit sa carrosserie modifiée tout comme son intérieur, mais de peu. Comme le disait un représentant de BMW : « Vous devez savoir quoi chercher pour découvrir les différences ». Cependant, le changement le plus important se trouve sous le capot avec l'ajout d'un nouveau moteur.

Bref, pas de changements spectaculaires, mais juste ce qu'il faut pour permettre à ce *best-seller* de tenir la dragée haute à une concurrence affûtée. Et puisque la silhouette est jugée juste assez équilibrée pour toujours plaire, on s'est contenté de retouches discrètes. On est loin de la première génération du X3 dont l'allure était plutôt étrange.

Élégantes retouches

L'équipe de design d'Adrian van Hooydonk a réussi à transformer la section avant du X3 avec élégance et doigté. Les naseaux de la calandre ont été redessinés, semblent plus imposants et sont placés sur un plan vertical. Ils sont encadrés par des phares de route dont le contour a été modifié et qui sont dorénavant en contact avec la calandre. En plus, les pare-chocs ont une apparence plus agressive. Enfin, les rétroviseurs extérieurs intègrent maintenant les clignotants. Ces modifications permettent à ce modèle d'être associé plus étroitement avec le X5 qui a été complètement transformé l'an dernier.

Les changements dans l'habitacle sont tout aussi subtils avec une amélioration des matériaux utilisés, des accents de chrome ici et là, tandis que le système de navigation a été remplacé par une unité plus sophistiquée et plus efficace. On a bien entendu conservé le système de gestion iDrive qui nécessite toujours un certain temps d'acclimatation.

Impressions de l'auteur		Concurrents
Agrément de conduite : ★★★★★	4/5	Acura RDX, Audi Q5, Infiniti QX50à,
Fiabilité : ★★★★★	3/5	Land Rover LR2,
Sécurité : ★★★★★	4/5	Mercedes-Benz Classe GLK,
Qualités hivernales : ★★★★★	4,5/5	Volvo XC60
Espace intérieur : ★★★★★	3,5/5	
Confort : ★★★★★	3,5/5	

Par ailleurs, la présentation générale est inchangée. On retrouve donc des sièges avant confortables et offrant un bon support latéral. En arrière, par contre, l'assise de la banquette est trop basse pour que les personnes de grande taille s'y sentent à l'aise. Elles ont la sensation d'avoir la tête entre les genoux. Autre nouveauté cette année, comme sur le Ford Escape, il suffit de passer son pied sous le pare-chocs arrière pour actionner le hayon motorisé.

Du nouveau sous le capot

Tous ces changements sur le plan esthétique sont mineurs. La grande nouveauté est l'arrivée d'un moteur diesel. Pas besoin d'être un génie du marketing pour savoir que cette nouvelle motorisation est la riposte du constructeur de Munich à ses rivaux d'Audi et Mercedes-Benz qui offrent un diesel sur le Q5 et le GLK. Le moteur choisi est le même quatre cylindres turbodiesel 2,0 litres que celui utilisé sur la berline 328d et portant le nom de code N47. Sa puissance est de 180 chevaux et son couple de 280 lb-pi. Il est lui aussi associé à la même transmission automatique à huit rapports que les autres moteurs offerts sur le X3.

Avec ce moteur sous le capot, le xDrive28d fait entendre sa présence car ce quatre cylindres n'est pas le plus discret des diesels. En fait de performances, il réussit à boucler le 0-100 km/h en huit secondes, non sans une vigoureuse intervention de la boîte de vitesses. Par ailleurs, on ne peut pas s'enthousiasmer du rendement de ce moulin qui a un tempérament plus industriel que sportif. Heureusement, sa consommation de carburant sera encore plus frugale que celle du quatre cylindres 2,0 litres turbo à essence... qui n'est pas moins bruyant !

Le groupe propulseur le plus intéressant est donc le fabuleux six cylindres en ligne 3,0 litres turbo de 300 chevaux qui permet de boucler le 0-100 km/h en 6,8 secondes. Ce sont des chiffres de voiture de sport alors que nous avons affaire à un VUS. Et en plus, la sonorité est nettement plus intéressante !

Peu importe ce qui tourne sous le capot, le comportement routier du X3 est exemplaire bien que certains trouveront que la suspension est trop ferme. Ce qui n'empêche pas ce VUS de souffrir de roulis en virage sur une mauvaise route. Par contre, cette BMW est agile et ne se laisse pas intimider par les virages serrés tandis que son rouage xDrive est efficace. Ce qui n'en fait pas un tout-terrain pour autant. En fait, son constructeur parle d'un « véhicule toute activité ». Et dans cette catégorie, le X3 se démarque de ses concurrentes par un agrément de conduite plus relevé que la moyenne. Et quand on sait que cette catégorie regroupe des noms tels que l'Acura RDX, l'Audi Q5 et le Mercedes-Benz Classe GLK, c'est tout un honneur !

Châssis - xDrive 28d

Emp / lon / lar / haut	2810 / 4657 / 2098 / 1661 mm
Coffre / Réservoir	550 à 1600 litres / 67 litres
Nombre coussins sécurité / ceintures	6 / 5
Suspension avant	indépendante, jambes de force
Suspension arrière	indépendante, multibras
Freins avant / arrière	disque / disque
Direction	à crémaillère, ass. variable électrique
Diamètre de braquage	11,9 m
Pneus avant / arrière	P245/50R18 / P245/50R18
Poids / Capacité de remorquage	1820 kg / 750 kg (1653 lb)
Assemblage	Spartanburg, SC

Composantes mécaniques

xDrive 28d

Cylindrée, soupapes, alim.	4L 2,0 litres 16 s turbo
Puissance / Couple	180 chevaux / 280 lb-pi
Tr. base (opt) / rouage base (opt)	A8 / Int
0-100 / 80-120 / V.Max	8,0 s (const) / 8,8 s / 210 km/h
100-0 km/h	n.d.
Type / ville / route / CO_2	Dié / 6,2 / 5,0 l/100 km / 3060 kg/an

xDrive 28i

Cylindrée, soupapes, alim.	4L 2,0 litres 16 s turbo
Puissance / Couple	241 chevaux / 258 lb-pi
Tr. base (opt) / rouage base (opt)	A8 / Int
0-100 / 80-120 / V.Max	6,5 s (const) / n.d. / 230 km/h
100-0 km/h	42,5 m
Type / ville / route / CO_2	Sup / 9,1 / 6,2 l/100 km / 3590 kg/an

xDrive 35i

Cylindrée, soupapes, alim.	6L 3,0 litres 24 s turbo
Puissance / Couple	300 chevaux / 300 lb-pi
Tr. base (opt) / rouage base (opt)	A8 / Int
0-100 / 80-120 / V.Max	6,8 s (const) / 4,4 s / 245 km/h
100-0 km/h	42,5 m
Type / ville / route / CO_2	Sup / 10,7 / 6,9 l/100 km / 4135 kg/an

Du nouveau en 2015

Nouveau moteur diesel, modifications esthétiques mineures.

FEU VERT
- Nouveau moteur diesel
- Excellente tenue de route
- Tableau de bord révisé
- Boîte automatique 8 rapports
- Rouage intégral sophistiqué

FEU ROUGE
- Options onéreuses
- Moteurs 2,0 litres bruyants
- Places arrière moyennement confortables
- Commande iDrive invariablement exaspérante
- Suspension sèche

Photos: BMW Canada

BMW X4

▶ **Catégorie :** Multisegment   ▶ **Échelle de prix :** 46 300 $ à 54 950 $ ▶ **Transport et prép. :** 2 095 $

▶ **Cote d'assurance :** n.d.   ▶ **Garanties :** 4 ans/80 000 km, 4 ans/80 000 km   ▶ **Ventes CAN 2013 :** 0 unité

Le compromis d'un compromis

Alain Morin

Un VUS, on le sait, est un compromis entre une automobile et un camion. Chez BMW, c'est aux X3 et X5 que revient ce rôle et ils s'en acquittent à merveille. Un jour, sans doute pour mousser sa carrière, quelqu'un chez BMW a décidé d'offrir quelque chose qui serait une sorte de compromis entre un VUS et un coupé sport. Ça avait donné le X6, un X5 à l'allure sportive, moins logeable, doté d'une visibilité arrière pourrie et coûtant plus cher. Ç'a été le succès immédiat !

La recette ayant fonctionné, il ne fallait pas s'attendre à ce que BMW la laisse sans suite. Cette suite, c'est le X4 d'abord vu en tant que concept au Salon de Shanghai. Puis, il s'est montré sous son vrai jour au Salon de New York, en avril 2014.

Petit X6 ou X3 Sport?

Pour ce X4, les ingénieurs sont partis du X3 et lui ont appliqué la recette du X6. Pour respecter son caractère sportif, le toit

du X4 est 37 mm plus bas que celui du X3. Cependant, la garde au sol est rigoureusement la même, tout comme l'empattement. Au chapitre du style, d'aucuns préféreront le X3 dont la partie avant est moins encombrée. La partie arrière du X4 est certes plus dynamique mais, elle réduit l'espace de rangement du coffre quoique pas de façon dramatique même si l'inclinaison du hayon handicape passablement la polyvalence. L'ouverture du coffre du X4 est grande, malheureusement, le seuil n'est pas égal au plancher. Les sièges arrière s'abaissent de façon 40-20-40 et forment un fond plat. Ils ne sont pas très confortables car leur assise est très basse, ce qui fait qu'on embrasse quasiment nos genoux quand on est assis. L'espace pour la tête et pour les jambes est correct… pour un journaliste de 5 pieds 6 pouces. La place centrale est à proscrire. De toute manière, lorsqu'on s'achète (ou se loue, dans la plupart des cas) un tel véhicule, le confort des passagers arrière est sans doute le dernier de nos soucis…

Impressions de l'auteur		Concurrents
Agrément de conduite : ★★★★☆	4/5	Land Rover Range Rover Evoque,
Fiabilité : ★★★☆☆	3/5	Audi Q5, Porsche Macan
Sécurité : ★★★★☆	4/5	
Qualités hivernales : ★★★★⯪	4,5/5	
Espace intérieur : ★★★☆☆	3/5	
Confort : ★★★⯪☆	3,5/5	

C'est en avant que ça se passe! Les sièges sont très douillets et retiennent bien dans les courbes. Le volant au gros boudin se prend bien en main et la plupart des commandes sont très bien placées. La grosse molette du système iDrive, qu'il n'y a pas si longtemps tirait des mots odieux de ma bouche (autrement toujours un parangon de pureté), est maintenant quasiment agréable à utiliser. Le tableau de bord est identique à celui du X3, ce qui n'est pas une mauvaise nouvelle en soi-même si le noir intégral des versions de base est déprimant comme un discours du Trône un jour de pluie.

241 ou 300 chevaux

Chez nous, deux versions du X4 seront offertes, les xDrive28i et xDrive35i (oui, de telles dénominations donnent le droit de sourire!). Le xDrive28i est doté d'un quatre cylindres double turbo − Twin Scroll − de 241 chevaux. Le xDrive35i, de son côté, reçoit un six cylindres en ligne à double turbo Twin Scroll aussi qui développe 300 chevaux. La transmission à huit rapports passe ses rapports avec une grande rapidité et achemine l'écurie aux quatre roues via un rouage intégral fort sophistiqué.

Au moment de mettre sous presse, nous n'avions pas pu mettre la main sur un X4 xDrive28i, toutefois, l'essai d'un xDrive35i nous a prouvé qu'il s'agit d'un véhicule au tempérament sportif. Les suspensions du X4 sont plus fermes et la direction, plus précise que celles d'un X3. Les systèmes d'aide à la conduite DSC (Dynamic Stability Control) et DTC (Dymanic Traction Control) sont programmés pour laisser plus de latitude au conducteur. Aussi, le châssis est encore plus solide que celui du X3, mais il faudrait sans doute pousser le X4 dans ses derniers retranchements sur une piste pour remarquer la différence. Quant au moteur 2,0 litres du xDrive28i essayé plus tôt dans un X3, il est grognon et me semble plus ou moins bien adapté au caractère sportif du X4.

Sur la route, le X4 xDrive35i se comporte comme un X3 qui aurait été « tuné » pour être un peu plus sportif. Les pneus de 20 pouces, en plus de coûter une fortune à changer, suivent avec une ténacité presque émouvante les moindres sillons de la route. Le conducteur peut choisir entre quatre modes de conduite: Eco Pro, Confort (par défaut), Sport et Sport + La différence entre chacun de ces modes est bien marquée. Autant le mode Sport + incite au péché routier, autant le mode Eco Pro incite à la vertu verte. En modes Sport et Sport + la tenue de route semble sans limites... autres que celle du poids. À tout près de 2 000 kg, on ne parle pas d'un poids plume. Même la direction m'est quelquefois apparue anormalement lourde.

Il est difficile de prédire si le X4 de BMW connaitra le même succès que le X6. Mais comme les gens à la recherche de ce type de véhicule n'ont pas la moindre idée de quoi faire avec un grand coffre, un rétroviseur ou avec leur argent, j'ai l'impression qu'il sera populaire.

Photos : BMW Canada

Châssis - xDrive 35i

Emp / lon / lar / haut	2810 / 4680 / 2088 / 1624 mm
Coffre / Réservoir	500 à 1400 litres / 67 litres
Nombre coussins sécurité / ceintures	6 / 5
Suspension avant	indépendante, jambes de force
Suspension arrière	indépendante, multibras
Freins avant / arrière	disque / disque
Direction	à crémaillère, ass. variable électrique
Diamètre de braquage	11,9 m
Pneus avant / arrière	P245/40R20 / P275/35R20
Poids / Capacité de remorquage	1932 kg / 750 kg (1653 lb)
Assemblage	Spartanburg, SC

Composantes mécaniques

xDrive 28i

Cylindrée, soupapes, alim.	4L 2,0 litres 16 s turbo
Puissance / Couple	241 chevaux / 258 lb-pi
Tr. base (opt) / rouage base (opt)	A8 / Int
0-100 / 80-120 / V.Max	7,0 s (est) / n.d. / 210 km/h
100-0 km/h	n.d.
Type / ville / route / co$_2$	Sup / 11,1 / 8,4 l/100 km / 4547 kg/an

xDrive 35i

Cylindrée, soupapes, alim.	6L 3,0 litres 24 s turbo
Puissance / Couple	300 chevaux / 300 lb-pi
Tr. base (opt) / rouage base (opt)	A8 / Int
0-100 / 80-120 / V.Max	6,3 s / 4,0 s / 210 km/h
100-0 km/h	41,4 m
Type / ville / route / co$_2$	Sup / 12,5 / 8,7 l/100 km / 4963 kg/an

Du nouveau en 2015

Nouveau modèle

FEU VERT

- Style plaisant
- Sièges avant impressionnants
- Tenue de route solide
- Six en ligne expressif
- Boîte à 8 rapports impose le respect

FEU ROUGE

- Partie arrière plus ou moins polyvalente
- Coût des options scandaleux
- Habitacle sombre (variantes de base)
- Visibilité arrière de type fourgon commercial

DIESEL

BMW **X5**

▶ **Catégorie :** VUS   ▶ **Échelle de prix :** 62 990 $ à 76 590 $ (2014)   ▶ **Transport et prép. :** 2 095 $

▶ **Cote d'assurance :** $$$$$ ▶ **Garanties :** 4 ans/80 000 km, 4 ans/80 000 km   ▶ **Ventes CAN 2013 :** 4 704 unités

Le pionnier des camions urbains chic persiste

Marc Lachapelle

Sans surprise, c'est BMW qui a montré la voie à ses rivales en lançant le premier utilitaire sport de luxe conçu avant tout pour le plaisir de conduire, sur l'asphalte et en ville. Le succès fut instantané. Ce premier X5 fut suivi par un plus grand, sept ans après. Et le troisième, plus spacieux, raffiné et performant, est apparu l'an dernier après sept années encore. Il faut croire que ce chiffre n'est pas un gage de chance et de réussite seulement aux dés !

Ironiquement, BMW lancera bientôt un X7 qui s'installera au-dessus du pionnier X5 dans sa gamme. C'est la suite logique après avoir créé des versions X1, X3, X4 et X6. Ce nouveau vaisseau amiral sera produit à l'usine de Spartanburg en Caroline du Sud, dont on augmentera la capacité de moitié pour un milliard de dollars. Tous les modèles de Série X y sont fabriqués, sauf le « petit » X1.

Le X5 est néanmoins toujours la pierre angulaire de cette série. Pour ce deuxième remodelage complet, il s'est allongé de 29 mm, élargi de 5 mm et abaissé de 14 mm sur le même empattement. C'est surtout le volume du coffre qui en profite. Il passe maintenant de 650 à 1870 litres si l'on abaisse complètement le dossier arrière qui se replie en trois sections (40/20/40). On y accède toujours par un double battant pas très pratique qu'on peut toutefois ouvrir désormais à distance.

Retouches discrètes et réussies

Ce X5 un peu plus grand est également plus moderne, plus élégant et plus aérodynamique, grâce à une carrosserie davantage ciselée dont tous les panneaux sont nouveaux. Il est même plus léger de près de 100 kg, à motorisation égale, malgré les gains en équipement. Parce que sa coque est fabriquée avec plus d'alliages et d'acier à haute résistance, ce qui la solidifie. Les naseaux typiques des calandres de BMW sont plus grands et touchent maintenant les blocs optiques

Impressions de l'auteur	
Agrément de conduite : ★★★★☆	4/5
Fiabilité : ★★★☆☆	3/5
Sécurité : ★★★★☆	4/5
Qualités hivernales : ★★★★⯪	4,5/5
Espace intérieur : ★★★★☆	4/5
Confort : ★★★★☆	4/5

Concurrents
Acura MDX, Audi Q7, Buick Enclave, Cadillac SRX, Infiniti QX70, Lexus RX, Mercedes-Benz Classe ML, Porsche Cayenne, Volkswagen Touareg, Volvo XC90

BMW X5

qui se sont amincis et dont le profil est souligné par des rangées de DEL au-dessus des phares au xénon de série.

Trois modèles sont offerts, définis d'abord par leur moteur. Le X5 xDrive50i trône au sommet, avec son V8 de 4,4 litres à double turbo qui produit maintenant 445 chevaux en fort belle santé. Les versions xDrive35i et xDrive35d sont tous deux propulsés par des six cylindres en ligne turbocompressés. Le moteur à essence du premier libère 300 chevaux alors que le diesel du second se démarque par un couple maximal exceptionnel de 413 lb-pi, livré dès 1 300 tr/min, pour une puissance plus modeste de 255 chevaux.

Ces trois moteurs sont jumelés exclusivement à une boîte automatique à 8 rapports et à la dernière version du rouage intégral xDrive avec répartition active du couple si l'on ajoute le groupe Conduite dynamique, optionnel. Le xDrive50i consomme évidemment davantage, avec une cote combinée de 12,2 l/100 km. Le xDrive35d diesel est de loin le plus frugal avec 7,6 l/100 km et le xDrive35i fait le pont entre les deux avec sa cote de 9,6 l/100 km.

Imperturbable ou presque

L'habitacle aussi a été revu, redessiné et mis à niveau. L'ambiance est riche et feutrée, les matériaux de grande qualité et la finition soignée. L'ergonomie de conduite est exemplaire, comme toujours chez BMW. Les sièges sont impeccablement taillés, amples et juste assez fermes, devant comme derrière. L'affichage est d'une clarté réjouissante et le système de navigation particulièrement utile sur l'écran de 10,2 pouces qui est de série sur le xDrive50i et en option sur les deux autres, dont l'écran standard fait 6,5 pouces. BMW a même réussi à dompter sa redoutable interface de contrôle iDrive, sauf pour la syntonisation des postes de radio...

Sur la route, le X5 est toujours impressionnant en virage et stable en tenue de cap. Le xDrive50i est spectaculaire en accélération, avec un sprint 0-100 km/h en 4,7 secondes, et carrément exceptionnel en freinage d'urgence à 100 km/h avec une distance de 36,4 mètres. Un nouveau record pour les utilitaires et des chiffres inouïs pour un véhicule de cette taille qui pèse encore deux tonnes et demie (2 336 kg). Les énormes pneus qui lui permettent de telles prestations (taille 275/40 devant et 315/35 derrière sur des jantes de 20 pouces) le font par contre louvoyer sur les roulières et cogner sec dans le moindre nid-de-poule.

Chose certaine, le xDrive50i est le mâle alpha de cette portée, au point de rendre une éventuelle version X5 M redondante. Les jumeaux dissemblables xDrive35i et 35d sont des choix plus sensés qui se révéleront agréables au quotidien. Pour peu que la fiabilité soit égale aux qualités...

Châssis - xDrive 35d

Emp / lon / lar / haut	2933 / 4886 / 2184 / 1762 mm
Coffre / Réservoir	650 à 1870 litres / 85 litres
Nombre coussins sécurité / ceintures	6 / 5
Suspension avant	indépendante, double triangulation
Suspension arrière	indépendante, multibras
Freins avant / arrière	disque / disque
Direction	à crémaillère, ass. variable
Diamètre de braquage	12,7 m
Pneus avant / arrière	P255/50R19 / P255/50R19
Poids / Capacité de remorquage	2236 kg / n.d.
Assemblage	Spartanburg, SC

Composantes mécaniques

xDrive 35d

Cylindrée, soupapes, alim.	6L 3,0 litres 24 s turbo
Puissance / Couple	255 chevaux / 413 lb-pi
Tr. base (opt) / rouage base (opt)	A8 / Int
0-100 / 80-120 / V.Max	7,0 s (const) / n.d. / 210 km/h
100-0 km/h	n.d.
Type / ville / route / CO_2	Dié / 8,7 / 6,3 l/100 km / 4115 kg/an

xDrive 35i

Cylindrée, soupapes, alim.	6L 3,0 litres 24 s turbo
Puissance / Couple	300 chevaux / 300 lb-pi
Tr. base (opt) / rouage base (opt)	A8 / Int
0-100 / 80-120 / V.Max	6,6 s (const) / n.d. / 210 km/h
100-0 km/h	n.d.
Type / ville / route / CO_2	Sup / 11,4 / 7,5 l/100 km / 4429 kg/an

xDrive 50i

Cylindrée, soupapes, alim.	V8 4,4 litres 32 s turbo
Puissance / Couple	445 chevaux / 479 lb-pi
Tr. base (opt) / rouage base (opt)	A8 / Int
0-100 / 80-120 / V.Max	4,7 s / n.d. / 210 km/h
100-0 km/h	36,4 m
Type / ville / route / CO_2	Sup / 14,6 / 9,2 l/100 km / 5610 kg/an

Du nouveau en 2015

Aucun changement majeur

Photos: BMW Canada

FEU VERT

• Performances très relevées (V8)
• Freinage exceptionnel
• Classe et confort
• Ergonomie de conduite

FEU ROUGE

• Cogne sec dans les nids-de-poule
• Quand même cher, surtout avec les options
• Sensible aux roulières
• Fiabilité très variable

BMW X6

▸ **Catégorie :** Multisegment

▸ **Cote d'assurance :** $$$$

▸ **Échelle de prix :** 68 000 $ à 85 000 $ (estimé)

▸ **Garanties :** 4 ans/80 000 km, 4 ans/80 000 km

▸ **Transport et prép. :** 2 095 $

▸ **Ventes CAN 2013 :** 749 unités

Beau comme un camion

Jean-François Guay

Même si le X6 a connu une carrière chancelante, le Sports Activity Coupe – tel que BMW aime l'appeler – est maintenant engagé sur la voie de la rentabilité. La preuve que les ventes vont bien : plus de 250 000 unités ont été vendues à travers le monde depuis son introduction en 2008. Encore plus surprenant est de savoir que des rivaux se dresseront bientôt sur son chemin. D'une part, Mercedes-Benz a confirmé vouloir s'immiscer dans ce segment spécialisé en dévoilant au dernier Salon de Pékin un concept dont le style s'inspire du X6, soit le Concept Coupe SUV ; d'autre part, Porsche a laissé sous-entendre qu'un modèle coupé pourrait être extrapolé à partir du prochain Cayenne attendu pour 2017. Quant à Audi, une rumeur court voulant qu'un éventuel Q8 puisse venir s'intercaler entre le Q7 et le futur Q9. Comme quoi, les VUS extravertis ont la cote.

Dès son introduction en 2008, le X6 a été la cible de nombreuses critiques. Les uns lui reprochaient son manque de polyvalence, les autres le rabrouaient pour son plaisir suave à ingurgiter du carburant. En créant le X6, il faut comprendre que les stylistes et les ingénieurs de BMW s'étaient fait un cadeau à eux-mêmes. Tout l'aspect pratique d'un VUS avait été écarté au profit d'un design inédit et d'un comportement routier s'apparentant à celui d'une voiture sport. Les caprices des concepteurs avaient même dicté l'installation d'une banquette arrière avec sièges individuels pour deux personnes. Cet excès de style a finalement été corrigé et le X6 compte maintenant de série trois ceintures de sécurité à l'arrière – alors que les deux sièges demeurent optionnels.

Une ligne plus sculptée

Pour ne pas s'en laisser imposer par la concurrence qui se pointe à l'horizon, BMW apporte plusieurs modifications au X6 en 2015. Toutefois, redessiner et raviver l'intérêt pour un

Impressions de l'auteur		Concurrents
Agrément de conduite : ★★★★⯪ 4,5		Infiniti QX70, Land Rover
Fiabilité : ★★★⯪ 3,5		Range Rover Sport,
Sécurité : ★★★★ 4		Mercedes-Benz Classe ML,
Qualités hivernales : ★★★★ 4		Porsche Cayenne
Espace intérieur : ★★★ 3		
Confort : ★★★⯪ 3,5		

véhicule aussi atypique n'est pas une sinécure. Dans un premier temps, le X6 adopte la partie avant du récent X5, laquelle a été redessinée l'an dernier. Ainsi, la calandre est surplombée par des naseaux plus imposants qui sont reliés à de larges phares bixénon de série. En option, des phares adaptatifs aux DEL sont proposés. De profil, les lignes de la carrosserie sont plus accentuées et les contours plus tranchants. En vue arrière, l'aménagement du hayon, du pare-chocs et des feux aux DEL est mieux réussi que précédemment et fait paraître le X6 plus athlétique.

À l'intérieur, le tableau de bord a été concocté dans la tradition bavaroise avec une console centrale orientée vers le conducteur. Outre le combiné habituel regroupant les cadrans et jauges de l'instrumentation, le système de commande iDrive de série inclut un écran plat de 10,2 po. En option, le système de navigation comprend la commande iDrive Touch à pavé tactile et une chaîne audio haut de gamme Bang & Olufsen. Les sièges peuvent être habillés de cuir/alcantara alors que les places arrière sont chauffantes, en option.

Sous le capot

Tradition oblige chez BMW, la version d'entrée de gamme xDrive35 est propulsée par un six cylindres en ligne. Pourvu d'un turbocompresseur et de l'injection directe, ce 3,0 litres délivre 300 chevaux – une puissance amplement suffisante. Pour des performances plus étincelantes la version xDrive50i dispose de la dernière livrée du V8 biturbo de 4,4 litres, lequel développe 445 chevaux – une augmentation de 40 chevaux par rapport à l'an dernier. Bénéficiant de l'injection directe, de la distribution Valvetronic et du système Double Vanos, la consommation du V8 devrait diminuer d'environ 20 %.

Les deux moteurs sont couplés à une boîte semi-automatique à 8 rapports. Le levier de vitesses reste implanté dans la console centrale et son maniement demeure aussi alambiqué. Mais, on s'habitue après un certain temps. Il est possible également de changer les vitesses à l'aide de palettes au volant. Pour un départ canon, la transmission est équipée d'une fonction automatisée (Launch Control) qui optimise la motricité aux 4 roues. Habituellement réservé aux voitures de haute performance, ce dispositif sert davantage à épater les amis qu'à autre chose !

Quant à la version ultime M, elle n'est pas encore sur les rangs. Toutefois, la puissance présumée de son V8 biturbo de 4,4 litres devrait frôler les 600 chevaux. Du côté du diesel, il serait surprenant que le X6 vendu en Amérique du Nord soit offert avec une telle motorisation - du moins au début. Cependant, il ne faut jamais dire, fontaine, je ne boirai de ton eau puisque trois versions à moteur turbodiesel (xDrive30d, xDrive40d et xDrive50d) sont proposées ailleurs dans le monde. Chez nous, on peut toujours espérer...

Châssis - xDrive 50i

Emp / lon / lar / haut	2933 / 4909 / 2170 / 1702 mm
Coffre / Réservoir	580 à 1525 litres / 85 litres
Nombre coussins sécurité / ceintures	6 / 5
Suspension avant	indépendante, double triangulation
Suspension arrière	indépendante, pneumatique, multibras
Freins avant / arrière	disque / disque
Direction	à crémaillère, ass. variable électrique
Diamètre de braquage	12,8 m
Pneus avant / arrière	P255/50R19 / P255/50R19
Poids / Capacité de remorquage	2345 kg / n.d.
Assemblage	Spartanburg, SC

Composantes mécaniques

xDrive 35i

Cylindrée, soupapes, alim.	6L 3,0 litres 24 s turbo
Puissance / Couple	300 chevaux / 300 lb-pi
Tr. base (opt) / rouage base (opt)	A8 / Int
0-100 / 80-120 / V.Max	6,5 s (const) / n.d. / 210 km/h
100-0 km/h	n.d.
Type / ville / route / co_2	Sup / 11,3 / 6,9 l/100 km / 4287 kg/an

xDrive 50i

Cylindrée, soupapes, alim.	V8 4,4 litres 32 s turbo
Puissance / Couple	445 chevaux / 480 lb-pi
Tr. base (opt) / rouage base (opt)	A8 / Int
0-100 / 80-120 / V.Max	4,8 s / 3,2 s / 250 km/h
100-0 km/h	43,2 m
Type / ville / route / co_2	Sup / 13,0 / 7,7 l/100 km / 4883 kg/an

Du nouveau en 2015

Nouvelle génération, carrosserie et habitacle redessinés, V8 moins gourmand, équipement de série plus complet.

FEU VERT
- Design unique
- Moteurs efficaces
- Tenue de route dynamique
- Systèmes d'aide à la conduite sophistiqués

FEU ROUGE
- Visibilité vers l'arrière atroce
- Espace de chargement étriqué
- Maniement du levier de vitesses
- Options trop nombreuses

Photos: BMW Canada

BMW **Z4**

▶ **Catégorie :** Roadster

▶ **Cote d'assurance :** n.d.

▶ **Échelle de prix :** 54 300 $ à 77 900 $ (2014)

▶ **Garanties :** 4 ans/80 000 km, 4 ans/80 000 km

▶ **Transport et prép. :** 2 095 $

▶ **Ventes CAN 2013 :** 237 unités

Élégante sophistication

Denis Duquet

Il serait difficile de reprocher à BMW de dormir au gaz. En effet, année après année, ses modèles sont améliorés et reconfigurés afin de les tenir au diapason de chacune des catégories. La Z4 est elle aussi la cible de ce perpétuel fignolage, d'autant plus que sa dernière révision en profondeur remonte à plusieurs années. D'où la refonte partielle de l'an passé, qui lui permet d'offrir des arguments de vente intéressants face à ses concurrentes directes que sont les Mercedes-Benz SLK et Porsche Boxster. Mais ces modèles plus récents ont quand même le dessus.

Chaque fois que je croise une Z4 sur la route, je songe toujours à la première génération de ce roadster qui était appelée Z3, apparue en 1995. Le Z3 ciblait directement la Mazda Miata de l'époque. Il s'agissait d'un roadster passablement basique et doté d'une silhouette classique au demeurant fort bien réussie. Son moteur quatre cylindres de 1,9 litre n'était pas trop puissant

avec ses 138 chevaux, mais c'était un plaisir de jouer de la boîte de vitesses manuelle pour en tirer toute la puissance et s'amuser à presque atteindre la limite sur des routes sinueuses. Soulignons au passage que la lettre Z était le diminutif de *Zukunft*, terme allemand signifiant « futur ».

Les temps ont beaucoup changé et la Z4 présentement sur le marché revêt l'une des silhouettes les plus audacieuses de la catégorie, en plus d'être coiffée d'un toit rétractable rigide qui, une fois en place, lui donne les allures d'un coupé aux lignes fuyantes. Sans oublier une mécanique musclée.

Classique quand même

Ce roadster est doté d'une silhouette qui marie bien les éléments traditionnels de la marque et des allures futuristes, ce qui le met dans une classe spéciale. Même s'il n'est pas aussi populaire que certaines concurrentes, il est certain que les collectionneurs vont payer le prix pour s'en procurer un d'ici quelques années. Et si les modèles antérieurs étaient

Impressions de l'auteur		Concurrents
Agrément de conduite : ★★★★☆	4	Audi TT, Mercedes-Benz Classe SLK, Nissan Z, Porsche Boxster
Fiabilité : ★★★☆½	3,5	
Sécurité : ★★★★☆	4	
Qualités hivernales : ★★½☆☆	2,5	
Espace intérieur : ★★★☆☆	3	
Confort : ★★★☆½	3,5	

demeurés fidèles au toit souple, cette génération propose un toit rigide qui se remise en moins de 20 secondes, une opération qui peut s'effectuer jusqu'à une vitesse de 40 km/h. Une fois en place, on perd une bonne section du coffre, mais c'est le prix à payer pour le confort et l'élégance. Il faut souligner que la Z4 est le premier roadster à offrir un passe skis, tandis qu'un ingénieux système permet d'accéder facilement aux bagages, même le toit remisé.

À une certaine époque, la planche de bord de la Z4 était d'une désolation totale avec ses grandes surfaces en plastique de qualité moyenne. La plus récente révision a amélioré les choses, surtout avec cette section centrale dominée par un écran escamotable de près de neuf pouces et cette bande argentée qui accueille d'autres commandes. Par contre, proportionnellement à la modernité de la silhouette, le volant fait un peu rétro. Mais, et c'est le plus important, il se prend bien en main en raison de son boudin assez gros. Bien entendu, le système de gestion iDrive est encore de la partie. Il a été maintes fois amélioré au fil des années, mais il trouve toujours le moyen de nous faire pomper de temps à autre.

De puissant à très puissant

Le modèle de base, sDrive28i, est propulsé par un quatre cylindres turbo de 2,0 litres produisant 241 chevaux. Une puissance suffisante pour boucler le 0-100 km/h en moins de six secondes, ce qui n'est pas trop mal. Toutefois, tous se plaignent de sa sonorité qui ressemble à celle d'un diesel au ralenti... Sa transmission manuelle à six rapports est précise mais elle ne possède pas la même douceur que la majorité des boîtes manuelles de la marque. Un argument de plus pour opter pour l'automatique à huit rapports.

Les deux autres modèles sont dotés du même moteur six cylindres en ligne de 3,0 litres turbocompressé. Le premier équipe la sDrive35i et produit 300 chevaux. Dans la sDrive35is, il produit 35 équidés de plus.

Malgré une motorisation exceptionnelle, un poste de pilotage confortable bénéficiant d'une bonne insonorisation, le toit en place bien entendu, la Z4 sous toutes ses moutures est davantage un roadster grand tourisme qu'une sportive à tous crins comme la Porsche Boxster qui lui ferait la fête sur un circuit de course.

Il ne faut pas en conclure que la BMW n'est pas une bonne routière. Sa tenue de route est très bonne, mais elle est handicapée par une direction qui manque de précision tandis que sa suspension a parfois de la difficulté à négocier les mauvais revêtements.

Malgré ces bémols, son élégance fait qu'on lui pardonne bien des choses.

Châssis - sDrive 28i

Emp / lon / lar / haut	2496 / 4239 / 1951 / 1291 mm
Coffre / Réservoir	180 à 310 litres / 55 litres
Nombre coussins sécurité / ceintures	6 / 2
Suspension avant	indépendante, leviers triangulés
Suspension arrière	indépendante, multibras
Freins avant / arrière	disque / disque
Direction	à crémaillère, ass. variable électrique
Diamètre de braquage	10,7 m
Pneus avant / arrière	P225/45R17 / P225/45R17
Poids / Capacité de remorquage	1480 kg / n.d.
Assemblage	Regensburg, Allemagne

Composantes mécaniques

sDrive 28i

Cylindrée, soupapes, alim.	4L 2,0 litres 16 s turbo
Puissance / Couple	241 chevaux / 258 lb-pi
Tr. base (opt) / rouage base (opt)	M6 (A8) / Prop
0-100 / 80-120 / V.Max	5,7 s (const) / 5,2 s / 210 km/h
100-0 km/h	n.d.
Type / ville / route / co₂	Sup / 9,0 / 5,6 l/100 km / 3450 kg/an

sDrive 35i

Cylindrée, soupapes, alim.	6L 3,0 litres 24 s turbo
Puissance / Couple	300 chevaux / 300 lb-pi
Tr. base (opt) / rouage base (opt)	M6 (A7) / Prop
0-100 / 80-120 / V.Max	5,3 s (const) / 5,0 s / 210 km/h
100-0 km/h	n.d.
Type / ville / route / co₂	Sup / 11,2 / 7,6 l/100 km / 4416 kg/an

sDrive 35is

Cylindrée, soupapes, alim.	6L 3,0 litres 24 s turbo
Puissance / Couple	335 chevaux / 332 lb-pi
Tr. base (opt) / rouage base (opt)	A7 / Prop
0-100 / 80-120 / V.Max	5,0 s (const) / 4,5 s / 250 km/h
100-0 km/h	n.d.
Type / ville / route / co₂	Sup / 12,4 / 8,5 l/100 km / 4876 kg/an

Du nouveau en 2015

Aucun changement majeur

FEU VERT
- Silhouette originale
- Moteurs exemplaires
- Confort et raffinement
- Agrément de conduite relevé

FEU ROUGE
- Système iDrive toujours rébarbatif
- Espaces de rangement à revoir
- Suspension sèche
- Quatre cylindres peu noble

Photos: BMW Canada

BUGATTI **VEYRON**

▸ **Catégorie :** Roadster   ▸ **Échelle de prix :** 1 495 000 $ à 1 695 000 $ ▸ **Transport et prép. :** n.d.

▸ **Cote d'assurance :** n.d.   ▸ **Garanties :** 2 ans/50 000 km, 2 ans/50 000 km   ▸ **Ventes CAN 2013 :** n.d.

Crescendo final pour un beau monstre

Marc Lachapelle

Si la Bugatti Veyron est une illustration spectaculaire du proverbe « impossible n'est pas français », cette fabuleuse voiture, championne de la démesure et de tous les extrêmes, a été créée par la volonté inflexible de l'ingénieur et potentat Ferdinand Piëch, servie par les moyens gigantesques du groupe Volkswagen. On ne fait pas plus allemand. Or, cet exploit technique remarquable en est maintenant à la dernière étape d'un parcours déjà légendaire. Bien malin qui connait la suite.

L'histoire de l'automobile reconnaîtra à coup sûr le respect immense et les ressources extraordinaires que cet empire germanique de l'automobile aura accordés au sauvetage et à la relance de cette marque française illustre et noble entre toutes. Au point de racheter le château Saint-Jean en Alsace, propriété de la famille Bugatti, après avoir acquis les droits sur la marque elle-même en 1998. Question d'y installer les

bureaux de la direction et d'y construire une usine pour y fabriquer une nouvelle série. Un boulot qui a demandé trois semaines de labeur à cinq techniciens pour chacune des quelque 450 voitures produites depuis 2005.

La Bugatti Veyron et ses variantes ont toutefois été conçues et développées en Allemagne, aux prix d'efforts inouïs, à un coût pharaonique. Des analystes américains ont même affirmé que Bugatti perd plus de 6 $ millions pour chaque voiture vendue, malgré une facture de plus de 2 $ millions pièce ! Ils estimaient aussi que le développement de la Veyron a coûté plus de 1,50 $ milliard. Un chiffre plausible si l'on tient compte des objectifs fixés par le bon docteur Piëch : une puissance de 1000 chevaux et une vitesse de pointe de 400 km/h pour un million d'euros. Voilà qui collait parfaitement à la devise d'Ettore Bugatti, le génial fondateur de la marque, qui était « rien n'est trop beau, rien n'est trop cher ».

Impressions de l'auteur	
Agrément de conduite :	★★★★⯪ 4,5/5
Fiabilité :	★★★★ 4/5
Sécurité :	★★★★⯪ 4,5/5
Qualités hivernales :	★★★⯪ 3,5/5
Espace intérieur :	★★★ 3/5
Confort :	★★★⯪ 3,5/5

Concurrents
Ferrari LaFerrari, Pagani Huayra, Porsche 918 Spyder

Le nom Bugatti Veyron 16.4 rendait hommage à Pierre Veyron, un pilote français qui a remporté entre autres les 24 heures du Mans en 1939 au volant d'une Bugatti Type 57C. Le suffixe 16.4 évoquait le nombre de cylindres de son moteur, un W16 de 8,0 litres, suivi du nombre de ses turbocompresseurs. Ce deuxième chiffre peut rappeler aussi que ses quatre roues sont motrices.

Jamais contents

Les cibles de puissance et de vitesse furent déjà atteintes par la première Veyron 16.4, lancée en 2005. Il faut dire que ses 1001 chevaux PS (la mesure allemande) équivalaient à 987 chevaux SAE, la norme américaine qui nous est plus familière. Sa vitesse de pointe était de 408 km/h. Ces chiffres furent surpassés lorsque Bugatti présenta le coupé Veyron Super Sport, dont le moteur produisait 1 200 chevaux PS (1 183 chevaux SAE) et qui atteignit 431,072 km/h pour reprendre en 2010 le titre de voiture de série la plus rapide au monde. Et l'an dernier, la version Grand Sport Vitesse est devenue la décapotable la plus rapide de la planète en atteignant 408,84 km/h avec la même mécanique. Prière d'attacher solidement sa tuque...

Le collègue Jim Kenzie a décrit la conduite échevelée de ce dernier modèle dans l'édition précédente du Guide. Depuis, nous avons mesuré l'accélération d'une Veyron modifiée par un préparateur d'ici. Le 0-100 km/h en 2,8 secondes, le quart de mille en 9,9 secondes et les 236,9 km/h en bout de piste sont les meilleurs que nous ayons enregistrés. Pas mal pour une voiture de plus de deux tonnes dont les pneus étaient trop usés! C'est toutefois le souvenir de la puissance stupéfiante du son de turbine déchaînée et du freinage féroce, aérofrein relevé, qui nous est resté.

Dernière chance

Les trois cents coupés Veyron avaient trouvé preneur fin 2011. Les dernières voitures allaient donc être toutes décapotables. En décembre 2013, Bugatti annonçait que la 400e venait d'être vendue au prix modique de 3,25 $ millions, avant taxe. Il s'agissait du dernier exemplaire de la Veyron « Jean-Pierre Wimille », un autre pilote français des années de gloire. C'était la première des six éditions spéciales de la série « Les légendes de Bugatti » dont seulement trois exemplaires seront produits pour chacune, tous dérivés de la Grand Sport Vitesse. Des voitures qui se distinguent par leur présentation et certains détails uniques.

Un calcul rapide nous apprend qu'il en restera une trentaine lorsque ces éditions spéciales auront été vendues. Quoi qu'il en soit, la place de la Bugatti Veyron 16.4 est déjà réservée dans l'histoire de l'automobile. À l'ère des supervoitures à propulsion électrique ou hybride, elle marque l'apogée et le point culminant de l'âge purement mécanique de l'automobile. En cela, elle ne sera jamais surpassée.

Châssis - Vitesse

Emp / lon / lar / haut	2710 / 4462 / 1998 / 1204 mm
Coffre / Réservoir	n.d. / 100 litres
Nombre coussins sécurité / ceintures	2 / 2
Suspension avant	indépendante, triangles superposés
Suspension arrière	indépendante, triangles superposés
Freins avant / arrière	disque / disque
Direction	à crémaillère, ass. variable
Diamètre de braquage	11,0 m
Pneus avant / arrière	PAX245/30R20 / PAX335/30R20
Poids / Capacité de remorquage	1990 kg / n.d.
Assemblagev	Molsheim, Alsace, FR

Composantes mécaniques

Grand Sport

Cylindrée, soupapes, alim.	W16 8,0 litres 64 s turbo
Puissance / Couple	1001 chevaux / 922 lb-pi
Tr. base (opt) / rouage base (opt)	A7 / Int
0-100 / 80-120 / V.Max	2,7 s (const) / n.d. / 407 km/h
100-0 km/h	31,4 m
Type / ville / route / CO_2Sup	41,9 / 15,6 l/100 km / 13830 kg/an

Vitesse

Cylindrée, soupapes, alim.	W16 8,0 litres 64 s turbo
Puissance / Couple	1200 chevaux / 1106 lb-pi
Tr. base (opt) / rouage base (opt)	A7 / Int
0-100 / 80-120 / V.Max	2,6 s (const) / n.d. / 410 km/h
100-0 km/h	31,4 m
Type / ville / route / CO_2Sup	41,9 / 15,6 l/100 km / 13830 kg/an

Du nouveau en 2015

Éditions spéciales « Les Légendes de Bugatti ».

- Puissance et accélération stupéfiantes
- Freinage carrément féroce
- Conduite étonnamment facile
- Construction et technique extraordinaires

- Rangements presque nuls
- Consommation gargantuesque
- Pas vraiment jolie
- Plutôt chère

Photos : Bugatti

CHEVROLET TRAVERSE

BUICK **ENCLAVE**/CHEVROLET **TRAVERSE**/GMC **ACADIA**

▶ **Catégorie :** Multisegment

▶ **Échelle de prix :** 43 745 $ à 55 995 $ (2014)

▶ **Transport et prép. :** 1 950$

▶ **Cote d'assurance :** $$$$$

▶ **Garanties :** 4 ans/80 000 km, 5 ans/160 000 km

▶ **Ventes CAN 2013 :** 3 286 unités*

De la place pour tout

Benjamin Hunting

S i les VUS grand format construits à partir d'une plateforme de camion sont désormais une espèce en voie de disparition, c'est en bonne partie à cause de l'arrivée de véhicules multisegments comme le Buick Enclave. À moins d'avoir d'énormes charges à remorquer, l'Enclave et ses cousins corporatifs, les GMC Acadia et Chevrolet Traverse, font pratiquement le même travail, mais ils sont beaucoup plus agréables à conduire. Ils offrent un espace de chargement gigantesque, la possibilité d'accueillir huit personnes sur trois rangées de sièges, et une capacité de remorquage tout de même respectable de 2 041 kg (4 500 livres), si équipé en conséquence.

Trois personnalités différentes

Le Traverse, l'Acadia et l'Enclave sont construits à partir d'une même architecture de base, mais chacun a son style et ses caractéristiques propres. Le Chevrolet Traverse est le plus

abordable : sa liste de caractéristiques est modeste, mais on peut tout de même l'équiper de sièges de cuir, de la connectivité Bluetooth, du système MyLink, et d'un système de navigation dans le cas de la version LTZ. Le GMC Acadia est un peu mieux pourvu à la base et si on opte pour sa déclinaison Denali, on obtient de nombreux extras : toit panoramique, affichage au pare-brise, calandre spéciale, chrome, finition intérieure supérieure, habitacle plus silencieux. Le Buick Enclave trône au sommet de ce petit groupe. Ses lignes sont plus élégantes, l'habitacle a eu droit à un traitement insonorisant particulièrement efficace et on peut y ajouter des garnitures en bois, un système de climatisation automatique à trois zones et des sièges de cuir chauffants et ventilés.

Peu importe le modèle choisi, vous aurez accès à une vaste gamme de dispositifs de sécurité de pointe. En plus de coussins gonflables de base, ces gros multisegments sont livrés avec un coussin supplémentaire entre les deux sièges avant, afin d'empêcher les occupants de s'entrechoquer en

Impressions de l'auteur		Concurrents
Agrément de conduite : ★★★⯪☆ 3,5/5		Acura MDX, Audi Q7,
Fiabilité : ★★★★☆ 4/5		BMW X5, Lincoln MKT,
Sécurité : ★★★★★ 5/5		Mercedes-Benz Classe M,
Qualités hivernales : ★★★★⯪ 4,5/5		Volkswagen Touareg, Volvo XC90
Espace intérieur : ★★★★⯪ 4,5/5		
Confort : ★★★★☆ 4/5		

* Chevrolet Traverse : 3 281 unités, GMC Acadia : 4 741 unités

cas d'accident grave. On peut aussi obtenir un système de surveillance des angles morts, des avertisseurs de collision avant et de changement de voie, ainsi qu'un dispositif d'aide au stationnement. Les marques de luxe traditionnelles n'offrent pas toutes autant d'équipement de sécurité que ces produits de GM, ce qui rend ces derniers encore plus intéressants pour trimbaler toute la petite famille.

Comme une berline ultra-spacieuse

Un des principaux arguments de vente en faveur du trio Enclave, Acadia et Traverse, c'est que leur conduite s'apparente plus à celle d'une grosse berline qu'à celle d'une camionnette plein format. Bien sûr, ils ne sont pas conçus pour la conduite sportive sur les petites routes de montagne. Mais vous n'aurez pas de problème à les manœuvrer dans la circulation ou sur les routes à deux voies. Les trois sont dotés d'une suspension calibrée en fonction du confort plutôt que des performances; vous ne vous ferez donc pas trop *brasser* sur les routes défoncées, même en roulant sans charge.

Dans tous les cas, on peut opter pour la traction intégrale, ce qui améliore leur comportement routier en hiver. Tous les modèles sont entraînés par un V6 de 3,6 litres, relié à une transmission automatique à six rapports. L'Acadia et l'Enclave affichent une puissance de 288 chevaux et un couple de 270 lb-pi. Le Traverse est légèrement moins puissant, sauf si l'on opte pour la version LTZ et son double système d'échappement. Il ne s'agit pas là d'une cavalerie excessive compte tenu du poids à déplacer. On trouve tout de même assez de chevaux sous le capot pour suivre la circulation facilement et ne pas avoir à s'inquiéter quand on monte une pente à pic avec les huit sièges occupés. La consommation d'essence est inférieure à celle de cousins comme le Chevrolet Suburban.

Le Buick Enclave, le Chevrolet Traverse et le GMC Acadia méritent certainement d'être examinés par les familles qui ne réussissent plus à entrer dans leur berline ou leur *hatchback*, mais qui ne veulent pas pour autant opter pour le style timide de la plupart des fourgonnettes modernes. Avec ces multisegments grand format, vous obtenez presque le même niveau de fonctionnalité, avec en prime la traction intégrale et un look moins anonyme. Et si vous optez pour l'Enclave ou l'Acadia Denali, vous obtiendrez également un niveau de confort surprenant et une liste de caractéristiques pratiques qu'on ne trouve pas souvent dans les autres véhicules offerts à prix comparables.

Châssis - Enclave haut de gamme TA

Emp / lon / lar / haut	3021 / 5127 / 2006 / 1822 mm
Coffre / Réservoir	660 à 3263 litres / 83 litres
Nombre coussins sécurité / ceintures	7 / 7
Suspension avant	indépendante, jambes de force
Suspension arrière	indépendante, multibras
Freins avant / arrière	disque / disque
Direction	à crémaillère, ass. variable
Diamètre de braquage	12,3 m
Pneus avant / arrière	P255/60R19 / P255/60R19
Poids / Capacité de remorquage	2143 kg / 2045 kg (4508 lb)
Assemblage	Lansing, MI

Composantes mécaniques

Chevrolet Traverse

Cylindrée, soupapes, alim.	V6 3,6 litres 24 s atmos.
Puissance / Couple	281 chevaux / 266 lb-pi
Tr. base (opt) / rouage base (opt)	A6 / Tr (Int)
0-100 / 80-120 / V.Max	8,5 s / 7,1 s / n.d.
100-0 km/h	46,5 m
Type / ville / route / CO_2	Ord / 13,0 / 8,6 l/100 km / 5060 kg/an

Buick Enclave, GMC Acadia, Chevrolet Traverse

Cylindrée, soupapes, alim.	V6 3,6 litres 24 s atmos.
Puissance / Couple	288 chevaux / 270 lb-pi
Tr. base (opt) / rouage base (opt)	A6 / Tr (Int)
0-100 / 80-120 / V.Max	9,4 s / 8,5 s / 200 km/h
100-0 km/h	44,1 m
Type / ville / route / CO_2	Ord / 13,1 / 8,8 l/100 km / 5106 kg/an

BUICK ENCLAVE

Du nouveau en 2015

Aucun changement majeur

FEU VERT

- Prix abordables
- Espace intérieur très généreux
- Traction intégrale disponible
- Niveau de luxe surprenant
- Dispositifs de sécurité de pointe

FEU ROUGE

- Le moteur pourrait être un peu plus puissant
- Moteur pas aussi doux que certains rivaux
- Tenue de route limitée par le poids
- Le Traverse est moins silencieux que l'Enclave

GMC ACADIA

Photos : GM Canada

BUICK ENCLAVE / CHEVROLET TRAVERSE / GMC ACADIA

BUICK **LACROSSE**

▶ **Catégorie :** Berline	▶ **Échelle de prix :** 37 745 $ à 45 605 $ (2014)	▶ **Transport et prép. :** 1 950$
▶ **Cote d'assurance :** $$$$	▶ **Garanties :** 4 ans/80 000 km, 5 ans/160 000 km	▶ **Ventes CAN 2013 :** 1 156 unités

C'est mou!

Nadine Filion

C'est mou, mais... si confortable. Spacieux. De fière allure. D'habitacle (presque) prestigieux. D'insonorisation au top. De roulement exemplaire. Bref, une limousine et on comprend que le maire de Québec l'ait choisie comme véhicule de fonction.

Mais... le maire de Québec ne la conduit pas, cette Buick LaCrosse. Il préfère en confier le volant à son chauffeur, parce qu'il se dit trop distrait au volant – une tare qui remonte à sa première voiture, une Pontiac Laurentian 1965, qu'il a accidentée dès sa première sortie.

Contre toute distraction – ou presque !
La distraction du futur célèbre maire serait aujourd'hui contenue avec les gadgets (généralement en option) de la Buick LaCrosse, notamment l'alerte aux collisions et à la circulation transversale lors des manœuvres de recul.

Ça menace de frapper à gauche ? Le siège conducteur vibre à gauche. Ça risque de frapper à droite ? Ça vibre à droite.

Aussi, les conducteurs de LaCrosse apprécient ce régulateur de vitesse « intelligent », qui tient compte de la vélocité des autres véhicules. Ajoutez les alertes d'angles morts et de changements de voie, ainsi que la caméra de recul, de série pour 2015, et voilà qu'on est bardé contre tout incident « distractionnel ».

Le maire de Québec soutient avoir choisi la Buick pour son confort et vrai qu'il s'agit là de l'une des berlines où il fait le mieux vivre. C'est également la top insonorisation là-dedans. Bon, les rangements sont peu logeables, quelques plastiques durs n'ont pas leur place à bord et les larges piliers A obstruent la vue. Mais ceux qui occupent la banquette (arrière) trouvent l'espace aux têtes correct, et encore plus aux jambes. À l'avant, les chauffeurs apprécient les sièges moelleux à souhait, de même que la planche de bord

Impressions de l'auteur		Concurrents
Agrément de conduite : ★★★½★ 3,5		Chevrolet Impala, Chrysler 300,
Fiabilité : ★★★★★ 4		Ford Taurus, Honda Accord, Lexus ES,
Sécurité : ★★★★★ 4		Lincoln MKZ, Toyota Camry
Qualités hivernales : ★★★★★ 4		
Espace intérieur : ★★★★★ 4		
Confort : ★★★★½ 4,5		

améliorée l'an dernier, puisque les « hiéroglyphes » ont disparu au profit d'un écran tactile simple à apprivoiser. Ceci dit, le « Buick IntelliLink » est encore perfectible. Oh, pour 2015, la voiture hérite du LTE 4G, ce qui la transforme en borne WiFi. Parfait pour bosser entre Québec-Montréal !

Plusieurs choisissent sûrement la Buick LaCrosse pour sa belle gueule : silhouette racée, élégante calandre en chute d'eau… elle donne fière allure. Plusieurs admettent l'avoir choisie pour son rapport qualité-prix. Euh… c'est que notre version testée (moteur V6 et AWD), avec toit panoramique, volant chauffant, sièges avant ventilés, visualisation tête haute (une « patente » vraiment géniale) et pare-soleil arrière électrique (*cool*, pour l'intimité), demandait plus de 50 000 $ sans pourtant offrir la navigation, ni le volant électrique, ni la banquette chauffante. Oups.

Pour la côte de Sillery…

Il existe deux versions de Buick Lacrosse. D'entrée de jeu, il y a celle à moteur quatre cylindres (2,4 l) de 182 chevaux, jumelé au dispositif eAssist. Cet organe électrique (20 chevaux) seconde le s'accélérations (parfait pour la côte de Sillery) et fait s'éteindre le moteur aux arrêts. De quoi économiser, dit le constructeur, 20 % d'essence versus le V6, sans les coûts et la complexité d'une hybride. Mais la chose a deux inconvénients. Batteries obligent, le coffre perd un cinquième de sa capacité et la traction intégral – de conception Haldex – n'est alors pas possible.

Pour survivre à nos hivers québécois, il faut donc se rabattre sur la variante V6 (3,6 l), la seule à se marier avec l'AWD. On hérite alors de 304 chevaux, une bien belle puissance livrée dans une maturité tranquille – et d'un frugal 7,3 l/100 km sur l'autoroute. Certes, il faut oublier les palpitations germaniques, mais la conduite est loin d'être soporifique pour autant. Elle est assurée (c'est la plateforme de l'européenne Opel Insignia qui se cache là-dessous), avec juste le bon dosage de direction et un freinage efficace.

Un reproche « transmission », quand même : oui, les rapports de la boîte automatique se négocient en transparence, mais six rapports, ça commence à être désuet dans une industrie qui en propose sept, huit et même neuf. Aussi, le mode manuel, logé au levier, exige une bien mauvaise contorsion du poignet. Et malheureusement, ce n'est pas demain la veille que des palettes au volant seront offertes sur cette Buick…

Évidemment, côté suspension, c'est le confort extrême sur la grand-route. Mais l'auteur de ces lignes trouve la balade nettement trop molle, à la limite du « bateau ». Être en voie d'acheter une voiture, assurément qu'elle ne reluquerait pas la Buick LaCrosse, elle envisagerait plutôt la Buick Verano. Mais promis, elle révisera sa position un jour… Plus tard !

Châssis - Haut de gamme I TI

Emp / lon / lar / haut	2837 / 5001 / 1857 / 1504 mm
Coffre / Réservoir	377 litres / 70 litres
Nombre coussins sécurité / ceintures	8 / 5
Suspension avant	indépendante, jambes de force
Suspension arrière	indépendante, multibras
Freins avant / arrière	disque / disque
Direction	à crémaillère, ass. variable électrique
Diamètre de braquage	11,8 m
Pneus avant / arrière	P245/45R19 / P245/45R19
Poids / Capacité de remorquage	1904 kg / 454 kg (1000 lb)
Assemblage	Kansas City, KS

Composantes mécaniques

eAssist

Cylindrée, soupapes, alim.	4L 2,4 litres 16 s atmos.
Puissance / Couple	182 chevaux / 172 lb-pi
Tr. base (opt) / rouage base (opt)	A6 / Tr
0-100 / 80-120 / V.Max	9,9 s / 7,1 s / n.d.
100-0 km/h	41,6 m
Type / ville / route / CO_2	Ord / 8,3 / 5,4 l/100 km / 3220 kg/an

Moteur Électrique

Puissance / Couple	20 chevaux (15kwh) / 79 lb-pi
Type de batterie	Lithium-ion
Énergie	0,5 kwh

Cuir, Haut de gamme

Cylindrée, soupapes, alim.	V6 3,6 litres 24 s atmos.
Puissance / Couple	304 chevaux / 264 lb-pi
Tr. base (opt) / rouage base (opt)	A6 / Tr (Int)
0-100 / 80-120 / V.Max	7,7 s / 5,3 s / n.d.
100-0 km/h	41,4 m
Type / ville / route / CO_2	Ord / 12,6 / 7,5 l/100 km / 4740 kg/an

Du nouveau en 2015

Lecture des message-textes, borne WiFi 4G LTE, appuie-tête avant ajustables (4 positions), caméra de recul et obturateurs de calandre désormais de série.

FEU VERT
- Grand confort intérieur
- Apport électrique (eAssist) qui lui va bien
- Excellente insonorisation
- Traction intégrale (moteur V6)

FEU ROUGE
- C'est mou !
- Pas de banquette chauffante
- Volant à ajustement manuel
- Pas d'AWD avec le « petit » moteur

Photos : Buick Canada

HYBRIDE

BUICK **REGAL**

▶ **Catégorie :** Berline

▶ **Cote d'assurance :** $ $$$$

▶ **Échelle de prix :** 34 725 $ à 44 875 $ (2014)

▶ **Garanties :** 4 ans/80 000 km, 5 ans/160 000 km

▶ **Transport et prép. :** 1 950$

▶ **Ventes CAN 2013 :** 740 unités

Dans le mille

Benjamin Hunting

L a Buick Regal a réussi tout un exploit en redéfinissant son image. La berline sport a eu droit à une mise à jour pour l'année-modèle 2014, et elle continue à s'imposer comme un modèle très intéressant dans la catégorie des voitures à quatre portes axées sur le plaisir de conduire. Il s'agit là de tout un accomplissement, surtout quand on considère que ses rivales ont maintenant pour nom Audi, Infiniti et Acura. Mieux que tout autre modèle, la Regal illustre la renaissance en cours chez General Motors avec ses lignes réussies, sa conduite solide, et son aménagement intérieur de qualité. Désormais, les voitures de luxe d'entrée de gamme ne sont plus la chasse gardée des fabricants d'outre-mer.

Aménagement intérieur réussi

Après avoir passé des années à concevoir des habitacles où le plastique était omniprésent, il est bon de voir que le géant

américain a réalisé que le style d'une voiture ne se limite pas à la carrosserie. La Buick Regal démontre bien ce virage. De plus, sa console centrale a été épurée et, au lieu des 17 cadrans, molettes et boutons, l'écran tactile IntelliLink de seconde génération travaille de concert avec seulement quelques boutons juste en bas. Facile à connecter avec les appareils Bluetooth, le dispositif IntelliLink comprend un système de navigation intuitif, et on peut le relier au bloc d'instrumentation configurable à ACL offert en option.

À l'intérieur, presque toutes les surfaces sont en cuir souple ou en plastique de qualité. Les portes et la planche de bord sont ornées de garnitures en métal. À l'avant, l'espace est adéquat ; les places arrière, par contre, sont un peu serrées pour un modèle de format presque intermédiaire. Les sièges sont très confortables, et on peut opter pour des modèles chauffants avec recouvrement en cuir. La Buick Regal est proposée avec trois différents « groupes » d'équipement, mais le modèle de base est bien équipé.

Impressions de l'auteur		Concurrents
Agrément de conduite : ★★★★½	4,5/5	Acura TLX, Lexus ES,
Fiabilité : ★★★½☆	3,5/5	Mercedes-Benz Classe C, Volvo S60
Sécurité : ★★★★☆	4/5	
Qualités hivernales : ★★★★½	4,5/5	
Espace intérieur : ★★★½☆	3,5/5	
Confort : ★★★★☆	4/5	

Une Buick dynamique

En plus d'avoir de la gueule, la Buick Regal est dotée d'un des châssis les plus performants de sa catégorie, et elle est propulsée par un moteur à la puissance solide. Le moulin en question est un quatre cylindres de 2,0 litres, suralimenté par turbocompresseur, qui produit 259 chevaux et un couple de 295 lb-pi. Il est relié à une transmission automatique à six rapports. À la base, la Regal GS est livrée avec roues motrices avant, mais la traction intégrale est également offerte en option. Il existe aussi un modèle mû par un 2,4 litres e-assist (à assistance électrique, une sorte d'hybride peu complexe, peu dispendieuse et qui consomme moins que le 2,0 litres turbo), elle n'est offerte qu'avec la traction et dans la configuration Premium I.

Avec la déclinaison sportive, la GS, la Regal a droit à des améliorations ubstantielles en matière de suspensions et de performances. Elle gagne des roues de 19 pouces, des sièges sport, des freins Brembo, une suspension avant haute performance, des pièces de carénage aérodynamiques et une instrumentation spéciale. La GS est dotée de trois modes de conduite : Normal, Sport, et GS. Quand on sélectionne ce dernier, la réponse de l'accélérateur est plus vive et les amortisseurs adaptatifs deviennent plus fermes pour améliorer la tenue de route. On peut également opter pour une boîte manuelle à six vitesses (sauf si l'on choisit la traction intégrale).

Cela dit, la berline de Buick n'est pas uniquement axée sur les performances. La consommation d'essence globale a été réduite de 17 % par rapport au modèle de l'an passé. De plus, même si le châssis se comporte avec aplomb quand on le pousse près de la limite, il sait aussi offrir un bon niveau de confort si l'on conduit de façon plus réservée. En fait, on ressent bien cette impression de solidité et de confiance si importante dans le créneau des voitures de luxe. La Regal affiche également un bon silence de roulement ; on se sent bien à l'abri du monde extérieur, mais sans pour autant perdre le contact avec la route.

Tout le monde savait que General Motors avait la capacité de construire une automobile comme la Buick Regal et sa déclinaison GS. Elle offre une expérience de conduite emballante, une puissance solide, un aménagement intérieur de classe mondiale, un bon niveau de confort et un style très réussi. De plus, son système de gestion de la traction intégrale répartit la puissance vers l'avant ou l'arrière, de façon à améliorer l'adhérence par mauvais temps et à optimiser les performances sur revêtement sec. Quand on combine tous ces éléments, on obtient une voiture qui n'est plus seulement une vague menace pour les modèles européens et japonais qui ont dominé ce segment de marché jusqu'ici.

Châssis - GS

Emp / lon / lar / haut	2738 / 4831 / 1857 / 1483 mm
Coffre / Réservoir	402 litres / 70 litres
Nombre coussins sécurité / ceintures	6 / 5
Suspension avant	indépendante, jambes de force
Suspension arrière	indépendante, multibras
Freins avant / arrière	disque / disque
Direction	à crémaillère, ass. variable électrique
Diamètre de braquage	11,6 m
Pneus avant / arrière	P245/40R19 / P245/40R19
Poids / Capacité de remorquage	1615 kg / n.d.
Assemblage	Oshawa, ON

Composantes mécaniques

eAssist

Cylindrée, soupapes, alim.	4L 2,4 litres 16 s atmos.
Puissance / Couple	182 chevaux / 172 lb-pi
Tr. base (opt) / rouage base (opt)	A6 / Tr
0-100 / 80-120 / V.Max	9,0 s / 7,8 s / n.d.
100-0 km/h	42,0 m
Type / ville / route / co_2	Ord / 8,3 / 5,4 l/100 km / 3220 kg/an

Turbo, Turbo TI, GS, GS TI

Cylindrée, soupapes, alim.	4L 2,0 litres 16 s turbo
Puissance / Couple	259 chevaux / 295 lb-pi
Tr. base (opt) / rouage base (opt)	A6 (M6) / Tr (Int)
0-100 / 80-120 / V.Max	7,4 s / 5,6 s / n.d.
100-0 km/h	41,5 m
Type / ville / route / co_2	Ord / 10,9 / 7,3 l/100 km / 4270 kg/an

Du nouveau en 2015

Aucun changement majeur

FEU VERT

- La plus belle berline de Buick
- Aménagement intérieur haut de gamme
- Très bon comportement routier
- Excellent moteur turbo
- Traction intégrale disponible

FEU ROUGE

- Les places arrière sont un peu serrées
- Pas de transmission manuelle pour les AWD
- Un seul moteur disponible
- Buick combat encore son image « pépère »

Photos : Buick Canada

BUICK **VERANO**

▶ **Catégorie :** Berline

▶ **Cote d'assurance :** n.d.

▶ **Échelle de prix :** 25 455 $ à 34 200 $ (2014)

▶ **Garanties :** 4 ans/80 000 km, 5 ans/160 000 km

▶ **Transport et prép. :** 1 950$

▶ **Ventes CAN 2013 :** 5 573 unités

Des arguments pour convaincre

Guy Desjardins

La Verano est arrivée sur le marché nord-américain en 2013. Son prix de départ aux alentours de 25 000 $ la positionnait alors au bas de l'échelle de la division Buick, ce qui est encore vrai aujourd'hui. Il ne faut pas oublier que la division de GM avait délaissé cette catégorie à la fin de 2004, dernière année de production de la Century. Mais heureusement, la Verano arbore une allure plus dynamique et vise une clientèle assurément plus jeune que la défunte Century.

Les plus perspicaces amateurs de voitures éplucheront scrupuleusement les différentes données techniques et en arriveront à la conclusion qu'il s'agit là d'une Chevrolet Cruze endimanchée, ce qui n'est pas mauvais en soi puisque la Cruze est un produit déjà très bien peaufiné. Chez Buick, on s'est donc attardé à rendre la conduite plus douce, plus silencieuse et plus... sportive ! Difficile de comprendre comment un modèle peut réunir efficacement ces trois adjectifs, mais

comme la Verano flirte avec des bagnoles de catégorie « berlines compactes sportives de luxe », il fallait bien entendu s'assurer de répondre à tous les adjectifs de ladite définition.

À l'américaine

Les dimensions réduites de la Verano n'ont pas empêché Buick de concocter un intérieur très inspiré. La présentation sobre et distinguée laisse cependant place à quelques légers défauts de finition. À commencer par la rencontre de certaines surfaces au niveau de la planche de bord qui ne sont pas toujours bien alignées, et aussi par l'utilisation de plastique qui fait un peu trop bon marché à d'autres endroits. D'ailleurs, l'aluminium brossé que l'on a tenté d'imiter avec du plastique d'une luisance exagérée n'inspire pas le luxe a priori.

Malgré un nom à résonance européenne, la Verano possède des qualités bien américaines. Une douceur de roulement irréprochable et un habitacle hyper insonorisé rendent les trajets très confortables, pour ne pas dire endormants ! Une

Impressions de l'auteur		Concurrents
Agrément de conduite : ★★★★☆ 4/5		Acura ILX, Audi A3
Fiabilité : ★★★★☆ 4/5		
Sécurité : ★★★★☆ 4/5		
Qualités hivernales : ★★★½☆ 3,5/5		
Espace intérieur : ★★★½☆ 3,5/5		
Confort : ★★★★½ 4,5/5		

fois que l'on est bien campé dans des sièges enveloppants, la position de conduite se trouve aisément et toutes les commandes tombent à portée de la main. Une belle note également pour la planche de bord centrale dont la présentation suit la tendance amorcée il y a quelques années par les véhicules de luxe japonais. À l'arrière, l'espace est juste, tant pour le dégagement au niveau de la tête que pour l'espace disponible aux jambes. Bien que conçue pour trois personnes, la banquette convient beaucoup mieux à deux adultes.

Sur la route, la Verano se défend bien avec le moteur 4 cylindres de base. Les prestations n'ont rien d'enivrant, mais s'avèrent suffisantes pour une clientèle qui ne cherche pas à se faire des frayeurs sur un circuit. Les suspensions filtrent incroyablement bien les défauts de la route et la consommation se maintient sous la barre des 8 litres aux 100 km au combiné.

Turbo, vous dites ?

Depuis l'an dernier, le catalogue de la Verano s'est enrichi d'une motorisation turbo permettant de dynamiser grandement le véhicule et d'élever ses prestations au niveau des pur-sang allemands, les principaux rivaux dans cette catégorie. Une nécessité, à notre avis, afin d'attirer une clientèle plus jeune, mais qui permet surtout de faire taire ceux qui prétendent que Buick ne produit que des véhicules insipides. Curieusement, la juxtaposition des mots Buick et turbo aurait été inconcevable il y a quelques années alors que seul un V8 pouvait amener plus de puissance et de sportivité. Aujourd'hui, la puissance n'est plus associée à la hiérarchisation des modèles et Buick suit la tendance du marché en collant un turbo au quatre cylindres. Et le résultat étonne, du moins pour ceux qui souhaitent une conduite un peu plus inspirée.

Alors que le moteur ECOTEC de 2,4 litres ne propose que 180 chevaux, celui de la version turbo fait osciller la balance à 250. Une puissance additionnelle bien accueillie permettant à la fois de livrer des accélérations étonnantes, mais assurant également de disposer d'une cavalerie suffisante lors des dépassements. Autre atout réservé à la Verano Turbo, la boîte manuelle à six rapports en option. Elle s'opère agréablement bien, mais ne jouit pas de la vivacité des modèles concurrents qui sont nettement plus axés sur les performances.

Buick suit la parade en inscrivant une berline de luxe compacte sportive à son catalogue. Son prix très abordable, sa douceur de roulement et sa motorisation turbo lui donnent de bons atouts face à la concurrence. Toutefois, son style générique et sa réputation toujours bien présente de véhicule à papi lui rendent la tâche difficile lorsque vient le temps de se démarquer face à des modèles comme les nouvelles Audi A3 et Mercedes-Benz CLA, deux de ses concurrentes directes.

Châssis - SD

Emp / lon / lar / haut	2685 / 4671 / 1815 / 1484 mm
Coffre / Réservoir	405 litres / 59 litres
Nombre coussins sécurité / ceintures	10 / 5
Suspension avant	indépendante, jambes de force
Suspension arrière	semi-indépendante, poutre de torsion
Freins avant / arrière	disque / disque
Direction	à crémaillère, ass. électrique
Diamètre de braquage	11,0 m
Pneus avant / arrière	225/50R17 / 225/50R17
Poids / Capacité de remorquage	1497 kg / 454 kg (1000 lb)
Assemblage	Orion, MI

Composantes mécaniques

Base, SD, SG, Cuir

Cylindrée, soupapes, alim.	4L 2,4 litres 16 s atmos.
Puissance / Couple	180 chevaux / 171 lb-pi
Tr. base (opt) / rouage base (opt)	A6 / Tr
0-100 / 80-120 / V.Max	8,6 s / n.d. / n.d.
100-0 km/h	n.d.
Type / ville / route / co_2	Ord / 9,9 / 6,2 l/100 km / 3818 kg/an

Turbo

Cylindrée, soupapes, alim.	4L 2,0 litres 16 s turbo
Puissance / Couple	250 chevaux / 260 lb-pi
Tr. base (opt) / rouage base (opt)	A6 (M6) / Tr
0-100 / 80-120 / V.Max	7,0 s / 4,8 s / n.d.
100-0 km/h	41,6 m
Type / ville / route / co_2	Sup / 10,5 / 6,7 l/100 km / 4045 kg/an

Du nouveau en 2015

Aucun changement majeur

FEU VERT
- Excellente insonorisation
- Suspension efficace
- Douceur de roulement
- Moteur turbo excitant
- Prix intéressant

FEU ROUGE
- Utilisation discutable du plastique
- Habitacle compact
- Silhouette terne
- Finition parfois déficiente
- Places arrière serrées

Photos: Alain Morin

CADILLAC **ATS**

▶ **Catégorie :** Berline, Coupé

▶ **Échelle de prix :** 31 500 $ à 48 725 $ (2014)

▶ **Transport et prép. :** 2 050 $

▶ **Cote d'assurance :** n.d.

▶ **Garanties :** 4 ans/80 000 km, 5 ans/160 000 km

▶ **Ventes CAN 2013 :** 3 256 unités

C'est du sérieux

Gabriel Gélinas

Lancée à l'assaut des berlines sport allemandes que sont les Audi A4, BMW Série 3 et autres Mercedes-Benz de Classe C, la Cadillac ATS a frappé un grand coup dès son arrivée en méritant les éloges de la presse spécialisée. Et ce, grâce à un niveau de dynamique relevé de plusieurs crans par rapport aux modèles précédents de la marque. Conçue comme une voiture « mondiale » destinée à plusieurs marchés, et non seulement en fonction des attentes de la clientèle américaine, l'ATS s'est imposée comme une rivale sérieuse pour les valeurs sûres de la catégorie des berlines sport.

En janvier 2014, au Salon de l'auto de Detroit, Cadillac dévoilait en primeur la nouvelle ATS Coupe, histoire de jouer sur de nouveaux tableaux et de concurrencer directement les modèles coupés dérivés des berlines sport de la concurrence. Il ne manque plus maintenant qu'un cabriolet pour que

Cadillac puisse compléter la gamme. Lors de ce dévoilement, nous avons appris que le coupé ATS inaugurait le nouvel écusson de la marque et avons constaté que ce modèle affichait une partie avant distincte de la berline. Suite à la réception favorable accordée au coupé ATS, le style de la berline a été revu afin d'adopter le même aspect que celui du coupé et cela constitue l'un des principaux changements apportés à ce modèle pour 2015.

Par ailleurs, le coupé ATS se démarque par ses voies plus larges, à l'avant comme à l'arrière, et sa répartition des masses est de 51 % sur le train avant et de 49 % sur l'arrière, alors que celle de la berline conserve un ratio de 52/48. Tout comme la berline, le coupé est livrable en propulsion ou avec le rouage intégral, mais seulement deux moulins sont proposés, soit le V6 et le quatre cylindres turbocompressé. Le système audio de la voiture est mis à contribution pour amplifier la sonorité du moteur, histoire d'ajouter une dimension sonore plus présente à l'agrément de conduite.

Impressions de l'auteur		Concurrents
Agrément de conduite :	★★★★☆ 4/5	Acura TLX, Audi A4, BMW Série 3,
Fiabilité :	★★★★⯪ 4,5/5	Infiniti Q50/Q60, Lexus IS,
Sécurité :	★★★★⯪ 4,5/5	Lincoln MKZ,
Qualités hivernales :	★★★★⯪ 4,5/5	Mercedes-Benz Classe C, Volvo S60
Espace intérieur :	★★★☆☆ 3/5	
Confort :	★★★⯪☆ 3,5/5	

Un châssis performant

La grande force de la Cadillac ATS, c'est son châssis remarquablement équilibré et des suspensions très bien calibrées qui font en sorte que la tenue de route est excellente et que les mouvements de la caisse sont maîtrisés. La direction communique bien la sensation de la route et le freinage est également très performant avec une pédale qui est à la fois ferme et réactive. Il faut croire que les ingénieurs de Cadillac ont beaucoup appris de leurs essais menés en Europe, car le châssis de l'ATS et ses liaisons au sol sont en phase avec les meilleures allemandes de la catégorie.

Par contre, il reste encore du travail à faire pour ce qui est des motorisations, particulièrement afin de les rendre plus souples et agréables. Par exemple, le moteur quatre cylindres turbocompressé de l'ATS livre sa puissance maximale de façon assez pointue à un pic de 5 500 tours/minute, alors que le quatre cylindres turbocompressé de la BMW 328i fait preuve d'une plus grande souplesse en libérant son couple de façon presque linéaire de 1 250 tours/minute jusqu'à sa limite de révolutions. Même constat concernant les six cylindres où le V6 de Cadillac n'est pas aussi onctueux et souple que le sublime six cylindres en ligne turbocompressé du constructeur bavarois. De plus, l'essai d'une berline ATS à quatre cylindres turbocompressé m'a permis de constater que le moteur vibrait assez fortement au ralenti lorsque la voiture était immobilisée à un feu rouge, par exemple. C'était assez irritant pour que je passe au neutre à chaque feu rouge, afin de hausser légèrement le régime moteur et d'éliminer cette désagréable vibration.

Un système de télématique détestable

L'autre irritant majeur de l'ATS est son système de télématique CUE qui est très évolué mais qui présente une lacune importante du côté de la sensibilité de son écran tactile. Le problème est simple, on appuie sur une touche « virtuelle » apparaissant à l'écran pour commander une action pour s'apercevoir que le système CUE « pense » que l'on vient d'appuyer sur la touche voisine et commande donc une action toute autre que celle que l'on souhaitait. Aussi faut-il prendre un soin inconsidéré pour appuyer correctement sur la bonne touche. Tout ça en quittant la route des yeux, ce qui est incompatible avec une conduite sécuritaire...

L'ATS prouve que Cadillac peut réussir à s'imposer dans un créneau où la concurrence est rude. Son châssis est impeccable, il ne reste qu'à effectuer des progrès du côté des motorisations et de la télématique afin de pouvoir éventuellement aspirer à la plus haute marche du podium, tout en tenant compte du fait que les rivales continueront de progresser également.

Photos: Cadillac Canada

Châssis - 2.0 turbo coupé TI

Emp / lon / lar / haut	2775 / 4663 / 1841 / 1399 mm
Coffre / Réservoir	295 litres / 61 litres
Nombre coussins sécurité / ceintures	8 / 4
Suspension avant	indépendante, jambes de force
Suspension arrière	indépendante, multibras
Freins avant / arrière	disque / disque
Direction	à crémaillère, ass. variable électrique
Diamètre de braquage	11,6 m
Pneus avant / arrière	P225/40R18 / P225/40R18
Poids / Capacité de remorquage	1627 kg / n.d.
Assemblage	Lansing, MI

Composantes mécaniques

2.5

Cylindrée, soupapes, alim.	4L 2,5 litres 16 s atmos.
Puissance / Couple	202 chevaux / 191 lb-pi
Tr. base (opt) / rouage base (opt)	A6 / Prop
0-100 / 80-120 / V.Max	n.d. / n.d. / n.d.
100-0 km/h	n.d.
Type / ville / route / co_2	Ord / 9,2 / 6,0 l/100 km / 3570 kg/an

Berline 2.0 turbo

Cylindrée, soupapes, alim.	4L 2,0 litres 16 s turbo
Puissance / Couple	272 chevaux / 260 lb-pi
Tr. base (opt) / rouage base (opt)	A6 (M6) / Prop (Int)
0-100 / 80-120 / V.Max	7,6 s / 6,8 s / n.d.
100-0 km/h	39,2 m
Type / ville / route / co_2	Sup / 10,3 / 6,6 l/100 km / 3980 kg/an

Coupé 2.0 turbo

Cylindrée, soupapes, alim.	4L 2,0 litres 16 s turbo
Puissance / Couple	272 chevaux / 295 lb-pi
Tr. base (opt) / rouage base (opt)	A6 (M6) / Prop (Int)
0-100 / 80-120 / V.Max	5,6 s (const) / n.d. / n.d.
100-0 km/h	n.d.
Type / ville / route / co_2	Sup / 11,6 / 7,9 l/100 km / 4570 kg/an

3.6 V6: coupé TA / TI, berline TA / TI

Cylindrée, soupapes, alim.	V6 3,6 litres 24 s atmos.
Puissance / Couple	321 chevaux / 275 lb-pi
Tr. base (opt) / rouage base (opt)	A6 / Prop (Int)
0-100 / 80-120 / V.Max	6,3 s / 4,0 s / n.d.
100-0 km/h	38,8 m
Type / ville / route / co_2	Ord / 11,7 / 7,5 l/100 km / 4515 kg/an

Du nouveau en 2015

Nouveau modèle ATS Coupe, carrosserie restylée (ATS berline), couple amélioré (4 cylindres), nouvelles couleurs disponibles.

FEU VERT
- Très bonne dynamique
- Choix de motorisations
- Agrément de conduite au rendez-vous
- Finition soignée

FEU ROUGE
- Espace limité aux places arrière
- Système télématique CUE peu convivial
- Espace de chargement limité
- Moteur 4 cylindres manquant de raffinement

CADILLAC CTS

- ▶ **Catégorie :** Berline, Coupé, Familliale
- ▶ **Échelle de prix :** 45 095 $ à 77 705 $ (2014)
- ▶ **Transport et prép. :** 1 950 $
- ▶ **Cote d'assurance :** $$$$
- ▶ **Garanties :** 4 ans/80 000 km, 5 ans/160 000 km
- ▶ **Ventes CAN 2013 :** 997 unités

Un autre coup sûr

Jacques Duval

S'il y a une quinzaine d'années vous m'aviez dit qu'un jour je vanterais haut et fort les mérites d'une Cadillac, je vous aurais sans doute répondu que vous étiez tombé sur la tête. J'ai beau devenir vieux, je ne suis pas encore sénile ! Toujours est-il que depuis peu, je voue une immense admiration aux créations d'une marque qui a longtemps sombré dans la médiocrité avec des voitures on ne peut plus pépères et dépourvues de tout plaisir de conduire.

Allez faire une petite trotte dans une CTS dernière mouture et vous m'en donnerez des nouvelles. Je serais même dans mes petits souliers si je conduisais une M5 et que je devais faire face à la version V, la griffe haute performance de Cadillac. Plus svelte, plus maniable, plus légère et infiniment plus solide que sa devancière (déjà en belle forme), la plus récente CTS reprend, somme toute, les meilleurs attributs de l'ATS, y compris son châssis, dans un format aux dimensions d'une

intermédiaire. Plus encore, elle s'élève au niveau de la série 5 de BMW, alors que sa jeune sœur avait pour but avoué de ravir à la série 3 allemande son auréole de la meilleure berline sport sur le marché.

Trois sur trois

Une fois de plus, les ingénieurs de chez Cadillac ont fait de l'excellent boulot avec la mise au point d'une berline qui, même dans sa version la plus élémentaire, procure un plaisir de conduite notable. Dans les trois modèles au catalogue, le plaisir se décline à des registres différents, mais avec un ensemble de qualités qui sont rarement réunies dans les diverses versions des modèles de la concurrence. Peu importe la Cadillac CTS mise à l'essai, on retrouve une sorte de concordance qui permet de jouir de chacune avec un plaisir égal.

Que ce soit avec le moteur d'origine, un 4 cylindres turbo de 2 litres et 272 chevaux, le V6 3,6 litres à aspiration normale de

Impressions de l'auteur		Concurrents
Agrément de conduite : ★★★★☆ 4/5		Audi A6, BMW Série 5, Infiniti Q70,
Fiabilité : ★★★☆☆ 3,5/5		Jaguar XF, Lexus GS, Lincoln MKS,
Sécurité : ★★★☆☆ 3,5/5		Mercedes-Benz Classe E, Volvo S80
Qualités hivernales : ★★★☆☆ 3,5/5		
Espace intérieur : ★★★☆☆ 3/5		
Confort : ★★★★☆ 4/5		

321 chevaux ou sa version suralimentée, magnifiée par une paire de turbos, la conduite est toujours stimulante.

Lors du lancement, j'ai d'abord conduit la version la plus répandue, soit celle dotée du V6 3,6 litres avec la transmission automatique à 8 rapports. Pas de doute possible, ce n'est pas une Cadillac de « mon oncle ». Encore moins si l'on opte pour la version V Sport ultrasportive avec son costaud moteur de 420 chevaux dont le seul démérite est de ne pas être proposé avec la traction intégrale offerte dans les autres modèles. Elle se rachète avec sa boîte de vitesses assortie de palettes derrière le volant qui ne correspondent pas à une transmission à double embrayage, mais que les ingénieurs de Cadillac ont réussi à régler de manière à ce que les rapports se déclinent avec une belle célérité. Le seul hic est que le moteur ne répond pas spontanément à l'accélérateur, ce qui gêne le fameux temps d'accélération entre 0 et 100 km/h. Le meilleur remède est d'annuler l'antipatinage. En conduite plus calme, j'ai enregistré 11 litres aux 100 km.

Le bogue électronique

La suspension Magnetic Ride calquée sur celle de la Corvette est parfaitement à la hauteur de la cavalerie et on a l'impression que l'adhérence en virage est illimitée grâce à une répartition de poids 50-50 entre l'avant et l'arrière. Évidemment, le confort devient plus sec en mode Sport, mais dans des limites très tolérables. Les immenses freins Brembo sont étonnants avec une force de décélération qui déclenche le resserrement de la ceinture de sécurité et vous cloue littéralement sur votre siège. Un siège ferme, mais confortable soit dit en passant. Seule la direction prête à critique, d'abord par son diamètre de braquage excessif et ensuite par une fâcheuse tendance à faire dériver soudainement la voiture de sa trajectoire tant vers la droite que la gauche sur des routes en mauvais état. Ce problème avait toutes les caractéristiques d'un bogue électronique relié au franchissement d'une ligne jaune continue délimitant la voie de circulation.

Dans sa dernière livrée, la CTS possède un style aussi élégant que sportif et la présentation intérieure a visiblement été rehaussée avec un agréable mélange de matériaux de première qualité dont le coup d'œil est apaisant. L'instrumentation par contre est loufoque avec une illumination multicolore qui est à la fois distrayante et peu lisible. Quant au dispositif d'information et de divertissement CUE2, j'ai déjà dit tout le mal que j'en pensais et on n'en a pas assez d'une semaine pour se familiariser avec sa complexité. Par ailleurs, un bref séjour à l'arrière permet de qualifier l'habitabilité de moyenne tandis que la même note s'applique au volume du coffre.

Avec la dernière CTS, Cadillac vient de frapper un autre coup sûr. Si votre magasinage automobile se concentre autour d'une berline sport, allez en faire l'essai et vous m'en donnerez des nouvelles.

Photos: Sylvain Raymond, Cadillac Canada

Châssis - 3.6L Berline

Emp / lon / lar / haut	2910 / 4966 / 1833 / 1454 mm
Coffre / Réservoir	388 litres / 72 litres
Nombre coussins sécurité / ceintures	10 / 5
Suspension avant	indépendante, jambes de force
Suspension arrière	indépendante, multibras
Freins avant / arrière	disque / disque
Direction	à crémaillère, ass. variable électrique
Diamètre de braquage	11,3 m
Pneus avant / arrière	P245/50R18 / P245/50R18
Poids / Capacité de remorquage	1708 kg / non recommandé
Assemblage	Lansing, MI

Composantes mécaniques

2.0

Cylindrée, soupapes, alim.	4L 2,0 litres 16 s turbo
Puissance / Couple	272 chevaux / 295 lb-pi
Tr. base (opt) / rouage base (opt)	A6 / Prop (Int)
0-100 / 80-120 / V.Max	n.d. / n.d. / n.d.
100-0 km/h	n.d.
Type / ville / route / co_2	Sup / 11,1 / 7,1 l/100 km / 4280 kg/an

3.6 Berline

Cylindrée, soupapes, alim.	V6 3,6 litres 24 s atmos.
Puissance / Couple	321 chevaux / 275 lb-pi
Tr. base (opt) / rouage base (opt)	A8 / Prop (Int)
0-100 / 80-120 / V.Max	5,1 s / 3,1 s / n.d.
100-0 km/h	38 m
Type / ville / route / co_2	Ord / 11,6 / 7,6 l/100 km / 4510 kg/an

CTS Vsport

Cylindrée, soupapes, alim.	V6 3,6 litres 24 s turbo
Puissance / Couple	420 chevaux / 430 lb-pi
Tr. base (opt) / rouage base (opt)	A8 / Prop
0-100 / V.Max / 100-0 km/h	4,6 s (const) / 275 km/h / n.d.
Type / ville / route / co_2	Sup / 13,5 / 8,4 l/100 km / 5150 kg/an

CTS-V Coupé, Sportwagon

V8 - 6,2 l - 556 ch/551 lb-pi - M6 (A6) - 4,9 s - 15,0/10,6 l/100 km

3.0LSportwagon

V6 - 3,0 l - 270 ch/223 lb-pi - A6 - 0-100: n.d. - 11,3/7,7 l/100 km

3.6 Coupé / Sportwagon

V6 - 3,6 l - 318 ch/275 lb-pi - A6(M6)- 7,3 s - 11,8/7,6 l/100 km

Du nouveau en 2015

Aucun changement majeur

FEU VERT
- Bon choix de moteurs
- Répartition du poids parfaite
- Priorité à l'agrément de conduite
- Performances de haut niveau (V Sport)
- Image de marque en hausse

FEU ROUGE
- Diamètre de braquage important
- Système CUE harassant
- Habitabilité moyenne
- Propulsion seulement (V)

CADILLAC **ELR**

▶ **Catégorie :** Coupé	▶ **Échelle de prix :** 80 300 $ (2014)	▶ **Transport et prép. :** 2 050 $
▶ **Cote d'assurance :** n.d.	▶ **Garanties :** 4 ans/80 000 km, 6 ans/110 000 km	▶ **Ventes CAN 2013 :** 0 unités

Divine,
mais à quel prix?

Jacques Duval

L n'y avait pas cinq minutes que j'avais pris possession de la Cadillac ELR que j'étais au zénith du bonheur. Mais comme je suis déjà propriétaire de deux voitures alimentées par courant électrique, une troisième serait de trop !

Cela n'enlève rien cependant à la ELR dont la robe de coupé deux portes est absolument exquise. Cette belle médaille a toutefois un revers débilitant sous la forme d'une facture qui vous ramène sur terre en moins de deux… Elle coûte, tenez-vous bien, plus de 80 000 $. Pour un coupé 2+2 dont les places arrière sont inhospitalières à tout humain normalement constitué, c'est beaucoup d'argent. Beaucoup trop quand on considère qu'il s'agit, pratiquement, d'une Volt en habit de gala.

Une Volt plus puissante

La description du coupé ELR est celle d'une voiture électrique à autonomie prolongée, ce qui signifie qu'une fois les 70 km

d'autonomie épuisés, un petit moteur de 1,4 litre viendra à votre secours, vous permettant d'allonger le parcours jusqu'à environ 400 km selon la lourdeur de votre pied droit. Bien que le groupe propulseur soit identique à celui de la Volt, il bénéficie d'une notable amélioration autant de la puissance que du couple, 68 chevaux additionnels dans le premier cas et 22 lb-pi dans le second. Plus long d'une vingtaine de centimètres et bardé d'un équipement exhaustif, le coupé ELR a pris du poids, ce qui se reflète dans des performances pas tellement électrisantes (excusez le jeu de mots !).

69 kilomètres d'autonomie

D'abord, il ne faut pas trop s'exciter à la vue des palettes derrière le volant qui ne sont pas là pour monter ou descendre les rapports, mais seulement pour provoquer l'entrée en fonction de la régénération du freinage. Après une pleine charge d'une durée de 15 heures sur une prise de courant domestique (110 volts), la ELR mise à l'essai aux États-Unis avait emmagasiné 43 milles d'autonomie électrique, soit

Impressions de l'auteur		Concurrents
Agrément de conduite : ★★★★⯪ 4,5/5		Aucun concurrent
Fiabilité : ★★★★☆ 4/5		
Sécurité : ★★★★☆ 4/5		
Qualités hivernales : ★★★☆☆ 3/5		
Espace intérieur : ★⯪☆☆☆ 2,5/5		
Confort : ★★★⯪☆ 3,5/5		

environ 69 km. Ce chiffre éclipse légèrement celui de la Volt. Pourtant, GM reste très vague sur les changements apportés au coupé Cadillac pour le rendre plus performant à la borne. Il est important de noter qu'une recharge à partir d'une prise 220 s'effectue en seulement 5 heures, d'où l'avantage de procéder à une telle installation chez soi, un investissement d'environ 1000 $.

Ma semaine au volant de la ELR s'est soldée par une consommation ne dépassant pas 2 litres aux 100 km. Il est très facile d'obtenir du 1 pour 1, c'est-à-dire 1 kilomètre parcouru pour 1 kilomètre d'autonomie. Précisons qu'en roulant uniquement avec le moteur à essence, la consommation de ce minuscule 4 cylindres est de 8 litres aux 100 km, ce qui est beaucoup pour une si petite cylindrée. Par ailleurs, son entrée en marche après épuisement de la réserve électrique est quasi imperceptible.

Nonobstant mes remarques précédentes sur les performances, ce coupé n'est pas étranger à l'agrément de conduite. Poussé à la limite, il témoigne d'une tenue de route à caractère survireur, un comportement qui est à la fois surprenant pour une traction avant et stimulant pour quelqu'un qui veut s'amuser au volant à l'occasion. La direction est d'une belle précision et vous informe tout de même adéquatement des conditions de la route. Seul le freinage est pris en défaut lors d'arrêts impromptus alors que l'ABS provoque quelques ruades du train avant, comme si les roues sautillaient sur le macadam. Il y a aussi les pneus de 20 pouces qui pourraient être plus silencieux et moins secs là où les bosses et les trous sont omniprésents.

Détails à revoir

Au moment de sortir d'un garage sous-terrain, le becquet avant râpe facilement le sol tandis que les touches à impulsion tenant lieu de poignées pour les portières sont certes originales, mais peu pratiques et sans doute problématiques à la longue. Ces petits irritants ne sont rien à côté de l'infâme système CUE (qui porte bien son nom) que Cadillac installe désormais dans tous ses modèles. La moindre commande, que ce soit pour la climatisation, la chaîne audio ou la navigation par satellite se transforme en un vrai cauchemar à cause de la trop grande sensibilité des touches tactiles qu'il suffit d'effleurer quelquefois pour être totalement perdu.

Le coffre à bagages, quant à lui, paraît petit de prime abord et il suffira de rabattre les dossiers de la banquette arrière pour arriver à lui faire avaler deux sacs de golf. La présentation intérieure est très digne de la marque avec un mélange de fibre de carbone, d'alcantara et de cuir du plus bel effet.

Après les fleurs, le pot paraît difficile à accepter pour le coupé ELR, mais sa silhouette, sa vocation pro-environnement, son haut degré de luxe et de confort et, pourquoi pas, sa faible consommation arrivent à renverser la vapeur. Il reste le prix...

Châssis - Base

Emp / lon / lar / haut	2695 / 4724 / 1847 / 1420 mm
Coffre / Réservoir	255 litres / 35 litres
Nombre coussins sécurité / ceintures	8 / 4
Suspension avant	indépendante, jambes de force
Suspension arrière	semi-indépendante, poutre de torsion
Freins avant / arrière	disque / disque
Direction	à crémaillère, ass. variable électrique
Diamètre de braquage	11,7 m
Pneus avant / arrière	P245/45R20 / P245/45R20
Poids / Capacité de remorquage	1846 kg / n.d.
Assemblage	Hamtramck, MI

Composantes mécaniques

Base

Cylindrée, soupapes, alim.	4L 1,4 litre 16 s atmos.
Puissance / Couple	84 chevaux / n.d. lb-pi
Tr. base (opt) / rouage base (opt)	Aucune / Tr
0-100 / 80-120 / V.Max	9,0 s (est) / n.d. / 160 km/h
100-0 km/h	n.d.
Type / ville / route / CO_2	Sup / 7,6 / 6,7 l/100 km / 3310 kg/an

Moteur électrique

Puissance / Couple	157 ch (117 kW) / 295 lb-pi
Type de batterie	Lithium-ion
Énergie	16,5 kWh
Temps de charge (120V / 240 V)	12,0 / 5,0 hres
Autonomie	70 km

Du nouveau en 2015

Nouveau modèle.

- Une reine de beauté
- Technologie à point
- Douceur de roulement
- Consommation minimale
- Agrément indéniable

- Facture salée
- Ordinateur de bord contrariant
- Places arrière étriquées
- Pneus bruyants
- Détails à revoir

Photos: Marc Lachapelle, Cadillac Canada

CADILLAC **SRX**

▶ **Catégorie :** Multisegment

▶ **Échelle de prix :** 42 335 $ à 57 690 $ (2014)

▶ **Transport et prép. :** 2 050 $

▶ **Cote d'assurance :** $$$$$

▶ **Garanties :** 4 ans/80 000 km, 5 ans/160 000 km

▶ **Ventes CAN 2013 :** 3 765 unités

Dans une bulle de luxe

Benjamin Hunting

adillac fabrique déjà une voiture familiale, la CTS Sport Wagon (qui sera retirée bientôt), mais il ne fait pas de doute que le choix familial par excellence chez le célèbre constructeur américain est le SRX. Même s'il doit se battre dans le créneau très compétitif des multisegments de format moyen, le SRX maintient un niveau de ventes régulier année après année. Par rapport au seul autre VUS de Cadillac, c'est-à-dire le très costaud Escalade, le SRX est plus petit, plus élancé et moins ostentatoire...

Son comportement routier est tout aussi fluide que ses lignes extérieures, ce qui lui donne un avantage par rapport au modèle plus fade de Lexus (le RX) et au modèle plus rigide et sportif de BMW (le X3). Bref, le SRX est un multisegment pratique et axé sur le confort, destiné aux acheteurs qui recherchent un véhicule de catégorie supérieure classique à prix raisonnable.

Style distinctif

Même s'il est à peu près de la même taille que plusieurs autres multisegments de l'écurie GM, le Cadillac SRX possède sa propre plateforme. Il arbore un style anguleux qui demeure classique tout en étant distinctif. C'est clairement un modèle Cadillac, mais il met l'accent sur la classe plutôt que sur le tape-à-l'œil, ce qui est une excellente approche pour le créneau des VUS de luxe de format moyen.

À l'intérieur, on trouve un assemblage étonnamment bien assorti de cuir, de plastique souple et de chrome, ainsi que du noir lustré qui orne l'interface du système CUE. En combinant un écran tactile, des commandes tactiles juste en dessous pour les ajustements de climatisation et de divertissement, et des commandes au volant, Cadillac a créé son interface la plus réussie. Certains éléments sont un peu déroutants, comme l'utilisation des commandes sensibles au toucher dans la console. Il n'en reste pas moins que l'intégration de ce système à la place de l'ancienne interface a été réalisée de

Impressions de l'auteur		Concurrents
Agrément de conduite :	★★★★ 4/5	Acura MDX, Audi Q7, BMW X3/X5,
Fiabilité :	★★★ 3,5/5	Infiniti QX70, Lexus RX, Lincoln MKX,
Sécurité :	★★★★ 4,5/5	Mercedes-Benz Classe M,
Qualités hivernales :	★★★★ 4/5	Porsche Cayenne,
Espace intérieur :	★★★★ 4/5	Volkswagen Touareg, Volvo XC90
Confort :	★★★★ 4/5	

main de maître, particulièrement dans le cas de l'écran ACL placé droit devant les yeux du conducteur et configurable à souhait.

Les sièges sont recouverts de cuir de qualité et les places arrière sont spacieuses. En option, on peut équiper le SRX de deux écrans pour les passagers arrière. Et quand vient le temps de transporter des panneaux de gypse plutôt que des enfants turbulents, on peut rabattre les sièges et dégager un grand espace de chargement. Il y a même un système de cloisons mobiles très utile pour coincer vos sacs d'épicerie si vous prévoyez faire un peu de slalom en rentrant à la maison.

Côté sécurité, le SRX est particulièrement bien pourvu. En plus des nombreux coussins gonflables, on trouve un dispositif de surveillance des angles morts et des changements de voie, et un avertisseur de collision avant avec freinage automatisé. Chacun de ces dispositifs peut être connecté à ce que Cadillac appelle un siège à alerte de sécurité (Safety Alert Seat): Le siège du conducteur émet une vibration à droite ou à gauche pour signaler la provenance d'un danger.

Puissance solide

Plusieurs des concurrents du Cadillac SRX sont passés au moteur quatre cylindres, du moins pour leurs modèles de base. Le SRX maintient le cap sur un seul moulin : unV6 de 3,6 litres, bon pour 308 chevaux et un couple de 265 lb-pi. Il est relié à une transmission automatique à six rapports. On peut choisir la traction avant ou intégrale. Dans ce dernier cas, on a également accès à deux niveaux supplémentaires de dotation, appelés Performance et Haut de gamme.

Comme le SRX est plutôt lourd et que son moteur n'a pas la frugalité d'un quatre cylindres, il n'est pas étonnant qu'il obtienne de moins bonnes notes que d'autres multisegments de luxe au chapitre de la consommation d'essence (cote combinée de 10,7 l/100 km). Il n'est pas non plus le plus rapide en accélération, mais le V6 livre des reprises amplement suffisantes pour des dépassements énergiques. En fait, ce moteur est exactement sur la même longueur d'onde que la suspension : il est calibré pour avaler les longues distances sans problème et pour circuler en douceur dans la circulation quotidienne.

Ce Cadillac engendre une expérience de conduite détendue, car il n'a pas d'autres prétentions que de vous amener à destination avec toute la famille de façon aussi sécuritaire et paisible que possible. Le SRX connaît bien son rôle et il s'en acquitte avec brio. C'est un véhicule qui vous enveloppe dans une bulle de luxe et qui offre une liste considérable de caractéristiques pour le prix.

Châssis - De Luxe Performance TI

Emp / lon / lar / haut	2807 / 4834 / 1910 / 1669 mm
Coffre / Réservoir	844 à 1733 litres / 80 litres
Nombre coussins sécurité / ceintures	6 / 5
Suspension avant	indépendante, jambes de force
Suspension arrière	indépendante, multibras
Freins avant / arrière	disque / disque
Direction	à crémaillère, assistée
Diamètre de braquage	12,2 m
Pneus avant / arrière	P235/55R20 / P235/55R20
Poids / Capacité de remorquage	2520 kg / 1136 kg (2504 lb)
Assemblage	Ramos Arizpe, MX

Composantes mécaniques

V6 3,6

Cylindrée, soupapes, alim.	V6 3,6 litres 24 s atmos.
Puissance / Couple	308 chevaux / 265 lb-pi
Tr. base (opt) / rouage base (opt)	A6 / Tr (Int)
0-100 / 80-120 / V.Max	7,8 s / 6,5 s / n.d.
100-0 km/h	n.d.
Type / ville / route / CO_2	Ord / 13,2 / 8,8 l/100 km / 5160 kg/an

Du nouveau en 2015

Aucun changement majeur

FEU VERT
- Dispositifs de sécurité de pointe disponibles
- Bonne puissance du V6
- Traction intégrale livrable
- Intérieur confortable
- Nombreux dispositifs de série et optionnels

FEU ROUGE
- Système CUE parfois irritant
- Consomme plus que certains rivaux
- Plus lourd que plusieurs concurrents
- 4RM non disponible dans le modèle de base

Photos: Cadillac Canada

CADILLAC **XTS**

▶ **Catégorie :** Berline ▶ **Échelle de prix :** 50 990 $ à 67 625 $ (2014) ▶ **Transport et prép. :** 2 050 $

▶ **Cote d'assurance :** n.d. ▶ **Garanties :** 4 ans/80 000 km, 5 ans/160 000 km ▶ **Ventes CAN 2013 :** 787 unités

Pour attendre confortablement la suite

Marc Lachapelle

L a XTS est venue remplacer à la fois les séries DTS et STS chez Cadillac. Sa mission officieuse est de tenir le fort jusqu'au lancement d'une nouvelle grande berline qui viendra affronter les ténors européens et japonais comme le font les ATS et CTS dans leurs catégories respectives. La XTS s'acquitte de ce rôle ingrat honnêtement pour une troisième année, surtout avec le muscle discret du V6 biturbo optionnel.

À plusieurs égards, la XTS est le dernier trait d'union entre deux époques. Elle rappelle entre autres cette période étrange où toutes les Cadillac étaient des tractions, quelle que soit leur taille. Elle est d'ailleurs construite sur la même architecture à moteur transversal et roues avant motrices que les Buick LaCrosse et Chevrolet Impala, versions allongées de la plate-forme Epsilon qui sous-tend aussi la Regal et la modeste Chevrolet Malibu.

Confort et frustration

Les places avant de la XTS sont cossues, confortables et spacieuses, comme il se doit dans une grande Cadillac. L'ambiance est feutrée, la finition soignée et les matériaux de belle apparence. L'interface de contrôle CUE, par contre, impose toujours les mêmes limites et frustrations... Le principe du balayage des doigts, qui fonctionne à merveille pour un appareil qu'on tient de l'autre main, est nettement moins efficace à main levée, dans un véhicule en mouvement. Il faut vraiment s'y habituer et s'y adapter. En y allant doucement, en fait.

Les minuscules boutons de la chaine audio (sur écran) ne sont pas terribles non plus et les commandes vocales plutôt rébarbatives pour amorcer un appel téléphonique en mains libres. Nous ne sommes pas fous, non plus, des avertissements transmis par des vibrations dans le siège qui s'avèrent plus intrigants et agaçants qu'autre chose. Chose certaine, ils sont moins efficaces et précis que les bips des sonars classiques en

Impressions de l'auteur		Concurrents
Agrément de conduite : ★★★½★ 3,5/5		Acura RLX, Audi A6, BMW Série 5,
Fiabilité : ★★★★★ 3/5		Infiniti Q70, Jaguar XF, Lexus GS,
Sécurité : ★★★★★ 4/5		Lincoln MKS, Volvo S80
Qualités hivernales : ★★★★★ 4/5		
Espace intérieur : ★★★★½ 4,5/5		
Confort : ★★★★★ 4/5		

manœuvre de stationnement. La caméra arrière n'est pas un luxe. Toujours au rayon de la visibilité, les rétroviseurs extérieurs sont de bonne taille, mais celui de gauche vous bloque la vue sur l'intérieur des virages de ce côté-là.

À l'arrière, la banquette est accueillante, avec un coussin assez haut pour bien maintenir les cuisses. Un peu trop incliné, par contre. Les écrans individuels pour la chaine multimédia optionnelle sont discrètement intégrés aux dossiers avant.Le coffre est vaste, pratique et bien fini, avec des parois plates. Il y a aussi des bacs de rangement sous le plancher. Le dossier est fixe, par contre, et la trappe au centre minuscule. On s'attendrait également à un couvercle de coffre qui se referme tout seul dans une berline de luxe de ce prix...

On peut rouler en XTS à quatre roues motrices grâce à un rouage Haldex à différentiel multidisque électronique. L'option est disponible autant pour le V6 atmosphérique de 3,6 litres et 304 chevaux que pour sa version à double turbo de 410 chevaux dont le couple maximal, surtout, passe de 264 lb-pi à 5 200 tr/min à un généreux 369 lb-pi à seulement 1 900 tr/min.

Cadillac a enfin trouvé la recette pour donner plus de vie, de musique et de caractère à ce V6 moderne à double arbre à cames en tête et injection directe. Des qualités qu'on remarque aussi sur les ATS et CTS. La version turbocompressée se charge, quant à elle, de bonifier les performances. La XTS à V6 biturbo a bouclé le sprint 0-100 km/h en 5,9 secondes et complété la reprise 80-120 km/h en 3,9 secondes, malgré les 35 kilos additionnels du rouage Haldex. L'accélérateur est par contre un peu trop vif et chatouilleux pour la conduite en ville avec le moteur turbo.

Nettement plus bourgeoise que sportive

Même en version Vsport, la XTS n'est pas aussi fine et équilibrée que sa sœur, la nouvelle CTS. Elle parait plus flottante et ses mouvements de caisse sont moins bien maitrisés, en comparaison directe. Le contraste est trop marqué entre les amorces très vives de la direction et les réactions plus paresseuses du reste de la voiture. C'est quand même une berline de bonne taille.

On sent parfois aussi des contrecoups très secs dans le volant sur des virages où la chaussée est parsemée de fentes. D'autant plus étonnant que la XTS est dotée d'une suspension avant HiPer Strut qui est censée justement réduire ou éliminer ce type de réactions. En fait, l'amortissement semble trop faible pour la masse de la XTS qui n'affiche certainement pas la même maitrise et la même finesse que la CTS. En somme, la XTS est une berline de luxe américaine dans le moule classique : confortable, spacieuse, bien équipée et plutôt élégante, dans le style ciselé de la marque. Vivement, quand même, une grande berline conçue avec autant de rigueur et d'audace que les Cadillac les plus récentes.

Photos : Alain Morin, Cadillac Canada

Châssis - 3.6 TI

Emp / lon / lar / haut	2837 / 5131 / 1852 / 1510 mm
Coffre / Réservoir	509 litres / 74 litres
Nombre coussins sécurité / ceintures	10 / 5
Suspension avant	indépendante, jambes de force
Suspension arrière	indépendante, multibras
Freins avant / arrière	disque / disque
Direction	à crémaillère, ass. variable
Diamètre de braquage	11,8 m
Pneus avant / arrière	P245/45R19 / P245/45R19
Poids / Capacité de remorquage	1912 kg / 454 kg (1000 lb)
Assemblage	Oshawa, ON

Composantes mécaniques

3.6

Cylindrée, soupapes, alim.	V6 3,6 litres 24 s atmos.
Puissance / Couple	304 chevaux / 264 lb-pi
Tr. base (opt) / rouage base (opt)	A6 / Tr (Int)
0-100 / 80-120 / V.Max	7,8 s / 5,7 s / n.d.
100-0 km/h	42,5 m
Type / ville / route / co_2	Ord / 12,5 / 7,7 l/100 km / 4738 kg/an

Vsport

Cylindrée, soupapes, alim.	V6 3,6 litres 24 s turbo
Puissance / Couple	410 chevaux / 369 lb-pi
Tr. base (opt) / rouage base (opt)	A6 / Int
0-100 / 80-120 / V.Max	5,9 s / 3,9 s / n.d.
100-0 km/h	43,7 m
Type / ville / route / co_2	Sup / 13,2 / 8,3 l/100 km / 5060 kg/an

Du nouveau en 2015

Aucun changement majeur

FEU VERT
- Douceur et silence de roulement
- Confortable et spacieuse
- Moteurs souples et sonores
- Rouage à quatre roues motrices

FEU ROUGE
- Interface CUE peu conviviale
- Menus de contrôle déroutants
- Accélérateur trop sensible (turbo)
- Couvercle du coffre manuel

CHEVROLET **CAMARO**

▶ **Catégorie :** Cabriolet, Coupé　　▶ **Échelle de prix :** 30 445 $ à 77 400 $ (2014)　　▶ **Transport et prép. :** 1 950$

▶ **Cote d'assurance :** $$$$　　▶ **Garanties :** 3 ans/60 000 km, 5 ans/160 000 km　　▶ **Ventes CAN 2013 :** 2 167 unités

Quand une Camaro tutoie une 911 Turbo...

David Booth

La Camaro est parfois l'objet de moqueries, mais avec la Z/28, Chevrolet démontre qu'en y mettant de la volonté, beaucoup de haute technologie et un prix de vente à l'avenant (77 400 $), on peut parfois faire des miracles.

Au début, le retour des Camaro n'avait rien de très encourageant, et il n'était certainement pas de nature à inquiéter les GT-R et les 911 Turbo de ce monde. Le moteur de base, un V6 de 3,6 litres, produit 323 chevaux et émet une belle sonorité sportive, mais on est encore loin des *supercars*. L'arrivée de la SS a soulevé une bonne dose d'enthousiasme avec son V8 de 6,2 litres et ses 426 chevaux (400 avec la transmission automatique à six vitesses). Mais elle s'est avérée trop molle côté suspension et direction.

Le lancement de la ZL1 en 2012 nous a permis de croire que la Camaro n'avait pas dit son dernier mot. Son V8 suralimenté

par compresseur crache un très solide 580 chevaux et son système de gestion de la traction est l'un des plus efficaces sur le marché pour contrôler la stabilité sans ruiner la sportivité. La tenue de route fondamentale de la ZL1 demeurait toutefois encore vague. Elle affichait le comportement typique des muscles cars américains, ce qui signifie notamment un trop long délai entre le moment où l'on tourne le volant et celui où l'auto commence à tourner... Mais la touche magique du système antipatinage sauvait la mise en ajoutant un élément de sophistication indéniable pour maîtriser la puissance brute du V8. Bref, un modèle impressionnant, mais rien pour laisser croire qu'une Camaro pourrait un jour se comparer à une 911 ou une Nissan GT-R.

Et pourtant, me voilà en piste au volant d'une voiture qui ressemble étrangement à une Camaro, mais qui se comporte plutôt comme une Porsche 911. En effet, la direction de la Z/28 a une délicatesse – c'est le mot le plus approprié – qui s'approche étonnamment de celle de la Porsche,

Impressions de l'auteur	
Agrément de conduite : ★★★★⯪	4,5/5
Fiabilité : ★★★⯪★	3,5/5
Sécurité : ★★★⯪★	3,5/5
Qualités hivernales : ★	1/5
Espace intérieur : ★★★	3/5
Confort : ★★★⯪★	3,5/5

Concurrents
Dodge Challenger, Ford Mustang, Nissan Z

une référence en ce domaine. Chose certaine, le train avant de la Z/28 a beaucoup plus de mordant que celui de la GT-R. Comment diable ont-ils pu réussir cela ? C'est ce que je me demandais en abordant l'un des nombreux virages à rayon décroissant de la chic piste privée de Monticello, dans l'État de New York.

Premier élément de réponse, m'explique Mark Stielow de Chevrolet, le V8 de la ZL1 a été remplacé par le V8 à aspiration naturelle de 7,0 litres de la Z06. On y perd un peu en puissance (75 chevaux), mais cela permet de remplacer le lourd différentiel en fonte par un modèle Torsen plus léger à glissement limité. La réduction de poids se poursuit du côté des jantes plus petites (19 pouces) et des freins à disque en céramique et carbone. On a également éliminé le climatiseur. Au total, la Z/28 a perdu 137 kg par rapport à la ZL1.

Côté pneumatiques, GM a opté pour des Pirelli PZero Trofeo R à cause de leur adhésion phénoménale (à 1,08 g, l'accélération latérale maximale annoncée s'approche de celle d'une Porsche 911). À l'avant, ils sont extrêmement larges (305/30R19 comme à l'arrière) pour combattre la tendance traditionnelle au sous-virage des Camaro. Et ça marche : l'équilibre entre l'adhérence à l'avant et à l'arrière est presque parfait. De plus, le roulis est bien maîtrisé grâce au système sophistiqué de suspension Multimatic DSSV. Avec ces énormes pneus, on pourrait s'attendre à une conduite digne d'un camion. Mais au contraire, le système de direction à assistance électrique ajustable permet d'obtenir une direction raffinée, communicative et rassurante.

Le V8 de la Z/28 monte en régime plus librement que son cousin suralimenté et il livre son couple de façon plus linéaire. Il est ironique de constater que cette voiture, habituellement réputée pour sa puissance brute avant toute chose, soit maintenant moins puissante que certaines des rivales auxquelles elle s'attaque. La Z/28 accélère de 0 à 100 km/h en 4,0 secondes. Excellent, certes, mais presque anémique en comparaison avec les temps de trois secondes ou moins de la Porsche Turbo S et de la GT-R.

Cela dit, les performances de la Z/28 sur un circuit sinueux sont carrément impressionnantes. GM affirme qu'elle met 2,5 secondes de moins que la ZL1 (pourtant plus puissante) pour boucler sa piste de Milford Road, et qu'elle est 5 secondes plus rapide que la Mustang Boss 302 Laguna Seca. Plus impressionnant encore, la Z/28 a fait le tour du célèbre circuit de Nurburgring en 7:37.47 sous la pluie ! GM veut y retourner, convaincue de pouvoir atteindre le cap des 7:28.

C'est-à-dire le même temps qu'une McLaren MP4-12C. En Camaro.

Châssis - Z/28

Emp / lon / lar / haut	2852 / 4884 / 1953 / 1330 mm
Coffre / Réservoir	320 litres / 72 litres
Nombre coussins sécurité / ceintures	6 / 4
Suspension avant	indépendante, jambes de force
Suspension arrière	indépendante, multibras
Freins avant / arrière	disque / disque
Direction	à crémaillère, ass. variable électrique
Diamètre de braquage	11,5 m
Pneus avant / arrière	P305/30R19 / P305/30R19
Poids / Capacité de remorquage	1733 kg / n.d.
Assemblage	Oshawa, ON

Composantes mécaniques

LS, LT

Cylindrée, soupapes, alim.	V6 3,6 litres 24 s atmos.
Puissance / Couple	323 chevaux / 278 lb-pi
Tr. base (opt) / rouage base (opt)	M6 (A6) / Prop
0-100 / 80-120 / V.Max	6,4 s / 5,4 s / n.d.
100-0 km/h	39,0 m
Type / ville / route / CO_2	Ord / 12,4 / 7,1 l/100 km / 4600 kg/an

SS (automatique)

Cylindrée, soupapes, alim.	V8 6,2 litres 16 s atmos.
Puissance / Couple (auto)	400 chevaux / 410 lb-pi
Puissance / Couple (manuelle)	426 chevaux / 420 lb-pi
Tr. base (opt) / rouage base (opt)	A6 - M6 / Prop
0-100 / 80-120 / V.Max	5,9 s / 4,4 s / n.d.
100-0 km/h	39,2 m
Type / ville / route / CO_2	Sup / 13,6 / 8,2 l/100 km / 5152 kg/an

Z/28

Cylindrée, soupapes, alim.	V8 7,0 litres 16 s atmos.
Puissance / Couple	505 chevaux / 470 lb-pi
Tr. base (opt) / rouage base (opt)	M6 / Prop
0-100 / 80-120 / V.Max	4,0 s / n.d. / n.d.
100-0 km/h	n.d.
Type / ville / route / CO_2	Sup / 14,2 / 8,9 l/100 km / 5440 kg/an

ZL1

Cylindrée, soupapes, alim.	V8 6,2 litres 16 s surcomp.
Puissance / Couple	580 chevaux / 556 lb-pi
Tr. base (opt) / rouage base (opt)	M6 (A6) / Prop
0-100 / 80-120 / V.Max	4,9 s / 3,0 s / 290 km/h
100-0 km/h	39,2 m
Type / ville / route / CO_2	Sup / 14,9 / 10,6 l/100 km / 5980 kg/an

Du nouveau en 2015

Aucun changement majeur

FEU VERT
- Tenue de route de type *supercar*
- Moteur extraordinaire
- Freins incroyablement performants
- Direction étonnamment précise

FEU ROUGE
- Modèles de base plus ou moins intéressants
- Finition intérieure bas de gamme
- Visibilité pourrie
- 77 000$... pour une Camaro! (Z/28)

Photos : Alain Morin

CHEVROLET **CORVETTE**

▶ **Catégorie :** Coupé, Roadster   ▶ **Échelle de prix :** 58 895 $ à 85 000 $ (estimé)   ▶ **Transport et prép. :** 2 050$

▶ **Cote d'assurance :** n.d.   ▶ **Garanties :** 3 ans/60 000 km, 5 ans/160 000 km   ▶ **Ventes CAN 2013 :** 324 unités

De la route à la piste ou le contraire?

Jacques Duval

Avant toute chose, il y a un point que l'on se doit de clarifier en traitant d'un produit General Motors. Alors que l'on ne cessait de vanter la renaissance du premier constructeur du monde depuis sa quasi-faillite en 2008, voilà qu'un chapelet de rappels est venu tout remettre en question. Or, cela ne doit en aucun cas diminuer les louanges, trophées ou autres accessits engrangés par GM ces dernières années puisque les modèles rappelés sont imputables, en grande partie du moins, à l'ancienne garde. Il serait donc injuste d'amoindrir la qualité de la plus récente Corvette Stingray, qui est de loin la meilleure voiture de cette lignée à voir le jour.

Et ce qui ne gâte rien, son prix, qui lui a toujours valu d'offrir le meilleur rapport prix/performances sur le marché, risque de demeurer un argument encore plus substantiel en 2015 car il a été revu à la baisse de 8 000 $.

Confrontation 911

Avec des performances analogues à celle d'une Porsche 911 S et une facture la moitié moins élevée, il est certain que la Corvette conserve l'avantage du prix, avec, en prime, une métamorphose complète. La voiture a évolué au point où il ne reste que deux anciennes petites pièces de ses milliers de composantes. Autre détail digne de mention : on ne peut plus parler dérisoirement de la « grosse Corvette » puisque son nouveau costume cintré lui donne les mêmes dimensions que la vénérée Porsche 911. La voiture a été allégée de 45 kg grâce à son châssis en aluminium et à des panneaux de caisse (capot et toit) en fibre de carbone. Et s'il n'y a que les chiffres qui vous impressionnent, sachez qu'elle peut tenir tête à la 911 aussi bien entre 0 et 100 km/h (3,8 secondes), qu'en distance de freinage et en virage avec 1,3 g d'accélération latérale. Et sur la route, le V8 de 6,2 litres de 460 chevaux à cylindrée variable devient un V4 de 3,1 litres qui ne nécessite que 12 chevaux à 90 km/h délivrant alors une consommation autour de 8 litres aux 100 km.

Impressions de l'auteur		Concurrents
Agrément de conduite :	★★★★⯪ 4,5/5	Audi R8, BMW Série 6, Jaguar XK,
Fiabilité :	★★★⯪☆ 3,5/5	Maserati Gran Turismo,
Sécurité :	★★★★☆ 4/5	Mercedes-Benz Classe SL,
Qualités hivernales :	★★⯪☆☆ 2,5/5	Nissan GT-R, Porsche 911
Espace intérieur :	★★★⯪☆ 3,5/5	
Confort :	★★★⯪☆ 3,5/5	

Épatante sur papier, elle l'est tout autant au volant avec des artifices aérodynamiques issus de la version qui s'est illustrée en course automobile. D'ailleurs, la nouvelle Corvette C7, avec l'option Z51, a tout ce qu'il faut pour avoir accès à un circuit de vitesse : des roues de 19 et 20 pouces, un échappement haussant la puissance de 5 chevaux, des disques de freins plus grands, un différentiel électronique, etc.

Avec un habitacle tapissé de cuir, de fibre de carbone et d'aluminium, l'ambiance à bord séduit, tout comme les sièges enveloppants et le volant de faible diamètre (360 mm). Le *cockpit* a été aménagé autour du pilote, une attention qui témoigne du souci accordé au moindre détail. Un petit espace de rangement se cache derrière la chaîne audio comme complément à l'immense vide-poches de l'accoudoir central. L'instrumentation numérique ou analogique ne saurait être plus complète. La Corvette respecte aussi sa clientèle âgée avec un accès très facile au poste de pilotage. Soulignons ici que le coupé est offert avec un panneau de toit amovible. Toutefois, en le déposant dans l'espace réservé aux bagages, on ampute un coffre déjà pas très volumineux.

Un sentiment d'invincibilité

Mais, je brûle d'envie de prendre la route et même la piste. Je conduis la version Z51 à boîte automatique et je sélectionne le mode Sport au moyen d'une molette sur la console qu'il suffit de tourner. Le moteur s'anime dans un bruit sourd typique d'un V8 de forte cylindrée. Selon l'ingénieur qui m'accompagne, il eut été possible de copier le son d'une Ferrari 458, mais il aurait fallu changer l'angle du vilebrequin, ce qui risquait de causer des vibrations. Les accélérations, que ce soit en ayant recours aux palettes sous le volant ou en laissant le *kick down* faire le travail, sont absolument phénoménales. On a l'impression d'être tout simplement invincible, sinon le roi de la route ! Sur la piste, à 240 km/h, la Corvette ne bronche pas d'une miette malgré les ondulations qui pourraient affecter la tenue de cap. En virage, dès que le train arrière est en appui, il suffit d'enfoncer l'accélérateur pour que les pneus s'agrippent encore davantage au bitume.

Sur une route d'accès, les bosses ont confirmé la rigidité accrue du châssis. Il reste que le confort est un peu moins présent dans des conditions où la Corvette m'est apparue plus souple sans l'option Z51. En ville, on note un diamètre de braquage important qui gêne quelque peu la maniabilité.

Au final, force est d'admettre que la Corvette 2015 est une voiture à prendre au sérieux. Sa sportivité est telle qu'il suffit de tourner un bouton pour lui donner accès à une piste de course. Je connais peu de voitures capables d'une telle dualité. Et dire que la Z06, encore plus démente, s'en vient avec ses 625 chevaux et 635 livres-pied de couple minimum...

Châssis - Stingray cabriolet

Emp / lon / lar / haut	2710 / 4492 / 1877 / 1243 mm
Coffre / Réservoir	283 litres / 70 litres
Nombre coussins sécurité / ceintures	4 / 2
Suspension avant	indépendante, bras inégaux
Suspension arrière	indépendante, bras inégaux
Freins avant / arrière	disque / disque
Direction	à crémaillère, ass. variable électrique
Diamètre de braquage	11,5 m
Pneus avant / arrière	P245/40ZR18 / P285/35ZR19
Poids / Capacité de remorquage	1525 kg / Non recommandé
Assemblage	Bowling Green, KY

Composantes mécaniques

Stingray

Cylindrée, soupapes, alim.	V8 6,2 litres 16 s atmos.
Puissance / Couple	455 chevaux / 460 lb-pi
Tr. base (opt) / rouage base (opt)	M7 (A6) / Prop
0-100 / 80-120 / V.Max	4,7 s / 3,2 s / 315 km/h (est)
100-0 km/h	34,3 m
Type / ville / route / CO_2	Sup / 12,2 / 6,9 l/100 km / 4515 kg/an

Z06 Coupé

Cylindrée, soupapes, alim.	V8 6,2 litres 16 s surcomp
Puissance / Couple	625 chevaux / 635 lb-pi
Tr. base (opt) / rouage base (opt)	M7 (A8) / Prop
0-100 / 80-120 / V.Max	3,8 s / n.d. / 320 km/h (est)
100-0 km/h	33,0 m (est)
Type / ville / route / CO_2	Sup / n.d. / n.d. / n.d.

Du nouveau en 2015

Version haute performance Z06 avec un V8 7 litres développant 625 chevaux à venir.

FEU VERT
- Refonte complète
- Performances phénoménales
- Prix en baisse
- Qualité en hausse
- Utilisation conviviale

FEU ROUGE
- Diamètre de braquage
- Espace pour les bagages
- Usure rapide des pneumatiques
- Fiabilité inconnue

Photos : Denis Duquet

CHEVROLET **CRUZE**

▶ **Catégorie :** Berline

▶ **Cote d'assurance :** $$$$$

▶ **Échelle de prix :** 17 845 $ à 26 745 $ (2014)

▶ **Garanties :** 3 ans/60 000 km, 5 ans/160 000 km

▶ **Transport et prép. :** 1 950 $

▶ **Ventes CAN 2013 :** 33 184 unités

Toujours trop sage et raisonnable

Marc Lachapelle

L a Cruze a fait une entrée plutôt triomphale il y a quatre ans en décrochant le titre de Voiture de l'année de l'AJAC, rien de moins. Cette berline compacte a certainement de belles qualités, surtout qu'on peut maintenant se l'offrir avec un moteur diesel très frugal. Si elle ne fait pas de plus grands ravages chez nous, c'est entre autres parce que les versions les plus séduisantes sont restées en Europe. Il serait peut-être temps de les inviter.

C'est peu dire que Chevrolet n'a pas toujours brillé avec ses petites voitures créées pour le marché nord-américain. La Vega fut un cuisant échec, en dépit de sa jolie bouille. La Cavalier était quelconque, malgré ses chiffres de vente. Et la Cobalt est passée inaperçue, à peu de choses près. Les Américains ont cependant fait leurs devoirs très correctement pour la Cruze.

Cette réussite est certainement due au fait qu'elle allait être distribuée dans plus de soixante pays. GM avait finalement compris, comme Ford, Honda, Toyota et Volkswagen, que ces histoires de « voiture mondiale » ont du bon. La Cruze est d'ailleurs rapidement devenue la Chevrolet la mieux vendue sur la planète, toutes versions confondues.

Où sont les autres ?

La Cruze actuelle se débrouille assez bien aux États-Unis et correctement chez nos voisins canadiens. Au Québec, par contre, elle est distancée par la majorité de ses rivales. Il faut dire qu'on ne nous offre qu'une berline guindée, comme les aiment nos voisins, avec une présentation intérieure à l'avenant. La familiale et la « cinq portières » qui permettraient à la Cruze de taquiner des succès comme les Elantra, Civic et Mazda3 sont réservées aux Européens. Et pour rivaliser avec la Corolla, une autre berline, la Cruze a du chemin à faire en termes de réputation et de fiabilité.

Impressions de l'auteur		Concurrents
Agrément de conduite :	★★★⯪ 3,5	Dodge Dart, Ford Focus, Honda Civic,
Fiabilité :	★★★ 3	Hyundai Elantra, Kia Forte,
Sécurité :	★★★★ 4	Mazda3, Mitsubishi Lancer, Nissan
Qualités hivernales :	★★★★ 4	Sentra, Subaru Impreza,
Espace intérieur :	★★★⯪ 3,5	Toyota Corolla, Volkswagen Jetta
Confort :	★★★★ 4	

Chevrolet a pensé encore à sa clientèle américaine en se contentant cette année de retoucher la calandre et la partie arrière de la Cruze pour qu'elle ressemble plus à ses grandes sœurs, les Malibu et Impala. Pour le style audacieux, on repassera. De toute manière, elle a toujours affiché le tempérament paisible d'une intermédiaire plutôt que le caractère enjoué des meilleures compactes.

Si ce nouveau style a peu de chances d'attirer des acheteurs plus jeunes, ces derniers risquent de s'intéresser à une nouvelle fonction qui permet la lecture de messages texte par les haut-parleurs et à l'ajout du logiciel de reconnaissance vocale Siri *Eyes Free* pour le iPhone. Il y a aussi la disponibilité d'une version du système de communication OnStar qui permet de créer un point d'accès sans fil (un *hot-spot* wi-fi, quoi) pour plusieurs appareils, lequel tourne sur un réseau 4G LTE ultrarapide. Espérons que ces ajouts et mises à niveau ont amélioré du même coup l'efficacité des commandes vocales et la fiabilité du système de navigation optionnel qui n'étaient pas toujours irréprochables.

De bonne lignée

La Cruze partage la plate-forme ou architecture Delta II de GM avec les Volt et Orlando chez Chevrolet mais également la Buick Verano et la Cadillac ELR. Ce qui lui vaut, entre autres, une structure solide et un comportement routier très honnête, surtout pour le confort et la qualité de roulement que lui procure une suspension arrière à roues indépendantes bien conçue. Elle n'a rien d'une sportive, par contre, et sa servodirection électrique manque de sensibilité. Surtout en position centrale, où le volant passe le plus clair de son temps. Ça tombe mal.

La Cruze est malgré tout une très bonne routière, à défaut d'offrir la tenue de cap fine et tactile des meilleures. Surtout si l'on choisit le moteur diesel de 2,0 litres qui en fait une des voitures les plus frugales que nous ayons conduites. Nous avons même obtenu une consommation remarquable de 4,8 l/100 km sur un trajet vers l'est de plus de 1000 km, en roulant presque constamment à 120 km/h. Au rythme du trafic, quoi. Avec une moyenne affichée de 5,3 l/100 km pour la virée entière de plus de 2 200 km.

La Cruze Eco, moins chère et pas aussi frugale que la 2.0 Diesel, est néanmoins sympathique à conduire. Leurs performances sont très semblables avec un sprint 0-100 km/h de 9,2 secondes pour la Diesel et 9,9 secondes pour l'Eco, qui est propulsée par le quatre cylindres turbo de 1,4 litre et 138 chevaux qu'on retrouve sur d'autres versions. Il est préférable d'éviter le 1,8 litre atmosphérique de base qui n'est ni agréable ni tellement fiable.

Espérons maintenant que Chevrolet offrira son moteur diesel dans les modèles moins cossus et qu'un miracle nous amènera ces jolies familiales et beaux *hatchbacks* lorsque la Cruze aura droit à un remodelage complet.

Photos : Chevrolet Canada

Châssis - LS

Emp / lon / lar / haut	2685 / 4597 / 1796 / 1476 mm
Coffre / Réservoir	425 litres / 59 litres
Nombre coussins sécurité / ceintures	10 / 5
Suspension avant	indépendante, jambes de force
Suspension arrière	semi-indépendant, poutre de torsion
Freins avant / arrière	disque / tambour
Direction	à crémaillère, ass. variable électrique
Diamètre de braquage	10,9 m
Pneus avant / arrière	P215/60R16 / P215/60R16
Poids / Capacité de remorquage	1403 kg / non recommandé
Assemblage	Lordstown, OH

Composantes mécaniques

Eco (auto), LTZ Turbo

Cylindrée, soupapes, alim.	4L 1,4 litre 16 s turbo
Puissance / Couple	138 chevaux / 148 lb-pi
Tr. base (opt) / rouage base (opt)	A6 / Tr
0-100 / 80-120 / V.Max	10,4 s / 7,3 s / n.d.
100-0 km/h	42,1 m
Type / ville / route / CO_2	Ord / 7,8 / 5,2 l/100 km / 3036 kg/an

Eco, LT Turbo

Cylindrée, soupapes, alim.	4L 1,4 litre 16 s turbo
Puissance / Couple	138 chevaux / 148 lb-pi
Tr. base (opt) / rouage base (opt)	M6 (A6) / Tr
0-100 / 80-120 / V.Max	9,9 s / 7,3 s / n.d.
100-0 km/h	42,1 m
Type / ville / route / CO_2	Ord / 7,8 / 5,2 l/100 km / 3036 kg/an

LS

Cylindrée, soupapes, alim.	4L 1,8 litre 16 s atmos.
Puissance / Couple	138 chevaux / 125 lb-pi
Tr. base (opt) / rouage base (opt)	M6 (A6) / Tr
0-100 / 80-120 / V.Max	11,0 s (est) / 8,0 s (est) / n.d.
100-0 km/h	n.d.
Type / ville / route / CO_2	Ord / 8,2 / 5,4 l/100 km / 3174 kg/an

Turbo Diesel

Cylindrée, soupapes, alim.	4L 2,0 litres 16 s turbo
Puissance / Couple	151 chevaux / 264 lb-pi
Tr. base (opt) / rouage base (opt)	A6 / Tr
0-100 / 80-120 / V.Max	9,3 s / 6,7 s / n.d.
100-0 km/h	43,3 m
Type / ville / route / CO_2	Dié / 7,5 / 4,2 l/100 km / 3250 kg/an

Du nouveau en 2015

Calandre et partie arrière redessinées. Nouvelles couleurs. Connectivité et commandes vocales améliorées.

FEU VERT
- Moteur diesel souple et très frugal
- Sièges avant confortables
- Comportement sûr
- Grand coffre
- Connectivité poussée

FEU ROUGE
- Le diesel seulement pour un modèle cher
- Commandes parfois rébarbatives
- Direction inerte au centre
- Silhouette plutôt banale
- Places arrière plus serrées

CHEVROLET EQUINOX

![Chevrolet / GMC logos] CHEVROLET **EQUINOX** / GMC **TERRAIN**

▶ **Catégorie :** VUS

▶ **Cote d'assurance :** $$$$$

▶ **Échelle de prix :** 28 245 $ à 40 770 $ (2014)

▶ **Garanties :** 3 ans/60 000 km, 5 ans/160 000 km

▶ **Transport et prép. :** 1 950 $

▶ **Ventes CAN 2013 :** 19 819 unités*

Une lettre à la poste

Alain Morin

Vous connaissez l'expression « Passer comme une lettre à la poste » ? Elle veut dire « qui passe facilement, sans difficulté ». Elle sous-entend aussi « sans qu'on s'en rende compte » ou, à la limite, « sans saveur ». Eh bien, le duo Chevrolet Equinox/GMC Terrain que General Motors oppose aux VUS compacts que sont les Honda CR-V, Ford Escape, Hyundai Tucson ou Toyota RAV4 est un peu comme la lettre à la poste. Même s'il n'y a rien pour écrire à sa mère…

N'allez surtout pas croire que l'Equinox et le Terrain soient de mauvais véhicules ! Loin de là, je dirais même qu'ils sont plutôt réussis. C'est juste qu'ils font tout ce qu'il faut comme il le faut, sans passion mais sans défection non plus. Physiquement, ils sont encore exactement comme ils nous sont apparus en 2010, remplaçant un Equinox et un Torrent (Pontiac) à bout de souffle. Même l'habitacle n'a pas changé d'un iota, ce qui n'est pas une mauvaise nouvelle remarquez.

Mécaniquement, les changements n'ont touché que le V6 qui est passé de 3,0 à 3,6 litres. Sinon, c'est le statu quo.

Rien à confesser

Au chapitre du style, c'est une question de goût. Pour ma part, je trouve celui du GMC plus beau et plus réussi que celui du Chevrolet. Pour une fois, GM ne s'est pas contenté de simplement changer l'écusson sur la calandre et cet effort est méritoire. Le tableau de bord par contre, est du copier-coller. Il est bien tourné, autant au niveau du design qu'à celui de l'ergonomie. Le système d'infodivertissement MyLink est si simple à utiliser que je n'ai même pas eu besoin de faire appel aux habituels mots liturgiques pour le faire fonctionner !

Les espaces de rangement sont nombreux et les plastiques généralement de bonne qualité. Cependant, quelques unités, autant Chevrolet que GMC et essayées au fil des dernières années ont démontré une qualité d'assemblage plutôt variable. On ne change pas de vieilles habitudes du jour au lendemain…

Impressions de l'auteur		Concurrents
Agrément de conduite : ★★★½	3,5	Ford Escape, Honda CR-V, Hyundai
Fiabilité :	★★★★ 4/5	Santa Fe, Mitsubishi Outlander,
Sécurité :	★★★★ 4/5	Subaru Forester, Nissan Rogue,
Qualités hivernales :	★★★★ 4/5	Toyota RAV4, Volkswagen Tiguan
Espace intérieur :	★★★★ 4/5	
Confort :	★★★★ 4/5	

* GMC terrain : 11 802 unités

Les sièges avant font preuve de confort tandis que la banquette arrière est moins magnanime. Le coffre est grand mais pas autant que les dimensions extérieures le laissent présager. Il convient ici de préciser que l'Equinox (et le Terrain évidemment) est plus imposant que les autres véhicules de la catégorie, se situant à mi-chemin entre les VUS compacts et intermédiaires. Pourtant, son coffre est l'un des plus petits. En fait, il n'y a que le Volkswagen Tiguan qui le bat dans cette quête du microscopique.

L'acheteur a le choix entre deux moteurs : un quatre cylindres de 2,4 litres ou un V6 de 3,6 litres. Les deux sont soumis à une excellente transmission automatique à six rapports. D'office, les roues avant sont motrices mais il est possible, peu importe le moteur ou le niveau d'équipement, d'opter pour le rouage intégral. Bravo GM !

Puissance et gourmandise ou paresse et économie ?

Les gens aimant le moindrement « avoir du cheval sous le pied droit » s'empresseront de choisir le V6, beaucoup plus puissant que le quatre cylindres. Les accélérations sont plus musclées et la sonorité de ce V6 en pleine accélération n'est pas vilaine du tout. Il peut remorquer jusqu'à 3 500 livres (1 588 kg) contre 1 500 (680 kg) pour le quatre. Cependant, les amateurs d'équitation doivent savoir AVANT de signer un contrat que nourrir une écurie peut être très dispendieux... Qu'est-ce qu'il consomme, ce 3,6 litres, quand il est sollicité ! En conduite légale, avec un œuf sous l'accélérateur et sans remorque à l'arrière, on peut par contre rouler sous les 11,5 l/100 km, ce qui n'est quand même pas mal.

Le quatre cylindres, de son côté, est évidemment plus frugal mais il peine à traîner les 1 700 et quelques kilos de l'Equinox. Et sa musique en accélération nous oblige quasiment à augmenter le volume de la radio. Aussi, il est plus rugueux que le V6. Qu'il s'agisse du quatre ou du six, la transmission fonctionne sans à-coups, passant les rapports avec douceur, néanmoins sans grande conviction.

Sur la route, il n'est pas besoin de faire le tour du globe pour se rendre compte que ce duo n'est pas très sportif. La tenue de route est solide, le roulis bien maîtrisé pour un VUS, le confort est toujours préservé peu importe la qualité du revêtement et la direction s'avère précise et permet de bien sentir le travail des roues, du moins dans le V6 où elle est assistée hydrauliquement. Elle est à assistance électrique dans la version 2,4, ce qui atténue un peu la communication.

Le duo Equinox/Terrain n'est pas le plus excitant à conduire mais il répond aux besoins de bien des gens. D'ailleurs, après les Honda CR-V, Ford Escape et Toyota RAV4, ce sont les VUS compacts les plus demandés. Dans une catégorie où la compétition est féroce, c'est un bon indice de leur popularité.

GMC TERRAIN

Photos: Chevrolet Canada

Châssis - Equinox LT TI	
Emp / lon / lar / haut	2857 / 4771 / 1842 / 1760 mm
Coffre / Réservoir	889 à 1803 litres / 71 litres
Nombre coussins sécurité / ceintures	6 / 5
Suspension avant	indépendante, jambes de force
Suspension arrière	indépendante, multibras
Freins avant / arrière	disque / disque
Direction	à crémaillère, ass. variable électrique
Diamètre de braquage	12,2 m
Pneus avant / arrière	P225/65R17 / P225/65R17
Poids / Capacité de remorquage	1780 kg / 680 kg (1499 lb)
Assemblage	Ingersoll, ON

Composantes mécaniques	
LS, LT, LTZ	
Cylindrée, soupapes, alim.	4L 2,4 litres 16 s atmos.
Puissance / Couple	182 chevaux / 172 lb-pi
Tr. base (opt) / rouage base (opt)	A6 / Tr (Int)
0-100 / 80-120 / V.Max	9,9 s / 6,9 s / n.d.
100-0 km/h	42,0 m
Type / ville / route / co_2	Ord / 10,1 / 6,9 l/100 km / 4002 kg/an
LT (V6), LTZ (V6)	
Cylindrée, soupapes, alim.	V6 3,6 litres 24 s atmos.
Puissance / Couple	301 chevaux / 272 lb-pi
Tr. base (opt) / rouage base (opt)	A6 / Tr (Int)
0-100 / 80-120 / V.Max	7,7 s / 5,5 s / n.d.
100-0 km/h	42,4 m
Type / ville / route / co_2	Ord / 12,9 / 8,6 l/100 km / 5014 kg/an

Du nouveau en 2015

Aucun changement majeur

FEU VERT

- Style passe-partout (Equinox)
- Tableau de bord réussi
- Habitacle confortable
- Rouage AWD simple mais efficace
- V6 puissant

FEU ROUGE

- Style controversé (Terrain)
- V6 plutôt goinfre
- Qualité d'assemblage quelquefois erratique
- Prix assez corsés (versions haut de gamme)
- Capacité de remorquage peu élevée (4 cyl.)

CHEVROLET **IMPALA**

▶ **Catégorie :** Berline   ▶ **Échelle de prix :** 33 300 $ à 41 595 $ (2014)   ▶ **Transport et prép. :** 1 950 $

▶ **Cote d'assurance :** $$$$$ ▶ **Garanties :** 3 ans/600 000 km, 5 ans/160 000 km   ▶ **Ventes CAN 2013 :** 3 802 unités

Berline Inc.

Jacques Duval

La Chevrolet Impala, c'est cette voiture que l'on voit partout, sans toutefois connaître quelqu'un qui en possède une. Mais, il n'en a pas toujours été ainsi. À ses débuts, elle était très prisée des familles américaines de la classe moyenne pour qui la berline intermédiaire représentait la seule option ou presque. Au fil du temps, les voitures se sont débarrassées de leur embonpoint n devenant plus petites, avant qu'apparaissent les fameuses fourgonnettes, suivies par les véhicules utilitaires et les multisegments. Aujourd'hui, la majorité des Impala que l'on aperçoit sur les routes appartient à des parcs automobiles. À moins que ce ne soit à des firmes de location.

Pour les représentants sur la route (autrefois appelés « voyageurs de commerce »), les propriétaires d'agences de location de voitures ou de flottes de taxis, la Chevrolet Impala est incontournable et, disons-le, plus désirable qu'elle ne l'a

jamais été. Qu'on l'aime ou non, il n'en demeure pas moins qu'il s'en est écoulé 14 millions d'exemplaires depuis ses débuts sur le marché. Mine de rien, cela en fait une des 10 voitures les plus vendues dans le monde.

Réduire la Chevrolet Impala à un outil de travail serait injuste. Surtout que cette 10e génération a beaucoup à offrir. Ce qui surprend d'entrée de jeu, c'est le style, un élément qu'on semblait avoir négligé ces dernières années. Les lignes sont modernes et certains détails, comme les sorties d'échappement angulaires et massives, tendent à donner une touche sportive à l'ensemble. Aussi, le diamètre des jantes qui est passé de 17 à 18 pouces ne manque pas de faire son effet. Il faut toutefois savoir que le sport s'arrête là, la berline au nœud papillon étant d'un tempérament plutôt sage.

La progression stylistique ne s'est heureusement pas arrêtée à l'extérieur et l'habitacle jouit également de ce vent de fraîcheur. Selon les versions et les options, il est possible

Impressions de l'auteur			Concurrents
Agrément de conduite :	★★★★★	3/5	Buick LaCrosse, Chrysler 300, Dodge
Fiabilité :	★★★★★	4/5	Charger, Ford Taurus, Toyota Avalon
Sécurité :	★★★★★	4/5	
Qualités hivernales :	★★★★★	3/5	
Espace intérieur :	★★★★★	4,5/5	
Confort :	★★★★★	4,5/5	

d'obtenir un intérieur assez chic avec de beaux contrastes de cuirs, de boiseries et de chrome. La finition est par ailleurs soignée et l'ergonomie bien étudiée. Les sièges sont confortables et invitent à parcourir de longues distances.

Tractée, dites-vous ?

Chevrolet n'a ménagé aucun effort pour rendre l'Impala plus attrayante vis-à-vis ses concurrentes. Au programme, on a le choix entre deux moteurs, chacun arrimé à une boîte automatique à 6 rapports. On peut donc opter pour le 4 cylindres Ecotec de 2,5 litres et 196 chevaux ou pour le V6 de 3,6 litres, fort de 306 chevaux. D'ailleurs, ce dernier représente le meilleur choix considérant que l'Impala fait osciller la balance à 1750 kg. De toute façon, la consommation moyenne enregistrée de 9,9 litres aux 100 km est tout à fait convenable.

l'Impala V6 fait partie des rares voitures à roues avant motrices de plus de 300 chevaux à ne pas être affublées d'un dangereux effet de couple dans le volant. En fait, même si après une semaine d'usage, on m'avait dit qu'il s'agissait d'une propulsion, je l'aurais presque cru. On peut déplorer par ailleurs l'impossibilité d'obtenir un rouage intégral à l'opposé des modèles de même catégorie proposés par Ford et Chrysler.

À grande vitesse, on découvre que l'acoustique a eu droit à une attention spéciale, ce qui contribue au confort de cette grande berline. L'espace est généreux et les rangements abondent. Les passagers peuvent prendre leur aise tandis que tous les bagages sont engloutis sans difficulté par un immense coffre. Le contraire serait surprenant compte tenu de la taille de la bête.

Sur la route, la Chevrolet Impala affronte les virages avec aplomb et ses réactions sont très neutres. En virage, son centre de gravité plutôt élevé et sa masse importante se traduisent par un roulis notable, mais l'adhérence n'est que rarement compromise. J'ajouterais même que le comportement de la voiture est très prévisible. Bref, il faudrait presque faire exprès pour que l'on subisse ce que l'on appelle communément une « perte de contrôle ». Surtout que les anges électroniques sont toujours prêts à réagir.

Chevrolet propose la meilleure Impala à ce jour ; elle est beaucoup plus attrayante que par le passé, mais ne renie pas la clientèle conservatrice à qui elle doit son succès. Pour ce qui est du prix demandé, il est tout à fait convenable, du moins pour la version de base à moins de 30 000 $. Cependant, si vous êtes friand d'options, la facture peut s'élever à plus de 40 000 $ et pour une telle somme, les voitures intéressantes commencent à être nombreuses. Pour autant que l'on s'en tienne à l'essentiel, l'Impala représente un bon choix.

Châssis - LTZ V6

Emp / lon / lar / haut	2837 / 5113 / 1854 / 1496 mm
Coffre / Réservoir	532 litres / 70 litres
Nombre coussins sécurité / ceintures	10 / 5
Suspension avant	indépendante, jambes de force
Suspension arrière	indépendante, multibras
Freins avant / arrière	disque / disque
Direction	à crémaillère, ass. variable électrique
Diamètre de braquage	11,8 m
Pneus avant / arrière	P245/45R19 / P245/45R19
Poids / Capacité de remorquage	1754 kg / 454 kg (1000 lb)
Assemblage	Oshawa, ON

Composantes mécaniques

LS Ecotec 2.5

Cylindrée, soupapes, alim.	4L 2,5 litres 16 s atmos.
Puissance / Couple	196 chevaux / 186 lb-pi
Tr. base (opt) / rouage base (opt)	A6 / Tr
0-100 / 80-120 / V.Max	9,0 s (est) / 8,0 s (est) / n.d.
100-0 km/h	n.d.
Type / ville / route / CO_2	Ord / 9,9 / 6,3 l/100 km / 3810 kg/an

LT V6, LTZ V6

Cylindrée, soupapes, alim.	V6 3,6 litres 24 s atmos.
Puissance / Couple	305 chevaux / 264 lb-pi
Tr. base (opt) / rouage base (opt)	A6 / Tr
0-100 / 80-120 / V.Max	7,3 s / 5,2 s / n.d.
100-0 km/h	41,2 m
Type / ville / route / CO_2	Ord / 11,1 / 6,9 l/100 km / 4240 kg/an

Du nouveau en 2015

Aucun changement majeur

FEU VERT
- Silhouette rajeunie
- Bonnes performances
- Rapport qualité/prix (modèle de base)
- Insonorisation soignée
- Comportement routier en progrès

FEU ROUGE
- Encombrement notable
- Vocation commerciale
- Roulis prononcé
- Absence de rouage intégral
- Perdue dans la foule

Photos : Jacques Duval, Chevrolet Canada

CHEVROLET **MALIBU**

▶ **Catégorie :** Berline   ▶ **Échelle de prix :** 26 945 $ à 34 945 $ (2014)   ▶ **Transport et prép. :** 1 850 $

▶ **Cote d'assurance :** $$$$$ ▶ **Garanties :** 3 ans/60 000 km, 5 ans/160 000 km   ▶ **Ventes CAN 2013 :** 6 834 unités

Mon oncle Jean regarde encore *Alerte à Malibu!*
Nadine Filion

Non, la Chevrolet Malibu ne requiert pas qu'on lance l'alerte, du côté conduite du moins. Mais chez les berlines intermédiaires, elle est l'une des plus confortables et des mieux insonorisées qui soient. Et ça, mon oncle Jean aime ça...

Je vous en ai déjà parlé, de mon oncle Jean : oui, oui, celui-là même qui regrette les Cadillac DTS et Mercury Grand Marquis... Vous vous en doutez, tonton Jean ne recherche pas le zeste d'une conduite allemande ; il est plutôt de ceux qui recherchent (encore) les qualités d'une bonne routière, confortable et solide – le propre d'une berline intermédiaire sans prétention sportive comme la Chevrolet Malibu.

Certes, pas d'*Alerte à Malibu* pour la berline américaine, côté style, mais la silhouette est élégante et on aime ce clin d'œil aux feux arrière inspirés de la Chevrolet Camaro. Ce qui se cache là-dessous la plate-forme Epsilon, que GM utilise depuis

dix ans, mais que l'on a élargie, de sorte que la voiture est l'une des plus larges de la catégorie. C'est super pour les occupants, qui ont tout l'espace nécessaire à bord, mais c'est un brin problématique en stationnement.

Sur l'autoroute, la balade est sereine – comme mon oncle Jean l'aime. De fait, avec une révision au niveau de la suspension l'an dernier (eh oui, dès la 1re année de cette 8e génération de Chevrolet Malibu), on a désormais droit à l'une des conduites les plus confortables du marché, mais qui n'est pas pour autant déconnectée ou « balloune ». Le nez ne plonge plus en freinage et les amortisseurs restent bien domestiqués sur les cahots. La direction électrique s'est également précisée : plus besoin d'effectuer moult corrections pour maintenir le cap.

Bon, il faudra convaincre mon oncle Jean que ça se peut, une Chevrolet Malibu sans V6. Il faudra lui expliquer que, dans la course effrénée pour réduire la consommation, la berline

Impressions de l'auteur		Concurrents
Agrément de conduite : ★★★☆☆	3/5	Chrysler 200, Ford Fusion
Fiabilité : ★★★★☆	4/5	Honda Accord, Hyundai
Sécurité : ★★★★☆	4/5	Sonata, Mazda6, Nissan Altima
Qualités hivernales : ★★★☆	3,5/5	Subaru Legacy, Toyota Camry
Espace intérieur : ★★★★☆	4/5	Volkswagen Passat
Confort : ★★★★☆	4,5/5	

américaine a fait table rase sur son V6, pour la première fois de son histoire. En lieu et place, on a droit à un quatre cylindres turbo de 2,0 litres à injection directe de 259 chevaux. C'est le même moteur turbo que pour la Cadillac ATS.

Nous dirions cependant à mon oncle Jean que ce « turbo » n'est réservé qu'à la version haut de gamme. Et qu'il est d'autant moins nécessaire, que l'organe de base fait du bon boulot – d'ailleurs, ce quatre cylindres de 2,5 litres à injection directe est, lui aussi, proposé dans le bébé Cadillac.

Jumelée à une boîte automatique qui ne compte que six rapports, la mécanique de base se délie en souplesse, dans un bon raffinement tant pour les réactions sous le pied droit que pour l'oreille. Sa puissance de 196 chevaux est parmi les plus vigoureuses pour un quatre cylindres non turbo mais il n'en fallait pas moins pour la Chevrolet Malibu, qui s'affiche avec une centaine de kilos de plus que la moyenne de la compétition.

Des options… tardives

C'est surtout ce qui se passe dans l'habitacle qui compte. Il faut bien le dorloter, ce mon'oncle Jean ! Les sièges sont larges et confortables, le dégagement est généreux à toutes les places. Les révisions faites en 2014 ont d'ailleurs amélioré l'espace pour les genoux à l'arrière, merci au réaménagement des dossiers avant. La planche de bord est aérée et les grosses commandes sont faciles à rejoindre, bien qu'il faille décrypter certaines de leurs fonctions, qui ne sont pas toujours instinctives. Et avec des teintes en duo qui déjouent toute monotonie, l'allure générale est sophistiquée, tout en livrant une impression de calme – impression rehaussée par une excellente insonorisation, peut-être l'une des meilleures de la catégorie. Avec ses 462 litres, le coffre est aussi l'un des plus généreux.

Côté prix, ça débute à un poil sous les 25 000 $. Certes, c'est jusqu'à 10 % de plus que pour certaines concurrentes, mais l'équipement de base justifie la chose, à commencer par un système d'arrêt-démarrage qui fait s'éteindre le moteur lorsque la voiture s'immobilise. Vous noterez que la Chevrolet Malibu est l'une des rares, sinon la seule de sa catégorie à avoir la chose de série. Et vous noterez, du coup, la disparition de la Chevrolet Malibu Eco, avec son moteur de 2,4 litres et son système eAssist, une variante pourtant proposée au lancement de cette 8e génération.

Sauf que mon oncle Jean aime se gâter. Et malheureusement pour lui, la Chevrolet Malibu offre ses options les plus populaires – sièges chauffants, clé intelligente, caméra de recul et alerte de circulation transversale – que dans ses versions les mieux nanties. Mais s'il est disposé à grimper dans l'échelle des variantes (et des prix), mon oncle Jean aura droit à une berline qui respecte tout à fait sa tradition de confort.

Photos : Chevrolet Canada, Denis Duquet

CHEVROLET MALIBU

Châssis - LT

Emp / lon / lar / haut	2737 / 4865 / 1854 / 1463 mm
Coffre / Réservoir	462 litres / 70 litres
Nombre coussins sécurité / ceintures	10 / 5
Suspension avant	indépendante, jambes de force
Suspension arrière	indépendante, multibras
Freins avant / arrière	disque / disque
Direction	à crémaillère, ass. variable électrique
Diamètre de braquage	11,4 m
Pneus avant / arrière	P235/50R18 / P235/50R18
Poids / Capacité de remorquage	1560 kg / n.d.
Assemblage	Kansas City, KS

Composantes mécaniques

LS, LT

Cylindrée, soupapes, alim.	4L 2,5 litres 16 s atmos.
Puissance / Couple	196 chevaux / 186 lb-pi
Tr. base (opt) / rouage base (opt)	A6 / Tr
0-100 / 80-120 / V.Max	7,5 s (est) / n.d. / n.d.
100-0 km/h	n.d.
Type / ville / route / CO_2	Ord / 9,2 / 5,7 l/100 km / 3496 kg/an

LTZ

Cylindrée, soupapes, alim.	4L 2,0 litres 16 s turbo
Puissance / Couple	259 chevaux / 260 lb-pi
Tr. base (opt) / rouage base (opt)	A6 / Tr
0-100 / 80-120 / V.Max	6,9 s / 4,5 s / n.d.
100-0 km/h	40,1 m
Type / ville / route / CO_2	Ord / 10,1 / 6,6 l/100 km / 3910 kg/an

Du nouveau en 2015

Abandon du 2,4 Eco, partie avant redessinée, certains éléments du tableau de bord revus.

FEU VERT
- Grande et confortable routière
- Habitacle et coffre spacieux
- Système arrêt-démarrage de série
- Consommation retenue

FEU ROUGE
- Gâteries « tardives »
- Inexistence du régulateur de vitesse intelligent
- L'une des plus lourdes intermédiaires
- Dimensions plutôt imposantes

CHEVROLET SILVERADO

GMC CHEVROLET **SILVERADO** / GMC **SIERRA**

▶ **Catégorie :** Camionnette   ▶ **Échelle de prix :** 28 290 $ à 55 315 $ (2014)   ▶ **Transport et prép. :** 2 000 $

▶ **Cote d'assurance :** $$$$$ ▶ **Garanties :** 3 ans/60 000 km, 5 ans/160 000 km   ▶ **Ventes CAN 2013 :** 37 490 unités*

Jumeaux et rivaux

Denis Duquet

L'incontournable duo Silverado/Sierra a été entièrement transformé l'an dernier afin de pouvoir affronter une concurrence sérieuse, notamment celle du Ram qui fait flèche de tout bois. Pour la première fois de son histoire, la division Chevrolet a développé une version plus luxueuse, le High Country, qui a pour mission de permettre au Silverado de concurrencer le Sierra Denali. Pas parce qu'on est dans la même famille qu'on va s'en laisser imposer ! À part quelques artifices visuels, un habitacle et un niveau d'équipement plus élevés, ces modèles proposent la même mécanique.

Soulignons au passage que si les dirigeants américains de Chevrolet parlent avec emphase de la grande première que représente le nouveau High Country, il est intéressant de noter qu'une camionnette Silverado du même nom a déjà été commercialisée au Canada il y a une quinzaine d'années.

Il s'agissait cependant d'une initiative canadienne et elle se limitait à une décalcomanie appliquée par le concessionnaire ainsi que quelques éléments décoratifs distinctifs. Cette fois, c'est nettement plus sérieux.

Plus qu'il en paraît

En scrutant la fiche technique du Silverado et du Sierra, on est porté à croire que c'est du pareil au même par rapport à la version précédente. En effet, les trois moulins au catalogue sont de même cylindrée que ceux qui équipaient les modèles antérieurs. Mais c'est sauter trop rapidement aux conclusions. La cylindrée est identique, mais la mécanique est totalement nouvelle : les blocs-moteurs sont tous en aluminium, les culasses, les jeux de soupapes et le mécanisme de désactivation des cylindres sont nouveaux. Sans oublier l'injection directe. Ces trois moteurs sont : un V6 de 4,3 litres de 285 chevaux, un V8 de 5,3 litres de 355 chevaux et un V8 de 6,2 litres produisant 420 chevaux. Ils sont tous associés à une transmission automatique à six rapports. À défaut de proposer

Impressions de l'auteur		Concurrents
Agrément de conduite : ★★★★☆	4/5	Ford F-150, Nissan Titan
Fiabilité : ★★★★☆	4/5	RAM 1500, Toyota Tundra
Sécurité : ★★★★☆	4/5	
Qualités hivernales : ★★★½☆	3,5/5	
Espace intérieur : ★★★★☆	4/5	
Confort : ★★★★☆	4/5	

* GMC Sierra: 46 908 unités

un plus grand nombre de vitesses que précédemment, cette boîte effectue des passages de rapport très doux et sa fiabilité est rassurante. Par ailleurs, ces moteurs enregistrent l'une des meilleures consommations de carburant de leur classe.

La plate-forme a été rigidifiée tandis que la géométrie de la suspension a été révisée. Il faut effectuer une randonnée d'essai à bord de l'une ou l'autre de ces camionnettes pour se convaincre que les ingénieurs ont ciblé l'efficacité au lieu du tape-à-l'œil.

Silhouette énigmatique

Il est difficile de savoir si c'est pour confondre les acheteurs, mais non seulement les moteurs sont de cylindrée identique à ceux utilisés précédemment, mais la silhouette de ces deux camionnettes prête à confusion avec les versions antérieures. Il est vrai que lorsqu'un ancien et un nouveau modèle sont placés côte à côte, la différence est évidente. On a beau dire que la vocation initiale d'une camionnette est d'être un outil de travail, on aurait pu se montrer plus inventif. Ce manque de panache pourrait expliquer le départ relativement lent de ces nouveaux modèles sur le marché. Comme toujours, le GMC Sierra se montre plus élégant que le Chevrolet Silverado.

Trois cabines sont proposées dans une longue liste de variantes et d'équipements optionnels. Il y a la cabine simple, la cabine allongée et la cabine d'équipage habituellement appelée crew cab. Selon les versions, l'habitabilité varie alors que la cabine d'équipage avec sa banquette arrière plus spacieuse assure un niveau de confort élevé. Et si les stylistes ont connu une panne d'imagination dans le dessin de la carrosserie, leurs confrères affectés à l'habitacle ont été nettement plus créatifs. Le conducteur fait face à une instrumentation complète et bien disposée. Outre les indispensables compte-tours et odomètre, on retrouve quatre autres cadrans, plus petits mais bien situés. Juste au-dessous de ces petits cadrans, il y a un minicentre d'information qui s'avère pratique et facile à gérer. Par contre, l'élément visuel le plus frappant est cet écran d'affichage encadré par des buses de ventilation et dominant les commandes audio et de climatisation.

La cabine est réalisée à partir de matériaux de qualité et l'assemblage est soigné. On se glisse aisément à bord pour s'installer dans des sièges avant confortables. Bien entendu, peu importe le modèle, la liste des options est exhaustive et il existe évidemment un rouage 4X4. Mais les points forts de ces deux camionnettes sont leur douceur de roulement, le silence dans la cabine et une tenue de route très relevée pour une camionnette. Même si les apparences permettent d'en douter, ce duo a vraiment progressé à tous les niveaux.

CHEVROLET SILVERADO / GMC SIERRA

Châssis - Silverado High Country 4x4 Multiplace

Emp / lon / lar / haut	3886 / 6085 / 2032 / 1875 mm
Boîte / Réservoir	1 956 mm (70 pouces) / 98 litres
Nombre coussins sécurité / ceintures	6 / 5
Suspension avant	indépendante, bras inégaux
Suspension arrière	essieu rigide, ressorts à lames
Freins avant / arrière	disque / disque
Direction	à crémaillère, ass. variable électrique
Diamètre de braquage	14,8 m
Pneus avant / arrière	P275/55R20 / P275/55R20
Poids / Capacité de remorquage	2460 kg / 4309 kg (9499 lb)
Assemblage	Silao, MX; Flint, MI

Composantes mécaniques

V6 4,3 l

Cylindrée, soupapes, alim.	V6 4,3 litres 12 s atmos.
Puissance / Couple	285 chevaux / 305 lb-pi
Tr. base (opt) / rouage base (opt)	A6 / Prop (4x4)
100-0 km/h	n.d.
Type / ville / route / CO_2	Ord / 12,6 / 9,0 l/100 km / 5050 kg/an

V8 5,3 l

Cylindrée, soupapes, alim.	V8 5,3 litres 16 s atmos.
Puissance / Couple	355 chevaux / 383 lb-pi
Tr. base (opt) / rouage base (opt)	A6 / Prop (4x4)
100-0 km/h	43,6 m
Type / ville / route / CO_2	Ord / 13,3 / 9,0 l/100 km / 5230 kg/an

V8 6,2 l

Cylindrée, soupapes, alim.	V8 6,2 litres 16 s atmos.
Puissance / Couple	420 chevaux / 460 lb-pi
Tr. base (opt) / rouage base (opt)	A6 / Prop (4x4)
100-0 km/h	46,3 m
Type / ville / route / CO_2	Ord / 14,6 / 9,7 l/100 km / 5702 kg/an

Du nouveau en 2015

Nouvelle variante Silverado High Country.

- Moteurs bien adaptés
- Consommation réduite de carburant
- Bonne tenue de route
- Finition sérieuse
- Choix de modèles

- Silhouettes trop sobres
- Sautillement du train arrière
- Manque de support aux sièges avant
- Certaines versions onéreuses

Photos : Denis Duquet, Alain Morin

GMC SIERRA

CHEVROLET **SONIC**

▶ **Catégorie :** Berline Hatchback

▶ **Échelle de prix :** 15 795 $ à 25 895 $ (2014)

▶ **Transport et prép. :** 1 900 $

▶ **Cote d'assurance :** n.d.

▶ **Garanties :** 3 ans/60 000 km, 5 ans/160 000 km

▶ **Ventes CAN 2013 :** 9 400 unités

Peut-être Sonic...
mais pas supersonique

Alain Morin

I l y a déjà trois ans, Chevrolet remplaçait son Aveo (du temps de Pontiac, elle avait un pendant, la Wave), une voiture particulièrement démunie. La Sonic débarquait avec sa jolie bouille, ses moteurs enfin dignes de porter ce nom et, surtout, un nouveau nom, question de faire oublier rapidement son ignoble devancière. Et pour être bien sûr qu'on ne s'y méprendrait pas, la Sonic est construite aux États-Unis alors que l'immonde bagnole l'était en Corée.

Les débuts de la Sonic ont été lents mais on en voit de plus en plus sur nos routes. Étonnamment, il s'est vendu exactement (à 200 unités près) le même nombre de Sonic que de Toyota Yaris au pays depuis les deux dernières années. L'offre de Chevrolet dans le domaine des sous-compactes n'est pas dénuée d'intérêt, surtout en version *hatchback*. Voyons ça de plus près.

L'habitacle de la Sonic montre des couleurs souvent bien agencées qui font oublier la qualité très relative de certains matériaux. Le tableau de bord est constitué d'un bloc d'instrument s'inspirant d'une moto. Les révolutions du moteur sont affichées au moyen d'une aiguille, tandis que la vitesse du véhicule l'est par un affichage numérique d'un beau bleu. C'est plutôt dérangeant au début mais on s'y fait rapidement.

Les sièges avant sont assez confortables, cependant je ne suis pas sûr qu'un trajet Montréal-Toronto-Montréal la même journée serait une bonne idée... La banquette arrière est dure, en revanche, l'espace pour les jambes et la tête est correct compte tenu du format de la voiture. La Sonic se décline en deux modèles, *hatchback* et berline. Évidemment, le coffre de la première est beaucoup plus pratique puisque lorsque les dossiers arrière sont rabattus, ils forment un plancher plat, une rareté dans ce créneau. De son côté, le coffre de la berline est étonnamment grand pour une si petite voiture.

Impressions de l'auteur			Concurrents
Agrément de conduite :	★★★★★	3/5	Ford Fiesta, Honda Fit, Hyundai
Fiabilité :	★★★★★	3,5/5	Accent, Kia Rio, Nissan Versa Note
Sécurité :	★★★★★	3,5/5	Toyota Yaris
Qualités hivernales :	★★★★★	3,5/5	
Espace intérieur :	★★★★★	4/5	
Confort :	★★★★★	4/5	

Chaque modèle de la Sonic a droit à deux moteurs déjà vus dans la Chevrolet Cruze et qui engendrent la même puissance, soit 138 chevaux. Pourquoi faire simple... Le celui de base est un quatre cylindres de 1,8 litre développant un couple de 125 livres-pied. Le second est un autre quatre cylindres, de 1,4 litre cette fois-ci, et turbocompressé. Ce dernier est à considérer avec attention. Il ne donne aucune prétention sportive à la Sonic mais grâce à son couple plus élevé (148 livres-pied) il lui permet d'avoir des accélérations est des reprises sécuritaires à condition de maintenir le régime au-delà de 3 500 tours. Sinon, c'est d'un pénible... L'autre moteur, le 1,8, est moins dégourdi et espérer faire le 0-100 km/h en moins de 10 secondes tient du fantasme ou d'un ouragan. Les deux moulins consomment à peu près la même quantité d'essence, soit 6,9 l/100 km après deux semaines d'essai. Cette consommation est très élevée pour une sous-compacte. Si c'est l'économie d'essence qui vous intéresse, la Cruze – plus grande et plus confortable – fait aussi bien, sinon mieux, surtout en version Éco.

Côté transmission, les versions dotées du 1,8 litre reçoivent d'office une manuelle à cinq rapports ou, en option, une automatique (oui, une automatique, pas une vulgaire CVT) à six rapports, svp. Quant aux versions 1,4 litre, elles ont droit à une manuelle à six rapports ou à une automatique à six rapports aussi. Aucune de ces transmissions ne méritera de prix prestigieux, mais elles font un boulot très correct compte tenu des origines modestes de la Sonic. Par contre, pour pouvoir extirper le maximum de chevaux de chacun des moteurs, les manuelles sont recommandées.

Sur la route, on est d'abord impressionné par le silence de roulement. Évidemment, si après un coup dur de la vie vous passez directement d'une Lexus LS460 à une Sonic, vous pourriez avoir une autre opinion ! Les suspensions, MacPherson à l'avant et à poutre de torsion à l'arrière, soulignent le caractère économique de la mignonne Chevrolet, mais elles sont calibrées de façon à bien amortir les chocs tout en préservant le contact des pneus avec le sol. Il en résulte une tenue de route dans la moyenne de la catégorie. Fidèle aux réactions d'une traction, la Sonic sous-vire passablement lorsque lancée à pleine vitesse dans les courbes tout en affichant un roulis non négligeable. Bref, une pénible corvée que le journaliste a accomplie une fois par pur professionnalisme.

Là où la Sonic perd des points, c'est au niveau du prix. Comme sur la plupart de ses concurrentes, les versions de base sont accessibles et peu dispendieuses, mais dès que le client se laisse bercer par la douce euphorie provoquée par la belle et longue liste d'options et le discours encourageant du conseiller aux ventes, d'autres options devraient être envisagées. Comme le passage à un modèle supérieur.

Châssis - LT hatchback (auto)

Emp / lon / lar / haut	2525 / 4039 / 1735 / 1517 mm
Coffre / Réservoir	538 à 1351 litres / 46 litres
Nombre coussins sécurité / ceintures	6 / 5
Suspension avant	indépendante, jambes de force
Suspension arrière	semi-indépendante, poutre de torsion
Freins avant / arrière	disque / tambour
Direction	à crémaillère, ass. électrique
Diamètre de braquage	10,5 m
Pneus avant / arrière	P195/65R15 / P195/65R15
Poids / Capacité de remorquage	1262 kg / n.d.
Assemblage	Lake Orion, MI

Composantes mécaniques

LS, LT

Cylindrée, soupapes, alim.	4L 1,8 litre 16 s atmos.
Puissance / Couple	138 chevaux / 125 lb-pi
Tr. base (opt) / rouage base (opt)	M5 (A6) / Tr
0-100 / 80-120 / V.Max	10,5 s / 7,6 s / n.d.
100-0 km/h	41,8 m
Type / ville / route / CO_2	Ord / 8,3 / 5,5 l/100 km / 3266 kg/an

LTZ, RS

Cylindrée, soupapes, alim.	4L 1,4 litre 16 s turbo
Puissance / Couple	138 chevaux / 148 lb-pi
Tr. base (opt) / rouage base (opt)	M6 (A6) / Tr
0-100 / 80-120 / V.Max	9,7 s / 7,3 s / n.d.
100-0 km/h	40,3 m
Type / ville / route / CO_2	Ord / 7,3 / 5,1 l/100 km / 2900 kg/an

Du nouveau en 2015

Aucun changement majeur

FEU VERT
- Binette sympathique
- Comportement routier correct
- Silence de roulement étonnant
- Performances intéressantes (1,4 litre)
- Version RS amusante

FEU ROUGE
- Consommation élevée
- Roulis en virage
- Prix trop élevé des versions huppées
- Moteur 1,8 litre plus ou moins utile
- Temps de réponse du turbo (1,4 litre)

Photos: Chevrolet Canada

CHEVROLET **SPARK**

▸ **Catégorie :** Hatchback   ▸ **Échelle de prix :** 13 745 $ à 19 545 $ (2014)   ▸ **Transport et prép. :** 1 900$

▸ **Cote d'assurance :** n.d.   ▸ **Garanties :** 3 ans/60 000 km, 5 ans/160 000 km   ▸ **Ventes CAN 2013 :** 2 550 unités

Limonade à la lime ou salsa au *jalapeño?*

Alain Morin

La petite Spark (une Daewoo Matiz redessinée) est avec nous depuis 2012. Résolument différente de tout ce que propose General Motors en Amérique et dotée d'une bouille franchement sympathique, elle partage la catégorie des citadines avec les Fiat 500, Scion iQ, smart, Mitsubishi Mirage et Nissan Micra. La Spark est offerte en une variété de couleurs allant de raisin glacé à *jalapeño* en passant par denim et limonade ! En outre, une fois assis dans la voiture, il est impossible d'oublier la couleur extérieure car elle est reprise sur les portières, le tableau de bord et les sièges. Même un journaliste automobile de 53 ans trouve ça beau… pour les autres.

Dans un match comparatif organisé dans le cadre du *Guide de l'auto 2014* mettant en vedette les diminutives voitures mentionnées ci-haut, sauf la Micra et la Mirage qui n'étaient pas encore parmi nous à ce moment, la Spark était arrivée

deuxième, derrière la Fiat 500. Le style du tableau de bord de la Chevrolet, le niveau d'équipement, l'ergonomie, la visibilité et, surtout la polyvalence apportée par ses portes arrière lui avaient donné plusieurs points. Un de nos essayeurs, heureux papa, s'était amusé (?) à essayer le siège de bébé dans les quatre voitures et, pour lui, les portes arrière de la Spark représentaient la quintessence du bonheur cette journée-là.

Un camion de 84 chevaux et de 1000 kg
Dans la Spark, la position de conduite est haute – très haute même –, et, combinée à l'excellente visibilité, donne l'impression de conduire un gros camion. Le tableau de bord est fort joli et toutes les commandes tombent sous la main ce qui ne m'a pas empêché de profondément détester la radio. Les radios qui ne possèdent pas de boutons rotatifs pour modifier le volume et pour changer de chaîne ne devraient simplement pas exister. Cependant, à mon grand étonnement, j'ai réussi à brancher mon iPhone du premier coup.

Impressions de l'auteur		Concurrents
Agrément de conduite :	★★★★★ 3/5	Fiat 500, Scion iQ, smart Fortwo
Fiabilité :	★★★★★ 3/5	
Sécurité :	★★★★★ 3,5/5	
Qualités hivernales :	★★★★★ 3/5	
Espace intérieur :	★★★★★ 4/5	
Confort :	★★★★★ 3,5/5	

Les deux places arrière sont étonnamment logeables contrairement au coffre, tout petit si les dossiers sont relevés.

Sous le capot de la Spark se terre un quatre cylindres Ecotec de 1,2 litre développant 84 chevaux à 6 400 tr/min pour un couple de 83 livres-pied à 4 200 tr/min. C'est une petite écurie mais elle convient au caractère urbain de la voiture. Malgré tout, une dizaine de chevaux de plus ne feraient pas de tort.

L'an dernier, Chevrolet a abandonné la désuète boîte automatique à quatre rapports qui avait été mise au point par le grand-père de Mathusalem au profit d'une transmission à rapports continuellement variables (CVT) Celle-ci, fabriquée par Jatco, ne fait rien pour diminuer le niveau sonore dans l'habitacle lors de la moindre accélération mais, au moins, elle permet de retrancher une grosse seconde entre 0 et 100 km/h et deux entre 80 et 120 km/h. Il y a aussi une manuelle à cinq rapports, bien peu intéressante à utiliser.

Lors de notre plus récente semaine d'essai, notre consommation moyenne s'est établie à 7,1 l/100 km, ce qui est pratiquement la même qu'avec une Spark automatique l'an dernier. Cette consommation est élevée pour une si petite voiture. Une Toyota Corolla Eco fait aussi bien… Il faut également mentionner qu'avec un réservoir de 35 litres, les pleins ne sont pas dispendieux mais ils sont nombreux.

Pas vraiment faite pour la *drift*

Il n'est pas besoin d'avoir un doctorat en mécanique quantique pour comprendre que la conduite d'une Spark n'a rien pour détourner un riche de sa Porsche 911 Turbo. Les suspensions archiconventionnelles procurent un bon niveau de confort tout en faisant ressortir un roulis considérable. La direction n'est ni très vive ni très bavarde sur le travail des roues mais, au moins, elle est responsable d'un rayon de braquage très court.

Chevrolet commercialise aussi une Spark EV. Avec sa puissance équivalente à 130 chevaux et un couple de 400 livres-pied (oui, oui!), elle offre des performances qui n'ont rien à voir avec la Spark ordinaire. Sauf que… elle n'est réservée qu'aux parcs automobiles.

Une Spark de base coûte environ 12 000 $, ce qui est une véritable aubaine. Je serais toutefois surpris qu'un consommateur quitte une concession Chevrolet avec un contrat de vente affichant un total aussi peu élevé… En se garrochant dans les options comme un journaliste automobile sur un buffet gratuit, on peut aisément faire grimper le prix à plus de 20 000 $. Et ça, c'est franchement trop cher et il y a, à ce moment, beaucoup d'autres options, que ce soit chez Chevrolet ou ailleurs.

Photos : Alain Morin

Châssis - LT

Emp / lon / lar / haut	2375 / 3675 / 1596 / 1549 mm
Coffre / Réservoir	323 à 884 litres / 35 litres
Nombre coussins sécurité / ceintures	10 / 4
Suspension avant	indépendante, jambes de force
Suspension arrière	semi-indépendante, poutre de torsion
Freins avant / arrière	disque / tambour
Direction	à crémaillère, ass. variable électrique
Diamètre de braquage	9,9 m
Pneus avant / arrière	P185/55R15 / P185/55R15
Poids / Capacité de remorquage	1029 kg / non recommandé
Assemblage	Changwon, KR

Composantes mécaniques

LS, LT, 2LT

Cylindrée, soupapes, alim.	4L 1,2 litre 16 s atmos.
Puissance / Couple	84 chevaux / 83 lb-pi
Tr. base (opt) / rouage base (opt)	M5 (CVT) / Tr
0-100 / 80-120 / V.Max	13,0 s / 9,6 s / n.d.
100-0 km/h	41,2 m
Type / ville / route / CO_2	Ord / 6,4 / 5,0 l/100 km / 2650 kg/an

Du nouveau en 2015

Aucun changement majeur

- Certaines couleurs audacieuses
- Habitacle étonnamment vaste
- Portes arrière appréciées
- Très agile en ville
- Prix de base invitant

- Puissance très juste
- Consommation quand même élevée
- Boite manuelle peu intéressante
- Coffre lilliputien
- Certaines versions trop chères

CHEVROLET SUBURBAN

CHEVROLET **TAHOE** / **SUBURBAN** / GMC **YUKON** / CADILLAC **ESCALADE**

▸ **Catégorie :** VUS

▸ **Cote d'assurance :** $$$$$

▸ **Échelle de prix :** 57 000 $ à 77 000 $ (estimé)

▸ **Garanties :** 3 ans/60 000 km, 5 ans/160 000 km

▸ **Transport et prép. :** 2 000 $

▸ **Ventes CAN 2013 :** 1 183 unités*

Large et XX Large

Denis Duquet

L es VUS traditionnels avec châssis de type échelle et de dimensions quasiment gigantesques sont moins populaires qu'auparavant. Les acheteurs sont plus sensibles à l'environnement et le prix de l'essence est sans cesse à la hausse. Voilà qui explique en grande partie la diminution de ce segment du marché. Néanmoins, plusieurs catégories d'acheteurs ont toujours besoin de ces véhicules polyvalents capables de transporter de sept à neuf occupants avec tous leurs bagages et parfois avec une remorque accrochée à l'arrière.

Ce marché est tout de même important pour un constructeur comme General Motors qui domine ce segment. Cette année, étant donné que les camionnettes Chevrolet Silverado et GMC Sierra ont été entièrement transformées l'an dernier, le temps était venu pour General Motors d'en faire profiter ses grands VUS puisqu'ils font appel au châssis et à la mécanique de ces camionnettes.

GMC YUKON

Très gros et très très gros

Selon les besoins des acheteurs, ces mastodontes peuvent être commandés en deux formats : très gros et très très gros. Dans la première catégorie, on retrouve les Chevrolet Tahoe, GMC Yukon et Cadillac Escalade. Leur longueur hors tout est de 5 180 mm. À titre de comparaison, la Chevrolet Spark mesure 3 675 mm de long. C'est quasiment le double. Et pour en remettre une couche, les versions allongées que sont le Suburban, le Yukon XL et l'Escalade ESV étirent le ruban à mesurer à 5 699 mm.

Cette nouvelle génération bénéficie d'un châssis périphérique qui a été renforcé tandis que les ressorts elliptiques ont fait place à des ressorts hélicoïdaux à l'arrière. Les ingénieurs ont également fait appel à plusieurs pièces en aluminium pour les éléments de la suspension, alors que les moteurs sont fixés à des points d'ancrage hydrauliques dans le but de réduire les vibrations.

Impressions de l'auteur

Agrément de conduite :	★★★★☆	4/5
Fiabilité :	**Nouveaux modèles**	
Sécurité :	★★★★☆	4/5
Qualités hivernales :	★★★★☆	4/5
Espace intérieur :	★★★★★	5/5
Confort :	★★★★☆	4/5

Concurrents

Dodge Durango, Ford Expedition, Infiniti QX, Land Rover Range Rover, Lexus LX, Lincoln Navigator, Mercedes-Benz Classe GL, Nissan Armada, Toyota Sequoia

*Tahoe : 1 632 unités/Escalade : 583 unités/Yukon : 2504 unités

Les moteurs ont été entièrement renouvelés l'an dernier. Leur cylindrée est demeurée identique à celle des moteurs antérieurs, mais le bloc-moteur, les culasses ainsi que le jeu des soupapes sont nouveaux afin d'optimiser le rendement et diminuer la consommation de carburant. Il faut ajouter que les blocs sont en aluminium, la cylindrée variable, l'injection directe, et le collecteur d'échappement modulaire. Ils sont tous couplés à une transmission automatique à six rapports. Cette boîte de vitesses est fiable, les passages de rapport s'y effectuent en douceur.

Le V8 de 5,3 litres produit 355 chevaux et 383 lb-pi de couple et sa consommation moyenne annoncée est d'un peu plus de 13 l/100 km. Quant au V8 de 6,2 litres, sa puissance est de 420 chevaux et son couple de 460 lb-pi. Sa consommation moyenne est d'environ 14,7 l/100 km et le carburant super est recommandé. Ces groupes propulseurs sont adaptés pour l'utilisation anticipée de ces gros VUS et peuvent remorquer de très lourdes charges, certaines versions vont même jusqu'à 8 500 livres (3 856 kg). Quant à leur rouage 4x4, sans être le plus raffiné qui soit, il fait amplement l'affaire. À noter que le Cadillac Escalade a plutôt droit à un rouage intégral.

L'élément le plus impressionnant demeure la planche de bord. Les stylistes ont réussi un coup de maître ou presque en dessinant en ensemble très raffiné qui s'associe à cette catégorie de véhicule. L'écran d'information domine le tableau de bord, son affichage est facile à déchiffrer et la navigation entre les différents modes assez simple. Détail à souligner, cet écran se soulève, cachant ainsi un espace de rangement. La planche de bord est recouverte d'un matériau souple surpiqué. La banquette avant trois places est toujours offerte sur certaines versions, créant un véhicule 9 passagers. Selon les modèles, la seconde rangée peut être constituée de sièges capitaines ou d'une banquette.

Surprenante agilité

Dans le cadre de la présentation de ces nouveaux venus, j'ai été en mesure d'essayer pratiquement tous les modèles et ce en plusieurs versions. Les Tahoe et Yukon sont des costauds, mais les Suburban, Yukon XL et Cadillac ESV sont encore plus imposants. Ma première impression, c'est que ces édifices roulants seront aussi agréables à conduire et à stationner qu'un semi-remorque... En revanche, le silence de roulement, la douceur de la suspension et l'agilité dans les virages sont impressionnants. Bref, sur la route, ce fut une belle surprise.

Malgré leurs qualités, tous ces mastodontes sont réservés à des acheteurs spécifiques. Par ailleurs, les prix sont passablement corsés car la liste des versions et des options est très longue.

Châssis - Suburban 1 500 LT 4x2

Emp / lon / lar / haut	3302 / 5699 / 2044 / 1889 mm
Coffre / Réservoir	1098 à 3429 litres / 117 litres
Nombre coussins sécurité / ceintures	6 / 8
Suspension avant	indépendante, bras inégaux
Suspension arrière	essieu rigide, multibras
Freins avant / arrière	disque / disque
Direction	à crémaillère, ass. variable électrique
Diamètre de braquage	13,1 m
Pneus avant / arrière	P265/65R18 / P265/65R18
Poids / Capacité de remorquage	2569 kg / 3765 kg (8300 lb)
Assemblage	Arlington, TX

Composantes mécaniques

Suburban, Tahoe

Cylindrée, soupapes, alim.	V8 5,3 litres 16 s atmos.
Puissance / Couple	355 chevaux / 383 lb-pi
Tr. base (opt) / rouage base (opt)	A6 / Prop (4x4)
0-100 / 80-120 / V.Max	n.d. / n.d. / n.d.
100-0 km/h	n.d.
Type / ville / route / CO_2	Ord / 14,7 / 10,2 l/100 km / 5831 kg/an

Yukon

Cylindrée, soupapes, alim.	V8 5,3 litres 16 s atmos.
Puissance / Couple	366 chevaux / 383 lb-pi
Tr. base (opt) / rouage base (opt)	A6 / Prop (4x4)
0-100 / 80-120 / V.Max	n.d. / n.d. / n.d.
100-0 km/h	n.d.
Type / ville / route / CO_2	Ord / 14,9 / 10,1 l/100 km / 5860 kg/an

Yukon Denali, Escalade

Cylindrée, soupapes, alim.	V8 6,2 litres 16 s atmos.
Puissance / Couple	420 chevaux / 460 lb-pi
Tr. base (opt) / rouage base (opt)	A6 / Prop (int)
0-100 / 80-120 / V.Max	n.d. / n.d. / n.d.
100-0 km/h	n.d.
Type / ville / route / CO_2	Ord / 16,8 / 11,2 l/100 km / 6569 kg/an

Du nouveau en 2015

Nouveaux modèles

FEU VERT
• Habitacle réussi
• Finition améliorée
• Habitabilité garantie
• Bonne tenue de route
• Moteurs bien adaptés

FEU ROUGE
• Dimensions encombrantes
• Consommation toujours élevée
• Prix élevés
• Ne s'adressent pas à tout le monde

CADILLAC ESCALADE

Photos : Chevrolet Canada, Sylvain Raymond

CHEVROLET TAHOE / SUBURBAN / GMC YUKON / CADILLAC ESCALADE

CHEVROLET TRAX

CHEVROLET **TRAX** / BUICK **ENCORE**

▸ **Catégorie :** Multisegment

▸ **Cote d'assurance :** n.d.

▸ **Échelle de prix :** 20 295 $ à 31 230 $ (2014)

▸ **Garanties :** 3 ans/60 000 km, 5 ans/160 000 km

▸ **Transport et prép. :** 1 950 $

▸ **Ventes CAN 2013 :** 7 013 unités*

Belle proposition – avec modération

Nadine Filion

Bouille sympathique, conduite plus intéressante qu'attendue, belle générosité d'espace malgré les petites dimensions passe-partout... Le Chevrolet Trax/Buick Encore est un atout dans une ère où l'on veut de petits véhicules pratiques et économiques en carburant. Ceci dit, notre conseil est d'y aller avec modération.

Le Chevrolet Trax et le Buick Encore, fabriqués au Mexique pour le premier et en Corée du Sud pour le second et tous deux sur la plate-forme de la sœurette Sonic, sont parmi les rares utilitaires sous-compacts du marché. Avec son prix inférieur à 19 000 $ (deux roues motrices, boîte manuelle six vitesses), le Trax constitue une belle proposition – nous reviendrons un peu plus loin sur le Buick Encore.

Ceci dit, on est au Québec et on ne s'en sort pas : la traction intégrale est un incontournable pour un utilitaire, aussi petit

soit-il. L'étiquette du Trax grimpe alors au-delà de 25 000 $ mais l'offre reste intéressante, puisque la plupart des autres utilitaires (plus grands) demandent, pour leur variante AWD, entre 27 500 $ et 30 000 $.

Certes, l'AWD du Chevrolet Trax n'a pas la transparence et l'efficacité des légendaires systèmes de Subaru, par exemple, mais il fait correctement son boulot dans la tempête : lorsque les roues patinent, le couple est vitement redistribué aux roues arrière.

Ce qu'on aime surtout du Chevrolet Trax, c'est sa conduite. Surpris ? Nous de même ! D'autant que l'utilitaire ne partage pas que sa plate-forme avec la Sonic : il lui emprunte aussi son quatre cylindres Ecotec turbo à injection directe (1,4 litre), de tout juste 138 chevaux. Vrai que ça semble peu vigoureux, mais au quotidien, on a l'heureuse impression d'une vingtaine de chevaux de plus, merci à la boîte automatique qui passe ses six rapports de façon efficace et transparente.

Impressions de l'auteur	
Agrément de conduite : ★★★⯪★	3,5/5
Fiabilité : ★★★★★	3/5
Sécurité : ★★★★★	4/5
Qualités hivernales : ★★★★★	4/5
Espace intérieur : ★★★⯪★	3,5/5
Confort : ★★★⯪★	3,5/5

Concurrents
BMW X1

* Buick Encore : 3 550 unités

Avec une garde au sol relativement élevée (158 mm), la position de conduite nous fait nous sentir au-dessus de nos affaires. La tenue de route demeure solide, le freinage est convaincant et la direction électrique, bien dosée, permet une belle maniabilité. Bien que la suspension arrière fasse appel à une poutre de torsion (la plupart des utilitaires misent sur une architecture indépendante), la balade est équilibrée, ni trop ferme, ni trop mollassonne.

Après les fleurs...

Dans l'habitacle du Chevrolet Trax, on aime aussi la planche de bord moderne, qui s'étire à la verticale. Devant les yeux du pilote, l'instrumentation inspirée des motocyclettes est sympathiquement différente de ce qui se fait ailleurs. Les sièges avant sont confortables, de bon support et l'espace intérieur est bien aménagé. Le dégagement aux jambes et aux têtes est presque nez à nez avec des utilitaires plus grands et, avec 530 litres derrière la banquette, voire presque trois fois plus lorsque ladite banquette est rabattue, le pourtant petit véhicule se fait généreux question chargement.

Après les fleurs, voici un début de pot : certains plastiques de revêtement sont rêches et durs. Même si le MyLink (avec son écran tactile bien positionné au centre du tableau) s'offre en option, le Chevrolet Trax manque de technologies et de gâteries. À commencer par la clé intelligente et le toit panoramique, des éléments que nous espérions pour la version endimanchée du Buick Encore. Qui plus est, l'habitacle du cousin Buick est d'une sobriété sombre et ennuyante, qui s'accroche aux anciennes commandes hiéroglyphiques de GM, réparties sans logique. L'écran, non tactile et installé au bas du pare-brise, est trop loin des yeux pour être facilement lisible.

Nous ne saurions vous recommander la variante AWD du Buick Encore, avec son prix de départ sous les 28 000 $. Oh, la silhouette a fière allure, avec sa calandre en chute d'eau! Le hic, c'est qu'à l'intérieur, ça n'a ni la classe, ni la finition, ni l'insonorisation, encore moins la touche chic et zen des nouveaux produits Buick. Les sièges chauffants avant ne sont offerts qu'à partir de 31 000 $ et le système de navigation, voire l'alerte à la circulation transversale, n'est même pas compris dans une version de plus de 33 000 $.

Si la poutre de torsion et le petit quatre cylindres de 138 chevaux sont très corrects pour un Chevrolet Trax, de tels organes n'ont pas leur place dans la famille Buick, où l'on attend une conduite plus souple et plus vigoureuse.

Buick a pourtant réussi ses derniers duplicata (pensez Chevrolet Cruze/Buick Verano), mais cette fois, ça tombe à plat. Nous aurions pu dire oui au petit Buick Encore si, au moins, il s'était approprié le beau quatre cylindres turbo (2,0 litres) qui traîne dans la famille.

Châssis - Chevrolet Trax LS

Emp / lon / lar / haut	2555 / 4280 / 2035 / 1674 mm
Coffre / Réservoir	530 à 1371 litres / 53 litres
Nombre coussins sécurité / ceintures	10 / 5
Suspension avant	indépendante, jambes de force
Suspension arrière	semi-indépendante, poutre de torsion
Freins avant / arrière	disque / tambour
Direction	à crémaillère, ass. variable électrique
Diamètre de braquage	10,9 m
Pneus avant / arrière	P205/70R16 / P205/70R16
Poids / Capacité de remorquage	1363 kg / non recommandé
Assemblage	San Luis Potosi, MX

Composantes mécaniques

Cylindrée, soupapes, alim.	4L 1,4 litre 16 s turbo
Puissance / Couple	138 chevaux / 148 lb-pi
Tr. base (opt) / rouage base (opt)	M6 (A6) / Tr (Int)
0-100 / 80-120 / V.Max	10,3 s / 7,9 s / 195 km/h
100-0 km/h	41,5 m
Type / ville / route / CO_2	Ord / 8,7 / 6,5 l/100 km / 3547 kg/an

BUICK ENCORE

Du nouveau en 2015

Aucun changement majeur, sauf l'arrivée du Trax chez nos voisins du Sud.

 FEU VERT
- Belle bouille sympathique
- Très maniable dans les stationnements
- Comportement routier fort intéressant
- Bon prix de départ, sous les 19 000 $ (Trax)
- Habitacle généreux pour un si petit véhicule

 FEU ROUGE
- Consommation : attention aux pieds pesants!
- Quelques plastiques peu agréables au toucher
- Certaines versions font grimper la facture
- Habitacle moins intéressant pour le Buick Encore

BUICK ENCORE

Photos: Buick Canada, Chevrolet Canada

CHEVROLET TRAX / BUICK ENCORE

CHEVROLET **VOLT**

▸ **Catégorie :** Berline   ▸ **Échelle de prix :** 38 845 $ (2014)   ▸ **Transport et prép. :** 1 950 $

▸ **Cote d'assurance :** n.d.   ▸ **Garanties :** 3 ans/600 000 km, 5 ans/160 000 km   ▸ **Ventes CAN 2013 :** 931 unités

Elle a notre préférence

Nadine Filion

L a question qui tue : que choisir entre une voiture à autonomie prolongée – la Chevrolet Volt – et une hybride rechargeable – la Toyota Prius branchable ? La réponse est : tout est question de goût. Le nôtre, eh bien, il préfère la Chevrolet Volt.

Vous savez déjà que la Chevrolet Volt est d'abord propulsée par un moteur électrique de 149 chevaux qui, lui, est secondé par un quatre cylindres à essence de 1,4 litre. Vous savez donc que pour plus ou moins 60 km (surtout moins, l'hiver...), la Volt peut rouler uniquement en mode électrique, sans recourir à du carburant, ni émettre de polluants. Et c'est là sa plus grande qualité : après un essai de 300 km presque toujours en mode « Hydro » (pour des recharges au quotidien totalisant à peine 3,50 $ d'électricité), le plein de carburant ne nous a coûté que 2,98 $. N'importe quelle berline traditionnelle aurait puisé de dix à douze fois plus dans le portefeuille.

Autre qualité de la Volt : son style. Avouez qu'elle est (encore) l'une des plus jolies voitures vertes. Dedans comme dehors, son design futuriste, à la limite du haut de gamme, plaît encore beaucoup. Certes, les lectures à l'écran tactile commandent l'apprivoisement, mais c'est attendu de la part d'un véhicule qui doit nous renseigner non seulement sur la station audio écoutée et les contrôles de température, mais aussi sur notre consommation, quelle énergie fait quoi, les recharges et que sais-je encore.

Côté espace, on a droit à du pratico-pratique avec un hayon qui s'ouvre sur la banquette divisée (par la batterie) qui se rabat à plat. Par contre, il n'y a que quatre places à bord. Mais la Chevrolet Volt telle qu'on la connaît est sur ses derniers milles : une nouvelle génération est à nos portes avec, peut-être, la 5e place qui manque, au milieu. Vous dites qu'il faudrait en profiter pour accorder plus d'autonomie électrique ? Faudra voir : il n'y a toujours pas de miracles à faire avec les batteries...

Impressions de l'auteur		Concurrents
Agrément de conduite : ★★★⯪	3,5	Aucun concurrent
Fiabilité : ★★★★	4	
Sécurité : ★★★⯪	3,5	
Qualités hivernales : ★★★	3	
Espace intérieur : ★★★	3	
Confort : ★★★⯪	3,5	

Alors, laquelle nous branche ?

Bon, la consommation – car c'est ce qui compte, du moins quand on envisage l'acquisition d'une voiture écologique. Pour 800 kilomètres, principalement sur l'autoroute, nous avons enregistré 6,7 l/100 km, ce qui est très correct pour celle qui pèse quand même 1715 kg.

Vous voulez savoir laquelle, entre la Chevrolet Volt et la grande rivale Toyota Prius branchable, se fait la plus économe en carburant (du super pour la première, de l'ordinaire pour la seconde) ? Ça dépend : pour les trajets de moins de 100 km en ville (avant chaque recharge), c'est l'Américaine qu'il vous faut, avec son autonomie électrique de deux à trois fois plus généreuse. Mais si vous roulez davantage, c'est la Japonaise qui l'emporte : voiture moins lourde (de 280 kg), aérodynamisme plus prononcé (0,25 Cx contre 0,29 Cx pour la Volt), moteur 10 % moins puissants...

Le point de bascule ? Lors d'un essai comparatif ville/autoroute, il s'est établi à 160 km, moment où les deux voitures, conduites aux mêmes vitesses, aux mêmes températures et sur les mêmes routes, ont indiqué, nez à nez, une moyenne de 4,5 l/100 km. Passée cette marque, la Toyota a lentement, mais sûrement pris le dessus, pour clore un parcours de 200 km à 4,4 l/100 km (versus les 4,7 l/100 km de la Chevrolet).

Même devant cette légère différence, notre coup de cœur va indéniablement à la Chevrolet Volt, ne serait-ce que pour sa conduite moins poussive et sa direction mieux connectée. Certes, on doit vivre avec un moteur générateur qui, lorsqu'il renfloue les batteries, est peu discret. Et il faut aussi vivre avec la transmission CVT (à variation continue) qui n'a pas la retenue d'une bonne vieille boîte automatique, mais ça, c'est l'aria de presque toutes les hybrides, rechargeables ou pas.

Économie de carburant ou... économie tout court ?

...voilà l'autre question qui tue. Car l'étiquette des deux voitures se compare à plus ou moins 1000 $. Oui, la Volt a droit à un rabais gouvernemental (le temps que ça dure...) de 8 000 $, deux fois plus que pour la Prius branchable, ce qui ramène son prix en deçà de 30 000 $. Sauf que sa liste d'équipements n'est pas aussi généreuse que pour la Toyota qui, elle, offre de série le système de navigation et la caméra de recul.

Et entre vous et moi et la boîte à beurre, c'est bien beau, vouloir économiser à la pompe en roulant hybride, mais reste qu'à l'acquisition, ça demande plusieurs milliers de dollars de plus que pour des véhicules non électrifiés. La vraie économie... eh bien, c'est probablement avec la Chevrolet Cruze diesel (à partir de 25 000 $) qu'on la fait.

Châssis - Volt

Emp / lon / lar / haut	2685 / 4498 / 1788 / 1439 mm
Coffre / Réservoir	300 litres / 35 litres
Nombre coussins sécurité / ceintures	8 / 4
Suspension avant	indépendante, jambes de force
Suspension arrière	semi-indépendante, poutre de torsion
Freins avant / arrière	disque / disque
Direction	à crémaillère, ass. variable électrique
Diamètre de braquage	11,0 m
Pneus avant / arrière	215/55R17 / 215/55R17
Poids / Capacité de remorquage	1715 kg / non recommandé
Assemblage	Hamtramck, MI

Composantes mécaniques

Volt

Cylindrée, soupapes, alim.	4L 1,4 litre 16 s atmos.
Puissance / Couple	63 chevaux / n.d. lb-pi
Tr. base (opt) / rouage base (opt)	CVT / Tr
0-100 / 80-120 / V.Max	10,0 s / 7,8 s / 160 km/h
100-0 km/h	43,8 m
Type / ville / route / co$_2$	Sup / 6,7 / 5,9 l/100 km / 2944 kg/**an**

Moteur électrique

Puissance / Couple	149 ch (111 kW) / 273 lb-pi
Type de batterie	Lithium-ion
Énergie	16,5 kWh
Temps de charge (120V / 240 V)	13,0 / 4,0 hres

Du nouveau en 2015

Ajout du 4G LTE (qui transforme la voiture en borne WiFi), fin de cycle (nouveau modèle à venir).

FEU VERT
- Encore l'une des plus jolies voitures vertes
- Plus ou moins 60 km d'autonomie électrique
- Habitacle moderne et sympathique
- Conduite intéressante (+ que pour la Prius)

FEU ROUGE
- Poutre de torsion indisciplinée
- Seulement 4 places à bord
- Moteur-générateur bruyant
- Insonorisation très moyenne
- Moins équipée que la Prius branchable

Photos : Chevrolet Canada, Jeremy Alan Glover

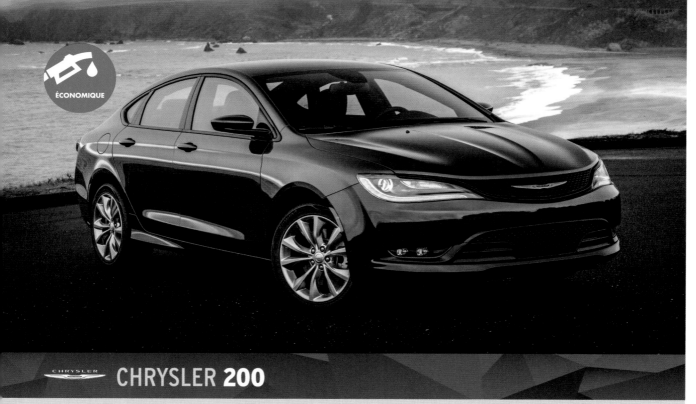

CHRYSLER **200**

▸ **Catégorie :** Berline	▸ **Échelle de prix :** 22 495 $ à 30 000 $ (estimé)	▸ **Transport et prép. :** 1 795 $
▸ **Cote d'assurance :** $$$$$	▸ **Garanties :** 3 ans/60 000 km, 5 ans/100 000 km	▸ **Ventes CAN 2013 :** 11 666 unités

Troisième essai réussi

Benjamin Hunting

Que faire quand on a tout essayé pour séduire les acheteurs de berlines intermédiaires et que ça ne fonctionne toujours pas ? Appeler l'équipe Alfa Romeo à la rescousse ! En tout cas, c'est ce qu'a fait Chrysler avec son modèle 200. Fiat, la société mère, a fourni la plate-forme de la Giulietta et les ingénieurs sont partis de là. Résultat : une toute nouvelle Chrysler 200.

Élégante et bien équipée

Et tant qu'à repartir à zéro, aussi bien le faire avec style. Le devant de la voiture affiche des lignes élégantes et sculptées, avec des phares bien intégrés et une calandre mince ornée du logo ailé de Chrysler. L'œil se dirige ensuite en douceur vers l'arrière en suivant la pente inclinée du toit. En vue trois quarts arrière, on dirait presque un *hatchback*.

La plate-forme européenne de la Chrysler 200 est semblable à celle de la berline compacte Dodge Dart, ce qui signifie qu'il n'y a pas autant d'espace à l'intérieur que dans d'autres véhicules de format intermédiaire. De plus, la pente du toit réduit sensiblement la taille des portes arrière, compliquant un peu l'accès à la banquette, même pour les passagers de taille modeste.

Une fois bien installé à l'intérieur, toutefois, on se retrouve dans un univers vraiment plus agréable qu'avant. Avec ses matériaux beaucoup plus souples et son design tout en courbes, l'habitacle de la 200 est à présent au même niveau que celui de ses rivales. L'espace pour les jambes est suffisamment grand, à l'avant et à l'arrière. Côté technologie, on retrouve la dernière version de l'interface Uconnect. Ce système à écran tactile est l'un des meilleurs sur le marché avec son graphisme réussi, sa vitesse d'opération et sa facilité d'utilisation. Les versions de base sont dotées d'un écran Uconnect plus petit. Dans tous les modèles, c'est maintenant une molette rotative sur la console centrale qui commande la transmission automatique.

Impressions de l'auteur	
Agrément de conduite : ★ ★ ★ ★ ★	3/5
Fiabilité : ★ ★ ★ ★ ★	3,5/5
Sécurité : ★ ★ ★ ★ ★	4/5
Qualités hivernales : ★ ★ ★ ★ ★	3,5/5
Espace intérieur : ★ ★ ★ ★ ★	3,5/5
Confort : ★ ★ ★ ★ ★	4/5

Concurrents
Chevrolet Malibu, Ford Fusion,
Honda Accord, Hyundai Sonata,
Kia Optima, Mazda6,
Nissan Altima, Subaru Legacy,
Toyota Camry, Volkswagen Passat

Chrysler avait pour objectif de rendre la 200 plus cossue que jamais auparavant. Force est d'admettre que l'objectif a été atteint, surtout si l'on opte pour les déclinaisons 200S ou 200C (plutôt que les LX ou Limited, plus modestement équipées).

Beaucoup de vitesses et deux moteurs

La transmission automatique compte neuf vitesses, une première dans cette catégorie. Conçue en fonction de l'économie d'essence, la boîte fonctionne particulièrement bien avec le V6 Pentastar de 3,6 litres offert en option. Ce moteur produit 295 chevaux et un couple de 262 lb-pi. Son fonctionnement est doux et il livre des accélérations respectables, presque sportives, et certainement plus enlevantes que celles des anciens modèles. Avec le Pentastar, on peut choisir la traction avant ou intégrale.

Malheureusement, le mariage entre le moteur de base et cette transmission neuf vitesses est moins réussi. Le quatre cylindres Tigershark de 2,4 litres livre une bonne puissance : 184 chevaux pour un couple de 173 lb-pi. Mais quand vient le moment de rétrograder, la transmission est hésitante, et le passage des vitesses est particulièrement sec entre le premier et le second rapport. Il en résulte une expérience de conduite nettement moins agréable qu'avec le V6. Je suppose qu'avec son couple plus abondant, le six cylindres masque en bonne partie le côté rugueux de la transmission. En ce qui concerne l'efficacité énergétique, par contre, Chrysler peut dire mission accomplie : les deux moteurs consomment 25 % moins d'essence que lorsqu'ils étaient dans les modèles de la génération précédente.

Sur les Chrysler 200 munies du moteur Pentastar, on a l'impression que la suspension garde la voiture mieux ancrée au sol. Cela dit, toutes les versions offrent un roulement stable et confortable, peu importe les conditions routières. C'est seulement si l'on pousse la 200 un peu plus fort dans les virages que l'on commence à voir apparaître la différence de calibration entre les modèles à quatre et à six cylindres. Mais cette berline n'est pas conçue pour les slaloms de toute façon. C'est une voiture qui se veut agréable pour aller au travail ou pour emmener la famille en voyage. Dans cette perspective, elle est très réussie.

Pour résumer, la Chrysler 200 2015 est plus belle, plus luxueuse et plus confortable que le modèle qu'elle remplace. Et si l'on opte pour le V6, on peut également ajouter qu'elle offre une conduite clairement supérieure. Avec le moteur quatre cylindres, elle perd quelques points à cause du caractère rugueux de la transmission automatique.

Châssis - C AWD

Emp / lon / lar / haut	2742 / 4885 / 1871 / 1491 mm
Coffre / Réservoir	453 litres / 60 litres
Nombre coussins sécurité / ceintures	8 / 5
Suspension avant	indépendante, jambes de force
Suspension arrière	indépendante, multibras
Freins avant / arrière	disque / disque
Direction	à crémaillère, ass. variable électrique
Diamètre de braquage	12,0 m
Pneus avant / arrière	P215/55R17 / P215/55R17
Poids / Capacité de remorquage	1675 kg / non recommandé
Assemblage	Sterling Heights, MI

Composantes mécaniques

LX, Limited, C, S

Cylindrée, soupapes, alim.	4L 2,4 litres 16 s atmos.
Puissance / Couple	184 chevaux / 173 lb-pi
Tr. base (opt) / rouage base (opt)	A9 / Tr
0-100 / 80-120 / V.Max	9,0 s (est) / n.d. / n.d.
100-0 km/h	n.d.
Type / ville / route / co_2	Ord / 8,9 / 5,8 l/100 km / 3452 kg/an

C AWD, S AWD

Cylindrée, soupapes, alim.	V6 3,6 litres 24 s atmos.
Puissance / Couple	295 chevaux / 262 lb-pi
Tr. base (opt) / rouage base (opt)	A9 / Int
0-100 / 80-120 / V.Max	7,0 s (est). / n.d. / n.d.
100-0 km/h	n.d.
Type / ville / route / co_2	Ord / 10,5 / 6,5 l/100 km / 4002 kg/an

Photos : Chrysler Canada

Du nouveau en 2015

Nouveau modèle

FEU VERT

- V6 puissant
- Consommation réduite par rapport à 2014
- Tableau de bord bien dessiné
- Prix bien étudiés

FEU ROUGE

- Versions intéressantes assez chères
- Places arrière difficiles d'accès
- Union 2,4 litres/boite 9 rapports malheureuse
- Moins agréable à conduire que certaines rivales

CHRYSLER 300

▶ **Catégorie :** Berline	▶ **Échelle de prix :** 36 090 $ à 51 190 $ (2014)	▶ **Transport et prép. :** 1 795 $
▶ **Cote d'assurance :** $$$$	▶ **Garanties :** 3 ans/60 000 km, 5 ans/100 000 km	▶ **Ventes CAN 2013 :** 5 375 unités

Toujours dans le coup

Denis Duquet

La Chrysler 300 – dont la carrosserie a été initialement dessinée par le Montréalais Ralph Gilles – a survécu aux difficultés financières de son constructeur, à l'arrivée de Fiat dans le décor et même aux soubresauts de la crise économique mondiale qui n'a pas été tendre envers les grosses berlines de luxe. Cette résilience est un témoignage aux qualités intrinsèques de cette voiture qui, bien qu'elle utilise une plate-forme d'origine Mercedes-Benz – l'ancienne classe E – est une authentique Américaine autant dans sa présentation que dans sa conception générale.

Sa silhouette a impressionné et continue de le faire. Dès son arrivée sur le marché, les gens se retournaient sur son passage et plusieurs avaient de la difficulté à croire à son prix très abordable pour la catégorie. En outre, les améliorations esthétiques apportées, il y a maintenant trois ans, ont raffiné et actualisé son apparence, tandis que l'habitacle subissait

une spectaculaire transformation lui permettant de se mesurer à ses concurrents directs et même à ceux de catégories supérieures en fait de prestige et de prix. C'est généralement le lot des voitures bien nées d'avoir une longévité supérieure à la moyenne.

Une question de *feeling*

La silhouette a été rajeunie, mais ce n'est rien par rapport à l'habitacle lors de la révision en profondeur de 2012. Non seulement les matériaux sont de meilleure qualité et la finition plus resserrée, mais l'ensemble de la présentation donne immédiatement une impression de luxe. Les stylistes n'ont pas tenté de copier les autos européennes ou asiatiques, cette planche de bord est 100 % d'inspiration nord-américaine ! Les deux principaux cadrans indicateurs avec chiffres blancs sur fond noir sont de consultation facile. Le soir, ils sont éclairés par une lumière bleutée du plus bel effet. Le volant, dont le moyeu est cerclé de simili aluminium brossé, est pratique avec ses rayons qui accueillent les commandes du régulateur de

Impressions de l'auteur		Concurrents
Agrément de conduite : ★★★★☆	4/5	Buick LaCrosse, Chevrolet Impala,
Fiabilité : ★★★⯪☆	3,5/5	Dodge Charger, Ford Taurus, Hyundai
Sécurité : ★★★★☆	4/5	Genesis, Nissan Maxima, Toyota
Qualités hivernales : ★★★⯪☆	3,5/5	Avalon
Espace intérieur : ★★★★☆	4/5	
Confort : ★★★★☆	4/5	

croisière et du système audio. Le large écran d'affichage est situé dans un module lui aussi cerclé de simili aluminium brossé et il est en plus superposé par une pendulette analogique. Bref, tous ces éléments accentuent l'impression d'être à bord d'une auto à part. Soulignons au passage que le système de gestion Uconnect est efficace et d'une grande simplicité d'utilisation. Enfin, les sièges avant sont très confortables tandis que les occupants des places arrière ne se sentiront pas à l'étroit.

Personnalités multiples

Mais ce qui contribue le plus à la popularité de la Chrysler 300 est que son rapport qualité/prix est compétitif face à la concurrence. Mais, mieux encore, l'acheteur a l'embarras du choix selon qu'il désire une berline spacieuse à vocation familiale ou un bolide capable de faire des « shows de boucane ».

La version sage est dotée de l'incontournable moteur V6 Pentastar de 3,6 litres dont les 292 chevaux sont amplement suffisants. Sa consommation de carburant s'est amoindrie depuis l'adoption de la boîte automatique à huit rapports de type manumatique. Soulignons également que sur certains modèles, ce V6 produit 8 chevaux de plus. Sans oublier que le rouage intégral est également disponible. La boîte de transfert gère la répartition automatique du couple et de la désactivation automatique des roues avant au besoin.

Qui dit grosse berline américaine dit également moteur V8. Le 5,7 HEMI de 363 chevaux avec désactivation des cylindres est disponible aussi bien en mode propulsion qu'en traction intégrale. Cette fois, pas de boîte de vitesses à huit rapports : l'automatique à cinq rapports est la seule.

La direction de Chrysler a décidé d'en ajouter une autre couche avec le modèle SRT dont le tonitruant V8 HEMI de 6,4 litres produit 470 chevaux et permet des accélérations canon. Venant uniquement avec roues arrière motrices et une robuste boîte automatique à cinq rapports, le SRT s'adresse aux amateurs d'émotions fortes et non pas aux écologistes... Et comme pour narguer ces derniers, la sonorité gutturale du silencieux a de quoi étourdir les natures faibles.

Mais peu importe la motorisation, la 300 possède d'excellentes manières aussi bien sur l'autoroute ou que sur une route secondaire parsemée de virages serrés. Et dans l'habitacle, on prend ses aises tout en écoutant une chaîne Beats Audio ou Harmon/Kardon optionnelle. Enfin, au chapitre de la sécurité, la 300 propose tous les systèmes mis au point récemment.

La Chrysler 300 est toutefois due pour une refonte... qui ne devrait pas tarder!

Châssis - SRT

Emp / lon / lar / haut	3052 / 5088 / 1885 / 1480 mm
Coffre / Réservoir	462 litres / 72 litres
Nombre coussins sécurité / ceintures	7 / 5
Suspension avant	indépendante, bras inégaux
Suspension arrière	indépendante, multibras
Freins avant / arrière	disque / disque
Direction	à crémaillère, assistée
Diamètre de braquage	11,9 m
Pneus avant / arrière	P245/45R20 / P245/45R20
Poids / Capacité de remorquage	1980 kg / n.d.
Assemblage	Brampton, ON

Composantes mécaniques

Touring, S

Cylindrée, soupapes, alim.	V6 3,6 litres 24 s atmos.
Puissance / Couple	292 chevaux / 260 lb-pi
Tr. base (opt) / rouage base (opt)	A5 (A8) / Prop (Int)
0-100 / 80-120 / V.Max	8,0 s / 7,0 s / n.d.
100-0 km/h	n.d.
Type / ville / route / CO_2	Ord / 11,4 / 7,3 l/100 km / 4370 kg/an

C, Luxury

Cylindrée, soupapes, alim.	V8 5,7 litres 16 s atmos.
Puissance / Couple	363 chevaux / 394 lb-pi
Tr. base (opt) / rouage base (opt)	A5 / Prop (Int)
0-100 / 80-120 / V.Max	6,7 s / 3,7 s / 210 km/h
100-0 km/h	41,4 m
Type / ville / route / CO_2	Ord / 11,4 / 7,3 l/100 km / 4370 kg/an

SRT

Cylindrée, soupapes, alim.	V8 6,4 litres 16 s atmos.
Puissance / Couple	470 chevaux / 470 lb-pi
Tr. base (opt) / rouage base (opt)	A5 / Prop
0-100 / 80-120 / V.Max	5,2 s / 3,6 s / n.d.
100-0 km/h	39,5 m
Type / ville / route / CO_2	Sup / 15,0 / 8,7 l/100 km / 5612 kg/an

Photos: Chrysler Canada, Jacques Duval

Du nouveau en 2015

Aucun changement majeur, nouveau modèle annoncé.

FEU VERT

- Choix de moteurs
- Équipement complet
- Bonne tenue de route
- Rouage intégral

FEU ROUGE

- Dimensions encombrantes
- Version SRT gourmande
- Visibilité arrière
- Modèle qui approche sa fin de carrière

DODGE **CHALLENGER**

▸ **Catégorie :** Coupé

▸ **Cote d'assurance :** $$$$$

▸ **Échelle de prix :** 27 000 $ à 52 000 $ (estimé)

▸ **Garanties :** 3 ans/60 000 km, 5 ans/100 000 km

▸ **Transport et prép. :** 1 795 $

▸ **Ventes CAN 2013 :** 1 514 unités

Danser avec le diable

Alain Morin

Lorsque les journalistes automobiles avaient vu le concept de la Dodge Challenger au Salon de Detroit en janvier 2006, personne ne croyait qu'il serait vraiment mis en production. Trop près du modèle original selon les uns, trop gros selon les autres et trop tout selon tout le monde. C'était oublier que cette même marque avait déjà produit la Viper et la Plymouth Prowler, deux voitures d'une parfaite inconvenance mais si tentantes. Du péché sur roues, quoi !

La Dodge Challenger fut donc mise en production telle quelle, ou presque, ramenant sur le tapis la guerre des *muscles cars* puisque la Mustang venait à peine d'être entièrement revue. Ne manquait que la Camaro qui s'est fait un plaisir d'embarquer dans la danse en 2009 en tant que modèle 2010.

La Challenger a beau avoir connu une constante et fort intéressante hausse de la puissance de ses moteurs, n'empêche

que le temps, cet ennemi du statu quo, avait fait son œuvre, surtout dans l'habitacle. En effet, le tableau de bord emprunté à la Chrysler 300, une voiture rejoignant un tout autre public, a toujours sonné faux dans la Challenger. Pour 2015, c'est réglé avec l'arrivée d'une nouvelle unité, infiniment plus dynamique. La carrosserie connaît des changements moins drastiques mais bienvenus. La grille avant et les feux arrière rappellent la Challenger 1971. Alors que les changements apportés au Charger cette année sont loin de faire l'unanimité, ceux dont profite la Challenger vont passer comme du beurre dans la poêle.

Moteurs d'enfer

Au niveau des moteurs, alors là, bonjour le drastique. Pour ne pas dire bonjour le dragster. Le moteur de base demeure le V6 3,6 litres développant 305 chevaux, comme avant. Si vous voulez mon avis, et même si vous ne le voulez pas, cette écurie est amplement suffisante pour déplacer convenablement

Impressions de l'auteur		
Agrément de conduite :	★★★⯪★	3,5 /5
Fiabilité :	★★★⯪★	3,5 /5
Sécurité :	★★★★★	3 /5
Qualités hivernales :	★★⯪★★	2,5 /5
Espace intérieur :	★★★★★	3 /5
Confort :	★★★★★	3 /5

Concurrents
Chevrolet Camaro, Dodge Charger, Ford Mustang

les 1700 et quelques kilos de la voiture tout en maintenant une consommation relativement sobre. Sauf qu'à style d'enfer, il faut un moteur d'enfer. Le V8 de 5,7 litres Hemi de 375 chevaux et 410 livres-pied de couple amène la Challenger à un autre niveau. L'enfer est pavé de bonnes intentions et le 5,7 en est une. On y retrouve aussi assurément quelques mauvaises intentions. Ça, c'est l'affaire de la SRT avec son 6,1 Hemi qui débauche 485 chevaux et 475 livres-pied livrés aux pneus arrière, lesquels ne demandent qu'à fumer via une transmission automatique à huit rapports ou une manuelle à six rapports. Ces mêmes boîtes se retrouvent aussi avec le 5,7. Avec le 6,1 et l'automatique (le rapport du différentiel n'a pas été dévoilé), Dodge parle d'un 0-60 mph (0-96 km/h) en environ 4,5 secondes.

Tout ça, c'est bien beau, toutefois, ça n'émeut pas les amateurs de Chevrolet qui peuvent compter sur la Camaro ZL1 de 580 chevaux et sur la Z/28 peut-être moins puissante mais conçue pour la piste. Ni les maniaques de Ford dont la Mustang, en version Shelby GT500, déballait, en 2014, pas moins de 662 pur-sang. Pour contrer ces assauts, Dodge oppose sa Challenger SRT dotée du moteur Hellcat, un monstre de 6,2 litres surcompressé de 707 chevaux et d'un couple de 650 livre-pied. Si un jour je me réincarne, de grâce faites que ça ne soit pas en un Pirelli arrière destiné à un Hellcat ! Encore ici, deux transmissions seront offertes, une manuelle à six rapports et une automatique à huit rapports.

Besoin de plus d'intelligence que de testostérone

Un peu comme Ford avec son système MyKey, la SRT Hellcat sera livrée avec deux clés, une rouge et une noire. Cette dernière active le mode Valet et limite plusieurs paramètres pour empêcher un voiturier ou un fils ou une fille ayant plus d'amis que de maturité d'aller à la rencontre du Divin trop rapidement. La clé rouge est réservée aux adultes. Enfin, tout modèle SRT proposera à son pilote quatre niveaux de conduite : Normal, Custom, Sport et Piste. Avec un minimum de 485 chevaux sous le pied droit, le mode piste ne devrait être sélectionné que par des gens possédant une super-licence de la FIA. Sur une piste, évidemment.

La production de la Challenger 2015 débutera à l'automne 2014 à l'usine de Brampton en Ontario. En attendant, le « vieux » modèle est encore en vente. Et croyez-moi, il en vaut la peine. Son style est toujours ravageur et ses moteurs toujours tapageurs. Et son habitacle reste terne, malheureusement. Souhaitons à la version 2015 de préserver le confort de l'habitacle mais d'être moins lourde que la précédente.

Peu importe ce qu'en pensent les écologistes, la Challenger était, est et sera un monstre de puissance affamé de carburant fossile. Tout simplement parce qu'il y avait, il y a et il y aura toujours des gens pour qui l'automobile c'est aussi du plaisir à l'état brut.

Châssis - SXT

Emp / lon / lar / haut	2946 / 5023 / 1923 / 1449 mm
Coffre / Réservoir	459 litres / 72 litres
Nombre coussins sécurité / ceintures	7 / 5
Suspension avant	indépendante, bras inégaux
Suspension arrière	indépendante, multibras
Freins avant / arrière	disque / disque
Direction	à crémaillère, ass. variable électrique
Diamètre de braquage	11,4 m
Pneus avant / arrière	P235/55R18 / P235/55R18
Poids / Capacité de remorquage	1735 kg / non recommandé
Assemblage	Brampton, ON

Composantes mécaniques

SXT, SXT Plus

Cylindrée, soupapes, alim.	V6 3,6 litres 24 s atmos.
Puissance / Couple	305 chevaux / 268 lb-pi
Tr. base (opt) / rouage base (opt)	A8 / Prop
0-100 / 80-120 / V.Max	6,5 s (const) / n.d. / n.d.
100-0 km/h	n.d.
Type / ville / route / CO_2	Ord / 11,7 / 7,3 l/100 km / 4471 kg/an

Hemi Scat Pack (SRT 392)

Cylindrée, soupapes, alim.	V8 6,4 litres 16 s atmos.
Puissance / Couple	485 chevaux / 475 lb-pi
Tr. base (opt) / rouage base (opt)	A8 / Prop
0-100 / 80-120 / V.Max	4,5 s (const) / n.d. / 292 km/h
100-0 km/h	36,0 m
Type / ville / route / CO_2	Sup / 15,1 / 8,8 l/100 km / 5642 kg/an

Hemi Hellcat (SRT)

Cylindrée, soupapes, alim.	V8 6,2 litres 16 s surcomp
Puissance / Couple	707 chevaux / 650 lb-pi
Tr. base (opt) / rouage base (opt)	A8 / Prop
0-100 / 80-120 / V.Max	4,0 s (est) / n.d. / n.d.
100-0 km/h	n.d.
Type / ville / route / CO_2	Sup / n.d. / n.d. / n.d.

R/T (auto.)
V8 - 5,7 l - 372 ch/400 lb-pi - A8 - 0-100: 5,5 s - 13,5/8,0 l/100 km

R/T (man.), R/T Plus
V8 - 5,7 l - 375 ch/410 lb-pi - M6 (A8) - 0-100: 6,0 s - 14,0/8,5 l/100 km

Du nouveau en 2015

Tableau de bord et parties avant et arrière redessinés, V8 plus puissants, boîte automatique à 8 rapports, version Hellcat, nouvelle direction.

- Style moderne et ancien à la fois
- Moteurs d'enfer
- Sonorité du 6,1 enivrante
- Confort relevé (2014)
- SRT Hellcat bestiale

- Voiture trop grosse
- Moins agile que les Mustang et Camaro (2014)
- Consommation dantesque (V8)
- Visibilité assez pourrie, merci

Photos: Dodge Canada

DODGE **CHARGER**

▶ **Catégorie :** Berline	▶ **Échelle de prix :** 30 000 $ à 41 500 $ (estimé)	▶ **Transport et prép. :** 1 795 $
▶ **Cote d'assurance :** $$$$	▶ **Garanties :** 3 ans/60 000 km, 5 ans/100 000 km	▶ **Ventes CAN 2013 :** 4 588 unités

Bella Charger

Guy Desjardins

Comment rendre plus italienne une pure américaine ? Il suffit d'ajouter une légère pincée de Fiat au mélange explosif déjà bien rodé de Doge. Le résultat ne plaît évidemment pas à tous, mais ramène la Charger 2015 dans le giron de *la famiglia*.

Depuis l'acquisition de Chrysler par Fiat, l'influence du constructeur italien avait été jusqu'à tout récemment très discrète dans le design des modèles. L'incursion la plus marquée revient à la 500 qui fourmille maintenant partout au Canada et un peu moins chez nos voisins du Sud. Et dernièrement, Fiat s'est impliqué dans la création de la Dart, un produit directement dérivé de l'Alfa Romeo Giulietta. La nouvelle Charger, pur symbole américain, n'échappe donc pas à cette influence italienne puisque la version 2015 reprend de nombreux éléments de la Dart.

Modifications remarquées

Depuis son lancement, la Charger n'a pratiquement pas changé. Sa silhouette vieillit bien et les modifications apportées au fil du temps se sont concentrées aux extrémités. On a repensé la calandre, rajeuni les phares et complètement modifié les feux arrière. Cette année, on s'est surtout attardé à la partie avant. La nouvelle forme des phares, avec bande à DEL, entoure une calandre redessinée. L'effet macho de la voiture s'est légèrement estompé avec ce capot plongeant et cette calandre maintenant plus mince au-dessus du pare-chocs.

Mécaniquement, on observe quelques nouveautés pour la Charger 2015. La plus surprenante est certainement le retrait du moteur V8 HEMI de 6,4 litres qui se cachait sous le capot de la version SRT. Mais la plus intéressante concerne le rouage intégral qui équipe désormais les modèles à motorisation V6 seulement. Pour l'instant, Dodge ne confirme que deux moteurs, le V6 Pentastar et un V8 HEMI de 5,7 litres.

Impressions de l'auteur		Concurrents
Agrément de conduite : ★★★★	4/5	Buick LaCrosse, Chrysler 300, Ford
Fiabilité : ★★★☆	3,5/5	Taurus, Nissan Maxima
Sécurité : ★★★☆	3,5/5	
Qualités hivernales : ★★★☆	3,5/5	
Espace intérieur : ★★★★	4/5	
Confort : ★★★★	4/5	

À l'intérieur, on propose une très légère épuration qui passe par un nouveau levier de vitesse à l'allure rétro, un volant redessiné et le repositionnement des boutons de la ventilation. Autrement, on conserve le bel aménagement de l'habitacle, rehaussé de matériel de meilleure qualité et de nombreuses lumières d'ambiance à DEL. Les dimensions généreuses permettent à tous les passagers de s'installer confortablement dans leur siège. Le dégagement pour les jambes est amplement suffisant à l'avant et généreux à l'arrière.

Trois personnalités

Si vous n'utilisez votre véhicule que pour vous rendre du point A au point B, la Charger de base en versions SE ou SXT conviendra parfaitement à vos besoins. Elle propose un V6 3,6 litres Pentastar de 292 chevaux et limite sa consommation à 11 l/100 km au combiné, ce qui s'avère très raisonnable compte tenu des dimensions et de la puissance du véhicule. Les performances ne sont pas très loin de celles du V8 HEMI et suffisent à rendre la conduite agréable et rassurante, surtout lors des dépassements. La transmission automatique possède huit rapports et effectue de l'excellent boulot alors que les changements se font rapidement et efficacement, sans être trop nombreux. La Charger dispose cette année d'un mode Sport qui permet de diminuer de moitié les temps de changement de rapport, d'augmenter la réponse du moteur, d'ajuster le système de contrôle de stabilité et de raffermir la résistance du volant. Et croyez-moi, ça paraît! Pour un léger supplément, la version Rallye ajoute 8 chevaux au moyen d'une entrée d'air agrandie, d'un échappement sport et de la calibration spéciale du moteur. Jumelée à la transmission huit rapports, cette motorisation livre le meilleur compromis entre la consommation raisonnable du V6 et la puissance monstrueuse du V8 HEMI de 370 chevaux.

À l'autre bout du spectre, la Charger R/T rassemble tout ce qu'un *muscle car* se doit d'offrir. Un moteur puissant, des roues surdimensionnées, un style d'enfer, des freins robustes et une sonorité envoûtante. Évidemment, la voiture n'a pas les capacités dynamiques d'une Viper ou d'un pur coupé sport, mais la Charger R/T peut tout de même se vanter de réaliser d'époustouflantes performances en accélération. La grande réserve de puissance qui se cache sous le capot ne demande qu'à être exploitée moyennant une consommation de 15 l/100 km. Et merci à Dodge d'avoir écouté nos doléances des années passées en retirant la transmission automatique à 5 rapports au profit d'une efficace huit vitesses! Une version « de piste » (R/T Road & Track) est offerte en option et possède une suspension recalibrée, des freins de haute performance et des pneus à profil bas de 20 pouces.

Avec la tendance du marché de concevoir des véhicules de plus en plus petits, la Charger semble avoir pris du volume au fil du temps. Elle fait partie des berlines intermédiaires mais ses dimensions sont pour plusieurs, synonymes de voiture pleine grandeur.

Photos : Dodge Canada

Châssis - SE AWD

Emp / lon / lar / haut	3052 / 5040 / 1905 / 1479 mm
Coffre / Réservoir	455 litres / 70 litres
Nombre coussins sécurité / ceintures	7 / 5
Suspension avant	indépendante, bras inégaux
Suspension arrière	indépendante, multibras
Freins avant / arrière	disque / disque
Direction	à crémaillère, ass. variable électrique
Diamètre de braquage	11,8 m
Pneus avant / arrière	P215/65R17 / P215/65R17
Poids / Capacité de remorquage	1886 kg / 454 kg (1000 lb)
Assemblage	Brampton, ON

Composantes mécaniques

SE / AWD, SXT / AWD

Cylindrée, soupapes, alim.	V6 3,6 litres 24 s atmos.
Puissance / Couple	292 chevaux / 260 lb-pi
Tr. base (opt) / rouage base (opt)	A8 / Prop (Int)
0-100 / 80-120 / V.Max	7,5 s / 5,9 s / n.d.
100-0 km/h	42,8 m
Type / ville / route / CO_2	Ord / 13,1 / 8,7 l/100 km / 5115 kg/an

R/T / Road & Track

Cylindrée, soupapes, alim.	V8 5,7 litres 16 s atmos.
Puissance / Couple	370 chevaux / 395 lb-pi
Tr. base (opt) / rouage base (opt)	A8 / Prop
0-100 / 80-120 / V.Max	6,8 s / 5,0 s / n.d.
100-0 km/h	41,0 m
Type / ville / route / CO_2	Ord / 14,7 / 9,4 l/100 km / 5665 kg/an

Du nouveau en 2015

Refonte extérieure et intérieure. Abandon de la SRT.

FEU VERT
- Bonne tenue de route
- Moteurs de choix
- Style original
- Habitacle généreux
- Transmission huit rapports

FEU ROUGE
- Calandre étonnante
- Gabarit imposant
- Consommation (V8)
- Version SRT abandonnée

DODGE **DART**

▶ **Catégorie :** Berline	▶ **Échelle de prix :** 15 995 $ à 22 995 $ (2014)	▶ **Transport et prép. :** 1 795 $
▶ **Cote d'assurance :** n.d.	▶ **Garanties :** 3 ans/60 000 km, 5 ans/100 000 km	▶ **Ventes CAN 2013 :** 9 870 unités

Dédoublement de personnalité

Nadine Filion

Sur l'autoroute, la Dart fait ce qu'on attend d'elle, et de belle façon : rassurante et confortable. Mais... prenez le bois, comme diraient les sœurs Boulay et vous découvrirez que les limites arrivent vite.

La Dodge Dart souffre d'un dédoublement de la personnalité : son allure à la fois sportive et impertinente, rehaussée d'une calandre menaçante et d'optionnels feux arrière à la Charger (signé Ralph Gilles, notre Montréalais d'adoption, devenu grand patron du design chez Chrysler) ne reflète aucunement les caractéristiques « élastiques » de comportement routier. On s'attendait certes à plus de la part de ce premier fruit du mariage italo-américain Fiat/Chrysler, qui cache la plateforme de l'européenne Alfa Romeo Giulietta – une architecture cependant allongée et élargie pour nos besoins.

Bref, la compacte est plus intéressante à regarder, dedans comme dehors, qu'à conduire. Oh, elle se laisse piloter

sereinement, en bonne routière qu'elle est. Mais ne tentez pas de manœuvres brusques : vous serez alors confrontés à du roulis, merci à une suspension (multibras arrière) faite pour le confort et non pour les virages serrés. C'est beaucoup trop souple, tout comme l'est la direction, que l'on peut manœuvrer d'un pouce de chaque côté avant de commencer à ressentir une quelconque réaction.

Agréable surprise
Mais confort, il y a indéniablement : après une longue journée de route, les sièges continuent de bien nous soutenir, même dans les variantes sans ajustement lombaire. Et on a droit à de saprées belles options : volant chauffant, caméra de recul, alerte de circulation transversale, l'un des systèmes de navigation les plus simples à utiliser (c'est du Garmin...) et, surtout, un optionnel écran de bord de 8,4 pouces – c'est géant, pour la catégorie. Prêt pour un autre bravo ? L'interface Uconnect, même si elle date déjà d'une dizaine d'années, est toujours aussi bien conçue et intuitive à utiliser (comme quoi

Impressions de l'auteur			Concurrents
Agrément de conduite :	★★★☆☆	3/5	Chevrolet Cruze, Ford Focus, Honda
Fiabilité :	★★★☆☆	3/5	Civic, Hyundai Elantra, Kia Forte,
Sécurité :	★★★★☆	4/5	Mazda3, Nissan Sentra,
Qualités hivernales :	★★★☆	3,5/5	Subaru Impreza, Toyota Corolla,
Espace intérieur :	★★★☆	3,5/5	Volkswagen Jetta
Confort :	★★★★☆	4/5	

on n'a pas besoin de réinventer ce qui fonctionne bien). Et un autre bravo pour l'habitacle à la fois ergonomique et intuitif, particulièrement agréable à la nuit tombée avec son illumination rougeoyante qui encercle l'instrumentation.

On ne reproche que quelques plastiques grumeleux ici et là – mais jamais autant que dans la Dodge Caliber d'avant (ça aurait été dur à battre...). Et même si la Dodge Dart est l'une des plus grandes compactes de l'heure, ça ne se traduit pas par une cabine aux dimensions plus généreuses qu'ailleurs : le dégagement à la tête, aux jambes et le rangement du coffre (370 litres) sont dans la moyenne, sans plus.

Trop, c'est comme pas assez

Là où la Dodge Dart se montre la plus généreuse, c'est... sous son capot, avec trois possibilités de moteurs. Trop, c'est comme pas assez, non ? Surtout que tous sont des quatre cylindres : le premier de 2,0 l et 160 chevaux, le second de 1,4 l turbocompressé réservé à la version Aero (le même que la Fiat 500 Abarth) avec tout autant de chevaux, quoiqu'un peu plus de couple et le dernier de 2,4 L, et 184 chevaux (GT). La bonne nouvelle, c'est que ces trois moulins peuvent s'offrir avec la boîte manuelle six vitesses alors que l'automatique six rapports vient en option (à double embrayage dans le cas de l'Aero). Vous vous doutez que notre préférence va à la première, et ce, même si sa pédale d'embrayage et le passage de ses vitesses sont trop élastiques pour être considérés comme sportifs.

Notre virée avec la Dart turbo nous a d'abord montré que le délai de réponse du turbo, ça existe encore. À moins d'avoir le pied au fond (et encore...), la motorisation manque de reprise et rien ne s'emballe avant que les 2 500 tr/min ne soient franchis. Même lorsqu'on veut décoller normalement au coin des rues, on ne parvient pas à tirer profit de la puissance, pourtant l'une des plus élevées de la catégorie. Il faut dire que la diète, la Dart ne connaît pas : avec 130 kg de plus que la moyenne des autres concurrentes, elle pèse presque autant qu'une intermédiaire.

Notre conseil ? Quitte à payer (davantage) pour ce turbo, mieux vaut opter pour la variante d'entrée de gamme (sous 16 000 $), avec son moteur de base de puissance similaire. Mais là encore, ce 2,0 l, jumelé à l'automatique six rapports manque de reprise, sa sonorité n'est pas des plus raffinées et sa consommation est loin d'être la plus frugale qui soit.

Besoin de plus d'épices ? Il y a bien cette variante GT, qu'on aime pour sa suspension raffermie, sa direction plus connectée et sa boîte manuelle aux passages plus dynamiques, mais on parle alors d'une voiture qui débute à 22 000 $. Et entre vous et moi et la boîte à beurre, au coût de cette facture, il est vraiment tentant de magasiner une coche supérieure. Pourquoi pas le coup de cœur de la famille 2015 : la Chrysler 200 ?

Photos : Dodge Canada

Châssis - SE

Emp / lon / lar / haut	2703 / 4672 / 1830 / 1465 mm
Coffre / Réservoir	370 litres / 60 litres
Nombre coussins sécurité / ceintures	10 / 5
Suspension avant	indépendante, jambes de force
Suspension arrière	indépendante, multibras
Freins avant / arrière	disque / disque
Direction	à crémaillère, ass. variable électrique
Diamètre de braquage	11,6 m
Pneus avant / arrière	P205/55R16 / P205/55R16
Poids / Capacité de remorquage	1439 kg / 454 kg (1000 lb)
Assemblage	Belvidere, IL

Composantes mécaniques

SE, SXT, Limited

Cylindrée, soupapes, alim.	4L 2,0 litres 16 s atmos.
Puissance / Couple	160 chevaux / 148 lb-pi
Tr. base (opt) / rouage base (opt)	M6 (A6) / Tr
0-100 / 80-120 / V.Max	11,3 s / 8,3 s / n.d.
100-0 km/h	44,0 m
Type / ville / route / CO_2	Ord / 8,6 / 5,8 l/100 km / 3358 kg/**an**

Aero

Cylindrée, soupapes, alim.	4L 1,4 litre 16 s turbo
Puissance / Couple	160 chevaux / 184 lb-pi
Tr. base (opt) / rouage base (opt)	M6 (A6) / Tr
0-100 / 80-120 / V.Max	8,2 s (est) / 7,0 s (est) / n.d.
100-0 km/h	44,0 m
Type / ville / route / CO_2	Sup / 7,3 / 4,8 l/100 km / 2806 kg/**an**

GT

Cylindrée, soupapes, alim.	4L 2,4 litres 16 s atmos.
Puissance / Couple	184 chevaux / 171 lb-pi
Tr. base (opt) / rouage base (opt)	M6 (A6) / Tr
0-100 / 80-120 / V.Max	8,5 s (est) / n.d. / n.d.
100-0 km/h	n.d.
Type / ville / route / CO_2	Ord / 9,0 / 6,0 l/100 km / 3520 kg/an

Du nouveau en 2015

Aucun changement majeur

FEU VERT
- Style sport, voire menaçant
- Beaucoup de technologies et d'options *cool*
- Confortable routière
- Beau tableau de bord, surtout la nuit

FEU ROUGE
- Plus intéressante à regarder qu'à conduire
- Moteurs plus ou moins bien adaptés
- Versions de base peu équipées
- Roulis de caisse, comportement « élastique »

DODGE **DURANGO**

▶ **Catégorie :** VUS ▶ **Échelle de prix :** 39 995 $ à 51 995 $ (2014) ▶ **Transport et prép. :** 1 795 $

▶ **Cote d'assurance :** $$$$$ ▶ **Garanties :** 3 ans/60 000 km, 5 ans/100 000 km ▶ **Ventes CAN 2013 :** 2 045 unités

Tel un phénix qui renaît de ses cendres

Sylvain Raymond

Alors qu'ils étaient en pleine gloire, la crise économique de 2007-2008 jumelée au prix de l'essence sans cesse en hausse a sonné la fin de la récréation pour la majeure partie des gros VUS. Ce fut aussi le cas pour le Durango qui s'est éteint en 2009, ne collant plus à la réalité du marché. Tel le phénix qui renaît de ses cendres, le Durango est de retour depuis 2012 sous une toute nouvelle génération, beaucoup mieux adaptée aux besoins des acheteurs.

Malgré le marché actuel, il est toujours en demande, ne serait-ce que parce qu'il peut transporter sept personnes et surtout parce qu'il est doté de bonnes capacités de remorquage. Il y a certes les camionnettes pour remorquer roulottes, bateaux, VTT et autres jouets de plein air, mais certains préfèrent l'aspect pratique d'un VUS. Voilà exactement à qui s'adresse le Durango. En plus, il marie sportivité et côté familial !

Qu'il est beau !

Ayant reçu quelques retouches l'an passé, le Durango subit peu de changements en 2015. Son style est certainement l'un des plus réussis dans son créneau. L'avant du modèle n'est pas sans nous rappeler celui du Ram 1500 avec sa grille typique en croix. Les lignes musclées du Durango sont soulignées par ses ailes évasées et son toit à profil bas. Quelques éléments ajoutent une belle touche de sophistication, les barres aux DEL sous les phares, par exemple. L'arrière est encore plus remarquable grâce à l'utilisation de 192 ampoules DEL qui composent l'ensemble des feux qui traverse tout l'arrière et dont la forme s'apparente un peu à celle d'une piste de course. C'est en fait la même signature visuelle que la Dodge Charger. Bref, c'est très beau, d'autant plus que le style n'a pas été délaissé au profit de la polyvalence.

Certes, vous disposerez de quelques choix de versions mais pas autant que chez la concurrence, notamment le Ford Explorer. Tandis que ce dernier peut être commandé un peu

Impressions de l'auteur		
Agrément de conduite :	★★★★☆	4/5
Fiabilité :	★★★★☆	4/5
Sécurité :	★★★★☆	4/5
Qualités hivernales :	★★★★⯪	4,5/5
Espace intérieur :	★★★★☆	4/5
Confort :	★★★★☆	4/5

Concurrents
Chevrolet Tahoe, GMC Yukon, Nissan Armada, Toyota Sequoia

plus dénudé et en version à roues avant motrices, le Durango d'entrée de gamme hérite d'une généreuse liste d'équipements de série et d'un rouage intégral. Son prix de base de près de 40 000 $ le rend un peu moins accessible que plusieurs de ses concurrents. Voilà sans doute notre principal reproche : il faut avoir un budget plus important pour se le payer.

À bord, on s'est affairé à améliorer la présentation, ce qui se traduit par un bien meilleur sentiment de qualité. Les matériaux souples avec surpiqûres présentes ici et là, jumelés à une attention aux détails plus marquée, rehaussent l'habitacle. On l'a également modernisé avec l'ajout d'un écran tactile Uconnect de 5 ou 8,4 pouces selon la version, ce dernier permettant de contrôler aisément les différentes fonctions du véhicule. Les designers ont tout de même décidé de conserver des commandes classiques pour le système de sonorisation et de climatisation, une décision très appréciée, notamment dans le cas du contrôle du volume. Le tout demeure d'une efficacité exemplaire.

Comme mentionné plus haut, l'attrait principal du Durango, c'est sa vocation familiale et sa capacité à accueillir jusqu'à sept personnes. Grâce aux nombreuses configurations de sièges, on peut moduler l'espace à bord en fonction de nos besoins. Son volume de chargement de 2 393 litres, toutes les banquettes rabattues, est supérieur à ce que la concurrence propose.

Le moteur V6 à favoriser

Si par le passé on favorisait la plus puissante des mécaniques offertes, dans le cas du Durango, le V6 fait amplement le boulot. Tout d'abord, la puissance de ce six cylindres Pentastar de 3,6 litres n'est pas en reste avec ses 290 chevaux et son couple de 260 lb-pi. Jumelé à une transmission automatique à huit rapports, ce groupe motopropulseur encourage également l'économie de carburant tout en disposant d'une excellente capacité de remorquage, 6 200 lb, soit environ 1000 de moins que le modèle à moteur V8.

Le plus sportif des Durango, le R/T, dispose du V8 HEMI de 5,7 litres. Ce moteur, qui n'a pas besoin de présentation, développe un impressionnant 360 chevaux et 390 lb-pi de couple. Malgré la présence d'une technologie de désactivation des cylindres qui permet de n'utiliser que quatre des huit cylindres lorsque le moteur est moins sollicité, il faut tout de même composer avec une consommation plus importante dans le cas de HEMI. La puissance de ce moteur permet au Durango R/T de se frotter aux VUS sportifs offerts par les constructeurs de luxe. Il faut réellement vouloir apprécier le punch supplémentaire de cette livrée ou nécessiter une capacité de remorquage supérieure pour conseiller l'achat de cette version.

Châssis - Limited

Emp / lon / lar / haut	3042 / 5110 / 2172 / 1801 mm
Coffre / Réservoir	490 à 2393 litres / 93 litres
Nombre coussins sécurité / ceintures	7 / 7
Suspension avant	indépendante, bras inégaux
Suspension arrière	indépendante, multibras
Freins avant / arrière	disque / disque
Direction	à crémaillère, ass. électrique
Diamètre de braquage	11,3 m
Pneus avant / arrière	P265/60R18 / P265/60R18
Poids / Capacité de remorquage	2262 kg / 2812 kg (6199 lb)
Assemblage	Détroit, MI

Composantes mécaniques

SXT, Limited, Citadel

Cylindrée, soupapes, alim.	V6 3,6 litres 24 s atmos.
Puissance / Couple	290 chevaux / 260 lb-pi
Tr. base (opt) / rouage base (opt)	A8 / Int
0-100 / 80-120 / V.Max	9,4 s (est) / 7,8 s (est) / n.d.
100-0 km/h	43,0 m (est)
Type / ville / route / co₂	Ord / 11,7 / 7,9 l/100 km / 4595 kg/an

R/T

Cylindrée, soupapes, alim.	V8 5,7 litres 16 s atmos.
Puissance / Couple	360 chevaux / 390 lb-pi
Tr. base (opt) / rouage base (opt)	A8 / Int
0-100 / 80-120 / V.Max	9,3 s / 6,7 s / n.d.
100-0 km/h	45,1 m
Type / ville / route / co₂	Ord / 14,9 / 9,1 l/100 km / 5655 kg/an

Du nouveau en 2015

Aucun changement majeur

FEU VERT
- Habitacle spacieux et fonctionnel
- Présentation intérieure améliorée
- Bon duo de moteurs
- Bonnes capacités de remorquage

FEU ROUGE
- Prix assez élevé
- Consommation (moteur HEMI)
- Sièges qui manquent de support
- Véhicule imposant

Photos: Dodge Canada

DODGE GRAND CARAVAN

DODGE **GRAND CARAVAN** / CHRYSLER **TOWN & COUNTRY**

▶ **Catégorie :** Fourgonnette   ▶ **Échelle de prix :** 19 895 $ à 33 995 $ (2014)   ▶ **Transport et prép. :** 1 795 $

▶ **Cote d'assurance :** $$$$$ ▶ **Garanties :** 3 ans/60 000 km, 5 ans/100 000 km   ▶ **Ventes CAN 2013 :** 46 732 unités*

La fin approche... mais ce ne sera pas la fin!

Alain Morin

Au début du mois de mai 2014, Chrysler dévoilait son plan quinquennal. Outre les inévitables nouveaux modèles à venir, c'est surtout le repositionnement des marques qui retient l'attention. Dodge, par exemple, deviendra la division performance. D'ailleurs, la récente marque SRT n'est déjà plus et est revenue dans le giron Dodge. La Dart (ou son éventuelle remplaçante) et le Journey seront revus de façon à mieux s'intégrer aux autres produits Dodge. Et la Grand Caravan, elle ? Terminée !

Mais, pas fous, les bonzes de Fiat/Chrysler ont quand même prévu un avenir pour ce véhicule qui se vend encore très bien (55 157 unités en 2013 au Canada – Grand Caravan et Chrysler Town & Country ensemble –, ce n'est pas rien). Est-ce que la future fourgonnette de Chrysler s'appellera Grand Caravan ou conservera-t-elle son appellation Town & Country ? La Grand Caravan deviendra-t-elle une sous-série de cette dernière ?

La situation sera-t-elle la même au Canada qu'aux États-Unis ? Tant de questions, si peu de réponses...

La fonction avant le style

Quoi qu'il en soit, en 2015, le duo Dodge Grand Caravan et Chrysler Town & Country poursuit sa route sans grands changements. La plupart s'accordent pour dire que l'esthétisme de la Grand Caravan (si ça ne vous dérange pas, à partir de maintenant nous parlerons uniquement de la Grand Caravan, la Town & Country étant simplement sa version luxueuse) est infiniment plus fonctionnel que dynamique.

Dans l'habitacle, le côté fonctionnel a, encore une fois, le dessus. Le tableau de bord est bien pensé et toutes les commandes et les jauges sont à leur place. Les plastiques pourraient être de meilleure qualité et la finition un peu plus léchée que personne ne s'en plaindrait. En revanche, les espaces de rangement pullulent, ce qui est toujours apprécié.

Impressions de l'auteur	
Agrément de conduite :	★★★★☆ 3/5
Fiabilité :	★★★☆☆ 2,5/5
Sécurité :	★★★★☆ 4/5
Qualités hivernales :	★★★★☆ 3,5/5
Espace intérieur :	★★★★★ 5/5
Confort :	★★★★☆ 4/5

Concurrents

Honda Odyssey, Kia Sedona, Toyota Sienna

* Chrysler Town & Country : 8 425 unités

Les sièges avant font preuve d'un grand confort, ceux de la deuxième rangée aussi, mais... on peut enlever l'adjectif « grand ». Ceux de la troisième rangée, facilement accessibles, se révèlent par contre assez mal foutus, merci. On y est assis dans un angle bizarre sur une assise plutôt inconfortable qui transmet les moindres trous et bosses de notre réseau routier lunaire... Heureusement, cette banquette se rabat simplement dans une cavité pour former un fond plat. Le fabuleux dispositif Stow & Go permet aux sièges de la deuxième rangée de s'effacer dans le plancher comme par magie pour faire place à un espace de chargement très grand. Moins que celui d'une Toyota Sienna mais davantage que celui d'un Honda Odyssey.

Puissance ne veut pas dire sportivité...

Pour sa Grand Caravan, Dodge propose un seul moteur. Il s'agit de l'incontournable V6 de 3,6 litres qui, pour l'occasion, développe 283 chevaux, une écurie tout à fait satisfaisante compte tenu de l'utilisation anticipée du véhicule. La transmission automatique à six rapports fonctionne avec une grande douceur mais dans le dernier exemplaire mis à l'essai, elle hésitait quelquefois en rétrogradation. Comme sur toutes les fourgonnettes, sauf la Toyota Sienna, les roues avant sont motrices. Le mariage entre ces divers éléments mécaniques est réussi. Le moteur est puissant et souple quoique pas tout à fait aussi économique que ce que Chrysler/Dodge aimerait nous faire croire... Une consommation moyenne de 12,5 ou 13 l/100 km n'est pas chose rare, et ce, sans tirer de remorque (jusqu'à 3 600 livres - 1633 kg) ni en n'excédant trop les limites de vitesse. D'un autre côté, cette consommation peut être excusée quand on considère le poids très élevé du véhicule et son aérodynamisme de boîte de chaussures. En accélération vive, la Grand Caravan atteint 100 km/h en 8,8 secondes, ce qui est très bien. En plus, l'effet de couple – à l'accélération, les roues avant semblent vouloir partir chacune de leur côté – est pratiquement nul. Bravo!

De là à dire que la Grand Caravan est agréable à conduire, il n'y a qu'un pas... qu'il ne faut pas franchir. Les suspensions sont responsables d'un grand confort mais sont aussi responsables d'un bon roulis en virage. La direction n'est pas des plus dégourdies et les freins manquent de conviction tout en étant peu durables. Cependant, en général, la conduite de la Grand Caravan est relaxe et sécuritaire.

Si la Grand Caravan est si populaire, c'est qu'elle demeure la meilleure option pour quiconque doit transporter plusieurs personnes ou beaucoup d'objets. En outre, son prix de plus en plus bas (eh oui, aussi incroyable que cela puisse paraître!) la rend encore plus accessible. Dommage que la fiabilité ne soit pas toujours au rendez-vous.

Châssis - R/T

Emp / lon / lar / haut	3078 / 5151 / 2247 / 1725 mm
Coffre / Réservoir	934 à 4072 litres / 76 litres
Nombre coussins sécurité / ceintures	7 / 7
Suspension avant	indépendante, jambes de force
Suspension arrière	semi-indépendante, poutre de torsion
Freins avant / arrière	disque / disque
Direction	à crémaillère, assistée
Diamètre de braquage	11,9 m
Pneus avant / arrière	P225/65R17 / P225/65R17
Poids / Capacité de remorquage	2050 kg / 1633 kg (3600 lb)
Assemblage	Windsor, ON

Composantes mécaniques

Cylindrée, soupapes, alim.	V6 3,6 litres 24 s atmos.
Puissance / Couple	283 chevaux / 260 lb-pi
Tr. base (opt) / rouage base (opt)	A6 / Tr
0-100 / 80-120 / V.Max	8,8 s / 7,3 s / n.d.
100-0 km/h	44,5 m
Type / ville / route / co_2	Ord / 12,2 / 7,9 l/100 km / 4738 kg/an

Du nouveau en 2015

Une nouvelle couleur et une couleur abandonnée, remaniement de quelques groupes d'options.

FEU VERT
- Polyvalence inégalée
- Système Stow & Go toujours aussi génial
- Prix très accessible (versions de base)
- V6 en grande forme
- Bonne capacité de remorquage

FEU ROUGE
- Matériaux plus ou moins bien assemblés
- Consommation importante
- Fiabilité quelquefois honteuse
- Sensible aux vents latéraux
- Conduite assez terne

CHRYSLER TOWN&COUNTRY

Photos : Dodge Canada

DODGE **JOURNEY**

▶ **Catégorie :** Multisegment	▶ **Échelle de prix :** 19 495 $ à 31 395 $ (2014)	▶ **Transport et prép. :** 1 795 $
▶ **Cote d'assurance :** $$$$$	▶ **Garanties :** 3 ans/60 000 km, 5 ans/100 000 km	▶ **Ventes CAN 2013 :** 27 745 unités

Le travail sans le plaisir

Denis Duquet

Lors du dévoilement du Journey en 2009, les dirigeants de la division Dodge parlaient d'un véhicule qui allait bouleverser le marché comme l'avait fait la fourgonnette « Autobeaucoup » plus d'un quart de siècle plus tôt. En fait, le Journey avait les mêmes qualités pratiques qu'une fourgonnette, mais sans les portes coulissantes tant décriées par certains et qui avaient pour effet de catégoriser ces véhicules en « taxi d'aréna ». Avec sa silhouette moderne, son rouage intégral optionnel et un choix de deux moteurs, on croyait avoir trouvé la bonne affaire, d'autant plus que le prix du modèle le plus économique était vraiment compétitif.

Mais si la recette était la bonne, les ingrédients faisaient défaut. En effet, développé alors que la compagnie éprouvait de sérieuses difficultés financières, le Journey souffrait de plusieurs lacunes qui ont ralenti les ventes et désintéressé le

public, du moins jusqu'à une refonte en 2011. Non seulement la silhouette a été modernisée et enjolivée, mais l'habitacle a été modifié, tout comme le tableau de bord. Enfin, l'arrivée d'un nouveau V6 est venue changer la donne.

Extérieur réussi, habitacle pratique

La silhouette n'a pas été radicalement transformée lors de l'importante révision de 2011, mais elle a été suffisamment retouchée pour avoir plus d'impact visuel. La grille de calandre arbore toujours l'insigne cruciforme propre à tous les modèles Dodge et elle est parfois de couleur noire sur certains modèles ou chromée la plupart du temps. Une large prise d'air sous le pare-chocs avant lui donne un air agressif tout comme les passages de roue en relief. Les feux arrière abritent des blocs optiques en forme de barillet qui sont d'un bel effet. En outre, le hayon en retrait par rapport au pare-chocs apporte une allure de robustesse.

Impressions de l'auteur			Concurrents
Agrément de conduite :	★★★☆☆	3,5	Kia Rondo, Mazda5
Fiabilité :	★★★☆☆	3,5	
Sécurité :	★★★★☆	4	
Qualités hivernales :	★★★★☆	4	
Espace intérieur :	★★★★☆	4	
Confort :	★★★★☆	4	

Dans l'habitacle, la planche de bord est d'une présentation sobre et élégante. L'élément dominant est cet écran de 4,3 pouces/10,9 cm ou 8,4 pouces/21,3 cm (selon les versions) sur lequel sont affichés les symboles du système de gestion Uconnect, l'un des plus simples et des plus efficaces sur le marché. Il faut souligner les matériaux souples de la planche de bord ainsi que le positionnement des commandes qui est fort ergonomique. Comme il se doit, les boutons de gestion du régulateur de croisière sont placés sur l'un des rayons du volant.

La qualité des matériaux est à l'égale de la concurrence, mais là où le Journey se démarque, c'est au chapitre des multiples espaces de rangement qui sont faciles d'accès. On en trouve même un sous le siège du passager avant! Et si vous cherchez vos objets, certaines versions offrent une baladeuse rechargeable qui sert aussi de lampe d'appoint. Somme toute, le Journey est un véhicule pratique et familial qui permet à tous les occupants d'y trouver leur compte. Il faut toutefois déplorer le manque de confort de la troisième rangée de sièges qui peut servir pour dépanner ou pour punir les enfants trop turbulents.

En attendant 2016

Si depuis quatre années maintenant le Journey connaît des chiffres de vente impressionnants, c'est en grande partie en raison de sa commodité et d'une ingénieuse mise en marché. Car, malheureusement, ce multisegment est plus pratique qu'agréable à conduire. Dodge en est bien conscient d'ailleurs et travaille au développement de son modèle de remplacement qui est prévu pour l'année modèle 2016. En attendant, les changements mécaniques sont rares.

Il faut tout d'abord écarter d'emblée le moteur quatre cylindres de 2,4 litres et sa transmission automatique à quatre rapports. Uniquement offert en tant que deux roues motrices, ce groupe propulseur n'est pas suffisamment puissant pour un véhicule de ce poids.

Heureusement que le moteur optionnel, l'incontournable V6 Pentastar de 3,6 litres, est bien adapté, quoique gourmand en essence. Avec sa boîte automatique à six rapports, il peut être associé à un rouage intégral qui est efficace. Toutefois, si la motorisation est bonne avec le moteur V6, le comportement routier du Journey est décevant. Sa plate-forme n'est pas très moderne et il faut en tenir compte lors de la conduite car le véhicule n'est décidément pas très agile.

Malgré ces limites, la polyvalence de l'habitacle, le moteur V6 Pentastar et une présentation intérieure quasiment luxueuse permettent de compenser aux yeux de plusieurs. Comme un couteau suisse, il est pratique mais pas nécessairement agréable à utiliser.

Châssis - SXT

Emp / lon / lar / haut	2891 / 4887 / 2127 / 1692 mm
Coffre / Réservoir	1121 à 1914 litres / 78 litres
Nombre coussins sécurité / ceintures	7 / 5
Suspension avant	indépendante, jambes de force
Suspension arrière	indépendante, multibras
Freins avant / arrière	disque / disque
Direction	à crémaillère, ass. variable
Diamètre de braquage	11,6 m
Pneus avant / arrière	P225/65R17 / P225/65R17
Poids / Capacité de remorquage	1735 kg / 454 kg (1000 lb)
Assemblage	Toluca, MX

Composantes mécaniques

SE, SXT

Cylindrée, soupapes, alim.	4L 2,4 litres 16 s atmos.
Puissance / Couple	173 chevaux / 166 lb-pi
Tr. base (opt) / rouage base (opt)	A4 / Tr
0-100 / 80-120 / V.Max	12,5 s / 10,0 s / n.d.
100-0 km/h	45,6 m
Type / ville / route / co_2	Ord / 11,2 / 7,7 l/100 km / 4416 kg/an

Limited, R/T, R/T Rallye

Cylindrée, soupapes, alim.	V6 3,6 litres 24 s atmos.
Puissance / Couple	283 chevaux / 260 lb-pi
Tr. base (opt) / rouage base (opt)	A6 / Tr (Int)
0-100 / 80-120 / V.Max	8,3 s / 5,3 s / n.d.
100-0 km/h	44,1 m
Type / ville / route / co_2	Ord / 12,9 / 8,4 l/100 km / 5000 kg/an

Du nouveau en 2015

Nouvelle version Crossroad. Nouvelle génération attendue pour 2016.

FEU VERT

- Moteur V6 en verve
- Habitacle pratique
- Équipement complet
- Prix compétitif
- Rouage intégral avec le V6

FEU ROUGE

- Tenue de route à revoir
- Moteur 2,4 litres décevant
- Fiabilité moyenne
- Moteur V6 gourmand

Photos: Dodge Canada

DODGE **VIPER**

▶ **Catégorie :** Coupé   ▶ **Échelle de prix :** 99 995 $ à 119 995 $ (2014)   ▶ **Transport et prép. :** n.d.

▶ **Cote d'assurance :** n.d.   ▶ **Garanties :** 3 ans/60 000 km, 3 ans/60 000 km   ▶ **Ventes CAN 2013 :** 52 unités

Toujours extrêmement masculine

David Booth

L a Dodge Viper a toujours été une voiture destinée aux hommes au tempérament très masculin. Que ce soit à cause de son gargantuesque V10 de 8,0 (puis de 8,4) litres, de ses pneus énormes ou de son système d'échappement latéral capable de vous griller les mollets en moins de deux, la Viper n'a jamais été conçue pour les mauviettes...

C'est pourquoi le lancement d'un modèle redessiné — qu'on disait plus civilisé (et baptisé SRT au lieu de Dodge mais redevenu Dodge!) — a soulevé une certaine controverse l'an dernier. On l'a accusé d'être trop... européen.

Pour moi — et pour bien des lecteurs, je suppose —, le fait de qualifier d'européenne une voiture sport américaine constitue un grand compliment. Mais il semble que certains ont eu peur que leur machine préférée ait été émasculée. Sans doute que pour eux, le manque de confort faisait partie intégrante du concept.

La testostérone est sauve!

Mais n'ayez crainte, hommes ultra masculins : Sous ses nouvelles courbes sensuelles, la Viper est toujours une des voitures sport les plus musclées et gonflées aux stéroïdes sur le marché. Elle affiche toujours une puissance excessive, les enfants se retournent toujours sur son passage et le grondement de son V10 fait toujours trembler les fenêtres. Son moteur produit 640 chevaux (un gain de 40 ch) et un couple de 600 lb-pi (le plus élevé de l'industrie pour un moulin à alimentation atmosphérique selon Chrysler). Et, question de maintenir les exigences de conduite à un niveau supérieur, ce gain de puissance est principalement disponible à régimes élevés. Effectivement, dans la première moitié de la bande de puissance du gros V10, on remarque peu de différence par rapport à l'ancien modèle. C'est quand on passe le cap des 5 000 tr/min qu'on réalise que la bête est encore plus féroce qu'avant.

Bon, d'accord, certains trouveront que l'ajout d'un système antipatinage et la présence de freins antiblocage rendent la

Impressions de l'auteur		Concurrents
Agrément de conduite : ★★★★☆	4/5	Aston Martin Vantage, Audi R8,
Fiabilité : ★★★☆	3,5/5	BMW Série 6, Chevrolet Corvette,
Sécurité : ★★★★☆	4/5	Ferrari F430, Jaguar XK, Maserati
Qualités hivernales : ★☆☆☆☆	1/5	Gran Turismo, Mercedes-Benz
Espace intérieur : ★★★☆☆	3/5	Classe SL, Nissan GT-R, Porsche 911
Confort : ★★★☆☆	3/5	

Viper moins masculine. Mais pour le commun des mortels, ces garde-fous électroniques seront bienvenus pour amadouer la machine. Sur la version haut de gamme GTS (119 995 $), on obtient un système antipatinage sophistiqué à cinq positions; le modèle de base (99 995 $) est muni d'un système plus simple à deux positions.

Côté tenue de route, la nouvelle Viper a été transformée pour le mieux, notamment grâce à une hausse de 50 % de la rigidité du châssis. Sa conduite inspire maintenant confiance comme les meilleures sportives et les pneus Pirelli P Zero collent solidement à la route. L'excellente répartition des masses (49,6 % à l'avant, 50,4 % à l'arrière) contribue sans doute également à maintenir le niveau de sportivité à un niveau décent.

Cela dit, il est clair que la Viper n'a pas entièrement perdu son âme d'homme des cavernes. Elle se manifeste encore principalement au niveau de la suspension, qu'on ne peut absolument pas qualifier de souple. Avec les versions GTS, on obtient des amortisseurs Bilstein DampTronic qui permettent de choisir entre deux modes : Route ou Course. Mais on aurait dû les appeler Extra dur et Extra-extra dur tellement l'amortissement en compression est ferme! Même sur les routes de canyon les plus rapides de Californie, cette fermeté était nettement excessive. Étonnamment, l'ensemble optionnel pour la piste pourrait s'avérer plus conciliant pour votre colonne vertébrale. En effet, les jantes en alliage Sidewinder et les pneus Pirelli Corsa réduisent remarquablement le poids non suspendu (2,5 kg de moins par roue), ce qui améliore à la fois la tenue de route et le roulement.

Et fonctionnelle en plus!

La nouvelle Viper a eu droit à d'importantes améliorations en matière de comportement, mais les changements sont encore plus marqués à l'intérieur. On y trouve des recouvrements en cuir de haute qualité, les sièges (du même fabricant que ceux de Ferrari) sont confortables, et le tableau de bord est très réussi. Le système d'infodivertissement Uconnect, avec écran ACL de 8,4 pouces et applications spécifiques SRT Performance, est le meilleur de sa catégorie. Le système de climatisation climatise efficacement, le bloc de pédaliers est réglable électriquement et, croyez-le ou non, la plus récente Viper est dotée de l'espace de chargement le plus fonctionnel de tout l'univers des *supercars*.

Ceux qui considéraient que les défauts des anciennes Viper faisaient partie d'un rite de passage obligé n'apprécieront peut-être pas la nouvelle mouture. Mais une chose est sûre : la Viper 2014 est de loin le meilleur muscle car jamais produit par Chrysler.

Châssis - Base

Emp / lon / lar / haut	2510 / 4463 / 1941 / 1246 mm
Coffre / Réservoir	415 litres / 70 litres
Nombre coussins sécurité / ceintures	2 / 2
Suspension avant	indépendante, bras inégaux
Suspension arrière	indépendante, bras inégaux
Freins avant / arrière	disque / disque
Direction	à crémaillère, assistée
Diamètre de braquage	12,3 m
Pneus avant / arrière	P295/30ZR18 / P355/30ZR19
Poids / Capacité de remorquage	1521 kg / n.d.
Assemblage	Détroit, MI

Composantes mécaniques

Base, GTS

Cylindrée, soupapes, alim.	V10 8,4 litres 20 s atmos.
Puissance / Couple	640 chevaux / 600 lb-pi
Tr. base (opt) / rouage base (opt)	M6 / Prop
0-100 / 80-120 / V.Max	3,2 s (est) / 2,8 s (est) / 330 km/h
100-0 km/h	n.d.
Type / ville / route / co$_2$	Sup / 18,3 / 11,3 l/100 km / 6946 kg/an

Du nouveau en 2015

Aucun changement majeur. Porte désormais le nom Dodge au lieu de SRT.

FEU VERT

- Couple très élevé
- Accélérations époustouflantes
- Beaucoup plus sophistiquée qu'avant
- Tenue de route superlative
- Quasiment facile à vivre

FEU ROUGE

- Ne fait pas l'unanimité
- Manque tout de même encore de sophistication
- Roulement très ferme
- Problèmes de visibilité à cause du toit

Photos : Dodge Canada

FERRARI **458 ITALIA / SPIDER**

▶ **Catégorie :** Coupé, Roadster

▶ **Échelle de prix :** 275 900 $ à 340 000 $ (2014)

▶ **Transport et prép. :** n.d.

▶ **Cote d'assurance :** n.d.

▶ **Garanties :** 3 ans/illimité, 3 ans/illimité

▶ **Ventes CAN 2013 :** n.d.

Du grand art

Gabriel Gélinas

Ferrari. La seule mention de ce nom évoque la passion, le rêve et la convoitise. Pour l'amateur de voitures sport, il y a souvent Ferrari... et les autres. Avec ses modèles capables de performances étincelantes, la marque au cheval cabré s'est forgé une réputation solidement établie en matière de sportivité qui se double d'un certain élitisme en raison d'un très faible volume de production et de prix hors de la portée pour la plupart d'entre nous. La 458, déclinée en versions Coupé, Spider et Speciale, s'inscrit tout à fait dans cette philosophie en se présentant comme la digne héritière de la célèbre Ferrari Dino.

Dernière née de la lignée, la 458 Speciale se pointe comme la plus radicale du trio en prenant le relais de la 430 Scuderia. Cette variante plus typée a elle aussi été conçue pour s'exprimer pleinement dans l'environnement contrôlé d'un circuit. Un peu à la façon d'une voiture de course, toutes les facettes de ce modèle hors normes ont été optimisées en vue de livrer

un potentiel de performance éblouissant et rien n'a été épargné par les ingénieurs de Maranello qui ne se sont pas contentés de simplement gonfler le régime-moteur. Ainsi, le châssis, l'aérodynamique, la boîte de vitesse et le moteur ont reçu des attentions aussi « spéciales » que la désignation de la voiture...

Un cœur de feu
Logé en position centrale, le V8 atmosphérique peaufiné de la 458 Speciale développe 133 chevaux par litre de cylindrée, ce qui représente un record de puissance par litre pour un moteur qui n'est pas suralimenté, grâce à un taux de compression porté à 14:1, entre autres. Selon la marque italienne, ce moteur est le V8 le plus puissant de l'histoire du constructeur et permet à la Ferrari 458 Speciale de revendiquer un rapport poids/puissance de 2,13 kilos par cheval-vapeur, ce qui est tout à fait exceptionnel. La boîte à double embrayage F1 à sept rapports a également été revue afin d'être plus rapide.

Impressions de l'auteur		Concurrents
Agrément de conduite : ★★★★⯪	4,5	Aston Martin DB9, Audi R8,
Fiabilité : ★★★★★	4	Lamborghini Huracán, Maserati
Sécurité : ★★★⯪☆	3,5	Gran Turismo, McLaren 650S,
Qualités hivernales : ☆☆☆☆☆	0	Mercedes-Benz Classe SL
Espace intérieur : ★★★☆☆	3	
Confort : ★★★☆☆	3	

FERRARI 458 ITALIA / SPIDER

La 458 Speciale est plus légère de 90 kilos que les autres modèles de la gamme (Italia et Spider), affichant seulement 1 395 kilos à la pesée. Ceci est dû à une dotation que l'on pourrait qualifier de spartiate en raison de l'absence d'un système de navigation ou même de la radio, ce qui n'est pas grave car le seul « concert » que l'on veut entendre au volant de la 458 est la musique du V8 qui hurle de bonheur dans les hautes sphères du compte-tours...

Pour l'amateur moins porté sur la conduite sportive, la 458 Spider s'impose comme le choix le plus avisé en raison de sa personnalité un peu moins typée et du plaisir de rouler à ciel ouvert qu'elle est seule à pouvoir offrir. Oui, le toit rigide rétractable cache les superbes culasses rouges du moteur qui sont bien en évidence sur le modèle coupé, mais c'est le prix à payer pour rouler au soleil et apprécier au plus haut point la trame sonore du moteur. Docile en conduite normale, fougueuse en conduite sportive, la 458 est une exotique aux performances exceptionnelles qui est relativement facile à vivre au quotidien, pourvu que l'on accepte les compromis que l'on doit presque obligatoirement faire pour rouler en Ferrari...

Devenir parano

Car du côté des considérations pratiques, précisons que le nouvel acheteur d'une Ferrari 458 développe souvent une certaine forme de paranoïa. En effet, comme on n'en voit pas à tous les coins de rue, une Ferrari stationnée ailleurs que dans son garage attire les marques de doigts dans son vitrage comme le miel attire les mouches...

Vous aurez compris qu'un propriétaire tatillon ou à tout le moins soucieux de préserver sa belle italienne se privera parfois de sortir en ville et se contentera d'aller faire une balade pour ensuite la ramener sagement au bercail. Aussi, ce même type de propriétaire évitera de rouler au printemps, de peur d'abîmer un pneu ou une jante dans un nid-de-poule ou de recevoir un caillou sur la peinture ou le pare-brise. Bref, quand il faut tenir compte de ce genre de considérations avant de conduire, avouez que ça gomme un peu la spontanéité...

On ajoute à cela un prix stratosphérique, des options aussi nombreuses que coûteuses, un délai de livraison qui peut facilement atteindre plus d'un an, des frais d'entretien qui dépassent les normes qui ont cours et voilà qui complète le portrait! Qu'à cela ne tienne, une Ferrari 458 mérite qu'on la convoite et qu'on la traite avec soin, c'est le prix à payer pour être sublimé par une voiture qui est un véritable catalyseur de passions.

Châssis - Speciale

Emp / lon / lar / haut	2650 / 4571 / 1951 / 1203 mm
Coffre / Réservoir	n.d. / 86 litres
Nombre coussins sécurité / ceintures	4 / 2
Suspension avant	indépendante, double triangulation
Suspension arrière	indépendante, multibras
Freins avant / arrière	disque / disque
Direction	à crémaillère, assistée
Diamètre de braquage	n.d.
Pneus avant / arrière	P245/35ZR20 / P325/30ZR20
Poids / Capacité de remorquage	1395 kg / n.d.
Assemblage	Maranello, IT

Composantes mécaniques

Italia, Spider

Cylindrée, soupapes, alim.	V8 4,5 litres 32 s atmos.
Puissance / Couple	570 chevaux / 398 lb-pi
Tr. base (opt) / rouage base (opt)	A7 / Prop
0-100 / 80-120 / V.Max	3,4 s (const) / n.d. / 320 km/h
100-0 km/h	32,5 m
Type / ville / route / CO_2	Sup / n.d. / n.d. / 5500 kg/an

Speciale

Cylindrée, soupapes, alim.	V8 4,5 litres 32 s atmos.
Puissance / Couple	605 chevaux / 398 lb-pi
Tr. base (opt) / rouage base (opt)	A7 / Prop
0-100 / 80-120 / V.Max	3,0 s (const) / n.d. / 325 km/h
100-0 km/h	n.d.
Type / ville / route / CO_2	Sup / n.d. / n.d. / 5500 kg/an

Du nouveau en 2015

Nouveau modèle baptisé Spéciale.

FEU VERT
• Performances stupéfiantes
• Moteur fabuleux
• Tenue de route exceptionnelle
• Aérodynamique étudiée
• Exclusivité garantie

FEU ROUGE
• Usage limité
• Entretien coûteux
• Prix élevé
• Coût des options

Photos : Ferrari

FERRARI **CALIFORNIA T**

▶ **Catégorie :** Roadster

▶ **Cote d'assurance :** n.d.

▶ **Échelle de prix :** 240 000 $ (estimé)

▶ **Garanties :** 3 ans/illimité, 3 ans/illimité

▶ **Transport et prép. :** n.d.

▶ **Ventes CAN 2013 :** n.d.

La magie du turbo

Gabriel Gélinas

À Maranello, en Italie, ce ne sont pas que les monoplaces de Formule Un qui font désormais appel à la suralimentation par turbocompresseur. En effet, 25 ans après l'apparition de la F40, Ferrari renoue avec le turbo pour sa California à laquelle on doit maintenant apposer le suffixe « T ».

Lancée en grande pompe au Salon de l'auto de Genève en 2014, la California T reçoit un nouveau moteur et fait également l'objet d'un restylage en profondeur pour marquer la différence avec le modèle antérieur et créer une filiation avec la F12 Berlinetta. Stylée avec la collaboration des designers de chez Pininfarina, la « nouvelle » California se démarque par ses phares plus acérés, ses pare-chocs redessinés, ses ouvertures pratiquées dans le capot et son nouveau diffuseur ainsi que ses échappements relocalisés en position horizontale plutôt que verticale. De plus, les flancs de la voiture ont été sculptés afin d'émuler ceux de la mythique

250 Testa Rossa de compétition de la fin des années cinquante.

La transformation de la California en fait donc une voiture qui est à la fois plus réussie et plus frappante côté style. Le toit rigide rétractable répond toujours présent et se replie dans le coffre en 14 secondes, top chrono. Comme c'est souvent le cas chez Ferrari, il est possible de commander en option, et à fort prix, une ligne de bagages parfaitement adaptés au volume du coffre, du moins lorsque celui-ci n'est pas encombré par les éléments du toit.

Révisions pour l'habitacle

Le design de la planche de bord a aussi été revu et comporte maintenant un nouvel écran multimédia de 6,5 pouces dont l'interface est composée à la fois de boutons de commande et de l'écran tactile. De plus, un autre écran de forme circulaire – localisé entre les deux buses centrales du système de chauffage/climatisation – informe le conducteur de la

Impressions de l'auteur			Concurrents
Agrément de conduite :	★★★★☆	4	Aston Martin Vantage, Audi R8,
Fiabilité :	★★★☆½	3,5	Maserati Gran Turismo,
Sécurité :	★★★★☆	4	Mercedes-Benz Classe SL,
Qualités hivernales :	☆☆☆☆☆	0	Nissan GT-R, Porsche 911
Espace intérieur :	★★★☆☆	3	
Confort :	★★★★☆	4	

pression de suralimentation du turbocompresseur et d'autres paramètres qui peuvent être choisis simplement en touchant la bague d'aluminium qui encercle cet écran.

Sur la console centrale, on retrouve les trois boutons de commande de la boîte de vitesses pour enclencher la marche arrière, le fonctionnement automatique de la boîte et le système de départ canon. Les paliers de changement de vitesse sont sur le volant où figure également le célèbre *manettino* qui permet de paramétrer divers systèmes de la voiture. Les sièges avant sont réalisés avec des cuirs taillés à la main et sont formés de façon à offrir un bon soutien latéral en virage. Quant aux places arrière, précisons qu'elles demeurent symboliques.

Moins de cylindrée, mais plus de performance

Le V8 passe de 4,3 à 3,8 litres mais la puissance fait un bond de 70 chevaux et le couple est en hausse de 185 livres-pied par rapport au moteur du modèle antérieur grâce à l'apport de la suralimentation. Ferrari annonce également une réduction de la consommation chiffrée à 15 %, cependant, il faut relativiser cette donnée en précisant que les voitures de la marque consomment souvent autant, sinon plus, que des VUS de grande taille. Même constat pour ce qui est des émissions de CO_2 qui sont plutôt élevées à 250 grammes par kilomètre. Côté performances, le chrono du sprint de 0 à 100 kilomètres/heure affiche 3,6 secondes et la vitesse maximale est de 316 kilomètres/heure, selon les ingénieurs de la marque. Le V8 turbocompressé est toujours installé en position centrale-avant afin d'optimiser la répartition des masses qui demeure de 47 % sur le train avant et 53 à l'arrière grâce à la boîte de vitesses accolée au différentiel sur le pont arrière. Parmi les autres changements, mentionnons que la California T reçoit la dernière version de l'amortissement piloté MagnaRide de même qu'une évolution du système F1-Trac de contrôle de la motricité.

La nouvelle California T devient donc plus performante en accélération, mais il y a fort à parier que le comportement routier sera sensiblement le même que celui du modèle antérieur. À ce sujet, il faut savoir que le poids de la voiture est supérieur à 1700 kg. Il nous a été impossible d'essayer cette California T, mais un galop avec le modèle à moteur atmosphérique nous avait permis de constater que l'on ressent un léger effet de plongée vers l'avant lors des freinages intenses de même qu'un certain roulis en courbe qui était toutefois bien contrôlé. Espérons que les modifications apportées à l'amortissement piloté corrigeront un peu ces lacunes.

Châssis - T

Emp / lon / lar / haut	2670 / 4570 / 1910 / 1322 mm
Coffre / Réservoir	240 à 340 litres / 78 litres
Nombre coussins sécurité / ceintures	4 / 4
Suspension avant	indépendante, double triangulation
Suspension arrière	indépendante, multibras
Freins avant / arrière	disque / disque
Direction	à crémaillère, ass. variable
Diamètre de braquage	n.d.
Pneus avant / arrière	245/40ZR19 / 285/40ZR19
Poids / Capacité de remorquage	1730 kg / n.d.
Assemblage	Maranello, IT

Composantes mécaniques

California T

Cylindrée, soupapes, alim.	V8 3,8 litres 32 s turbo
Puissance / Couple	560 chevaux / 557 lb-pi
Tr. base (opt) / rouage base (opt)	A7 (M6) / Prop
0-100 / 80-120 / V.Max	3,6 s / n.d. / 316 km/h
100-0 km/h	34,0 m
Type / ville / route / co_2	Sup / n.d. / n.d. / 5000 kg/an

Du nouveau en 2015

Nouveau moteur turbocompressé, restylage de la carrosserie et de la planche de bord.

FEU VERT
- Performances relevées
- Exclusivité assurée
- Coupé et cabriolet à la fois
- Élégance classique

FEU ROUGE
- Prix très élevé
- Nombreuses options au catalogue
- Entretien coûteux
- Voiture trois saisons

FERRARI **F12 BERLINETTA**

▸ **Catégorie :** Coupé ▸ **Échelle de prix :** 369 900 $ (2014) ▸ **Transport et prép. :** n.d.

▸ **Cote d'assurance :** n.d. ▸ **Garanties :** 3 ans/illimité, 3 ans/illimité ▸ **Ventes CAN 2013 :** n.d.

Une 911 Turbo laissée en plan

David Booth

Chez Ferrari, la F12 Berlinetta joue le rôle de coupé de grand tourisme destiné aux gens riches qui veulent se promener avec grand style et confort. Avant la F12, il y a eu la 599, elle-même tirée de la 550 Maranello qui était alors la deux places la plus conviviale de la firme au cheval cabré. Bien sûr, des puristes se sont offusqués de l'arrivée d'une Ferrari plus civilisée (même si elle conservait une architecture relativement archaïque avec moteur avant et roues motrices arrière).

Mais il est impossible de parler de civisme excessif quand on regarde la fiche technique du moteur de la nouvelle Berlinetta. C'est la Ferrari à moteur avant la plus puissante jamais construite !

Le V12 de 6,2 litres aime les hauts régimes et il livre une cavalerie extrêmement impressionnante de 725 chevaux.

Si l'on fait exception des hyper-hybrides qui seront bientôt lancées (toutes à moteur central), c'est un sommet. Pour mettre les choses en perspective, voici une petite anecdote. Dans les enfilades de courbes de la route Maricopa, en Californie, j'étais poursuivi par une Porsche 911 Turbo. Il m'a suffi de faire monter le régime à 6 000 tr/min (sur une possibilité de 8 700) pour laisser la Porsche dans la poussière loin derrière moi. En fait, au deux tiers de son régime maximal, la F12 produit plus de puissance que la Porsche à plein régime. Pas mal pour une machine dite de grand tourisme !

Accélérations variables

Selon Ferrari, la F12 Berlinetta accélère de 0 à 100 km/h en 3,1 secondes, de 0 à 200 en 8,5 secondes, et sa vitesse de pointe est de 340 km/h. Mais, dans la vraie vie, on a enregistré des résultats variables côté accélération. Le plus « lent » était de 3,6 secondes pour le 0 à 100. Le plus rapide était de 2,9 secondes pour atteindre 96 km/h, ce qui s'approche de la Veyron et en ferait la voiture de production à

Impressions de l'auteur		
Agrément de conduite :	★★★★☆	4
Fiabilité :	★★★☆☆	3
Sécurité :	★★★☆☆	3,5
Qualités hivernales :	☆☆☆☆☆	0
Espace intérieur :	★★★☆☆	3,5
Confort :	★★★★☆	4

Concurrents

Aston Martin DB9,
Bentley Continental GT,
Lamborghini Aventador,
McLaren 650S

FERRARI **F12 BERLINETTA**

propulsion (roues arrière motrices) la plus rapide jamais construite. Chose certaine, en tout cas, ce n'est pas la puissance ni le couple (un solide 509 lb-pi) qui empêchent la F12 d'accélérer, c'est plutôt la traction. La bête est munie de pneumatiques Michelin Pilot Super Sport très collants, d'une largeur de 315 mm à l'arrière, mais ils sont quand même seulement deux pour transmettre au sol toute la fougue du V12.

Avec autant de puissance disponible d'un simple mouvement du pied droit, le système antipatinage est le bienvenu. Il réduit la puissance livrée aux roues selon différents paramètres : perte de stabilité excessive, survirage combiné à une hausse subite du régime moteur, etc. Le manettino au volant permet de programmer le comportement de la voiture en fonction de la situation de conduite : Pluie, Sport, Course, désactivé. La première position assure une intervention plus marquée pour éviter les dérapages et les pertes de contrôle. Et plus on tourne le manettino, plus on peut faire patiner le train arrière. La dernière position, avec tous les systèmes débranchés, est réservée aux pilotes aguerris.

Parce qu'on n'est pas toujours sur un circuit

Côté suspension, on demeure plutôt du côté de la fermeté même dans la position la plus souple. Mais la F12 offre malgré tout un niveau de confort suffisamment élevé pour rouler toute la journée sans problème si jamais votre jet privé est en panne. L'habitacle est étonnamment spacieux et le compartiment à bagages fort raisonnable. La F12 est dotée d'un régulateur de vitesse à un seul bouton très fonctionnel et facile à utiliser, d'un frein à main qui s'enclenche automatiquement et d'un système de freinage automatique pour les démarrages en côte.

En appuyant sur un bouton, le train avant se soulève dans un mouvement majestueux pour vous permettre de franchir les dénivellations sans endommager les précieuses pièces en fibre de carbone qui forment le bouclier Toutes ces caractéristiques ne vous seront d'aucune utilité pour maitriser les 725 chevaux sous le capot, mais vous les apprécierez pour la conduite de tous les jours.

Si la F12 Berlinetta fait partie de votre liste d'achats potentiels (et que vous avez accès à 358 344 \$...), sachez que cette voiture n'est pas pour les cœurs fragiles. Il ne faut pas la voir comme une Mercedes SL550 ou une Jaguar XK-R en version plus chic. Même si elle a en commun une architecture avec moteur avant et roues arrière motrices, cette Ferrari est dotée d'une force brute imposante et elle est capable de rivaliser avec tous les supercars à moteur central. Bref, c'est une machine au tempérament ultrasportif.

Châssis - Base	
Emp / lon / lar / haut	2720 / 4618 / 1942 / 1273 mm
Coffre / Réservoir	320 à 500 litres / 92 litres
Nombre coussins sécurité / ceintures	4 / 2
Suspension avant	indépendante, double triangulation
Suspension arrière	indépendante, multibras
Freins avant / arrière	disque / disque
Direction	à crémaillère, assistée
Diamètre de braquage	n.d.
Pneus avant / arrière	255/35ZR20 / 315/35ZR20
Poids / Capacité de remorquage	1630 kg / n.d.
Assemblage	Maranello, IT

Composantes mécaniques	
Cylindrée, soupapes, alim.	V12 6,3 litres 48 s atmos.
Puissance / Couple	725 chevaux / 509 lb-pi
Tr. base (opt) / rouage base (opt)	A7 / Prop
0-100 / 80-120 / V.Max	3,1 s / n.d. / 340 km/h
100-0 km/h	n.d.
Type / ville / route / co$_2$Sup	22,9 / 10,4 l/100 km / 7950 kg/an

Du nouveau en 2015
Aucun changement majeur

FEU VERT

• Puissance extrême
• Présence forte
• Dispositifs de contrôle bienvenus
• Intérieur luxueux
• Déjà classique

FEU ROUGE

• À ne pas laisser entre toutes les mains
• Prix extrême
• Couts d'entretien inimaginables
• Disponibilité limitée

Photos : Ferrari

FERRARI **FF**

▶ **Catégorie :** Hatchback ▶ **Échelle de prix :** 349 900 $ (2014) ▶ **Transport et prép. :** n.d.

▶ **Cote d'assurance :** n.d. ▶ **Garanties :** 3 ans/illimité, 3 ans/illimité ▶ **Ventes CAN 2013 :** n.d.

Un multisegment sportif ?

Denis Duquet

U ne Ferrari multisegment? Même si cette sportive possède un hayon, quatre places et un rouage intégral, il faut quand même se garder une petite gêne. Mais le constructeur de Maranello aurait dévoilé un véhicule de cette catégorie que les gens n'auraient pas été surpris davantage que lorsque la FF a été présentée la première fois! En effet, déjà que plusieurs snobaient la 612 Scaglietti parce qu'il s'agissait d'un modèle quatre places, cette intégrale a dérangé, d'autant plus que sa silhouette était pour le moins controversée... et le demeure toujours.

Si la section avant avec son capot allongé est apparentée aux autres Ferrari du passé, l'arrière tronqué semble avoir été dessiné par un designer de machinerie agricole! Ce n'est pas pour rien qu'une version coupé devrait être lancé au début de 2015. Par contre, le *hatchback* d'origine sera conservé et les deux modèles seront commercialisés. Mais peu importe la

silhouette, personne ne peut démentir l'ingéniosité et le raffinement de la mécanique.

Un V12 bien entendu

Par tradition, les modèles quatre places de Ferrari ne sont pas uniquement les plus gros, les plus lourds et les plus onéreux de la gamme, ils sont aussi propulsés par un V12 monté à l'avant et actionnant les roues arrière. C'est logique car un moteur central rendrait difficile le positionnement des places arrière. Par ailleurs, puisque celui de la FF est un V12 de 6,3 litres produisant 652 chevaux, il fallait également trouver un moyen efficace de transmettre une partie de cette puissance aux roues avant sans toutefois éliminer l'impression spéciale de conduite que constitue une propulsion.

Les ingénieurs italiens ont développé une solution unique en faisant appel à une transmission avant placée devant le moteur et reliée aux roues avant. Elle comprend deux

Impressions de l'auteur	
Agrément de conduite :	★★★★⯪ 4,5/5
Fiabilité :	★★★★★ 4/5
Sécurité :	★★★★★ 4/5
Qualités hivernales :	★★★★★ 4/5
Espace intérieur :	★★★★★ 4/5
Confort :	★★★★★ 4/5

Concurrents
Aston Martin Rapide, Bentley Continental GT, BMW Série 6, Porsche Panamera

rapports avant et une marche arrière, ainsi que deux embrayages avec bain d'huile. Bien entendu, cette unité — appelée PTU (Power Transfer Unit) — est contrôlée par des gestionnaires électroniques et réglée par le *manettino* ou manette de contrôle montée sur le volant. Cinq modes sont offerts : Glace, Pluie, Confort, Sport et Off. Vous aurez deviné que le mode Off n'est pas recommandé pour la conduite sur une route glacée ou enneigée. Le manettino permet de régler d'ailleurs toutes les aides électroniques à la conduite. Évidemment, malgré le rouage intégral et le hayon, cette italienne ne se destine pas non plus à des excursions hors route.

Luxe et performance

Si jamais vous avez l'intention d'inviter des passagers arrière dans votre FF, ceux-ci s'attendent à bénéficier d'un grand luxe et de beaucoup de confort. D'ailleurs le temps des Ferrari aux habitacles spartiates et à la finition élémentaire est révolu depuis fort longtemps. Cette voiture possède un intérieur garni de cuir fin, d'un tableau de bord très élaboré et les options ne font pas défaut. Parmi celles qui sont les plus appropriées à la FF, on peut souligner un toit panoramique, un système de commande vocale et des iPad mini pour les occupants des places arrière. Quant à celles-ci, elles sont fortement rembourrées, leur dossier est galbé tandis qu'un imposant accoudoir central permet de vous maintenir en place si jamais le conducteur décide de vous démontrer le potentiel de sa voiture. On y accède par de portières très larges qui facilitent l'embarquement. Une fois assis, c'est confortable mais il ne faut pas être claustrophobe car les vitres latérales arrière sont relativement petites et les dossiers avant élevés. Le plus compliqué, c'est de s'extirper des places en question, car le dossier est incliné vers l'arrière et l'assise profonde. Mentionnons au passage que le dossier est de type 60/40, ce qui favorise le transport d'objets plus longs.

Avec ses multiples aides à la conduite et réglages gérés par le conducteur, cette voiture est capable d'affronter toutes les situations et toutes les conditions routières. Mais le plus important à souligner est la griserie que procure sa conduite. Son V12 de 651 chevaux émet une sonorité envoûtante lorsqu'il monte en régime. Il est également fort agréable de solliciter cette cavalerie à l'aide des palettes fixées sur le volant.

Et malgré son rouage hors norme pour une Ferrari et son poids qui l'est tout autant, la FF se comporte comme une voiture provenant de Maranello devrait le faire, alors que la puissance est transmise aux roues arrière la majorité du temps. S'il pleut ou s'il neige, le rouage intégral compense.

Si vous cherchez une excuse pour vous acheter un billet de loterie, cette Ferrari en est une!

Châssis - Base

Emp / lon / lar / haut	2990 / 4907 / 1953 / 1379 mm
Coffre / Réservoir	450 à 800 litres / 91 litres
Nombre coussins sécurité / ceintures	4 / 4
Suspension avant	indépendante, double triangulation
Suspension arrière	indépendante, multibras
Freins avant / arrière	disque / disque
Direction	à crémaillère, assistée
Diamètre de braquage	n.d.
Pneus avant / arrière	245/35ZR20 / 295/35ZR20
Poids / Capacité de remorquage	1880 kg / non recommandé
Assemblage	Maranello, IT

Composantes mécaniques

Base

Cylindrée, soupapes, alim.	V12 6,3 litres 48 s atmos.
Puissance / Couple	652 chevaux / 504 lb-pi
Tr. base (opt) / rouage base (opt)	A7 (M6) / Int
0-100 / 80-120 / V.Max	3,7 s / n.d. / 335 km/h
100-0 km/h	35,0 m
Type / ville / route / co$_2$	Sup / 23,5 / 10,7 l/100 km / 8160 kg/an

Du nouveau en 2015

Aucun changement majeur. Version coupé sera dévoilée en cours d'année.

FEU VERT

- Moteur V12 époustouflant
- Rouage intégral sérieux
- Conduite grisante
- Habitacle luxueux

FEU ROUGE

- Prix prohibitif
- Silhouette controversée
- Visibilité arrière à revoir
- Entretien onéreux

Photos: Ferrari

FERRARI **LAFERRARI**

▶ **Catégorie :** Coupé	▶ **Échelle de prix :** 1 700 000 (estimé)	▶ **Transport et prép. :** n.d.
▶ **Cote d'assurance :** n.d.	▶ **Garanties :** 3 ans/illimité, 3 ans/illimité	▶ **Ventes CAN 2013 :** 0 unités

Un super hybride

Denis Duquet

Dès qu'on parle d'un véhicule hybride, à peu près tout le monde pense à la Toyota Prius, c'est-à-dire à une voiture aux performances modestes, à l'agrément de conduite mitigé et à la silhouette plus utilitaire qu'élégante. Mais tous les véhicules hybrides ne sont pas de cette mouture. Il y a des voitures qui sont à l'autre bout du spectre et la plus douée à ce chapitre est la Ferrari LaFerrari... dotée d'un nom bizarre mais ô combien réussie techniquement.

Cette super voiture à propulsion hybride est la plus performante des voitures de route jamais fabriquées par Ferrari et digne successeure des légendaires 288 GTO, F40, F50 et Enzo. En effet, en supplément de son moteur V12 atmosphérique de 6,3 litres, il y a un moteur électrique alimenté par un groupe de batteries au lithium-ion placées derrière les sièges qui travaille en harmonie avec le moteur thermique.

Un écrin en fibre de carbone

Comme on était en droit de s'y attendre sur la voiture la plus sophistiquée jamais produite par Ferrari, la plate-forme est en fibre de carbone et sur celle-ci sont fixés les éléments du groupe propulseur. Le moteur thermique est un V12 de 6,3 litres produisant 800 chevaux et 516 lb-pi de couple. Cette puissance est supérieure au dernier V12 utilisé en F1 avec la 412T en 1995. Mais comme il s'agit d'un hybride, il ne faut pas oublier le moteur électrique. Celui-ci pèse à peine 25,7 kg et produit 161 chevaux et 199 lb-pi de couple. Soulignons au passage que l'énergie est récupérée au freinage et même dans les virages, permettant de recharger les batteries. Travaillant de concert avec le moteur thermique, il permet d'obtenir une puissance totale de 950 chevaux et 664 lb-pi de couple. Ouf! Avec une telle cavalerie sous le capot, il n'est pas surprenant que le 0-100 km/h soit bouclé en moins de trois secondes tandis que la vitesse de pointe est de 350 km/h.

Impressions de l'auteur		Concurrents
Agrément de conduite : ★★★★⯪ **4,5**/5		Porsche 918 Spyder, McLaren P1
Fiabilité : **n.d.**		
Sécurité : ★★★★ **4**/5		
Qualités hivernales : ☆☆☆☆☆ **0**/5		
Espace intérieur : ★★⯪ **2,5**/5		
Confort : ★★⯪ **2,5**/5		

Le moteur thermique est monté en position centrale et il est couplé à une boîte séquentielle à double embrayage fabriquée par Getrag. Celle-ci transmet toute la puissance aux roues arrière. Les suspensions avant et arrière sont à doubles leviers triangulés avec ressorts hélicoïdaux et amortisseurs, ces derniers commandés électroniquement. Les freins sont d'immenses Brembo en céramique et carbone. Ceux à l'avant mesurent 398 mm, et à l'arrière c'est 380 mm.

Comme toute super voiture moderne, l'électronique joue un rôle important. Les amortisseurs voient leur fermeté ou leur souplesse varier constamment en fonction de la vélocité, des forces latérales et des conditions de la route. Comme sur la Porsche 918 Spyder, plusieurs accessoires aérodynamiques sont mobiles et réglés électroniquement. En tout temps, c'est le système de commande de la voiture qui décide quel appui aérodynamique est nécessaire et la force à lui appliquer. Par exemple, dans un virage négocié à 200 km/h (sur piste, espérons-le!) l'appui aérodynamique est de 390 kg. En ligne droite à la même vitesse, il est de 90 kg seulement. L'appui aérodynamique varie constamment selon les circonstances.

Mais LaFerrari, c'est plus que des temps d'accélération canon. Tous ceux qui l'ont piloté vous le diront, ce *supercar* se conduit au doigt et à l'œil malgré sa puissance, en raison de l'efficacité des systèmes de gestion électroniques qui agissent très rapidement et en toute transparence. La transmission réagit à la vitesse de l'éclair tandis que l'on peut faire patiner les roues en virage de façon fort spectaculaire sans perte de contrôle.

La silhouette de la Super Ferrari n'a pas été dessinée par Pininfarina, le styliste traditionnel de la marque de Maranello. Cette fois, c'est le bureau de design maison, Centro Style, qui est responsable de cette silhouette aux allures futuristes. Celle-ci a été créée en respectant certaines règles esthétiques, mais ce sont les exigences aérodynamiques qui ont primé. Le résultat est spectaculaire. Et il ne faut pas oublier que les portières sont à élytre.

Inspiré de la F1

Il n'y a pas que le groupe propulseur qui soit dérivé de la Formule 1 avec son système HY-KERS de récupération d'énergie et son moteur électrique. En effet, selon Ferrari, la position de conduite est similaire à celle d'une Formule 1, alors que le fessier du pilote et ses pieds sont à la même hauteur. Son siège, comme celui du passager, est en fibre de carbone et les deux sont boulonnés au plancher. Par contre, le pédalier et le volant sont réglables.

Malheureusement, même si vous venez de gagner à la Lotto Max, seulement 499 exemplaires sont prévus et ils sont tous promis aux amis de la maison... et la première livraison nord-américaine a eu lieu chez nous, au Circuit Mont-Tremblant!

Châssis - Base

Emp / lon / lar / haut	2650 / 4702 / 1992 / 1116 mm
Coffre / Réservoir	n.d. / n.d.
Nombre coussins sécurité / ceintures	n.d. / 2
Suspension avant	indépendante, double triangulation
Suspension arrière	indépendante, double triangulation
Freins avant / arrière	disque / disque
Direction	à crémaillère, assistée
Diamètre de braquage	n.d.
Pneus avant / arrière	P265/30ZR19 / P345/20ZR20
Poids / Capacité de remorquage	1370 kg / n.d.
Assemblage	Maranello, IT

Composantes mécaniques

Base

Cylindrée, soupapes, alim.	V12 6,3 litres 48 s atmos.
Puissance / Couple	800 chevaux / 516 lb-pi
Tr. base (opt) / rouage base (opt)	A7 / Prop
0-100 / 80-120 / V.Max	3,0 s (const) / n.d. / 350 km/h
100-0 km/h	n.d.
Type / ville / route / CO_2	Sup / n.d. / n.d. / 6600 kg/an

Moteur électrique

Puissance / Couple	161 ch (120 kW) / 199 lb-pi
Type de batterie	Lithium-ion
Énergie	n.d.

Du nouveau en 2015

Aucun changement - Série limitée à 499 unités déjà vendues.

- Silhouette extraordinaire
- Technologie sophistiquée
- Performances élevées
- Facile à piloter

- Prix démentiel
- Utilisation routière limitée
- Inaccessible... à moins d'être bien branché!
- Entretien complexe

Photos : Ferrari

FIAT **500**

▶ **Catégorie :** Hatchback, Cabriolet	▶ **Échelle de prix :** 15 995 $ à 27 995 $ (2014)	▶ **Transport et prép. :** 1 795 $
▶ **Cote d'assurance :** n.d.	▶ **Garanties :** 3 ans/60 000 km, 5 ans/100 000 km	▶ **Ventes CAN 2013 :** 5 031 unités*

Au comptoir des coloris

Jean-François Guay

A ppelée *Cinquecento* dans son Italie d'origine, la Fiat 500 a suscité beaucoup d'intérêt lors de son introduction sur le continent nord-américain en 2012. Même si les aficionados lui ont déroulé le tapis rouge, la plupart des consommateurs ont été prudents avant de lui accorder leur bénédiction. Non sans raison, puisqu'à de rares exceptions près, les anciennes voitures Fiat n'étaient pas des exemples de fiabilité et de longévité. Mais cette époque est révolue et la nouvelle 500 semble rentrer dans les bonnes grâces des automobilistes. À preuve, plus de 135 000 unités ont été vendues en Amérique du Nord depuis sa résurrection. Dans le monde, le nombre d'adeptes est encore plus impressionnant et les ventes dépassent le million d'unités.

Faire renaître de ses cendres une automobile ne se fait pas toujours dans l'allégresse. On se rappellera que la dernière

Ford Thunderbird (2002-2005) était retournée dans les limbes aussi rapidement qu'elle en était sortie. De son côté, MINI a fait preuve de beaucoup d'imagination en multipliant les modèles et les versions de la Cooper. Reste la Volkswagen Beetle, laquelle est passée près de trépasser plus d'une fois n'eût été de la foi inébranlable du constructeur allemand envers sa divine enfant.

Pour éviter que les fidèles ne désertent les concessionnaires, Fiat devra à son tour engendrer plusieurs variantes. En 2015, le catalogue de commande comprend trois nouvelles teintes de carrosserie (perle jaune, bleu laser et billet argent) pour un total de 18 coloris – un record. Toutefois, les acheteurs ne sont pas dupes et il faudra plus que le jeu des couleurs pour maintenir la flamme. Pour ce faire, la 500 étrenne cette année une nouvelle console centrale avec des boutons plus modernes, des porte-gobelets redessinés et un système Bluetooth de série ; l'instrumentation située derrière le volant accueille un nouveau cadran numérique de sept pouces plus informatif.

Impressions de l'auteur	
Agrément de conduite : ★★★⯪	3,5/5
Fiabilité : ★★★☆☆	3/5
Sécurité : ★★★⯪	3,5/5
Qualités hivernales : ★★★☆☆	3/5
Espace intérieur : ★★★☆☆	3/5
Confort : ★★★⯪	3,5/5

Concurrents

Chevrolet Spark, Scion iQ, smart Fortwo

* Fiat 500 C : 1 780 unités / Fiat 500 Turbo : 319 unités

FIAT 500

À l'origine d'une mode

La venue de la 500 en Amérique du Nord a créé un engouement pour les microvoitures. Face à ses rivales, la 500 est dans une classe à part. Pour élargir son éventail de modèles, la prochaine grande étape pour la citadine italienne sera d'accueillir dans ses rangs une carrosserie cinq portes à hayon. Plus petite que la 500L, cette nouvelle 500 pourra également être équipée en option de la traction intégrale et se verra attribuer le suffixe « X » pour 500X – elle sera l'émule de son cousin Jeep Renegade.

Pour l'instant, la 500 se décline en deux configurations : hayon à trois portes et cabriolet à deux portes. Le moteur de série est un quatre cylindres MultiAir de 1,4 litre développant 101 chevaux. Une boîte manuelle à cinq vitesses et une automatique à six rapports sont offertes. Pour des accélérations et des reprises plus vives, les motoristes ont conçu la 500 Turbo de 135 chevaux. Cette version se classe entre la 500 ordinaire (Pop, Sport et Lounge) et la 500 Abarth.

Une Abarth automatique !

L'Abarth est la version ultime de la gamme avec ses 160 chevaux. Pour exploiter la puissance de ce petit moulin qui déballe 114 chevaux au litre, une boîte manuelle à cinq rapports est proposée. Cette année, on a aussi prévu une optionnelle automatique Aisin à six rapports. Cette boîte est aussi offerte sur la Turbo.

Pour river cette bombinette au pavé, la direction et la suspension ont été raffermies, les freins ont plus de mordant et les pneus ont été élargis. L'ensemble est complété par des écussons facultatifs sur la carrosserie, des bas de caisse plus accentués, un aileron et une sortie d'échappement double. À l'intérieur, les sièges sont plus sculptés et enveloppants. De prime abord, cette transformation paraît attrayante pour rouler sur un circuit. Toutefois, le conducteur et ses passagers devront en payer le prix sur les routes défoncées de notre belle province où les nids-de-poule et crevasses pullulent. Mais n'ayez crainte, la suspension et les sièges dodus des autres 500 sont de loin plus confortables.

Quant à la 500e, elle est animée par un moteur entièrement électrique dont la puissance est estimée à 111 chevaux (83 kW) et l'autonomie à 140 km. Ce modèle n'est pas encore vendu chez nous et il serait étonnant qu'il traverse la frontière puisque le grand patron de Fiat, Sergio Marchionne, a récemment déclaré qu'il espérait que les clients n'achètent pas de 500 électrique. En effet, Fiat perd 14 500 $ sur chaque modèle électrique vendu compte tenu des coûts de production très élevés. Voilà, ce qu'on appelle ne pas avoir la langue dans sa poche !

Châssis - TURBO

Emp / lon / lar / haut	2300 / 3667 / 1627 / 1519 mm
Coffre / Réservoir	268 à 759 litres / 40 litres
Nombre coussins sécurité / ceintures	7 / 4
Suspension avant	indépendante, jambes de force
Suspension arrière	semi-indépendante, poutre de torsion
Freins avant / arrière	disque / disque
Direction	à crémaillère, ass. variable électrique
Diamètre de braquage	9,3 m
Pneus avant / arrière	P195/45R16 / P195/45R16
Poids / Capacité de remorquage	1224 kg / n.d.
Assemblage	Toluca, MX

Composantes mécaniques

POP, SPORT, LOUNGE (Auto)

Cylindrée, soupapes, alim.	4L 1,4 litre 16 s atmos.
Puissance / Couple	101 chevaux / 98 lb-pi
Tr. base (opt) / rouage base (opt)	M5 (A6) / Tr
0-100 / 80-120 / V.Max	12,3 s / 9,7 s / 182 km/h
100-0 km/h	42,0 m
Type / ville / route / CO_2	Ord / 7,4 / 5,7 l/100 km / 3082 kg/an

TURBO

Cylindrée, soupapes, alim.	4L 1,4 litre 16 s turbo
Puissance / Couple	135 chevaux / 150 lb-pi
Tr. base (opt) / rouage base (opt)	M5 (A6) / Tr
0-100 / 80-120 / V.Max	9,7 s / 7,3 s / n.d.
100-0 km/h	42,5 m
Type / ville / route / CO_2	Sup / 7,1 / 5,7 l/100 km / 2990 kg/an

Abarth / cabriolet

Cylindrée, soupapes, alim.	4L 1,4 litre 16 s turbo
Puissance / Couple	160 chevaux / 170 lb-pi
Tr. base (opt) / rouage base (opt)	M5 (A6) / Tr
0-100 / 80-120 / V.Max	8,0 s / 5,2 s / 211 km/h
100-0 km/h	42,3 m
Type / ville / route / CO_2	Sup / 7,4 / 6,0 l/100 km / 3110 kg/an

Du nouveau en 2015

Boîte automatique optionnelle pour Abarth et Turbo. Console centrale et instrumentation redessinées, nouvelles couleurs de carrosserie.

FEU VERT
- Moteur turbo en forme
- Maniabilité en ville
- Faible consommation
- Choix de modèles et versions
- Accessoires de personnalisation

FEU ROUGE
- Suspension sèche (Abarth)
- Boîte manuelle imprécise
- Volume du coffre (cabriolet)
- Accès aux places arrière
- Tenue de cap à haute vitesse

Photos : Fiat Canada

 FIAT **500L**

▶ **Catégorie :** Multisegment	▶ **Échelle de prix :** 19 995 $ à 25 995 $ (2014)	▶ **Transport et prép. :** 1 795 $
▶ **Cote d'assurance :** n.d.	▶ **Garanties :** 3 ans/60 000 km, 5 ans/100 000 km	▶ **Ventes CAN 2013 :** 899 unités

Aussi excentrique que pratique

Denis Duquet

Seuls les Italiens sont en mesure de concocter une auto comme la Fiat 500L. En effet, sa silhouette peut être qualifiée de « troublante », tandis que son habitacle est spacieux et pratique. Toutes ces caractéristiques en font un véhicule qui se démarque de la concurrence. En fait, seule la Mini Countryman rivalise avec elle, mais à un prix beaucoup plus élevé.

Aussi bien vous l'avouer toute de suite, j'ai craqué pour la 500L. Beaucoup de personnes rencontrées avouent ne pas savoir quoi penser de cette bagnole italienne assemblée en Serbie. Certains la rejettent carrément. Personnellement, sa silhouette intemporelle, son caractère pratique et une conduite intéressante m'ont conquis.

Unique en son genre
Il est évident que le design de cette voiture n'est pas sportif ou aérodynamique. En fait, les stylistes ont tenté de l'apparenter

à la 500, dont la présentation est à son tour inspirée par le modèle original de même appellation, si populaire dans les années soixante. Il y a une certaine ressemblance, mais on a quand même réussi à dessiner quelque chose d'original. De très original. D'ailleurs, si vous vous souvenez de la Fiat Multipla des années 2000, vous trouverez des similitudes. Quoi qu'il en soit, cette allure pour le moins différente, qui s'inspire de la tendance semi-rétro très populaire de nos jours (et pas juste dans le domaine de l'automobile) donne une voiture qui a de la gueule !

Comparée à celle de la 500, la planche de bord de la 500L est plus conventionnelle avec ses deux cadrans indicateurs circulaires séparés par un tableau d'information dans la partie inférieure de la nacelle des instruments, tandis que le thermomètre et la jauge d'essence sont placés au-dessus. L'écran d'affichage permet de naviguer dans le système Uconnect qui est assez facile d'utilisation.

Impressions de l'auteur		Concurrents
Agrément de conduite :	★★★★☆ 4/5	MINI Countryman, Scion xB,
Fiabilité :	★★★★☆ 3,5/5	Nissan Juke, Kia Soul, Chevrolet Trax
Sécurité :	★★★★★ 4/5	
Qualités hivernales :	★★★★☆ 3,5/5	
Espace intérieur :	★★★★★ 4/5	
Confort :	★★★★★ 4/5	

Il est important de souligner qu'il ne s'agit pas d'une version allongée de la Fiat 500, mais d'un modèle bénéficiant d'une plate-forme à part. La 500L est plus longue de 70 cm, 15,1 cm plus haute et 14,7 cm plus large, ce qui explique l'étonnante habitabilité de cette voiture. Comme il se doit, les occupants des places avant n'ont aucun problème de dégagement pour les coudes et la tête. Mais ce sont les places arrière qui impressionnent le plus. En effet, même une fois le siège avant reculé au maximum, j'ai pu m'asseoir à l'arrière sans difficulté, le dégagement pour les jambes étant amplement suffisant. Quant à l'espace de chargement, il est plus que respectable avec une capacité de 634 litres avec le siège arrière relevé et de 1 926 litres lorsqu'il est rabattu.

Moteur adéquat, transmission capricieuse

Pour propulser cette excentrique italienne, les ingénieurs ont fait un choix pertinent en utilisant le moteur de la 500 Abarth. Ce quatre cylindres turbocompressé produit 160 chevaux et 184 lb-pi de couple. Cette puissance est adéquate dans la majorité des cas; la consommation observée a été légèrement supérieure à 8,0 l/100 km, ce qui est tout près de la moyenne annoncée par le constructeur.

Une boîte manuelle à six rapports arrive de série. Toutefois, le passage des vitesses pourrait être plus précis. En fait, la transmission automatique à six rapports convient mieux au caractère pratique et relaxe de cette voiture. Elle est de type à double embrayage avec commande manuelle au levier de vitesses. Si vous conduisez sans solliciter l'accélérateur outre mesure, cette boîte ne se comporte pas trop mal. Mais il arrive parfois qu'elle s'empresse de monter les rapports pour optimiser l'économie de carburant. Et si vous décidez par la suite d'appuyer à fond sur l'accélérateur afin d'activer le rétrocontact (*kick down*), la transmission peut avoir une réaction brusque. Donc pour apprécier la conduite de la 500L, il faut piloter en douceur. Ce qui n'est pas toujours facile, car le démarrage initial se révèle parfois lent et l'on a alors tendance à enfoncer l'accélérateur, provoquant ainsi des passages de rapport saccadés. Mais après une courte période d'acclimatation, on réussit à bien doser les sollicitations de l'accélérateur.

Le tenue de route est loin d'être mauvaise tandis que la voiture accroche bien dans les virages et affiche un léger sous-virage. Le roulis de caisse est perceptible, mais bien contrôlé.

Somme toute, la Fiat 500L est une voiture d'un design particulier proposant un niveau de confort relevé. Malgré son moteur emprunté à la 500 Abarth, c'est un véhicule qui privilégie une conduite souple tout en étant spacieux et pratique.

Châssis - LOUNGE

Emp / lon / lar / haut	2612 / 4249 / 2036 / 1670 mm
Coffre / Réservoir	634 à 1926 litres / 50 litres
Nombre coussins sécurité / ceintures	7 / 5
Suspension avant	indépendante, jambes de force
Suspension arrière	semi-indépendante, poutre de torsion
Freins avant / arrière	disque / disque
Direction	à crémaillère, ass. électrique
Diamètre de braquage	10,7 m
Pneus avant / arrière	P225/45R17 / P225/45R17
Poids / Capacité de remorquage	1453 kg / non recommandé
Assemblage	Kragujevac, RS

Composantes mécaniques

500L

Cylindrée, soupapes, alim.	4L 1,4 litre 16 s turbo
Puissance / Couple	160 chevaux / 184 lb-pi
Tr. base (opt) / rouage base (opt)	M6 (A6) / Tr
0-100 / 80-120 / V.Max	10,1 s / 7,0 s / n.d.
100-0 km/h	45,2 m
Type / ville / route / co₂	Sup / 8,0 / 6,0 l/100 km / 3266 kg/an

Du nouveau en 2015

Aucun changement majeur

FEU VERT
- Design original
- Habitabilité surprenante
- Moteur bien adapté
- Bonne tenue de route
- Agréablement excentrique

FEU ROUGE
- Boîte automatique capricieuse
- Valeur de revente inconnue
- Fiabilité à prouver
- Position de conduite controversée

Photos : Fiat Canada

FORD **C-MAX**

▶ **Catégorie :** Multisegment	▶ **Échelle de prix :** 27 499 $ à 38 664 $ (2014)	▶ **Transport et prép. :** 1 600 $
▶ **Cote d'assurance :** n.d.	▶ **Garanties :** 3 ans/60 000 km, 5 ans/100 000 km	▶ **Ventes CAN 2013 :** 1 383 unités

Quand même les plus amusants

Marc Lachapelle

Le C-Max promettait beaucoup avec sa bouille sympathique, un habitacle moderne, un comportement bien réglé et le choix entre deux groupes propulseurs hybrides efficaces, dont un rechargeable. Il visait haut chez les écolos mais a raté ses cibles, trahi par une consommation réelle décevante, des prix assez corsés et un dossier de fiabilité peu reluisant. Le C-Max semble maintenant flotter dans un étrange brouillard, y compris chez Ford.

Tous les espoirs étaient permis pour le C-Max, chez un constructeur qui avait déjà prouvé de manière convaincante sa maîtrise de la propulsion essence-électricité avec ses premiers hybrides. Ford doublait du même coup son offre de modèles écolos avec ses premiers hybrides rechargeables, des C-Max et Fusion baptisés Energi. Oui, vous avez bien lu.

Nos premiers contacts et essais du C-Max hybride furent très positifs. Nous avions apprécié son habitacle lumineux, une visibilité impeccable, une bonne position de conduite et surtout des performances et une conduite réjouissantes pour un hybride. Il faut dire que Ford sait y faire pour aiguiser le comportement et le caractère d'une traction. Le constructeur l'a démontré clairement dès la création de la première Focus.

De bons chromosomes

Les C-Max sont construits sur la même architecture que la Focus actuelle, ce qui augure déjà bien. Malgré une ligne de toit plus haute de 14,5 cm, un poids supérieur de 314 kg et un centre de gravité surélevé d'autant par rapport à une Focus *hatchback*, le C-Max hybride demeure raisonnablement agile. Et c'est encore vrai pour le C-Max Energi, même si l'écart de poids est porté à 430 kg et le roulis en virage plus prononcé. Sa direction précise et des disques de freins avant qui font 300 plutôt que 278 mm de diamètre permettent de compenser cet écart en bonne partie.

Impressions de l'auteur			Concurrents
Agrément de conduite :	★★★☆★	3,5/5	Toyota Prius V
Fiabilité :	★★☆★★	2,5/5	
Sécurité :	★★★★★	4/5	
Qualités hivernales :	★★★☆★	3,5/5	
Espace intérieur :	★★★☆★	3,5/5	
Confort :	★★★☆★	3,5/5	

FORD C-MAX

De toute manière, le freinage est vigoureux sans même toucher la pédale lorsqu'on place le sélecteur de la transmission à variation continue (CVT) en position L. On voit même le niveau de charge de la batterie augmenter à vue d'œil dans une descente le moindrement accentuée. On découvre du même coup une nouvelle manière et un nouveau plaisir de conduire.

La différence de masse substantielle entre les deux C-Max tient d'abord au fait que la version Energi possède une batterie ion-lithium de 7,6 kWh alors que celle du modèle simplement hybride en offre seulement 1,4. La première est censée offrir 43 km d'autonomie électrique après une recharge de 2,5 heures sur une borne de 240 volts ou 7 heures si on la branche sur une prise à 120 volts. Lors d'un essai mené au mois de mai, l'autonomie électrique du C-Max Energi s'est échelonnée de 23 à 32 km mais jamais davantage, même après des recharges de plus de douze heures.

Cette batterie plus puissante et plus lourde est également plus grosse. Elle réduit d'ailleurs le volume du coffre de 694 à 544 litres lorsque les dossiers en deuxième rangée sont en place et le volume de chargement total de 1 489 à 1 212 litres s'ils sont repliés. Les premiers chiffres sont trompeurs et ne tiennent pas compte de la hauteur maximale de charge qu'il est sage de respecter pour préserver la visibilité vers l'arrière. Le coffre n'est effectivement pas vaste dans le C-Max hybride et encore moins dans le C-Max Energi. Pour en profiter pleinement, il faut s'offrir le hayon à commande électrique optionnel qu'on ouvre et referme en passant la pointe du pied sous le pare-chocs arrière. Une fois qu'on y goûte, on ne veut plus s'en passer !

Dégourdi et dissipé

Même avec un poids quasi égal à celui de la Chevrolet Volt, le C-Max Energi la devance nettement en performance avec un 0-100 km/h bouclé en 8,5 secondes alors que sa rivale y met 9,8 secondes. Le moteur thermique de l'Energi prête main-forte au moteur électrique en accélération maximale, avec une puissance combinée de 188 chevaux, tandis que la Volt accélère uniquement avec son moteur électrique de 149 chevaux. Face aux cibles avouées de chez Toyota, le C-Max hybride est nettement plus performant et moins spacieux que la Prius v, mais les deux affichent des cotes de consommation et des prix à peu près identiques. Le C-Max Energi se moque carrément du chrono de 12,0 secondes de la Prius rechargeable (plug-in) pour le sprint 0-100 km/h et offre presque le double en autonomie purement électrique. Il la devancerait également pour le prix si Ford ne s'entêtait pas à ne l'offrir qu'en version garnie avec sièges en cuir et tout le bataclan.

Les C-Max ont par contre beaucoup de progrès à faire et de preuves à fournir avant d'espérer même approcher la réputation blindée des Prius qui sont parmi les voitures les plus fiables qu'on puisse trouver aujourd'hui. C'est plutôt le contraire pour ces deux américaines, jusqu'à maintenant du moins.

Châssis - Hybrid SE

Emp / lon / lar / haut	2649 / 4409 / 2085 / 1623 mm
Coffre / Réservoir	694 à 1489 litres / 51 litres
Nombre coussins sécurité / ceintures	7 / 5
Suspension avant	indépendante, jambes de force
Suspension arrière	indépendant, multibras
Freins avant / arrière	disque / disque
Direction	à crémaillère, ass. variable électrique
Diamètre de braquage	11,6 m
Pneus avant / arrière	P215/55R17 / P215/55R17
Poids / Capacité de remorquage	1640 kg / n.d.
Assemblage	Wayne, MI

Composantes mécaniques

Hybrid

Cylindrée, soupapes, alim.	4L 2,0 litres 16 s atmos.
Puissance / Couple	141 chevaux / 129 lb-pi
Tr. base (opt) / rouage base (opt)	CVT / Tr
0-100 / 80-120 / V.Max	8,7 s / 5,7 s / 185 km/h
100-0 km/h	42,7 m
Type / ville / route / co₂	Ord / 4,0 / 4,1 l/100 km / 1886 kg/an

Moteur électrique

Puissance / Couple	118 ch (88 kW) / 177 lb-pi
Type de batterie	Lithium-ion
Énergie	1,4 kWh
Temps de charge	Aucun

Energi SEL

Cylindrée, soupapes, alim.	4L 2,0 litres 16 s atmos.
Puissance / Couple	141 chevaux / 129 lb-pi
Tr. base (opt) / rouage base (opt)	CVT / Tr
0-100 / 80-120 / V.Max	8,5 s / 6,5 s / 165 km/h
100-0 km/h	43,0 m
Type / ville / route / co₂	Élec., Ord / 2,2 / 2,6 l/100 km / 1095 kg/an

Moteur électrique

Puissance / Couple	118 ch (88 kW) / 177 lb-pi
Type de batterie	Lithium-ion
Énergie	7,6 kWh
Temps de charge (120V / 240 V)	7,0 / 2,5 hres
Autonomie	43 km

Du nouveau en 2015

Retouches esthétiques attendues en cours d'année.

FEU VERT
- Conduite et agilité étonnantes
- Groupes propulseurs efficaces
- Visibilité et position de conduite
- Silence sur autoroute
- Hayon automatique optionnel

FEU ROUGE
- Pédale de frein trop sensible
- Rangement du câble de recharge (Energi)
- Contrôles de climatisation minuscules
- Coffre à bagages limité (Energi)
- Fiabilité douteuse

Photos : Ford Canada

FORD **EDGE**

▸ **Catégorie :** Multisegment

▸ **Cote d'assurance :** $$$$$

▸ **Échelle de prix :** 31 000 $ à 45 000$ (estimé)

▸ **Garanties :** 3 ans/60 000 km, 5 ans/100 000 km

▸ **Transport et prép. :** 1 665 $

▸ **Ventes CAN 2013 :** 17 274 unités

Le monde, rien de moins!

Alain Morin

En 2011, Ford donnait un nouveau souffle à son populaire multisegment Edge pour le maintenir en tête des ventes. Et ça avait marché. Très bien marché. Pour 2015, Ford remet ça. C'est au Salon de Los Angeles en novembre 2013 que le Edge nouveau a d'abord été vu en tant que concept. Puis Ford l'a montré plus en détail à la presse spécialisée en juin dernier. De toute évidence, Ford a de très fortes attentes pour son Edge. Au moins, l'auguste constructeur américain semble vouloir lui donner les armes nécessaires pour affronter une concurrence toujours très prompte à réagir.

Tout d'abord, il sera offert dans beaucoup de pays, la Chine étant le pays qui promet le plus. En effet, selon les prévisions de Ford, un utilitaire sur trois vendus dans le monde en 2018 le sera en Chine. Grâce à un investissement de 700 millions de dollars, le Edge 2015 sera encore construit à Oakville, en Ontario, et ensuite expédié aux quatre coins de la boule,

sauf dans certains marchés de l'est, desservis par une usine en Russie.

L'Edge 2015 sera offert en livrées SE, SEL, Titanium et Sport et bénéficiera de la plateforme de la Fusion. L'empattement gagne 25 mm (1 pouce) par rapport à celui du « vieux » Edge tandis que la longueur totale augmente de 100 mm (4 pouces). Ce sont les jambes des passagers arrière et les bagages qui seront heureux ! À ce propos, soulignons que le coffre, lorsque les dossiers des sièges arrière sont relevés, passe de 912 à 1110 litres. Certains marchés offriront un Edge à trois rangées de sièges mais ce ne sera pas le cas en Amérique.

Y'a juste les fous qui changent pas d'idée

L'habitacle a été entièrement revu. Même si le tableau de bord conserve son style Ford, les designers se sont enfin débarrassés des ignobles commandes tactiles qui exigeaient qu'on quitte la route des yeux chaque fois qu'on devait les manipuler. On retrouve désormais de vrais boutons, ces

Impressions de l'auteur			Concurrents
Agrément de conduite :	★★★★★	4/5	Hyundai Santa Fe, Nissan Murano,
Fiabilité :	★★★★★	3,5/5	Toyota Highlander
Sécurité :	★★★★★	4/5	
Qualités hivernales :	★★★★★	4/5	
Espace intérieur :	★★★★★	4/5	
Confort :	★★★★★	4/5	

petites choses très utiles qu'on peut sentir du bout des doigts et utiliser avec des gants. Il ne reste qu'à souhaiter que toute la gamme Ford (et pourquoi pas Lincoln) profite de cette importante avancée technologique. Dans les exemplaires qu'on a vus, des modèles de préproduction, la qualité de la finition et des matériaux semblait très bonne.

Il faut compter sur Ford pour les innovations techniques et technologiques et l'Edge 2015 n'en sera pas avare. Il y a tout d'abord une caméra à 180 degrés placée à l'avant et qui se nettoie avec le lave-glace qui sert au pare-brise. Le système de stationnement automatisé vous a toujours impressionné? Attendez de voir le Edge se stationner tout seul en parallèle ET perpendiculairement! Ces équipements seront optionnels, bien sûr. Parmi les innovations qui laissent perplexes, il y a le coussin gonflable inséré dans le couvercle du coffre à gants. En cas de déploiement, Ford nous assure que cette façade ne brisera pas les genoux. Au contraire, elle les protégera. Malheureusement, lors de la présentation, je n'ai pas pu en faire l'essai. Ce n'était pas par manque de professionnalisme, juste par manque de temps...

Côté moteur, le Edge en aura trois. De base, il arrivera avec un tout nouveau quatre cylindres 2,0 litres EcoBoost Twin Scroll ou, si vous préférez, avec un turbo à doubles volutes. Sa puissance est estimée à 245 chevaux et 270 livres-pied de couple. Un Edge AWD équipé de ce moteur pourra remorquer jusqu'à 3 500 livres (1 588 kg). La version Sport se déplacera grâce à un V6 2,7 litres EcoBoost qu'on retrouvera aussi dans le nouveau F-150. Enfin, le V6 de 3,5 litres qui officie déjà dans le Edge actuel sera reconduit. Tous ces moteurs consommeront extraordinairement peu et seront très puissants selon Ford. Ils seront reliés à une transmission automatique à six rapports et le rouage intégral sera offert sur certaines versions.

Et le Edge actuel, lui?

En attendant que ce nouvel Edge fasse son apparition chez les concessionnaires au début 2015, il reste le bon vieil Edge qui devrait faire l'objet d'incitatifs importants à l'achat. Son habitacle est confortable et silencieux, ses sièges avant invitants et ses boutons tactiles déplaisants au possible. La version Sport se distingue des autres par sa grille avant noire, ses roues exclusives de 22 pouces qui vous obligeront à négocier une deuxième hypothèque sur votre maison quand viendra le temps de les remplacer et son V6 de 3,7 litres aussi puissant que goinfre quand il est trop sollicité. Les autres modèles ont droit, de série, à un quatre cylindres 2,0 litres turbocompressé relativement économique pour autant que les turbos ne soient pas sollicités par des accélérations intempestives ou, en option, à un V6 de 3,5 litres. Ce dernier est le seul moteur qui sera reconduit en 2015.

Le Ford Edge était un très bon véhicule. Nul doute que la version qui le remplacera sera encore meilleure.

Châssis - SEL TI

Emp / lon / lar / haut	2849 / 4779 / 2179 / 1742 mm
Coffre / Réservoir	1110 à 2149 litres / n.d.
Nombre coussins sécurité / ceintures	7 / 5
Suspension avant	indépendante, jambes de force
Suspension arrière	indépendante, multibras
Freins avant / arrière	disque / disque
Direction	à crémaillère, assistée
Diamètre de braquage	11,8 m
Pneus avant / arrière	P245/60R18 / P245/60R18
Poids / Capacité de remorquage	1900 kg / 1588 kg (3500 lb)
Assemblage	Oakville, ON

Composantes mécaniques

SE, SEL

Cylindrée, soupapes, alim.	4L 2,0 litres 16 s turbo
Puissance / Couple	245 chevaux / 270 lb-pi
Tr. base (opt) / rouage base (opt)	A6 / Tr (Int)
0-100 / 80-120 / V.Max	n.d. / n.d. / n.d.
100-0 km/h	n.d.
Type / ville / route / CO_2	Ord / 10,0 / 7,1 l/100 km / 4000 kg/an

Sport

Cylindrée, soupapes, alim.	V6 2,7 litres 24 s turbo
Puissance / Couple	282 chevaux / 324 lb-pi
Tr. base (opt) / rouage base (opt)	A6 / Int
0-100 / 80-120 / V.Max	n.d. / n.d. / n.d.
100-0 km/h	n.d.
Type / ville / route / CO_2	Ord / n.d. / n.d. / n.d.

Titanium TA / TI

Cylindrée, soupapes, alim.	V6 3,5 litres 24 s atmos.
Puissance / Couple	285 chevaux / 253 lb-pi
Tr. base (opt) / rouage base (opt)	A6 / Tr (Int)
0-100 / 80-120 / V.Max	8,9 s / 7,2 s / n.d.
100-0 km/h	42,9 m
Type / ville / route / CO_2	Ord / n.d. / n.d. / n.d.

Du nouveau en 2015

Nouveau modèle en vente au début de 2015.

Photos: Ford Canada

FEU VERT

- Lignes modernes et dynamiques (2015)
- Commandes plus faciles à utiliser (2015)
- Confort assuré (2014)
- Moteurs puissants
- Fiabilité intéressante (2014)

FEU ROUGE

- Véhicule lourd
- Consommation élevée (2014)
- Dépréciation assez importante (2014)
- Certaines versions très chères
- Visibilité arrière pauvre

FORD **ESCAPE**

▶ **Catégorie :** VUS

▶ **Cote d'assurance :** $$$$$$

▶ **Échelle de prix :** 24 944 $ à 34 422 $ (2014)

▶ **Garanties :** 3 ans/60 000 km, 5 ans/100 000 km

▶ **Transport et prép. :** 1665 $

▶ **Ventes CAN 2013 :** 45 141 unités

Toujours aussi agréable

Guy Desjardins

Peu de changements pour l'Escape cette année. La refonte spectaculaire qu'il a subie en 2013 lui a permis de rejoindre le peloton de tête dans la catégorie très concurrentielle des VUS compacts. Maintenant construit sur la plate-forme de la Focus, l'Escape bénéficie d'un comportement plus raffiné.

Toutes les anciennes générations de l'Escape ont connu le succès. Le gabarit est parfait pour une conduite urbaine, la consommation raisonnable pour un utilitaire sport et les prix s'inscrivent dans une échelle tout à fait décente pour la classe moyenne. Cette nouvelle génération vient ajouter deux éléments qui lui manquaient : une tenue de route plus inspirante et un style moins boîte à savon. Dans les deux cas, le résultat ne déçoit pas.

Ford a joué d'audace en recourant au châssis de la Focus mais comme la grande majorité des propriétaires n'utilisent leur

Escape qu'en situation urbaine, cette décision n'était pas dépourvue de logique. Heureusement, cette plate-forme est rigide à souhait, et dotée de suspensions assez flexibles pour permettre à l'Escape d'affronter efficacement les routes du Québec. Dans l'exercice, le centre de gravité du petit VUS a été réduit de plusieurs centimètres, ce qui lui donne une meilleure stabilité sur la route.

Nouvelle personnalité

L'Escape a tellement changé qu'on aurait pu lui octroyer un nouveau nom! Le style extérieur est à des années-lumière de l'ancien modèle. Il garde évidemment la forme traditionnelle des utilitaires sport mais sa partie avant plus basse, ses flancs sculptés et ses feux arrière retravaillés ajoutent un dynamisme qui manquait aux versions précédentes, et lui donnent une allure nettement européenne. Selon les versions, l'Escape se dotera d'éléments visuels plus luxueux, dont des phares de jour à DEL, placés dans la partie inférieure des phares.

Impressions de l'auteur		Concurrents
Agrément de conduite :	★ ★ ★ ⯪ ★ 3,5/5	Chevrolet Equinox, Honda CR-V,
Fiabilité :	★ ★ ★ ⯪ ★ 3,5/5	Hyundai Tucson, Jeep Compass,
Sécurité :	★ ★ ★ ⯪ ★ 3,5/5	Kia Sportage, Mazda CX-5,
Qualités hivernales :	★ ★ ★ ★ 4/5	Mitsubishi Outlander, Nissan Rogue,
Espace intérieur :	★ ★ ★ ⯪ ★ 3,5/5	Subaru Forester, Toyota RAV4,
Confort :	★ ★ ★ ⯪ ★ 3,5/5	Volkswagen Tiguan

À l'intérieur, Ford a également fait table rase et repensé totalement la présentation. Le tableau de bord reprend le style des Focus et Fiesta. La console centrale, autrefois à la verticale, s'étend maintenant en angle jusqu'au milieu des sièges avant. La partie supérieure dispose d'un immense écran d'affichage alors que plus bas, ce sont les commandes de la climatisation qui se cachent derrière le levier de la transmission. Avec cette refonte, beaucoup de relief a été introduit dans cette planche de bord, ce qui ne plaît pas toujours aux générations plus âgées.

Polyvalent

La popularité de l'Escape est en grande partie attribuable à ses nombreuses possibilités de configuration. Autrefois limités à un quatre et six cylindres, les choix sont aujourd'hui simplifiés. La bonne nouvelle, c'est qu'il n'existe plus de V6 sous le capot de l'Escape. Les trois moteurs offerts sont à quatre cylindres. Le moins puissant est un 2,5 litres. Il développe 168 chevaux, ce qui est amplement suffisant pour les déplacements urbains d'une majorité de personnes. La consommation est plutôt décevante puisqu'elle se situe aux alentours de 10 l/100 km, ce qui est pas mal élevé pour un moteur de base.

C'est alors qu'entre en jeu la technologie Ecoboost qui équipe le quatre cylindres de 1,6 litre. Cette configuration ne donne que 10 chevaux additionnels, mais fait grimper le couple à 184 lb-pi, ce qui permet des performances beaucoup plus intéressantes en plus d'augmenter l'efficacité en remorquage. Ce gain de puissance n'affecte pas la consommation de carburant, se permettant même de baisser de quelques gouttes aux 100 km. À l'autre bout du spectre, le quatre cylindres de 2,0 litres muni de l'Ecoboost fait grimper la puissance à 240 chevaux et le couple à 270 lb-pi, ce qui se solde par un comportement nettement plus dynamique et très apprécié malgré l'augmentation de la consommation de carburant.

En adoptant l'architecture de la Focus, l'Escape se rapproche du comportement routier d'une voiture. Le centre de gravité plus bas et l'apport de la turbocompression nous font oublier que l'on se trouve au volant d'un utilitaire sport. La suspension indépendante aux quatre roues procure une tenue de route un peu trop ferme (à l'européenne) et la transmission automatique à six rapports accomplit de l'excellent boulot. Les versions à traction suffisent à la plupart des utilisations alors que le rouage intégral rend les déplacements plus faciles en hiver. L'insonorisation semble avoir été priorisée dans la conception puisque les bruits extérieurs sont extrêmement bien filtrés.

L'Escape se démarque de la concurrence par son style audacieux, son choix de motorisations et son prix de base abordable. Le produit se peaufine avec les années et malgré les renouvellements fréquents des modèles concurrents, l'Escape reste dans le peloton de tête. Mais attention aux prix qui grimpent rapidement...

Châssis - S 2.5 TA

Emp / lon / lar / haut	2690 / 4524 / 2078 / 1684 mm
Coffre / Réservoir	971 à 1928 litres / 57 litres
Nombre coussins sécurité / ceintures	7 / 5
Suspension avant	indépendante, jambes de force
Suspension arrière	indépendante, multibras
Freins avant / arrière	disque / disque
Direction	à crémaillère, ass. variable électrique
Diamètre de braquage	11,8 m
Pneus avant / arrière	P235/55R17 / P235/55R17
Poids / Capacité de remorquage	1598 kg / 680 kg (1499 lb)
Assemblage	Louiseville, KY

Composantes mécaniques

S 2.5

Cylindrée, soupapes, alim.	4L 2,5 litres 16 s atmos.
Puissance / Couple	168 chevaux / 170 lb-pi
Tr. base (opt) / rouage base (opt)	A6 / Tr
0-100 / 80-120 / V.Max	10,5 s / 8,0 s / n.d.
100-0 km/h	n.d.
Type / ville / route / CO_2	Ord / 9,5 / 8,1 l/100 km / 4080 kg/an

SE 1.6

Cylindrée, soupapes, alim.	4L 1,6 litre 16 s turbo
Puissance / Couple	178 chevaux / 184 lb-pi
Tr. base (opt) / rouage base (opt)	A6 / Tr (Int)
0-100 / 80-120 / V.Max	9,9 s / 7,1 s / n.d.
100-0 km/h	39,6 m
Type / ville / route / CO_2	Ord / 9,2 / 8,0 l/100 km / 3980 kg/an

Titanium 2.0

Cylindrée, soupapes, alim.	4L 2,0 litres 16 s turbo
Puissance / Couple	240 chevaux / 270 lb-pi
Tr. base (opt) / rouage base (opt)	A6 / Int
0-100 / 80-120 / V.Max	7,8 s / 5,2 s / n.d.
100-0 km/h	42,5 m
Type / ville / route / CO_2	Ord / 9,8 / 8,5 l/100 km / 4240 kg/an

Du nouveau en 2015

Aucun changement majeur

FEU VERT
- Style extérieur dynamique
- Choix de motorisations
- Insonorisation excellente
- Tenue de route surprenante

FEU ROUGE
- Prix grimpent rapidement
- Consommation (2,5 litres) ou 2,0 litres Ecoboost
- Suspension ferme

Photos : Ford Canada

FORD EXPEDITION

FORD **EXPEDITION** / LINCOLN **NAVIGATOR**

▶ **Catégorie :** VUS

▶ **Cote d'assurance :** $$$$$

▶ **Échelle de prix :** 50 000 $ à 68 000$ (estimé)

▶ **Garanties :** 3 ans/60 000 km, 5 ans/100 000 km

▶ **Transport et prép. :** 1 665 $

▶ **Ventes CAN 2013 :** 1 638 unités

Dinosaures au goût du jour

Benjamin Hunting / Alain Morin

De nos jours, ce sont les multisegments qui obtiennent la part du lion lorsque vient le moment de choisir un véhicule pour transporter toute la famille. Mais il n'en demeure pas moins que des VUS plein format comme le Ford Expedition 2015 sont tout simplement irremplaçables quand on recherche un mélange de capacité de remorquage supérieure, de confort et de commodité au quotidien. Pratiquement tous les membres de la famille Ford sont entrés dans le club EcoBoost au fil des dernières années. C'est maintenant au tour de l'Expedition : pour 2015, son V8 de 5,4 litres démodé cède la place à un V6 plus robuste, suralimenté par turbocompresseurs.

Performances nettement améliorées

Le V6 de 3,5 litres est livré de série. Il ne s'agit pas d'un nouveau moteur pour Ford, mais son arrivée sous le capot de l'Expedition est une révélation. D'abord, la puissance passe

d'un timide 310 chevaux à une cavalerie plus raisonnable de 365 chevaux. Mais, plus important encore, les deux turbo compresseurs font grimper le couple maximal à 420 lb-pi, et il est disponible très tôt, soit dès le cap des 2 500 tr/min. L'impact sur le caractère de l'Expedition est immédiat : l'accélération est désormais très adéquate. Quant à la capacité de remorquage, elle demeure élevée : 9 219 lb (4 182 kg). Les cotes de consommation officielles n'ont pas encore été publiées, mais Ford affirme qu'elles devraient être améliorées d'au moins 15 % par rapport à l'ancien modèle, même si l'on a conservé la transmission automatique à six rapports.

L'Expedition gagne également une direction à assistance électrique, ainsi qu'une suspension à contrôle d'amortissement continu comme celle qui équipe son chic cousin, le Lincoln Navigator. On peut rendre la suspension plus ferme ou plus souple en choisissant les modes Normal, Sport ou Confort. L'Expedition est trop lourd pour offrir une conduite vraiment sportive, mais la suspension optionnelle lui confère

Impressions de l'auteur			Concurrents
Agrément de conduite :	★★★☆★	3,5/5	Chevrolet Tahoe, GMC Yukon,
Fiabilité :	**Nouveau modèle**		Nissan Armada, Toyota Sequoia
Sécurité :	★★★★	4/5	
Qualités hivernales :	★★★★✦	4,5/5	
Espace intérieur :	★★★★★	5/5	
Confort :	★★★★	4/5	

un aplomb supérieur à ce que l'on aurait cru sur les routes sinueuses. Il faut aussi donner crédit à la suspension indépendante à l'arrière; elle constitue d'ailleurs un avantage par rapport à son principal rival, le Chevrolet Tahoe. La traction intégrale est livrée de série et on voit apparaître pour la première fois un système automatisé de descente de côtes.

Vaste et bien équipé

L'Expedition a un avantage sur les Tahoe et Suburban en matière d'espace intérieur. Avec la version à empattement allongé EL, sa capacité de chargement est de 3 704 litres, une fois tous les dossiers baissés. Ici aussi, la suspension indépendante à l'arrière est un atout : elle libère de l'espace pour installer une troisième rangée de sièges entièrement rabattables – on obtient alors une surface complètement plate à l'arrière lorsqu'on n'a pas besoin de huit places.

Les acheteurs qui ont un penchant pour le luxe seront heureux d'apprendre que l'Expedition est maintenant offert avec un nouvel ensemble appelé Platinum. Il permet l'ajout de jantes de 22 pouces optionnelles, d'un intérieur en cuir haut de gamme, en plus des autres caractéristiques : démarreur à bouton poussoir, système de contrôle parental MyKey et la plus récente version de l'interface MyFord Touch. À l'extérieur, on trouve des marchepieds rétractables, des parties avant et arrière redessinées et de nouvelles garnitures. Le niveau sonore a été réduit à l'intérieur de l'habitacle grâce à une meilleure isolation. On se sent ainsi à bord d'un véhicule de catégorie plus élevée, comparable au modèle Lincoln Navigator.

Le Navigator fait peau neuve aussi

Parlons-en de cet immense Navigator ! Lui aussi a droit à la nouveauté. Outre sa calandre qui lui donne désormais un air de famille avec le reste de la gamme Lincoln, sa partie arrière a aussi été revue et elle affiche des feux sur toute sa largeur.

Sous son capot, le Navigator reçoit le même V6 3,5 litres EcoBoost que l'Expedition mais, prestige oblige, il est un peu plus puissant. Ainsi, la puissance passe de 365 chevaux à 380 et le couple est de 460 livres-pied comparativement à 420 pour le Ford. La transmission à six rapports de l'Expedition a été retenue. Le Lincoln est un peu plus long que le Ford même si l'empattement est strictement le même. Lincoln n'a pas fourni les capacités du coffre mais il devrait engouffrer davantage de litres que son « diminutif » cousin... qui n'est quand même pas trop dépourvu à ce niveau.

Le duo Ford Expedition/Lincoln Navigator ne deviendra pas du jour au lendemain un succès de vente phénoménal mais, au moins, il peut maintenant se frotter sans complexe aux produits General Motors.

Châssis - Platinum 4x4

Emp / lon / lar / haut	3023 / 5232 / 2332 / 1961 mm
Coffre / Réservoir	527 à 3067 litres / 106 litres
Nombre coussins sécurité / ceintures	6 / 7
Suspension avant	indépendante, double triangulation
Suspension arrière	indépendante, multibras
Freins avant / arrière	disque / disque
Direction	à crémaillère, ass. variable électrique
Diamètre de braquage	12,4 m
Pneus avant / arrière	P275/55R20 / P275/55R20
Poids / Capacité de remorquage	2631 kg / 4182 kg (9219 lb)
Assemblage	Louiseville, KY

Composantes mécaniques

Expedition

Cylindrée, soupapes, alim.	V6 3,5 litres 24 s turbo
Puissance / Couple	365 chevaux / 420 lb-pi
Tr. base (opt) / rouage base (opt)	A6 / 4x4
0-100 / 80-120 / V.Max	n.d. / n.d. / n.d.
100-0 km/h	n.d.
Type / ville / route / CO_2	Ord / 14,0 / 9,6 l/100 km / 5529 kg/an

Navigator

Cylindrée, soupapes, alim.	V6 3,5 litres 24 s turbo
Puissance / Couple	380 chevaux / 460 lb-pi
Tr. base (opt) / rouage base (opt)	A6 / 4x4
0-100 / 80-120 / V.Max	n.d. / n.d. / n.d.
100-0 km/h	n.d.
Type / ville / route / CO_2	Ord / n.d. / n.d. / n.d.

Du nouveau en 2015

Moteur Ecoboost, parties avant et arrière redessinées, tableau de bord nouveau, nouvelle version Platinum (Ford) et ensemble Reserve (Lincoln).

FEU VERT

- Moteur EcoBoost nettement supérieur
- Consommation d'essence améliorée à prévoir
- Espace intérieur très généreux
- Version Platinum luxueuse (Ford)
- Excellente capacité de remorquage

FEU ROUGE

- Consomme plus qu'un multisegment comparable
- Tenue de route moins agile qu'un multisegment
- Véhicule difficile à stationner en ville
- Versions haut de gamme chères

Photos: Ford Canada

LINCOLN NAVIGATOR

FORD **EXPLORER**

- ▶ **Catégorie :** VUS
- ▶ **Cote d'assurance :** $$$$$
- ▶ **Échelle de prix :** 30 059 $ à 45 924 $ (2014)
- ▶ **Garanties :** 3 ans/60 000 km, 5 ans/100 000 km
- ▶ **Transport et prép. :** 1 665 $
- ▶ **Ventes CAN 2013 :** 10 772 unités

L'alternative familiale

Sylvain Raymond

Le Ford Explorer perd lentement mais sûrement son étiquette de VUS pur et dur, lui qui en 2011 a délaissé sa plate-forme de camion au profit d'un châssis monocoque le rendant plus civilisé. Cette transformation lui a permis de refléter beaucoup mieux la nouvelle réalité du marché et surtout, d'élargir sa clientèle. Ce changement de cap a été plus que bénéfique puisque l'Explorer connaît un bon succès depuis ce temps.

Ce qui le rend aussi intéressant, c'est son format plutôt généreux, sa capacité à accueillir jusqu'à sept personnes. Il s'agit d'un modèle de choix pour ceux qui n'apprécient pas (ou qui ont déjà goûté) aux plaisirs des fourgonnettes. Vous avez une famille nombreuse et active ? L'Explorer pourrait être une solution attrayante. Qui plus est, sa capacité de chargement et de remorquage supérieure en fait également un véhicule de choix si vous avez des « jouets » d'été ou d'hiver à remorquer.

Les principaux rivaux de l'Explorer sont sans aucun doute le GMC Acadia et le Dodge Durango. Mais avec ses versions plus dénudées, l'Explorer est un peu plus abordable. On peut aussi le comparer au Honda Pilot, au Toyota Highlander et au Hyundai Santa Fe XL, même s'ils sont légèrement moins imposants.

Trois moteurs, un plus difficile à recommander

Avec son prix se situant légèrement au-dessus de 30 000 $, la livrée de base compte sur un V6 de 3,5 litres développant 290 chevaux et un couple de 255 lb-pi. À ce prix, la puissance est envoyée uniquement aux roues avant, mais il est possible d'obtenir un rouage intégral très efficace. Difficile de ne pas recommander une des versions AWD comme dans tout VUS. Ce système est accompagné du *Terrain Management System*, qui comprend, sur la console centrale, une commande rotative permettant de sélectionner différents modes enfonction des conditions

Impressions de l'auteur		Concurrents
Agrément de conduite : ★★★★★	3,5/5	Buick Enclave, Dodge Durango,
Fiabilité : ★★★★★	4/5	GMC Acadia, Honda Pilot,
Sécurité : ★★★★★	4,5/5	Jeep Grand Cherokee,
Qualités hivernales : ★★★★★	4,5/5	Nissan Pathfinder, Toyota 4Runner
Espace intérieur : ★★★★★	4/5	
Confort : ★★★★★	4/5	

de la route. Sélectionnez entre Normal, Neige, Sable, Boue et le rouage intégral intervient différemment afin de maximiser son efficacité.

Il est plus difficile de justifier le second modèle de la gamme Explorer qui est équipé d'un quatre cylindres de 2,0 litres EcoBoost. On pourrait croire que le quatre cylindres suralimenté apporterait un prix de base modique puisqu'il est moins puissant, mais ce n'est pas le cas. Il faut débourser près de 1000 $ de plus pour cette livrée. On obtient tout de même un couple supérieur au V6, 270 lb-pi au lieu de 255 lb-pi et quelques dixièmes de litres aux cent kilomètres de mieux, mais on laisse aussi de côté plus de la moitié de la capacité de remorquage et surtout, la possibilité d'avoir un rouage intégral.

La version Sport, beaucoup plus exclusive

Afin d'offrir une alternative plus luxueuse et plus puissante aux acheteurs, Ford a introduit l'an dernier l'Explorer Sport, un modèle qui tout comme le F-150 et la Taurus SHO est équipé du V6 EcoBoost de 3,5 litres. Ce moteur à double turbocompresseur développe dans ce cas-ci 365 chevaux pour un couple de 350 lb-pi, alors qu'il est jumelé à l'unique transmission disponible pour tous, une automatique à six rapports. C'est notre coup de cœur, mais son prix reflète son exclusivité...

Outre ses fonctionnalités, on apprécie son style, l'un des plus aboutis dans son segment. Son dynamisme est souligné par sa ceinture de caisse élevée, son pilier C inversé ainsi que par son toit à profil bas. On dirait un bolide ! L'opération est encore plus réussie dans le cas du modèle Sport qui se distingue notamment par sa calandre noire au fini mat et ses jantes sport de 20 pouces peintes en noir et portant la mention « Sport ».

À bord, on remarque rapidement la conception moderne du tableau de bord. L'instrumentation numérique est bien présentée et simple à consulter alors que l'ensemble profite d'un bel éclairage en soirée. Seule la livrée de base ne vous force pas à composer avec le système MyFord Touch qui, avec son écran tactile, permet de contrôler pratiquement tout, non sans quelques frustrations. Le point fort de cet habitacle : l'espace ! Il en regorge, particulièrement avec la troisième rangée qui peut aisément accueillir des adultes tout en conservant un bon espace de chargement.

Ce qui rend l'Explorer aussi intéressant, c'est qu'on n'a pas le sentiment de conduire un gros VUS. Sa conduite se compare beaucoup plus à celle d'une voiture, vision supérieure en prime. Le V6 de base apporte un meilleur équilibre général et livre de bonnes performances, même si l'on apprécie le pep supplémentaire du modèle Sport. Le centre de gravité assez bas de cette dernière version la rend plus agile en virage et rehausse le plaisir de conduite. On est loin du gros Explorer antérieur !

Châssis - XLT Ecoboost TA

Emp / lon / lar / haut	2860 / 5006 / 2291 / 1788 mm
Coffre / Réservoir	595 à 2285 litres / 70 litres
Nombre coussins sécurité / ceintures	6 / 7
Suspension avant	indépendante, jambes de force
Suspension arrière	indépendant, multibras
Freins avant / arrière	disque / disque
Direction	à crémaillère, ass. variable électrique
Diamètre de braquage	11,8 m
Pneus avant / arrière	P245/60R18 / P245/60R18
Poids / Capacité de remorquage	2043 kg / 907 kg (1999 lb)
Assemblage	Chicago, IL

Composantes mécaniques

2,0 EcoBoost

Cylindrée, soupapes, alim.	4L 2,0 litres 16 s turbo
Puissance / Couple	240 chevaux / 270 lb-pi
Tr. base (opt) / rouage base (opt)	A6 / Tr
0-100 / 80-120 / V.Max	7,5 s / n.d. / n.d.
100-0 km/h	44,8 m
Type / ville / route / co_2Sup / 10,4 / 7,0 l/100 km / 4094 kg/an

3,5 V6

Cylindrée, soupapes, alim.	V6 3,5 litres 24 s atmos.
Puissance / Couple	290 chevaux / 255 lb-pi
Tr. base (opt) / rouage base (opt)	A6 / Tr (4x4)
0-100 / 80-120 / V.Max	8,8 s / 7,2 s / n.d.
100-0 km/h	42,0 m
Type / ville / route / co_2Ord / 12,5 / 8,8 l/100 km / 4968 kg/an

3,5 V6 EcoBoost (Sport)

Cylindrée, soupapes, alim.	V6 3,5 litres 24 s turbo
Puissance / Couple	365 chevaux / 350 lb-pi
Tr. base (opt) / rouage base (opt)	A6 / 4x4
0-100 / 80-120 / V.Max	6,0 s / n.d. / n.d.
100-0 km/h	n.d.
Type / ville / route / co_2Sup / 14,7 / 10,7 l/100 km / 5935 kg/an

Du nouveau en 2015

Aucun changement majeur.

Photos : Ford Canada

FEU VERT
- Style réussi
- Habitacle spacieux
- Espace pour 7 personnes
- Version de base abordable

FEU ROUGE
- Peut devenir dispendieux
- Pas de rouage intégral (moteur 2,0 l)
- Système MyFord Touch toujours controversé

FORD **F-150**

▶ **Catégorie :** Camionnette	▶ **Échelle de prix :** 20 000 $ à 62 000 $ (estimé)	▶ **Transport et prép. :** 1800 $
▶ **Cote d'assurance :** $$$$$	▶ **Garanties :** 3 ans/60 000 km, 5 ans/100 000 km	▶ **Ventes CAN 2013 :** 122 325

Cap sur l'aluminium

Benjamin Hunting

Voilà plusieurs décennies que le F-150 domine les ventes dans le créneau des camionnettes pleine grandeur. Et pour garder une longueur d'avance, Ford a opté pour une importante réduction de poids. Grâce à un usage intensif de l'aluminium, le F-150 a perdu un peu plus de 300 kg, ce qui devrait se répercuter directement sur la consommation d'essence. Il s'agit là d'un changement majeur, et pour lequel ni General Motors, ni Ram, ni Toyota n'ont de réponse directe.

De nombreuses améliorations

Le F-150 2015 est doté d'une carrosserie et d'une caisse en aluminium, montées sur un châssis d'acier à haute résistance. Conformément à la tendance actuelle dans ce segment, le F-150 conserve le genre « gros camion », mais il se distingue de l'ancien modèle par de nombreuses innovations. Ainsi, il adopte la technologie des diodes électroluminescentes (DEL) pour les phares, les projecteurs incorporés aux rétroviseurs,

l'éclairage du plateau et les feux arrière. On peut également opter pour un système de caméras avec vue aérienne, des rampes de chargement intégrées pour petits véhicules, un hayon à ouverture et verrouillage par télécommande, une prise 110 Volts de 400 watts dans la cabine, et une caméra pour faciliter le recul avec une remorque.

Tout comme avant, le F-150 est offert avec cabine simple, double, ou SuperCrew. Avec les deux dernières configurations, on obtient une paire de portières additionnelles qui facilitent l'accès à l'habitacle, lequel a une capacité de six personnes. Précisons que la cabine double conserve les portières arrière à ouverture inversée, qui ne sont pas aussi pratiques que les portes conventionnelles de ses rivaux. La longueur du plateau de chargement varie entre 5 pieds 7 pouces et 8 pieds 1 pouce, dépendamment de la cabine.

À l'intérieur, Ford a radicalement rehaussé la finition. Et on peut encore améliorer l'apparence et le confort en puisant

Impressions de l'auteur		Concurrents
Agrément de conduite :	n.d.	Chevrolet Silverado, GMC Sierra,
Fiabilité :	**Nouveau modèle**	Nissan Titan, Toyota Tundra
Sécurité :	★★★★ 4/5	
Qualités hivernales :	★★★★ 4/5	
Espace intérieur :	★★★★ 4/5	
Confort :	n.d.	

dans la longue liste d'options disponibles. On trouve aussi des accessoires de haute technologie, comme des ceintures de sécurité gonflables dans la deuxième rangée de sièges et un nouvel écran ACL de 8 pouces conçu pour fonctionner avec la prochaine génération d'applications pour camions de la compagnie. Le F-150 est disponible avec cinq différents niveaux d'équipement : XL, XLT, Lariat, Platinum et King Ranch.

Du nouveau sous le capot

Deux nouveaux moteurs apparaissent sous le capot pour 2015. Le V6 de base passe de 3,7 à 3,5 litres. Il affichera quelques chevaux en moins, mais comme la camionnette a perdu du poids, on ne devrait pas le ressentir à l'usage. On pourra aussi opter pour un V6 EcoBoost de 2,7 litres; grâce à ses deux turbocompresseurs, il devrait afficher une puissance comparable à celle d'un V8 de format moyen. Ford n'a pas encore publié la puissance des moteurs offerts dans le F-150 2015. On peut cependant s'attendre à ce que les deux engins qui étaient en poste l'an dernier conservent les mêmes caractéristiques : 365 chevaux et 420 lb-pi de couple pour le V6 EcoBoost de 3,5 litres; 360 chevaux et 380 lb-pi de couple pour le V8 de 5,0 litres. Le gros V8 de 6,2 litres n'est plus. Il en va de même pour la déclinaison Raptor du F-150 (s'il réapparaît, ce ne sera probablement pas avant 2016). Tous les moteurs sont reliés à une transmission automatique à six rapports, et la traction aux quatre roues est optionnelle. On s'attend à ce que les capacités de charge utile et de remorquage (maximum de 5 200 kg – 11 464 livres – en 2014) soient plus élevées sur les modèles 2015.

L'économie d'essence était au cœur des impératifs pour cette refonte du F-150. Le moteur EcoBoost de 2,7 litres est muni d'un système d'arrêt/démarrage automatique pour réduire les périodes de roulement au ralenti. Les deux moteurs EcoBoost sont dotés d'une calandre avec volets qui se ferment automatiquement à partir d'une certaine vitesse pour améliorer l'aérodynamisme. Côté sécurité, on retrouve des systèmes d'avertissement d'angle mort et de sortie de voie, et un dispositif actif de stabilisation en virage.

Pour les manufacturiers de camionnettes, il peut s'avérer dangereux de trop innover; ils risquent de perdre de fidèles clients à la recherche d'un véhicule semblable à celui qu'ils conduisaient depuis des années. Mais s'il y a une compagnie qui peut réussir à ce chapitre, c'est sans aucun doute Ford. Le F-150 peut compter sur une solide base d'acheteurs qui lui permet de dominer le marché depuis une éternité. En réponse à ses rivaux qui proposent aussi de nouveaux modèles, Ford a choisi la voie de l'innovation technologique, de l'efficacité accrue et d'un nouveau choix de moteurs pour demeurer en tête du peloton.

Châssis - King Ranch 4x4 cab. Super Crew (6.5')

Emp / lon / lar / haut	3983 / 6190 / 2459 / 1953 mm
Boîte / Réservoir	1 956 mm (77 pouces) / 136 litres
Nombre coussins sécurité / ceintures	6 / 5
Suspension avant	indépendante, double triangulation
Suspension arrière	essieu rigide, ressorts à lames
Freins avant / arrière	disque / disque
Direction	à crémaillère, ass. variable électrique
Diamètre de braquage	15,4 m
Pneus avant / arrière	P275/65R18 / P275/65R18
Poids / Capacité de remorquage	2300 kg / n.d.
Assemblage	Dearborn, MI; Kansas City, MO

Composantes mécaniques

V6 2,7l

Cylindrée, soupapes, alim.	V6 2,7 litres 24 s turbo
Puissance / Couple	282 chevaux / 324 lb-pi (estimé)
Tr. base (opt) / rouage base (opt)	A6 / Prop
Type / ville / route / co_2	Ord / n.d. / n.d. / n.d.

V6 3,5l

Cylindrée, soupapes, alim.	V6 3,5 litres 24 s atmos.
Puissance / Couple	303 chevaux / 279 lb-pi (estimé)
Tr. base (opt) / rouage base (opt)	A6 / Prop (4x4)
Type / ville / route / co_2	Ord / n.d. / n.d. / n.d.

V6 3,5l EcoBoost

Cylindrée, soupapes, alim.	V6 3,5 litres 24 s turbo
Puissance / Couple	365 chevaux / 420 lb-pi
Tr. base (opt) / rouage base (opt)	A6 / Prop (4x4, Int)
Type / ville / route / co_2	Ord / n.d. / n.d. / n.d.

V8 5,0l

Cylindrée, soupapes, alim.	V8 5,0 litres 32 s atmos.
Puissance / Couple	360 chevaux / 380 lb-pi
Tr. base (opt) / rouage base (opt)	A6 / Prop (4x4, Int)
Type / ville / route / co_2	Ord / n.d. / n.d. / n.d.

Photos : Ford Canada

Du nouveau en 2015

Nouveau modèle

FEU VERT
- Carrosserie légère en aluminium
- Nouveaux moteurs à consommation réduite
- Dispositifs de sécurité sophistiqués
- Équipement technologique supplémentaire

FEU ROUGE
- Durabilité de la carrosserie en aluminium?
- Le V8 de 6,2 litres n'est plus offert
- Abandon du modèle Raptor
- La transmission n'a encore que 6 vitesses

FORD **FIESTA**

▶ **Catégorie :** Berline, Hatchback ▶ **Échelle de prix :** 14 499 $ à 24 999 $ (2014) ▶ **Transport et prép. :** 1 665 $

▶ **Cote d'assurance :** $$$$$ ▶ **Garanties :** 3 ans/60 000 km, 5 ans/100 000 km ▶ **Ventes CAN 2013 :** 9 850 unités

Trio écono
sous le capot

Nadine Filion

C'est la multiplication des pains pour la Ford Fiesta. À sa version de base dotée d'un très respectable quatre cylindres, la sous-compacte a ajouté un turbo en début d'année, pour une variante épicée (ST) touchant les 197 chevaux. Encore plus récemment, elle s'est enrichie d'un nouveau trois cylindres – le premier à vie pour le constructeur. Sauf que... sortez vos *bidous*.

Vous avez bien lu : il s'agit là du tout premier trois cylindres conçu, fabriqué et glissé sous le capot d'une voiture Ford en 110 ans d'histoire. Non seulement cet organe est une première pour le constructeur (si on fait abstraction ses équipements agricoles), mais il est une rareté dans le marché, du moins en Amérique du Nord. Mais... sortez vos bidous, parce que cette Ford Fiesta (berline ou hayon) trois cylindres de 1,0 l EcoBoost (donc, turbo) à injection directe exige 1 300 $ d'extra sur la Ford Fiesta SE – la version mi-gamme qui, elle, débute à 16 700 $.

Si vos calculs sont aussi bons que les nôtres, vous verrez qu'il faut verser 18 000 $, plus les frais d'usage, pour obtenir... 3 chevaux de plus que ceux de base (123 contre 120). Une arnaque ? Pas si vous aimez les conduites turbo, qui accordent plus de couple que la normale : on parle ici de 148 lb-pi, contre 112 lb-pi pour le moteur d'entrée de famille.

Et il n'est pas mal du tout, cet organe à cylindrée impaire. Pas aussi doux et imperceptible que celui de la nouvelle MINI, même qu'il est plutôt « grumeleux » au démarrage, mais il est de belle sonorité lorsque poussé dans ses retranchements. Aussi, la vigueur est adéquate quand on n'hésite pas à jouer des cinq rapports manuels – la seule boîte offerte. L'automatique six rapports à double embrayage n'est pas offerte, d'ailleurs elle n'est même plus disponible pour la S quatre cylindres de base.

La consommation ? Frugale : nous avons réussi une moyenne sous 6,0 l/100 km pendant toute notre semaine d'essai – c'est

Impressions de l'auteur		Concurrents
Agrément de conduite : ★★★★☆	4/5	Honda Fit, Hyundai Accent, Kia Rio
Fiabilité : ★★★☆☆	3,5/5	Nissan Versa Note, Toyota Yaris
Sécurité : ★★★☆☆	3,5/5	
Qualités hivernales : ★★★☆☆	3,5/5	
Espace intérieur : ★★★☆☆	3/5	
Confort : ★★★☆☆	3,5/5	

de l'ordre des hybrides, ça! Mais avant de pouvoir justifier l'extra de 1300 $, il faudra en rouler, des kilomètres...

De belles cartes de visite

Qu'elle soit propulsée par trois ou quatre cylindres, la Ford Fiesta conserve ses attributs de petite bagnole fort intéressante à piloter, merci à son vecteur de couple de série (ST). Tout au plus on reproche une poutre de torsion (la norme pour les sous-compactes) plutôt bondissante sur les longs hoquets autoroutiers, mais reste que la voiture a le mérite de posséder l'une des directions les plus connectées de la catégorie (Mazda exclues) et elle se faufile donc avec agilité dans la circulation. Bravo également pour l'insonorisation, supérieure à ce qui se fait chez la concurrence.

La plus belle carte de visite de la sous-compacte réside dans sa planche de bord en angle, très moderne, dans son volant dominant et dans ces matériaux de belle facture, bien assemblés. La Fiesta ne serait pas une Ford sans des technologies avant-gardistes comme les Sync, MyFord Touch, l'ordinateur de bord (géré par une molette... pas toujours intelligente) et le MyKey. Parents d'ados, vous aimerez cette clé programmable pour limiter la vitesse et mettre en sourdine la radio, si votre jeune conducteur ne s'attache pas... Certes, l'Américaine est l'une des plus petites de sa catégorie et ça se ressent dans une cabine étroite, notamment à la tête. Cela dit, les occupants avant ne se frottent pas démesurément les coudes et même les plus claustrophobes trouveront à respirer, assis à l'arrière.

Avec cette calandre à la Aston Martin, la Ford Fiesta est l'une des plus chic sous-compactes du marché... à condition de la choisir en configuration cinq portes. Avouez, la variante berline ne paie pas de mine... C'est pour cette raison − et aussi parce que la version *hatchback* en offre plus, côté chargement (965 litres) − que la petite s'écoule, au pays, au rythme de trois unités à hayon pour chaque quatre portes vendue.

Bien en mal de choisir...

Le dernier mot, c'est la Ford Fiesta ST (à hayon seulement) qui le mérite, avec son EcoBoost qui gonfle le quatre cylindres jusqu'à 197 chevaux et 202 lb-pi, transigés en exclusivité par une boîte manuelle six vitesses. Ajoutez la suspension surbaissée (15 mm), une direction affinée, un freinage amélioré, des sièges Recaro (et non Ricardo!), le double échappement chromé et quelques autres éléments visuels qui crient « performance » et vous voilà aux commandes de l'une des plus palpitantes petites autos du marché.

Notez que 197 chevaux, c'est plus que les 189 chevaux de la MINI Cooper S, c'est même presque autant que les 210 chevaux de la VW Golf GTI. Je l'avoue : je suis bien en mal de choisir laquelle des trois gagne ma préférence. C'est vous dire à quel point Ford en a fait, du chemin, depuis une décennie...

Photos : Ford Canada

Châssis - SE Berline SFE

Emp / lon / lar / haut	2489 / 4409 / 1976 / 1473 mm
Coffre / Réservoir	363 litres / 45 litres
Nombre coussins sécurité / ceintures	7 / 5
Suspension avant	indépendante, jambes de force
Suspension arrière	semi-indépendante, poutre de torsion
Freins avant / arrière	disque / tambour
Direction	à crémaillère, ass. variable électrique
Diamètre de braquage	10,5 m
Pneus avant / arrière	P185/65R15 / P185/65R15
Poids / Capacité de remorquage	1195 kg / non recommandé
Assemblage	Cuautitlán Izcalli, MXR

Composantes mécaniques

S, SE / Hatchback, Titanium / Hatchback

Cylindrée, soupapes, alim.	4L 1,6 litre 16 s atmos.
Puissance / Couple	120 chevaux / 112 lb-pi
Tr. base (opt) / rouage base (opt)	M5 (A6) / Tr
0-100 / 80-120 / V.Max	10,7 s (estimé) / 9,2 s / n.d.
100-0 km/h	43,2 m
Type / ville / route / co_2	Ord / 6,9 / 5,1 l/100 km / 2806 kg/an

SE Berline SFE, 1.0 EcoBoost Hatchback

Cylindrée, soupapes, alim.	3L 1,0 litre 12 s turbo
Puissance / Couple	123 chevaux / 148 lb-pi
Tr. base (opt) / rouage base (opt)	M5 / Tr
0-100 / 80-120 / V.Max	n.d. / n.d. / 196 km/h
100-0 km/h	43,2 m
Type / ville / route / co_2	Sup / 5,3 / 3,7 l/100 km / 2107 kg/an

ST

Cylindrée, soupapes, alim.	4L 1,6 litre 16 s turbo
Puissance / Couple	197 chevaux / 202 lb-pi
Tr. base (opt) / rouage base (opt)	M6 / Tr
0-100 / 80-120 / V.Max	6,9 s (const) / n.d. / 220 km/h
100-0 km/h	n.d.
Type / ville / route / co_2	Sup / 7,9 / 4,8 l/100 km / 3000 kg/an

Du nouveau en 2015

Nouveau moteur trois cylindres (option SFE - Super économie d'essence), abandon de l'automatique pour la S.

FEU VERT

- Beaucoup de style, intérieur comme extérieur
- Technologie au rendez-vous
- Qualité de matériaux et d'assemblage
- Trois cylindres économique

FEU ROUGE

- Finie, l'automatique en variante de base
- Habitacle plutôt petit
- Rapport prix/économie d'essence peu avantageux
- Variante ST plus ou moins confortable

FORD **FLEX**

▶ **Catégorie :** Multisegment	▶ **Échelle de prix :** 29 524 $ à 45 639 $ (2014)	▶ **Transport et prép. :** 1 665 $
▶ **Cote d'assurance :** $$$$$	▶ **Garanties :** 3 ans/60 000 km, 5 ans/100 000 km	▶ **Ventes CAN 2013 :** 2 302 unités

Boudé ou méconnu?

Guy Desjardins

Le Flex entame sa septième année sur le marché et il ne montre pas une seule ride. Il est vrai que son design est audacieux et qu'il ne connaît pratiquement aucune concurrence directe mais dans l'ensemble, Ford a conçu un véhicule très bien équilibré.

Le Flex mérite toute notre attention. Il abrite un habitacle extrêmement vaste, une motorisation puissante et a un style très original sans compter sa tenue de route qui rivalise sans problème avec ses concurrents directs que sont les Honda Pilot, Toyota Highlander et autres Mazda CX-9. Le seul bémol dans toute cette affaire : le prix qui grimpe rapidement selon les versions.

Depuis 2012, Ford a sabré l'offre. Elle se limite aujourd'hui à quatre modèles dont les prix s'échelonnent de 33 000 $ à plus de 50 000 $. Les versions SE, SEL et Limited héritent à la base d'un V6 de 3,5 litres alors que seule la livrée Limited peut être équipée du surdoué V6 Ecoboost. En entrée de gamme, le Flex dirige sa puissance aux roues avant seulement alors que les versions plus huppées proposent le rouage intégral. Et seule une transmission automatique à 6 rapports avec mode manuel permet d'exploiter la plage du régime moteur.

Le grand confort

L'habitacle du Flex propose un volume gigantesque. Les parois latérales à la verticale permettent de dégager énormément d'espace pour les passagers et leur cargaison. Les sièges sont d'un confort princier avec une assise moelleuse et de très bonnes dimensions autant à l'avant qu'à l'arrière. Malgré trois rangées de sièges, le dégagement à toutes les positions est plus que suffisant, et surtout aux places médianes qui permettent de s'étirer les jambes et de basculer le dossier pour piquer un somme. Ajoutons également la présence denombreux espaces de rangement, dont l'immense coffre au niveau de la console centrale entre les sièges avant.

Impressions de l'auteur			Concurrents
Agrément de conduite :	★★★★☆	4/5	Buick Enclave, Chevrolet Traverse,
Fiabilité :	★★★★☆	4/5	Honda Pilot, Mazda CX-9,
Sécurité :	★★★★⯪	4,5/5	Toyota Highlander
Qualités hivernales :	★★★★☆	4/5	
Espace intérieur :	★★★★⯪	4,5/5	
Confort :	★★★★⯪	4,5/5	

FORD FLEX

Confortablement assis au poste de pilotage, le Flex propose une instrumentation agréable et des commandes intuitivement disposées. Par exemple, les commandes de la climatisation et du système audio sont bien placées. Toutefois, la présence de touches à effleurement et le large écran tactile s'avèrent deux éléments fort distrayants, surtout lorsque l'on tente de régler la climatisation en pleine heure de pointe... Autrement, la généreuse surface vitrée, les étroits piliers du toit et la caméra de recul autorisent une vision à 360 degrés quasiment parfaite.

Les « tant qu'à »

La version SE d'entrée de gamme, avec son V6 atmosphérique, son rouage avant et son prix avoisinant 31 000 $ représente une excellente aubaine compte tenu de la qualité du châssis. Mais tant qu'à faire, pourquoi ne pas opter pour la version SEL qui offre beaucoup plus de commodités et qui se dote de l'excellent rouage intégral Haldex d'origine suédoise (Volvo a déjà appartenu à Ford) ? Il ne suffit que d'ajouter un léger supplément de 10 000 $ à la facture. Et pourquoi ne pas en profiter pour vous payer le superbe moteur Ecoboost de 362 chevaux, au cas où vous voudriez emprunter la roulotte de 26 pieds qui traîne dans la cour de votre beau-frère ? Alors là, c'est un autre 10 000 $ qui s'additionne au prix du modèle de base SE.

Le comportement routier du Flex diffère selon le modèle choisi. Toutes les versions dotées du V6 de série ont une tenue de route semblable. Outre les fioritures d'agrément qui ajoutent du clinquant au véhicule, les SE, SEL et Limited offrent un confort extrême. La motorisation s'acquitte bien de sa tâche et livre une puissance linéaire et bien suffisante malgré le gabarit du véhicule. Les suspensions priorisent une tenue de route moelleuse et le généreux flanc des pneus absorbe allègrement les imperfections de la route.

Il en sera tout autrement du comportement routier au volant du Flex Limited à moteur Ecoboost et à rouage intégral. Tout d'abord, ce Flex bénéficie d'une suspension retravaillée et abaissée de quelques centimètres afin de lui donner une meilleure prestance sur la route. Les pneus de 20 pouces optionnels ajoutent du style au véhicule mais leur profil bas dégrade le confort. Par contre, sur pavé lisse, la tenue de route de ce Flex est impressionnante, le véhicule colle à la route et la puissance est répartie sur toute la plage du régime moteur.

Si les 50 000 $ qu'il commande ne vous rebutent pas, il ne fait aucun doute que le Flex Limited Ecoboost représente le meilleur choix. Le volume de son habitacle, la puissance de son moteur et son rouage intégral efficace le placent au top de la liste. Si en revanche, vous recherchez un véhicule abordable avec une bonne tenue de route, la version d'entrée de gamme SE saura vous satisfaire.

Châssis - SE TA

Emp / lon / lar / haut	2994 / 5125 / 2256 / 1726 mm
Coffre / Réservoir	415 à 2355 litres / 70 litres
Nombre coussins sécurité / ceintures	6 / 7
Suspension avant	indépendante, jambes de force
Suspension arrière	indépendante, multibras
Freins avant / arrière	disque / disque
Direction	à crémaillère, assistée
Diamètre de braquage	12,4 m
Pneus avant / arrière	P235/60R17 / P235/60R17
Poids / Capacité de remorquage	2028 kg / 907 kg (1999 lb)
Assemblage	Oakville, ON

Composantes mécaniques

SE, SEL, Limited

Cylindrée, soupapes, alim.	V6 3,5 litres 24 s atmos.
Puissance / Couple	285 chevaux / 255 lb-pi
Tr. base (opt) / rouage base (opt)	A6 / Tr (Int)
0-100 / 80-120 / V.Max	9,0 s (est) / n.d. / n.d.
100-0 km/h	n.d.
Type / ville / route / co₂	Ord / 13,2 / 8,6 l/100 km / 5152 kg/an

Limited TI EcoBoost

Cylindrée, soupapes, alim.	V6 3,5 litres 24 s turbo
Puissance / Couple	365 chevaux / 350 lb-pi
Tr. base (opt) / rouage base (opt)	A6 / Int
0-100 / 80-120 / V.Max	7,2 s / 5,9 s / n.d.
100-0 km/h	40,9 m
Type / ville / route / co₂	Sup / 13,3 / 8,7 l/100 km / 5170 kg/an

Du nouveau en 2015

Aucun changement majeur

FEU VERT
- Style distinct
- Puissance (Ecoboost)
- Habitacle généreux
- Tenue de route surprenante

FEU ROUGE
- Prix (modèle Ecoboost)
- Gabarit imposant
- Suspension ferme (jantes de 20 pouces)
- Consommation assez élevée

ÉLECTRIQUE

FORD FOCUS

▶ **Catégorie :** Berline, Hatchback

▶ **Échelle de prix :** 17 664 $ à 36 864 $ (2014)

▶ **Transport et prép. :** 1 665 $

▶ **Cote d'assurance :** $$$$

▶ **Garanties :** 5 ans/100 000 km, 5 ans/100 000 km

▶ **Ventes CAN 2013 :** 25 781 unités

Toutes les couleurs, toutes les saveurs

Jacques Duval

Ford a vu grand pour sa voiture compacte née sur le Vieux Continent. Avec un châssis rigide et une carrosserie agréablement dessinée, il est effectivement possible de faire de grandes choses. Encore faut-il que la mise au point soit exemplaire.

Proposée sous la forme d'une berline traditionnelle ou d'un modèle cinq portes à hayon, la Focus rejoint ainsi le marché américain qui ne démord pas des configurations à trois volumes, sans oublier au passage de faire un clin d'œil à nos racines européennes avec la seconde. D'ailleurs, cette configuration à hayon est non seulement réussie esthétiquement, mais elle offre également un plus grand volume de chargement.

En Europe, les constructeurs généralistes qui jouent dans les plates-bandes des marques de luxe, ce n'est rien de bien nouveau, mais chez nous le pari n'est pas gagné. Ford affiche

la Focus à un prix de départ intéressant, mais la facture peut prendre des proportions insoupçonnées si l'on se laisse séduire par les options. L'ère où les gadgets étaient réservés aux voitures de luxe tire à sa fin. Aujourd'hui, se payer une compacte relativement abordable, peu gourmande et très bien équipée n'est pas compliqué. La version Titanium en est le parfait exemple. Selon le montant que l'on est prêt à débourser, il est possible de se munir de sièges garnis de cuir, d'un volant chauffant et d'une clef intelligente. Il en est de même pour le contrôle de la température automatique à deux zones et le toit ouvrant à commande électrique, tandis que la caméra de recul est maintenant offerte de série. D'ailleurs, le tableau de bord est plutôt chargé en commandes, tout comme le volant qui semble provenir d'une voiture de Formule 1 avec sa tonne de boutons.

De l'essence...

La plus grande nouveauté cette année, c'est l'adoption d'un moteur 3 cylindres turbocompressés de 1,0 litre qui permet

Impressions de l'auteur		Concurrents
Agrément de conduite : ★★★★☆ 4/5		Chevrolet Cruze, Honda Civic,
Fiabilité : ★★☆☆☆ 2,5/5		Hyundai Elantra, Kia Forte,
Sécurité : ★★★☆☆ 3,5/5		Mazda3, Mitsubishi Lancer, Nissan
Qualités hivernales : ★★★☆☆ 3/5		Sentra, Subaru Impreza,
Espace intérieur : ★★★☆☆ 3,5/5		Toyota Corolla, Volkswagen Jetta
Confort : ★★★☆☆ 3,5/5		

FORD FOCUS

d'afficher une consommation de carburant des plus raisonnables. Évidemment, avec 123 chevaux sous le capot, on ne parle pas de sport. Le 4 cylindres de 2,0 litres, avec ses 160 chevaux, risque de demeurer le choix de la majorité. Souple et peu gourmand, il est toutefois dans l'ombre d'un autre 2,0 litres, turbocompressé celui-là, lorsque vient le moment de parler de performances. Réservé à la livrée ST, ce troisième moulin à essence développe plus de 250 chevaux. S'il propose des accélérations bien vives, cela vient malheureusement de concert avec ce satané effet de couple qui hante toute voiture tractée un peu trop puissante. Ce n'est pas aussi terrible qu'à bord de la regrettée Mazdaspeed 3, mais ce n'est pas agréable pour autant.

À l'électricité...

Aux versions à moteurs à combustion s'ajoute aussi la Focus électrique, qui ne dispose d'ailleurs d'aucun autre mode de locomotion. Au bout de la pile, c'est inévitablement la panne. Si cela peut en refroidir plusieurs, il faut tout de même avouer que pour des déplacements quotidiens bien calculés, ça fait le travail et on se réjouit de ne jamais arrêter à la pompe.

Le plus irritant, ce n'est pas l'autonomie, car cela se prévoit. L'impossibilité de mettre la voiture en marche est bien plus frustrante. J'en ai été victime (et je n'ai pas été le seul à en croire les forums). J'ai dû essayer à une bonne dizaine de reprises de mettre le contact avant de finalement entendre un grésillement électrique annonçant la mise en route du système électrique et de voir s'afficher le message « Prêt à conduire ». Le même phénomène s'est reproduit le lendemain. C'est le genre d'ennui technique dont sont parfois victimes les prototypes, mais ça n'a pas sa place sur un modèle de série.

Autrement, la Focus électrique se conduit comme une voiture normale et les accélérations sont dans la moyenne. Le coffre, par contre, a été réduit à sa plus simple expression à cause des batteries et il faut voyager léger. À noter aussi que ce modèle est équipé de pneus Michelin Energy Saver, destinés à diminuer la consommation grâce à leur faible résistance de roulement. Ou, autrement dit, à faible adhérence... et ça se ressent. Sur une chaussée mouillée, l'ABS entre en fonction dès que l'on freine en passant sur une petite bosse. Nos routes étant tout sauf lisses, ce phénomène se produit à plusieurs arrêts et feux de circulation. Va pour sauver de l'énergie, mais pas de là à mettre la sécurité en péril... Un jeu de pneus de meilleure qualité m'apparaît incontournable à l'achat de cette Focus électrifiée.

Avec ses quelques retouches esthétiques, son offre mécanique bonifiée et sa longue liste d'équipements, la Ford Focus peut se tailler sur mesure pour presque tout le monde et tous les budgets.

FOCUS ST

Photos : Ford Canada

Châssis - SE Hatchback

Emp / lon / lar / haut	2649 / 4359 / 2060 / 1466 mm
Coffre / Réservoir	674 à 1269 litres / 47 litres
Nombre coussins sécurité / ceintures	6 / 5
Suspension avant	indépendante, jambes de force
Suspension arrière	indépendante, multibras
Freins avant / arrière	disque / tambour
Direction	à crémaillère, ass. variable électrique
Diamètre de braquage	11,0 m
Pneus avant / arrière	P215/55R16 / P215/55R16
Poids / Capacité de remorquage	1327 kg / non recommandé
Assemblage	Wayne, MI

Composantes mécaniques

EV

Moteur	Électrique
Puissance / Couple	143 ch (107 kW) / 184 lb-pi
Tr. base (opt) / rouage base (opt)	Rapport fixe / Tr
0-100 / 80-120 / V.Max	10,5 s / 7,3 s / 135 km/h
100-0 km/h	42,3 m
Type de batterie / Énergie	Lithium-ion (Li-ion) / 23 kWh
Temps de charge (120V / 240V)	n.d. / 4,0 hres
Autonomie	120 km

Hatchback 1.0 EcoBoost

Cylindrée, soupapes, alim.	3L 1,0 litre 12 s turbo
Puissance / Couple	123 chevaux / 148 lb-pi
Tr. base (opt) / rouage base (opt)	M6 / Tr
0-100 / 80-120 / V.Max	11,3 s (est) / n.d. / 190 km/h
100-0 km/h	n.d.
Type / ville / route / co_2	Sup / 6,3 / 4,2 l/100 km / 2463 kg/an

S, SE, Titanium

Cylindrée, soupapes, alim.	4L 2,0 litres 16 s atmos.
Puissance / Couple	160 chevaux / 146 lb-pi
Tr. base (opt) / rouage base (opt)	M5 (A6) / Tr
0-100 / 80-120 / V.Max	9,3 s / 6,3 s / n.d.
100-0 km/h	44,4 m
Type / ville / route / co_2	Ord / 7,3 / 5,2 l/100 km / 2898 kg/an

ST

Cylindrée, soupapes, alim.	4L 2,0 litres 16 s turbo
Puissance / Couple	252 chevaux / 270 lb-pi
Tr. base (opt) / rouage base (opt)	M6 / Tr
0-100 / 80-120 / V.Max	6,9 s / 4,1 s / 248 km/h
100-0 km/h	40,3 m
Type / ville / route / co_2	Sup / 8,9 / 6,2 l/100 km / 3496 kg/an

Du nouveau en 2015

Partie avant et intérieur redessinés, caméra de recul de série, moteur trois cylindres turbo de 1,0 litre, suspension arrière améliorée.

FEU VERT

- Châssis solide
- Grand choix d'équipements
- Habitacle spacieux
- Faible consommation (sauf ST)
- Superbes sièges Recaro (ST)

FEU ROUGE

- Fiabilité (Électrique)
- Grand rayon de braquage
- Effet de couple (ST)
- Pneus médiocres (Électrique)

FORD **FUSION**

▸ **Catégorie :** Berline   ▸ **Échelle de prix :** 24 164 $ à 40 564 $ (2014)   ▸ **Transport et prép. :** 1 665 $

▸ **Cote d'assurance :** $$$$$ ▸ **Garanties :** 3 ans/60 000 km, 5 ans/100 000 km   ▸ **Ventes CAN 2013 :** 20 145 unités

La *darling* de Dearborn

Denis Duquet

De tous les modèles commercialisés par Ford, l'unanimité se fait pour nommer la Fusion comme étant la berline la plus jolie... et même l'une des plus élégantes de l'industrie. Et sous ce beau plumage se cache une mécanique sophistiquée qui est offerte en plusieurs variantes allant du moteur quatre cylindres EcoBoost de 1,5 litre à une hybride de type *plug in*. Si les décideurs de Dearborn chouchoutent ainsi ce modèle, c'est qu'il jouit d'une grande popularité aux États-Unis, un marché où les intermédiaires dominent toujours le marché. La Fusion est l'arme de Ford pour vaincre les Honda Accord et Toyota Camry, entre autres.

Cette sophistication mécanique est également supportée par une gestion de la planche de bord qui s'effectue par commandes vocales et écran tactile, le dernier cri en fait de technologie. Mieux encore, sur certains modèles qui en sont équipés, la voiture se stationne par elle-même ! Il suffit de la positionner,

d'appuyer sur le bouton placé à droite de la console et la voiture se charge du reste. Un détail cependant, il ne faut pas oublier que c'est le conducteur qui doit immobiliser le véhicule...

Élégance et complexité

En tout premier lieu, comme pratiquement tout le monde, je trouve la Fusion d'une grande élégance avec sa calandre d'allure européenne, sa silhouette de coupé quatre portes très tendance et sa ligne de caractère qui parcours toute sa longueur juste sous la ceinture de caisse. Cette silhouette, comme celle de toutes les berlines tentant d'imiter un coupé, nous oblige à nous pencher passablement pour prendre place à l'arrière. Une fois assis, c'est confortable mais les grandes personnes se sentiront quelque peu à l'étroit.

Le tableau de bord est moderne et sobre tandis que les cadrans indicateurs sont bien visibles. Grâce à la magie des écrans d'affichage électroniques, il est possible de modifier les renseignements concernant la consommation de carburant,

Impressions de l'auteur		Concurrents
Agrément de conduite : ★★★⯪☆ 3,5		Chevrolet Malibu, Chrysler 200,
Fiabilité : ★★★⯪☆ 3,5		Honda Accord, Hyundai Sonata,
Sécurité : ★★★★☆ 4		Kia Optima, Mazda6, Nissan Altima,
Qualités hivernales : ★★★★☆ 4		Subaru Legacy, Toyota Camry
Espace intérieur : ★★★⯪☆ 3,5		
Confort : ★★★★☆ 4		

la moyenne horaire et plusieurs autres informations pertinentes. Par ailleurs, sur les versions hybrides, la présentation est adaptée en conséquence et c'est assez bien réussi.

Passons maintenant au système de commandes tactiles MyFord Touch et vocales Sync qui sont, selon Ford, la plus belle invention depuis le grille-pain automatique ou le transistor, à votre choix. S'il est vrai que les possibilités de ces systèmes sont infinies, il serait faux d'affirmer que leur utilisation est sans problème. Oui, Ford a amélioré sa facilité d'utilisation, mais il est loin d'avoir terminé le boulot. En tout premier lieu, certaines opérations nécessitent plusieurs manipulations de boutons qui demandent de quitter la route des yeux… Ensuite, le système de commandes vocales est souvent sourd à nos sollicitations. Avec le temps, ces commandes deviennent plus intuitives, néanmoins, il existe chez les autres manufacturiers des systèmes moins complexes et tout aussi efficaces si ce n'est plus.

Voiture lourde, petit moteur

Il n'y a pas si longtemps, placer un moteur de 1,5 litre dans un véhicule pesant tout près de deux tonnes aurait été une hérésie totale. Pourtant, de nos jours, grâce au système EcoBoost, cette combinaison poids cylindrée n'est plus saugrenue. Ce moulin produit 181 chevaux, ce qui permet d'obtenir des performances satisfaisantes. Comme la gestion du turbo est bien programmée, le temps de réponse est à peine perceptible et les accélérations et reprises sont correctes. J'utilise le mot « correctes » à bon escient. La voiture se débrouille fort bien, mais oubliez la sportivité. Si vous voulez conduire une Fusion qui a du tempérament, vous devez choisir la version à moteur 2,0 litres EcoBoost dont les 231 chevaux (240 en utilisant du carburant super) fournissent des accélérations plus musclées. Vous pouvez également commander la transmission intégrale en option avec ce moteur. Un autre 2,0 litres est au catalogue, il est utilisé avec le système hybride et le plug in. Dans les deux cas, il est associé à une transmission CVT. Les versions plus abordables de la Fusion sont mues de série par un 2,5 litres atmosphériques de 175 chevaux. Si vous ne trouvez pas le moteur qui vous convient parmi l'offre de Ford…

La Fusion est en mesure de se défendre fort honorablement contre tous les modèles de sa catégorie. D'ailleurs, l'an dernier dans le cadre d'un match comparatif publié dans l'édition 2014 du *Guide de l'auto*, elle avait terminé au quatrième rang sur onze concurrentes.

S'il est vrai que l'insonorisation pourrait être meilleure et que les freins manquent parfois de puissance, cette berline intermédiaire est une bonne routière qui est à l'aise aussi bien dans la circulation urbaine que sur la grande route. Reste maintenant à déterminer quel moteur vous prendrez.

Châssis - SE TA 1,5 Ecoboost

Emp / lon / lar / haut	2850 / 4871 / 2121 / 1478 mm
Coffre / Réservoir	453 litres / 63 litres
Nombre coussins sécurité / ceintures	8 / 5
Suspension avant	indépendante, jambes de force
Suspension arrière	indépendante, multibras
Freins avant / arrière	disque / disque
Direction	à crémaillère, ass. variable électrique
Diamètre de braquage	11,4 m
Pneus avant / arrière	P235/50R17 / P235/50R17
Poids / Capacité de remorquage	1563 kg / 454 kg (1000 lb)
Assemblage	Hermosillo, MX

Composantes mécaniques

Hybride, Energi

Cylindrée, soupapes, alim.	4L 2,0 litres 16 s atmos.
Puissance / Couple	141 chevaux / 129 lb-pi
Tr. base (opt) / rouage base (opt)	CVT / Tr
0-100 / 80-120 / V.Max	8,9 s / 5,7 s / n.d.
100-0 km/h	42,4 m
Type / ville / route / co_2	Ord / 4,0 / 4,1 l/100 km / 1886 kg/an

Moteur électrique

Puiss / Couple (Hybrid, Energi)	118 ch (88 kW) / 177 lb-pi
Type batterie (Hybrid, Energi)	Lithium-ion
Énergie (Hybrid)	1,4 kWh
Énergie (Energi)	7,6 kWh
Temps de charge (120V / 240 V) (Energi)	7,0 / 2,5 hres
Autonomie (Energi)	34 km

SE TI, AWD Titanium

Cylindrée, soupapes, alim.	4L 2,0 litres 16 s turbo
Puissance / Couple	240 chevaux / 270 lb-pi
Tr. base (opt) / rouage base (opt)	A6 / Int
0-100 / 80-120 / V.Max	7,5 s (est) / 6,5 s (est) / n.d.
100-0 km/h	n.d.
Type / ville / route / co_2	Sup / 10,7 / 7,6 l/100 km / 4280 kg/an

S, SE

4L - 2,5 l - 169 ch/170 lb-pi - A6 - 0-100: 9,2 s (est) - 10,7/6,9 l/100km

SE TA 1.5 EcoBoost

4L - 1,5 l - 181 ch/185 lb-pi - A6 - 0-100: n.d. - 8,8/5,5 l/100km

Du nouveau en 2015

Aucun changement majeur

- Choix de moteurs
- Silhouette élégante
- Comportement routier sain
- Version *plug in*
- Équipement sophistiqué

- Visibilité arrière problématique
- Consommation annoncée erronée
- Transmission CVT perfectible
- Sync et MyFord Touch parfois rébarbatifs
- Fiabilité irrégulière

Photos : Ford Canada

FORD **MUSTANG**

▶ **Catégorie :** Cabriolet, Coupé   ▶ **Échelle de prix :** 24 999 $ à 42 000 $ (estimé)   ▶ **Transport et prép. :** 1 665 $

▶ **Cote d'assurance :** $$$$$ ▶ **Garanties :** 3 ans/60 000 km, 5 ans/100 000 km   ▶ **Ventes CAN 2013 :** 5 055 unités

Au diable la tradition, bienvenue le futur!

Alain Morin

Le dévoilement d'une toute nouvelle Mustang est un événement important. Aussi important qu'un conclave d'où ressortira un nouveau pape ! Toujours est-il que les amateurs de voitures attendent la venue d'une nouvelle Mustang avec une fébrilité peu commune. Les appréhensions sont nombreuses et quelquefois légitimes. S'il fallait que Ford se plante, ce serait la fin du monde. La fin d'un monde en tout cas.

J'imagine facilement que les appréhensions sont aussi nombreuses dans les officines de Ford. Le manufacturier à l'ovale bleu peut se gourer — et il a profité de l'opportunité à maintes reprises — mais il ne peut pas le faire avec sa Mustang, trop importante pour son image. Remarquez que la Mustang II 1974 à 1978, sur un châssis de Pinto, n'était pas particulièrement réussie. Mais le cheval au galop est revenu au sommet de sa forme en 1979 et n'a cessé de croître en qualité et en popularité. La version 2005 avait littéralement jeté tout le monde par

terre tant elle était aboutie. Pour 2015, Ford remet ça. L'impact sur l'imaginaire collectif est moins marqué qu'en 2005 mais la voiture a nettement évolué. Dans la bonne direction? Voyons-y de plus près...

Précisons tout d'abord que nous n'avons pas encore conduit la Mustang 2015 au moment de publier ces lignes. Ça se fera quelque part en septembre 2014. Il y a fort à parier que Ford aurait aimé la mettre en vente le 14 avril 2014, exactement 50 ans après l'originale. Dans la vie, disait le sage, on fait ce qu'on peut, pas ce qu'on veut. Et croyez-moi, ces temps-ci vaut mieux louper une date historique que de se taper des rappels historiques...

L'évolution de l'Evos

La nouvelle Mustang est d'abord apparue sous la forme d'un concept baptisé Evos dévoilé au Salon de Francfort en 2011. À ce moment, il n'était pas évident qu'il y avait du pony là-dessous. Bien sûr, en cours de route l'Evos a perdu ses portes

Impressions de l'auteur		Concurrents
Agrément de conduite :	n.d.	Chevrolet Camaro,
Fiabilité :	Nouveau modèle	Dodge Challenger,
Sécurité :	n.d.	Hyundai Genesis Coupe,
Qualités hivernales :	n.d.	Volkswagen Eos
Espace intérieur :	n.d.	
Confort :	n.d.	

en élytre et une foule de caractéristiques trop coûteuses pour une voiture de production. Par contre, on reconnaît bien la partie avant qui rappelle la Fusion. Au cours de la carrière de la dernière Mustang (2005-2014), les designers de Ford ont lentement amené ses lignes vers la prochaine génération. D'ailleurs, quand on regarde un modèle 2005 à côté d'un modèle 2014, on voit l'évolution dans la continuité. La transition est ainsi plus douce entre les deux générations... et rassure les actionnaires de Ford! Au final, la 2015 est plus large de 40 mm (1,6 pouce), le toit est plus bas de 38 mm (1,5 pouce) et le capot de 32 mm (1,3 pouce) tandis que les ailes arrière sont davantage marquées, ce qui assure une allure plus trapue, plus connectée à la route.

La Mustang sera, à nouveau, proposée en modèles coupé (*fastback*) et cabriolet. Contrairement à la génération actuelle, le couvercle du coffre sera différent de celui du coupé, ce qui permettra au toit de se rétracter dans un espace plus compact, améliorant d'autant l'espace de chargement. À noter que ce toit en toile sera à commande électronique et qu'il ne lui faudra que sept secondes pour s'ouvrir ou se fermer.

L'habitacle aussi a régulièrement évolué et le propriétaire d'un modèle 2014 ne sera pas décontenancé dans un 2015. Certes, on remarque plusieurs améliorations et l'habitabilité, d'après les chiffres avancés par Ford, est meilleure qu'avant.

La visibilité aussi promet d'être supérieure, ce qui n'a pas dû être bien difficile à corriger, surtout dans le coupé. Les sièges avant ont été redessinés ainsi que la console centrale.

Quoi? Une suspension arrière indépendante?
C'est surtout sous la carrosserie que se cachent les plus grandes innovations de la Mustang 2015. Même si l'empattement n'a pas changé d'un demi-iota, la plate-forme est toute nouvelle. L'élément le plus dramatique a trait à sa suspension arrière indépendante, un crime de lèse-majesté qui ne sera jamais pardonné par les maniaques finis de la Mustang et du mode de vie qui vient avec. Pour tous les autres, il s'agit d'une nette amélioration. Forcément, il faudra attendre un essai pour se prononcer mais on peut d'ores et déjà imaginer que le confort sera supérieur, tout comme la tenue de route sur une chaussée bosselée. Pour pouvoir soutenir la comparaison dans les courbes, il a aussi fallu bonifier la suspension avant. Toujours à jambes de force, elle présente désormais deux joints à rotule.

Côté moteur, trois options. La livrée de base débarquera avec un V6 de 3,7 litres qu'on retrouve déjà dans plusieurs véhicules Ford, dont la Mustang actuelle. Dans la nouvelle, il devrait développer sensiblement la même puissance, soit environ 300 chevaux pour un couple de 270 livres-pied. Si la tendance se maintient, ce moteur suffira amplement à la tâche et sera parfait pour celui ou celle qui désire un moyen de transport

« La version 2005 avait littéralement jeté tout le monde par terre tant elle était aboutie. Pour 2015, Ford remet ça. »

@guideauto

Photos: Ford Canada

FORD MUSTANG

capable d'accélérer rapidement sans nécessairement faire exploser les photo-radars. Et pour peu que la personne derrière le volant retienne les ambitions de son pied droit, la consommation de ce moteur est très correcte.

Vient ensuite un quatre cylindres 2,3 litres turbocompressé. Que ceux qui ont possédé une Mustang Cobra 1979 ou 1980 dotée d'un quatre cylindres 2,3 litres turbocompressé de 132 chevaux sortent de leur cachette et cessent de trembler de peur. Ce nouveau 2,3 EcoBoost promet à la fois plus de puissance (plus de 305 chevaux et 300 livres-pied selon Ford), d'économie d'essence – bien que les données à ce sujet n'aient pas encore été dévoilées – et, surtout, une éventuelle fiabilité qui sera à des lieux de ce qu'elle était dans le temps. Certains collègues américains ont pu être passagers d'une version dotée de ce 2,3 litres EcoBoost. Les accélérations ne seraient pas les plus véloces mais une fois lancé, ce moteur aurait beaucoup de souffle. Cependant, il n'aurait pas la douceur d'un moteur équivalent de BMW, par exemple. Il s'agissait, faut-il préciser, d'un modèle de présérie qui était conduit par un employé de Ford.

Enfin, le fameux 5,0 litres est de retour pour la GT. On parle ici de plus de 420 chevaux et 390 livres-pied de couple, des données à peu près identiques à celles de l'actuel 5,0 litres. Conduit dans le respect des lois, ce V8 consomme relativement peu. Mais à 420 chevaux, le respect des lois devient aléatoire, la sonorité lors des accélérations est jouissive... et la consommation augmente dramatiquement.

Tous ces moteurs sont reliés à une transmission manuelle Getrag à six rapports ou, en option, à une automatique, à six rapports avec palettes derrière le volant. La manuelle a été revue pour présenter un comportement plus doux tandis que l'automatique offrira quatre modes : Neige/mouillé, Normal, Sport et Piste. L'option d'une automatique à double embrayage semble avoir été écartée du projet très tôt.

Show de boucane

Évidemment, chez Ford, la technologie tient une belle place. La plus intéressante est le Line Lock qui permettra au propriétaire d'une GT dotée de ce système de faire des « show de boucane » parfaits! En effet, le Line Lock se sert de l'ABS et du contrôle de la stabilité pour appliquer la force idéale sur les freins avant tout en faisant patiner les pneus arrière à n'en plus finir. En fait, c'est exactement le contraire d'un *launch control* qui va chercher le maximum d'adhérence. Seul bémol, Ford avise les propriétaires que l'utilisation du Line Lock est réservée à la piste uniquement... et qu'utiliser sa voiture pour la course annulera la garantie. C'est comme mettre des bottes de pluie à un enfant, l'amener devant un trou d'eau... et le chicaner s'il saute dedans! Le Line Lock fait partie du groupe optionnel Track Apps qui, outre le launch control possède aussi un accéléromètre et autres gadgets très amusants.

Ford semble avoir fait un excellent boulot avec sa nouvelle Mustang et nul doute que cette dernière rejoindra plus d'acheteurs que jamais, et ce, partout sur la planète (une version à conduite à droite est même déjà prête). Il s'agit d'une excellente stratégie de vente, mais qui risque de traumatiser une partie des amants de la Mustang. D'autres variantes ne devraient pas tarder à se pointer : Shelby, Boss, SVO, Mach 1, Cobra... Le passé est riche. C'est parfait pour le futur!

Venez nous voir sur www.guideautoweb.com. Dès qu'on le peut, on saute dans une Mustang 2015. Qu'est-ce qu'on ne ferait pas pour nos lecteurs, quand même...

Châssis - 2.3 Turbo coupé

Emp / lon / lar / haut	2720 / 4783 / 1915 / 1382 mm
Coffre / Réservoir	382 litres / 59 litres
Nombre coussins sécurité / ceintures	4 / 4
Suspension avant	indépendante, jambes de force
Suspension arrière	indépendante, multibras
Freins avant / arrière	disque / disque
Direction	à crémaillère, ass. variable électrique
Diamètre de braquage	11,1 m
Pneus avant / arrière	P235/55R17 / P235/55R17
Poids / Capacité de remorquage	1525 kg / n.d.
Assemblage	Flat Rock, MI

Composantes mécaniques

V6 3.7

Cylindrée, soupapes, alim.	V6 3,7 litres 24 s atmos.
Puissance / Couple	300 chevaux / 270 lb-pi
Tr. base (opt) / rouage base (opt)	M6 (A6) / Prop
0-100 / 80-120 / V.Max	6,4 s (est) / 5,6 s (est) / n.d.
100-0 km/h	36,0 m (est)
Type / ville / route / CO_2	Ord / 11,1 / 6,9 l/100 km / 4240 kg/an (est)

2.3 Turbo

Cylindrée, soupapes, alim.	4L 2,3 litres 16 s turbo
Puissance / Couple	310 chevaux / 320 lb-pi
Tr. base (opt) / rouage base (opt)	M6 (A6) / Prop
0-100 / 80-120 / V.Max	n.d. / n.d. / n.d.
100-0 km/h	n.d.
Type / ville / route / CO_2	Ord / 10,0 / 6,2 l/100 km / 3860 kg/an (est)

GT 5.0

Cylindrée, soupapes, alim.	V8 5,0 litres 32 s atmos.
Puissance / Couple	435 chevaux / 400 lb-pi
Tr. base (opt) / rouage base (opt)	M6 (A6) / Prop
0-100 / 80-120 / V.Max	n.d. / n.d. / n.d.
100-0 km/h	n.d.
Type / ville / route / CO_2	Sup / 12,2 / 7,6 l/100 km / 4690 kg/an (est)

Du nouveau en 2015

Nouveau modèle

FEU VERT
- Habitabilité meilleure
- Visibilité améliorée
- V6 et V8 pleins de testostérone
- 2,3 EcoBoost devrait être économique
- Suspension arrière enfin moderne

FEU ROUGE
- Risque de décevoir les maniaques finis
- Consommation du V8 problématique
- Fiabilité inconnue
- Places arrière aussi serrées qu'avant?

FORD **TAURUS**

▸ **Catégorie :** Berline	▸ **Échelle de prix :** 31 221 $ à 44 761 $ (2014)	▸ **Transport et prép. :** 1600 $
▸ **Cote d'assurance :** $$$$	▸ **Garanties :** 3 ans/60 000 km, 5 ans/100 000 km	▸ **Ventes CAN 2013 :** 4 238 unités

La grande classe... à l'américaine

Guy Desjardins

Autrefois dominante dans sa catégorie et souvent décrite comme la berline répondant le mieux aux besoins des acheteurs, la Taurus d'aujourd'hui ne profite plus des mêmes attributs. Elle a pris du poids avec l'âge, mais son format la place également dans une catégorie de moins en moins populaire au Canada alors que le marché tend davantage vers des véhicules plus compacts, frugaux en carburant et généralement tout aussi spacieux.

Dommage puisque la Taurus propose un ensemble extrêmement bien ficelé où chaque composante rivalise avantageusement avec ce qui se fait de mieux sur le marché, à commencer par son châssis qui cache des origines européennes. Pas surprenant qu'il soit si rigide et aussi bien équilibré lorsque l'on sait qu'il a été emprunté à Volvo.

Pure américaine

Outre les populaires VUS, ce sont les berlines pleine grandeur qui conservent la cote chez nos voisins du Sud, et la Taurus est probablement l'américaine la plus connue d'entre elles. Visuellement, la cuvée 2015 reprend un bon nombre d'éléments ayant caractérisé les voitures de l'époque, c'est-à-dire un gabarit imposant, une caisse haute, un empattement généreux et une carrure très angulaire. Ford ne lésine pas non plus sur les détails en proposant une calandre surdimensionnée et des jantes de 17 pouces sur le modèle de série, atteignant 20 pouces sur la version SHO !

À l'intérieur, le même constat s'applique avec un habitacle très généreux qui n'est jamais pris en défaut, même lorsque 5 adultes s'y installent. Assis à l'avant, on remarque immédiatement la vastitude de notre « bulle » et la distance qui nous sépare de notre passager serait bien suffisante pour qu'un troisième adulte y prenne place, si la banquette avant pleine longueur faisait un retour ! La présentation des commandes ne tombe pas dans l'extravagance et la présence du système MyFord

Impressions de l'auteur			Concurrents
Agrément de conduite :	★★★★☆	4/5	Buick LaCrosse, Chevrolet Impala,
Fiabilité :	★★★★☆	4/5	Chrysler 300, Dodge Charger,
Sécurité :	★★★★☆	4/5	Nissan Maxima, Toyota Avalon
Qualités hivernales :	★★★★☆	4/5	
Espace intérieur :	★★★★½	4,5/5	
Confort :	★★★★½	4,5/5	

Touch permet de réduire au minimum la quantité de boutons sur le tableau de bord. Leur fonctionnement désoriente au début, mais on finit éventuellement par s'habituer à ces commandes à effleurements qui parsèment la console centrale. Les occupants arrière profitent d'un dégagement très généreux dans toutes les directions, ce qui est particulièrement apprécié lors des longs trajets. Pas surprenant de trouver des Taurus dans la flotte ministérielle!

Sur la route, notre plus récente Taurus d'essai, une SEL à traction, ne nous a pas déçus. Sa motorisation V6 est nettement adéquate pour un véhicule ne disposant pas de la traction intégrale. Évidemment, elle ne livre pas des performances époustouflantes mais puisqu'il s'agit d'un V6, on éprouve tout de même un léger frisson d'enthousiasme lorsque l'on accélère à fond. Durant ses années de gloire, la plus prolétaire des Taurus cachait un petit V6 alors que les livrées haut de gamme s'équipaient d'un gros V8. Aujourd'hui, la moins dispendieuse des Taurus profite d'un 4 cylindres, à notre avis bien suffisant pour déplacer la bagnole adéquatement sans trop de visites à la station d'essence. Le châssis rigide à souhait garantit un comportement routier sain tandis que les suspensions sont juste assez flexibles pour absorber les imperfections de la route.

SHO, pour les nostalgiques

Pour plusieurs, la Taurus s'est fait connaître pour sa version SHO et son vigoureux moteur V8. Au fil du temps, et pour des raisons économiques et environnementales, Ford l'a troqué pour un V6 Ecoboost à double turbo développant assez de puissance pour envoyer la voiture en orbite. De plus, cette version à tout près de 50 000 $ hérite du rouage intégral Haldex provenant de la défunte union avec Volvo. Sur papier, la SHO impressionne, malheureusement sur la route, c'est autre chose... Équipée de la sorte, on se serait attendu à des performances époustouflantes, mais ce n'est pas ce qui se produit lorsque l'on pousse la voiture à ses limites. Son poids, déjà élevé, auquel il faut ajouter celui du rouage intégral la rend plus difficile à manœuvrer. En slalom, la voiture sous-vire et le roulis ne manque pas de se faire sentir, heureusement, l'efficace suspension et l'excellent châssis compensent. Malgré ces accros, la voiture reste une icône de puissance américaine avec son style d'enfer et la sonorité de sa motorisation. C'est d'ailleurs le même moteur qui équipe la nouvelle Mustang, pas si mal non?

La Taurus profitera d'une refonte majeure l'an prochain. Elle troquera son châssis actuel pour celui de la Fusion et devrait perdre de nombreux kilos dans l'exercice. Cette cure de minceur lui sera totalement bénéfique et permettra à la version SHO de livrer des performances plus que respectables. En attendant, la mouture 2015 conserve les caractéristiques de l'an dernier, soit une voiture sobre, confortable et américaine à souhait.

Châssis - SHO TI

Emp / lon / lar / haut	2868 / 5154 / 2177 / 1542 mm
Coffre / Réservoir	569 litres / 72 litres
Nombre coussins sécurité / ceintures	6 / 5
Suspension avant	indépendante, jambes de force
Suspension arrière	indépendante, multibras
Freins avant / arrière	disque / disque
Direction	à crémaillère, ass. électrique
Diamètre de braquage	12,2 m
Pneus avant / arrière	P245/45R20 / P245/45R20
Poids / Capacité de remorquage	1973 kg / 454 kg (1000 lb)
Assemblage	Chicago, IL

Composantes mécaniques

SE EcoBoost

Cylindrée, soupapes, alim.	4L 2,0 litres 16 s turbo
Puissance / Couple	240 chevaux / 270 lb-pi
Tr. base (opt) / rouage base (opt)	A6 / Tr
0-100 / 80-120 / V.Max	8,4 s / n.d. / n.d.
100-0 km/h	n.d.
Type / ville / route / co_2	Ord / 9,2 / 6,2 l/100 km / 3634 kg/an

SE, SEL, Limited

Cylindrée, soupapes, alim.	V6 3,5 litres 24 s atmos.
Puissance / Couple	288 chevaux / 254 lb-pi
Tr. base (opt) / rouage base (opt)	A6 / Tr (Int)
0-100 / 80-120 / V.Max	6,7 s / n.d. / n.d.
100-0 km/h	n.d.
Type / ville / route / co_2	Ord / 12,2 / 7,8 l/100 km / 4692 kg/an

SHO TI

Cylindrée, soupapes, alim.	V6 3,5 litres 24 s turbo
Puissance / Couple	365 chevaux / 350 lb-pi
Tr. base (opt) / rouage base (opt)	A6 / Int
0-100 / 80-120 / V.Max	5,9 s / 4,3 s / 215 km/h
100-0 km/h	40,3 m
Type / ville / route / co_2	Sup / 12,4 / 8,1 l/100 km / 4830 kg/an

Du nouveau en 2015

Aucun changement majeur. Nouvelle palette de couleurs.

Photos: Ford Canada

FEU VERT

• Châssis solide
• Suspension bien calibrée
• Tenue de route rassurante
• Traction intégrale efficace
• Habitacle généreux

FEU ROUGE

• Comportement de la SHO
• Traction intégrale indisponible sur le 4 cylindres
• Gabarit imposant
• MyFord Touch à assimiler

FORD **TRANSIT CONNECT**

▶ **Catégorie :** Fourgonnette	▶ **Échelle de prix :** 28 699 $ à 40 718 $	▶ **Transport et prép. :** 1 665 $
▶ **Cote d'assurance :** n.d.	▶ **Garanties :** 3 ans/60 000 km, 5 ans/100 000 km	▶ **Ventes CAN 2013 :** 3 859 unités

Toujours prêts

Marc Lachapelle

Des trois constructeurs américains, Ford a démontré le meilleur sens de l'anticipation et de la stratégie ces dernières années. Si ce n'est que pour avoir traversé, sans aide, la tempête économique qui a balayé ses rivaux. La marque à l'ovale bleu nous offrait même, au cœur de cette crise, un fourgon compact à vocation utilitaire créé par sa division européenne. Résultat : plusieurs concurrents se sont rués vers ce segment en expansion alors que Ford passait déjà la deuxième vitesse l'an dernier avec un tout nouveau Transit Connect.

Le premier Transit Connect était réussi au point de décrocher le titre d'Utilitaire nord-américain de l'année en 2010. Il faut le faire, avec un petit fourgon sans luxe ou prétention, propulsé par un quatre cylindres de 2,0 litres et 136 chevaux avec pour seule boîte de vitesses une automatique à 4 rapports ! L'intérieur était dépouillé, assez mal insonorisé et truffé de plastique

« gris outil ». Y compris pour la jante du volant. Or, c'était la vocation de ce premier Transit Connect d'être fonctionnel, simple et durable.

Ford a présenté des versions à cinq ou sept places pourvues de glaces latérales additionnelles. Des fourgonnettes spartiates qui se sont vendues au compte-gouttes. Rien d'étonnant, si l'on considère les prix demandés pour des rivales moins chères, mieux équipées, plus puissantes ou les trois à la fois.

Le deuxième taillé sur mesure
La deuxième génération du Transit Connect est arrivée discrètement l'an dernier. Tout en accordant une grande attention au fourgon, qui sera encore de loin la version la plus vendue, Ford a mis plus de soin à dessiner la carrosserie et soigner la présentation de la fourgonnette Transit Connect Tourisme, comme on l'a baptisée pour le marché québécois. Chose certaine, elle ne donne plus l'impression d'être un

Impressions de l'auteur		Concurrents
Agrément de conduite : ★★★⯪★ 3,5/5		Nissan NV200,
Fiabilité : **Nouveau modèle**		Chevrolet City Express,
Sécurité : ★★★★★ 4/5		RAM Cargo Van
Qualités hivernales : ★★★⯪★ 3,5/5		
Espace intérieur : ★★★★★ 4/5		
Confort : ★★★★⯪ 4,5/5		

FORD TRANSIT CONNECT

fourgon auquel on aurait ajouté à la hâte des glaces latérales et une ou deux banquettes. Ce qui était la stricte vérité.

Le profil est toujours anguleux, question de tirer le maximum de cette longue forme quasi rectangulaire. Les éléments principaux sont nettement mieux intégrés les uns aux autres, y compris la calandre en hexagone qu'on retrouve sur nombre de modèles actuels chez Ford. Le fait que le nouveau Transit Connect soit plus long d'environ 15 cm et plus bas d'à peu près autant contribue à lui donner plus fière allure. On a également voulu faciliter l'accès aux garages souterrains qui se révélait parfois problématique avec l'ancien.

Même format pour tous

Ford produit le Transit Connect sur deux empattements différents mais seule la version longue est offerte chez nous. Cela vaut autant pour le fourgon que pour la Tourisme dont tous les exemplaires sont livrés en version à sept places. Il y a des modèles XL et XLT pour les deux gammes et une version Titanium truffée d'accessoires en plus pour la Tourisme. Sur tous ces modèles, sauf le fourgon XL, on a le choix de remplacer les deux portes arrière par un grand hayon qui offre un coup d'œil vraiment meilleur dans le rétroviseur.

Les sièges avant sont impeccables, bien sculptés et juste assez fermes, comme déjà sur le modèle précédent. La position de conduite est très juste, avec un volant bien moulé et un bon repose-pieds. La présentation du tableau de bord, cousin de celui de Focus, est sobre et ça lui réussit. L'écran de contrôle central est plus petit mais quand même clair. Surtout la version couleur des modèles plus cossus. Les contrôles sont simples et efficaces, les cadrans par contre trop sombres en plein jour. On est bien traité également sur la banquette centrale qui se règle en longueur et dont le dossier est scindé en sections 60/40 repliables. Les deux places à la troisième rangée ne sont guère plus que des strapontins.

La direction est précise et sans jeu au centre, un net progrès. Les Transit Connect ont aussi plus de nerf avec un quatre cylindres de 2,5 litres et 169 chevaux qui permet au fourgon d'atteindre 100 km/h en 10,4 secondes. Il y met 10,2 secondes avec le groupe EcoBoost turbocompressé de 1,6 litre et 178 chevaux, en option sur le fourgon mais pas la version Tourisme, étrangement. Ce moteur est censé être un peu plus frugal, toutefois, le 2,5 litres est franchement tout à fait correct. Notez enfin que les Transit Connect peuvent maintenant tracter jusqu'à 907 kg (2 000 livres, donc une tonne).

Maniable, confortable et à la fois diablement pratique et spacieux, le Transit Connect mène le jeu côté fourgons compacts. La version Tourisme est réjouissante mais sans doute pas assez sexy pour contrer l'allergie des banlieusards aux fourgonnettes. Tant pis pour eux!

Photos : Marc Lachapelle, Ford Canada

Châssis - Fourgonnette XL

Emp / lon / lar / haut	2662 / 4417 / 2136 / 1844 mm
Coffre / Réservoir	2832 litres / 60 litres
Nombre coussins sécurité / ceintures	4 / 2
Suspension avant	indépendante, jambes de force
Suspension arrière	semi-indépendante, poutre de torsion
Freins avant / arrière	disque / tambour
Direction	à crémaillère, ass. électrique
Diamètre de braquage	11,7 m
Pneus avant / arrière	P215/55R16 / P215/55R16
Poids / Capacité de remorquage	1608 kg / 907 kg (1999 lb)
Assemblage	Valencia, ES

Composantes mécaniques

Cylindrée, soupapes, alim.	4L 1,6 litre 16 s turbo
Puissance / Couple	178 chevaux / 184 lb-pi
Tr. base (opt) / rouage base (opt)	A6 / Tr
0-100 / 80-120 / V.Max	10,2 s / n.d. / n.d.
100-0 km/h	n.d.
Type / ville / route / CO_2	Sup / 10,9 / 6,3 l/100 km / 4060 kg/an

Cylindrée, soupapes, alim.	4L 2,5 litres 16 s atmos.
Puissance / Couple	169 chevaux / 170 lb-pi
Tr. base (opt) / rouage base (opt)	A6 / Tr
0-100 / 80-120 / V.Max	10,4 s / n.d. / n.d.
100-0 km/h	n.d.
Type / ville / route / CO_2	Ord / 10,8 / 5,9 l/100 km / 3950 kg/an

Du nouveau en 2015

Nouveau modèle — version Tourisme 7 places.

 FEU VERT
- Espace et polyvalence exceptionnels
- Sièges, tableau de bord et contrôles réussis
- Maniables et dégourdis
- Groupes propulseurs bien adaptés
- Caméra et sonars de stationnement très utiles

 FEU ROUGE
- Moteur EcoBoost réservé au fourgon
- Visibilité limitée avec porte arrière double
- Cadrans très sombres en plein jour
- Freinage trop sec en ville
- Sensible au vent oblique

HONDA **ACCORD / CROSSTOUR**

▶ **Catégorie :** Berline, Coupé, Hatchback ▶ **Échelle de prix :** 23 990 $ à 37 596 $ (2014) ▶ **Transport et prép. :** 1 851 $

▶ **Cote d'assurance :** $$$$ ▶ **Garanties :** 3 ans/60 000 km, 5 ans/100 000 km ▶ **Ventes CAN 2013 :** 17 165 unités

Heureuse sobriété

Alain Morin

Loin de la chaude italienne Lamborghini dont le but premier est de faire rêver le bon peuple, Honda construit des voitures d'un pragmatisme égalé par une poignée de constructeurs seulement. Prenez la Honda Accord... On voit rarement les têtes se retourner et les pouces s'élever au passage d'une Honda Accord. Pourtant, depuis sa refonte de l'an dernier, elle affiche un style beaucoup plus moderne qu'avant. Oh, il n'est pas si différent de celui de la génération précédente mais les changements apportés ont été suffisants.

Tout comme par le passé, l'Accord se décline en versions berline, de loin la plus populaire, et coupé. Si le style extérieur n'est évidemment pas le même, les tableaux de bord sont fort semblables. C'est donc dire que le conducteur a devant lui de gros cadrans parfaitement lisibles et, un peu à sa droite, deux écrans fourmillant d'informations et de commandes relativement faciles à démêler et personne ne s'ennuie de la

mer de boutons qu'on retrouvait dans la génération antérieure. La plupart des plastiques sont d'excellente qualité et l'assemblage ne peut être pris en défaut.

L'auteur de cet essai a trouvé les sièges avant très confortables. À l'arrière, l'espace dévolu aux jambes et à la tête est plus qu'adéquat dans la berline. Les places sont un peu plus difficilement accessibles dans le coupé et l'espace est, on s'en doute, plus restreint mais il est tout de même très correct pour ce type de carrosserie. Le coffre de la berline et du coupé n'est pas beaucoup plus grand que ceux proposés par la concurrence. Que l'Accord possède deux ou quatre portes, si l'on veut agrandir le coffre, le dossier arrière s'abaisse d'un seul tenant au lieu d'en deux parties, comme c'est devenu la norme. C'est de l'économie de bout de chandelle qui prouve que Honda peut quelquefois être d'une mesquinerie, mais d'une mesquinerie...

Impressions de l'auteur		Concurrents
Agrément de conduite : ★★★★☆ 4/5		Buick LaCrosse, Chevrolet Malibu,
Fiabilité : ★★★★⯪ 4,5/5		Chrysler 200, Dodge Avenger, Ford
Sécurité : ★★★★⯪ 4,5/5		Fusion, Hyundai Sonata,
Qualités hivernales : ★★★⯪ 3,5/5		Mazda 6, Nissan Altima, Subaru
Espace intérieur : ★★★★☆ 4/5		Legacy, Toyota Camry
Confort : ★★★★☆ 4/5		

Motoriste un jour...

Là où l'on ne peut accuser Honda de mesquinerie, c'est au chapitre de la mécanique. L'offre débute avec un quatre cylindres de 2,4 litres qui, ma foi, se comporte tellement bien que le V6 me semble superflu. Pour une raison que j'ignore, Honda se complique la vie en offrant deux versions du 2,4, une à 185 chevaux et l'autre à 189. Associé à une transmission à rapports infiniment variables (CVT) qui fait école, ce moteur autorise des performances très correctes alliées à une réelle économie d'essence et la cote combinée annoncée de 6,7 l/100 km n'est pas une lubie de manufacturier en mal de publicité. Une manuelle à six rapports est aussi proposée sur certains modèles. Agréable à utiliser, elle amène toutefois une consommation plus élevée. Le V6 de 3,5 litres, de son côté, développe environ 50 % plus de puissance que le 2,4 mais je ne vois pas son utilité d'autant plus qu'en accélération vive, un tel débordement de chevaux se traduit par un effet de couple dans le volant. Par contre, ceux qui sont allergiques aux CVT se réjouiront d'apprendre que la transmission qui accompagne le V6 est une automatique traditionnelle à six rapports.

Hybride et hybride rechargeable

Honda commercialise une version hybride de son Accord berline. Ici, un quatre cylindres de 2,0 litres est lié à deux moteurs électriques. Ce système est plus efficace en ville ou sur des trajets où il faut freiner souvent. Sur des routes de campagne et une très courte portion d'autoroute, votre humble serviteur a réussi une moyenne de 4,5 l/100 km. Il faut cependant être prêt à débourser davantage au moment de l'acquisition et vivre avec un coffre plus petit (359 litres contre 439) et un dossier arrière qui ne se rabat pas.

Nous avons aussi pu mettre la main sur une hybride rechargeable, vendue aux États-Unis mais pas encore au Canada, du moins pas au moment d'écrire ces lignes. Cette Accord Plug In est, à mon avis, la plus agréable à conduire dans le petit monde des hybrides rechargeables. En mode purement électrique, on peut facilement parcourir 13 ou 14 kilomètres... malgré les prétentions de Honda qui en annonce 20. Et, durant la courte période où j'ai pu essayer cette voiture, je n'ai pas réussi à obtenir une meilleure moyenne qu'au volant de l'hybride. Au sud de la frontière, cette hybride rechargeable coûte environ 10 000 $ de plus que l'hybride.

Ah oui, j'allais oublier de vous parler de la Crosstour, une version *hatchback* de la Accord, roulant désormais uniquement avec le V6 de 3,5 litres et le rouage intégral. Son style ne fait pas l'unanimité, c'est le moins qu'on puisse dire mais, pour certains, les 728 litres de son coffre compensent.

Discrète, la Honda Accord demeure une excellente voiture. Elle doit cependant laisser le premier rang des ventes à une autre icône de la sobriété, la Toyota Camry et à la moins sobre Ford Fusion. Mais elle les suit de très près !

Châssis - Berline Touring

Emp / lon / lar / haut	2775 / 4862 / 1849 / 1465 mm
Coffre / Réservoir	439 litres / 65 litres
Nombre coussins sécurité / ceintures	6 / 5
Suspension avant	indépendante, jambes de force
Suspension arrière	indépendante, multibras
Freins avant / arrière	disque / disque
Direction	à crémaillère, ass. variable électrique
Diamètre de braquage	11,8 m
Pneus avant / arrière	P235/45R18 / P235/45R18
Poids / Capacité de remorquage	1521 kg / n.d.
Assemblage	Marysville, OH

Composantes mécaniques

Hybride

Cylindrée, soupapes, alim.	4L 2,0 litres 16 s atmos.
Puissance / Couple	141 chevaux / 122 lb-pi
Tr. base (opt) / rouage base (opt)	CVT / Tr
0-100 / 80-120 / V.Max	8,0 s / 6,3 s / n.d.
100-0 km/h	46,3 m
Type / ville / route / CO_2	Ord / 3,7 / 4,0 l/100 km / 1745 kg/an

Moteur électrique

Puissance / Couple	166 ch (124 kW) / 226 lb-pi
Type de batterie	Lithium-ion
Énergie	1,3 kWh

Berline, Coupé / Sport

Cylindrée, soupapes, alim.	4L 2,4 litres 16 s atmos.
Puissance / Couple (sport)	185 ch (189) / 181 lb-pi (182)
Tr. base (opt) / rouage base (opt)	M6 (CVT) / Tr
0-100 / 80-120 / V.Max	8,7 s / 5,8 s / n.d.
100-0 km/h	46,6 m
Type / ville / route / CO_2	Ord / 8,8 / 5,8 l/100 km / 3427 kg/an

Berline, Coupé, Crosstour

Cylindrée, soupapes, alim.	V6 3,5 litres 24 s atmos.
Puissance / Couple	278 chevaux / 252 lb-pi
Tr. base (opt) / rouage base (opt)	A6 / Tr
0-100 / 80-120 / V.Max	6,7 s / 4,1 s / n.d.
100-0 km/h	47,3 m
Type / ville / route / CO_2	Ord / 11,5 / 7,1 l/100 km / 4455 kg/an

Du nouveau en 2015

Aucun changement majeur

FEU VERT
- Moteur quatre cylindres impressionnant
- Boite CVT réussie
- Tenue de route solide
- Confort et silence de roulement assurés
- Consommation retenue

FEU ROUGE
- Version Crosstour plus ou moins intéressante
- Siège arrière se rabat en un seul morceau
- V6 inutilement puissant
- Lignes un peu ternes
- Plug In chère (si offerte au Canada)

Photos : Honda Canada, Alain Morin

HONDA **CIVIC**

▶ **Catégorie :** Berline, Coupé   ▶ **Échelle de prix :** 15 690 $ à 27 251 $ (2014)   ▶ **Transport et prép. :** 1651 $

▶ **Cote d'assurance :** $$$$$ ▶ **Garanties :** 3 ans/60 000 km, 5 ans/100 000 km   ▶ **Ventes CAN 2013 :** 64 063 unités

Victime de son succès

Guy Desjardins

P endant longtemps, la Civic a surclassé la concurrence à tous les niveaux. La plus vendue, la plus fiable, la plus polyvalente et la plus aimée! Malheureusement pour elle, la concurrence l'a prise pour cible et tente de la surpasser en tout point, quoi qu'il en coûte.

Les dernières années ont donc été plus difficiles pour le constructeur nippon qui s'est également fait critiquer par la presse automobile pour la finition bâclée de l'habitacle de la Civic 2012, désolante conséquence d'une opération de réduction des coûts qui a mal tourné. Honda s'est alors empressé de corriger le tir en 2013 et les résultats ont été probants, mais avec la présence des séduisantes Toyota Corolla, Mazda 3 et Hyundai Elantra de nouvelles générations, le succès de la Civic dans sa version actuelle risque d'être éphémère.

La Civic a toujours été considérée comme une voiture très polyvalente avec ses nombreuses combinaisons de carrosseries

et de motorisations. Notre plus récente Civic mise à l'essai, une berline Touring, trône en tête des versions avec son équipement très complet. Offerte à un peu plus de 25 000 $, elle affiche un rehaussement notable par rapport aux versions régulières mais conserve la motorisation de 1,8 litre, associée de série à une boîte CVT. Sièges en cuir, système audio haut de gamme, navigation, insonorisation améliorée et plusieurs accents de chrome dans l'habitacle viennent nous rappeler que le badge Touring est appliqué sur le coffre arrière.

Quelle que soit la version, toutes les Civic, même le Coupé, proposent un habitacle généreux et une finition soignée. Les sièges enveloppent bien, la visibilité est excellente dans toutes les directions et la présentation s'est raffinée avec les années. Le tableau de bord à deux étages fait toujours partie du décor et ne suscite plus autant de mauvais commentaires qu'à son apparition. Toutes les commandes tombent sous la main, mais l'utilisation de certaines s'avère irritante et nécessite un léger apprivoisement. Le plus dérangeant est certainement

Impressions de l'auteur		Concurrents
Agrément de conduite :	★★★☆★ 3,5/5	Chevrolet Cruze, Dodge Dart,
Fiabilité :	★★★★☆ 4,5/5	Ford Focus, Hyundai Elantra,
Sécurité :	★★★★★ 4/5	Kia Forte, Mazda3, Nissan Sentra,
Qualités hivernales :	★★★☆★ 3,5/5	Subaru Impreza, Toyota Corolla,
Espace intérieur :	★★★☆★ 3,5/5	Volkswagen Jetta
Confort :	★★★☆★ 3,5/5	

l'absence d'un bouton rotatif pour le volume de la radio puisque la commande fait partie de l'affichage à l'écran et donc à effleurement. D'instinct, on saute sur le réglage qui sert à monter ou descendre la température de la ventilation chaque fois que l'on veut régler le volume du système audio!

ECON et puis?

Sur toutes les versions de la Civic, excepté la SI, Honda offre le mode ECON activé par la pression d'un bouton vert situé à gauche du volant, sur la planche de bord. Déjà très économique, le 4 cylindres de 1,8 litre améliore davantage sa consommation car l'ordinateur de bord ajuste différentes données, dont les performances du moteur, l'étagement de la transmission, le régulateur de vitesse et la climatisation. Le résultat de ce savant paramétrage s'affiche ensuite dans la fenêtre supérieure droite du tableau de bord au moyen de trois niveaux d'efficacité énergétique: haute, moyenne et basse. L'idée est évidemment intéressante, mais une conduite douce en situation normale permet de garder une faible consommation d'essence sans se soucier d'activer ou non ce mode ECON. Et si ce dernier ne vous est pas suffisant, soyez rassuré puisque Honda ramène la version hybride pour 2015. Mécaniquement, le petit moteur de 1,5 litre travaille de pair avec une motorisation électrique qui ajoute 23 chevaux à la puissance. Mais contrairement à certaines autos d'autres constructeurs, la Civic hybride ne peut pas rouler simplement sur l'électricité à basse vitesse.

Autrement, sur la route, la Civic adopte un comportement routier à la fois doux et sportif. Le réglage des suspensions, un peu plus axé sur la fermeté que sur le confort, ne plaira sûrement pas à ceux qui cherchent avant tout un confort de roulement optimal. À l'opposé, la motorisation de 1,8 litre compense en offrant une douceur remarquable et un niveau sonore très réduit. Pour un peu plus de dynamisme, il faut passer la transmission CVT en mode S pour exploiter d'avantage la puissance du moteur.

Il ne faut cependant pas se surprendre de chercher, en vain, le gain de puissance puisque la Civic ne fait que 140 chevaux et que le mode Sport n'en ajoute aucun, se contentant de monter le moteur en révolution et modifier le comportement de la boîte à variation continue. En dernier recours, la version SI permet de rendre les déplacements plus excitants, la voiture disposant d'une motorisation de 2,4 litres plus nerveuse et incisive.

La Civic se repositionne dans le peloton de tête de la catégorie. Elle n'est toutefois plus la première d'office et se fait surclasser par de sérieux compétiteurs qui l'ont prise pour cible. Une autre refonte ne saurait tarder si Honda veut conserver la première place. Mais dans cette catégorie, trôner n'est plus acquis bien longtemps.

Châssis - EX berline

Emp / lon / lar / haut	2670 / 4556 / 1752 / 1435 mm
Coffre / Réservoir	353 litres / 50 litres
Nombre coussins sécurité / ceintures	6 / 5
Suspension avant	indépendante, jambes de force
Suspension arrière	indépendante, multibras
Freins avant / arrière	disque / disque
Direction	à crémaillère, ass. variable électrique
Diamètre de braquage	10,8 m
Pneus avant / arrière	P205/55R16 / P205/55R16
Poids / Capacité de remorquage	1227 kg / n.d.
Assemblage	Alliston, ON

Composantes mécaniques

Hybride

Cylindrée, soupapes, alim.	4L 1,5 litre 8 s atmos.
Puissance / Couple	110 chevaux / 127 lb-pi
Tr. base (opt) / rouage base (opt)	CVT / Tr
0-100 / 80-120 / V.Max	12,5 (est) / n.d. / n.d.
100-0 km/h	45,0 m (est)
Type / ville / route / CO_2	Ord / 4,4 / 4,2 l/100 km / 1978 kg/an

Berline, Coupé

Cylindrée, soupapes, alim.	4L 1,8 litre 16 s atmos.
Puissance / Couple	140 chevaux / 128 lb-pi
Tr. base (opt) / rouage base (opt)	M5 (A5) / Tr
0-100 / 80-120 / V.Max	9,9 s / 7,1 s / 180 km/h
100-0 km/h	45,0 m
Type / ville / route / CO_2	Ord / 7,1 / 5,0 l/100 km / 2830 kg/an

Si coupé

Cylindrée, soupapes, alim.	4L 2,4 litres 16 s atmos.
Puissance / Couple	205 chevaux / 174 lb-pi
Tr. base (opt) / rouage base (opt)	M6 / Tr
0-100 / 80-120 / V.Max	7,4 s / 4,8 s / n.d.
100-0 km/h	43,3 m
Type / ville / route / CO_2	Sup / 10,0 / 6,4 l/100 km / 3860 kg/an

Du nouveau en 2015

Version hybride de retour, version coupé retouchée mi-2014.

- Finition améliorée
- Consommation raisonnable
- Bonne insonorisation
- Habitacle généreux
- Prix abordables

- Suspension un peu plus ferme qu'avant
- Puissance du 1,8 juste
- Commandes de la radio frustrantes
- Technologie hybride en retard

Photos : Honda Canada, Denis Duquet

HONDA **CR-V**

▸ **Catégorie :** VUS   ▸ **Échelle de prix :** 27 800 $ à 37 200 $ (2014)   ▸ **Transport et prép. :** 1851 $

▸ **Cote d'assurance :** $$$$$ ▸ **Garanties :** 3 ans/60 000 km, 5 ans/100 000 km   ▸ **Ventes CAN 2013 :** 34 481 unités

Sage comme une image

Gabriel Gélinas

Dans le créneau très en vogue des utilitaires compacts, le CR-V de Honda figure parmi les meilleurs choix. Ce n'est pas la référence de la catégorie pour la dynamique ou l'agrément de conduite, puisque le CX-5 de Mazda lui dame le pion à ce chapitre. Mais pour l'automobiliste qui est à la recherche d'un véhicule polyvalent qui affiche une très bonne valeur de revente, le CR-V est un choix fort avisé.

Avec le RAV4 de Toyota, le CR-V fait partie des véhicules les plus spacieux de la catégorie. Les places avant offrent un excellent dégagement et sont séparées par une console centrale basse qui comporte un très vaste espace de rangement. La banquette arrière est tout aussi spacieuse, permettant même d'y asseoir aisément trois personnes, le plancher étant plat à la place médiane. Soulignons également que le confort des sièges avant est très bon et que l'inclinaison des dossiers de la banquette arrière est ajustable. Rien à redire pour le volume

de l'espace de chargement qui passe de plus de 1 000 litres avec les sièges arrière en place à plus de 2 000 litres avec les sièges arrière rabattus.

Une console Atari avec ça ?

Pour ce qui est des considérations pratiques, le CR-V marque des points. Il en perd cependant pour la qualité de certains matériaux qui sont utilisés dans l'habitacle puisque quelques plastiques sont durs, et surtout à cause de la disposition à deux écrans de son système de télématique dont l'utilisation est loin d'être conviviale en raison d'une duplication de plusieurs commandes. En plus, la qualité des graphiques qui sont affichés sur ces deux écrans appartient à une époque révolue. À l'heure où la clientèle apprécie la qualité de la présentation des informations affichées par des appareils comme l'iPad et autres tablettes, les écrans du CR-V présentent l'info avec le même style qu'une console Atari des années quatre-vingt ! Un sérieux rattrapage est de mise de ce côté.

Impressions de l'auteur		Concurrents
Agrément de conduite : ★★★☆☆	3/5	Chevrolet Equinox, Ford Escape,
Fiabilité : ★★★★⯪	4,5/5	Hyundai Tucson, Jeep Compass,
Sécurité : ★★★★☆	4/5	Jeep Patriot, Kia Sportage,
Qualités hivernales : ★★★★⯪	4,5/5	Mitsubishi Outlander, Nissan Rogue,
Espace intérieur : ★★★★☆	4/5	Subaru Forester, Toyota RAV4,
Confort : ★★★★☆	4/5	Volkswagen Tiguan

HONDA CR-V

Conduite aseptisée

Sur la route, le CR-V offre un comportement routier sûr et confortable avec une conduite aseptisée et peu inspirante. La direction est précise, mais ne donne pas beaucoup de *feedback* sur l'adhérence du train avant et le CR-V apprécie moins le slalom entre les cônes que le CX-5 de Mazda. Toutefois, la caisse du CR-V fait preuve d'une très bonne rigidité et le comportement routier est toujours prévisible, ce qui conviendra parfaitement à ceux qui se contentent de se rendre du point A au point B et qui ne sont pas nécessairement portés sur le plaisir de conduire. Les points forts du CR-V sont le confort, la fiabilité et la valeur de revente, des considérations appréciées d'une grande majorité de la clientèle.

Côté motorisation, c'est un peu le même constat. Le seul moteur livrable est un quatre cylindres en ligne de 2,4 litres, 185 chevaux et 163 livres-pied de couple qui permet d'obtenir de bonnes cotes de consommation, malgré le fait qu'il ne dispose pas de l'injection directe de carburant. Ajoutons le fait qu'il soit jumelé à une boîte automatique ayant seulement cinq rapports, dépourvue en plus d'un mode manuel et vous conviendrez que le VUS compact de Honda ne pêche pas par excès de zèle. Pour les performances, le CR-V livre des prestations tout à fait correctes concernant les accélérations et les reprises, mais sans plus. Aussi, l'insonorisation est perfectible, car on perçoit un peu trop le bruit de moteur en accélération franche ainsi que les bruits de roulement à vitesse d'autoroute.

En conduite de tous les jours, on apprécie au plus haut point le fait que le CR-V soit équipé d'une caméra de recul en équipement de série en raison de la hauteur de la lunette arrière, tout comme on aime les sièges chauffants qui bonifient le confort en conduite hivernale.

Par ailleurs, précisons que le CR-V ne sera bientôt plus le seul véhicule de marque Honda offert dans le créneau puisque le constructeur japonais ajoutera un autre modèle à sa gamme avec le HR-V, un utilitaire de petite taille élaboré sur la plate-forme de la nouvelle Fit. Le HR-V a été présenté au Salon de l'auto de New York en avril 2014. Assemblé au Mexique, ce nouveau joueur sera doté de la même banquette arrière modulable que la Fit, ce qui en fera un véhicule très polyvalent malgré ses dimensions compactes.

Toujours très populaire, le CR-V séduit par ses qualités pratico-pratiques, sa fiabilité et sa valeur de revente, mais il serait souhaitable que Honda revoie la motorisation ainsi que la télématique afin de le rendre encore plus attrayant.

Châssis - EX 4RM

Emp / lon / lar / haut	2620 / 4530 / 1820 / 1654 mm
Coffre / Réservoir	1054 à 2007 litres / 58 litres
Nombre coussins sécurité / ceintures	6 / 5
Suspension avant	indépendante, jambes de force
Suspension arrière	indépendante, multibras
Freins avant / arrière	disque / disque
Direction	à crémaillère, ass. variable électrique
Diamètre de braquage	11,4 m
Pneus avant / arrière	P225/65R17 / P225/65R17
Poids / Capacité de remorquage	1583 kg / 680 kg (1499 lb)
Assemblage	Alliston, ON

Composantes mécaniques

LX, EX, Touring

Cylindrée, soupapes, alim.	4 l 2,4 litres 16 s atmos.
Puissance / Couple	185 chevaux / 163 lb-pi
Tr. base (opt) / rouage base (opt)	A5 / Tr (Int)
0-100 / 80-120 / V.Max	8,6 s / 8,4 s / n.d.
100-0 km/h	41,4 m
Type / ville / route / CO_2	Ord / 9,2 / 6,6 l/100 km / 3726 kg/an

Du nouveau en 2015

Aucun changement majeur

FEU VERT
- Économie de carburant
- Habitacle spacieux et polyvalent
- Dotation d'équipement de série
- Valeur de revente

FEU ROUGE
- Conduite aseptisée
- Télématique désuète
- Boîte à 5 rapports seulement
- Qualité de certains matériaux à revoir

Photos : Honda Canada

HONDA **CR-Z**

▶ **Catégorie :** Coupé	▶ **Échelle de prix :** 24 406 $ à 25 706 $ (2014)	▶ **Transport et prép. :** 1 651 $
▶ **Cote d'assurance :** n.d.	▶ **Garanties :** 3 ans/60 000 km, 5 ans/100 000 km	▶ **Ventes CAN 2013 :** 72 unités

Écolo ou sportive ?

Denis Duquet

Depuis son lancement en 2010, le CR-Z n'a jamais connu la popularité anticipée par les dirigeants de Honda. En passant, CR-Z est l'abréviation de « Compact Renaissance Zero », ce qui ne signifie absolument rien. Pour en revenir à notre coupé hybride, il est certain que la première impression face à ce véhicule est positive. En effet, la silhouette est unique en son genre et on peut l'associer à la mythique CRX des années quatre-vingt. Mais si cette dernière a connu une popularité hors norme, son équivalent moderne est loin d'intéresser les acheteurs. Pourtant...

Coupé futuriste

Les stylistes de Honda ont de la suite dans leurs idées, du moins en fait de design. En effet, si on met la défunte Insight Hybride à côté de la CR-Z, on ne peut s'empêcher de trouver des similitudes bien que la silhouette du CR-Z soit plus agressive, surtout avec sa partie arrière plus relevée. Et ce

look ravageur explique en bonne partie les déboires commerciaux de ce modèle. En effet, avec cette silhouette on s'attend à se retrouver au volant d'une version hybride de la Civic Si et ses 201 chevaux.

Malheureusement, sous le capot, on retrouve un malingre moteur quatre cylindres de 1,5 litre produisant 122 chevaux. Il travaille de concert avec un moteur électrique de 13 chevaux pour porter la puissance totale à 130 chevaux. Comme sur les autres modèles hybrides Honda du passé, le moteur électrique d'appoint est situé entre le moteur thermique et la transmission et intervient lorsque le moteur est en charge. Détail à souligner, le CR-Z est la seule voiture hybride offerte avec une boîte manuelle à six rapports. L'automatique de type CVT est optionnelle.

Continuons ce tour du propriétaire en prenant place à l'intérieur. Soulignons que sur d'autres marchés, ce coupé est doté de mini-sièges arrière qui sont nettement plus symboliques

Impressions de l'auteur		Concurrents
Agrément de conduite : ★★★★ 3,5/5		Aucun concurrent
Fiabilité : ★★★★★ 4,5/5		
Sécurité : ★★★★ 4/5		
Qualités hivernales : ★★★ 3/5		
Espace intérieur : ★★★★ 3,5/5		
Confort : ★★★★ 3,5/5		

qu'autre chose. Au Canada, on a eu la bonne idée d'utiliser cet espace comme espace de rangement, le seul choix logique. D'autre part, félicitations aux stylistes qui ont concocté la planche de bord. La disposition des commandes et des cadrans indicateurs est originale, mais sans affecter l'ergonomie. Incidemment, à chaque extrémité du module des instruments, on retrouve un gros bouton multifonctionnel qui permet de gérer la climatisation, l'intensité de l'éclairage, d'ajuster les rétroviseurs extérieurs et de choisir les trois modes de fonctionnement. Ceux-ci sont : Normal, Sport et Econ.

HPD à la rescousse

La direction de Honda est bien consciente que le plumage de cette voiture ne correspond pas à son ramage. Sous une allure de coupé sport quasiment extrême, se retrouve au volant d'une placide voiture hybride de 130 chevaux. Pour remédier à la situation et pour intéresser les conducteurs écologiques et sportifs, on a concocté une version revue et corrigée par « Honda Performance Development ». Mais revenons à notre version de base.

Dès le premier contact avec le CR-Z, on est confronté avec une voiture dont les performances sont très moyennes, tout au plus. En mode Sport, le moteur électrique entre en action plus rapidement et son assistance se fait plus insistante. Mais c'est quand même modeste comme amélioration. Si on veut trouver quelque chose de positif, l'assistance à la direction est réduite ce qui nous permet d'avoir un meilleur *feedback* de la route. Par contre, optez pour le mode Econ, les performances soit moindres et la climatisation est atténuée. Pire encore, la « clim » est désactivée lorsque le système « stop-start » coupe le moteur.

Compte tenu de l'empattement court de la voiture, la voiture sautille sur mauvaise route. En plus, le comportement n'est pas trop sportif. Et le déprimant, c'est que malgré la motorisation hybride, la consommation de carburant est quasiment similaire à celle d'une Civic.

Pour les personnes désireuses de concilier le look de la CR-Z avec des performances dignes de ce nom, ce modèle pourra être rehaussé d'un ensemble HPD. Celui-ci comprend un compresseur qui porte la puissance à environ 200 chevaux, un embrayage plus sportif, un différentiel à glissement limité, une suspension sport, des jantes de 18 pouces, des déflecteurs avant et arrière et bien entendu des décalcomanies identifiant ce modèle.

Les sportifs seront ravis et les écolos désabusés.

Châssis - Basse

Emp / lon / lar / haut	2435 / 4076 / 1740 / 1395 mm
Coffre / Réservoir	286 à 710 litres / 40 litres
Nombre coussins sécurité / ceintures	6 / 2
Suspension avant	indépendante, jambes de force
Suspension arrière	semi-indépendante, poutre de torsion
Freins avant / arrière	disque / disque
Direction	à crémaillère, ass. variable électrique
Diamètre de braquage	10,0 m
Pneus avant / arrière	P195/55R16 / P195/55R16
Poids / Capacité de remorquage	1205 kg / n.d.
Assemblage	Suzuka, JP

Composantes mécaniques

Base

Cylindrée, soupapes, alim.	4L 1,5 litre 16 s atmos.
Puissance / Couple	130 chevaux / 140 lb-pi
Tr. base (opt) / rouage base (opt)	M6 / Tr
0-100 / 80-120 / V.Max	8,8 s (est) / 6,9 s (est) / n.d.
100-0 km/h	42,5 m
Type / ville / route / CO_2	Ord / 6,4 / 5,1 l/100 km / 2675 kg/an

Moteur électrique	
Puissance / Couple	20 ch (15 kW) / n.d.
Type de batterie	Lithium-ion
Énergie	n.d.

Du nouveau en 2015

Ensemble HPD.

FEU VERT
- Silhouette ravageuse
- Boîte manuelle exemplaire
- Excellente fiabilité
- Version HPD
- Tableau de bord songé

FEU ROUGE
- Consommation décevante pour un hybride
- Mauvaise visibilité arrière
- Performances médiocres (sauf HPD)
- Suspension ferme

Photos : Honda Canada

HONDA **FIT**

▸ **Catégorie :** Hatchback ▸ **Échelle de prix :** 16 000 $ à 22 000$ (estimé) ▸ **Transport et prép. :** 1 651 $

▸ **Cote d'assurance :** $$$\$\$ ▸ **Garanties :** 3 ans/60 000 km, 5 ans/100 000 km ▸ **Ventes CAN 2013 :** 9 512 unités

Toute nouvelle et en retard

Gabriel Gélinas

L'année-modèle 2015 marque le début d'une troisième génération pour la Honda Fit en Amérique du Nord. La nouvelle Fit, aussi connue sous le nom de Jazz dans d'autres marchés, est déjà commercialisée au Japon, mais son lancement chez nous se fait avec un certain décalage, car les Fit destinées aux marchés de l'Amérique du Nord sont maintenant assemblées au Mexique.

Lancée au Salon de l'auto de Detroit en janvier 2014, la Fit paraît plus grande que sa devancière, mais c'est une illusion créée par les nouvelles proportions de la carrosserie et par son vitrage réduit par rapport au modèle antérieur. En fait, cette Fit est légèrement plus courte, et un tantinet plus large, alors que la hauteur demeure inchangée, ce qui signifie que le la plus récente évolution de la sous-compacte sera peut-être tout aussi sensible au vent latéral que celle de la génération précédente. Côté style, le nouveau modèle conserve un pare-brise très fortement incliné, mais adopte une calandre plus dynamique ainsi que des feux arrière qui semblent avoir été empruntés chez Volvo. Selon Honda, le poids de la Fit est légèrement supérieur à celui de l'ancien modèle, mais la voiture se qualifie toujours dans la catégorie des poids plume, même si elle fait un usage plus étendu d'acier à haute résistance afin d'améliorer la rigidité du châssis.

Encore plus spacieuse

En prenant place à bord, on remarque que la Fit est toujours aussi spacieuse et que les passagers arrière profiteront d'un dégagement pour les jambes supérieur à celui d'une Honda Accord, ce qui est vraiment impressionnant compte tenu du gabarit de la voiture. Cependant, ce dégagement accru réduit légèrement l'espace de chargement par rapport au modèle précédent. Au moins, les dossiers des places arrière peuvent être rabattus pour que l'on puisse disposer d'un plancher plat, ce qui facilite le chargement. Évidemment, la nouvelle Fit conserve le fameux Magic Seat, cette ingénieuse banquette

Impressions de l'auteur		Concurrents
Agrément de conduite :	n.d.	Ford Fiesta, Hyundai Accent, Kia Rio,
Fiabilité :	**Nouveau modèle**	Mazda2, Nissan Versa Note,
Sécurité :	n.d.	Toyota Yaris
Qualités hivernales :	n.d.	
Espace intérieur :	n.d.	
Confort :	n.d.	

arrière dont l'assise se relève à la verticale, à la manière des camionnettes, démontrant encore une polyvalence inégalée dans cette catégorie. Le design de la planche de bord est plus évolué et les versions haut de gamme intègrent un écran tactile de sept pouces.

Côté mécanique, la Fit de troisième génération fait appel à un nouveau moteur quatre cylindres à double arbre à cames en tête de 1,5 litre, qui est doté de l'injection directe de carburant et du calage variable des soupapes. Avec ses 130 chevaux, on ne peut pas s'attendre à des départs canon mais cette puissance lui permettra assurément d'être plus véloce que sa devancière. Il est jumelé à une boîte manuelle à six vitesses ou à une boîte à variation continue empruntée à la Civic. Au Japon et en Europe, la Fit est également disponible avec une motorisation hybride dont la commercialisation n'est cependant pas prévue chez nous pour l'instant.

C'est où ça, Celaya ?

Celaya est une localité du Mexique où Honda a décidé de construire une usine au coût de 800 millions de dollars afin d'y assembler les Fit et HR-V destinés aux marchés d'Amérique du Nord. Auparavant, les Fit vendues au Canada étaient fabriquées au Japon. Cette usine mexicaine permet à Honda de réduire ses coûts de fabrication et de transport. Cependant, comme il s'agit d'une première incursion de la marque en territoire mexicain, la production a débuté lentement et des changements ont dû être apportés, car les responsables du contrôle de la qualité ont relevé certains problèmes... qu'ils n'ont toutefois pas voulu nous révéler !

De plus, la compagnie a éprouvé des ennuis de logistique dans le transport, et tout cela a fait en sorte que l'arrivée de la Honda Fit chez les concessionnaires a été retardée de plusieurs mois. De cette situation, on peut penser deux choses. Dans un premier temps, on peut s'interroger sur la qualité des véhicules Honda produits au Mexique en notant que, contrairement à d'autres marques qui assemblent des véhicules dans ce pays depuis des années, c'est une première expérience pour le constructeur japonais.

Dans un deuxième temps, on peut noter que Honda semble prendre tous les moyens pour justement s'assurer de la qualité des Fit avant de les expédier en concessions. On aimerait pouvoir vous donner l'heure juste à ce sujet, mais les journalistes canadiens n'ont pas été invités à essayer la nouvelle Fit alors que les représentants de la presse américaine l'ont fait. Doit-on blâmer l'incurie du département de relations publiques de Honda Canada pour cet oubli ? Poser la question, c'est y répondre...

Châssis - DX

Emp / lon / lar / haut	2530 / 4064 / 1703 / 1525 mm
Coffre / Réservoir	455 à 1492 litres / 40 litres
Nombre coussins sécurité / ceintures	6 / 5
Suspension avant	indépendante, jambes de force
Suspension arrière	semi-indépendante, poutre de torsion
Freins avant / arrière	disque / tambour
Direction	à crémaillère, ass. variable électrique
Diamètre de braquage	10,4 m
Pneus avant / arrière	P185/55R16 / P185/55R16
Poids / Capacité de remorquage	1090 kg / n.d.
Assemblage	Celaya, MX

Composantes mécaniques

DX, DX (CVT), Lux, RS

Cylindrée, soupapes, alim.	4L 1,5 litre 16 s atmos.
Puissance / Couple	130 chevaux / 114 lb-pi
Tr. base (opt) / rouage base (opt)	M6 (CVT) / Tr
0-100 / 80-120 / V.Max	9,5 s (est) / n.d. / n.d.
100-0 km/h	n.d.
Type / ville / route / CO_2	Ord / 7,1 / 5,7 l/100 km / 2976 kg/an

Du nouveau en 2015

Nouveau modèle.

- Toujours aussi polyvalente
- Nouveau moteur à injection directe
- Plus d'espace aux places arrière
- Dotation plus relevée d'équipements

- Fiabilité à démontrer
- Arrivée retardée sur le marché
- Sensibilité au vent latéral
- Prix élevés

Photos: Honda Canada

HONDA **ODYSSEY**

▶ **Catégorie :** Fourgonnette   ▶ **Échelle de prix :** 29 990 $ à 48 050 $ (2014)   ▶ **Transport et prép. :** 1 851 $

▶ **Cote d'assurance :** $$$$ ▶ **Garanties :** 3 ans/60 000 km, 5 ans/100 000 km   ▶ **Ventes CAN 2013 :** 10 284 unités

La raison du plus vaste est toujours la meilleure

Marc Lachapelle

Trente ans après l'apparition des premières fourgonnettes, on n'a toujours pas inventé meilleur moyen de transporter un maximum de personnes et d'objets de manière pratique, sûre et confortable. Et c'est encore Honda qui offre l'interprétation la plus aboutie et réussie de ce thème désormais classique avec son Odyssey. Une série dont les sept modèles permettent de passer d'un véhicule purement pragmatique à un authentique vaisseau de luxe, doté d'une panoplie impressionnante d'accessoires et de systèmes de toute nature.

La logique et la raison ne sont certainement pas toujours les premiers facteurs qui déterminent le choix d'un véhicule. Sinon, les acheteurs québécois n'auraient pas délaissé en masse les fourgonnettes pour des utilitaires et des multisegments moins agiles, moins spacieux, moins pratiques et généralement plus assoiffés ces dernières années… Heureusement que les meilleures sont restées et qu'elles continuent de progresser.

C'est ce que fait l'Odyssey depuis l'apparition de la toute première, il y a vingt ans. Plus compacte, plus agile et plus frugale que les ténors de la catégorie à l'époque, elle s'était pointée avec une innovation brillante pour ce type de véhicule : une troisième banquette qu'on pouvait faire disparaître complètement sous le plancher du coffre. Une idée que tous ont imitée par la suite. Cette première Odyssey s'est également révélée exceptionnellement fiable, mais elle n'était pas assez costaude pour un marché alors friand de fourgonnettes qui n'avaient déjà plus rien de « mini ».

Deux tailles au-dessus, minimum
L'Odyssey a donc grandi d'un coup sec en 1999 avec le lancement d'une deuxième génération dont la carrosserie s'était allongée de 35,5 cm et avait gagné 12,7 cm en hauteur et en largeur. L'empattement avait également bondi de 17 cm et n'a plus bougé d'un millimètre pour les trois générations suivantes qui furent présentées en 2005, 2008 et 2011.

Impressions de l'auteur	
Agrément de conduite :	★★★⯪☆ 3,5/5
Fiabilité :	★★★★☆ 4/5
Sécurité :	★★★★⯪ 4,5/5
Qualités hivernales :	★★★★☆ 4/5
Espace intérieur :	★★★★⯪ 4,5/5
Confort :	★★★★☆ 4/5

Concurrents

Chrysler Town & Country,
Dodge Grand Caravan, Kia Sedona,
Toyota Sienna

Les changements les plus importants et visibles ont été faits au plus récent de ces remodelages. L'Odyssey actuelle est plus courte de 2 cm et plus basse de 4 cm que la précédente, mais elle s'est élargie de 5,3 cm et les voies des roues ont gagné presque autant en largeur. On lui a surtout dessiné une silhouette plus fluide et ajouté des courbes et des encoches vers l'arrière pour qu'elle s'éloigne le plus possible de la forme de boîte désormais honnie de la fourgonnette classique. Le résultat est plus ou moins convaincant en termes d'esthétique, mais ce profil plus bas rend l'accès encore plus facile et profite au comportement routier, ce qui ne se refuse jamais. La coque de l'Odyssey a progressé à nouveau l'an dernier grâce à des modifications à la structure qui ont amélioré la sécurité passive en fonction des normes récentes les plus strictes et rigoureuses.

Or, qui dit fourgonnette dit forcément équipement et accessoires. Honda n'a pas lésiné dans ce domaine non plus et ajouté bon nombre d'éléments à l'équipement de série de chacune des versions. Entre autres la surveillance des angles morts, une alerte de collision avant imminente, un moniteur de sortie de voie, une fonction pour les textos, l'interface HondaLink compatible avec la radio Aha, l'interface Pandora et la connectivité sans-fil Bluetooth la plus récente.

Des vertus à partager

On a fait grand cas, l'an dernier, de l'aspirateur conçu avec le spécialiste Shop-Vac et intégré à la paroi du coffre arrière. Un système exclusif et inédit, installé uniquement dans la Touring, en sommet de gamme. Une bonne idée, bien exécutée, un appareil qui fonctionne bien. Rien d'étonnant chez Honda. Cet accessoire serait par contre plus utile aux jeunes familles qui se tourneront souvent plutôt vers les modèles plus abordables. Parions que c'est ce qui arrivera bientôt, comme ce fut le cas pour le V6 à cylindrée variable et la boîte automatique à 6 rapports qui furent offerts en premier sur la Touring et dont profitent maintenant toutes les Odyssey. Avec les gains attendus en performance et en frugalité.

Parlant du modèle Touring, on ne peut s'empêcher d'être à la fois étonné et déçu de constater que la finition de son habitacle paraisse banale et austère en comparaison avec certaines créations plus récentes et moins chères chez la concurrence. Surtout avec un prix qui dépasse les 50 000 $. Dire que la grande fourgonnette de Honda a longtemps été une référence pour ses habitacles cossus. Presque trop.

Cela dit, il s'agit de la seule réserve sérieuse que l'on peut exprimer à l'endroit de celle qui demeure le mètre-étalon de cette catégorie, pour l'ensemble de son œuvre. L'Odyssey est toujours un des véhicules les plus complets, raffinés, sûrs et polyvalents qu'on puisse trouver aujourd'hui. Avec une fiabilité et une valeur de revente à l'avenir.

Photos: Honda Canada

Châssis - Touring	
Emp / lon / lar / haut	3000 / 5153 / 2011 / 1737 mm
Coffre / Réservoir	846 à 4205 litres / 80 litres
Nombre coussins sécurité / ceintures	6 / 8
Suspension avant	indépendante, jambes de force
Suspension arrière	indépendante, double triangulation
Freins avant / arrière	disque / disque
Direction	à crémaillère, ass. variable
Diamètre de braquage	11,2 m
Pneus avant / arrière	P235/60R18 / P235/60R18
Poids / Capacité de remorquage	2090 kg / 1588 kg (3500 lb)
Assemblage	Lincoln, AL

Composantes mécaniques	
LX, SE, EX, Touring	
Cylindrée, soupapes, alim.	V6 3,5 litres 24 s atmos.
Puissance / Couple	248 chevaux / 250 lb-pi
Tr. base (opt) / rouage base (opt)	A6 / Tr
0-100 / 80-120 / V.Max	9,2 s / 6,3 s / n.d.
100-0 km/h	43,1 m
Type / ville / route / CO_2	Ord / 10,9 / 7,1 l/100 km / 4230 kg/an

Du nouveau en 2015
Aucun changement majeur

FEU VERT
- Comportement routier équilibré et sûr
- Groupe propulseur raffiné
- Espace et polyvalence exceptionnels
- Banquette arrière escamotable
- Belle maniabilité en ville

FEU ROUGE
- Finition intérieure décevante
- Pas de volant chauffant! (Touring)
- Direction trop légère
- Faible maintien latéral des sièges
- Parfois chère, jamais très jolie

HONDA **PILOT**

▶ **Catégorie :** VUS

▶ **Cote d'assurance :** $$$$

▶ **Échelle de prix :** 34 990 $ à 48 750 $ (2014)

▶ **Garanties :** 3 ans/60 000 km, 5 ans/100 000 km

▶ **Transport et prép. :** 1 851 $

▶ **Ventes CAN 2013 :** 6 356 unités

Inébranlable

Denis Duquet

Le Honda Pilot est un véhicule qui n'enthousiasme personne, qui ne séduit pas par sa silhouette et qui ne propose rien de bien spécial au chapitre de la technologie. Pire encore, on annonce depuis des lunes son remplacement par un modèle plus jazzé et en mesure de concurrencer une meute de modèles tous plus modernes et plus affûtés les uns que les autres, et pourtant...

Malgré les annonces les plus pessimistes quant à son avenir, le Honda Pilot est de retour pour un autre tour de piste. Comme pour plusieurs véhicules en fin de carrière, Honda peaufine l'offre en proposant un modèle « Édition spéciale ». Ce Pilot comprend des jantes exclusives de 18 pouces et constituées de cinq rayons, un système d'info divertissement pour les places arrière, la radio satellite, un toit ouvrant et des écussons spéciaux. Bref, c'est la recette traditionnelle pour mousser les ventes. Quant au reste, il n'y a aucun changement notable et

l'on retrouve la même silhouette taillée au couteau qui a pour but de donner un air de costaud au Pilot. Mais on peut rêver, les ingénieurs sont à parachever un modèle de remplacement.

Sans fla-fla

Les stylistes de Honda sont capables des pires excentricités ou d'un conservatisme extrême. C'est ce dernier cas qui nous concerne en ce qui a trait à ce VUS intermédiaire qui ressemble pratiquement à un véhicule blindé qui aurait été transformé en utilitaire sport... À part une grille de calandre chromée encadrée par des feux de route rectangulaires assez imposants, tout le reste est l'anthologie du design drabe. C'est à peine si les passages de roues en relief viennent ajouter un peu de piquant. On serait presque porté à croire que c'est un styliste ayant œuvré chez Volvo dans les années soixante-dix qui a dessiné la carrosserie. On ne sait jamais...

Impressions de l'auteur	
Agrément de conduite : ★★★☆	3,5/5
Fiabilité : ★★★★	4/5
Sécurité : ★★★★☆	4,5/5
Qualités hivernales : ★★★★	4/5
Espace intérieur : ★★★★☆	4,5/5
Confort : ★★★★☆	4,5/5

Concurrents

Chevrolet Traverse, Ford Flex, GMC Acadia, Nissan Murano, Toyota Highlander

Ironie à part, le dessin est intemporel et fortement utilitaire. Cette approche plaît aux gens rationnels qui se préoccupent des qualités pratiques d'un véhicule et non de sa silhouette.

Sur une note plus positive, l'habitacle est moins austère et force est d'admettre que c'est bien réussi dans l'ensemble. L'écran d'affichage est d'une bonne grandeur, les boutons de commande sont nombreux, mais leur disposition est pratique tandis que la qualité des matériaux et de la finition est sans reproche. On s'est même payé une petite touche de fantaisie avec des cadrans indicateurs à fond blanc dont les aiguilles semblent flotter dans le vide. Grâce à son boudin de bonnes dimensions, le volant se prend bien en main. Les commandes placées sur les rayons horizontaux sont conviviales et gèrent le régulateur de croisière, le système audio et le téléphone cellulaire relié au système Bluetooth. Par contre, la commande de téléphone mains libres est trop facile à activer par erreur.

Les sièges avant sont confortables tout comme ceux de la seconde rangée, à l'exception de la place centrale. Quant à la troisième rangée, elle semble davantage servir à répondre à des exigences de marketing qu'à accueillir des êtres humains. Enfin, l'habitacle regorge d'espaces de rangement.

Confort et solidité

À l'égal de son image, le Pilot est un véhicule qui accomplit du bon travail sans pour autant éblouir par ses performances. Le moteur V6 de 3,5 litres à cylindrée variable est un incontournable… puisqu'il est le seul! Ses 250 chevaux permettent de tracter une remorque pouvant totaliser 4 500 livres (2 040 kg), ce qui est correct pour la catégorie. Signe d'une certaine vétusté, la boîte automatique est à cinq rapports seulement alors que certains modèles concurrents ont des boîtes automatiques à huit rapports. Il est certain que les ingénieurs de Honda auront su remédier à la situation lorsque la prochaine génération sera dévoilée, si jamais cela se produit un jour… cela fait au moins deux ans qu'on annonce son arrivée!

Le modèle à traction avant est décevant et il est plus logique de choisir la traction intégrale offerte en option. De plus, un ingénieux système de verrouillage du rouage intégral permet d'aborder des sentiers assez intimidants. La direction est précise pour un VUS de cette taille tandis que la tenue de route est sans surprise compte tenu du poids bien que la suspension soit relativement ferme. En outre, les freins sont moyennement puissants. Soulignons au passage que l'insonorisation est perfectible.

En résumé, ce véhicule à tout faire ne brille pas par sa silhouette, mais c'est un VUS bien conçu, de fabrication soignée qui devrait assurer des années de service.

Châssis - LX 4RM

Emp / lon / lar / haut	2775 / 4861 / 1995 / 1846 mm
Coffre / Réservoir	589 à 2464 litres / 80 litres
Nombre coussins sécurité / ceintures	6 / 8
Suspension avant	indépendante, jambes de force
Suspension arrière	indépendante, multibras
Freins avant / arrière	disque / disque
Direction	à crémaillère, ass. variable
Diamètre de braquage	11,6 m
Pneus avant / arrière	P235/60R18 / P235/60R18
Poids / Capacité de remorquage	2047 kg / 2045 kg (4508 lb)
Assemblage	Lincoln, AL

Composantes mécaniques

Cylindrée, soupapes, alim.	V6 3,5 litres 24 s atmos.
Puissance / Couple	250 chevaux / 253 lb-pi
Tr. base (opt) / rouage base (opt)	A5 / Tr (Int)
0-100 / 80-120 / V.Max	8,8 s / 7,1 s / 175 km/h
100-0 km/h	47,1 m
Type / ville / route / co_2	Ord / 12,3 / 8,2 l/100 km / 4830 kg/an

Du nouveau en 2015

Aucun changement majeur sauf version Édition spéciale. Nouveau modèle prévu bientôt.

FEU VERT
- Habitacle pratique
- Rouage intégral efficace
- Fiabilité assurée
- Comportement routier correct
- Nombreux espaces de rangement

FEU ROUGE
- Modèle en sursis
- Suspension ferme
- Silhouette anonyme
- Version deux roues motrices peu intéressante

Photos : Honda Canada

HYUNDAI **ACCENT**

▸ **Catégorie :** Berline, Hatchback ▸ **Échelle de prix :** 13 499 $ à 19 049 $ (2014) ▸ **Transport et prép. :** 1 550 $

▸ **Cote d'assurance :** $$$$$ ▸ **Garanties :** 5 ans/100 000 km, 5 ans/100 000 km ▸ **Ventes CAN 2013 :** 18 844 unités

Sans complexe

Denis Duquet

Les propriétaires de l'Accent de la génération précédente s'excusaient presque de rouler au volant d'une telle voiture. Sa silhouette était pratiquement élémentaire, son moteur était rugueux et la présentation de l'habitacle était un autre indice de son caractère économique. Mais, les choses ont changé et la cuvée actuelle est même en mesure de séduire une clientèle BCBG tant la voiture est réussie sur le plan esthétique et pas trop mauvaise en fait de mécanique.

Toutefois, il ne faut pas en conclure que l'Accent peut soutenir la comparaison avec les meilleures compactes, mais elle se défend fort honorablement parmi les sous-compactes, sa catégorie. D'ailleurs, d'impressionnants chiffres de vente en témoignent.

Depuis quelque temps, les voitures produites par Hyundai sont reconnues pour leur élégance. Il suffit de songer à la

Sonata et même à l'Elantra pour s'en convaincre, et l'Accent ne se défend pas trop mal non plus. La berline est de forme plus classique, mais elle propose des lignes harmonieuses et sa section arrière est mieux réussie que sur d'autres modèles concurrents. Cependant, c'est le *hatchback* cinq portes qui s'attire la majorité des compliments. Sa fenestration diminuant en hauteur vers l'arrière, la petite glace de custode derrière le pilier C, le porte-à-faux arrière très réduit, voilà autant d'éléments qui confèrent à l'Accent cinq portes une allure athlétique.

La planche de bord est identique pour les deux versions et c'est réussi tant sur le plan pratique qu'esthétique. Les cadrans indicateurs de grande taille sont abrités dans une nacelle qui accueille également un petit écran numérique indiquant le niveau d'essence et la température du moteur. Au centre du tableau de bord, un module en forme de U est doté d'un écran d'affichage entouré des touches de commandes du système audio. Dans la partie inférieure, trois gros boutons

Impressions de l'auteur		Concurrents
Agrément de conduite : ★★★⯪★ 3,5/5		Chevrolet Sonic, Ford Fiesta, Honda
Fiabilité : ★★★★ 4/5		Fit, Kia Rio, Mazda2,
Sécurité : ★★★★ 4/5		Nissan Versa Note, Toyota Yaris
Qualités hivernales : ★★★⯪ 3,5/5		
Espace intérieur : ★★★⯪ 3,5/5		
Confort : ★★★★ 4/5		

gèrent la climatisation. Soulignons au passage la présence de nombreuses commandes en périphérie du moyeu du volant.

Sur le plan de la mécanique, c'est relativement simple puisqu'un seul moteur est offert. Il s'agit d'un quatre cylindres de 1,6 litre à injection directe d'une puissance de 138 chevaux et de 123 lb-pi de couple. La boîte manuelle à six vitesses est offerte de série tandis que l'automatique à six rapports est optionnelle. Comme dans la majorité des sous-compactes, la suspension avant est à jambes de force tandis qu'on dénote la présence d'un essieu arrière à poutre déformante. Contrairement à plusieurs concurrentes, l'Accent compte de série sur quatre freins à disque pour ralentir ses « ardeurs ».

Sur la route, le comportement routier est sans surprise bien qu'on décèle un sous-virage prononcé lors de la négociation de virages serrés pris à haute vitesse. Toutefois, on se doute bien que les propriétaires d'Accent ne se livreront pas souvent à ce genre d'exercice. La voiture est stable sur la route et son assise est bien campée. Et contrairement à l'Elantra, l'embrayage de la transmission manuelle s'est montré coopératif.

Un bilan positif

Au cours des derniers mois, nous avons été en mesure de mettre à l'essai une version hatchback de l'Accent sur plusieurs milliers de kilomètres. Il s'agissait d'un modèle GLS avec boîte automatique et comme c'était un modèle haut de gamme passablement équipé, aucun des essayeurs ne s'est plaint de conduire un « p'tit char » ou un « bazou bon marché ». L'aménagement intérieur, le niveau d'équipement de même que la silhouette extérieure ont fait l'objet de commentaires positifs. Toutefois, les personnes qui ont pris place à l'arrière se sont senties à l'étroit, ce qui est normal pour la catégorie. La possibilité d'abaisser le dossier augmente la capacité du coffre tandis que l'ouverture du hayon a permis de transporter des objets encombrants.

Cet essai s'est déroulé en partie lors d'un hiver passablement rigoureux et l'Accent a affronté froidure et chutes de neige sans problème. La voiture était dotée de pneus d'hiver Continental ContiWinterContact qui ont très bien performé. Peu importe la saison, les essayeurs ont apprécié l'agilité de la voiture en ville, les performances correctes du moteur et les passages rapides de la boîte manumatique à six rapports. Par contre, tous ont jugé que l'insonorisation n'était pas le point fort de l'Accent.

Au cours de cet essai, notre Hyundai n'a connu aucun pépin mécanique si ce n'est d'un pare-chocs arrière légèrement endommagé par quelqu'un qui a oublié de laisser ses coordonnées... ce qu'on appelle dans le jargon automobile, un « hit and run ». Quant à la consommation moyenne enregistrée tout au long de cet essai, elle a été de 7,0 l/100 km, ce qui n'est pas mauvais.

Châssis - GLS Hatchback (auto)

Emp / lon / lar / haut	2570 / 4115 / 1700 / 1450 mm
Coffre / Réservoir	600 à 1345 litres / 43 litres
Nombre coussins sécurité / ceintures	6 / 5
Suspension avant	indépendante, jambes de force
Suspension arrière	semi-indépendante, poutre de torsion
Freins avant / arrière	disque / disque
Direction	à crémaillère, ass. variable électrique
Diamètre de braquage	10,4 m
Pneus avant / arrière	P195/50R16 / P195/50R16
Poids / Capacité de remorquage	1195 kg / n.d.
Assemblage	Ulsan, KR

Composantes mécaniques

Berline, Hatchback

Cylindrée, soupapes, alim.	4L 1,6 litre 16 s atmos.
Puissance / Couple	138 chevaux / 123 lb-pi
Tr. base (opt) / rouage base (opt)	M6 (A6) / Tr
0-100 / 80-120 / V.Max	10,4 s / 7,6 s / n.d.
100-0 km/h	44,7 m
Type / ville / route / co_2	Ord / 7,6 / 5,2 l/100 km / 3000 kg/an

Du nouveau en 2015

Aucun changement majeur

FEU VERT
- Moteur robuste
- Tableau de bord réussi
- Tenue de route saine
- Boîte automatique efficace
- Version *hatchback* polyvalente

FEU ROUGE
- Visibilité arrière perfectible
- Insonorisation à revoir
- Modèles de base dépouillés
- Places arrière un peu justes

Photos: Hyundai Canada, Alain Morin

HYUNDAI **ELANTRA**

▶ **Catégorie :** Berline, Coupé, Hatchback ▶ **Échelle de prix :** 15 999 $ à 25 599 $ (2014) ▶ **Transport et prép. :** 1 550 $

▶ **Cote d'assurance :** $$$$ ▶ **Garanties :** 5 ans/100 000 km, 5 ans/100 000 km ▶ **Ventes CAN 2013 :** 54 760 unités

La bonne recette

Guy Desjardins

Hyundai ne s'est pas trompé avec la refonte de son Elantra en 2012. Tous les éléments furent réunis afin de livrer une voiture au point, capable de rivaliser à armes égales avec les Honda Civic et Mazda 3. Aujourd'hui, après trois années de compétition, l'Elantra a gagné son pari en devenant, pour plusieurs, la référence de la catégorie.

La cuvée 2 015 n'apporte pratiquement aucun changement pour l'Elantra. Des rumeurs circulent, voulant que la future génération, complètement redessinée par Peter Schreyer, sorte dès l'an prochain, pour l'année-modèle 2016. C'est pourquoi, cette année, on ne fait qu'ajouter une version Édition spéciale à la gamme de l'Elantra en plus d'offrir le moteur de 2,0 litres dans la berline GLS alors qu'il n'était disponible qu'avec le modèle Limited l'an dernier. Quant à l'Elantra GT, elle subit un très léger *facelift*, comme disent nos cousins français.

Ménage à trois

Depuis 2013, la gamme de l'Elantra s'est élargie. En plus de la berline, on y trouve également des versions Coupé et GT. Hyundai s'assure ainsi de couvrir un large éventail d'acheteurs puisque les trois modèles affichent des caractéristiques bien différentes qui leur évitent de se concurrencer entre eux.

Le plus populaire reste sans contredit la berline. Offerte en quatre moutures, Hyundai en ajoute une de plus cette année, une Édition spéciale qui arbore surtout des éléments esthétiques additionnels. Les livrées L et GL cachent un quatre cylindres de 1,8 litre, alors que les autres berlines disposent du 4 cylindres de 2,0 litres qui équipait déjà les versions Coupé et GT. Tous les modèles proposent une transmission manuelle et automatique à six rapports, sauf la Limited qui ne vient qu'avec la boîte automatique.

La conduite de cette berline ne rendra personne accro du volant mais son équilibre général étonne. On remarque

Impressions de l'auteur		
Agrément de conduite :	★★★★☆	4
Fiabilité :	★★★★☆	4
Sécurité :	★★★★☆	3,5
Qualités hivernales :	★★★★☆	3,5
Espace intérieur :	★★★★☆	4
Confort :	★★★★☆	4

Concurrents
Chevrolet Cruze, Dodge Dart, Ford Focus, Honda Civic, Kia Forte, Mazda3, Mitsubishi Lancer, Nissan Sentra, Subaru Impreza, Toyota Corolla

également une excellente insonorisation et des suspensions calibrées de juste façon, livrant un bon compromis entre le confort et la fermeté, mais légèrement trop sèches sur les routes cahoteuses. La puissance du 1,8 litre est suffisante pour la plupart des utilisations. Cependant, l'arrivée du 2,0 litres sur la GLS permettra d'égayer la conduite sans avoir à débourser le gros montant demandé par la version Limited.

Bataille sur deux fronts

Concurrence oblige, Hyundai propose une version Coupé de son Elantra. Directe rivale de la Honda Civic Coupé, cette Elantra « deux portes » adopte une tenue de route similaire à la berline. Depuis l'an dernier, l'Elantra Coupe est dotée de série du moteur de 2,0 litres avec la technologie d'injection directe de carburant permettant d'améliorer à la fois la consommation et la puissance. De plus, les modèles à boîte automatique intègrent le système Active ECO qui gère la réponse du moteur et le comportement de la transmission afin de procurer des accélérations plus efficaces, favorisant du même coup l'économie d'essence.

Pour se démarquer de sa rivale Civic, mais surtout pour concurrencer la Mazda3 Sport, Hyundai propose, en plus, une version cinq portes de l'Elantra, la GT. Son style tout à fait européen affiche une allure plus sportive. Les lignes sculptées des flancs et du capot rendent cette voiture très dynamique, tandis que le contour gonflé des passages de roue met en valeur les jantes de 17 pouces. À l'avant, on remarque la calandre hexagonale alors que les feux arrière débordant sur les ailes ajoutent à sa fluidité. À l'intérieur, la GT dispose de plusieurs éléments intéressants, en équipement standard ou optionnel, comme la connectivité Bluetooth et le démarrage par bouton.

Sur la route, la GT procure une expérience de conduite à la fois amusante et sportive. Son moteur de 2,0 litres, le même que celui qui propulse les berlines GLS/Limited et le Coupé, déploie une puissance de 173 chevaux tout en gardant la consommation de carburant autour de 7,0 l/100 km. La GT est livrable en cinq versions et en fonction du choix, elle sera équipée d'une transmission manuelle ou automatique à six rapports. Malgré l'efficacité de la boîte automatique, la manuelle rend la conduite plus dynamique. Il est également possible d'ajuster la réponse de la direction selon les modes Confort, Normal et Sport afin que la conduite du véhicule s'adapte au contexte. Ce gadget fonctionne mais on se lasse vite de valser entre les modes.

Le design des véhicules change à un rythme effréné chez Hyundai. Avec la refonte de l'Elantra l'an prochain, pratiquement tous les véhicules du constructeur coréen seront passés sous le crayon des designers. Néanmoins, l'Elantra 2015 reste un excellent choix compte tenu du prix, de la qualité de fabrication, de la garantie et du design harmonieux.

Châssis - GLS Berline (auto)

Emp / lon / lar / haut	2700 / 4550 / 1775 / 1435 mm
Coffre / Réservoir	420 litres / 48 litres
Nombre coussins sécurité / ceintures	6 / 5
Suspension avant	indépendante, jambes de force
Suspension arrière	semi-indépendante, poutre de torsion
Freins avant / arrière	disque / disque
Direction	à crémaillère, ass. variable électrique
Diamètre de braquage	10,6 m
Pneus avant / arrière	P205/55R16 / P205/55R16
Poids / Capacité de remorquage	1335 kg / n.d.
Assemblage	Montgomery, AL

Composantes mécaniques

Berline

Cylindrée, soupapes, alim.	4L 1,8 litre 16 s atmos.
Puissance / Couple	145 chevaux / 130 lb-pi
Tr. base (opt) / rouage base (opt)	M6 (A6) / Tr
0-100 / 80-120 / V.Max	10,6 s / 7,5 s / n.d.
100-0 km/h	44,6 m
Type / ville / route / CO_2	Ord / 7,6 / 5,3 l/100 km / 3020 kg/an

Berline, Coupé, GT

Cylindrée, soupapes, alim.	4L 2,0 litres 16 s atmos.
Puissance / Couple	173 chevaux / 154 lb-pi
Tr. base (opt) / rouage base (opt)	M6 (A6) / Tr
0-100 / 80-120 / V.Max	10,0 s / 7,0 s / n.d.
100-0 km/h	43,2 m
Type / ville / route / CO_2	Ord / 8,3 / 5,6 l/100 km / 3260 kg/an

Du nouveau en 2015

Nouvelle version Édition spéciale, moteur 2,0 litres disponible sur la GLS.

- Choix de carrosseries
- Moteurs intéressants
- Tenue de route agréable
- Consommation raisonnable

- Système de direction ajustable inutile
- Puissance juste (1,8 litre)
- Suspensions sèches
- Habitacle compact (Coupé)

Photos: Hyundai Canada

HYUNDAI **EQUUS**

▶ **Catégorie :** Berline	▶ **Échelle de prix :** 64 799 $ à 72 299 $ (2014)	▶ **Transport et prép. :** 1 760 $
▶ **Cote d'assurance :** n.d.	▶ **Garanties :** 5 ans/100 000 km, 5 ans/100 000 km	▶ **Ventes CAN 2013 :** 83 unités

Mission impossible?

Sylvain Raymond

D e nos jours, il n'y a plus véritablement de chasse gardée chez les constructeurs. BMW, Audi et Mercedes-Benz vendent maintenant des modèles compacts et abordables, alors que de l'autre côté du spectre, Hyundai et Kia essaient de percer le segment des grandes berlines de luxe. On tente ainsi de ratisser plus large et d'augmenter la rentabilité de l'entreprise, mais on veut surtout éviter de laisser filer un client vers une autre marque parce qu'on n'a aucun modèle dans la gamme qui pourrait le satisfaire.

Pour un constructeur de prestige, il est facile de vendre des modèles abordables, même si le risque de froisser sa clientèle traditionnelle existe bel et bien. À l'opposé, il n'est pas simple de convaincre les riches de s'offrir un modèle haut de gamme provenant d'une marque sans prestige. Les gens, généralement, aiment afficher leur statut et s'achètent bien souvent un logo...

L'Equus, un pari difficile

C'est pour cette raison que plusieurs constructeurs ont lancé une division de luxe, histoire de dissocier leur modèle haut de gamme de la marque grand public. Hyundai a donc pris un pari difficile en introduisant l'Equus en 2010, voiture destinée à rivaliser avec des modèles de grand luxe. Kia suit ses traces cette année avec l'introduction de la cousine de l'Equus, la K900.

L'Equus propose peu de nouveautés cette année ayant subi une refonte l'an passé. À ce moment, les designers avaient légèrement retouché la grille qui est désormais plus subtile et rétréci les garnitures chromées pour plus de finesse. Aussi, de nouvelles jantes de 19 pouces au design de pales de turbine avaient été ajoutées. L'ensemble est plus uniforme qu'avant.

Depuis la refonte, l'habitacle correspond davantage aux prétentions luxueuses de l'Equus. Le tout débute par des sièges ultra-confortables, chauffés et ventilés dont les

Impressions de l'auteur		Concurrents
Agrément de conduite : ★★★☆☆ 3		Audi A8, BMW Série 7, Cadillac XTS,
Fiabilité : ★★★★☆ 3,5		Lexus LS, Mercedes-Benz Classe S
Sécurité : ★★★★★ 4,5		
Qualités hivernales : ★★★★☆ 3,5		
Espace intérieur : ★★★★☆ 4		
Confort : ★★★★★ 4,5		

HYUNDAI EQUUS

nombreux ajustements permettent de trouver rapidement une bonne position de conduite. Le grand luxe, quoi! Les garnitures ont une apparence supérieure alors que la planche de bord est plus moderne grâce à l'instrumentation numérique qui est plus lisible et qui affiche une multitude d'informations selon les goûts du pilote.

L'Equus peut aussi devenir une parfaite voiture de fonction et rendre l'expérience encore plus intéressante une fois qu'on est assis à l'arrière. La banquette est confortable, l'espace aux jambes est gigantesque et vous avez le contrôle complet des paramètres grâce à un bloc de commandes situé entre les deux passagers. Rideaux, chaîne audio, sièges chauffants, climatisation à trois zones, tout y est... ou presque!

Une bonne cavalerie

Cette grande berline cinq passagers profite d'une architecture à propulsion, ce qui est en ligne avec ce que la concurrence propose. Cependant, aucun rouage intégral dans le cas de l'Equus. Le seul moteur que l'on retrouve sous son capot est un V8 de 5,0 litres à injection directe qui produit 429 chevaux et 376 lb-pi de couple. Si vous êtes un peu plus serré dans votre budget, vous pourrez toujours l'alimenter en carburant ordinaire, mais vous perdrez quelques chevaux au passage. Avec ces chiffres l'Equus n'a pas à rougir face à ses rivales. Elle a de la puissance à revendre, malgré son poids relativement élevé.

Sur la route, la voiture surprend par son confort et son silence de roulement, attribuables, principalement, à sa suspension pneumatique. Les accélérations sont rapides et un peu plus bestiales lorsqu'on enfonce l'accélérateur à fond. On apprécie la possibilité de sélectionner différents paramètres de conduite. Le mode Eco encourage la conduite économique alors que le mode Sport raffermit la direction et la suspension tout en modifiant la courbe de puissance du moteur. On est toutefois loin du dynamisme des berlines sport allemandes. Quant au mode Snow, il maximise les prestances de la voiture en condition très glissante, mais n'a pas l'efficacité d'un rouage intégral.

Côté sécurité, l'Equus regorge de systèmes et d'assistances en conduite afin d'éviter de mettre son pilote dans l'embarras. Là où elle tire véritablement son épingle du jeu, c'est au chapitre du rapport prix/équipement. Alors que toutes ses rivales vous forcent à piger dans le dispendieux catalogue d'options, l'Equus arrive avec un niveau d'équipements princier, tout en demeurant plus abordable que bien des d'autres voitures de luxe.

Hyundai n'est pas dupe, elle sait très bien que l'Equus ne génèrera pas un gros volume de ventes. Mais avec 83 unités vendues au Canada en 2013, on se demande réellement si l'opération est rentable. Pour le moment, cette auto remplit sa mission: démontrer le savoir-faire de Hyundai.

Châssis - Ultimate

Emp / lon / lar / haut	3045 / 5160 / 1890 / 1490 mm
Coffre / Réservoir	473 litres / 77 litres
Nombre coussins sécurité / ceintures	9 / 5
Suspension avant	indépendante, pneumatique, multibras
Suspension arrière	indépendante, pneumatique, multibras
Freins avant / arrière	disque / disque
Direction	à crémaillère, ass. variable électronique
Diamètre de braquage	12,1 m
Pneus avant / arrière	P245/45R19 / P275/40R19
Poids / Capacité de remorquage	2106 kg / n.d.
Assemblage	Ulsan, KR

Composantes mécaniques

Signature, Ultimate

Cylindrée, soupapes, alim.	V8 5,0 litres 32 s atmos.
Puissance / Couple	429 chevaux / 376 lb-pi
Tr. base (opt) / rouage base (opt)	A8 / Prop
0-100 / 80-120 / V.Max	6,1 s / 3,5 s / n.d.
100-0 km/h	43,4 m
Type / ville / route / co$_2$	Sup / 13,7 / 8,6 l/100 km / 5244 kg/an

Du nouveau en 2015

Aucun changement majeur

- Habitacle luxueux
- Nombreux gadgets technos
- Confort relevé
- Prix compétitif

- Dépréciation élevée à prévoir
- Marque sans prestige
- Pas de rouage intégral offert
- Pas de choix de moteurs

Photos : Hyundai Canada

HYUNDAI **GENESIS**

▶ **Catégorie :** Berline

▶ **Cote d'assurance :** $$$$$

▶ **Échelle de prix :** 43 000 $ à 62 000 $

▶ **Garanties :** 5 ans/100 000 km, 5 ans/100 000 km

▶ **Transport et prép. :** 1 760 $

▶ **Ventes CAN 2013 :** 1 062 unités

Hyundai garde le cap

Alain Morin

Dans un rare moment de grande lucidité, j'ai déjà écrit que les Coréens étaient patients et qu'ils apprenaient de leurs erreurs. Lorsque l'entreprise coréenne décide d'explorer un créneau du marché qui lui est inconnu, elle propose un véhicule bien ficelé mais loin d'être au niveau de la concurrence. La deuxième génération est nettement mieux réussie et la troisième fait mouche. Regardez ce qui s'est passé avec l'Accent, l'Elantra, la Sonata, le Tucson, le Santa Fe. Cette année, Hyundai dévoile la deuxième génération de sa Genesis...

La première Genesis possédait des lignes tout ce qu'il y avait de plus conventionnelles, pour ne pas dire ennuyantes. Celle qui nous arrive cette année ne fait toujours pas dans le spectaculaire mais on sent que les designers ont mis nettement plus de modernité dans leur crayon. Si vous voyez dans la nouvelle venue des airs de Ford, Infiniti, Audi ou de quelques autres, vous n'êtes pas seuls.

La carrosserie est toute nouvelle, l'habitacle aussi. Et là, Hyundai s'est surpassée. Le tableau de bord, par exemple, est d'un grand chic. Les matériaux de qualité qui le recouvrent sont assemblés par des employés compétents et minutieux. Les sièges se sont révélés confortables même après quelques heures, l'ergonomie ne pose pas de problème particulier, la liste des équipements de base est étonnamment longue et les espaces de rangement sont nombreux. À l'arrière aussi le confort est de mise quoique la place centrale n'est pas très accueillante. Le coffre, pour sa part, est grand sans toutefois égaler celui des Chrysler 300, Chevrolet Impala et autres Toyota Avalon qui constituent le gros de sa compétition.

Eh oui, la véritable compétition de la Genesis est encore celle des grandes berlines américaines et non celle des BMW Série 5, Audi A6 ou Mercedes-Benz Classe E comme Hyundai aime tant le souligner. Et voici pourquoi...

Impressions de l'auteur	
Agrément de conduite : ★★★☆	3,5/5
Fiabilité :	Nouveau modèle
Sécurité : ★★★★½	4,5/5
Qualités hivernales : ★★★★	4/5
Espace intérieur : ★★★★	4/5
Confort : ★★★★	4/5

Concurrents
Acura TLX, Chrysler 300, Ford Taurus, Lexus ES, Lincoln MKZ, Nissan Maxima, Toyota Avalon

Priorité au V6

Sous le capot, peu de changements. On retrouve donc toujours le V6 de 3,8 litres qui développe maintenant 311 chevaux, soit un peu moins qu'avant. Il y a aussi un V8 de 5,0 litres qui a également perdu quelques équidés. Selon Hyundai Canada, cette perte est compensée par un couple légèrement plus élevé à bas et moyen régimes. Peu importe le moulin, la transmission est, comme avant, une automatique à huit rapports dont la programmation aurait été revue pour qu'elle passe ses rapports plus rapidement. Heureusement qu'on me l'a dit...

Tout comme par le passé, le V6 est le moteur à privilégier. Certes moins puissant que le V8, il procure néanmoins des accélérations et des reprises tout à fait adéquates. Et, détail non négligeable, il consomme moins. Le V8, de son côté, est une véritable bombe qui caresse les tympans à chaque accélération. Par contre, à environ 9000 $ de plus qu'une version V6, ça fait cher la caresse!

Nouvelle génération, nouveau châssis! Pour attirer le plus d'acheteurs possible, la Genesis ne sera désormais plus offerte qu'en rouage intégral. Finie la propulsion, du moins au Canada. Cette décision est sage et devrait, conformément aux attentes, amener un volume de vente un peu plus élevé. Le système HTRAC, développé par Magna Powertrain est plutôt sophistiqué. Un boîtier de transfert (un *transfer case* en bon français) est placé à la sortie de la transmission. La Genesis étant d'abord une propulsion, un arbre de transmission achemine la puissance aux roues arrière. Un autre arbre part du boîtier de transfert pour alimenter les roues avant.

Plus Chrysler que BMW

Chaque Genesis est livrée avec trois modes: Eco, Normal et Sport. Les différences entre chacun est bien perceptible et le mode Sport, sans transformer la voiture en bête prête à en découdre avec une Ferrari, améliore le comportement routier, surtout avec le V8 alors que même les suspensions gagnent en fermeté. Cependant, la tenue de route a beau être très solide, on est loin du comportement pointu d'une Audi ou d'une BMW. La direction de la Genesis a gagné en fermeté et en précision, mais ce n'est pas encore au niveau des Allemandes, tandis que le freinage est adéquat sur la route cependant j'hésiterais à le pousser à fond sur une piste de course...

Bref, les ingénieurs de Hyundai ont réussi le pari d'améliorer avec succès la Genesis. Cependant, contrairement à ce que prétend le manufacturier coréen, elle n'est pas encore une menace pour les concurrentes ciblées et je serais surpris qu'un amateur de sportivité (ou d'un logo prestigieux) soit davantage attiré par cette Hyundai. Par contre, si je m'appelais Chrysler, Toyota ou Nissan, j'aurais peur. Et si j'étais BMW ou Audi, je commencerais à regarder dans mes rétroviseurs, juste au cas où Hyundai sortirait une troisième génération...

Photos : Alain Morin

Châssis - 3,8 Luxe	
Emp / lon / lar / haut	3010 / 4990 / 1890 / 1480 mm
Coffre / Réservoir	433 litres / 73 litres
Nombre coussins sécurité / ceintures	9 / 5
Suspension avant	indépendante, multibras
Suspension arrière	indépendante, multibras
Freins avant / arrière	disque / disque
Direction	à crémaillère, ass. variable électrique
Diamètre de braquage	11,4 m
Pneus avant / arrière	P245/45R18 / P245/45R18
Poids / Capacité de remorquage	2069 kg / n.d.
Assemblage	Ulsan, KR

Composantes mécaniques	
3.8	
Cylindrée, soupapes, alim.	V6 3,8 litres 24 s atmos.
Puissance / Couple	311 chevaux / 293 lb-pi
Tr. base (opt) / rouage base (opt)	A8 / Int
0-100 / 80-120 / V.Max	6,2 s (est) / 4,8 s (est) / n.d.
100-0 km/h	n.d.
Type / ville / route / co$_2$	Ord / 12,4 / 8,1 l/100 km / 4810 kg/an

5.0 Ultimate	
Cylindrée, soupapes, alim.	V8 5,0 litres 2 s atmos.
Puissance / Couple	420 chevaux / 383 lb-pi
Tr. base (opt) / rouage base (opt)	A8 / Int
0-100 / 80-120 / V.Max	5,8 s (est) / 4,2 s (est) / n.d.
100-0 km/h	42,2 m (est)
Type / ville / route / co$_2$	Sup / 13,1 / 8,1 l/100 km / 5660 kg/an

Du nouveau en 2015

Nouveau modèle.

FEU VERT
- Carrosserie agréable à regarder
- Habitacle cossu et confortable
- Moteurs en verve
- Rouage intégral de série
- Comportement routier relevé

FEU ROUGE
- Voiture lourde
- V8 plus ou moins utile et dispendieux
- Banquette arrière non repliable
- En manque de prestige

HYUNDAI **GENESIS COUPE**

▶ **Catégorie :** Coupé	▶ **Échelle de prix :** 36 999 $ à 38 799 $ (2014)	▶ **Transport et prép. :** 1 650 $
▶ **Cote d'assurance :** $$$$$	▶ **Garanties :** 5 ans/100 000 km, 5 ans/100 000 km	▶ **Ventes CAN 2013 :** 1 813 unités

Adieu le quatre cylindres

Denis Duquet

La direction de Hyundai est parfois difficile à suivre. Prenez par exemple la nomenclature de ses modèles. Pourquoi en baptiser quelques-uns « Genesis »? Le nom peut porter à confusion et laisse croire à une éventuelle division distincte, car autant le coupé que la berline Genesis ciblent une clientèle un peu plus à l'aise financièrement. La berline de luxe Equus pourrait également faire partie de cette famille. Il me semble que l'appellation Genesis se prêterait fort bien à une marque de prestige de Hyundai. La confusion est encore plus grande quand on constate que la berline Genesis et le coupé ne partagent pas grand-chose excepté la plate-forme et qu'ils s'adressent à des publics très différents.

Toujours est-il que Hyundai a décidé de cesser la production de la Genesis Coupe propulsée par le moteur quatre cylindres turbo de 2,0 litres pour ne conserver que la version à moteur

V6. Serait-ce le premier pas en vue de donner une vocation plus cossue à toutes les Genesis ? En attendant, c'est bye bye à un quatre cylindres intéressant et au caractère nettement plus sportif que le V6. Il faut croire que les amateurs du moteur en V ont été plus nombreux que les adeptes de la suralimentation par turbo. Mais si jamais vous trouvez une Genesis Coupe 2,0 litres en solde ou parmi les modèles d'occasion, elle demeure un bon choix si la conduite sportive vous intéresse. Sachez toutefois que l'embrayage manuel du quatre cylindres n'est pas le plus agréable qui soit.

Six ans déjà

Peu importe la motorisation, la Genesis a fait ses débuts sur le marché en 2010. Des améliorations de mi-génération lui ont été apportées en 2013, ce qui lui permet de présenter une silhouette toujours dans le coup, bien que quelques rondeurs et détails de présentation témoignent d'une certaine vétusté. Malgré tout, la silhouette demeure toujours élégante, surtout en raison d'une ligne de caractère placée immédiatement

Impressions de l'auteur			Concurrents
Agrément de conduite :	★★★★☆	4	Chevrolet Camaro, Ford Mustang, Nissan Z
Fiabilité :	★★★☆⯪	3,5	
Sécurité :	★★★★☆	4	
Qualités hivernales :	★★★☆☆	3	
Espace intérieur :	★★★☆⯪	3,5	
Confort :	★★★☆⯪	3,5	

HYUNDAI GENESIS COUPE

sous la fenêtre et qui se termine à la portière pour être reprise par une autre qui se poursuit sur la partie supérieure de l'aile, et ce, jusqu'à l'arrière. La voie est large et l'assise basse, ce qui permet à la voiture d'être bien campée sur la route. Soulignons au passage que les jantes en alliage s'harmonisent au caractère sportif de la voiture.

Si l'extérieur est réussi, on peut dire la même chose à propos de l'habitacle et surtout de la planche de bord dont le prolongement central est cette large console qui met à la portée de la main du pilote plusieurs commandes. Le centre du tableau de bord est occupé par un écran d'affichage qui le complète bien. De plus, les stylistes ont fait appel à trois cadrans circulaires qui servent en quelque sorte de délimitation entre la planche de bord et la console, tout en accentuant le caractère sportif de ce coupé sport.

Soulignons que le volant se prend bien en main et que les sièges avant sont confortables, mais que les places arrière sont réservées à de jeunes passagers ou à des personnes que vous voulez voir souffrir.

Grand tourisme

Si la défunte version à moteur quatre cylindres se voulait plus sportive, le modèle encore au catalogue est davantage une voiture de type grand tourisme qui se plaît à rouler à grande vitesse et en douceur sur l'autoroute. Par contre, plus le parcours devient sinueux, plus la lourdeur du moteur V6 fait sentir sa présence. Malgré tout, la direction s'avère précise et la rétroaction de la route est digne de mention. De plus, les 348 équidés sous le capot permettent des temps d'accélération intéressants alors qu'il faut 5,5 secondes pour boucler le 0-100 km/h. Sans oublier que la puissance de freinage n'est pas à dédaigner. D'ailleurs, selon plusieurs ce coupé coréen plus agile et plus nerveux est une solution de rechange intéressante par rapport aux *muscle cars* américains propulsés par de tonitruants moteurs V8 passablement gourmands. Il serait toutefois surprenant que cette comparaison soit prise au sérieux tant les partisans des Camaro, Mustang et Challenger ont un parti pris fortement ancré pour leur voiture respective!

Avec la disparition du modèle de base, Hyundai devra modifier l'offre de son seul et unique Genesis Coupe et certainement réviser l'équipement de série et les groupes d'options. Il ne faudrait pas se surprendre qu'une édition plus dépouillée et plus abordable soit ajoutée au catalogue afin de rendre l'offre toujours compétitive. Sans oublier que le caractère un peu plus bourgeois de ce modèle par rapport au 2,0 t ciblera une clientèle un peu plus âgée.

Châssis - 3,8 GT (man.)

Emp / lon / lar / haut	2820 / 4630 / 1865 / 1385 mm
Coffre / Réservoir	332 litres / 65 litres
Nombre coussins sécurité / ceintures	6 / 4
Suspension avant	indépendante, jambes de force
Suspension arrière	indépendante, multibras
Freins avant / arrière	disque / disque
Direction	à crémaillère, ass. variable
Diamètre de braquage	11,4 m
Pneus avant / arrière	P225/40R19 / P245/40R19
Poids / Capacité de remorquage	1557 kg / n.d.
Assemblage	Ulsan, KR

Composantes mécaniques

3.8 GT (man / auto)

Cylindrée, soupapes, alim.	V6 3,8 litres 24 s atmos.
Puissance / Couple	348 chevaux / 295 lb-pi
Tr. base (opt) / rouage base (opt)	M6 (A8) / Prop
0-100 / 80-120 / V.Max	5,5 s / 4,5 s / 240 km/h
100-0 km/h	36,7 m
Type / ville / route / co_2	Sup / 11,3 / 7,0 l/100 km / 4310 kg/an

Du nouveau en 2015

Disparition du moteur 2,0 litres.

FEU VERT
- Moteur V6 puissant
- Direction précise
- Bonne tenue de route
- Tableau de bord élégant
- Silhouette réussie

FEU ROUGE
- Places arrière presque symboliques
- Abandon du quatre cylindres 2,0T
- Lourdeur du train avant
- Essence Super

Photos : Alain Morin

HYUNDAI **SANTA FE**

▸ **Catégorie :** VUS

▸ **Cote d'assurance :** $$$$$

▸ **Échelle de prix :** 28 399 $ à 43 199 $ (2014)

▸ **Garanties :** 5 ans/100 000 km, 5 ans/100 000 km

▸ **Transport et prép. :** 1795 $

▸ **Ventes CAN 2013 :** 29 220 unités

Qui aurait un jour pensé...

Nadine Filion

Qui aurait un jour pensé pouvoir dire que le plus bas prix, ce n'est pas chez le Coréen Hyundai qu'on le dégoterait ? Qu'au contraire, l'étiquette serait plus élevée que la moyenne, parce que le véhicule serait bardé d'équipements à faire pâlir d'envie la compétition ?

Eh bien, ce jour-là est arrivé. Si le Hyundai Santa Fe n'est plus le moins cher du marché, c'est parce qu'il ne s'offre pas en variante « toute nue ». De série, pensez sièges avant chauffants, Bluetooth, commandes audio au volant, régulateur de vitesse, phares antibrouillard. Comme gâteries optionnelles, ajoutons le méga-toit panoramique (60 pouces de pavillon vitré !), les sièges avant ventilés, la banquette arrière et le volant chauffant.

Le Hyundai Santa Fe a été scindé en deux à son dernier passage générationnel, une « division » familiale qui a renvoyé aux oubliettes le Hyundai Veracruz. D'un côté, la variante Sport se case parmi les utilitaires « compacts » de cinq places — avec en prime un espace de chargement parmi les plus généreux de la catégorie. De l'autre, la variante XL — comme dans « extra large »... bien qu'elle ne se fasse plus longue que de 20 cm — vient se classer, avec ses trois rangées, parmi les intermédiaires.

Le XL accorde six ou sept places, selon que l'on opte ou pas pour les confortables fauteuils capitaine au centre ou la banquette, qui a le bonheur de coulisser, de s'incliner et de se rabattre en un très pratique 40/20/40. Les deux places arrière ? Pas si « tant pire » avec un bon dégagement aux genoux. Avec les deux rangées à plat, le coffre touche les 2 265 litres, soit la fonctionnalité d'une fourgonnette sans, heureusement, la chanson.

Rien pour perdre... son coréen

Visuellement, le Hyundai Santa Fe ne fait pas de vague comme à sa première génération (rappelez-vous ces flancs concaves...). Certes, le style est contemporain et agréable à l'œil, mais il n'a rien d'innovant. Cette calandre « de luxe », ces phares en

Impressions de l'auteur				Concurrents
Agrément de conduite :	★★★★★	3	5	Ford Explorer, Jeep Grand Cherokee, Kia Sorento
Fiabilité :	★★★★★	4	5	
Sécurité :	★★★★★	4	5	
Qualités hivernales :	★★★★★	4	5	
Espace intérieur :	★★★★★	4	5	
Confort :	★★★★★	3,5	5	

pointu, ce toit plongeant et ces vitres latérales en goutte d'eau (qui handicapent la vision) rappellent... le Ford Escape qui, lui, rappelle le petit frère, le Hyundai Tucson.

À l'intérieur, rien de *cheap*, mais pas d'exagération non plus. On aime cette qualité de finition (les plastiques durs sont habilement dissimulés) et chaque détail semble avoir été pensé pour faciliter le quotidien, à commencer par des commandes simples à localiser et à manipuler. De fait, on a droit à l'ergonomie reprise aux soeurettes Elantra, Sonata, Accent, alouette, donc on n'y perd pas... son coréen.

Sous le capot : trois choix plutôt qu'un

Deux quatre cylindres proposent de propulser le Hyundai Santa Fe Sport. Celui de base (2,4 litres) à injection directe est doux et suffit à la plupart des tâches — tout au plus, ses 190 chevaux sont un peu justes en hautes révolutions. La vigueur est linéaire, transigée par une boîte automatique six rapports qui se fait transparente et au court levier agréable à manier. Besoin de plus de vigueur pour remorquer 1 590 kg (3 505 livres) tout au plus? Ne cherchez pas de V6, il est réservé au Santa Fe XL. C'est plutôt un quatre cylindres (2,0 litres) turbo qui fait office de « gros moteur » dans le Santa Fe Sport, avec une offre de 264 chevaux. Bien domestiqué lors d'impulsions tranquilles, cet organe livre une belle accélération quand le pied droit s'énerve, et ce, sans effet de couple.

Le Hyundai Santa Fe XL a quant à lui décidé qu'il n'irait pas en deçà d'un V6, ne serait-ce que pour remorquer 2 268 kg (5 000 livres). Il mise donc sur le Lambda (3,3 litres) à injection directe qui propulse la grande berline Hyundai Azera, toujours distribuée aux É.-U. Ce V6 a été « tuné » afin, dit-on, de répondre aux préférences dites américaines. À 290 chevaux, le moteur dispose de l'une des puissances les plus élevées de la catégorie, qu'il livre dans des accélérations d'une grande douceur, à la Toyota.

Les deux Santa Fe se proposent en variante à deux roues motrices, mais nous ne saurions trop vous conseiller la traction intégrale, bien que la marche financière soit haute (4000 $). Non seulement « notre pays, c'est l'hiver », mais cet AWD a le mérite de se verrouiller 50-50, question de pouvoir affronter des conditions routières corsées. Tous les systèmes AWD n'ont pas cette chance!

Sur la grand-route, tant pour le p'tit Sport que pour le XL, la balade se fait dans la plénitude, grâce à une suspension arrière à multibras qui mise davantage sur le confort que sur la sportivité. Ne cherchez donc pas de zeste d'excitation : la direction est d'une neutralité platonique et le comportement est tout ce qu'il y a de plus prévisible, ce qui convient parfaitement pour le légendaire « du point A au point B », sans fla-fla et en tout confort.

Châssis - Sport 2.0T SE TI

Emp / lon / lar / haut	2700 / 4690 / 1880 / 1680 mm
Coffre / Réservoir	1003 à 2025 litres / 66 litres
Nombre coussins sécurité / ceintures	7 / 5
Suspension avant	indépendante, jambes de force
Suspension arrière	indépendante, multibras
Freins avant / arrière	disque / disque
Direction	à crémaillère, ass. variable électrique
Diamètre de braquage	10,9 m
Pneus avant / arrière	P235/55R19 / P235/55R19
Poids / Capacité de remorquage	1752 kg / 1590 kg (3505 lb)
Assemblage	West Point, GA

Composantes mécaniques

Sport 2.4

Cylindrée, soupapes, alim.	4L 2,4 litres 16 s atmos.
Puissance / Couple	190 chevaux / 181 lb-pi
Tr. base (opt) / rouage base (opt)	A6 / Tr (Int)
0-100 / 80-120 / V.Max	10,1 s / 7,4 s / n.d.
100-0 km/h	40,8 m
Type / ville / route / co_2	Ord / 10,5 / 7,7 l/100 km / 4278 kg/an

Sport 2.0T

Cylindrée, soupapes, alim.	4L 2,0 litres 16 s turbo
Puissance / Couple	264 chevaux / 269 lb-pi
Tr. base (opt) / rouage base (opt)	A6 / Int
0-100 / 80-120 / V.Max	9,2 s / 5,1 s / n.d.
100-0 km/h	43,7 m
Type / ville / route / co_2	Sup / 11,0 / 8,4 l/100 km / 4508 kg/an

XL

Cylindrée, soupapes, alim.	V6 3,3 litres 24 s atmos.
Puissance / Couple	290 chevaux / 252 lb-pi
Tr. base (opt) / rouage base (opt)	A6 / Tr (Int)
0-100 / 80-120 / V.Max	8,4 s / 6,6 s / n.d.
100-0 km/h	42,7 m
Type / ville / route / co_2	Ord / 11,7 / 8,0 l/100 km / 4620 kg/an

Du nouveau en 2015

Aucun changement majeur. Nouvelle calandre foncée, hayon électrique pour le Santa Fe Sport (option).

FEU VERT
- Habitacle ergonomique, bien conçu
- Généreux équipements pour le prix
- Vaste espace cargo
- AWD qui se verrouille 50-50

FEU ROUGE
- Sièges qui manquent un brin de rembourrage
- Insonorisation perfectible (Santa Fe Sport)
- Conduite sans émotions
- Vision latérale arrière handicapée

Photos : Sylvain Raymond, Alain Morin

HYUNDAI **SONATA**

▸ **Catégorie :** Berline ▸ **Échelle de prix :** 23 999 $ à 34 799 $ ▸ **Transport et prép. :** 1 760 $

▸ **Cote d'assurance :** $$$$$ ▸ **Garanties :** 5 ans/100 000 km, 5 ans/100 000 km ▸ **Ventes CAN 2013 :** 14 519 unités

Domination potentiellement possible

Costa Mouzouris

La Sonata est reconnue comme une voiture qui offre une qualité de roulement supérieure à ce que laisse présager son prix. Et ce sera encore plus vrai en 2015. Hyundai a apporté plusieurs améliorations, dont l'utilisation d'un pourcentage accru d'adhésifs et d'acier à haute résistance. Il en résulte un châssis nettement plus rigide, ce qui améliore la tenue de route et la sécurité, tout en rendant la Sonata encore plus silencieuse qu'avant.

Plus grosse et meilleure

La Sonata a gagné 10 mm en empattement, 35 mm en longueur totale et 30 mm en largeur. Pour les passagers arrière, cela se traduit par un gain de 25 mm pour les jambes et de 5 mm en hauteur. À l'avant, on gagne 10 mm en hauteur.

Hyundai a également apporté d'importantes améliorations en matière d'aménagement intérieur. La finition et l'assemblage semblent au-dessus de la norme pour cette gamme de prix, même s'il y a encore un peu de plastique dur sur le tableau de bord qui vient altérer l'ambiance par ailleurs plutôt luxueuse. La console centrale a été revue et on peut obtenir en option un écran tactile de huit pouces.

Côté motorisation, on peut encore choisir entre deux quatre cylindres en ligne. Le modèle de 2,4 litres à aspiration normale a eu droit à différents changements internes qui améliorent son comportement et réduisent sa consommation d'essence. Il a perdu 5 chevaux et 1 lb-pi de couple dans le processus, mais on y gagne au change puisque le couple maximal est livré un peu plus tôt, et le moteur répond mieux à bas régimes. Avec ses 190 chevaux et son couple de 178 lb-pi, la puissance est suffisante et il tourne en douceur à vitesse de croisière. On sent cependant qu'il travaille plus fort lors des accélérations et, comme les rapports de la transmission automatique à six vitesses sont espacés, certains bruits mécaniques atteignent l'habitacle lors des dépassements.

Impressions de l'auteur		Concurrents
Agrément de conduite :	★★★½ 3,5/5	Buick LaCrosse, Chevrolet Malibu,
Fiabilité :	★★★★ 4/5	Chrysler 200, Ford Fusion,
Sécurité :	★★★★½ 4,5/5	Honda Accord, Kia Optima,
Qualités hivernales :	★★★★ 4/5	Mazda6, Nissan Altima,
Espace intérieur :	★★★★½ 4,5/5	Subaru Legacy, Toyota Camry
Confort :	★★★★ 4/5	

De son côté, le 2,0 litres suralimenté par turbocompresseur est maintenant muni d'une plus petite turbine. Il en résulte, ici aussi, une diminution de puissance (245 chevaux au lieu de 274), mais le délai de réponse du turbo a été raccourci et le couple maximal (260 lb-pi, neuf de moins qu'en 2014) est livré 300 tr/min plus tôt. À l'usage, ce 2,0 litres se révèle plus vif et plus agréable qu'avant. Par rapport à son collègue à aspiration normale, il livre une puissance supérieure à tous les régimes et il est mieux adapté au poids de la Sonata.

La consommation combinée, mesurée avec le nouveau test des cinq cycles, est de 8,4 l/100 km pour le moteur à aspiration normale, et de 9,1 l/100 km pour le turbo.

Comme une berline de catégorie supérieure

La Sonata est une berline intermédiaire au comportement doux et civilisé, et son habitacle dégage une impression de sérénité. Pour la rendre plus luxueuse, on peut ajouter une foule d'options, notamment un écran de huit pouces avec système de navigation, des sièges avant chauffants et ventilés, et un toit panoramique. La version Sport est dotée d'une direction plus directe et d'une suspension plus ferme ; son roulement est cependant un peu plus sec.

Le pilote peut choisir entre trois modes de conduite : Eco, Normal et Sport. En principe, chaque mode redéfinit le comportement de la transmission et la fermeté de la direction, mais on sent peu de différence d'un à l'autre.

La Sonata était en retard en matière de dispositifs d'aide à la conduite. À partir de cette année, ce n'est plus le cas. En option, on peut notamment obtenir un régulateur de vitesse adaptatif et des systèmes d'avertissement de collision avant, de sortie de voie, de circulation arrière transversale et d'angle mort. Hyundai a également ajouté un coussin gonflable aux genoux, du côté du conducteur. La Sonata est maintenant l'une des voitures les mieux pourvues de sa catégorie en matière de sécurité active.

Le luxe abordable

La Sonata 2015 est offerte en sept différentes déclinaisons, soit deux de plus que l'an dernier. Le modèle de base, la GL (23 999 $), est relativement bien équipé : climatiseur, sièges chauffants à l'avant, Bluetooth et autres gâteries. Pour profiter des dispositifs d'aide à la conduite, vous devrez passer aux modèles Limited (32 999 $) ou Ultimate (34 799 $). Une version Sport est aussi offerte, peu importe le moteur.

Il ne fait pas de doute que l'on peut maintenant considérer Hyundai comme un constructeur d'automobiles fiables et raffinées. En 2014, Hyundai est arrivée au quatrième rang pour la qualité initiale selon J.D. Powers, tout juste derrière Porsche, Jaguar et Lexus. Ajoutez à cela une fourchette de prix compétitive et un niveau d'équipement de série supérieur à la moyenne, et vous obtenez un chef de file potentiel dans cette catégorie.

Châssis - 2.0T Ultimate

Emp / lon / lar / haut	2804 / 4854 / 1864 / 1476 mm
Coffre / Réservoir	462 litres / 70 litres
Nombre coussins sécurité / ceintures	7 / 5
Suspension avant	indépendante, jambes de force
Suspension arrière	indépendante, multibras
Freins avant / arrière	disque / disque
Direction	à crémaillère, ass. variable électrique
Diamètre de braquage	10,9 m
Pneus avant / arrière	P235/45R18 / P235/45R18
Poids / Capacité de remorquage	1644 kg / non recommandé
Assemblage	Montgomery, AL

Composantes mécaniques

Hybride / Limited

Cylindrée, soupapes, alim.	4L 2,4 litres 16 s atmos.
Puissance / Couple	159 chevaux / 154 lb-pi
Tr. base (opt) / rouage base (opt)	A6 / Tr
0-100 / 80-120 / V.Max	9,4 s / 7,0 s / n.d.
100-0 km/h	44,7 m
Type / ville / route / CO_2	Ord / 5,5 / 4,9 l/100 km / 2410 kg/an

Moteur électrique

Puissance / Couple	47 ch (35 kW) / n.d.
Type de batterie	Lithium-ion Polymère (Li-Po)
Énergie	1,4 kWh

GL, GLS, Sport, Limited

Cylindrée, soupapes, alim.	4L 2,4 litres 16 s atmos.
Puissance / Couple	185 chevaux / 178 lb-pi
Tr. base (opt) / rouage base (opt)	A6 / Tr
0-100 / 80-120 / V.Max	n.d. / n.d. / n.d.
100-0 km/h	n.d.
Type / ville / route / CO_2	Ord / 9,8 / 7,0 l/100 km / 3928 kg/an

2.0T, 2.0T Ultimate

Cylindrée, soupapes, alim.	4L 2,0 litres 16 s turbo
Puissance / Couple	245 chevaux / 260 lb-pi
Tr. base (opt) / rouage base (opt)	A6 / Tr
0-100 / 80-120 / V.Max	n.d. / n.d. / n.d.
100-0 km/h	n.d.
Type / ville / route / CO_2	Sup / 11,4 / 7,5 l/100 km / 4437 kg/an

Photos : Costa Mouzouris

Du nouveau en 2015

Suspension plus ferme et direction plus directe (Sport), dispositifs de sécurité de pointe, coussin gonflable aux genoux pour le conducteur, nouvelles variantes. Carrosserie redessinée.

FEU VERT
- Allure sophistiquée et raffinée
- Bien équipée pour le prix
- Intérieur amélioré, impression de qualité
- Roulement confortable, habitacle silencieux
- Dispositifs de sécurité de pointe

FEU ROUGE
- Moteur légèrement bruyant à l'accélération
- Boîte auto six rapports un peu ancienne
- Le 2,4 l pourrait être plus puissant
- Gamme de déclinaisons déroutante

HYUNDAI **TUCSON**

▶ **Catégorie :** VUS	▶ **Échelle de prix :** 20 999 $ à 33 599 $ (2014)	▶ **Transport et prép. :** 1 760 $
▶ **Cote d'assurance :** $$$$$	▶ **Garanties :** 5 ans/100 000 km, 5 ans/100 000 km	▶ **Ventes CAN 2013 :** 11 685 unités

Déjà vieux?

Guy Desjardins

De tous les constructeurs, Hyundai est probablement le seul à avoir autant modifié le style de ses véhicules durant les dernières années. L'entreprise sud-coréenne le fait principalement pour attirer de nouveaux acheteurs, mais cet exercice lui apporte à chaque occasion beaucoup de visibilité, principalement des médias spécialisés dans l'industrie automobile.

Dans le cas du Tucson cependant, la dernière refonte majeure date de 2010, ce qui représente une longue période si l'on se fie à la philosophie de Hyundai. Parions donc que les changements seront drastiques pour le modèle 2016 puisque cette année, les nouveautés se résument à un rafraîchissement de la calandre et des feux arrière afin de lui donner un style à la Santa Fe. Pour ce qui est de la nouvelle version propulsée à l'hydrogène, elle n'est pas prévue sur le marché canadien.

Le Tucson utilise la plate-forme de l'Elantra et les dimensions résultantes le placent dans la catégorie des véhicules utilitaires sport compacts, mais légèrement sous le gabarit des Ford Escape, Honda CR-V et Toyota RAV4 qui ont tous pris du poids et du volume avec l'âge. L'apparence du Tucson vieillit bien mais, malheureusement, dans ce créneau très compétitif les nouveaux modèles attirent davantage les consommateurs. Le Tucson a des dimensions intéressantes, très appréciées en ville. La visibilité ne pose en général pas de problème malgré la faible surface vitrée et l'étroitesse de la lunette arrière qui handicape légèrement les manœuvres de recul en l'absence de caméra. Sur autoroute, l'empattement court du Tucson se fait sentir par les nombreux sautillements de la suspension.

Deux quatre

Il n'y a pas si longtemps, tous les VUS compacts s'offraient une motorisation V6 en option. Des considérations environnementales et économiques ainsi que les raffinements

Impressions de l'auteur		Concurrents
Agrément de conduite : ★★★½☆ **3,5**/5		Chevrolet Equinox, Ford Escape,
Fiabilité : ★★★★☆ **4**/5		Honda CR-V, Jeep Compass, Jeep
Sécurité : ★★★★☆ **4**/5		Patriot, Kia Sportage, Mitsubishi
Qualités hivernales : ★★★★☆ **4**/5		Outlander, Nissan Rogue,
Espace intérieur : ★★★½☆ **3,5**/5		Subaru Forester, Toyota RAV4,
Confort : ★★★½☆ **3,5**/5		Volkswagen Tiguan

techniques ont radié les 6 cylindres pour ne conserver que les 4. Dans le cas du Tucson cependant, on propose une alternative, un autre 4 cylindres! Le choix n'est pas évident à faire étant donné la très mince différence de puissance entre les deux versions. L'atout majeur du 2,4 litres réside surtout dans son couple qui est nettement plus élevé que sur la version de 2,0 litres. Les accélérations sont donc plus instantanées et franches de même que les reprises qui ne demandent pas à rétrograder outrageusement pour obtenir plus de révolutions du moteur. Le 2,4 litres sera également plus à l'aise lorsqu'il aura à tracter une tente roulotte (jusqu'à 907 kg si cette dernière a des freins). Autrement, la consommation entre les deux versions ne diffère que très peu. En version à quatre roues motrices le Tucson se débrouille très bien malgré le poids additionnel.

Si Hyundai est passé maître dans l'art de peaufiner ses carrosseries, le constat est moins reluisant pour la tenue de route du véhicule. Malgré des suspensions indépendantes aux quatre roues, le comportement routier du Tucson reste ferme, voire rigide, lorsque la route se dégrade. Les malformations de la chaussée se transmettent sans retenue dans l'habitacle et sur le volant. Ajoutons également une insonorisation qui fait légèrement défaut, surtout en pleine accélération avec la motorisation de base, et il en résultera un Tucson qui traine de la patte face à une concurrence qui fait nettement mieux. Mais parions que Hyundai est bien au courant de ce qui se passe chez ses adversaires. Heureusement, le moteur 2,4 litres en option adoucit les accélérations et améliore l'équilibre général.

Belle présentation

L'aménagement intérieur fait toujours preuve d'une grande attention avec des inspirations rappelant les modèles Audi. La finition est excellente et malgré une grande utilisation du plastique, rien ne donne dans le bas de gamme. On se croirait même dans un véhicule plus huppé tellement l'agencement des différents matériaux est harmonieux. La position de conduite se trouve aisément et les sièges supportent bien le haut du corps. Tout est à portée de main, mais compte tenu des dimensions réduites du véhicule, le contraire aurait été étonnant. À l'arrière, l'espace est compté et l'assise des sièges pourrait être un peu plus inclinée vers l'arrière pour mieux supporter les jambes. Quant au coffre, l'inclinaison de la lunette arrière ainsi que les tunnels de la suspension réduisent grandement l'espace disponible pour le chargement.

Le Tucson subira des changements dès l'an prochain, il n'en fait aucun doute. Entre-temps, le modèle 2015 survit aux attaques d'une concurrence renouvelée récemment. Les dimensions du Tucson font de lui un VUS parfait pour la ville. Sa consommation est décente, les prix restent abordables et les deux motorisations permettent un choix adapté aux besoins. Attention aux options qui font grimper les prix puisqu'un Tucson pleinement équipé s'affiche à un prix supérieur à celui d'un Santa Fe à traction intégrale.

Photos : Hyundai Canada

Châssis - GL TA

Emp / lon / lar / haut	2640 / 4400 / 1820 / 1655 mm
Coffre / Réservoir	728 à 1580 litres / 58 litres
Nombre coussins sécurité / ceintures	6 / 5
Suspension avant	indépendante, jambes de force
Suspension arrière	indépendante, multibras
Freins avant / arrière	disque / disque
Direction	à crémaillère, ass. variable électrique
Diamètre de braquage	10,6 m
Pneus avant / arrière	P225/60R17 / P225/60R17
Poids / Capacité de remorquage	1466 kg / 454 kg (1000 lb)
Assemblage	Ulsan, KR

Composantes mécaniques

GL

Cylindrée, soupapes, alim.	4L 2,0 litres 16 s atmos.
Puissance / Couple	164 chevaux / 151 lb-pi
Tr. base (opt) / rouage base (opt)	M6 (A6) / Tr (Int)
0-100 / 80-120 / V.Max	11,0 s / 9,2 s / n.d.
100-0 km/h	41,8 m
Type / ville / route / co₂	Ord / 10,0 / 7,8 l/100 km / 4150 kg/an

GLS, Limited

Cylindrée, soupapes, alim.	4L 2,4 litres 16 s atmos.
Puissance / Couple	182 chevaux / 177 lb-pi
Tr. base (opt) / rouage base (opt)	A6 / Tr (Int)
0-100 / 80-120 / V.Max	10,6 s / 8,3 s / n.d.
100-0 km/h	41,8 m
Type / ville / route / co₂	Ord / 10,2 / 7,8 l/100 km / 4200 kg/an

Du nouveau en 2015

Retouches esthétiques extérieures.

FEU VERT
- Gabarit intéressant
- Prix de base
- Motorisation 2,4 litres adéquate
- Finition excellente
- Consommation décente

FEU ROUGE
- Suspension ferme
- Habitacle compact
- Moteur 2,0 litres juste
- Tenue de route en retrait
- Coffre réduit

HYUNDAI **VELOSTER**

▶ **Catégorie :** Coupé	▶ **Échelle de prix :** 19 849 $ à 26 749 $ (2014)	▶ **Transport et prép. :** 1695 $
▶ **Cote d'assurance :** $$$$$	▶ **Garanties :** 5 ans/100 000 km, 5 ans/100 000 km	▶ **Ventes CAN 2013 :** 4 704 unités

Hyundai nous refait le coup de la Scoupe...

Denis Duquet

Les coupés sport sont le casse-tête des constructeurs automobiles. Ces modèles ciblent une clientèle jeune qui apprécie la tenue de route et les performances. Mais pour atteindre ces objectifs, il en résulte une auto généralement plus onéreuse que les berlines de même catégorie et honnies par les assureurs qui pénalisent fortement leurs propriétaires.

Pour rendre la chose accessible aux jeunes conducteurs, les constructeurs doivent se rabattre sur un modèle compact, sous-compact même, et le modifier afin d'en faire un véhicule un tantinet sportif. Pour plusieurs marques, cette opération consiste en une décalcomanie distinctive, un échappement sport, un pédalier en aluminium et une suspension légèrement modifiée. Et s'il reste du budget, on va trafiquer le moteur pour en tirer quelques chevaux de plus.

Chez Hyundai, on a adopté une politique qui avait déjà été essayée au début des années 1990. À l'époque, les bonzes du constructeur coréen avaient pris la sous-compacte Excel et en avaient tiré une version « sportive », la Scoupe. Cette fois, ils ont décidé de se servir de la fort économique Accent, de lui dessiner une silhouette à faire craquer les jeunes et de l'équiper un tant soit peu. La Veloster était née! Il y a bien eu quelques grains de sable dans l'engrenage, mais la réception fut très enthousiaste.

La J.Lo des autos

Vous connaissez tous l'actrice-chanteuse américaine Jennifer Lopez dont ont dit que le principal attribut physique est... son popotin. Eh bien, même si cette association d'idées est loufoque, je l'avoue, le point fort de la Veloster est sa partie arrière. En effet, la section avant se démarque de celle de l'Accent par une calandre à six points de contact et dont les bâtonnets horizontaux sont suffisamment espacés pour laisse entrevoir le radiateur, mais rien de trop audacieux. À l'arrière par contre,

Impressions de l'auteur		Concurrents
Agrément de conduite : ★★★⯪ 3,5/5		Honda CR-Z, MINI Classique, Scion tC
Fiabilité : ★★★★ 4/5		
Sécurité : ★★★★ 4/5		
Qualités hivernales : ★★★⯪ 3,5/5		
Espace intérieur : ★★★⯪ 3,5/5		
Confort : ★★★⯪ 3,5/5		

c'est une autre histoire! La Veloster se distingue davantage avec sa lunette très étroite, son pare-chocs mis en évidence par un simili déflecteur, tandis que les feux sont de grandes dimensions afin d'accentuer cette impression de lourdeur. Sans oublier la ligne du toit qui s'incline vers l'arrière.

Pour poursuivre sur une note originale, les stylistes ont placé une portière arrière droite qui fait de ce coupé un trois portes sans tenir compte du hayon. Les mauvaises langues expliquent la présence de ce panneau d'accès en raison des places arrière tellement exiguës qu'il aurait été impossible de s'y assoir en tentant d'y accéder par les portières régulières.

Le tableau de bord est moins controversé, bien qu'original avec sa console verticale en relief en forme de V, et qui regroupe toutes les commandes. Le pédalier en aluminium ajoute à la personnalité sportive. En plus, de bonnes notes pour les sièges avant dont les généreux rebords nous maintiennent en place. Par contre, ces mêmes rebords sont un obstacle pour accéder au siège ou s'en extirper.

Fausse représentation ?

À ses débuts sur le marché, la Veloster a enthousiasmé les acheteurs amateurs de coupés sport. Mais quelle fut leur déconvenue quand ils ont réalisé que cette bombe en puissance était propulsée par le malingre quatre cylindres 1,6 litre de 138 chevaux de l'Accent! Il est fiable et consomme peu, mais lorsqu'une voiture prétendument sportive met presque 10 secondes pour boucler le 0-100 km/h, vous êtes en droit d'être déçu... D'autant plus que l'embrayage de la boîte manuelle ne voulait pas toujours collaborer.

Dès le lancement de la Veloster en 2012, les dirigeants de Hyundai nous avaient promis l'arrivée imminente de plus de muscles sous le capot. Un turbo a été greffé à ce quatre cylindres et la Veloster est devenue non pas une voiture de sport, mais un coupé un peu plus déluré qui met environ deux secondes de moins pour effectuer le 0-100 km/h.

De plus, ce moteur permet de tirer profit de la plate-forme qui est d'une rigidité respectable pour une voiture qui, à l'origine, est à vocation économique. Par contre, si elle fait bonne figure dans les longs virages, les choses se gâtent lorsque les courbes se resserrent. Un impressionnant sous-virage se manifeste tandis que les roues avant perdent soudainement de leur adhérence. Et ce comportement routier est similaire sur la version atmosphérique avec le moteur de 138 chevaux, mais comme les choses se passent moins rapidement, le pilote a davantage le temps de réagir.

La Veloster n'est pas pour tous les goûts, mais force est d'admettre que l'exécution est réussie dans l'ensemble.

Châssis - Turbo

Emp / lon / lar / haut	2650 / 4250 / 1805 / 1399 mm
Coffre / Réservoir	440 litres / 50 litres
Nombre coussins sécurité / ceintures	6 / 4
Suspension avant	indépendante, jambes de force
Suspension arrière	semi-indépendante, poutre de torsion
Freins avant / arrière	disque / disque
Direction	à crémaillère, ass. variable électrique
Diamètre de braquage	10,4 m
Pneus avant / arrière	P215/40R18 / P215/40R18
Poids / Capacité de remorquage	1255 kg / n.d.
Assemblage	Ulsan, KR

Composantes mécaniques

Base

Cylindrée, soupapes, alim.	4L 1,6 litre 16 s atmos.
Puissance / Couple	138 chevaux / 123 lb-pi
Tr. base (opt) / rouage base (opt)	M6 (A6) / Tr
0-100 / 80-120 / V.Max	9,7 s / 7,0 s / n.d.
100-0 km/h	42,0 m
Type / ville / route / CO_2	Ord / 7,5 / 5,3 l/100 km / 2990 kg/an

Turbo

Cylindrée, soupapes, alim.	4L 1,6 litre 16 s turbo
Puissance / Couple	201 chevaux / 195 lb-pi
Tr. base (opt) / rouage base (opt)	M6 (A6) / Tr
0-100 / 80-120 / V.Max	8,1 s / 5,6 s / n.d.
100-0 km/h	43,1 m
Type / ville / route / CO_2	Sup / 8,3 / 5,7 l/100 km / 3266 kg/an

Du nouveau en 2015

Aucun changement majeur

FEU VERT
- Version Turbo intéressante
- Bonne tenue de route
- Porte arrière droite astucieuse
- Prix compétitif

FEU ROUGE
- Places arrière exiguës
- Visibilité arrière à revoir
- Moteur de base un peu juste
- Silhouette controversée

INFINITI Q50

▸ **Catégorie :** Berline	▸ **Échelle de prix :** 37 500 $ à 56 450 $ (2014)	▸ **Transport et prép. :** 1 995 $
▸ **Cote d'assurance :** $$$$	▸ **Garanties :** 4 ans/100 000 km, 6 ans/110 000 km	▸ **Ventes CAN 2013 :** 3 048 unités*

Un pas en avant, un pas en arrière

Jacques Duval

Le moins que l'on puisse dire à propos de la récente Infiniti Q50, c'est que ce n'est pas la voiture exceptionnelle qu'ont été ses devancières, la G35 puis la G37. Je me souviens encore de l'enthousiasme que celles-ci avaient suscité chez moi lors de leurs débuts sur le marché autour de 2002. C'étaient, à mon sens, les premières créations japonaises à pouvoir enfin s'opposer aux meilleures berlines sport germaniques, que ce soit la Mercedes de Classe C, la BMW de série 3 ou l'Audi A4. Bref, elles avaient un moteur plein d'entrain et leur comportement routier bonifié par la propulsion faisait figure d'exception à l'époque dans les voitures en provenance du pays du Soleil levant.

On ne peut malheureusement en dire autant de la Q50 dont l'appellation a même été modifiée pour la distinguer de la G35. Et cette distinction ne l'avantage sûrement pas. Pourquoi ? Son moteur est chatouilleux et il devient difficile

de bien doser l'accélérateur qui ne s'accorde pas toujours très bien avec la transmission automatique à 7 rapports. Serait-ce particulier au modèle AWD hybride qui me fut confié pour cet essai ? Probablement, étant donné le caractère « l'économie à tout prix » de cette version. Car, si l'on se montre circonspect et en sachant tirer profit d'une route en pente, on peut atteindre 100 km/h en mode électrique. Avec un peu d'habitude, on peut même maintenir un rythme de 90 km/h avec la seule aide du moteur électrique. Ce qui est moins réjouissant toutefois et plutôt étonnant, c'est que cette Q50 bouffe tout de même 8 litres aux 100 km d'essence super. Ce n'est qu'environ 10 % de moins qu'une voiture aux dimensions comparables sans assistance hybride. Pourtant, son coefficient aérodynamique est on ne plus favorable et le freinage récupère bel et bien son énergie cinétique à chaque intervention. Même que le moteur à essence prend congé dès que l'on soulève le pied de l'accélérateur.

Si c'est plutôt la puissance qui vous intéresse, cette Infiniti hybride n'en est pas avare avec un V6 de 3,5 litres totalisant

Impressions de l'auteur			Concurrents
Agrément de conduite :	★★★★★	3/5	Audi A4, BMW Série 3, Cadillac ATS,
Fiabilité :	★★★★★	4/5	Lexus IS, Mercedes-Benz Classe C,
Sécurité :	★★★★★	4,5/5	Volvo S60
Qualités hivernales :	★★★★★	4/5	
Espace intérieur :	★★★★★	3/5	
Confort :	★★★★★	4/5	

* Incluant Q60

INFINITI Q50

360 ch et un couple monstre, lesquels sont gérés par une transmission automatique séquentielle à 7 rapports pourvue des plus grosses palettes qu'il m'a été donné de voir à ce jour. Encore là, ladite boîte ne paraît pas toujours d'accord avec l'accélérateur qu'il faut enfoncer lourdement et qui s'avère difficile à moduler. La direction n'aide en rien au plaisir de conduire en étant indûment lourde. La tenue de route mériterait un accessit, si ce n'était de cette fâcheuse tendance qu'ont les pneus à suivre les anfractuosités du revêtement, une ombre à la tenue de cap.

On peut évidemment contourner les petits irritants de l'hybridation en optant pour la même voiture avec un simple moteur à essence, un 3,7 litres. On y perdra une trentaine de chevaux en échange d'un gain de près de 300 kilos à la pesée.

Accidents interdits

Cela dit, l'Infiniti Q50 est pourvue d'une armada électronique particulièrement étoffée sur le plan de la sécurité active. Si jamais, vous voulez changer de voie et qu'une autre voiture interdit une telle manœuvre, le contrôle actif de sécurité vous repoussera, assez brutalement dois-je le dire, dans la trajectoire préalable. Ajoutons à cela un système de surveillance et d'intervention relié aux angles morts, un détecteur de collision frontale et toute une panoplie de garde-fous électroniques qui confèrent à la Q50 l'étiquette « accidents interdits ». En somme, si l'agrément de conduite de ce modèle n'est pas aussi poussé que dans les anciennes G, on a au moins la consolation de bénéficier d'une sécurité active de premier plan.

Oui et non

La voiture n'est pas avare d'informations ou de réglages prodigués par deux écrans tactiles placés à la verticale sur l'immense console centrale. L'un affiche la caméra de marche arrière grand-angle, l'une des meilleures du genre, même si la visibilité est très potable sans cet accessoire. On a évidemment accès aussi à une multitude de réglages de l'électronique embarquée. En matière de perception de la qualité, l'intérieur de la Q50 mérite plus que la cote de passage grâce à une finition ultrasoignée qui confère une ambiance exquise de luxe et de confort. Des sièges répondant correctement aux normes orthopédiques et un petit volant agréable à tenir en main contribuent aussi au bien-être que l'on éprouve à l'intérieur. Seuls vos passagers arrière seront moins à l'aise, surtout s'ils sont un peu costauds. Quant au coffre à bagages, son volume est lourdement entamé par la présence des batteries de la version hybride. Encore là, cette dernière déçoit, surtout qu'elle commande un supplément frisant les 10 000 $.

L'Infiniti Q50 s'éloigne passablement de la berline sport qu'était la G37 et s'engage dans la cohorte des voitures privilégiant le luxe, le confort et une sécurité active très poussée, surtout avec l'assistance des quatre roues motrices.

Photos : Infiniti Canada, Denis Duquet

Châssis - Berline hybride

Emp / lon / lar / haut	2850 / 4803 / 1824 / 1443 mm
Coffre / Réservoir	266 litres / 67 litres
Nombre coussins sécurité / ceintures	6 / 5
Suspension avant	indépendante, bras inégaux
Suspension arrière	indépendante, multibras
Freins avant / arrière	disque / disque
Direction	à crémaillère, ass. électrique
Diamètre de braquage	11,2 m
Pneus avant / arrière	P225/55R17 / P225/55R17
Poids / Capacité de remorquage	1779 kg / n.d.
Assemblage	Tochigi, JP

Composantes mécaniques

Hybride

Cylindrée, soupapes, alim.	V6 3,5 litres 24 s atmos.
Puissance / Couple	302 chevaux / 258 lb-pi
Tr. base (opt) / rouage base (opt)	A7 / Prop (Int)
0-100 / 80-120 / V.Max	5,8 s / 3,9 s / n.d.
100-0 km/h	42,4 m
Type / ville / route / CO_2	Sup / 8,7 / 7,6 l/100 km / 3770 kg/an

Moteur électrique

Puissance / Couple	67 chevaux (50 kw) / 214 lb-pi
Type de batterie	Lithium-ion
Énergie	n.d.

Sport

Cylindrée, soupapes, alim.	V6 3,7 litres 24 s atmos.
Puissance / Couple	328 chevaux / 269 lb-pi
Tr. base (opt) / rouage base (opt)	A7 / Prop (Int)
0-100 / 80-120 / V.Max	5,5 s (est) / n.d. / n.d.
100-0 km/h	n.d.
Type / ville / route / CO_2	Sup / 11,8 / 8,1 l/100 km / 4660 kg/an

Du nouveau en 2015

Aucun changement majeur. Version Eau Rouge à venir.

FEU VERT
- Excellent moteur éprouvé
- Électronique poussée
- Sécurité active remarquable
- Équipement complet
- Bonne visibilité

FEU ROUGE
- Agrément de conduite en baisse
- Faible volume du coffre (hybride)
- Places arrière justes
- Transmission hésitante
- Consommation décevante

INFINITI Q60

- ▶ **Catégorie :** Cabriolet, Coupé
- ▶ **Cote d'assurance :** $$$$

- ▶ **Échelle de prix :** 49 300 $ à 58 400 $ (2014)
- ▶ **Garanties :** 4 ans/100 000 km, 6 ans/110 000 km

- ▶ **Transport et prép. :** 1 995 $
- ▶ **Ventes CAN 2013 :** 3 048 unités*

Sportive? Non!

Denis Duquet

Depuis qu'Infiniti a eu la bonne idée de devenir partenaire officiel de l'écurie Red Bull, on en mène large en fait de promotion. Par exemple, Infiniti claironne qu'elle a contribué au développement de la nouvelle voiture de cette écurie de formule 1. Non sans avoir nommé Sébastien Vettel, champion du monde en titre pour 2013, comme étant de directeur de la performance !

Si l'on suit ce raisonnement, il serait naturel de croire que le coupé et cabriolet Q60 soient de véritables bêtes de la route, des voitures sportives à tous crins et que le cabriolet IPL (Infiniti Performance Line) soit équipé pour intimider les BMW M, Audi S et Mercedes-Benz AMG. Mais, comme on le dit dans l'argot québécois, « les bottines ne suivent pas les babines ». Cela ne fait pas pour autant du coupé et cabriolet Q60 des voitures sans intérêt. Il ne faut tout simplement pas s'imaginer qu'il s'agit de sportives aussi pures et aussi dures que le

laisse entendre la publicité. Elles ont un caractère sportif, mais on ne peut prétendre plus.

Du côté sportif, le cabriolet est un peu mieux nanti lorsqu'il est doté de l'ensemble IPL. Il bénéficie ainsi d'un moteur plus puissant de 18 chevaux, de freins plus gros, d'un système d'échappement moins restrictif et d'une suspension plus sportive. Cette version est plus dynamique que les versions ordinaires, mais ce n'est pas un bolide à tout casser non plus. D'ailleurs, sur le site internet d'Infiniti, on vante autant le galbe des sièges du modèle IPL que les performances de la voiture. Et malgré ses prétentions sportives, la boîte manuelle n'est pas offerte sur ce modèle. Elle l'est uniquement avec le cabriolet « ordinaire ». La raison de ce choix n'est pas reliée à la mécanique ou à la technique, mais bien à une décision de marketing.

Il faut une certaine souplesse pour s'installer à bord puisque le seuil du toit est relativement bas, il faut donc se pencher plus

Impressions de l'auteur			Concurrents
Agrément de conduite :	★★★★☆	4/5	Audi A5, BMW Série 4,
Fiabilité :	★★★★⯪	4,5/5	Mercedes-Benz Classe C Coupé
Sécurité :	★★★★☆	4/5	
Qualités hivernales :	★★★⯪☆	3,5/5	
Espace intérieur :	★★★☆☆	3/5	
Confort :	★★★⯪☆	3,5/5	

* Incluant Q50

que de raison. Une fois assis, on est choyé par des sièges avant confortables et offrant un bon support latéral. Quant aux places arrière, elles sont symboliques. Il faut souligner au passage que la mécanique du toit rigide rétractable est ingénieuse et semble très fiable. Comme il faut s'y attendre sur une Infiniti, la qualité des matériaux et de la finition est très relevée. En plus, un système audio ambiophonique Bose a été spécialement étudié pour émettre une excellente sonorité même le toit baissé.

Toujours élégantes

Depuis l'an dernier, les gourous de la mise en marché ont modifié l'appellation de tous les modèles et il faut parler dorénavant du coupé Q60 ou du cabriolet Q60 qui faisaient auparavant partie de la gamme G. La berline, devenue la Q50, a été complètement transformée alors que le duo cabriolet/coupé est inchangé. Ce qui explique cette douce silhouette dotée de lignes arrondies et fluides tandis que la berline Q50 est d'allure nettement plus agressive. Mais s'il faut se fier aux designers d'Infiniti, on ne perd rien pour attendre.

Pour la personne à la recherche d'une voiture aux lignes élégantes, dotée d'un équipement complet et propulsée par un moteur performant et fiable, la gamme Q60 n'est pas sans intérêt. Comme mentionné précédemment, le cabriolet est livré en version automatique manuelle, sans oublier la version IPL. La caisse pourrait être plus rigide, mais les acheteurs apprécieront sa douceur de conduite et son équipement.

Et le coupé, lui ?

Le coupé, pour sa part, est disponible avec une transmission intégrale qui est uniquement livrée avec une boîte manumatique à sept rapports. Ce rouage intégral est efficace et recommandé à ceux qui sont portés à accélérer à fond la majorité du temps, car le train arrière des modèles à propulsion a tendance à se dérober sur une chaussée glissante. Si pour vous un coupé sportif doit nécessairement être équipé d'une boîte de vitesses manuelle, vous devrez vous résigner à oublier le rouage intégral.

En conduite normale, la tenue de route est prévisible et sans surprise. Mais il ne faut pas trop vous enthousiasmer et dépasser les limites comme vous le feriez avec une GT-R, par exemple, notamment dans les virages serrés pris à haute vitesse. Mieux vaut profiter de l'excellence du moteur V6 de 3,7 litres et vous amuser à négocier les courbes à des vitesses raisonnables. Si une Mercedes-Benz Coupé E63 AMG vous double à haute vitesse, inutile de la challenger, votre cause est perdue d'avance!

Châssis - Coupé TI

Emp / lon / lar / haut	2850 / 4650 / 1823 / 1406 mm
Coffre / Réservoir	210 litres / 76 litres
Nombre coussins sécurité / ceintures	6 / 4
Suspension avant	indépendante, bras inégaux
Suspension arrière	indépendante, multibras
Freins avant / arrière	disque / disque
Direction	à crémaillère, ass. variable
Diamètre de braquage	11,2 m
Pneus avant / arrière	P225/50R18 / P225/50R18
Poids / Capacité de remorquage	1745 kg / n.d.
Assemblage	Tochigi, JP

Composantes mécaniques

Cabriolet

Cylindrée, soupapes, alim.	V6 3,7 litres 24 s atmos.
Puissance / Couple	325 chevaux / 267 lb-pi
Tr. base (opt) / rouage base (opt)	M6 / Prop
0-100 / 80-120 / V.Max	6,3 s / 5,2 s / n.d.
100-0 km/h	41,1 m
Type / ville / route / co_2	Ord / 12,7 / 8,3 l/100 km / 4931 kg/an

Coupé

Cylindrée, soupapes, alim.	V6 3,7 litres 24 s atmos.
Puissance / Couple	330 chevaux / 270 lb-pi
Tr. base (opt) / rouage base (opt)	M6 (A7) / Prop (Int)
0-100 / 80-120 / V.Max	5,8 s / 4,8 s / n.d.
100-0 km/h	38,2 m
Type / ville / route / co_2	Sup / 12,0 / 7,8 l/100 km / 4651 kg/an

Du nouveau en 2015

Modèle en sursis, aucun changement majeur.

FEU VERT
- Moteur V6 remarquable
- Finition sérieuse
- Système audio performant
- Équipement complet
- Allure appréciée

FEU ROUGE
- Places arrière symboliques
- Version IPL inutile
- Coffre arrière petit
- Modèle en attente de remplacement

Photos : Infiniti Canada

INFINITI **Q70**

▶ **Catégorie :** Berline ▶ **Échelle de prix :** 67 000 $ à 84 000 $ (estimé) ▶ **Transport et prép. :** 1 995 $

▶ **Cote d'assurance :** n.d. ▶ **Garanties :** 4 ans/100 000 km, 6 ans/110 000 km ▶ **Ventes CAN 2013 :** 249 unités

Énigme

Alain Morin

I l y a de ces voitures qui semblent toujours un peu déphasées, un peu « à côté de la track » mais qui ne sont pas mauvaises pour autant. Des voitures à qui il manque un peu de ci, un peu de ça, qui ont en même temps un peu trop de ci, un peu trop de ça. C'est le cas de l'Infiniti Q70 qui, en plus, a dû changer d'identité l'an dernier (auparavant, elle s'appelait M). Malgré cela, mine de rien, la Q70 est une excellente voiture.

Dévoilée en 2011, l'Infiniti Q70 était due pour une révision de mi-génération. C'est au Salon de l'auto de New York, en avril 2014, qu'on a pu voir les changements apportés. Ces modifications, bien que peu profondes (parties avant et arrière nouvelles), lui donnent au moins un air de famille avec la jolie Q50. Infiniti a profité de l'occasion pour ajouter à sa Q70 une version allongée de 150 mm. Ces presque 6 pouces supplémentaires seront appréciés par les jambes des passagers

arrière. Pour le reste, c'est le statu quo. On retrouve donc les trois versions d'auparavant : V6, V8 et Hybrid. Chacune possède sa personnalité et les différences entre ces modèles sont quelquefois marquées.

Cependant, toutes ont droit à un habitacle où le confort et le silence de roulement sont rois. Comme dans toute voiture de luxe qui se respecte, la qualité des matériaux est relevée et l'assemblage est précis. Les sièges avant font partie des meilleurs de l'industrie et favorisent une excellente position de conduite, et le volant au gros boudin se prend bien en main. Les jauges sont faciles à lire, l'écran de 7 pouces en plein centre du tableau de bord aussi tandis que les touches du clavier incliné se manipulent aisément. Parmi les bémols, on souhaiterait avoir davantage d'espaces de rangement, même si la console centrale est de bonnes dimensions. Le coffre à bagages est passablement grand mais son ouverture ne l'est pas. De plus, le dossier des sièges arrière ne se rabat pas. Bon point enfin pour le système audio Bose qui diffuse des décibels de qualité.

Impressions de l'auteur		Concurrents
Agrément de conduite : ★★★⯪★ 3,5		Acura RLX, Audi A6, BMW Série 5,
Fiabilité : ★★★★⯪ 4,5		Cadillac XTS, Jaguar XF, Lexus GS,
Sécurité : ★★★★⯪ 4,5		Mercedes-Benz Classe E, Volvo S80
Qualités hivernales : ★★★★☆ 4		
Espace intérieur : ★★★★☆ 4		
Confort : ★★★★☆ 4		

V6 et V8

Comme mentionné plus haut, la Q70 propose trois moteurs. Le premier, un V6 de 3,7 litres, ne fait pas dans l'indigence avec ses 330 chevaux. Certes, la masse à déplacer est assez imposante mais ce moulin assure des accélérations et des reprises passablement musclées, dans une sonorité bien appréciée. Ceux qui désirent plus de punch et une conduite plus sportive opteront pour le V8 de 5,6 litres. Celui-ci boit peut-être comme un alcoolique en rechute mais on lui pardonne ses excès puisqu'il fait avancer la voiture avec une conviction certaine. 420 chevaux, ce n'est pas rien! Malgré tout, le modèle V6 m'a toujours semblé mieux équilibré que le V8, moins extrême, plus confortable... même si les pneus à taille basse (Bridgestone Potenza 245/40R20 de l'option sport) suivent les sillons de la route avec une motivation peu commune dans ce créneau du luxe.

Depuis l'an dernier, la Q70, peu importe ce qui niche sous son capot, n'est offerte qu'avec le rouage intégral. La transmission est invariablement une automatique à sept rapports au fonctionnement généralement très doux. Sur la console, on retrouve un bouton bien tentant... On n'a qu'à le tourner pour avoir droit à un mode Sport qui transforme le comportement de la voiture... au point de recommander de toujours laisser le mode Normal engagé. Ce mode Sport, qui modifie les paramètres du moteur et de la boîte de vitesse ajoute tellement de compression au moteur qu'en décélération on a l'impression que la voiture (du moins celle à l'essai) freine brusquement toute seule. Il y a aussi un mode Eco qui, on s'en doute, privilégie une conduite économique au lieu d'une conduite sportive. Mais ce mode est tellement restrictif qu'il en devient irritant. Finalement, seul le mode Normal m'a semblé... normal.

Et l'hybride, elle?

Il y a enfin la version hybride. Très performante avec son V6 de 3,5 litres et ses 360 chevaux combinés, elle est aussi très chère, n'est offerte qu'avec les roues arrière motrices et consomme pratiquement autant que le V6 de 3,7 litres. En outre, les batteries grugent une bonne partie du coffre en plus d'ajouter du poids. Si vous avez le cœur vert et le pied droit guilleret, il s'agit d'une excellente voiture. Sinon...

La Q70 est constituée d'éléments de grande qualité. Or, ces éléments réunis donnent une voiture qui manque de présence, qu'on oublie dès qu'on en sort. Fiable mais sans passion, puissante mais pas sportive, cette voiture est sur le point d'être parfaite. Malheureusement pour elle, les Allemands font exactement le contraire... et ont du succès.

Châssis - 3.7x TI

Emp / lon / lar / haut	2900 / 4945 / 1845 / 1515 mm
Coffre / Réservoir	422 litres / 76 litres
Nombre coussins sécurité / ceintures	6 / 5
Suspension avant	indépendante, double triangulation
Suspension arrière	indépendante, multibras
Freins avant / arrière	disque / disque
Direction	à crémaillère, ass. variable électrique
Diamètre de braquage	11,4 m
Pneus avant / arrière	P245/50R18 / P245/50R18
Poids / Capacité de remorquage	1815 kg / n.d.
Assemblage	Tochigi, JP

Composantes mécaniques

Hybride

Cylindrée, soupapes, alim.	V6 3,5 litres 24 s atmos.
Puissance / Couple	302 chevaux / 258 lb-pi
Tr. base (opt) / rouage base (opt)	A7 / Prop
0-100 / 80-120 / V.Max	5,9 s / 3,6 s / n.d.
100-0 km/h	43,5 m
Type / ville / route / co_2	Sup / 7,5 / 6,1 l/100 km / 3160 kg/an

Moteur électrique

Puissance / Couple	67 ch (50 kW) / 214 lb-pi
Type de batterie	Lithium-ion
Énergie	5,0 kWh

3.7x TI

Cylindrée, soupapes, alim.	V6 3,7 litres 24 s atmos.
Puissance / Couple	330 chevaux / 270 lb-pi
Tr. base (opt) / rouage base (opt)	A7 / Int
0-100 / 80-120 / V.Max	6,7 s / 4,7 s / n.d.
100-0 km/h	39,8 m
Type / ville / route / co_2	Sup / 12,0 / 8,3 l/100 km / 4738 kg/an

L 5.6 et 5.6x TI

Cylindrée, soupapes, alim.	V8 5,6 litres 24 s atmos.
Puissance / Couple (L 5.6)	416 chevaux / 414 lb-pi
Puissance / Couple (5.6x TI)	420 chevaux / 417 lb-pi
Tr. base (opt) / rouage base (opt) (L5.6)	A7 / Prop
Tr. base (opt) / rouage base (opt) (5.6x TI)	A7 / Int
0-100 / 80-120 / V.Max	6,0 s / 4,0 s / n.d.
100-0 km/h	39,8 m
Type / ville / route / co_2	Ord / 13,4 / 8,5 l/100 km / 5152 kg/an

Du nouveau en 2015

Parties avant et arrière redessinées, nouveau modèle allongé (pas disponible avec l'hybride), V6 et V8 offerts seulement avec l'AWD.

FEU VERT
- Carrosserie de bon goût
- Habitacle résolument réussi
- Sièges avant exemplaires
- Moteurs en forme
- Fiabilité reconnue

FEU ROUGE
- Version hybride peu convaincante
- Modes Sport et Eco trop extrêmes
- Consommation élevée
- Conduite manque de passion

INFINITI QX50

▶ **Catégorie :** Multisegment   ▶ **Échelle de prix :** 37 900 $ (2014)   ▶ **Transport et prép. :** 1 995 $

▶ **Cote d'assurance :** n.d.   ▶ **Garanties :** 4 ans/100 000 km, 6 ans/110 000 km   ▶ **Ventes CAN 2013 :** 1 445 unités

Grand luxe format compact

Gabriel Gélinas

Élaboré à partir de la plate-forme FM (*Front Midship*) qui sert également de base à la berline Q50, le QX50, autrefois appelé EX35 puis EX37, est officiellement présenté comme un véhicule multisegment par la division de véhicules de luxe de Nissan, mais on pourrait facilement le qualifier de Q50 à cinq portes surélevé, tellement son comportement nous rappelle celui de la berline sport à traction intégrale.

Évidemment, le niveau de performance n'est pas le même puisque le QX50 affiche plus de kilos à la pesée ainsi qu'un centre de gravité plus élevé, mais le multisegment offre une expérience de conduite qui est sportive, sans toutefois l'être autant que la berline dont il est dérivé. Malgré tout, il offre un bon comportement routier et un bel équilibre entre tenue de route et confort.

La motorisation est assurée par l'omniprésent V6 de 3,7 litres qui équipe plusieurs modèles d'Infiniti et de Nissan et qui

développe 325 chevaux à 7 000 tr/min et 267 livres-pied à 5 200 tr/min sous le capot du QX50. Performant et souple, ce moteur est jumelé à une boîte automatique à sept rapports ainsi qu'au rouage intégral ATTESA qui priorise la propulsion, ce qui explique en partie pourquoi le QX50 marque des points pour l'agrément de conduite. Le moteur réagit aussi très rapidement pour varier la répartition de couple entre les trains avant et arrière en cas de besoin. Les deux seuls bémols que l'on peut émettre au sujet de la motorisation du QX50 est l'obligation de carburer au super et la sonorité du V6 qui peut s'avérer un peu rugueuse lorsqu'on s'approche de sa limite de révolutions.

Une tenue de route impressionnante

Pour ce qui est de la tenue de route, le QX50 impressionne avec sa direction qui est précise et qui demande juste assez d'efforts pour que le conducteur prenne un véritable contact avec la route au travers du volant. Ce n'est que lorsque le QX50 est poussé à son absolue limite que la tendance

Impressions de l'auteur		Concurrents
Agrément de conduite :	★★★★☆ 4/5	Acura RDX, Audi Q5, BMW X3,
Fiabilité :	★★★★⯪ 4,5/5	Land Rover LR2, Mercedes-Benz
Sécurité :	★★★★⯪ 4,5/5	Classe GLK, Volvo XC60
Qualités hivernales :	★★★★⯪ 4,5/5	
Espace intérieur :	★★★☆☆ 3/5	
Confort :	★★★⯪☆ 3,5/5	

au sous-virage typique d'une traction intégrale se fait sentir. Cependant, en conduite normale ou même un brin sportive, le QX50 fait preuve d'un aplomb remarquable en raison d'une répartition presque optimale des masses entre les trains avant et arrière. Le freinage est à la hauteur des performances livrées par le moteur et le châssis et s'avère très efficace en toutes circonstances.

Un habitacle à la finition soignée

À bord, le charme opère et le QX50 séduit par son habitacle dont la présentation est soignée jusque dans les moindres détails. Les matériaux sont de qualité, la finition est irréprochable et le QX50 propose un environnement intimiste et feutré grâce à une disposition à double cockpit. Il suffit de s'attarder aux détails du pommeau du levier de vitesse ou au pli et aux coutures des cuirs pour se rendre compte que l'effet d'un véhicule de luxe est bel et bien présent ici.

Le QX50 peut également être pourvu d'un arsenal d'équipements de pointe qui sont proposés en option comme le système de quatre caméras (à l'arrière, à l'avant et sur les deux côtés) dont les images projetées sur l'écran central rendent les manœuvres de stationnement d'une simplicité désarmante. Moins apprécié, mais tout de même efficace, le système LDW (*lane departure warning*) fait entendre un signal sonore lorsque le véhicule chevauche ou traverse une ligne peinte sur la chaussée et que le conducteur n'a pas enclenché son clignotant au préalable. Un régulateur de vitesse adaptatif est également au programme sur le modèle pleinement équipé.

C'est du côté des considérations pratiques que le QX50 a de la difficulté à rivaliser avec certains concurrents directs, notamment le RDX d'Acura. Le hayon arrière du QX50 est en aluminium, ce qui le rend très facile à ouvrir ou à fermer, et les dossiers des sièges arrière peuvent être rabattus ou relevés au moyen d'une commande électrique. Ces deux éléments positifs ne peuvent malheureusement pas compenser le volume de chargement limité du QX50 qui souffre beaucoup de la comparaison directe avec ses principaux rivaux. De plus, le dégagement pour les jambes des passagers prenant place à l'arrière est très limité. Il faut donc comprendre que le QX50 conviendra mieux à des couples qui n'ont pas encore d'enfants ou à ceux dont la progéniture a quitté le nid familial.

Somme toute, le QX50 marque des points pour la qualité de son comportement routier, ses performances relevées et son rouage intégral sophistiqué, mais ce sont les considérations pratiques qui plombent son score final.

Châssis - TI

Emp / lon / lar / haut	2850 / 4631 / 1803 / 1589 mm
Coffre / Réservoir	476 à 1291 litres / 76 litres
Nombre coussins sécurité / ceintures	6 / 5
Suspension avant	indépendante, bras inégaux
Suspension arrière	indépendante, multibras
Freins avant / arrière	disque / disque
Direction	à crémaillère, ass. électrique
Diamètre de braquage	11,0 m
Pneus avant / arrière	P225/55R18 / P225/55R18
Poids / Capacité de remorquage	1795 kg / n.d.
Assemblage	Tochigi, JP

Composantes mécaniques

TI

Cylindrée, soupapes, alim.	V6 3,7 litres 24 s atmos.
Puissance / Couple	325 chevaux / 267 lb-pi
Tr. base (opt) / rouage base (opt)	A7 / Int
0-100 / 80-120 / V.Max	6,8 s (est) / 5,0 s (est) / n.d.
100-0 km/h	n.d.
Type / ville / route / CO_2	Sup / 12,3 / 8,5 l/100 km / 4870 kg/an

Du nouveau en 2015

Aucun changement majeur

- Très bonne tenue de route
- Moteur performant
- Rouage intégral sophistiqué
- Arsenal d'aides électroniques à la conduite

- Espace très limité aux places arrière
- Volume d'espace cargo très limité
- Options coûteuses
- Visibilité problématique vers l'arrière

Photos : Infiniti Canada

INFINITI **QX60**

▶ **Catégorie :** Multisegment	▶ **Échelle de prix :** 42 450 $ à 53 950 $ (2014)	▶ **Transport et prép. :** 1995 $
▶ **Cote d'assurance :** $$$$$	▶ **Garanties :** 4 ans/100 000 km, 6 ans/110 000 km	▶ **Ventes CAN 2013 :** 3 191 unités

Le confort avant tout

Gabriel Gélinas

Autrefois connu sous l'appellation JX35, le QX60 d'Infiniti partage plusieurs éléments avec le Nissan Pathfinder, mais ajoute de nombreuses touches de luxe afin de concurrencer plus ou moins directement des véhicules comme l'Acura MDX ou le Lexus RX. Le QX60, tout comme la nouvelle génération du Pathfinder dont il est inspiré, est présenté comme un multisegment de luxe et on peut presque le qualifier de familiale des temps modernes ou de minifourgonnette de luxe.

Au volant du QX60, c'est le confort avant tout! La dynamique est loin d'être inspirante et le comportement routier se rapproche beaucoup plus de celui d'une minifourgonnette avec une direction qui manque de précision, des suspensions aux calibrations très souples et une boîte à variation continue qui réduit encore d'un cran le peu d'agrément de conduite que l'on pourrait espérer de ce véhicule. Bref, si le plaisir de conduite figure parmi vos priorités, le QX60 vous laissera sur

votre appétit et il vaudrait mieux regarder ailleurs. Par contre, si vous priorisez le confort et le luxe et que la dynamique ne revêt absolument aucun intérêt pour vous, vous logez à la bonne enseigne.

V6 ou hybride

Deux motorisations sont proposées, la conventionnelle misant sur le V6 de 3,5 litres, utilisé à toutes les sauces par le constructeur japonais, qui est jumelé à une boîte CVT. Lancé l'an dernier, le modèle à motorisation hybride fait appel à un moulin thermique quatre cylindres de 2,5 litres suralimenté par compresseur ainsi qu'à un moteur électrique livrant une puissance équivalente à 20 chevaux, pour un total de 250 chevaux. Le couple moteur de la motorisation hybride est chiffré à 243 livres-pied, ce qui est très près du couple livré par le V6 du modèle conventionnel. Le quatre cylindres est un peu bruyant au démarrage et on entend parfois le compresseur volumétrique entrer en action mais, règle générale, il est très discret en conduite normale. Par contre, ça se gâte en accélération

Impressions de l'auteur		Concurrents
Agrément de conduite : ★★★★★ 3 5		Acura MDX, Audi Q7, BMW X5,
Fiabilité : ★★★★★ 4 5		Cadillac SRX, Land Rover
Sécurité : ★★★★★ 4 5		Range Rover Sport, Lexus RX,
Qualités hivernales : ★★★★★ 4,5 5		Mercedes-Benz Classe GL,
Espace intérieur : ★★★★★ 4 5		Porsche Cayenne, Volvo XC90
Confort : ★★★★★ 4 5		

franche alors que le moteur et la boîte CVT conjuguent leurs efforts alors que les révolutions moteur grimpent rapidement.

Pour Infiniti, la mission première du QX60 Hybrid est la réduction de la consommation de carburant, mais l'essai de ce modèle en plein cœur de l'hiver québécois s'est avéré décevant à cet égard, avec une moyenne enregistrée de 12 litres aux 100 kilomètres. Évidemment, l'hiver est la saison la plus difficile sur le plan de la consommation de carburant, tous modèles confondus, mais c'est particulièrement vrai dans le cas des modèles à motorisation hybride parce que le moteur thermique fonctionne constamment pour alimenter le chauffage et les accessoires, et que la contribution du moulin électrique s'avère sérieusement limitée. Et quand on a un hiver comme le dernier, la facture en essence augmente rapidement. On peut s'attendre à mieux lors de la conduite en conditions plus favorables, mais les cotes annoncées par le constructeur me semblent très optimistes, compte tenu du poids et du gabarit du QX60 Hybrid.

Confort appréciable

La grande force du QX60, c'est l'espace accordé aux passagers des première et deuxième rangées, ainsi que la qualité de la finition de l'habitacle. On apprécie particulièrement le dispositif LATCH AND GLIDE qui permet de déplacer le siège de la deuxième rangée du côté droit vers l'avant, même si un siège d'enfant y est installé, afin de faciliter l'accès à la troisième rangée. Toutes les familles avec de jeunes enfants seront enchantées par ce système bien conçu qui simplifie le quotidien. Il faut toutefois noter que l'espace accordé aux passagers prenant place à cette troisième rangée est très limité et que ces places ne conviendront qu'à de jeunes enfants ou seulement pour du dépannage.

Côté prix, le modèle conventionnel à moteur V6 est plutôt attractif, pourvu que l'on ne se lance pas à la chasse aux équipements proposés en option. Cependant, le prix du modèle à motorisation hybride est nettement plus élevé, ce qui le rend moins attrayant malgré la possibilité d'obtenir une consommation réduite par rapport au modèle conventionnel.

Le Infiniti QX60 et le Nissan Pathfinder sont les équivalents modernes des familiales d'autrefois au volant desquelles il fallait oublier le plaisir de conduire pour plutôt assurer le confort de la petite famille. Avec une conduite sûre et prévisible et la dotation de systèmes de sécurité avancés, le QX60 d'Infiniti remplit la mission.

Châssis - 3.5 TI

Emp / lon / lar / haut	2901 / 4989 / 1961 / 1742 mm
Coffre / Réservoir	447 à 2500 litres / 74 litres
Nombre coussins sécurité / ceintures	6 / 7
Suspension avant	indépendante, jambes de force
Suspension arrière	indépendante, multibras
Freins avant / arrière	disque / disque
Direction	à crémaillère, ass. variable
Diamètre de braquage	11,8 m
Pneus avant / arrière	P235/65R18 / P235/65R18
Poids / Capacité de remorquage	2028 kg / 2273 kg (5011 lb)
Assemblage	Smyrna, TN

Composantes mécaniques

Hybride

Cylindrée, soupapes, alim.	4L 2,5 litres 16 s surcomp
Puissance / Couple	230 chevaux / 243 lb-pi
Tr. base (opt) / rouage base (opt)	CVT / Int
0-100 / 80-120 / V.Max	8,2 s (est)/ n.d. / n.d.
100-0 km/h	n.d.
Type / ville / route / co$_2$	Ord / 7,6 / 6,9 l/100 km / 3360 kg/an

3.5

Cylindrée, soupapes, alim.	V6 3,5 litres 24 s atmos.
Puissance / Couple	265 chevaux / 248 lb-pi
Tr. base (opt) / rouage base (opt)	CVT / Tr (Int)
0-100 / 80-120 / V.Max	9,0 s / 6,1 s / n.d.
100-0 km/h	40,8 m
Type / ville / route / co$_2$	Sup / 10,9 / 7,8 l/100 km / 4360 kg/an

Du nouveau en 2015

Aucun changement majeur

FEU VERT
- Bon niveau de confort
- Conduite sûre et prévisible
- Habitacle spacieux (1re et 2e rangées)
- Système LATCH AND GLIDE ingénieux

FEU ROUGE
- Agrément de conduite très limité
- Version hybride peu convaincante
- Faible dégagement du hayon
- Espace limité à la 3e rangée de sièges

Photos : Infiniti Canada

INFINITI **QX70**

▶ **Catégorie :** Multisegment
▶ **Cote d'assurance :** $$$$$

▶ **Échelle de prix :** 53 350 $ (2014)
▶ **Garanties :** 4 ans/100 000 km, 6 ans/110 000 km

▶ **Transport et prép. :** 1 995 $
▶ **Ventes CAN 2013 :** 501 unités

Seul sur son étoile

Gabriel Gélinas

Lancé à la fin de 2002, presque en même temps que le Porsche Cayenne, le FX (aujourd'hui appelé QX70) d'Infiniti démontrait que la sportivité pouvait cadrer avec un véhicule adoptant une configuration tout autre que celle d'une authentique sportive. Qualifié de « guépard bionique » par les designers de la marque, le FX ne manquait pas d'affirmer sa présence avec son allure athlétique et ses performances relevées, inaugurant presque, avec le Cayenne, une nouvelle catégorie de véhicules utilitaires axés sur la performance.

Dès son lancement, la presse spécialisée a été séduite par la dynamique du FX, par la fougue de son V8 et par son style accrocheur qui en faisait un véhicule de niche. Cependant, ce succès d'estime ne s'est jamais vraiment doublé d'un succès commercial, le FX présentant les défauts de ses qualités dans la mesure où ses qualités pratiques étaient sérieusement limitées par rapport aux véhicules rivaux de facture plus

conventionnelle. Le FX s'est donc contenté de faire du sur place, en changeant toutefois d'appellation, et ce statu quo aura duré jusqu'en 2014, puisque Infiniti retire maintenant le QX70 à moteur V8 de 5,0 litres et 390 chevaux du catalogue, en partie à cause de son faible volume de vente, mais aussi parce que le retrait du V8 permet au constructeur d'améliorer sa cote concernant la moyenne de consommation de carburant de ses véhicules. Si l'on ajoute à cela le fait que le QX70 était le seul véhicule qui disposait de ce V8, ça complète le portrait. Cela signifie que le QX70 ne sera disponible qu'avec le V6 de 3,7 litres développant 325 chevaux qui a presque le don d'ubiquité puisque Nissan l'utilise dans plusieurs de ses modèles.

Un groupe Sport pour le V6

Par ailleurs, Infiniti a décidé d'offrir le Groupe Sport, autrefois réservé au modèle à moteur V8, sur le QX70 V6, ce qui lui permet d'être doté de jantes en alliage de 21 pouces, de paliers de changement de vitesses au volant, et de sièges chauffants

Impressions de l'auteur		Concurrents
Agrément de conduite : ★★★★☆	4	BMW X6, Cadillac SRX, Land Rover LR4,
Fiabilité : ★★★★☆	4	Lexus RX, Lincoln MKX,
Sécurité : ★★★★☆	4	Mercedes-Benz Classe M,
Qualités hivernales : ★★★★☆	4	Porsche Cayenne, Volkswagen Touareg
Espace intérieur : ★★☆☆☆	2,5	
Confort : ★★★☆☆	3	

INFINITI QX70

et climatisés, entre autres… Au sujet des jantes de 21 pouces, une sérieuse mise en garde s'impose. Oui, le style sera imbattable et la tenue de route sera bonifiée par la monte pneumatique surdimensionnée, mais le confort de roulement sera inversement affecté au point où vous risquez sérieusement de regretter votre choix en raison de la mauvaise qualité des routes dans notre coin de pays… Vous voilà prévenus !

Si le confort n'est pas au sommet de vos priorités, le QX70 propose une tenue de route performante avec un comportement incisif qui ajoute à l'agrément de conduite. Le V6 suffit amplement à la tâche, mais sa sonorité peut s'avérer un peu rugueuse lorsqu'on s'approche de sa limite de révolutions. La boîte automatique à sept rapports est à la fois bien étagée et répond rapidement, et le FX est doté de série d'un rouage intégral performant qui ajoute au plaisir.

La vie à bord est très agréable puisque les sièges offrent un bon soutien latéral en virage et que les surpiqûres croisées sur l'assise ainsi que le dossier des sièges font en sorte que le QX70 affiche presque un style Bentley. Bref, le luxe est très présent dans l'habitacle et la dotation de série est remarquablement complète, ce qui permet au QX70 de marquer des points. Parmi les bémols, on peut facilement relever que certains boutons de commande de la planche de bord sont trop petits, que la visibilité arrière est mauvaise au point de rendre la caméra de recul essentielle et que le volume de chargement demeure très sérieusement limité.

Dans la boule de cristal

Quel est l'avenir du QX70 ? Difficile d'entrevoir ce que les prochaines années réservent au « guépard bionique », lequel ne semble pas figurer parmi les priorités immédiates d'Infiniti qui mise plutôt sur le développement de nouveaux modèles comme la future Q30. Pourtant, même si les ventes du QX70 s'avèrent presque confidentielles au pays, il demeure populaire en Russie et en Chine où la clientèle a l'air d'apprécier son style plus affirmé. De plus, le QX70 représente une sorte d'icône pour la marque Infiniti, selon Shiro Nakamura, vice-président principal et directeur du design de Nissan, justement à cause de son design expressif.

Comment réussir à conjuguer l'allure athlétique typique de ce modèle tout en bonifiant le volume d'espace intérieur pour le rendre plus agréable à vivre au quotidien ? Voilà le défi qui attend les designers de Nissan lorsque la haute direction donnera le feu vert à l'éventuelle refonte du modèle.

Châssis - 3.7	
Emp / lon / lar / haut	2885 / 4859 / 1928 / 1680 mm
Coffre / Réservoir	702 à 1756 litres / 90 litres
Nombre coussins sécurité / ceintures	6 / 5
Suspension avant	indépendante, double triangulation
Suspension arrière	indépendante, multibras
Freins avant / arrière	disque / disque
Direction	à crémaillère, ass. variable
Diamètre de braquage	11,2 m
Pneus avant / arrière	P265/60R18 / P265/60R18
Poids / Capacité de remorquage	1943 kg / 1588 kg (3500 lb)
Assemblage	Tochigi, JP

Composantes mécaniques	
3.7	
Cylindrée, soupapes, alim.	V6 3,7 litres 24 s atmos.
Puissance / Couple	325 chevaux / 267 lb-pi
Tr. base (opt) / rouage base (opt)	A7 / Int
0-100 / 80-120 / V.Max	6,5 s (est) / 5,5 s (est) / n.d.
100-0 km/h	n.d.
Type / ville / route / CO_2	Sup/ 13,4 / 9,3 l/100 km / 5315 kg/an

Du nouveau en 2015

Abandon du V8, groupe Sport ajouté au modèle V6.

FEU VERT
- Style distinctif
- Qualité de finition intérieure
- Moteur V6 bien adapté
- Très bonne tenue de route

FEU ROUGE
- Poids élevé
- Espace de chargement limité
- Faible valeur de revente
- Capacité de remorquage limitée

 INFINITI QX80

▶ **Catégorie :** VUS   ▶ **Échelle de prix :** 73 200 $ à 77 000 $ (estimé)   ▶ **Transport et prép. :** 1 995 $

▶ **Cote d'assurance :** n.d.   ▶ **Garanties :** 4 ans/100 000 km, 6 ans/110 000 km   ▶ **Ventes CAN 2013 :** 413 unités

La renaissance des poids lourds

Jean-François Guay

On croyait que les grands VUS de luxe étaient sur le point de disparaître. Or, Infiniti a relancé les hostilités dans ce segment il y a déjà quatre ans, en refondant entièrement son QX56 d'alors. Maintenant appelé QX80, suite au changement de nomenclature de tous les modèles Infiniti l'an dernier, le plus luxueux des paquebots routiers japonais a obligé la concurrence américaine, allemande et britannique à retourner à leur table à dessin. Ainsi, Mercedes-Benz a revu le Classe GL l'an passé tandis que Land Rover a inauguré une version à empattement allongé de son Range Rover. Cette année, c'est au tour de Cadillac et Lincoln de rajeunir le design et la mécanique des Escalade et Navigator. Et ce n'est pas tout, puisque BMW et Audi comptent à court ou moyen terme s'immiscer dans la catégorie en introduisant les X7 et Q9.

Pour résister à la contre-offensive de ses rivaux et conserver ses parts de marché, Infiniti apporte en 2015 des modifications esthétiques au QX80. Et ce n'est pas une surprise de voir que le carénage frontal arbore des changements inspirés de la récente berline Q50 qui se veut la nouvelle signature visuelle de la marque. La calandre supérieure du QX80 délaisse ses lamelles horizontales pour reprendre le grillage en nid d'abeille de la Q50. On note également l'ajout d'une calandre inférieure au niveau de la jupe, laquelle accentue le style sportif de ce mastodonte. Parmi les autres changements, on trouve des phares avant de croisement et de route à DEL, des clignotants à DEL, des phares antibrouillard à DEL et un nouveau pare-chocs muni de capteurs sonar.

Pour rehausser la présentation extérieure, l'ensemble Technologie comprend des rétroviseurs chromés et de nouvelles jantes de 22 po à 14 rayons en aluminium forgé. Si l'achat de 4 pneus d'hiver dans la dimension 275/50R22 laisse pantois, rassurez-vous en sachant que les pneus de base sont

Impressions de l'auteur		Concurrents
Agrément de conduite : ★★★☆☆	3/5	Cadillac Escalade,
Fiabilité : ★★★★☆	4/5	Land Rover Range Rover, Lexus LX,
Sécurité : ★★★★⯪	4,5/5	Lincoln Navigator
Qualités hivernales : ★★★★⯪	4,5/5	
Espace intérieur : ★★★★⯪	4,5/5	
Confort : ★★★★⯪	4,5/5	

INFINITI **QX80**

des 275/60R20 – vendus un peu moins cher. D'ailleurs, les pneus de 20 po représentent un choix plus sensé pour circuler sur les routes de la Belle Province puisqu'ils filtrent mieux les imperfections de la chaussée et protègent davantage les jantes contre les nids-de-poule.

Un habitacle VIP

À l'intérieur, la texture des matériaux se compare et surpasse celle de nombreuses berlines de luxe de renom. Le confort des sièges en cuir semi-aniline et l'espace accordé aux passagers de la première et deuxième rangée s'assimilent à une salle de cinéma VIP de la chaîne Cineplex Odeon! Quant à la troisième banquette, elle s'avère fonctionnelle – comparativement à certains multisegments dont la troisième rangée est plus symbolique qu'autre chose – mais demeure néanmoins difficile d'accès.

L'équipement de série comprend des sièges avant ventilés, des sièges chauffants à la deuxième rangée, trois zones distinctes de climatisation, un système de divertissement arrière avec deux écrans de 7 po, un système audio à 13 haut-parleurs – dont deux caissons d'extrêmes graves – et un jeu de 4 caméras surveillant le périmètre du véhicule à 360 degrés. Tous les habitacles de couleur graphite comportent de nouvelles coutures grises contrastantes plutôt que des coutures noires.

Sur la route

Le V8 de 5,6 litres jouit de l'injection directe et d'un système de gestion des soupapes. Ces dispositifs visent à contrôler l'appétit de ses 400 chevaux qui sont attelés à une boîte semi-automatique à sept rapports et un rouage intégral intelligent. On trouve également une boîte de transfert à deux gammes de vitesses, dotée des modes Auto, 4H et 4L, lesquels améliorent la motricité en terrain meuble. La capacité de remorquage atteint 3 855 kg (8 498 lb) sur terrain plat.

Malgré la légion de systèmes d'aide à la conduite qui inondent le QX80, ce dernier affiche un certain roulis en virage. Mais qui s'en préoccupe puisque ce grand VUS a été conçu pour gâter ses passagers ou tracter des véhicules de loisir. Chez nous, les grands VUS ont trouvé leur vocation, car il n'est pas rare de voir des familles fortunées (avec plus de trois enfants) décliner l'offre des fourgonnettes pour requérir leurs services.

En Amérique du Nord, le volume des ventes du QX80 et de ses semblables est stable. La demande pour ce genre de véhicule est cependant en augmentation partout en Asie, en Amérique du Sud et au Moyen-Orient où le prix de l'essence est ridiculement bas. Qui plus est, il faut savoir que le nombre d'unités vendues dans cette catégorie n'est pas une priorité absolue pour les constructeurs compte tenu des importantes marges de profit réalisées.

Châssis - 5.6 (7pass.)

Emp / lon / lar / haut	3075 / 5290 / 2030 / 1925 mm
Coffre / Réservoir	470 à 2693 litres / 98 litres
Nombre coussins sécurité / ceintures	6 / 7
Suspension avant	indépendante, double triangulation
Suspension arrière	indépendante, double triangulation
Freins avant / arrière	disque / disque
Direction	à crémaillère, ass. variable
Diamètre de braquage	12,7 m
Pneus avant / arrière	P275/60R20 / P275/60R20
Poids / Capacité de remorquage	2656 kg / 3855 kg (8498 lb)
Assemblage	Kyushu, JP

Composantes mécaniques

Cylindrée, soupapes, alim.	V8 5,6 litres 32 s atmos.
Puissance / Couple	400 chevaux / 413 lb-pi
Tr. base (opt) / rouage base (opt)	A7 / Int
0-100 / 80-120 / V.Max	7,5 s / 6,0 s / n.d.
100-0 km/h	44,0 m
Type / ville / route / CO_2Sup	15,7 / 10,3 l/100 km / 6072 kg/an

Du nouveau en 2015

Retouches esthétiques, phares à DEL et adaptatifs, nouvelles jantes, système d'avertissement de collision.

FEU VERT
- Luxe et confort
- V8 moderne
- Capacité de remorquage
- Rouage intégral (4x4)

FEU ROUGE
- Consommation élevée
- Pneus de 22 pouces
- Léger roulis en virage
- Valeur de revente moyenne

Photos : Infiniti Canada

JAGUAR **F-TYPE**

▶ **Catégorie :** Coupé, Roadster

▶ **Cote d'assurance :** n.d.

▶ **Échelle de prix :** 72 900 $ à 109 900 $

▶ **Garanties :** 4 ans/80 000 km, 5 ans/80 000 km

▶ **Transport et prép. :** 1350 $

▶ **Ventes CAN 2013 :** 229 unités

Un admirable redressement

Jacques Duval

Si l'on devait se reporter à la sombre époque où la marque Jaguar croupissait en dernière place dans les études sur la fiabilité, on pourrait dire, malicieusement, que la première qualité de la nouvelle Type F décapotable qui me fut confiée pour cet essai était d'avoir franchi ses premiers 5 800 km sans qu'aucun problème ne vienne assombrir son bilan.

La meilleure preuve de la mauvaise gestion de l'ancienne administration de Jaguar tient non seulement dans un déclin de la qualité, mais aussi dans son incapacité à donner une héritière à la superbe Type E, une des automobiles les plus célébrées dans le monde. Il aura fallu attendre 38 ans et l'arrivée d'un nouveau propriétaire pour que Jaguar accouche d'une Type F. Ce roadster auquel vient se joindre cette année un coupé ne connaîtra jamais une carrière aussi glorieuse que son prédécesseur, mais, au moins, on a comblé le vide qui perdurait dans la gamme Jaguar. Selon le moteur qui se glisse

sous son capot, la Type F fait face à une concurrence très variée allant de la Mercedes-Benz SLK à la Porsche 911 Turbo si l'on opte pour la livrée de Type R énergisée par un V8 de 550 chevaux.

Sans avoir la sensualité de la Type E, la nouvelle venue a plutôt belle allure, surtout dans cette robe orangée qui risque, par ailleurs, de ne pas passer inaperçue des policiers. D'autant plus que l'échappement libère des crépitements dont on ne sait plus s'ils s'apparentent à une Honda modifiée ou à un pot d'échappement bon marché de style rice rocket. Dans les versions S et V8 S, Jaguar propose toutefois un échappement sport actif qui, à l'aide d'un bouton, permet de modifier le niveau du bruit. On aime ou on n'aime pas.

Des chevaux sobres

Que ce soit dans le roadster ou le nouveau coupé, quatre motorisations sont au programme : un V6 de 340 chevaux à compresseur Roots dans les versions de base et de 380 dans

Impressions de l'auteur		Concurrents
Agrément de conduite : ★★★★☆	4	Alfa Romeo 4C, Audi TT, BMW Z4,
Fiabilité : ★★★☆☆	3	Mercedes-Benz Classe SLK,
Sécurité : ★★★☆	3,5	Porsche Boxster/Cayman
Qualités hivernales : ★★☆	2,5	
Espace intérieur : ★★★☆☆	3	
Confort : ★★★☆	3,5	

JAGUAR F-TYPE

le modèle S. Le V8 précité n'est proposé que dans la version coupé, mais il peut se glisser sous le capot du roadster avec un petit déficit qui voit sa puissance passer à 495 chevaux. Malgré un petit creux à bas régime, le V6 de base m'apparaît largement suffisant avec un double avantage pour le porte-monnaie : d'abord à l'achat et ensuite à la pompe avec une moyenne qui peut se situer à seulement 7,5 litres aux 100 km à une vitesse n'excédant pas 110 km/h. Il faut créditer ici la boîte de vitesse séquentielle dont les 8 rapports sélectionnables par des palettes sous le volant permettent de garder le régime moteur à un niveau favorable.

Première constatation en prenant le volant, la direction est ultrarapide, ce qui la rend évidemment sensible aux moindres impulsions. C'est là un acquis pour une voiture de sport qui, pour certains, sera considérée davantage comme une Grand Tourisme axée sur le confort. Sauf que la suspension me paraît assez raide et réfractaire aux mauvais revêtements, surtout lorsque l'on opte pour le mode Sport de la suspension. Le mode Éco, en revanche, adoucit le roulement. En échange, la tenue de route est au rendez-vous et la voiture conserve un comportement assez neutre en virage. De plus, cette Jaguar mime les meilleures sportives sur le marché avec une transmission séquentielle qui mémorise votre type de conduite et s'y adapte en maintenant le rapport engagé dans les virages.

Une solution à risques

À l'intérieur, la finition témoigne d'un soin particulier, mais je n'ai pu m'empêcher de noter que Jaguar a joué avec le feu en ornant le tableau de bord de buses d'aération qui surgissent de leur logement au-dessus de l'écran central lorsque l'on active le chauffage ou la climatisation. Voilà une fantaisie qui pourrait venir hanter les gens de Jaguar si jamais ces aérateurs ne sont pas à l'épreuve du temps. La visibilité, très pauvre vers l'arrière, commande d'opter pour la caméra de recul, spécialement dans le coupé. Au prix demandé, cet accessoire devrait être de série... Le roadster quant à lui possède un toit qui s'escamote en un rien de temps en plus d'être parfaitement étanche. Notons que les boutons qui servent à ouvrir ou fermer la capote sont inversés, un petit souvenir des habitudes gauchères de nos amis britanniques. Pour les bagages, n'y comptez pas trop ; le coffre est minuscule, ce qui ramènera peut-être à la mode les porte-bagages chromés qui venaient se greffer au coffre arrière des anciennes voitures anglaises. Un mot en terminant pour souligner le rendement assez ordinaire de la chaîne stéréo Meridian.

Cette Jaguar Type F marque un admirable redressement pour la marque de Coventry. Elle a mis du temps à se manifester et souhaitons simplement que l'on ait réussi à la débarrasser de tous les petits bobos de jeunesse qui ont trop souvent affligé les créations de ce constructeur.

Châssis - R Coupé

Emp / lon / lar / haut	2622 / 4470 / 1923 / 1321 mm
Coffre / Réservoir	324 litres / 72 litres
Nombre coussins sécurité / ceintures	4 / 2
Suspension avant	indépendante, double triangulation
Suspension arrière	indépendante, double triangulation
Freins avant / arrière	disque / disque
Direction	à crémaillère, ass. variable
Diamètre de braquage	10,9 m
Pneus avant / arrière	P255/35R20 / P295/30R20
Poids / Capacité de remorquage	1650 kg / non recommandé
Assemblage	Birmingham, GB

Composantes mécaniques

Coupé, Décapotable

Cylindrée, soupapes, alim.	V6 3,0 litres 24 s surcomp
Puissance / Couple	340 chevaux / 332 lb-pi
Tr. base (opt) / rouage base (opt)	A8 / Prop
0-100 / 80-120 / V.Max	5,3 s / 4,0 s / 260 km/h
100-0 km/h	36,9 m
Type / ville / route / CO_2	Sup / 10,4 / 7,1 l/100 km / 4101 kg/an

S Coupé, S Décapotable

Cylindrée, soupapes, alim.	V6 3,0 litres 24 s surcomp
Puissance / Couple	380 chevaux / 339 lb-pi
Tr. base (opt) / rouage base (opt)	A8 / Prop
0-100 / 80-120 / V.Max	5,1 s / 3,8 s / 275 km/h
100-0 km/h	37,9 m
Type / ville / route / CO_2	Sup / 10,8 / 7,3 l/100 km / 4244 kg/an

V8 S Décapotable

Cylindrée, soupapes, alim.	V8 5,0 litres 32 s surcomp
Puissance / Couple	495 chevaux / 460 lb-pi
Tr. base (opt) / rouage base (opt)	A8 / Prop
0-100 / 80-120 / V.Max	4,3 s (const) / 2,5 s / 300 km/h
100-0 km/h	n.d.
Type / ville / route / CO_2	Sup / 13,4 / 8,6 l/100 km / 5165 kg/an

R Coupé

Cylindrée, soupapes, alim.	V8 5,0 litres 32 s surcomp
Puissance / Couple	550 chevaux / 502 lb-pi
Tr. base (opt) / rouage base (opt)	A8 / Prop
0-100 / 80-120 / V.Max	4,2 s (const) / 2,4 s / 300 km/h
100-0 km/h	n.d.
Type / ville / route / CO_2	Sup / 14,7 / 10,2 l/100 km / 5831 kg/an

Du nouveau en 2015

Aucun changement majeur

FEU VERT

- Design rafraîchissant
- Orientation sportive indéniable
- Direction agréable
- Moteur abstinent
- Transmission 8 rapports vive

FEU ROUGE

- Mauvaise visibilité
- Coffre étroit
- Bruit d'échappement douteux
- Fiabilité incertaine

Photos : Jaguar Canada, Marc Lachapelle

JAGUAR **XF**

- ▶ **Catégorie :** Berline
- ▶ **Cote d'assurance :** n.d.
- ▶ **Échelle de prix :** 53 500 $ à 104 500 $ (2014)
- ▶ **Garanties :** 4 ans/80 000 km, 5 ans/80 000 km
- ▶ **Transport et prép. :** 1 350 $
- ▶ **Ventes CAN 2013 :** 604 unités

La loi de la jungle

Jean-François Guay

Le jaguar est une espèce en voie de disparition selon plusieurs organismes pour la protection des animaux. Comme le félidé duquel elle tire son nom, la marque automobile Jaguar est souvent passée près de disparaître de la surface du globe. Or, son propriétaire indien Tata Motors a entrepris des efforts colossaux pour sauver la marque britannique d'une mort annoncée. L'arrivée de nouveaux rejetons tels le coupé F-Type, la future berline XE et le multisegment concept C-X17 laisse supposer que la survie de la race est assurée pour les années à venir.

De son côté, la berline XF évolue dans une catégorie où la loi de la jungle est sans pitié. Elle cohabite avec des modèles aguerris comme les Audi A6, BMW Série 5 et Mercedes-Benz Classe E. À ce lot de réputés prédateurs, on peut ajouter les Cadillac CTS, Infiniti Q70 et Lexus GS. Pendant des années, la XF ne faisait que vivoter face à des adversaires aux crocs plus

aiguisés. Privée de la traction intégrale dès sa naissance, cette Jaguar ne pouvait espérer élargir son créneau puisque la présence d'un rouage à quatre roues motrices est maintenant essentielle dans les voitures de luxe nord-américaines. Or, son inhabileté à circuler sur les routes glacées a été corrigée il y a deux ans avec l'introduction d'une mécanique à traction intégrale.

Quatre sous-espèces

Conscients que la survie de la XF ne passait pas uniquement par la greffe d'une transmission intégrale, mais aussi par la diminution de son appétit en carburant et de ses tarifs, les motoristes ont suivi l'exemple des marques rivales en offrant une motorisation turbocompressée à quatre cylindres. Dérivé du moteur 2,0 litres turbo de son cousin Range Rover Evoque, le quatre cylindres de la XF développe une puissance de 240 chevaux. Malheureusement, cette motorisation n'est pas offerte avec le rouage intégral et la version 2,0 t doit se contenter de roues motrices arrière.

Impressions de l'auteur			Concurrents
Agrément de conduite :	★★★★	4	Acura RLX, Audi A6, BMW Série 5,
Fiabilité :	★★★	3	Infiniti Q70, Lexus GS,
Sécurité :	★★★★	4	Mercedes-Benz Classe E, Volvo S80
Qualités hivernales :	★★★½	3,5	
Espace intérieur :	★★★½	3,5	
Confort :	★★★★	4	

Pour profiter de la symbiose des quatre roues motrices, l'acheteur doit choisir le V6 suralimenté de 3,0 litres. Basé sur l'architecture des moteurs V8 de Jaguar, ce V6 fait appel à un compresseur de type Roots à double Vortex, à un système à injection directe à haute pression, à la double distribution à calage variable et à la technologie Arrêt/Départ au démarrage. Développant 340 chevaux, il est le moteur primé avec la traction intégrale et ce groupe permet à la XF 3.0 TI de gravir les pentes enneigées comme un véritable jaguar dans les montagnes des Andes.

Fort de ses succès passés en course automobile, particulièrement aux 24 heures du Mans, Jaguar se fait un devoir d'offrir un V8 suralimenté dans toute sa gamme, y compris la XF. Le V8 de 5,0 litres est équipé de doubles prises d'air, du calage variable des arbres à cames en tête et d'un compresseur Eaton. La suralimentation garantit une réaction instantanée des 510 chevaux et, en régime intermédiaire, la XFR bondit comme un fauve.

Pour ne pas se faire terrasser dans la savane par une BMW M5 ou une Mercedes E63 AMG, Jaguar propose une XFR-S de 550 chevaux. Pour canaliser le couple phénoménal de 502 livres-pieds du V8 aux roues arrière motrices, les ingénieurs lui ont rivé une robuste boîte semi-automatique à huit vitesses. Peu importe la cylindrée du moteur, toutes les XF profitent de cette transmission qui égraine les rapports avec douceur et précision – en conduite normale. Il faut juste espérer que le fonctionnement de la molette rotative servant de levier de vitesses ne fera pas défaut à long terme. À ce propos, soulignons que l'ensemble des véhicules Jaguar a gagné des points au niveau de la qualité initiale si l'on se fie aux dernières études de J.D. Power.

Pour un look plus sauvage

À l'instar des marques allemandes qui proposent des groupes d'apparence visant à insuffler une allure plus sportive aux versions de base, Jaguar compte sur la gamme « R-Sport ». Ses accessoires dynamisent le look extérieur et on compte parmi ceux-ci un bouclier, un béquet, des ouïes latérales et des jantes Lyra de 18 po. À l'intérieur, il règne une ambiance de course automobile avec l'ajout d'un volant siglé « R », d'un pédalier en acier inoxydable et de sièges en suédine avec surpiqûres contrastées. Une présentation qui contraste un peu avec les autres livrées où les sièges en cuir lisse et les appliques de bois laqué s'assimilent plus à l'aristocratie britannique qu'au circuit de Silverstone.

Quant au modèle XFR-S Sportbreak, la première « familiale » haute performance produite par Jaguar capable d'atteindre 300 km/h, il y a loin de la coupe aux lèvres avant qu'elle ne fasse le saut en Amérique du Nord, car l'absence d'un rouage intégral ne favorise pas sa commercialisation chez nous.

Châssis - 2.0T

Emp / lon / lar / haut	2909 / 4961 / 2053 / 1460 mm
Coffre / Réservoir	501 à 963 litres / 70 litres
Nombre coussins sécurité / ceintures	6 / 5
Suspension avant	indépendante, double triangulation
Suspension arrière	indépendante, multibras
Freins avant / arrière	disque / disque
Direction	à crémaillère, ass. variable
Diamètre de braquage	11,5 m
Pneus avant / arrière	P245/45R18 / P245/45R18
Poids / Capacité de remorquage	1660 kg / 750 kg (1653 lb)
Assemblage	Birmingham, GB

Composantes mécaniques

2.0T

Cylindrée, soupapes, alim.	4L 2,0 litres 16 s turbo
Puissance / Couple	240 chevaux / 251 lb-pi
Tr. base (opt) / rouage base (opt)	A8 / Prop
0-100 / 80-120 / V.Max	7,9 s / n.d. / 195 km/h
100-0 km/h	n.d.
Type / ville / route / co_2	Sup / 10,8 / 6,9 l/100 km / 4186 kg/an

V6 Supercharged TI

Cylindrée, soupapes, alim.	V6 3,0 litres 24 s surcomp.
Puissance / Couple	340 chevaux / 332 lb-pi
Tr. base (opt) / rouage base (opt)	A8 / Int
0-100 / 80-120 / V.Max	6,4 s / n.d. / 195 km/h
100-0 km/h	n.d.
Type / ville / route / co_2	Sup / 13,1 / 7,7 l/100 km / 4922 kg/an

R

Cylindrée, soupapes, alim.	V8 5,0 litres 32 s surcomp.
Puissance / Couple	510 chevaux / 461 lb-pi
Tr. base (opt) / rouage base (opt)	A8 / Prop
0-100 / 80-120 / V.Max	4,9 s / 3,5 s / 250 km/h
100-0 km/h	39,5 m
Type / ville / route / co_2	Sup / 14,0 / 8,7 l/100 km / 5336 kg/an

RS

Cylindrée, soupapes, alim.	V8 5,0 litres 32 s surcomp.
Puissance / Couple	550 chevaux / 502 lb-pi
Tr. base (opt) / rouage base (opt)	A8 / Prop
0-100 / 80-120 / V.Max	4,6 s (const.) / n.d. / 300 km/h
100-0 km/h	n.d.
Type / ville / route / co_2	Sup / 14,1 / 8,7 l/100 km / 5336 kg/an

Du nouveau en 2015

Groupe d'apparence « R-Sport », retouches esthétiques aux parties avant et arrière.

FEU VERT
- Traction intégrale bienvenue (3.0 TI)
- Excellent rendement du V6
- Possibilité d'un 4 en ligne (2.0 T)
- Performances exaltantes du V8 (XFR et XRF-S)
- Douceur et silence de roulement

FEU ROUGE
- Faible dégagement aux places arrière
- Mode propulsion mal adapté à l'hiver
- Valeur de revente en dents de scie
- Accès au coffre pénible
- Consommation exagérée du V8

Photos : Jaguar Canada

JAGUAR **XJ**

▶ **Catégorie :** Berline	▶ **Échelle de prix :** 84 490 $ à 122 990 $ (2014)	▶ **Transport et prép. :** 1 350 $
▶ **Cote d'assurance :** n.d.	▶ **Garanties :** 4 ans/80 000 km, 5 ans/80 000 km	▶ **Ventes CAN 2013 :** 336 unités

De belles Anglaises parfois dévergondées

Marc Lachapelle

Comme un chevalier sans peur et sans reproche, Jaguar s'attaque au gotha de l'automobile avec ses grandes berlines XJ dont la coque est en aluminium. Dans une catégorie où les constructeurs allemands s'affrontent sans merci, avec le meilleur de leurs ressources et de leur talent, le style original et le caractère de ces belles Anglaises ont quelque chose de réjouissant. Autant que l'aplomb et les performances relevées des versions R.

Les premières berlines XJ tout aluminium ont été encensées à leurs débuts en 2004, Jaguar démontrant qu'il maîtrisait cette technique. On a toutefois vite réprimé des bâillements pour leurs silhouettes trop fidèles au profil des Jaguar d'antan. Le chef styliste Ian Callum et son équipe y ont remédié en créant une XJ résolument moderne il y a quatre ans.

Les nouvelles XJ ont également leurs audaces à l'intérieur avec un tableau de bord entièrement électronique et cette grande molette d'aluminium qui se soulève au démarrage et tient lieu de sélecteur pour la boîte automatique à huit rapports. Avec leur écran tactile aux menus parfois rébarbatifs, les XJ ne sont plus à la fine pointe en matière de systèmes et de technologies. Il leur manque par exemple un régulateur de vitesse adaptatif comme on en trouve maintenant sur des voitures tout à fait abordables.

Ce sont toutefois des peccadilles qu'on leur pardonne facilement à ces belles Anglaises, qu'il s'agisse d'une XJ 3,0 équipée du V6 de 3,0 litres ou d'une XJR dont le V8 de 5,0 litres fait galoper 207 chevaux de plus. Ces deux moteurs sont suralimentés par compresseur. Entre ces deux extrêmes, on retrouve les XJ 5,0 Supercharged, dont le V8 produit 464 chevaux SAE (ou 470 ch PS selon la norme européenne. Jaguar aime bien donner des chiffres ronds...), offertes comme les autres sur empattement régulier ou allongé.

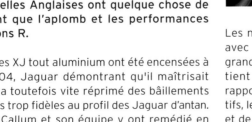

Impressions de l'auteur		Concurrents
Agrément de conduite : ★ ★ ★ ★ ☆	4	Audi A8, BMW Série 7, Lexus LS,
Fiabilité : ★ ★ ★ ⯪ ☆	3,5	Maserati Quattroporte,
Sécurité : ★ ★ ★ ★ ⯪	4,5	Mercedes-Benz Classe CLS,
Qualités hivernales : ★ ★ ★ ★ ☆	4	Mercedes-Benz Classe S
Espace intérieur : ★ ★ ★ ★ ⯪	4,5	
Confort : ★ ★ ★ ★ ☆	4	

Personnalités multiples

Le V6 de 335 chevaux (340 ch PS) s'exprime franchement mieux dans la XJ que dans la berline XF dotée du même rouage intégral. Racée et raffinée, la voiture a un comportement souple et fluide qui rejoint le meilleur de cette longue tradition des berlines Jaguar, solidité et maîtrise en prime. La direction est assez vive et même un peu nerveuse en braquage léger. On est loin des Jaguar d'antan aux réactions molles et vaguement hydrauliques. La XJ L Portfolio, le modèle le plus huppé, boucle le sprint 0-100 en 6,6 secondes, à seulement 0,4 seconde de la XF. Elle freine également plus court, sur 36,8 mètres.

On pourrait croire la bouillante XJR aux antipodes en matière de confort et de raffinement avec son V8 de 543 chevaux (550 PS) et ses immenses pneus de performance de taille 265/35ZR20 devant et 305/30ZR20 derrière. En noir avec des jantes couleur charbon, elle a même un côté *hooligan* qui ne sera certes pas au goût de l'acheteur traditionnel de grande berline de luxe.

Son flegme britannique n'est aucunement affecté par une chaussée bosselée où les tarages de sa suspension sont impeccables. Il n'y a que les ornières de l'asphalte québécois pour lui faire perdre contenance en conduite normale. Elle louvoie même assez fort pour exiger de bonnes corrections sur les chaussées les plus creusées, un vilain défaut qui affecte aussi la F-Type Coupé R.

Sérieusement performante

Il suffit évidemment d'une bonne pression du pied droit sur l'accélérateur pour que la XJR L révèle l'autre facette de sa personnalité. Son cœur de fauve rugissant à fond, elle atteint 100 km/h en 4,4 secondes et dévore le quart de mille en 12,5 secondes avec une pointe de 188,9 km/h. Le même pied droit permet également d'effacer toute cette énergie cinétique presque instantanément. La XJR L a même freiné de 100 km/h sur une distance moyenne de 35,4 mètres, soit 50 cm de moins que la F-Type Coupé R sur la même surface. La pédale est par contre un peu plus souple.

Les XJ ne sont pas aussi bardées de systèmes et de technologies pointues que les Allemandes et leur finition n'est pas non plus au niveau des meilleures, malgré leur charme et leur originalité. Même avec le riche pedigree de la marque, les grandes Jaguar ne rayonnent pas le même prestige que les Allemandes ou même la Tesla Model S, coqueluche du moment.

Qu'à cela ne tienne, les XJ sont modernes, solides, confortables, raisonnablement conviviales et aussi performantes ou polyvalentes qu'on le souhaite, budget aidant. C'est toujours un choix du cœur que la raison n'a cependant plus à combattre aussi farouchement que jadis.

Photos : Marc Lachapelle

Châssis - R (SWB)

Emp / lon / lar / haut	3032 / 5127 / 2105 / 1456 mm
Coffre / Réservoir	430 litres / 82 litres
Nombre coussins sécurité / ceintures	6 / 5
Suspension avant	indépendante, double triangulation
Suspension arrière	indépendante, multibras
Freins avant / arrière	disque / disque
Direction	à crémaillère, ass. variable
Diamètre de braquage	12,3 m
Pneus avant / arrière	P245/40R20 / P275/35R20
Poids / Capacité de remorquage	1946 kg / n.d.
Assemblage	Birmingham, GB

Composantes mécaniques

XJ 3.0, XJ L 3.0

Cylindrée, soupapes, alim.	V6 3,0 litres 24 s surcomp
Puissance / Couple	340 chevaux / 332 lb-pi
Tr. base (opt) / rouage base (opt)	A8 / Int
0-100 / 80-120 / V.Max	6,6 s / n.d. / 195 km/h
100-0 km/h	36,8 m
Type / ville / route / CO_2	Sup / 11,7 / 7,6 l/100 km / 4540 kg/an

XJ, XJ L Supercharged

Cylindrée, soupapes, alim.	V8 5,0 litres 32 s surcomp
Puissance / Couple	470 chevaux / 424 lb-pi
Tr. base (opt) / rouage base (opt)	A8 / Prop
0-100 / 80-120 / V.Max	5,2 s / 3,6 s / 250 km/h
100-0 km/h	37,7 m
Type / ville / route / CO_2	Sup / 16,9 / 7,9 l/100 km / 5910 kg/an

R

Cylindrée, soupapes, alim.	V8 5,0 litres 32 s surcomp
Puissance / Couple	550 chevaux / 502 lb-pi
Tr. base (opt) / rouage base (opt)	A8 / Prop
0-100 / 80-120 / V.Max	4,4 s / n.d. / 280 km/h
100-0 km/h	35,4 m
Type / ville / route / CO_2	Sup / 14,2 / 8,6 l/100 km / 5370 kg/an

Du nouveau en 2015

Aucun changement majeur

FEU VERT
- Silhouettes modernes et originales
- Versions XJR puissantes et dégourdies
- Rouage intégral efficace
- Douceur et silence
- Confort des sièges

FEU ROUGE
- Le cuir des sièges est trop vite terni
- Visibilité arrière très limitée
- De gros reflets dans les cadrans au soleil
- Pas de régulateur de vitesse adaptatif
- Louvoie sur les roulières (XJR)

JAGUAR XJ

JAGUAR **XK**

▶ **Catégorie :** Cabriolet, Coupé

▶ **Cote d'assurance :** n.d.

▶ **Échelle de prix :** 98 625 $ à 179 000 $ (2014)

▶ **Garanties :** 4 ans/80 000 km, 5 ans/80 000 km

▶ **Transport et prép. :** 1350 $

▶ **Ventes CAN 2013 :** 94 unités

Adieu Rose!

Alain Morin

Lancée en tant que modèle 1997 et entièrement revue pour 2006, la XK fait cette année son dernier tour de piste. L'arrivée de la F-Type, plus jeune et plus folle l'a poussée à la retraite. Elle en avait pourtant encore dans le corps, cette jolie XK, livrée, elle aussi, en versions coupé et cabriolet.

Lors de notre plus récente prise en main d'une XK, une version coupé, les nombreux regards envieux et les pouces levés prouvaient que les lignes étaient encore dans le coup. Après tout, le designer Ian Callum, disait, lors du lancement de la XK 2006, s'être inspiré des courbes de l'actrice Kate Winslet pour dessiner sa nouvelle création ! Il ne partait pas de la Poune... Cependant, dix ans plus tard, quand on place la XK côte à côte avec une F-Type, force est d'admettre que cette dernière est infiniment plus moderne, moins en rondeurs, plus svelte et athlétique.

On peut dire la même chose de l'habitacle. Celui de la XK est très bien fini, recouvert de matériaux nobles et de qualité. Le tableau de bord aussi est encore dans le coup même si certains boutons ou leviers rappellent le triste passage chez Ford (1990-2008) et qu'il faut s'attarder un peu à comprendre les différentes commandes avant de prendre la route. Elles n'ont toutefois pas la complexité de celles de certaines allemandes. Les sièges sont étonnants de confort et de maintien, même dans la version de base, si l'on peut se permettre une telle économie d'adjectif. Je parlais des sièges avant. Parce que ceux à l'arrière sont, au mieux, honteux. Aucun être humain ne devrait jamais y prendre place tellement ils sont mal foutus.

Les tympans s'amusent

S'il est une chose qui n'est pas mal foutue dans une XK, c'est la mécanique ! Alors là, c'est le pactole. La XK d'entrée de gamme à 100 000 $ est dotée d'un V8 atmosphérique de 5,0 litres développant 385 chevaux. Souple et enjoué, il offre des performances pour le moins intéressantes. Mais elles sont éclipsées

Impressions de l'auteur	
Agrément de conduite : ★★★★☆	4/5
Fiabilité : ★★☆☆☆	2/5
Sécurité : ★★★★☆	4/5
Qualités hivernales : ★★☆☆☆	2/5
Espace intérieur : ★★★☆☆	3,5/5
Confort : ★★★★☆	4/5

Concurrents

Aston Martin Vantage, BMW Série 6, Chevrolet Corvette, Mercedes-Benz Classe SL, Porsche 911

par celles autorisées par la XKR dont le 5,0 litres surcompressé fabrique 510 chevaux. Les accélérations et les reprises sont d'une vivacité de chat affamé traquant une belle souris bien dodue. Qu'est-ce que ça avance! Et dans un joli grondement juste un peu trop étouffé par des kilos de matériel insonorisant.

Comme si ce n'était pas suffisant, il y a aussi les XKR-S et XKR-S GT, des bêtes, rien de moins, qui tiennent plutôt de la lionne défendant ses petits que du gentil petit chat. Et là, la sonorité du moteur de la XKR n'est pas étouffée et devrait faire partie du « Top 10 » des plus beaux sons mécaniques toutes catégories et toutes décennies confondues, du moins selon les oreilles d'un gars élevé aux 390 de Ford et aux 440 Six Pack.

Au volant d'une XKR coupé, notre consommation moyenne s'est élevée à 14,0 litres aux cent kilomètres. En fait, une consommation de 12 ou 12,5 l/100 km est tout à fait plausible, mais la sonorité de l'échappement et la brutalité des accélérations ne m'ont pas laissé le choix de profiter de chevaux qui ne demandaient qu'à gambader! La transmission, une automatique à six rapports (ici, l'âge se fait sentir car dans ce créneau, il en faut, au minimum sept) fait un excellent boulot, surtout en mode *Dynamic* alors que toute la voiture devient plus nerveuse. Du genre à piloter avec doigté.

Épicuriens en moyens demandés

Les limites de la tenue de route ne peuvent être atteintes sur les routes publiques, la direction est précise et renseigne bien sur le travail des roues tandis que les freins sont capables de vous arracher les lunettes sur le nez. Un bref galop au volant d'une XKR-S a fait ressortir les mêmes commentaires... multipliés par 10! Si vous avez le petit 30 000 $ supplémentaire demandé pour cette version, faites-vous plaisir! Cependant, il ne faut pas se méprendre. Sauf pour la XKR-S, les autres XK sont beaucoup plus des GT que des sportives pures et dures, surtout en version cabriolet.

La XK s'apprête donc à nous quitter après tant d'années de bons et loyaux services. C'est qu'à l'heure de la retraite, on ne retient que les beaux côtés. On oublie l'habitacle plutôt étroit, la visibilité arrière particulièrement pourrie du coupé (et du cabriolet quand le toit était relevé), la valeur de revente dramatique, les coûts d'entretien absolument indécents et la fiabilité tout simplement outrageuse. Sur ce dernier point, je mentionnerai que la Porsche 911 fait nettement mieux. Mais malgré son passé glorieux et ses lignes toujours d'actualité, elle n'a pas une once de l'exotisme de la XK.

Oui, la XK s'en va. Avec un panache rarement égalé. Il y a de ces voitures qu'on n'oubliera jamais.

Châssis - R Coupe

Emp / lon / lar / haut	2752 / 4794 / 2032 / 1322 mm
Coffre / Réservoir	331 litres / 71 litres
Nombre coussins sécurité / ceintures	6 / 4
Suspension avant	indépendante, double triangulation
Suspension arrière	indépendante, multibras
Freins avant / arrière	disque / disque
Direction	à crémaillère, ass. variable
Diamètre de braquage	10,9 m
Pneus avant / arrière	P255/35R20 / P285/30R20
Poids / Capacité de remorquage	1800 kg / n.d.
Assemblage	Birmingham, GB

Composantes mécaniques

Base

Cylindrée, soupapes, alim.	V8 5,0 litres 32 s atmos.
Puissance / Couple	385 chevaux / 380 lb-pi
Tr. base (opt) / rouage base (opt)	A6 / Prop
0-100 / 80-120 / V.Max	5,5 s / n.d. / 250 km/h
100-0 km/h	37,4 m
Type / ville / route / co$_2$	Sup / 13,5 / 9,0 l/100 km / 5244 kg/an

R

Cylindrée, soupapes, alim.	V8 5,0 litres 32 s surcomp
Puissance / Couple	510 chevaux / 461 lb-pi
Tr. base (opt) / rouage base (opt)	A6 / Prop
0-100 / 80-120 / V.Max	4,8 s / 3,8 s / 250 km/h
100-0 km/h	37,4 m
Type / ville / route / co$_2$	Sup / 14,2 / 9,2 l/100 km / 5520 kg/an

RS, RS GT

Cylindrée, soupapes, alim.	V8 5,0 litres 32 s surcomp
Puissance / Couple	550 chevaux / 502 lb-pi
Tr. base (opt) / rouage base (opt)	A6 / Prop
0-100 / 80-120 / V.Max	4,5 s / 2,6 s / 300 km/h
100-0 km/h	38,7 m
Type / ville / route / co$_2$	Sup / n.d. / n.d. l/100 km / 5840 kg/an

Du nouveau en 2015

Aucun changement majeur. Dernière année de production.

- Style encore fabuleux
- Habitacle confortable
- Moteurs d'anthologie
- Version XKR-S enivrante
- Tenue de route superlative

- Visibilité arrière digne d'un sous-marin
- Places arrière inhumaines
- Valeur de revente problématique
- Fiabilité atroce
- C'est la fin...

Photos : Jaguar Canada, Alain Morin

Jeep JEEP **CHEROKEE**

▸ **Catégorie :** VUS   ▸ **Échelle de prix :** 23 495 $ à 32 195 $ (2014)   ▸ **Transport et prép. :** 1 795 $

▸ **Cote d'assurance :** n.d.   ▸ **Garanties :** 3 ans/60 000 km, 5 ans/100 000 km   ▸ **Ventes CAN 2013 :** 0 unité

L'Italien coureur des bois

Sylvain Raymond

La disparition du Liberty en 2012 a laissé un poste vacant au sein de la gamme Jeep. Histoire de combler ce vide, le constructeur a tablé une fois de plus sur son passé en réintroduisant l'année dernière un modèle disparu depuis plus de 13 ans, le Cherokee. Se positionnant entre le tandem Compass/Patriot et le Grand Cherokee en termes de prix, le Cherokee a pour difficile mission de rivaliser dans un segment très populaire et surtout, desservi par une concurrence bien établie.

Afin de concevoir son nouveau VUS compact, Chrysler s'est servi d'une nouvelle architecture globale développée par le groupe Fiat. Eh, oui, le Cherokee est d'origine italienne ! Cependant, on l'a croisé avec le Wrangler pour lui donner une personnalité entièrement Jeep. Oubliez l'inspiration européenne dans ses lignes, il ne ressemble à aucun de ses concurrents. Quoi qu'il en soit, son style particulier, surtout à l'avant, en fait jaser plus d'un. Certes, on retrouve la traditionnelle grille à sept fentes,

mais le capot et le pare-chocs se rejoignent en V forment un devant en pointe. On a aussi séparé les blocs optiques en deux, alors que les clignotants et les feux de position, très minces, occupent la partie supérieure, tandis que le reste du phare est encastré plus bas dans le pare-chocs.

Des primeurs technologiques dans sa manche

Le Cherokee propose plusieurs variantes. Jeep a décidé de ne pas limiter les choix mécaniques en fonction de la version et toutes les combinaisons sont permises : moteur quatre ou six cylindres, traction ou rouage intégral, peu importe la mouture, sauf pour le Cherokee Trailhawk qui est configuré pour le hors route extrême.

Le moulin de base est un quatre cylindres de 2,4 litres baptisé TigerShark, qui développe dans ce cas-ci 184 chevaux. Il délivre une bonne puissance en général, les accélérations étant, bien entendu, un peu moins vives lorsque le véhicule est bien

Impressions de l'auteur		Concurrents
Agrément de conduite : ★★★☆	3,5	Chevrolet Equinox, Ford Escape
Fiabilité :	**Nouveau modèle**	Hyundai Tuscon, Kia Sportage
Sécurité : ★★★☆	3,5	Mitsubishi Outlander, Nissan Rogue,
Qualités hivernales : ★★★★	4	Subaru Forester, Toyota RAV4,
Espace intérieur : ★★★☆	3,5	Volkswagen Tiguan
Confort : ★★★★	4	

chargé, principalement en raison de son couple un peu plus timide. Sa consommation retenue représente son principal avantage.

Pour davantage de vigueur, vous pourrez vous tourner vers le V6 Pentastar de 3,2 litres qui se veut le petit frère du V6 de 3,6 litres et qui trouve ici sa première application. Plus léger et économique, il déploie 271 chevaux et un couple de 239 lb-pi, ce qui permet au véhicule de livrer de meilleures prestations. On a bien aimé le quatre cylindres, mais le V6 rend mieux justice au Cherokee, surtout avec son excès de poids face à plusieurs rivaux. En plus, il ne majore par trop la facture ni les chiffres de consommation, et apporte au passage une capacité de remorquage supérieure à tous ses rivaux.

Concernant les transmissions, c'est simple puisqu'une seule est proposée et pas n'importe laquelle : une automatique à neuf rapports. Développée afin de réduire la consommation d'essence, cette nouvelle boîte ne semble toutefois pas encore totalement au point. Elle aura été la cause d'un retard lors de l'introduction du modèle, sans compter le rappel pour reprogrammation dont elle a été l'objet…

Le Cherokee profite de matériaux souples aux différents points de contact et l'ergonomie en général. Cet habitacle est beaucoup plus riche que celui de certains modèles Jeep du passé. La partie centrale du tableau de bord présente le système multimédia qui, via un écran tactile de 5 ou 8,4 pouces selon la livrée, permet de contrôler pratiquement tous les éléments à bord, au grand plaisir des amateurs de techno. L'aspect pratique est rehaussé avec plusieurs espaces de chargement bien pensés.

L'héritage forcé d'une marque

On ne reprochera certainement pas au Ford Escape ou au Honda CR-V de ne pas être en mesure de traverser le célèbre sentier du Rubicon. Puisqu'il arbore l'emblème Jeep, le Cherokee se doit d'être compétent en hors route.

Trois systèmes de rouage intégral sont au catalogue. Le premier, baptisé Active Drive I, équivaut à la majorité des systèmes offerts par la concurrence. Il maximise l'adhérence en transférant une partie du couple aux roues arrière en cas de besoin. Pour les exigences un peu plus poussées, l'Active Drive II, tel un système quatre roues motrices classique, comporte un mode gamme basse, soit un rapport inférieur qui améliore les prestations du véhicule en conditions extrêmes. De son côté, le système Active Drive Lock ajoute un différentiel arrière autobloquant, laissant loin derrière les autres utilitaires compacts qui voudraient se frotter au Cherokee hors des sentiers battus. Ce système se retrouve d'ailleurs de série dans la version Trailhawk, homologuée Trail Rated. On reconnaît rapidement cette variante par ses boucliers avant et arrière et ses crochets de remorquage peints en rouge.

Malgré sa plate-forme italienne, le Cherokee demeure un Jeep pur et dur.

Photos : Jeep Canada, Jacques Duval

Châssis - Trailhawk TI

Emp / lon / lar / haut	2700 / 4623 / 1903 / 1722 mm
Coffre / Réservoir	702 à 1555 litres / 60 litres
Nombre coussins sécurité / ceintures	10 / 5
Suspension avant	indépendante, jambes de force
Suspension arrière	indépendante, multibras
Freins avant / arrière	disque / disque
Direction	à crémaillère, ass. électrique
Diamètre de braquage	11,6 m
Pneus avant / arrière	P245/65R17 / P245/65R17
Poids / Capacité de remorquage	1862 kg / 2046 kg (4510 lb)
Assemblage	Toledo, OH

Composantes mécaniques

Sport, North, Limited

Cylindrée, soupapes, alim.	4L 2,4 litres 16 s atmos.
Puissance / Couple	184 chevaux / 171 lb-pi
Tr. base (opt) / rouage base (opt)	A9 / Tr (Int)
0-100 / 80-120 / V.Max	10,5 s (est) / n.d. / n.d.
100-0 km/h	n.d.
Type / ville / route / co$_2$	Ord / 8,4 / 5,8 l/100 km / 3230 kg/an

Trailhawk

Cylindrée, soupapes, alim.	V6 3,2 litres 24 s atmos.
Puissance / Couple	271 chevaux / 239 lb-pi
Tr. base (opt) / rouage base (opt)	A9 / 4RM différentiel vérouillable
0-100 / 80-120 / V.Max	8,2 s / 6,1 s / n.d.
100-0 km/h	44,7 m
Type / ville / route / co$_2$	Ord / 10,8 / 7,5 l/100 km / 4285 kg/an

Du nouveau en 2015

Nouveau modèle

FEU VERT
- Nombreuses combinaisons possibles
- Finition intérieure améliorée
- Bon comportement sur la route
- Bonnes capacités de remorquage

FEU ROUGE
- Style controversé
- Fiabilité de la transmission à prouver
- Véhicule lourd
- Coffre à bagages pourrait être plus grand

JEEP COMPASS

Jeep JEEP **COMPASS / PATRIOT**

▸ **Catégorie :** VUS

▸ **Cote d'assurance :** $$$$$

▸ **Échelle de prix :** 17 995 $ à 29 895 $ (2014)

▸ **Garanties :** 3 ans/60 000 km, 5 ans/100 000 km

▸ **Transport et prép. :** 1 795 $

▸ **Ventes CAN 2013 :** 5 372 unités*

Un peu moins semblables qu'avant

Guy Desjardins

À leur lancement en 2007, le Compass et le Patriot avaient une allure très similaire et une motorisation en tout point identique. Il aura fallu plus de six ans à Jeep pour les doter d'éléments distincts, et seulement en apparence puisque des mécaniques semblables se cachent toujours sous leur carrosserie.

D'entrée de jeu, le Compass et le Patriot misent sur des conditions gagnantes puisqu'ils proposent un gabarit intéressant, une consommation de carburant décente et des prix raisonnables. Que vous craquiez pour l'un ou l'autre, les mêmes options mécaniques vous seront offertes, à savoir, un choix de deux motorisations, de trois rouages et de trois transmissions.

Mécanique identique
Pour hiérarchiser les différents modèles, deux motorisations à quatre cylindres s'inscrivent au catalogue. Le premier, un maigrichon 2,0 litres de 158 chevaux, s'occupe des versions de base à traction. La puissance ne permet pas des performances époustouflantes mais en revanche, la consommation de carburant montre des chiffres étonnants, atteignant même une cote de 7,5 litres/100 km au combiné ville/route. Cette mécanique représente un choix sensé pour une utilisation majoritairement urbaine et où le remorquage n'est pas une affaire quotidienne.

Dans le cas contraire, le 2,4 litres de 172 chevaux s'impose. Cette motorisation développe davantage de couple à bas régime, ce qui permet une plus grande efficacité en remorquage. Bien qu'il soit de série sur les modèles à 4RM, il peut également équiper les versions à deux roues motrices. Grâce au moteur 2,4 litres, les Compass et Patriot accomplissent leur besogne avec aise et livrent un gain substantiel de puissance. La motorisation s'avère plus douce et stable, alors que les accélérations sont nettement plus linéaires et moins bruyantes dans l'habitacle.

Impressions de l'auteur		Concurrents
Agrément de conduite :	★ ★ ★ ✦ ☆ 3,5	Ford Escape, Honda CR-V,
Fiabilité :	★ ★ ★ ☆ ☆ 3	Hyundai Tucson, Kia Sportage,
Sécurité :	★ ★ ★ ✦ ☆ 3,5	Mitsubishi Outlander, Nissan Rogue,
Qualités hivernales :	★ ★ ★ ★ ✦ 4,5	Subaru Forester, Toyota RAV4
Espace intérieur :	★ ★ ★ ✦ ☆ 3,5	
Confort :	★ ★ ★ ✦ ☆ 3,5	

* Jeep Compass : 6 228 unités

JEEP COMPASS / PATRIOT

En fonction du modèle sélectionné, trois transmissions se chargent de passer la puissance aux roues. De série, Jeep propose la manuelle à 5 rapports, laquelle permet d'exploiter au maximum la puissance des deux moteurs, ce qui est le choix le plus judicieux sur les versions équipées du 2,0 litres. En option, et selon le modèle, une automatique à 6 rapports et une transmission CVT sont également offertes. De ces trois choix, le pire reste la CVT qui rend la conduite de ces véhicules amorphe et exempte de sensations.

Dehors les différences!

À l'intérieur, les deux montrent la même personnalité. De facture plus luxueuse que par le passé, le Compass et le Patriot proposent un agencement plus inspiré et des matériaux moins plastifiés. L'ajout de chrome rehausse la présentation et si, dans les deux cas, les sièges avant offrent'une assise très douillette et d'un soutien latéral suffisant, il en est tout autrement pour la banquette arrière qui manque de confort... Heureusement, l'espace pour les jambes est généreux autant que celui pour les épaules malgré l'étroitesse des véhicules. À l'extérieur, le Compass prend des allures de Grand Cherokee avec sa partie avant plus raffinée et sa silhouette davantage élancée que le Patriot qui a une carrure plus angulaire. Le Patriot dispose d'une garde au sol plus élevée alors que le Compass affiche des lignes plus aérodynamiques.

Notre dernier véhicule d'essai — un Patriot en version North à 4RM équipé du 2,4 litres et de la transmission manuelle — nous a paru le plus équilibré du lot. Malgré son poids additionnel et sa consommation légèrement supérieure au modèle de base, le comportement routier s'avère agréable. La transmission manuelle permet d'exploiter au maximum la plage des rapports et l'efficacité du système à 4RM de Jeep n'est plus à questionner. Pour les moins habiles du levier, la transmission automatique à 6 rapports accomplit un bon boulot et la possibilité d'utiliser le mode manuel permet de vivre une légère sensation de performance. Une très légère sensation, devrions-nous préciser...

Et comme si ce n'était déjà pas assez, Jeep propose en plus un choix de deux rouages à 4RM. Le Freedom Drive I suffira pour les déplacements sur la route alors que le Freedom Drive II, offert exclusivement avec la boîte CVT, devra être privilégié pour s'aventurer très souvent hors route. D'ailleurs, seul le Freedom Drive II permet d'apposer l'écusson maison Trail Rated sur ces Jeep.

Le Compass et le Patriot se positionnent dans une catégorie très concurrentielle. Ces produits ne sont pas les meilleurs sur le marché, mais plusieurs avantages leur permettent d'attirer la clientèle, notamment des prix bas, un gabarit très intéressant et une consommation d'essence raisonnable.

Châssis - Jeep Patriot Sport 2RM (2.0)

Emp / lon / lar / haut	2634 / 4414 / 1757 / 1664 mm
Coffre / Réservoir	651 à 1515 litres / 51 litres
Nombre coussins sécurité / ceintures	4 / 5
Suspension avant	indépendante, jambes de force
Suspension arrière	indépendant, multibras
Freins avant / arrière	disque / tambour
Direction	à crémaillère, assistée
Diamètre de braquage	10,9 m
Pneus avant / arrière	P205/70R16 / P205/70R16
Poids / Capacité de remorquage	1426 kg / 454 kg (1000 lb)
Assemblage	Belvidere, IL

Composantes mécaniques

2.0: Compass / Patriot

Cylindrée, soupapes, alim.	4L 2,0 litres 16 s atmos.
Puissance / Couple	158 chevaux / 141 lb-pi
Tr. base (opt) / rouage base (opt)	M5 (A6) / Tr
0-100 / 80-120 / V.Max	12,5 s (est) / n.d. / n.d.
100-0 km/h	n.d.
Type / ville / route / CO_2	Ord / 9,1 / 6,8 l/100 km / 3726 kg/an

2,4: Patriot

Cylindrée, soupapes, alim.	4L 2,4 litres 16 s atmos.
Puissance / Couple	172 chevaux / 165 lb-pi
Tr. base (opt) / rouage base (opt)	M5 (A6) / Int (Tr)
0-100 / 80-120 / V.Max	11,8 s / 8,0 s / n.d.
100-0 km/h	46,9 m
Type / ville / route / CO_2	Ord / 9,9 / 7,6 l/100 km / 4094 kg/an

4RM CVT: Compass Sport, Patriot Sport / Limited

Cylindrée, soupapes, alim.	4L 2,4 litres 16 s atmos.
Puissance / Couple	172 chevaux / 165 lb-pi
Tr. base (opt) / rouage base (opt)	CVT / Int
0-100 / 80-120 / V.Max	n.d. / n.d. / n.d.
100-0 km/h	n.d.
Type / ville / route / CO_2	Ord / 9,9 / 7,6 l/100 km / 4094 kg/an

Du nouveau en 2015

Boîte automatique six rapports retirée des modèles de base, nouvelle couleur vert ECO.

FEU VERT
- Gabarit intéressant
- Consommation décente
- Prix alléchants
- Moteur 2,4 litres bien adapté
- Transmission automatique agréable

FEU ROUGE
- Confort de la banquette arrière
- Moteur 2,0 litres anémique
- Transmission CVT moche
- Insonorisation limitée

JEEP PATRIOT

Photos : Jeep Canada

Jeep JEEP GRAND CHEROKEE

▸ **Catégorie :** VUS

▸ **Échelle de prix :** 39 995 $ à 62 995 $ (2014)

▸ **Transport et prép. :** 1 795 $

▸ **Cote d'assurance :** $$$$

▸ **Garanties :** 3 ans/60 000 km, 5 ans/100 000 km

▸ **Ventes CAN 2013 :** 11 587 unités

Parfait pour une piste de course... en plein hiver

Alain Morin

Pour survivre dans un créneau convoité par toute une industrie, il faut constamment diversifier son offre, aller là où les autres n'ont pas encore été ou, mieux, aller là où personne ne nous attend. Pour le Grand Cherokee, ça veut dire se décliner en plusieurs modèles qui allient confort, robustesse et, quoi qu'encore timidement, fiabilité.

L'an passé, les designers ont revu quelques détails extérieurs mais, surtout, ils ont modernisé l'habitacle. Il en avait bien besoin !

On a enfin droit à un tableau de bord aussi agréable que facile à consulter. Le volant se prend bien en main et la position de conduite parfaite se trouve en un rien de temps. Le système UConnect, via un écran de 5 ou 8 pouces selon la variante, est un jeu d'enfant à utiliser. La seule fois où j'ai proféré quelques méchancetés fut celle où, un beau matin, j'ai perdu toutes les

stations de radio que j'avais programmées. Et ce n'était pas ma faute, je le jure !

Les sièges, qu'ils soient à avant ou à l'arrière, en tout cas ceux en cuir, font preuve d'un grand confort. Cependant, accéder à ces sièges, peu importe leur emplacement, demande d'avoir la cuisse légère, pardon, la patte agile puisqu'ils sont placés loin à l'intérieur à cause de seuils très larges. Les personnes moins flexibles risquent de trouver l'opération difficile, d'autant plus que Grand Cherokee est passablement haut. Le volume du coffre est dans la bonne moyenne pour la catégorie, par contre, j'ai trouvé le hayon à ouverture électrique d'une désespérante lenteur.

Le turbodiesel à l'honneur !

Depuis l'année passée, le Grand Cherokee a droit à une nouvelle vie grâce à un V6 turbodiesel de 3,0 litres. Développant un maigre 240 chevaux et un colosse 420 livres-pied de couple, ce moteur, fabriqué en Italie, officie déjà depuis quelque temps

Impressions de l'auteur	
Agrément de conduite :	★★★★☆ 4
Fiabilité :	★★★☆ 3,5
Sécurité :	★★★★☆ 4
Qualités hivernales :	★★★★☆ 4,5
Espace intérieur :	★★★★☆ 4
Confort :	★★★★☆ 4

Concurrents

Ford Explorer, Nissan Pathfinder, Toyota 4Runner

JEEP GRAND CHEROKEE

en Europe où il a prouvé sa fiabilité. Il est parfait pour les gens désirant remorquer (jusqu'à 7 200 livres – 3 300 kg). Un autre moteur, le V8 de 5,7 litres peut tirer autant, toutefois, le diesel pénalise moins la consommation d'essence en situation de remorquage. Une moyenne sous 10,0 l/100 km est tout à fait envisageable en conduite normale. Outre l'odeur persistante du diesel lors des pleins et les 5 000 $ supplémentaires qu'il commande à l'achat – lesquels sont repris en bonne partie lors de la revente – il n'y a pas vraiment de raisons de s'en priver, surtout si le remorquage est une activité récurrente.

Il y a aussi un V6 de 3,6 litres plus puissant que le turbodiesel mais moins généreux en couple et qui procure des accélérations correctes. Jeep proclame une consommation moyenne de 12,4 litres en ville et de 9,8 sur la route. Une consommation moyenne ville/route aux alentours de 13,0 l/100 km nous semble plus réaliste. Un Grand Cherokee équipé de ce moteur peut tracter jusqu'à 6 200 livres (2 818 kg). Vient ensuite un V8 de 5,7 litres Hemi qui, avec sa puissance et son couple élevés, autorise des accélérations et des reprises pleines de vie… et des passages à la pompe déprimants. Attendez-vous à 16 ou 17 l/100 km.

Tous ces moteurs sont appuyés par une transmission automatique à huit rapports au fonctionnement doux. Le huitième rapport est essentiellement un *overdrive* qui se désactive à la moindre accélération ou à la moindre pente ascendante en engageant le septième rapport. Le rouage du Grand Cherokee est invariablement toutes roues motrices (les Américains ont droit à des versions deux roues motrices) et grâce au système Select Terrain, le conducteur peut choisir le mode de traction désiré (Neige, Sable, Auto et Roches).

Y a-t-il un Cayenne qui veut se faire planter?

Enfin, il y a la démentielle version SRT facilement différenciable des autres grâce à ses imposantes prises d'air sculptées dans le capot. Elles alimentent en air frais un V8 de 6,4 litres de 470 chevaux et 465 livres-pied de couple. C'est amplement suffisant pour expédier le 0-100 km/h en moins de 5,0 secondes et pour engloutir un minimum de 18 litres/100 km… en étant respectueux! Sa transmission à huit vitesses passe ses rapports rapidement en mode Sport et très rapidement en mode Piste. Ses suspensions sont passablement plus dures que celles des autres variantes, ses pneus, des 295/45ZR20 collent à la route avec une ténacité peu commune et ses freins, immenses, sont d'une efficacité redoutable. Sur une piste, le SRT peut même tenir tête à un Porsche Cayenne. Faut le faire!

Bref, il y a un Grand Cherokee pour tous les goûts et presque toutes les bourses. Ces dernières années, sa fiabilité s'est améliorée mais n'allez pas croire qu'elle est parfaite! On ne change pas de vieilles habitudes aussi rapidement et seul le passage des années nous dira si c'était du sérieux. Mais cela prouve que le Grand Cherokee est là pour rester.

Photos: Jeep, Jeep Canada

Châssis - SRT

Emp / lon / lar / haut	2916 / 4859 / 2156 / 1756 mm
Coffre / Réservoir	994 à 1945 litres / 93 litres
Nombre coussins sécurité / ceintures	6 / 5
Suspension avant	indépendante, bras inégaux
Suspension arrière	indépendante, multibras
Freins avant / arrière	disque / disque
Direction	à crémaillère, assistée
Diamètre de braquage	11,4 m
Pneus avant / arrière	P295/45R20 / P295/45R20
Poids / Capacité de remorquage	2336 kg / 3266 kg (7200 lb)
Assemblage	Détroit, MI

Composantes mécaniques

Overland D

Cylindrée, soupapes, alim.	V6 3,0 litres 24 s turbo
Puissance / Couple	240 chevaux / 420 lb-pi
Tr. base (opt) / rouage base (opt)	A8 / Int
0-100 / 80-120 / V.Max	9,3 s / 8,1 s / n.d.
100-0 km/h	45,4 m
Type / ville / route / co_2	Dié / 10,3 / 7,1 l/100 km / 4785 kg/an

Laredo, Limited, Overland, Summit

Cylindrée, soupapes, alim.	V6 3,6 litres 24 s atmos.
Puissance / Couple	290 chevaux / 260 lb-pi
Tr. base (opt) / rouage base (opt)	A8 / Int
0-100 / 80-120 / V.Max	8,8 s / 6,8 s / n.d.
100-0 km/h	44,4 m
Type / ville / route / co_2	Ord / 12,4 / 8,3 l/100 km / 4860 kg/an

Summit V8

Cylindrée, soupapes, alim.	V8 5,7 litres 16 s atmos.
Puissance / Couple	360 chevaux / 390 lb-pi
Tr. base (opt) / rouage base (opt)	A8 / Int
0-100 / 80-120 / V.Max	8,0 s (est) / n.d. / n.d.
100-0 km/h	n.d.
Type / ville / route / co_2	Ord / 15,6 / 9,9 l/100 km / 6000 kg/an

SRT

Cylindrée, soupapes, alim.	V8 6,4 litres 16 s atmos.
Puissance / Couple	470 chevaux / 465 lb-pi
Tr. base (opt) / rouage base (opt)	A8 / Int
0-100 / 80-120 / V.Max	5,0 s (est) / n.d. / n.d.
100-0 km/h	35,4 m
Type / ville / route / co_2	Sup / 16,6 / 10,7 l/100 km / 6420 kg/n

Du nouveau en 2015

Moteur 3,6 litres offert avec échappement simple uniquement, seuils de porte illuminés, système d'annulation du bruit.

FEU VERT
- Style moderne
- Confort certifié (sauf SRT)
- V6 3,0 litres turbodiesel fiable
- Capacités hors route relevées
- Version SRT outrageusement puissante

FEU ROUGE
- Consommation dérangeante (V8)
- Diesel dispendieux à l'achat
- Poids indécent
- Entretien coûteux
- Certaines versions très chères

Jeep. JEEP **WRANGLER**

▶ **Catégorie :** VUS

▶ **Cote d'assurance :** $$$$$

▶ **Échelle de prix :** 24 890 $ à 40 165 $ (2014)

▶ **Garanties :** 3 ans/60 000 km, 5 ans/100 000 km

▶ **Transport et prép. :** 1 795 $

▶ **Ventes CAN 2013 :** 18 578 unités

Un *chum*, c't'un *chum*!

Alain Morin

J eep a beau avoir multiplié les modèles au cours de la dernière décennie, pas toujours avec succès, il n'en demeure pas moins qu'un seul transcende le temps et porte l'image de la marque sur ses (pas du tout frêles) épaules, le Wrangler.

Apparu en 1941, le Jeep fut l'un des éléments qui firent des Alliés les vainqueurs de la Deuxième Guerre mondiale. Ensuite, ce petit passe-partout s'est découvert une vocation commerciale sans jamais renier ses robustes et rustres origines. C'est ainsi que près de 75 ans plus tard, on retrouve un Wrangler qui a conservé ses lignes si distinctives et, surtout, ses capacités hors route qui vont bien au-delà de tout ce qui est produit sur la planète. Le seul qui peut approcher les incroyables capacités du Wrangler quand il n'y a plus de route est le Land Rover LR4 mais son cout prohibitif et son légendaire manque de fiabilité le rendent moins intéressant. Jusqu'à l'an dernier, il y avait bien le Toyota FJ Cruiser mais il n'est malheureusement plus offert.

Salut mon *chum*!

Solide comme un tracteur, on sait que le Wrangler peut nous amener à bon port, peu importe la route... en souhaitant qu'il n'y ait pas de route! D'où un sentiment de liberté et de puissance rarement rencontré en même temps. Ce n'est pas pour rien que les femmes affectionnent ce véhicule hors norme. Et ce n'est pas pour rien que les hommes lui font confiance. Avec le Wrangler, on est comme en présence d'un vieux *chum* qui ne nous laissera jamais tomber. Des *chums* comme ça, il y en a si peu qu'il faut les apprécier quand on les a!

Depuis que les ingénieurs ont eu la bonne idée de lui implanter le très populaire V6 Pentastar de 3,6 litres, le comportement du Wrangler a nettement évolué et la souplesse de ce moteur le rend beaucoup plus agréable à vivre au quotidien. Oh, on ne parle toujours pas d'une Lamborghini mais, au moins, les accélérations ne se calculent plus avec un calendrier et la consommation, si elle n'est pas approuvée par Green Peace,

Impressions de l'auteur			Concurrents
Agrément de conduite :	★★★★★	3/5	Nissan Xterra
Fiabilité :	★★★★★	3/5	
Sécurité :	★★★★★	3,5/5	
Qualités hivernales :	★★★★★	4,5/5	
Espace intérieur :	★★★★★	3,5/5	
Confort :	★★★★★	3/5	

JEEP WRANGLER

est relativement moins embarrassante qu'avant. Lors de notre dernier essai d'un Wrangler, notre moyenne s'est établie à 14,2 l/100 km.

Lors du changement de moteur en 2012, la transmission automatique a gagné un cinquième rapport, ce qui contribue à faire diminuer (un peu) le niveau sonore dans l'habitacle et la consommation. La manuelle à six rapports est toujours offerte et l'imprécision de son levier tout comme la longueur de sa course rappellent le Massey Ferguson sur lequel j'ai appris à conduire au début des années soixante-dix.

Le Wrangler est proposé en deux variantes, soit deux et quatre portes (Unlimited). Les puristes, qui ne jurent que par le VRAI Jeep, n'en ont que pour la version à deux portes, plus à l'aise dans les sentiers impraticables. N'allez surtout pas croire que l'Unlimited soit intimidé par une roche grosse comme une maison! Que nenni! En fait, c'est juste l'angle ventral (breakover) qui est moins élevé dans l'Unlimited à cause de la distance plus grande entre les roues avant et arrière. On parle d'un maximum de 25,4 degrés pour le modèle ordinaire contre 20,8 pour l'Unlimited. L'édition Rubicon, entre autres, est particulièrement bien adaptée aux pires conditions grâce à son rouage Rock-Trac et ses différentiels Dana 44. Si ces données ne vous disent rien, ce n'est vraiment pas grave et continuez à utiliser votre Wrangler comme véhicule quotidien.

Un *chum*, c'est pas toujours facile à vivre

Le quotidien... Parlons-en! Le Wrangler a beau avoir incroyablement évolué depuis quelques années, il n'en demeure pas moins que ses suspensions n'aiment toujours pas les belles routes et sautillent inutilement, les moindres vents latéraux sont de véritables ennemis, le niveau sonore en accélération est plutôt inquiétant, la direction est aussi précise que celle d'un parti politique en déroute, la position de conduite idéale se trouve pourvu que vous ayez deux heures libres, les sièges arrière sont d'un inconfort total (un peu moins pires dans le Unlimited) et la visibilité vers l'arrière tient de l'imaginaire.

Le Jeep Wrangler est, à la base, un véhicule décapotable. Sur papier, on imagine de romantiques promenades sur une superbe plage dominée par un soleil couchant... Sauf qu'installer le toit en toile alors que l'orage menace est une expérience qui écorche immanquablement les jointures, décroche des mots tirés de la religion catholique et réduit à néant vos chances d'impressionner l'attirante personne qui vous accompagnait dans votre quête de passion. Que fait-on dans ce temps-là? On va prendre une bière avec notre meilleur *chum*... ou on se garroche dans le pire sentier qu'on peut trouver!

En passant, 2016 marquera le 75e anniversaire du Wrangler. Me semble que ce serait une belle occasion pour Jeep de présenter une nouvelle génération, non?

Châssis - Rubicon

Emp / lon / lar / haut	2423 / 4161 / 1872 / 1839 mm
Coffre / Réservoir	340 à 1557 litres / 70 litres
Nombre coussins sécurité / ceintures	2 / 4
Suspension avant	essieu rigide, multibras
Suspension arrière	essieu rigide, multibras
Freins avant / arrière	disque / disque
Direction	à billes, assistée
Diamètre de braquage	10,6 m
Pneus avant / arrière	LT255/75R17 / LT255/75R17
Poids / Capacité de remorquage	1874 kg / 907 kg (1999 lb)
Assemblage	Toledo, OH

Composantes mécaniques

Cylindrée, soupapes, alim.	V6 3,6 litres 24 s atmos.
Puissance / Couple	285 chevaux / 260 lb-pi
Tr. base (opt) / rouage base (opt)	M6 (A5) / 4x4
0-100 / 80-120 / V.Max	7,9 s / 6,6 s / n.d.
100-0 km/h	45,8 m
Type / ville / route / CO_2	Ord / 13,4 / 9,6 l/100 km / 5382 kg/an

Du nouveau en 2015

Aucun changement majeur

 FEU VERT
- Style plein d'histoire et de promesses
- Consommation moins embarrassante qu'avant
- Imbattable en hors route
- Version Unlimited quasiment agréable au quotidien
- Valeur de revente élevée

 FEU ROUGE
- Niveau de sportivité nul
- Confort réduit à sa plus simple expression
- Consommation toujours élevée
- Infiltrations d'eau fréquentes
- Direction assez vague, merci

Photos : Jeep Canada, Alain Morin

KIA **CADENZA**

▶ **Catégorie :** Berline

▶ **Cote d'assurance :** n.d.

▶ **Échelle de prix :** 37 795 $ à 44 995 $ (2014)

▶ **Garanties :** 5 ans/100 000 km, 5 ans/100 000 km

▶ **Transport et prép. :** 1 485 $

▶ **Ventes CAN 2013 :** 195 unités

Signe d'une belle maturité

Sylvain Raymond

Introduite l'an passé, la Cadenza devenait le modèle porte-étendard chez Kia. Sa mission : présenter tout le savoir-faire du constructeur coréen en termes de style et de technologie. Son statut n'aura été que de courte durée puisqu'elle doit céder son titre cette année à la K900, une voiture encore plus cossue et, bien entendu, plus dispendieuse. Ces deux nouveaux modèles prouvent que Kia atteint un niveau de maturité supérieur en se lançant dans un créneau qu'elle n'avait pas encore exploré : le luxe !

La Cadenza est en fait la cousine de la Hyundai Genesis ou plus précisément de l'Azera, toujours commercialisée chez nos voisins du Sud. Elle ne prétend pas rivaliser avec les berlines sport proposées par les constructeurs allemands, mais plutôt avec des modèles comme l'Acura TL, la Buick LaCrosse et la Lexus ES. La différence majeure : Kia le fait en utilisant sa marque grand public et non pas en recourant à

une division de luxe, comme les autres. Pas facile de se donner une image qui symbolise une gamme aussi étendue, surtout de la part d'un constructeur réputé traditionnellement pour offrir des véhicules peu dispendieux.

Plus puissante que ses rivales

La Cadenza utilise la même plate-forme que l'Optima, mais on l'a allongée pour les besoins de la cause. Lexus a adopté une stratégie semblable dans le cas de sa ES en étirant le châssis de la Camry. Si vous vous laissez tenter par cette Kia de luxe, le choix de la version sera assez simple, il n'y en a que deux, la livrée de base et la Premium. Elles se partagent l'unique mécanique, un V6 à injection directe de 3,3 litres développant 293 chevaux et un couple de 255 lb-pi. Avec ce moteur, qui est aussi installé dans le Sorento, la Cadenza est bien alignée sur la concurrence qui se base également sur des V6, moins puissants dans bien des cas. Seule la Buick LaCrosse en offre plus avec ses 304 chevaux.

Impressions de l'auteur	
Agrément de conduite : ★★★⯪	3,5/5
Fiabilité : ★★★★	4/5
Sécurité : ★★★★	4/5
Qualités hivernales : ★★★	3/5
Espace intérieur : ★★★★	4/5
Confort : ★★★★	4/5

Concurrents

Acura TLX, Buick LaCrosse, Hyundai Genesis, Lexus ES, Nissan Maxima, Toyota Avalon, Volvo S60

Alors que la Genesis profite d'une architecture à propulsion, le V6 de la Cadenza transmet sa puissance aux roues avant via une transmission automatique à six rapports. Avec son ratio poids/puissance supérieur, elle boucle le 0-100 km/h en environ 6,5 secondes, un chrono plus que décent pour une voiture de ce genre.

Un style signé Peter Schreyer

Son style est fort réussi et on peut féliciter Peter Schreyer qui a fait un travail colossal chez Kia, rendant les modèles hautement désirables. La Cadenza offre un mariage d'éléments issus de la jolie Optima et de la dernière génération de la Forte mais dans une présentation plus sophistiquée. L'avant, bas et large, se démarque avec des phares angulaires et une grille typique à la marque. Tout comme c'est le cas avec l'Optima, les jantes au design de pales de turbine ajoutent au dynamisme. L'arrière est aussi réussi avec son double échappement ovale et ses feux aux DEL. On perçoit les influences européennes, la voiture pourrait très bien passer pour une allemande.

À bord, on a l'impression d'être au volant d'un modèle beaucoup plus dispendieux. Les matériaux choisis sont de qualité et l'assemblage sans faille. Les sièges sont confortables et rendent agréables les longs trajets. Ils sont toutefois un peu moins bien adaptés à une conduite sportive en raison de leur manque de support latéral. Avec son prix légèrement en deçà de 40 000 $, la Cadenza tire son épingle du jeu avec un équipement de série complet. Système de navigation, caméra de recul, climatiseur à deux zones et sièges chauffants sont notamment du lot. Contrairement aux allemandes, pas besoin de plonger à grands frais dans le catalogue d'options pour avoir une voiture décente.

Sur la route

Au volant, la Cadenza dispose d'une bonne puissance, mais on est tout de même loin du dynamisme et de la fougue des berlines sport allemandes ou même de la Hyundai Genesis dont le moteur déploie 333 chevaux. La Kia n'est pas sous-motorisée, mais davantage de couple serait le bienvenu lors des manœuvres de dépassement. La voiture pèse tout de même près de 1 660 kg. La boîte automatique tire bien profit de la puissance disponible tout en réduisant le régime à vitesse de croisière, diminuant ainsi la consommation. Sa suspension indépendante aux quatre roues apporte une conduite souple et contrôlant bien la masse. Puisque la puissance est transmise aux roues avant, la voiture à tendance à sous-virer en conduite plus dynamique. Dommage qu'elle ne soit pas proposée avec un rouage intégral, elle aurait ainsi un avantage supplémentaire sur plusieurs de ses rivales.

La Cadenza a certainement de bons attributs. Si vous cherchez une berline de luxe abordable, stylisée et bourrée de gadgets, elle pourrait bien vous plaire. Il faudra seulement accepter son logo beaucoup moins prestigieux!

Châssis - Premium

Emp / lon / lar / haut	2845 / 4970 / 1850 / 1475 mm
Coffre / Réservoir	451 litres / 70 litres
Nombre coussins sécurité / ceintures	8 / 5
Suspension avant	indépendante, jambes de force
Suspension arrière	indépendant, multibras
Freins avant / arrière	disque / disque
Direction	à crémaillère, ass. électrique
Diamètre de braquage	11,1 m
Pneus avant / arrière	P245/40R19 / P245/40R19
Poids / Capacité de remorquage	1710 kg / n.d.
Assemblage	Hwasung, KR

Composantes mécaniques

Base, Premium

Cylindrée, soupapes, alim.	V6 3,3 litres 24 s atmos.
Puissance / Couple	293 chevaux / 255 lb-pi
Tr. base (opt) / rouage base (opt)	A6 / Tr
0-100 / 80-120 / V.Max	7,3 s / 5,0 s / n.d.
100-0 km/h	43,2 m
Type / ville / route / co_2	Ord / 11,2 / 7,4 l/100 km / 4360 kg/an

Du nouveau en 2015

Ajout d'antibrouillard au LED, siège passager avant désormais ventilé (Premium).

FEU VERT
- Style réussi
- Bon niveau d'équipement de série
- Finition et qualité des matériaux
- Prix de base attrayant
- Excellente garantie

FEU ROUGE
- Pas de rouage intégral
- Direction un peu floue
- Pas un haut niveau de prestige

Photos : Kia Canada, Alain Morin

KIA **FORTE**

▶ **Catégorie :** Berline, Coupé, Hatchback   ▶ **Échelle de prix :** 15 995 $ à 26 195 $ (2014)   ▶ **Transport et prép. :** 1485 $

▶ **Cote d'assurance :** $$$$ ▶ **Garanties :** 5 ans/100 000 km, 5 ans/100 000 km   ▶ **Ventes CAN 2013 :** 11 400 unités

Le principe
de l'amélioration continue

Denis Duquet

L'an dernier, Kia dévoilait la nouvelle génération de sa berline Forte. Force est d'admettre que ce modèle a enregistré un net progrès par rapport au modèle antérieur. En effet, non seulement la silhouette de la voiture est plus raffinée, mais son équipement de série est carrément supérieur à la moyenne.

Ces améliorations ainsi que la présence d'un moteur optionnel de 173 chevaux ont permis à cette voiture coréenne de se classer dans le premier tiers du match comparatif des compactes en première partie de cet ouvrage, alors qu'elle n'a été devancée que par la Mazda3, la Volkswagen Jetta et la Ford Focus. Elle a ainsi dépassé sa sœur ennemie, la Hyundai Elantra.

Une offre alléchante
La berline Forte se démarque par sa silhouette équilibrée et élégante qui fait songer à une voiture de catégorie supérieure. En fait, elle ressemble à une intermédiaire de format réduit.

Dans l'habitacle, la planche de bord avec ses pièces en similifibre de carbone est d'un bel effet tandis que la qualité de la finition est bonne. Nous avons peine à croire qu'il s'agit du même constructeur qui proposait — il n'y a pas si longtemps — des berlines se classant en queue de peloton sous tous les aspects.

Il faut cependant apporter une précision... toutes les versions de cette berline ne sont pas à la même enseigne. En effet, le modèle de base, le LX, est beaucoup moins attrayant avec son quatre cylindres 1,8 litre dont les performances sont tout au plus dans la bonne moyenne. On compense par un équipement de série un peu plus étoffé, mais ça reste basique.

Par contre, l'EX avec son moteur 2,0 litres de 173 chevaux est une voiture beaucoup plus tentante. Elle boucle le 0-100 km/h en 9,0 secondes, ce qui est correct pour la catégorie. Si cette Kia nous gâte au chapitre du confort, force est d'admettre que le feedback de la conduite est assez mitigé. Ceci est dû en grande partie à la direction qui est peu communicative et qui

Impressions de l'auteur		Concurrents
Agrément de conduite : ★★★⯪★ 3,5/5		Chevrolet Cruze, Dodge Dart,
Fiabilité : ★★★★★ 4/5		Ford Focus, Honda Civic,
Sécurité : ★★★★★ 4/5		Hyundai Elantra, Mazda3,
Qualités hivernales : ★★★★★ 4/5		Mitsubishi Lancer, Nissan Sentra,
Espace intérieur : ★★★⯪★ 3,5/5		Toyota Corolla, Volkswagen Golf
Confort : ★★★★★ 4/5		

manque de précision. En plus, le roulis en virage est prononcé. Mais qu'importe, si on veut se donner l'impression de se payer un peu de luxe, cette berline a plusieurs éléments qui plaident en sa faveur.

Nouveaux venus

Poursuivant sur sa lancée, Kia a remplacé au début de 2014 son modèle Forte coupé deux portes appelé Koup en plus de renouveller la version *hatchback* cinq portes, la Forte5. Comme il s'agit de voitures s'adressant à une clientèle un peu plus exigeante, le moteur 1,8 litre n'est pas disponible. Les modèles de base de la Koup et de la Forte5 sont dotés du moteur quatre cylindres 2,0 litres de 173 chevaux. Celui-ci est couplé de série avec une boîte manuelle à six rapports. Une transmission automatique à six vitesses est optionnelle dans les deux cas.

La version SX est la plus huppée de la gamme Koup et elle se démarque entre autres par une calandre plus étroite, des jantes en alliage de 18 pouces et surtout un moteur 1,6 litre turbo de 201 chevaux. Ce dernier assure des performances plus qu'intéressantes. Et cette fois-ci, bonne nouvelle, l'embrayage de la boîte manuelle a été grandement amélioré tout comme le guidage du levier de vitesses, et sur la version SX les rapports de boîtes sont différents afin d'optimiser les performances.

Bien entendu, la silhouette a été révisée alors que la carrosserie est plus large et plus basse. Les feux de position et les phares antibrouillards sont des DEL. Somme toute, une voiture davantage en mesure de répondre aux attentes des amateurs de coupés compacts à vocation sportive. La concurrence ciblée est la Honda Civic Si Coupe, cela va de soi, suivie de la Scion tC et de la Hyundai Elantra Coupe.

Quant à la Forte5, elle doit sa nomenclature au fait qu'il s'agit d'un *hatchback* cinq portes. Une fois de plus, les stylistes de Kia ont réussi à dessiner une carrosserie élégante et relativement sportive. Comme sur toutes les autres versions de la gamme Forte, l'équipement de série est étoffé. Les personnes qui choisiront le modèle SX avec moteur turbo de 201 chevaux se retrouveront au volant d'une voiture pratique — en raison de son hayon — et dont les performances sont dignes de mention.

Malheureusement, sur tous les modèles, le système de réglage de l'assistance à la direction a besoin d'être amélioré. De plus, cette direction doit gagner en précision et en retour d'information.

Cela laisse à désirer, mais ce trio propose cependant un excellent rapport qualité-prix et il ne faudrait pas être surpris que Kia continue de connaître une hausse de ses ventes dans la catégorie des compactes.

Châssis - Koup SX

Emp / lon / lar / haut	2700 / 4529 / 1781 / 1410 mm
Coffre / Réservoir	377 litres / 50 litres
Nombre coussins sécurité / ceintures	6 / 5
Suspension avant	indépendante, jambes de force
Suspension arrière	semi-indépendante, poutre de torsion
Freins avant / arrière	disque / disque
Direction	à crémaillère, ass. électrique
Diamètre de braquage	10,6 m
Pneus avant / arrière	P225/40R18 / P225/40R18
Poids / Capacité de remorquage	1298 kg / n.d.
Assemblage	Hwasung, KR

Composantes mécaniques

Berline LX

Cylindrée, soupapes, alim.	4L 1,8 litre 16 s atmos.
Puissance / Couple	148 chevaux / 131 lb-pi
Tr. base (opt) / rouage base (opt)	M6 (A6) / Tr
0-100 / 80-120 / V.Max	10,0 s / 6,9 s / n.d.
100-0 km/h	n.d.
Type / ville / route / co_2	Ord / 8,0 / 5,3 l/100 km / 3120 kg/an

Berline EX / SX, Koup EX, 5 EX

Cylindrée, soupapes, alim.	4L 2,0 litres 16 s atmos.
Puissance / Couple	173 chevaux / 154 lb-pi
Tr. base (opt) / rouage base (opt)	M6 (A6) / Tr
0-100 / 80-120 / V.Max	9,0 s / 5,9 s / n.d.
100-0 km/h	42, 8 m
Type / ville / route / co_2	Ord / 8,5 / 5,5 l/100 km / 3290 kg/an

Koup SX, 5 SX

Cylindrée, soupapes, alim.	4L 1,6 litre 16 s turbo
Puissance / Couple	201 chevaux / 195 lb-pi
Tr. base (opt) / rouage base (opt)	M6 (A6) / Tr
0-100 / 80-120 / V.Max	7,5 s (est) / 5,5 s (est) / n.d.
100-0 km/h	n.d.
Type / ville / route / co_2	Sup / 9,2 / 6,2 l/100 km / 3634 kg/an

Du nouveau en 2015

Aucun changement majeur. Nouvelles Koup et Forte5 ont été dévoilées durant 2014.

Photos : Kia Canada, Sylvain Raymond

FEU VERT
- Équipement complet
- Silhouettes élégantes
- Moteur turbo en forme
- Boîte manuelle enfin décente
- Excellente garantie

FEU ROUGE
- Direction à améliorer
- Roulis en virage
- Agrément de conduite mitigé
- Moteur 1,8 litre peu puissant
- Fiabilité à confirmer

KIA **K900**

▶ **Catégorie :** Berline	▶ **Échelle de prix :** 53 000 $ à 63 000$ (estimé)	▶ **Transport et prép. :** 1 485 $
▶ **Cote d'assurance :** n.d.	▶ **Garanties :** 5 ans/100 000 km, 5 ans/100 000 km	▶ **Ventes CAN 2013 :** 0 unités

De bien grandes aspirations...

Alain Morin

Le marché a de ces frivolités... Mercedes-Benz, BMW, Audi, Porsche – pour ne nommer que ceux-là – tentent par tous les moyens d'élargir leur clientèle en offrant des véhicules plus petits et plus abordables. De leur côté, Hyundai et Kia – pour ne nommer que ceux-là – tentent par tous les moyens d'élargir leur clientèle en offrant des véhicules plus gros et plus chers.

Prenons l'exemple de Hyundai qui, depuis l'année-modèle 2011, offre l'Equus, une berline haut de gamme qui essaie, sans grand succès jusqu'à maintenant, de ravir des ventes aux BMW Série 7 ou Mercedes-Benz Classe S. Hyundai et Kia appartenant à la même famille, pourquoi ne pas en faire profiter la cousine ? C'est ainsi que Kia présente la K900.

D'abord vue au Salon de Los Angeles en novembre 2013 sous le nom K9 et appelée Quoris sur certains marchés, la K900

partage sa mécanique avec la Equus. Tandis que cette dernière roule avec un seul V8, la Kia a droit, en plus, à un V6. Et puis, au chapitre du style, les deux voitures diffèrent passablement malgré un empattement rigoureusement identique. Alors que la Hyundai joue la carte d'un conservatisme quasiment extrême, la Kia est nettement plus dynamique. En fait, elle ressemble à une grosse Cadenza qui, elle, ressemble à une grosse Optima. Heureusement que ses phares la démarquent !

Des tonnes d'équipements

Dès qu'on ouvre une portière, on est assailli par le luxe. Les cuirs ont de toute évidence été choisis avec soin, de même que les boiseries. Le tableau de bord est bien dessiné et les principes de base de l'ergonomie sont respectés. Il y a bien quelques peccadilles... comme l'écran central de 9,2 pouces qui n'est pas tactile. Trouver comment programmer les stations de radio sans passer par le manuel du propriétaire dépasse mon niveau de compétence (il n'est pas très élevé, j'en conviens) et l'écran de visualisation tête haute (HUD) est

Impressions de l'auteur		Concurrents
Agrément de conduite : ★★★☆☆ 2,5/5		Hyundai Equus, Audi A8, Bmw Série 7, Lexus LS, Mercedes-Benz Classe S
Fiabilité : ★★★★☆ 3,5/5		
Sécurité : ★★★★★ 4,5/5		
Qualités hivernales : ★★★★☆ 3,5/5		
Espace intérieur : ★★★★★ 4,5/5		
Confort : ★★★★★ 4,5/5		

KIA K900

plutôt sommaire. Cependant, le niveau d'équipement compense largement ces petits désagréments modernes. La version la moins nantie est quand même bien nantie en offrant des accessoires comme les sièges avant chauffants et rafraîchissants, un système audio Lexicon et, évidemment, tout ce qui est imaginable en termes de connexion multimédia et de systèmes de sécurité.

Les sièges avant sont d'un confort intarissable. Ceux à l'arrière méritent la même remarque mais, en plus, il y a suffisamment d'espace pour que les gens mesurant moins de 8 pieds s'y sentent confortables. La position de conduite se trouve facilement et le volant, qui me fait penser à Sid le paresseux de *L'ère de glace* avec ses yeux de chaque côté de la tête, se prend bien en main.

La Kia K900 de base arrive avec un V6 de 3,8 litres. Je n'ai pas pu conduire une K900 équipée de ce moteur, mais son essai dans une Hyundai Genesis prouve qu'il est amplement suffisant pour permettre des déplacements véloces et sécuritaires. Les 100 kg de plus de la K900 pourraient toutefois avoir un certain effet à la baisse sur les accélérations et à la hausse sur la fréquence des arrêts à la pompe. Quant au V8 de 5,0 litres, il propulse la K900 à des vitesses très illégales en moins de temps qu'il n'en faut pour l'écrire dans un doux grondement malheureusement trop étouffé par des kilos de matériel insonorisant. Dommage, il boit comme une éponge... Même en conduite plutôt pépère, il est difficile de descendre sous 13,0 l/100 km. La transmission à huit rapports, baptisée Sportmatic, n'a de sport que le nom... Elle passe ses rapports avec une douceur infinie et les rétrograde avec autant de délicatesse. Sauf que le V8 que nous avons essayé avait la détestable habitude de donner un coup aussi fort que surprenant chaque fois que la boîte passait du 3e au 2e rapport, lors d'un arrêt. Une reprogrammation de l'ordinateur devrait régler ce problème.

Mode Sport ?

La K900 est plutôt jolie, supra confortable et très puissante et cela sera suffisant pour un certain type d'acheteurs qui se foutent d'avoir une direction déconnectée, des suspensions flasques au point d'égratigner les poignées des portières sur l'asphalte dans les courbes prises rapidement, des freins mous et un ABS trop sensible... Et n'allez pas croire que la sélection du mode Sport améliorera le comportement routier. En fait, hormis des jauges différentes au tableau de bord et une augmentation des révolutions du moteur, je n'ai pas vu grand changement.

En Amérique, au Canada à tout le moins, je serais fort surpris que la K900 se vende le moindrement, bien peu de gens étant prêts à dépenser plus de 60 000 $ pour une Kia, aussi fiable et confortable soit-elle. Cependant, ailleurs dans le monde, les perceptions sont très différentes et la K900 risque de connaître le succès.

Photos : Kia Canada

Châssis - V8	
Emp / lon / lar / haut	3046 / 5095 / 1890 / 1486 mm
Coffre / Réservoir	450 litres / 75 litres
Nombre coussins sécurité / ceintures	8 / 5
Suspension avant	indépendante, multibras
Suspension arrière	indépendante, multibras
Freins avant / arrière	disque / disque
Direction	à crémaillère, ass. variable électrique
Diamètre de braquage	11,4 m
Pneus avant / arrière	P245/45R19 / P275/40R19
Poids / Capacité de remorquage	2071 kg / n.d.
Assemblage	Sohari, KR

Composantes mécaniques

V6

Cylindrée, soupapes, alim.	V6 3,8 litres 24 s atmos.
Puissance / Couple	311 chevaux / 293 lb-pi
Tr. base (opt) / rouage base (opt)	A8 / Prop
0-100 / 80-120 / V.Max	n.d. / n.d. / n.d.
100-0 km/h	n.d.
Type / ville / route / co$_2$	Sup / 13,1 / 8,7 l/100 km / 5115 kg/an

V8

Cylindrée, soupapes, alim.	V8 5,0 litres 32 s atmos.
Puissance / Couple	420 chevaux / 376 lb-pi
Tr. base (opt) / rouage base (opt)	A8 / Prop
0-100 / 80-120 / V.Max	6,2 s / 5,1 s / n.d.
100-0 km/h	39,5 m
Type / ville / route / co$_2$	Sup / 15,7 / 10,2 l/100 km / 6080 kg/an

Du nouveau en 2015

Nouveau modèle.

FEU VERT
- Silhouette assez svelte
- Habitacle aussi luxueux que silencieux...
- ... et aussi vaste que confortable
- Puissance plus qu'adéquate
- Équipement pléthorique

FEU ROUGE
- Direction de type nuage
- Transmission au comportement erratique
- Faible valeur de revente à prévoir
- Pas disponible chez tous les concessionnaires
- Rapport prestige/prix désastreux

KIA OPTIMA

▶ **Catégorie :** Berline	▶ **Échelle de prix :** 24 595 $ à 36 195 $ (2014)	▶ **Transport et prép. :** 1 485 $
▶ **Cote d'assurance :** $$$$	▶ **Garanties :** 5 ans/100 000 km, 5 ans/100 000 km	▶ **Ventes CAN 2013 :** 9 269 unités

La beauté ne suffit pas

Alain Morin

Il s'agit d'une opinion éminemment personnelle, j'en conviens, mais Dieu qu'elle est belle cette Kia Optima! Peter Schreyer, le designer vedette de Kia a eu le coup de crayon juste assez subtil, juste assez provocant, juste assez moderne. Juste assez, en fait. Jamais trop. Pourtant, au Canada, l'Optima se vend presque deux fois moins que la cousine rivale qu'est la Hyundai Sonata, pas laide non plus. Et beaucoup moins bien que les Honda Accord et Toyota Camry qui font plus dans la sobriété que dans la beauté.

Tenter d'expliquer pourquoi l'Optima n'est pas aussi populaire qu'elle devrait l'être demanderait une thèse de doctorat, ce qui prendrait les trois quarts du livre que vous tenez entre vos mains. Pas sûr que l'éditeur du *Guide de l'auto* apprécierait! Cependant, on peut affirmer sans craindre de se tromper que, parmi toutes les raisons possibles, l'image de Kia est encore un tantinet moins prestigieuse que celle de Hyundai (le prestige, c'est relatif...)

Quoi qu'il en soit, l'Optima n'est pas en reste devant la Sonata de Hyundai. Après tout, les deux modèles possèdent la même plate-forme et les mêmes mécaniques. Les Coréens ont compris quelque chose que les Américains semblent encore ignorer... l'art du *badge engineering*, c'est-à-dire comment donner une identité propre à deux produits à la base identiques.

Mais concentrons-nous sur la Kia Optima. Son habitacle est l'un des plus vastes de la catégorie dominée par les géants des ventes que sont les Ford Fusion, Toyota Camry, Honda Accord et... Hyundai Sonata. Le tableau de bord est, à mon avis, très réussi, autant au chapitre du style que de l'ergonomie. Cette année, l'Optima gagne l'interface UVO de deuxième génération qui avait fait son apparition l'an dernier dans la Soul et qui se met enfin au diapason en offrant un système de navigation en plus de toutes les fonctionnalités propres à la connectivité.

Impressions de l'auteur			Concurrents
Agrément de conduite :	★★★★☆	4/5	Chevrolet Malibu, Chrysler 200,
Fiabilité :	★★★★☆	4/5	Ford Fusion, Honda Accord,
Sécurité :	★★★★☆	4/5	Hyundai Sonata, Mazda6,
Qualités hivernales :	★★★★☆	4/5	Nissan Altima, Toyota Camry
Espace intérieur :	★★★★☆	4/5	
Confort :	★★★★☆	4/5	

Les sièges avant se révèlent confortables même si mon anatomie a bien de la difficulté à les supporter plus de quelques heures. Même constat à l'arrière sauf qu'en plus, y accéder pour une première fois entraîne une douleur au crâne lorsqu'il rencontre la ligne de toit plongeante... La deuxième fois, le crâne évite ladite ligne de toit, épargnant ainsi aux cordes vocales la formulation de mots réprimés par la morale. Les dossiers s'abaissent de façon 60/40, mais ils ne forment pas un fond plat avec le coffre qui s'avère de bonnes dimensions quoiqu'il ne soit pas le plus grand de la catégorie. Ni le plus petit.

L'Optima propose trois moulins, tous à quatre cylindres. D'ailleurs, les V6 sont de moins en moins nombreux dans cette catégorie. Kia offre d'abord un 2,4 litres. Il s'agit d'un moteur de base mais comme moteur de base, il se fait bien pire! Grâce à sa puissance et à son couple généreux, il réalise des accélérations et des reprises tout à fait convenables bien qu'il manque un peu de punch à bas régime. Ce n'est toutefois pas dramatique. En plus, il consomme avec parcimonie. Une boîte automatique à six rapports s'occupe de faire le lien entre ce moteur et les roues avant. Son mode manuel ne convainc pas et on s'en lasse très rapidement. Une manuelle a déjà été offerte, cependant, la faible demande pour ce type de transmission dans ce type de voiture a signé son arrêt de mort.

Pour jouer les Villeneuve (presque)

Les livrées haut de gamme reçoivent un 2,0 litres turbocompressé, joliment plus déluré que le déjà déluré 2,4. J'ai eu la chance de conduire une version turbo et une 2,4 atmosphérique sur une piste de course. Conclusion : des deux modèles, aucun ne devrait aller sur une piste de course. Mais puisqu'on y était... Les performances du turbo sont nettement plus intéressantes, surtout en reprise, et son association avec l'automatique est mieux réussie. Toutefois, en conduite normale, cette différence est beaucoup moins sentie. Les suspensions des variantes turbocompressées sont assez dures alors qu'elles sont à peine plus souples pour les autres, ce qui permet à l'Optima de jouir d'une solide tenue de route. D'aucuns préfèrent la Sonata pour ses suspensions plus relaxes.

Enfin, il y a l'hybride. Son 2,4 litres, combiné au moteur électrique, développe suffisamment de chevaux et de couple pour assurer de bonnes performances. Mon dernier essai de l'Hybrid ayant eu lieu durant un février plutôt frisquet, la consommation d'essence réelle a été beaucoup plus élevée que celle annoncée par Kia et s'approchait de celle d'une 2,4. Ceci étant dit, on achète une hybride pour faire sa part pour l'environnement, pas pour économiser sur l'essence...

La Kia Optima est plus qu'une belle voiture. Elle possède tout ce qu'il faut pour être à la hauteur de sa beauté. Heureusement car la compétition dort bien peu sur ses lauriers.

Châssis - Hybride

Emp / lon / lar / haut	2795 / 4845 / 1830 / 1450 mm
Coffre / Réservoir	305 litres / 65 litres
Nombre coussins sécurité / ceintures	6 / 5
Suspension avant	indépendante, jambes de force
Suspension arrière	indépendante, multibras
Freins avant / arrière	disque / disque
Direction	à crémaillère, ass. électrique
Diamètre de braquage	10,9 m
Pneus avant / arrière	P215/55R17 / P215/55R17
Poids / Capacité de remorquage	1643 kg / n.d.
Assemblage	West Point, GA

Composantes mécaniques

Hybride LX / EX / EX Premium

Cylindrée, soupapes, alim.	4L 2,4 litres 16 s atmos.
Puissance / Couple	159 chevaux / 154 lb-pi
Tr. base (opt) / rouage base (opt)	A6 / Tr
0-100 / 80-120 / V.Max	8,9 s / 6,3 s / n.d.
100-0 km/h	45,5 m
Type / ville / route / co$_2$	Ord / 5,6 / 5,0 l/100 km / 2452 kg/an

Moteur électrique

Puissance / Couple	46 ch (34 kW) / 151 lb-pi
Type de batterie	Lithium-ion polymère (Li-Po)
Énergie	1,4 kWh

LX, EX

Cylindrée, soupapes, alim.	4L 2,4 litres 16 s atmos.
Puissance / Couple	200 chevaux / 186 lb-pi
Tr. base (opt) / rouage base (opt)	A6 / Tr
0-100 / 80-120 / V.Max	8,7 s / 6,0 s / n.d.
100-0 km/h	43,5 m
Type / ville / route / co$_2$	Ord / 8,6 / 5,6 l/100 km / 3358 kg/an

SX Turbo

Cylindrée, soupapes, alim.	4L 2,0 litres 16 s turbo
Puissance / Couple	274 chevaux / 269 lb-pi
Tr. base (opt) / rouage base (opt)	A6 / Tr
0-100 / 80-120 / V.Max	6,8 s / 4,2 s / n.d.
100-0 km/h	44,0 m
Type / ville / route / co$_2$	Ord / 9,2 / 5,8 l/100 km / 3542 kg/an

Du nouveau en 2015

Aucun changement majeur. Système UVO de seconde génération.

FEU VERT
- Beauté à faire rougir une rose
- Comportement routier relevé
- Moteurs au point
- Équipement de série intéressant
- Excellente garantie

FEU ROUGE
- Suspensions un peu dures
- Visibilité arrière d'un convoi ferroviaire
- Quelques plastiques de type *Dollarama*
- Volume du coffre restreint (hybride)
- Version hybride plus ou moins convaincante

Photos: Kia Canada

KIA **RIO**

▶ **Catégorie :** Berline, Hatchback	▶ **Échelle de prix :** 15 480 $ à 21 580 $ (2014)	▶ **Transport et prép. :** 1 485 $
▶ **Cote d'assurance :** $$$$	▶ **Garanties :** 5 ans/100 000 km, 5 ans/100 000 km	▶ **Ventes CAN 2013 :** 15 601 unités

Piégée par la concurrence

Guy Desjardins

Kia est passé maître dans l'art de créer de bonnes petites voitures et la Rio en est un exemple. Elle perd toutefois des avantages à chaque progrès de la concurrence. La forte rivalité qui fait rage dans la catégorie des sous-compactes pousse les constructeurs à constamment améliorer leurs produits et l'arrivée des nouvelles Ford Fiesta et Honda Fit n'aide en rien le parcours de la Rio qui était jusqu'à présent spectaculaire depuis sa refonte de 2012.

Il fut un temps où les Sud-Coréens dominaient le marché de la voiture sous-compacte économique. Souvent vendues aux meilleurs prix et proposant un équipement plus complet que la concurrence, des voitures comme la Rio et la Hyundai Accent se sont retrouvées en masse dans les rues. Aujourd'hui, même si l'avantage n'est plus totalement du côté de Kia, la Rio peut encore se vanter d'en offrir beaucoup pour le prix,

notamment une allure toujours aussi stylisée, une garantie très généreuse et une liste d'équipements standard très garnie.

De bonnes bases

La Rio se décline en plusieurs configurations, toutes propulsées par la même motorisation. Les versions LX, EX et SX de la berline et de la 5 portes cachent sous leur capot un petit 4 cylindres de 1,6 litre qui réussit à développer près de 140 chevaux, ce qui est nettement suffisant pour déplacer ces poids plume. Les accélérations ne décoiffent évidemment pas et les reprises peuvent être stressantes pour les non-habitués, mais quand ce moulin est jumelé à la transmission manuelle, les performances prennent du galon. Pour quiconque désire un peu de dynamisme, il ne fait aucun doute que la transmission automatique n'est pas à privilégier même si elle propose également six rapports.

Il est aussi vrai de dire que le comportement routier de la Rio ne vise pas la performance. Elle se débrouille adéquatement

Impressions de l'auteur		Concurrents
Agrément de conduite : ★★★⯪☆ 3,5/5		Chevrolet Sonic, Ford Fiesta,
Fiabilité : ★★★★☆ 4/5		Honda Fit, Hyundai Accent,
Sécurité : ★★★★☆ 4/5		Mazda2, Nissan Versa Note,
Qualités hivernales : ★★★⯪☆ 3,5/5		Toyota Yaris
Espace intérieur : ★★★⯪☆ 3,5/5		
Confort : ★★★⯪☆ 3,5/5		

en ville et se faufile sans encombre dans les ruelles mais lorsqu'on atteint l'autoroute, on constate rapidement qu'elle n'est pas la plus confortable, ni la plus insonorisée de la catégorie. La suspension arrière à poutre de torsion résiste à bien des cahots mais elle a ses limites. Beaucoup d'efforts ont cependant été faits durant les dernières années afin de raffiner l'expérience de conduite et les résultats sont probants. Malgré sa réputation de voiture économique, il reste que sa suspension ferme, sa direction électrique précise et sa boîte de vitesse à six rapports bien étagée lui permettent de livrer un comportement routier à tout le moins dynamique. Les virages serrés se prennent aisément et avec plus d'assurance si la voiture roule sur les jantes de 17 pouces.

La dernière refonte majeure a permis à la Rio d'afficher beaucoup plus de caractère, ce qui manquait cruellement aux précédents modèles, tous un peu fades. Les lignes de la carrosserie revêtent un style toujours d'actualité et le design des parties avant et arrière — avec leurs phares avant et feux arrière à DEL surdimensionnés — donne de la prestance à cette petite bagnole. À l'intérieur, le constat est moins reluisant. La présentation semble s'être figée dans le temps avec une allure qui rappelle les modèles des années. Heureusement, la finition est sérieuse et l'utilisation du plastique n'est pas abusive. La position de conduite se trouve rapidement et la bonne prise du volant ajoute une impression de solidité à la Rio. Autant les places avant qu'arrière, ainsi que le coffre, proposent des dimensions très acceptables pour le gabarit du véhicule.

Innovation ou alternative

Alors que Mazda vante son système SKYACTIV, que Ford propose des motorisations EcoBoost ou que Chevrolet sort une version électrique de sa Spark, Kia mise plutôt sur le système Stop and Go pour sa sous-compacte. L'idée n'est évidemment pas mauvaise puisque ce type de voiture est habituellement primé pour son utilisation urbaine, là ou justement les bouchons de circulation sont les plus dévastateurs sur la consommation de carburant. Cependant, ce système n'est installé que sur la version LX+ qui se détaille à tout près de 18 000 $, et à moins d'être régulièrement coincé dans des embouteillages monstres matin et soir, l'ajout de ce dispositif ne réduira pas vos dépenses en carburant. La Rio de base consomme déjà très peu de carburant.

La Rio reste une voiture fort intéressante malgré une concurrence extrêmement féroce. Plusieurs sous-compactes ont été renouvelées récemment et la Rio devra retourner incessamment sur les planches à dessin afin de rester bien positionnée dans la catégorie. Le produit est de qualité, la présentation toujours aussi attrayante et les éléments de série sont très nombreux. Dommage que la concurrence soit impitoyable au point de nous faire oublier la Rio.

Châssis - 5 SX	
Emp / lon / lar / haut	2570 / 4045 / 1720 / 1455 mm
Coffre / Réservoir	425 à 1410 litres / 43 litres
Nombre coussins sécurité / ceintures	6 / 5
Suspension avant	indépendante, jambes de force
Suspension arrière	semi-indépendante, poutre de torsion
Freins avant / arrière	disque / disque
Direction	à crémaillère, ass. électrique
Diamètre de braquage	10,5 m
Pneus avant / arrière	P205/45R17 / P205/45R17
Poids / Capacité de remorquage	1148 kg / n.d.
Assemblage	Sohari, KR

Composantes mécaniques	
Cylindrée, soupapes, alim.	4L 1,6 litre 16 s atmos.
Puissance / Couple	138 chevaux / 123 lb-pi
Tr. base (opt) / rouage base (opt)	M6 (A6) / Tr
0-100 / 80-120 / V.Max	10,3 s / 7,4 s / n.d.
100-0 km/h	44,8 m
Type / ville / route / co_2	Ord / 7,5 / 5,2 l/100 km / 2970 kg/an

Du nouveau en 2015
Aucun changement majeur

- Style toujours actuel
- Habitacle généreux
- Consommation décente
- Prix de base intéressant
- Équipement de série complet

- Tenue de route ferme
- Insonorisation à améliorer
- Option Stop and Go futile
- Prix grimpent rapidement

Photos : Kia Canada

KIA **RONDO**

▶ **Catégorie :** Multisegment

▶ **Cote d'assurance :** $$$$$

▶ **Échelle de prix :** 21 695 $ à 32 195 $ (2014)

▶ **Garanties :** 5 ans/100 000 km, 5 ans/100 000 km

▶ **Transport et prép. :** 1 665 $

▶ **Ventes CAN 2013 :** 6 154 unités

Recette gagnante...
mais gagnante de quoi?

Alain Morin

L e Rondo a fait peau neuve l'an dernier. Et quand on dit « peau neuve », ça veut vraiment dire « peau neuve »! Oubliez la carrosserie tout en rondeurs, l'habitacle désuet et la finition sommaire. Oubliez l'ancien châssis et l'ancienne mécanique. Le nouveau Rondo est meilleur que le précédent, évidemment. Mais pas nécessairement là où l'on s'attendrait à ce qu'il le soit.

Ça commence par des lignes infiniment plus contemporaines qu'avant qui n'ont toutefois pas ce petit quelque chose qui fait craquer, comme sur une Optima ou une Soul, par exemple. Dans l'habitacle, ça c'est drôlement « emmieuté »! Le tableau de bord est maintenant très moderne malgré ses teintes invariablement sombres. Les commandes sont bien disposées, les jauges sont lisibles. Au centre dudit tableau de bord règne un écran de bonnes dimensions d'où l'on peut gérer une foule de paramètres. Les traineux de mon genre seront ravis de découvrir

de nombreux espaces de rangement. On en retrouve même sous les pieds des passagers de la deuxième rangée!

Le Rondo reçoit, en option ou en équipement standard, une banquette de troisième rangée. Les sièges avant, ceux qui ont le devoir d'être les plus confortables (car on y passe plus de temps) ne m'ont guère impressionné par leur confort, mais ne m'ont pas déçu non plus tandis que ceux de la deuxième rangée étaient trop durs. Imaginez maintenant ceux de la troisième rangée, optionnels dans certaines versions... À leur sujet, dans mon calepin de notes, j'ai inscrit : « Pour dépanner ». J'étais drôlement optimiste cette journée-là! Lorsque les dossiers de cette troisième rangée sont relevés, il ne faut évidemment pas s'attendre à trouver un grand coffre. Il offre, à ce moment, 232 litres, ce qui n'est pas beaucoup. C'est tout de même deux fois plus que ce que présente l'éternelle rivale qu'est la Mazda5! Et quand tous les dossiers sont abaissés, on parle de 1840 litres. Ça aussi, c'est deux fois plus que la Mazda5.

Impressions de l'auteur		Concurrents
Agrément de conduite : ★★★☆☆ 3/5		Mazda5
Fiabilité : ★★★★☆ 3,5/5		
Sécurité : ★★★★☆ 3,5/5		
Qualités hivernales : ★★★★☆ 3,5/5		
Espace intérieur : ★★★★☆ 3,5/5		
Confort : ★★★★☆ 3,5/5		

De l'équipement, en voulez-vous, en v'là!

Là où le Rondo a toujours brillé, et continue de le faire, c'est au chapitre des accessoires de série. Des sièges avant chauffants à la radio satellite en passant par la technologie Bluetooth et les prises auxiliaires et USB, tout (ou presque) y est. Et ça, c'est juste dans un Rondo de base!

S'il n'en tenait qu'à moi, j'aurais par contre été un peu plus chiche du côté des accessoires et j'aurais compensé par quelques chevaux de plus sous le capot. Si le Rondo actuel est meilleur que l'ancien, c'est n'est assurément pas parce qu'il est plus puissant! Contrairement à la tendance, Kia a revu l'écurie à la baisse. Au moins, le quatre cylindres de 2,0 litres est plus moderne et consomme moins que l'ancien 2,4 et, surtout, que le vétuste V6 de 2,7 litres de la génération précédente.

Sauf que...

Sauf qu'un moteur qui n'est pas suffisamment puissant pour le véhicule auquel il est assigné doit travailler plus fort pour garder la cadence. Lors de notre dernière prise en main d'un Rondo, nous avons obtenu une moyenne de 10,0 l/100 km, ce qui est beaucoup. Et je n'ai jamais amené plus qu'une personne avec moi. Je n'ose imaginer le beuglement du moteur à chaque accélération ni la consommation si j'avais eu la désastreuse idée de transporter six autres adultes et leurs bagages dans Charlevoix! Même avec juste le conducteur à bord, les performances sont loin d'être délirantes. Elles sont juste « lirantes » et 0-100 km/h en moins de 10,0 secondes tient de l'utopie ou d'une côte descendante... avec un vent de dos. Remarquez que si quelqu'un achète un Rondo pour aller à Sanair les vendredis soirs, il y a là matière à consultation.

Selon la version, la transmission est une manuelle à six rapports d'une mollesse bien peu inspirante ou une automatique à six rapports aussi, beaucoup plus intéressante. Les roues motrices sont situées à l'avant et ne souffrent pas d'un effet de couple (sur les tractions puissantes, les roues avant ont tendance à vouloir partir chacune de leur côté en accélération vive. Aucune crainte à ce sujet avec le Rondo...)

Sur la route, le Kia Rondo se comporte comme on s'y attend d'une voiture qui a évolué... mais pas toujours dans la bonne direction. Le châssis, tout nouveau, est très solide et, de toute évidence, pourrait s'accommoder de 30 ou 40 chevaux de plus. La suspension avant est conventionnelle avec ses jambes MacPherson tandis qu'à l'arrière, on retrouve une poutre de torsion. Pour l'usage qu'on fait d'un Rondo, c'est suffisant et ça permet d'offrir un coffre de meilleures dimensions. Pour le plaisir de conduire de façon le moindrement inspirée, par contre, on repassera.

Bref, le Rondo a pris du galon en esthétisme mais a perdu des plumes au niveau technique. Malheureusement pour les maniaques finis de voitures, Kia a peut-être trouvé la recette gagnante pour plaire au plus grand nombre possible...

Châssis - LX 7 places (auto)

Emp / lon / lar / haut	2750 / 4525 / 1805 / 1610 mm
Coffre / Réservoir	232 à 1840 litres / 58 litres
Nombre coussins sécurité / ceintures	6 / 7
Suspension avant	indépendante, jambes de force
Suspension arrière	semi-indépendante, poutre de torsion
Freins avant / arrière	disque / disque
Direction	à crémaillère, ass. électrique
Diamètre de braquage	11,0 m
Pneus avant / arrière	P205/55R16 / P205/55R16
Poids / Capacité de remorquage	1505 kg / n.d.
Assemblage	Gwangju-Si, KR

Composantes mécaniques

Cylindrée, soupapes, alim.	4L 2,0 litres 16 s atmos.
Puissance / Couple	164 chevaux / 156 lb-pi
Tr. base (opt) / rouage base (opt)	M6 (A6) / Tr
0-100 / 80-120 / V.Max	10,0 s / 6,9 s / n.d.
100-0 km/h	43,7 m
Type / ville / route / co$_2$	Ord / 9,2 / 6,3 l/100 km / 3630 kg/an

Du nouveau en 2015

Aucun changement majeur. Ajout de quatre versions (LX Value, LX Value 7 places, EX Value, EX Value 7 places).

FEU VERT
- Allure contemporaine
- Tableau de bord réussi
- Niveau d'équipement à couper le souffle
- Voiture très pratique
- Garantie alléchante

FEU ROUGE
- Moteur trop peu puissant
- Coffre restreint (si 3e rangée relevée)
- Direction manque de tonus
- Habitacle sombre
- Niveau de passion = 0

Photos : Alain Morin

KIA **SEDONA**

▶ **Catégorie :** Fourgonnette

▶ **Cote d'assurance :** $$$$

▶ **Échelle de prix :** 30 000 $ à 38 000 $ (estimé)

▶ **Garanties :** 5 ans/100 000 km, 5 ans/100 000 km

▶ **Transport et prép. :** 1 650$

▶ **Ventes CAN 2013 :** 735 unités

L'Histoire a parfois de ces détours...

Alain Morin

En 2013, Kia se retirait du marché des fourgonnettes, une décision qui, selon mes recherches, n'a pas amené grand monde au bord de la dépression. Dès lors, Kia promettait (menaçait ?) de revenir avec une fourgonnette basée sur le concept KV7 dévoilé lors du Salon de Detroit en janvier 2011. La marque coréenne revenait effectivement avec une Sedona en 2014... mais une Sedona pratiquement pareille à celle de 2012 !

Toujours est-il qu'au récent Salon de New York, Kia a dévoilé sa toute nouvelle Sedona. Une vraie nouvelle, cette fois ! Tout d'abord, bien malin qui y voit des relents du concept KV7. De côté, on remarque un décroché au niveau des portières coulissantes, à la hauteur des fenêtres, qui n'est pas sans rappeler celui de la Honda Odyssey – mais inversé et, à mon avis, mieux réussi que sur la Japonaise. L'ensemble n'est pas vilain du tout, et possède même passablement de caractère, néanmoins,

je ne crois pas que ce sera suffisant pour guérir l'allergie aux minifourgonnettes de plusieurs personnes.

Un tableau de bord moderne... dans une Sedona !

Indéniablement, le tableau de bord est plus moderne qu'avant. Remarquez qu'il aurait été difficile de ne pas l'améliorer... Ce tableau de bord est facile à consulter et à utiliser mais, pour une fourgonnette, les espaces de rangement ne sont pas pléthoriques, ce qui surprend un peu. Oh, il y en a suffisamment, c'est juste qu'on est habitué à bien plus. Contrairement aux fourgonnettes actuelles, le levier de vitesses de la Sedona est placé sur la console centrale, ce qui rend l'habitacle un peu moins polyvalent mais qui lui donne des airs de berline. Fait inusité, la version haut de gamme, la nouvelle SXL, aura droit à des plastiques bourgognes dans la partie inférieure et crème dans la partie supérieure. L'effet est réussi. Les autres versions recevront du gris et du noir. Enfin, mention très honorable à l'excellente caméra de recul.

Impressions de l'auteur	
Agrément de conduite : ★★★☆☆	3/5
Fiabilité :	n.d.
Sécurité : ★★★★☆	4/5
Qualités hivernales : ★★★☆☆	3,5/5
Espace intérieur : ★★★★☆	4/5
Confort : ★★★★☆	4/5

Concurrents
Chrysler Town & Country, Dodge Grand Caravan, Honda Odyssey, Toyota Sienna

Les sièges avant sont très confortables, tout comme ceux de la deuxième rangée. Ces derniers, dans la SXL, incorporent un repose-pieds. Puisque ces sièges reculent passablement, les dodos des passagers seront tout simplement divins. Dans une Sedona à 8 places, la rangée du centre est constituée d'une banquette. La troisième rangée est évidemment moins bien nantie, trop basse et peu confortable, du moins pour les trois minutes que j'y ai passées.

Les dimensions, sauf la largeur, ont un peu changé par rapport à l'ancienne version. L'empattement et la longueur totale ont grandi d'environ 25 mm tandis que le toit a été abaissé d'à peu près 12 mm. La livrée 2015 a ainsi l'air mieux campée sur ses roues de 17, 18 ou 19 pouces, selon la version. Kia n'a pas encore dévoilé la capacité du coffre (sièges relevés et baissés) mais de visu, elle semble dans la moyenne, sans plus.

Parlons boulons

Sous le capot, on retrouve le moteur de la Cadenza et du Sorento, un V6 de 3,3 litres livrant, ici, 276 chevaux à 6 000 tr/min et 248 livres-pied à 5 200 tr/min. Ce moteur fort moderne est dégourdi et le 0-100 km/h est l'affaire de 8,8 secondes. Cependant, puisque notre véhicule d'essai en était un de reproduction (un *pré-prod* comme on dit dans le jargon du métier), l'ordinateur de bord ne semblait pas fonctionner. Il est donc difficile de se prononcer sur sa consommation moyenne... même si certains de ces ordis sont plutôt optimistes. Et pas juste chez Kia!

La transmission est une automatique à six rapports et les roues motrices demeurent à l'avant. Aucun rouage intégral n'est prévu pour le moment. Cette boîte fonctionne sans histoire mais sans passion non plus. Les suspensions sont à jambes de force à l'avant et multibras à l'arrière, une configuration similaire à ce que la fourgonnette proposait l'an dernier. Elles sont de toute évidence calibrées pour offrir un confort relevé plus qu'une tenue de route à tout casser et, en virage rapide, on note un bon roulis. Les freins ne sont pas impressionnants, autant par la mollesse de la pédale que par la distance lors d'un arrêt d'urgence. Encore une fois, rappelons-le, notre Sedona était un véhicule de reproduction. La direction est légère et assez peu au courant de son rôle, celui de faire tourner les roues avant. Aussi, les systèmes d'aide à la conduite sont très, très sensibles, au point d'en être déplaisants. Si seulement les pneus étaient de bonne qualité... Mais, il s'agissait d'un *pré-prod*, ne l'oubliez pas.

La Sedona devrait débarquer chez les concessionnaires à l'automne 2014. Au moment d'écrire ces lignes, les prix n'étaient pas encore connus, mais il y a lieu de penser qu'ils se situeront entre ceux du duo Grand Caravan/Town & Country et ceux des huppées Honda Odyssey et Toyota Sienna. Dès qu'on les a, on les affiche sur www.guideautoweb.com

Photos : Alain Morin

KIA SEDONA

Châssis - EX 3.3

Emp / lon / lar / haut	3061 / 5116 / 1984 / 1740 mm
Coffre / Réservoir	n.d. / n.d.
Nombre coussins sécurité / ceintures	n.d. / 8
Suspension avant	indépendante, jambes de force
Suspension arrière	indépendante, multibras
Freins avant / arrière	disque / disque
Direction	à crémaillère, ass. variable électrique
Diamètre de braquage	n.d.
Pneus avant / arrière	P235/65R17 / P235/65R17
Poids / Capacité de remorquage	n.d. / n.d.
Assemblage	Sohari, KR

Composantes mécaniques

Cylindrée, soupapes, alim.	V6 3,3 litres 24 s atmos.
Puissance / Couple	276 chevaux / 248 lb-pi
Tr. base (opt) / rouage base (opt)	A6 / Tr
0-100 / 80-120 / V.Max	8,8 s / 6,3 s / n.d.
100-0 km/h	45,3 m
Type / ville / route / co₂	Ord / n.d. / n.d. / 4820 kg/an

Du nouveau en 2015

Nouveau modèle.

FEU VERT
- Style enfin dynamique
- Tableau de bord moderne
- Moteur moins gourmand qu'avant
- Version SXL invitante

FEU ROUGE
- Moins polyvalente que la Grand Caravan
- Fiabilité inconnue
- Pas de version AWD en vue
- Roulis en virage *(pré-prod)*
- Système de sécurité trop sensibles *(pré-prod)*

KIA SORENTO

▶ **Catégorie :** Multisegment	▶ **Échelle de prix :** 26 695 $ à 41 795 $ (2014)	▶ **Transport et prép. :** 1 665 $
▶ **Cote d'assurance :** $$$$	▶ **Garanties :** 5 ans/100 000 km, 5 ans/100 000 km	▶ **Ventes CAN 2013 :** 14 542 unités

Un an plus tard...

Denis Duquet

L'an dernier, Kia a fortement modifié son Sorento, et ce, à bien des niveaux. Cela a permis au constructeur coréen de moderniser son plus gros VUS et de le rendre plus compétitif. Ce faisant, le petit cousin du Hyundai Santa Fe continue lui aussi de raffiner sa gamme de produits et d'en améliorer les performances et la qualité.

Que de progrès réalisés depuis l'arrivée, en 2003, de la première génération du Sorento ! Si la silhouette de ce dernier était flatteuse, sa mécanique était assez conservatrice avec un châssis autonome et un rouage d'entraînement rugueux. Cette fois, la mécanique est nettement plus sophistiquée.

Un bel équilibre

Sur le plan esthétique, la silhouette du plus imposant VUS de Kia a été raffinée tandis que la section avant a été redessinée afin d'en moderniser les lignes et de l'agencer avec les autres

modèles de la marque. Bien entendu, la calandre typique signée Kia a été conservée, mais elle me semble plus haute qu'avant. À l'arrière, le bouclier respire l'élégance et l'équilibre. Soulignons également que les stylistes, dirigés par le designer vedette Peter Schreyer, ont résisté à la tentation de faire appel à des passages de roue en relief, un artifice visuel fort populaire.

Les changements ont été plus significatifs en fait de mécanique. La plate-forme a été révisée alors qu'on retrouve un sous-châssis pour la suspension avant. Les ingénieurs ont renforci cette suspension de type MacPherson en plus de faire appel pour le châssis à de l'acier de plus grande résistance et plus léger. Toutes ces améliorations ont permis d'améliorer la rigidité en torsion de 18 %. La voie a été élargie, la suspension arrière révisée. Depuis l'an dernier, les amortisseurs et les ressorts sont plus souples tandis que la direction est à assistance électrique.

Impressions de l'auteur			Concurrents
Agrément de conduite :	★★★☆	3,5	Ford Explorer, Jeep Grand Cherokee,
Fiabilité :	★★★☆	3,5	Nissan Pathfinder, Toyota 4Runner
Sécurité :	★★★★	4	
Qualités hivernales :	★★★★	4	
Espace intérieur :	★★★★	4	
Confort :	★★★★	4	

Deux moteurs sont au catalogue. Celui de base est un quatre cylindres de 2,4 litres à injection directe dont la puissance est de 191 chevaux. Il est associé à une transmission automatique à six rapports comme c'est le cas avec le moteur optionnel — un V6 de 3,3 litres produisant 99 chevaux supplémentaires. Ces deux moulins peuvent être commandés avec le rouage intégral. Comme sur la plupart des modèles de cette catégorie, la puissance est dirigée aux roues avant et si l'adhérence fait défaut, une partie de couple est orientée vers les roues arrière. Un Sorento équipé du V6 peut remorquer une charge de 3 500 livres (1588 kg) contre 1653 (750 kg) pour le 2,4. Quant à la consommation, elle est presque identique pour les deux moteurs. Pas besoin de se casser la tête pour savoir lequel des deux choisir !

Un peu balourd

L'habitacle a également eu droit à une sérieuse révision. Le tableau de bord a été redessiné et il est possible de commander un écran d'affichage optionnel de huit pouces. De plus, la qualité des matériaux a été améliorée même si la présentation manque quelque peu de passion. L'équipement de base du Sorento est fort relevé et, évidemment, plus on grimpe dans la hiérarchie, plus les accessoires sont nombreux. Comme c'est devenu la tradition chez les Coréens, le Sorento présente un excellent rapport prix/équipement. Certains modèles peuvent être commandés avec une troisième rangée de sièges. Celle-ci semble avoir été dessinée pour de très petites personnes… Une fois en place, cette rangée vient entamer l'espace réservé pour les bagages et éliminer l'espace de rangement sous le plancher, prérogative exclusive du cinq places.

Le comportement routier du Sorento est sans surprise. Malgré tout, sur les mauvais revêtements, le véhicule a parfois tendance à sautiller mais ce n'est rien par rapport à la version précédente qui possédait une suspension inutilement ferme. Quant au groupe propulseur, le moteur quatre cylindres est adéquat si vous roulez avec peu de bagages. Sinon, il peine parfois dans les côtes abruptes. Par ailleurs, le V6 est en mesure de faire face à toutes les situations ou presque. Le « presque » étant de rouler avec cinq occupants et leurs bagages tout en tractant une tente-roulotte sur les côtes de Charlevoix…

Le seul vrai bémol est la direction qui manque de précision et de *feedback*. Les modèles les plus luxueux (SX) sont équipés du système FlexSteer qui permet de régler l'assistance de cette direction. Il y a trois réglages : Confort, Normal et Sport. Au moins, le mode Sport apporte un peu de mieux, mais cela ne résout pas le problème du manque de précision. Pour le reste, le Sorento se révèle être un modèle fort compétitif.

Châssis - LX

Emp / lon / lar / haut	2700 / 4685 / 1885 / 1735 mm
Coffre / Réservoir	1047 à 2052 litres / 66 litres
Nombre coussins sécurité / ceintures	6 / 5
Suspension avant	indépendante, jambes de force
Suspension arrière	indépendante, multibras
Freins avant / arrière	disque / disque
Direction	à crémaillère, ass. électrique
Diamètre de braquage	10,9 m
Pneus avant / arrière	P235/65R17 / P235/65R17
Poids / Capacité de remorquage	1634 kg / 750 kg (1653 lb)
Assemblage	West Point, GA

Composantes mécaniques

LX

Cylindrée, soupapes, alim.	4L 2,4 litres 16 s atmos.
Puissance / Couple	190 chevaux / 181 lb-pi
Tr. base (opt) / rouage base (opt)	A6 / Tr (Int)
0-100 / 80-120 / V.Max	9,8 s / 8,0 s / n.d.
100-0 km/h	43,4 m
Type / ville / route / CO_2	Ord / 10,9 / 7,8 l/100 km / 4370 kg/an

LX V6, EX V6, SX V6

Cylindrée, soupapes, alim.	V6 3,3 litres 24 s atmos.
Puissance / Couple	290 chevaux / 252 lb-pi
Tr. base (opt) / rouage base (opt)	A6 / Int
0-100 / 80-120 / V.Max	7,7 s / 5,4 s / n.d.
100-0 km/h	41,2 m
Type / ville / route / CO_2	Ord / 11,9 / 8,4 l/100 km / 4750 kg/an

Du nouveau en 2015

Aucun changement majeur

- Bon rapport équipement/prix
- Comportement routier sain
- Garantie rassurante
- Finition en progrès
- V6 bien adapté

- Direction imprécise
- Moteur 2,4 litres un peu juste
- Troisième rangée inutile
- Certaines commandes à revoir

Photos : Kia Canada

KIA **SOUL**

► **Catégorie :** Multisegment	► **Échelle de prix :** 16 995 $ à 35 000 $ (2014)	► **Transport et prép. :** 1665 $
► **Cote d'assurance :** $$$$	► **Garanties :** 5 ans/100 000 km, 5 ans/100 000 km	► **Ventes CAN 2013 :** 7 618 unités

Même — bonne — recette

Nadine Filion

On l'aimait, la 1re Kia Soul, et maintenant que les petits défauts ont été réglés, on l'aime encore plus. Et bien qu'on n'y croyait guère, sachez que le constructeur coréen nous présente sa Soul électrique.

Si les ventes de Nissan cube et Scion xB ne lèvent pas — au point où le premier vient de disparaître —, celles de la Kia Soul marchent à fond. Serait-ce son style plus agréable, tant dehors que dedans? Depuis l'automne, le design s'est d'ailleurs fait plus impertinent, avec une grille amincie et des phares surlignés d'un joli trait de DEL. Les flancs, moins torturés, donnent une allure plus saine, l'arrière s'arrondit et le hayon se démarque de nouveaux feux s'insérant élégamment dans un cadre noir lustré et d'une bizarroïde plaque flottante à mi-centre, mais elle a le mérite de ne pas obstruer la vue.

Peut-être la popularité de la Kia Soul tient-elle plutôt à son intéressante échelle de prix, ses généreux équipements, sa

conduite plaisante, son vaste espace de chargement? Vrai qu'on lui reprochait une insonorisation moyenne et une poutre de torsion bondissante, mais la 2e génération a réglé les bobos, à commencer par une suspension plus docile et mieux assise, merci à des amortisseurs plus longs et repositionnés. C'est d'ailleurs la plate-forme de la récente Kia Rio qui se cache là-dessous, gage d'une rigidité accrue (d'un tiers) et d'un empattement plus long (2 cm). L'insonorisation est aussi montée en grade, pour que les passagers gagnent en confort... auditif.

L'un des derniers véhicules à encore miser sur la direction hydraulique s'est rangé; c'est une électrique (plus frugale) qui prend les commandes. Comme tous les nouveaux produits Kia, le sélecteur de conduite permet de passer du mode Confort au mode Sport, mais... vous engagerez ce dernier et vous ne voudrez plus du Confort! Non pas que vous aurez l'impression de piloter une Ferrari, mais ce mode vous accorde un peu plus de caractère — celui Confort est trop élastique pour être inspirant.

Impressions de l'auteur	
Agrément de conduite : ★★★☆	3,5
Fiabilité : ★★★☆	3,5
Sécurité : ★★★☆	3,5
Qualités hivernales : ★★★★	4
Espace intérieur : ★★★★	4
Confort : ★★★☆	3,5

Concurrents
Nissan Juke, Scion tC

Sinon, la nouvelle Kia Soul se comporte avec la même agilité, la même mania-bilité. Elle offre toujours l'un des deux quatre cylindres, soit le Gamma (1,6 L) ou le Nu (2,0 L). On a cependant joué des performances et, mauvaise nouvelle pour le « petit » moteur, il perd 8 chevaux (130 chevaux). Ce qui n'est pas très bien vu, quand on sait que le passage générationnel a fait gagner 45 kg...

Si vous croyez que la « bonne » version est celle dotée du quatre cylindres 2,0 litres (maintenant bonifié de l'injection directe), vous n'êtes sûrement pas dans le champ! La vigueur demeure à 164 chevaux, mais le couple (151 lb-pi) se réveille à plus bas régime, pour des accélérations mieux déliées. Rien de dithyrambique, mais en se fermant les yeux, on s'imagine facilement conduire une Toyota, réputée pour la douceur de ses motorisations.

Attention : la manuelle six vitesses se réserve désormais au « petit » moteur. C'est donc dire que la « bonne variante » n'a droit qu'à l'automatique six rapports et, par conséquent, débute à presque 21 000 $.

Recette intérieure

En 2009, la 1re Kia Soul avait eu l'honneur d'être reconnue comme ayant l'habitacle le plus *groovy* selon *Ward's*. *Groovy*, ça l'est moins en cette 2e génération; on rapatrie plutôt la recette du Kia Rondo, au demeurant de très bon ton avec ses commandes simples à apprivoiser. Bonne nouvelle : les matériaux prennent du galon et le coup d'oeil en est un substantiel, moins « écono-box ». Un reproche, quand même : contrairement à la Fiat 500L, la banquette arrière n'accepte ni de coulisser ni de s'incliner.

Côté équipements, fidèle à la tradition coréenne, la Kia Soul propose des gâteries optionnelles que la concurrence n'a pas. Pensez banquette chauffante, sièges avant ventilés et volant chauffant. Même *full equip*, l'étiquette tourne autour de 27 000 $.

On n'y croyait pas, mais...

Quelques billets de plus à investir? Il y a cette nouvelle Kia Soul EV (109 chevaux, 210 lb-pi de couple) qui arrive cet automne à plus ou moins 35 000 $ (moins l'écorabais de 8 000 $). On n'y croyait pas, à cette première auto coréenne 100 % électrique en sol nord-américain, mais on se sera trompé. Même que Kia prend de vitesse Hyundai et, au passage, nargue la Nissan Leaf d'une autonomie d'un quart plus généreuse.

Le Canada aura droit à moins d'une centaine de ces Kia Soul EV qui conservent les atouts de la Kia Soul normale, et même les rehaussent d'accélérations linéaires, merci à la transmission à rapport unique. Le tout ne handicape pas le volume de chargement, les 282 kg de batteries (lithium-ion polymère) ayant trouvé à se loger sous la banquette. Il faudra voir, lors d'un essai exhaustif, si cette promesse de l'une des autonomies électriques les plus généreuses (de 160 à 200 km) sera tenue.

Photos : Nadine Filion

Châssis - EV

Emp / lon / lar / haut	2570 / 4140 / 1800 / 1600 mm
Coffre / Réservoir	532 à 1402 litres / 0
Nombre coussins sécurité / ceintures	6 / 5
Suspension avant	indépendante, jambes de force
Suspension arrière	semi-indépendante, poutre de torsion
Freins avant / arrière	disque / disque
Direction	à crémaillère, ass. électrique
Diamètre de braquage	10,6 m
Pneus avant / arrière	P205/60R16 / P205/60R16
Poids / Capacité de remorquage	1476 kg / n.d.
Assemblage	Gwangju-Si, KR

Composantes mécaniques

EV

Moteur	Électrique
Puissance / Couple	109 ch (81 kW) / 210 lb-pi
Tr. base (opt) / rouage base (opt)	Rapport fixe / Tr
0-100 / 80-120 / V.Max	11,5 s (const) / n.d. / 145 km/h
100-0 km/h	n.d.
Type de batterie	Lithium-ion polymère (Li-Po)
Énergie	27 kWh
Temps de charge (120V / 240V)	24,0 / 4,5 hres
Autonomie	160 km

LX (man / auto)

Cylindrée, soupapes, alim.	4L 1,6 litre 16 s atmos.
Puissance / Couple	130 chevaux / 118 lb-pi
Tr. base (opt) / rouage base (opt)	M6 (A6) / Tr
0-100 / 80-120 / V.Max	10,5 s (est) / 8,5 s (est) / n.d.
100-0 km/h	n.d.
Type / ville / route / co_2	Ord / 6,6 / 8,5 l/100 km / 3430 kg/an

EX, SX, SX Luxe

Cylindrée, soupapes, alim.	4L 2,0 litres 16 s atmos.
Puissance / Couple	164 chevaux / 151 lb-pi
Tr. base (opt) / rouage base (opt)	A6 / Tr
0-100 / 80-120 / V.Max	9,7 s / 7,0 s / n.d.
100-0 km/h	41,9 m
Type / ville / route / co_2	Ord / 6,5 / 8,8 l/100 km / 3470 kg/an

Du nouveau en 2015

Version électrique d'ici la fin 2014, 2,0 litres désormais à injection directe, boîte manuelle avec le moteur de base seulement.

FEU VERT

- Le « cube » préféré des Québécois!
- Gâteries optionnelles uniques
- Variante électrique au point
- Belle maniabilité
- Dispositif d'arrêt-démarrage possible

FEU ROUGE

- Banquette qui ne s'avance ni ne s'incline
- Moteur de base de seulement 130 chevaux
- Prise de poids générationnelle (45 kilos)
- Bizarroïde plaque flottante à l'arrière

KIA SPORTAGE

▶ **Catégorie :** VUS
▶ **Échelle de prix :** 24 660 $ à 36 360 $
▶ **Transport et prép. :** 1 665 $

▶ **Cote d'assurance :** $$$$
▶ **Garanties :** 5 ans/100 000 km, 5 ans/100 000 km
▶ **Ventes CAN 2013 :** 6 395 unités

L'évolution perpétuelle

Denis Duquet

L e segment qui connaît le plus de progression sur notremarché est celui des VUS compacts. Non seulement la concurrence est vive, mais à peu près tous les constructeurs sont présents dans ce secteur. Dans les circonstances, pas question de s'asseoir sur ses lauriers. C'est ainsi que Kia a apporté de multiples modifications à l'édition 2014 du Sportage alors qu'il avait été mis au goût du jour. Il nous revient cette année, pratiquement inchangé, même s'il ne serait pas surprenant que quelques améliorations soient apportées d'ici peu. La carrosserie pourrait être retouchée, mais de peu, tandis que les moteurs seraient un peu plus puissants. Un diesel pourrait faire partie de l'équation. Il s'agit de spéculations pour l'instant. Il semble que ces « améliortions » ne sont pas importantes au point de bouder le modèle présentement commercialisé.

La calandre, toujours la calandre !

Lorsque Peter Schreyer a été nommé à la direction du design du constructeur coréen, il a immédiatement décidé de concevoir une calandre distinctive qui serait la signature visuelle de tous les modèles Kia, comme le font les constructeurs européens, notamment Audi, BMW et Mercedes-Benz. Si vous ne le saviez pas encore, Schreyer a été débauché de chez Audi où il était designer. Cette calandre qu'il a donnée aux produits Kia peut être amincie ou élargie, mais l'identification est immédiate.

Toujours au sujet de la silhouette, celle-ci subit des influences sportives avec sa fenestration relativement étroite, son hayon arrondi et une lunette arrière pas très haute. Bref, l'élégance a eu le dessus sur le côté pratique. Cela se traduit par un coffre à bagages plus petit que la moyenne de la catégorie et une visibilité arrière réduite. La caméra de recul est donc un accessoire pratiquement indispensable...

Impressions de l'auteur		Concurrents
Agrément de conduite : ★★★½ 3,5/5		Chevrolet Equinox, Ford Escape,
Fiabilité : ★★★★ 4/5		Honda CR-V, Hyundai Tucson, Jeep
Sécurité : ★★★★ 4/5		Compass, Jeep Patriot, Mazda CX-5,
Qualités hivernales : ★★★★ 4/5		Mitsubishi Outlander, Nissan Rogue,
Espace intérieur : ★★★½ 3,5/5		Toyota RAV4, Volkswagen Tiguan
Confort : ★★★½ 3,5/5		

La planche de bord est élégante avec sa disposition en deux paliers. Sur la partie supérieure figure l'écran d'affichage encadré par des pavés de commande. Légèrement en retrait par rapport à cet écran, les commandes de la climatisation sont faciles à manipuler. Et juste au bout de la console, placée entre les deux sièges avant, on retrouve plusieurs types de connexions allant de la prise audio à la fiche USB. Il faut également mentionner la présence du système de commande vocale UVO disponible à compter de la livrée EX. Son fonctionnement m'est apparu plus intuitif que le système Sync de Ford, élaboré par Microsoft.

Je tiens toutefois à attirer l'attention sur l'utilisation de plastiques durs et de piètre qualité un peu partout dans l'habitacle et sur la planche de bord en particulier… Mais on nous promet de corriger le tout dans la prochaine version. Souhaitons-le car, on le sait, la concurrence est à l'affût du moindre faux pas… La liste des options est fort longue. Parmi les éléments à souligner, il y a les sièges avant chauffants et climatisés ainsi qu'un vaste toit panoramique en deux sections.

Un peu plus de souplesse, s.v.p.

L'acheteur d'un Sportage a le choix entre deux moteurs. Le premier, un quatre cylindres de 2,4 litres produisant 182 chevaux, est offert sur les versions plus économiques. Il est couplé de série à une boîte manuelle à six vitesses tandis que l'automatique à six rapports est optionnelle. Celle-ci est la seule transmission venant avec le moteur de la SX : un 2,0 litres turbo dont la puissance est de 260 chevaux. En outre, la traction intégrale est de série sur ce modèle. Ces deux groupes propulseurs sont toutefois rugueux et leur montée en régime nous prouve que l'insonorisation n'est pas le point fort de ce VUS.

Les accélérations peuvent être qualifiées de légèrement en bas de la moyenne avec le 2,4 litres tandis qu'elles sont meilleures avec les 260 chevaux du 2,0 litres turbocompressés, mais quelque peu décevantes quand on tient compte de la puissance. Il semble que le rouage intégral soit responsable de ce manque de pep à cause de son poids mais aussi de la friction qu'il entraîne. Les modèles EX Luxe et SX sont dotés du système Flex Steer qui permet de gérer l'assistance à la direction. Trois modes sont offerts : Confort, Normal et Sport. Malheureusement, ce mécanisme permet de gérer l'assistance mais pas la précision de la direction et son manque de *feedback*.

Mais la principale critique que s'attire le Sportage est sa suspension sèche qui devient encore plus ferme avec le modèle SX. Quand on connaît la mauvaise qualité du revêtement des routes du Québec, cela devient agaçant à la longue. Et la dureté des sièges ne vient pas arranger les choses.

Châssis - SX TI

Emp / lon / lar / haut	2640 / 4450 / 1855 / 1645 mm
Coffre / Réservoir	740 à 1547 litres / 58 litres
Nombre coussins sécurité / ceintures	6 / 5
Suspension avant	indépendante, jambes de force
Suspension arrière	indépendante, multibras
Freins avant / arrière	disque / disque
Direction	à crémaillère, ass. variable électrique
Diamètre de braquage	10,6 m
Pneus avant / arrière	P235/55R18 / P235/55R18
Poids / Capacité de remorquage	1576 kg / 907 kg (1999 lb)
Assemblage	Gwangju-Si, KR

Composantes mécaniques

LX, EX

Cylindrée, soupapes, alim.	4L 2,4 litres 16 s atmos.
Puissance / Couple	182 chevaux / 177 lb-pi
Tr. base (opt) / rouage base (opt)	M6 (A6) / Tr (Int)
0-100 / 80-120 / V.Max	10,5 s (est) / n.d. / n.d.
100-0 km/h	41,7 m
Type / ville / route / co$_2$	Ord / 9,9 / 7,0 l/100 km / 3950 kg/an

SX TI

Cylindrée, soupapes, alim.	4L 2,0 litres 16 s turbo
Puissance / Couple	260 chevaux / 269 lb-pi
Tr. base (opt) / rouage base (opt)	A6 / Int
0-100 / 80-120 / V.Max	8,5 s / n.d. / n.d.
100-0 km/h	n.d.
Type / ville / route / co$_2$	Ord / 10,0 / 7,7 l/100 km / 4125 kg/an

Du nouveau en 2015

Aucun changement majeur

FEU VERT
- Silhouette élégante
- Excellente garantie
- Équipement de base complet
- Bon choix de moteurs

FEU ROUGE
- Insonorisation moyenne
- Visibilité arrière perfectible
- Direction manque de précision
- Plastiques durs dans l'habitacle
- Suspension trop ferme

Photos: Kia Canada

LAMBORGHINI **AVENTADOR**

▶ **Catégorie :** Coupé, Roadster   ▶ **Échelle de prix :** 440 500 $ à 485 000 $ (2014)   ▶ **Transport et prép. :** n.d.

▶ **Cote d'assurance :** n.d.   ▶ **Garanties :** 3 ans/illimité, 3 ans/illimité   ▶ **Ventes CAN 2013 :** n.d.

Civilisée? Oui.
Assagie? Jamais!

David Booth

Il suffit d'un coup d'œil dans le rétroviseur de l'Aventador pour être convaincu que Lamborghini n'est pas devenu tellement plus sage en passant entre les mains d'Audi. La visibilité par la lunette arrière est minimaliste, et elle devient presque inexistante dès qu'on roule assez vite pour que l'aileron automatisé se déploie. Difficile de ne pas avoir une pensée pour les anciennes Countach avec leur énorme aileron !

Bien sûr, époque moderne oblige, il y a une caméra de recul reliée à l'écran de la console centrale d'inspiration Audi (le système d'infodivertissement est presque identique au MMI d'Audi). Mais, à plusieurs reprises, j'ai tout de même senti le besoin d'utiliser le bon vieux truc classique pour faire marche arrière avec une Countach, c'est-à-dire sortir une fesse en dehors de l'auto puis se retourner pour bien voir derrière. Oui, c'est un peu insensé et plutôt anachronique,

mais au moins, c'est la preuve que les concepteurs de Sant'Agata ne se sont pas trop adoucis...

Douze cylindres à mettre en marche

Quand on enfonce le petit bouton rouge du démarreur, on a une autre preuve que l'Aventador est bel et bien dans la lignée de la Countach. Le démarreur tourne pendant quelques secondes, comme s'il prenait un élan pour être sûr de mettre en branle le gargantuesque V12 de 6,5 litres, puis le moteur démarre tout d'un coup en pétaradant. On dirait qu'il vérifie bruyamment qu'il est bien en vie, puis le régime baisse et adopte un ralenti plutôt grumeleux.

Dès qu'on appuie sur l'accélérateur, toutefois, la cacophonie se transforme en délicieuse mélodie classique pour V12. Contrairement au V10 de la Huracán, le moteur de l'Aventador ne contient aucune pièce provenant de chez Audi. Et quand on fait monter le régime encore plus et qu'on s'approche

Impressions de l'auteur		Concurrents
Agrément de conduite : ★★★★☆ 4/5		Aston Martin DB9,
Fiabilité : ★★★½ 3,5/5		Ferrari F458 Italia, McLaren 12C,
Sécurité : ★★★½ 3,5/5		Mercedes-Benz SLS AMG,
Qualités hivernales : ☆☆☆☆☆ 0/5		
Espace intérieur : ★★★★ 4/5		
Confort : ★★★☆☆ 3/5		

de la zone rouge, le grondement devient assourdissant. Voilà un moteur à la personnalité très exotique, à la fois soyeux et sauvage.

Juste avant le début de la zone rouge (à 8 250 tr/min), le V12 produit sa puissance maximale de 700 chevaux. Au cours des derniers mois, j'ai eu la chance d'essayer plusieurs supervoitures, dont la McLaren P1 et sa cavalerie presque obscène de 903 chevaux. Sur papier, on pourrait croire que l'Aventador est clairement désavantagée avec « seulement » 700 chevaux. Mais c'est loin d'être le cas. L'Italienne est capable de passer de 0 à 100 km en moins de trois secondes, ce qui est pratiquement aussi rapide que la P1 ou la Porsche 918. En accélération, l'Aventador est l'une des rares voitures à quatre roues motrices qui exigent autant d'attention et de respect qu'une moto de classe *superbike*.

Côté vitesse de pointe, elle atteint le cap des 350 km/h. Il s'agit là d'une donnée essentiellement académique pour quiconque conduit en Amérique du Nord, mais elle semble pourtant extrêmement importante pour les acheteurs de supercars.

Suspendez la maison

Pour maîtriser tant de puissance et de vitesse, l'Aventador est dotée d'un châssis clairement inspiré de la Formule Un. Comme pour la P1, la cuve centrale est en fibre de carbone, et des sous-cadres en aluminium massif y sont vissés. L'ensemble du châssis offre une rigidité en torsion de plus de 35 000 newtons-mètres par degré. Pour vous donner une idée, cela signifie qu'il faudrait suspendre une maison à l'un des coins du châssis pour qu'il se déforme d'un seul degré...

À l'avant et à l'arrière, on retrouve une suspension à biellettes de poussée. Ce système, semblable à ceux utilisés en F1, permet de réduire le poids non suspendu et de faciliter le calibrage. On peut apercevoir les ressorts jaunes des amortisseurs Öhlins par le panneau vitré arrière. Pour compléter le tout, l'Aventador est dotée d'un système de traction intégrale. La distribution de la puissance entre l'avant et l'arrière varie selon que l'on choisit le mode *Strada* (route), Sport ou *Corsa* (course). Le dispositif électronique de contrôle de la stabilité permet notamment de répartir le couple abondant du V12 (509 lb-pi) entre les deux gros pneus arrière, des Pirelli 335/30ZR20.

Somme toute, malgré son côté cacophonique et son immense potentiel d'accélération, l'Aventador est une voiture qui se laisse apprivoiser. Mais elle conserve assez de petits défauts pour refroidir ceux qui ne sont pas de véritables amateurs de Lamborghini, et elle ne fait absolument aucun compromis en matière de performances. En fait, on peut dire qu'à bien des égards, l'Aventador est une Countach des temps modernes. Donc, tout va bien dans le monde des supervoitures.

Châssis - LP 700-4 roadster

Emp / lon / lar / haut	2700 / 4780 / 2260 / 1136 mm
Coffre / Réservoir	n.d. / 90 litres
Nombre coussins sécurité / ceintures	6 / 2
Suspension avant	indépendante, leviers triangulés
Suspension arrière	indépendante, leviers triangulés
Freins avant / arrière	disque / disque
Direction	à crémaillère, ass. variable
Diamètre de braquage	12,5 m
Pneus avant / arrière	P255/35ZR19 / P335/30ZR20
Poids / Capacité de remorquage	1625 kg / n.d.
Assemblage	Sant'Agata, IT

Composantes mécaniques

LP-700-4 coupé / roadster

Cylindrée, soupapes, alim.	V12 6,5 litres 48 s atmos.
Puissance / Couple	700 chevaux / 509 lb-pi
Tr. base (opt) / rouage base (opt)	A7 / Int
0-100 / 80-120 / V.Max	2,9 s / n.d. / 350 km/h
100-0 km/h	n.d.
Type / ville / route / CO_2 Sup	22,7 / 13,1 l/100 km / 8464 kg/an

Du nouveau en 2015

Aucun changement majeur

- Intense
- Magnifique
- Rapide
- Sensuelle

- Visibilité vers l'arrière nulle
- Suspension ferme
- Changements de vitesse un peu rugueux
- Capricieuse comme une diva

Photos: Lamborghini

LAMBORGHINI **HURACÁN**

▸ **Catégorie :** Coupé	▸ **Échelle de prix :** 250 000 $ (estimé)	▸ **Transport et prép. :** n.d.
▸ **Cote d'assurance :** n.d.	▸ **Garanties :** 3 ans/illimité, 3 ans/illimité	▸ **Ventes CAN 2013 :** n.d.

L'influence de Audi

David Booth

Avec ses lignes anguleuses et son allure généralement excessive, la Countach est sans doute la plus connue des Lamborghini. Bien des jeunes en ont eu une affichée sur le mur de leur chambre, et il fut un temps où elle était pratiquement obligatoire dans tout *film de chars* qui se respecte. Même ceux qui ne pouvaient distinguer une Ferrari d'une Porsche pouvaient reconnaître la Countach!

Pour aller vite, ces Lamborghini légendaires comptaient essentiellement sur la puissance débridée de leur V12 et la largeur excessive de leurs pneus Pirelli. La toute nouvelle Huracán est radicalement différente à cet égard. J'irais jusqu'à dire qu'elle est presque sophistiquée. Oh, n'ayez crainte, elle a tout ce qu'il faut pour livrer avec entrain les 610 chevaux de son V10 de 5,2 litres. Mais, grâce à la main invisible du nouveau système de gestion électronique ANIMA (d'inspiration Audi) et aux quatre roues motrices, la bête est plus facile à contrôler.

Cela dit, Audi est loin d'avoir émasculé la Lamborghini. En mode Corsa, la Huracán demeure redoutable. En essayant de suivre notre instructeur dans son Aventador, j'ai poussé au-delà de mon talent et j'ai réalisé une série de dérapages pas toujours contrôlés... Amusant, mais stressant. J'ai donc remis le système ANIMA en mode Sport. Et le taureau sauvage s'est transformé en cheval de course.

Quand on est rassuré par le système de stabilisation électronique, on peut se concentrer sur le plaisir numéro un du pilotage d'une Lamborghini : faire tourner le moteur à fond de train pour extraire chacun des 610 chevaux. Même si la firme explique qu'elle a opté pour un engin à longue course (92,8 mm) afin de favoriser le couple à bas régime, ce V10 a besoin de tourner vite pour que la Huracán se comporte en véritable *supercar*. La zone rouge débute à 8 500 tr/min.

Il est intéressant de voir comment cette courbe de puissance (centrée sur les hauts régimes) affecte les performances. La

Impressions de l'auteur		Concurrents
Agrément de conduite : ★★★★⯪ 4,5/5		Aston Martin Vantage, Audi R8,
Fiabilité : **Nouveau modèle**		Chevrolet Corvette, Dodge Viper,
Sécurité : ★★★★☆ 4/5		Ferrari 458 Italia, McLaren 650S,
Qualités hivernales : ★★★☆☆ 3/5		Porsche 911
Espace intérieur : ★★★⯪☆ 3,5/5		
Confort : ★★★★⯪ 4,5/5		

McLaren 650S, par exemple, produit un couple nettement plus élevé à bas régime et elle est environ une seconde plus rapide en accélération de 0 à 200 km/h. À priori, on serait donc porté à croire que la McLaren sera avantagée sur un circuit de course.

En réalité, c'est le contraire. Le V8 de 3,8 litres de la 650S est un peu plus difficile à moduler dans les virages à cause de la poussée de couple livrée par ses turbocompresseurs. La Huracán, avec son V10 à aspiration naturelle, offre une réponse à l'accélération plus linéaire, ce qui est idéal lorsqu'on attaque les virages à la limite de l'adhérence des pneus.

Sur les routes publiques, le couple généreux de la McLaren à moyens régimes permet de faire des dépassements rapides sans rétrograder. La Huracán est loin d'être déficiente à ce chapitre (413 lb-pi à 6500 tr/min), mais sa puissance plus haut perchée oblige à rétrograder plus souvent (ce qui ne pose toutefois aucun problème avec la nouvelle boîte à double embrayage). Bref, les moteurs turbo se révèlent plus pratiques en usage routier, tandis que les moteurs à aspiration normale, même s'ils sont moins puissants, brillent en circuit.

Par ailleurs, même si le châssis en fibre de carbone et aluminium incroyablement rigide de la Lambo est relié à une nouvelle suspension magnétorhéologique réglable, son roulement n'a pas la souplesse de celui d'une McLaren, par exemple. Par contre, les disques en céramique et carbone de la Lamborghini offrent plus de mordant initial que ses concurrentes, une qualité qu'on apprécie en conduite de tous les jours.

Là où l'influence de Audi se fait le plus clairement sentir, c'est dans l'habitacle. Certains le trouveront sans doute un peu trop allemand avec son système d'infodivertissement très semblable au MMI de Audi et son écran TFT de 12,3 pouces directement importé de la nouvelle TT, mais il faut reconnaître que l'exécution est très réussie. Combiné avec le bon goût typique de Lamborghini, notamment des sièges aux couleurs coordonnées avec l'extérieur et des cuirs d'une grande douceur, l'habitacle de la Huracán est peut-être le plus séduisant de tout le segment des *supercar* de prix intermédiaire.

Bien des amateurs de supervoitures rêvaient depuis longtemps de ce mariage entre la passion à l'italienne et la qualité allemande. Les anciennes Lamborghini étaient des machines extrêmement rapides avec des moteurs capricieux et des habitacles parfois un peu étranges. Les nouvelles sont un peu plus classiques, mais toujours extrêmement rapides.

LAMBORGHINI HURACÁN

Châssis - LP610-4

Emp / lon / lar / haut	2620 / 4459 / 2236 / 1165 mm
Coffre / Réservoir	n.d. / n.d.
Nombre coussins sécurité / ceintures	4 / 2
Suspension avant	indépendante, double triangulation
Suspension arrière	indépendante, double triangulation
Freins avant / arrière	disque / disque
Direction	à crémaillère, ass. électrique
Diamètre de braquage	11,5 m
Pneus avant / arrière	P245/30R20 / P305/30R20
Poids / Capacité de remorquage	1422 kg / n.d.
Assemblage	Sant'Agata, IT

Composantes mécaniques

LP610-4

Cylindrée, soupapes, alim.	V10 5,2 litres 40 s atmos.
Puissance / Couple	610 chevaux / 413 lb-pi
Tr. base (opt) / rouage base (opt)	A7 / Int
0-100 / 80-120 / V.Max	3,2 s (const) / n.d. / 325 km/h
100-0 km/h	n.d.
Type / ville / route / CO_2	Sup / 17,8 / 9,4 l/100 km / 5800 kg/an

Du nouveau en 2015

Nouveau modèle.

FEU VERT

- V10 qui adore les hauts régimes
- Mélodieuse musique de l'échappement
- Le meilleur intérieur offert par Lamborghini
- Relativement civilisée

FEU ROUGE

- Suspension très ferme
- Courbe du couple inférieure à la McLaren 650S
- Choix de couleurs un tantinet nouveau riche
- Prix évidemment trop élevé

Photos : Lamborghini

LAND ROVER **LR2**

▶ **Catégorie :** VUS

▶ **Cote d'assurance :** $$$$

▶ **Échelle de prix :** 41 885 $ à 50 085 $ (2014)

▶ **Garanties :** 4 ans/80 000 km, 4 ans/80 000 km

▶ **Transport et prép. :** 1470 $

▶ **Ventes CAN 2013 :** 520 unités

Entre Saint-Jérôme et Kuujjuaq

Alain Morin

Il y a deux ans, lorsque Land Rover a dévoilé le Range Rover Evoque, plusieurs, dont l'auteur de ces lignes, croyaient que c'en était fini du Land Rover LR2, le véhicule d'entrée de gamme du constructeur anglo-indien. Contre toute attente, le LR2 s'est bonifié!

Cette décision est sage. Land Rover est réputé depuis ses débuts en 1948 pour concevoir des véhicules capables de grimper l'Everest et s'est forgé une solide réputation basée, en grande partie, sur les traditions de la marque. Il aurait été facile de dérouter la clientèle. L'Evoque possède des lignes « urbaines » en contraste avec les angles carrés habituellement vus sur les produits Land Rover ou Range Rover. En continuant d'offrir son LR2, toujours baptisé Freelander 2 ailleurs dans le monde, en même temps que l'Evoque, Tata, le propriétaire indien de la marque anglaise, ne renie pas la tradition tout en proposant de la nouveauté. Pour être bien

certains de ne pas effrayer leur clientèle, les designers n'ont à peu près pas revu la carrosserie du LR2.

Plein les yeux et les oreilles

Par contre, ils ont complètement changé le tableau de bord, il en avait d'ailleurs bien besoin! La lecture des cadrans et l'utilisation des différentes commandes ne causent plus de problèmes. Les matériaux sont de belle facture et bien assemblés quoique certains plastiques semblent avoir été moins bien choisis. Les sièges font preuve d'un confort étonnant et quatre personnes prendront place à bord sans se frotter les coudes ni la tête sur le plafond, gracieuseté d'un habitacle fort vaste. Les gens assis à l'arrière ont même droit à une très bonne visibilité puisque les sièges sont relevés par rapport à ceux situés à l'avant. Vos oreilles ne vous remercieront jamais assez de les dorloter au son de la chaine audio Meridian et vos yeux, ainsi que le parechoc, n'auront jamais suffisamment de bons mots pour la visibilité arrière vraiment supérieure à celle de la majorité des VUS actuellement en production. Enfin, la forme

Impressions de l'auteur	
Agrément de conduite : ★★★✫	3,5/5
Fiabilité : ★★✫	2,5/5
Sécurité : ★★★★	4/5
Qualités hivernales : ★★★★✫	4,5/5
Espace intérieur : ★★★★✫	4,5/5
Confort : ★★★✫	3,5/5

Concurrents
Acura RDX, Audi Q5, BMW X3, Infiniti QX50, Mercedes-Benz Classe GLK, Volvo XC60

LAND ROVER LR2

haute du véhicule et très carrée à l'arrière tient peut-être davantage du réfrigérateur que d'un coupé sport, mais elle permet d'obtenir un coffre de très grandes dimensions, parmi les plus grandes de la catégorie.

Lors du remaniement de l'an dernier, le vénérable six cylindres en ligne de 3,2 litres a laissé sa place à un quatre cylindres de 2,0 litres turbocompressé (en fait, c'est le 2,0 litres Ecoboost de Ford) beaucoup plus moderne, plus puissant et un peu moins glouton. La seule transmission disponible est une automatique à six rapports. Même si, sur papier, sa consommation est très retenue, il en va autrement en usage quotidien et, pour peu que le conducteur abuse de la pédale droite, les passages à la pompe peuvent être douloureux. Ce quatre cylindres n'est pas aussi noble qu'un V6, ou mieux un V8, mais il autorise de bonnes performances bien qu'il soit bruyant en accélération et qu'il manque un peu de couple à bas régime. Le court délai du turbo explique en partie, selon moi, cette situation.

4x4 solide

Évidemment, le rouage intégral est infiniment mieux adapté aux excursions hors route que celui des Acura RDX, Audi Q5, BMW X3, Mercedes-Benz Classe GLK et autres Volvo XC60 de ce monde qui constituent le gros de sa compétition. Le rouage du LR2 provient de chez Haldex et il est lié au système Terrain Response. Ce système, grâce à un bouton, modifie plusieurs paramètres du véhicule (gestion du moteur, transmission, contrôle de la traction, freins ABS et contrôle de la stabilité latérale) pour tirer le maximum du rouage 4x4 selon le type de terrain : normal, herbe-gravelle-neige, boue et ornières et, enfin, sable. Même ainsi doté, le LR2 ne peut pas cependant suivre un Jeep Wrangler. Cette tâche appartient à son grand frère, le LR4 qui, lui, est probablement le seul au monde à pouvoir tutoyer le Rubicon et lui parler d'égal à égal. Tout ça pour dire que le LR2 en donne quand même bien plus que ce que le client demande en termes de conduite hors route. D'ailleurs, combien de gens exploiteront ne serait-ce qu'une seule fois tout son potentiel? Ironiquement, et tous les conseillers aux ventes vous le diront, ce n'est pas ce qu'on fait avec un véhicule qui est important, c'est ce qu'on PEUT faire avec...

Le Land Rover LR2 n'est pas un Range Rover malgré ses capacités en hors route et son niveau de luxe. Offert dans une gamme de prix allant de 40 000 $ jusqu'à 50 000 $, ce VUS n'est pas plus cher (ni moins cher, remarquez) que ses concurrents. Si l'on en voit aussi peu sur nos routes, c'est principalement à cause d'un réseau de concessionnaires des plus ténus et d'un manque de fiabilité d'une consternante régularité. À quoi bon avoir un rouage intégral pouvant vous amener à Kuujjuaq si un problème électrique ou électronique vous empêche de dépasser les limites de Saint-Jérôme?

Châssis - Base

Emp / lon / lar / haut	2660 / 4496 / 2197 / 1800 mm
Coffre / Réservoir	756 à 1668 litres / 70 litres
Nombre coussins sécurité / ceintures	7 / 5
Suspension avant	indépendante, jambes de force
Suspension arrière	indépendante, jambes de force
Freins avant / arrière	disque / disque
Direction	à crémaillère, assistée
Diamètre de braquage	11,3 m
Pneus avant / arrière	P235/65R17 / P235/65R17
Poids / Capacité de remorquage	1775 kg / 1585 kg (3494 lb)
Assemblage	Halewood, GB

Composantes mécaniques

Cylindrée, soupapes, alim.	4L 2,0 litres 16 s turbo
Puissance / Couple	240 chevaux / 250 lb-pi
Tr. base (opt) / rouage base (opt)	A6 / Int
0-100 / 80-120 / V.Max	8,8 s / n.d. / 200 km/h
100-0 km/h	n.d.
Type / ville / route / co_2	Sup / 12,7 / 8,2 l/100 km / 4910 kg/an

Du nouveau en 2015

Aucun changement majeur

FEU VERT
- Moteur en forme
- Solide en hors route
- Habitacle vaste et lumineux
- Niveau de confort relevé
- Bonne visibilité tout le tour

FEU ROUGE
- Moteur bruyant en accélération
- Consommation peut être élevée
- Manque de fiabilité consternant
- Valeur de revente moyenne
- Faible réseau de concessionnaires

Photos : Land Rover Canada

MODÈLE EUROPÉEN

▶ **Catégorie :** VUS

▶ **Échelle de prix :** 59 990 $ à 70 990 $ (2014)

▶ **Transport et prép. :** 1 470 $

▶ **Cote d'assurance :** $$$$$

▶ **Garanties :** 4 ans/80 000 km, 4 ans/80 000 km

▶ **Ventes CAN 2013 :** 438 unités

Bientôt une nouvelle famille

Sylvain Raymond

L and Rover a présenté au dernier Salon de New York le Discovery Vision Concept, un véhicule qui représente l'évolution future de la marque. Bien plus qu'un concept, il lance un important changement de cap pour le constructeur, certainement le plus marquant depuis des années. L'appellation Discovery sera également de retour en Amérique du Nord, mais cette fois en tant que nouvelle famille de véhicules. À terme, la gamme Discovery comprendra les remplaçants des modèles LR.

Mais tout ça, c'est à moyen terme. Cette année, le LR4 est de retour sans véritables changements, lui qui en a subi quelques-uns l'an passé. Le principal ? La perte de son V8 de 5,0 litres au profit d'un six cylindres de 3,0 litres à compresseur qui développe 340 chevaux et 332 lb-pi de couple. Ce moteur est emprunté à la Jaguar F. Bien entendu, on comprend que cette transplantation a été effectuée au nom de l'économie de carburant. On n'est tout de même pas très loin des 375 chevaux du moteur précédent et le 0-100 km/h ne souffre pas trop non plus avec un chrono à peine une seconde plus lent. La transmission a même gagné deux rapports de plus puisque ce V6 est marié à une automatique à huit rapports, toujours produite par ZF.

Un style unique

Les amateurs de VUS de luxe recherchent souvent deux choses : le style et le prestige de la marque. Voilà deux atouts que le LR4 possède amplement et c'est pourquoi plusieurs succombent à ses charmes. Alors que certains constructeurs s'orientent vers la sportivité, le LR4 séduit avec ses lignes plus classiques très carrées, son toit surélevé, ses grandes surfaces vitrées et son pare-brise à angle droit. On l'a quelque peu modernisé l'an passé en retouchant sa grille et son pare-chocs et en ajoutant des barres aux DEL en guise de phares de jour. L'opération était subtile, mais suffisante pour lui insuffler un peu de renouveau.

Impressions de l'auteur			Concurrents
Agrément de conduite :	★★★★★	3/5	Acura MDX, BMW X5, Infiniti QX70,
Fiabilité :	★★★★★	2,5/5	Lexus RX,
Sécurité :	★★★★★	4/5	Mercedes-Benz Classe ML,
Qualités hivernales :	★★★★★	4,5/5	Porsche Cayenne,
Espace intérieur :	★★★★★	4/5	Volkswagen Touareg, Volvo XC90
Confort :	★★★★★	4/5	

LAND ROVER LR4

À bord, c'est le statu quo. Si vous appréciez une position de conduite haute, vous serez servis avec le LR4. Les sièges baquets sont non seulement très confortables, mais leur hauteur vous donne une vue imprenable tout autour. Le design carré du véhicule y est pour quelque chose également.

Le LR4 peut être configuré pour accueillir cinq ou sept passagers. La troisième banquette offre un bon espace, même convenable pour des adultes, ce qui est assez rare pour ce type de véhicule. Le design carré lui sert une fois de plus. Du reste, on apprécie la finition exemplaire de l'habitacle tout comme la qualité des matériaux. La présentation du tableau de bord est bien, mais elle commence à dater.

Plus à l'aise hors piste

Même si le LR4 est surtout destiné à se pavaner dans la jungle urbaine, il demeure redoutable hors des sentiers battus. En fait, il laissera loin derrière tous les autres VUS du genre, sauf peut-être le Jeep Wrangler qui pourrait bien lui tenir compagnie au sommet des rochers. Non seulement sa configuration avec ses porte-à-faux réduits le rend efficace, mais il dispose de plusieurs systèmes maximisant sa prestance dans les sentiers. Sa suspension pneumatique permet d'adapter la hauteur en fonction des conditions, alors que son système Terrain Response – qui s'utilise simplement avec une commande rotative et des pictogrammes – permet de sélectionner l'un des cinq modes quatre roues motrices en fonction du type de terrain rencontré. Ajoutez un système de contrôle en descente et un boîtier de transfert incluant une gamme basse vitesse et vous obtenez un véritable véhicule lunaire. Il ne manquera que l'oxygène !

Le LR4 n'a jamais été réputé pour sa puissance. On ne le compare donc pas à des Porsche Cayenne, BMW X5 et autres VUS à vocation ultra sportive. L'arrivée de son V6 suralimenté ne change en rien la donne, au contraire. Le véhicule est moins puissant et n'est certainement pas destiné à battre des records de piste. Malgré tout, on apprécie son confort sur route et on ne l'a pas trouvé sous-motorisé. La puissance est tout de même livrée à bas régime et d'une manière linéaire, le tout favorisé par la transmission à huit rapports. Elle réussit à exploiter tous les chevaux le plus efficacement possible. La sonorité n'est pas mal non plus pour un petit six. On a fait un bon travail à ce chapitre.

L'autre bonne nouvelle, c'est que le LR4 n'a pas perdu ses capacités de remorquage qui demeurent supérieures à celles de plusieurs de ses rivaux avec ses 7 716 lb (3 500 kg). Seul le Mercedes ML peut se vanter d'en offrir autant. Voilà donc un candidat de choix si vous avez des jouets d'adultes à remorquer jusqu'au chalet.

Châssis - Base V6

Emp / lon / lar / haut	2885 / 4829 / 2176 / 1882 mm
Coffre / Réservoir	1192 à 2557 litres / 86 litres
Nombre coussins sécurité / ceintures	6 / 5
Suspension avant	indépendante, pneu, double triangulation
Suspension arrière	indépendante, pneu, double triangulation
Freins avant / arrière	disque / disque
Direction	à crémaillère, ass. variable
Diamètre de braquage	11,5 m
Pneus avant / arrière	P255/55R19 / P255/55R19
Poids / Capacité de remorquage	2567 kg / 3500 kg (7716 lb)
Assemblage	Solihull, GB

Composantes mécaniques

Cylindrée, soupapes, alim.	V6 3,0 litres 24 s surcomp
Puissance / Couple	340 chevaux / 332 lb-pi
Tr. base (opt) / rouage base (opt)	A8 / Int
0-100 / 80-120 / V.Max	7,0 s / 7,0 s / 195 km/h
100-0 km/h	42,0 m
Type / ville / route / CO_2	Sup / 14,5 / 9,9 l/100 km / 5720 kg/an

Du nouveau en 2015

Nouveau moteur V6 – Abandon du V8.

FEU VERT
- Style unique
- Soucis du détail et finition intérieure
- Consommation raisonnable
- Bête de hors route

FEU ROUGE
- Pas très puissant
- Design commence à dater
- Fiabilité toujours aléatoire
- Prix corsé

Photos : Land Rover Canada

LAND ROVER **RANGE ROVER**

▶ **Catégorie :** VUS

▶ **Cote d'assurance :** n.d.

▶ **Échelle de prix :** 98 990 $ à 119 990 $ (2014)

▶ **Garanties :** 4 ans/80 000 km, 4 ans/80 000 km

▶ **Transport et prép. :** 1470 $

▶ **Ventes CAN 2013 :** 590 unités

Le roi des paradoxes

Marc Lachapelle

Au grand dam des constructeurs allemands, le Range Rover est toujours le chouchou des riches, célèbres et puissants de ce monde lorsqu'ils choisissent de conduire ou d'être vus dans autre chose qu'une limousine. Quelles que soient les prouesses ou les lignes racées de ses rivaux, le « Range » les surplombe toujours, au propre et au figuré, de sa silhouette anguleuse et massive. Il est même d'une élégance certaine, comme un champion de décathlon ou un demi offensif en complet Armani taillé sur mesure.

L'image colle d'ailleurs parfaitement au Range Rover, dont les performances et le comportement défient toute logique apparente, quelle que soit la surface, le profil ou le dessin de la route ou du sentier. Parce que Land Rover n'a jamais cessé de raffiner et d'aiguiser les aptitudes de ce véhicule qui fut créé à l'origine pour marier les qualités d'une berline et le côté passe-partout du roi des safaris qui a donné son nom à la marque.

Le premier Range Rover est apparu en 1970 et fut produit pendant près de vingt-cinq ans sans changement majeur autre que l'ajout d'une paire de portières. Le luxe s'y est installé au lancement de la deuxième génération en 1994, tandis que la marque venait de passer aux mains de BMW. Raffinement et qualité ont grimpé d'un cran avec la troisième génération en 2003, grâce à l'apport du constructeur bavarois propriétaire jusqu'en 2000. La marque appartenait alors à Ford qui la refila au conglomérat indien Tata Motors en 2008.

Métamorphose invisible

Il fallut cinq ans avant que se pointe un nouveau Range Rover mais l'attente valait largement la peine. Ce quatrième Range Rover marquait un progrès immense avec l'adoption d'une carrosserie autoporteuse entièrement en aluminium, technique que maîtrisait déjà la marque sœur Jaguar. À motorisation égale, la version Supercharged s'allégeait de 350 kilos, un gain énorme. Avec son V8 compressé de 5,0 litres et 510 chevaux, couplé à une boîte automatique ZF à 8 rapports, elle boucle le

Impressions de l'auteur	
Agrément de conduite : ★★★☆☆	3/5
Fiabilité :	★★⯪☆☆ 2,5/5
Sécurité :	★★★★⯪ 4,5/5
Qualités hivernales :	★★★★⯪ 4,5/5
Espace intérieur :	★★★★⯪ 4,5/5
Confort :	★★★★⯪ 4,5/5

Concurrents
Cadillac Escalade, Infiniti QX80, Lexus LX, Lincoln Navigator, Mercedes-Benz Classe GL

0-100 km/h en 5,15 secondes. Une prestation inouïe pour un costaud qui pèse encore plus de deux tonnes métriques.

À vrai dire, c'est même trop en conduite urbaine, avec un accélérateur électronique dont les réactions sont trop vives en amorce. Il suffit toutefois de faire pivoter la molette du système TerrainResponse vers le mode Neige pour rendre la conduite plus douce. Le même système, qui modifie les réglages du moteur, de la boîte de vitesse, des freins, de la suspension et de certains des systèmes de conduite, offre quatre autres modes soit : Herbe/gravier/neige, Boue/ornières, Sable ou Rocaille.

Sans compter le bouton qui enclenche les rapports courts (low range) pour escalader un sentier escarpé ou utiliser pleinement la limite de remorquage de 3 500 kg (7 716 livres) dans des conditions bien particulières vous l'aurez compris. On ne sait jamais quand on aura besoin de telles capacités. L'important est de savoir qu'elles sont là, ou de pouvoir s'en vanter. N'empêche que le Range Rover ne cesse de progresser en aptitudes tout-terrain alors que ses rivaux régressent. Parce que ces qualités sont une partie essentielle de son ADN et qu'il y aura toujours des clients qui les utiliseront pleinement. Grand bien leur fasse.

Toujours prêt

La suspension pneumatique est une composante essentielle de cette équation. Entre autres pour le mode Accès qui abaisse la carrosserie de 50 mm. Ce n'est pas un luxe parce que la marche est vraiment haute sinon. Le roulement est alors ferme et l'aérodynamique à son meilleur avec un coefficient de 0,34 qui étonne pour un profil aussi carré. Il grimpe à 0,36 lorsque la carrosserie reprend sa hauteur normale et le confort de roulement redevient excellent. En tout-terrain, la suspension soulève la caisse de 40 ou 75 mm selon les conditions. Sur la route, l'aplomb est sans reproche. Pour une conduite plus stimulante, il faut lorgner le Range Rover Sport.

Avec dix-sept agencements de couleurs possibles pour des cuirs superbes, trois types de boiseries et des moulures d'aluminium satiné, l'habitacle du Range Rover classique propose le confort d'un jet privé, dans un style épuré. Les modèles Autobiography sont par contre opulents, surtout les versions à empattement allongé avec les sièges arrière individuels. L'ergonomie est infiniment supérieure que jadis mais les menus et affichages sont à un cran des meilleurs.

Le V6 compressé de 3,0 litres et 340 chevaux offre une alternative moins chère et assoiffée au bouillant V8, mais on attend toujours au moins un des moteurs diesels vendus en Europe pour faire mieux encore. Sans parler de la version hybride diesel-électricité qui est cotée à 6,4 l/100 km même avec l'empattement long. On peut toujours en rêver.

Châssis - Supercharged V6

Emp / lon / lar / haut	2922 / 4999 / 2220 / 1845 mm
Coffre / Réservoir	549 à 2030 litres / 105 litres
Nombre coussins sécurité / ceintures	6 / 5
Suspension avant	indépendante, pneu., double triangulation
Suspension arrière	indépendante, pneu., multibras
Freins avant / arrière	disque / disque
Direction	à crémaillère, ass. variable électrique
Diamètre de braquage	12,3 m
Pneus avant / arrière	P235/65R19 / P235/65R19
Poids / Capacité de remorquage	2230 kg / 3500 kg (7716 lb)
Assemblage	Solihull, GB

Composantes mécaniques

Supercharged V6 / HSE

Cylindrée, soupapes, alim.	V6 3,0 litres 24 s surcomp
Puissance / Couple	340 chevaux / 332 lb-pi
Tr. base (opt) / rouage base (opt)	A8 / Int
0-100 / 80-120 / V.Max	7,4 s (const) / n.d. / 209 km/h
100-0 km/h	n.d.
Type / ville / route / CO_2	Sup / 12,6 / 8,6 l/100 km / 4968 kg/an

Supercharged V8 / (long)

Cylindrée, soupapes, alim.	V8 5,0 litres 32 s surcomp
Puissance / Couple	510 chevaux / 461 lb-pi
Tr. base (opt) / rouage base (opt)	A8 / Int
0-100 / 80-120 / V.Max	5,2 s / 3,5 s / n.d.
100-0 km/h	43,0 m
Type / ville / route / CO_2	Sup / 16,2 / 10,4 l/100 km / 6251 kg/an

Du nouveau en 2015

Aucun changement majeur

FEU VERT
- Excellent roulement en tout temps
- Performances impressionnantes (V8)
- Grand confort et habitabilité
- Polyvalence de conduite inégalée
- Prestige indiscutable

FEU ROUGE
- Pas de version diesel ou hybride en Amérique
- Pédale de frein hypersensible et tangage
- Consommation encore forte (V8)
- Version Autobiography inabordable
- Fiabilité incertaine

Photos : Land Rover Canada

LAND ROVER **RANGE ROVER EVOQUE**

▶ **Catégorie :** VUS | ▶ **Échelle de prix :** 47 695 $ à 65 000 $ (2014) | ▶ **Transport et prép. :** 1470 $
▶ **Cote d'assurance :** n.d. | ▶ **Garanties :** 4 ans/80 000 km, 4 ans/80 000 km | ▶ **Ventes CAN 2013 :** 1782 unités

Le domaine du superlatif

Denis Duquet

É troitement dérivé du véhicule concept LRX, l'Evoque a été commercialisé en 2011 et ce VUS urbain aux lignes fort originales a connu un succès instantané auprès des acheteurs tout en recevant plusieurs prix prestigieux. C'est ainsi qu'il a été nommé « utilitaire nord-américain de l'année » en 2012 et « VUS de l'année » par la revue *Motor Trend* et qu'il s'est vu décerner le même titre de la part de l'émission britannique *Top Gear*. Vous avouerez que comme entrée en matière, il est difficile de faire mieux.

C'est la silhouette à part de ce VUS de luxe et son toit incliné vers l'avant qui ont fait craquer les gens et qui continuent de le faire encore aujourd'hui. De plus, dans l'habitacle, on a délaissé les incontournables appliques en bois et les tableaux de bord presque rétro si souvent associés à la marque britannique. Range Rover a ciblé l'utilisateur urbain qui veut s'associer à un véhicule tout-terrain, mais sans les formes carrées et la présentation traditionnelle. Les chiffres de ventes donnent

raison aux concepteurs. Mais ces mêmes caractéristiques peuvent parfois devenir des irritants...

Le look d'abord
Généralement, le look est établi selon la fonction, mais l'Evoque fait partie des exceptions alors que la fonction est tributaire de l'allure. Disponible en version trois et cinq portes, cet urbain des bois a fière allure, mais est soumis à quelques contraintes au chapitre de l'habitabilité, surtout aux places arrière. En fait, il faut préciser qu'une fois assis, ce n'est pas si mal. Malgré mes 1 mètre 90, j'ai pris place à l'arrière lors d'une randonnée d'une centaine de kilomètres et c'était relativement confortable. Par contre, accéder à ces places et s'en extirper par la suite est une opération assez difficile et l'exercice n'est pas recommandé à tout le monde.

La planche de bord fait l'unanimité de par sa sobriété et son modernisme. En outre, sur la majorité des modèles, on a délaissé le « plywood » pour de l'aluminium et c'est tant

Impressions de l'auteur		Concurrents
Agrément de conduite : ★★★★	4/5	Audi Q5, BMW X3, Lexus NX,
Fiabilité : ★★★	3/5	Mercedes-Benz Classe GLK,
Sécurité : ★★★★	4/5	Volvo XC60
Qualités hivernales : ★★★★⯪	4,5/5	
Espace intérieur : ★★★	3/5	
Confort : ★★★⯪	3,5/5	

mieux. Comme dans les Jaguar, le passage des rapports est géré par un bouton monté sur la console et qui se déploie lorsque le moteur est lancé. Compte tenu de la piètre fiabilité des produits Land Rover, chaque fois que je mettais le moteur en marche, je priais le ciel pour que cette commande se déploie!

Depuis son lancement, l'Evoque est propulsé par un quatre cylindres turbo 2,0 litres qui a été développé alors que la compagnie était sous le joug de Ford. Il produit 240 chevaux et est associé à une nouvelle boîte automatique ZF à neuf rapports. Soulignons également que le rouage intégral Terrain Response conçu en collaboration avec Haldex permet d'adapter le comportement du véhicule aux conditions de la route et du terrain. Il faut aussi préciser que ce VUS urbain se débrouille bien en conduite hors route.

La conduite est sans histoire à l'exception de la visibilité arrière qui fera des rétroviseurs extérieurs vos meilleurs amis. Sur la route, le moteur est relativement bruyant tandis que le turbo fait sentir sa présence assez grossièrement, du moins pour un véhicule de luxe. Heureusement, l'utilisation de la nouvelle transmission rend les passages des rapports plus doux. Par ailleurs, poussé à la limite, l'Evoque devient fortement sous-vireur. Enfin, l'insonorisation est perfectible.

Encore plus de luxe

Cette année, Range Rover ajoute deux modèles à sa gamme Evoque, l'un privilégiant le confort et l'autre la conduite. L'Autobiography, livrée jusqu'à maintenant associée au Range Rover et au Range Rover Sport, propose un ensemble de modifications intérieures et extérieures qui lui confèrent le luxe d'une grande voiture. On note les jantes de 20 pouces, une nouvelle calandre ainsi qu'un béquet avant retravaillé. L'extérieur se différencie aussi par les badges « lingots » Autobiography sur le hayon et les prises d'air du pare-chocs avant. À l'intérieur, ces modèles ont des appuie-têtes marqués du logo Autobiography, sigle que l'on retrouve aussi sur les seuils de portes éclairés.

Le nouveau Autobiography Dynamic est l'Evoque le plus performant jamais produit avec son moteur 2,0 litres révisé qui produit maintenant 285 chevaux. Le système d'échappement est modifié et sa sonorité plus sportive. Au chapitre de la dynamique, la direction a été recalibrée pour plus de précision; le châssis bénéficie d'une géométrie de suspension révisée, les ressorts ont été raffermis et les amortisseurs adaptatifs recalibrés.

Et on peut parier que ces deux nouveaux modèles permettront à Range Rover d'engranger d'importants profits.

Châssis - Autobiography coupé dynamic

Emp / lon / lar / haut	2660 / 4355 / 2125 / 1605 mm
Coffre / Réservoir	550 à 1350 litres / 70 litres
Nombre coussins sécurité / ceintures	7 / 5
Suspension avant	indépendante, jambes de force
Suspension arrière	indépendante, jambes de force
Freins avant / arrière	disque / disque
Direction	à crémaillère, ass. variable électrique
Diamètre de braquage	11,3 m
Pneus avant / arrière	P245/45R20 / P245/45R20
Poids / Capacité de remorquage	1645 kg / 750 kg (1 650 lb) (est)
Assemblage	Halewood, GB

Composantes mécaniques

Pure, Dynamic, Prestige, Coupé dynamic / pure

Cylindrée, soupapes, alim.	4L 2,0 litres 16 s turbo
Puissance / Couple	240 chevaux / 251 lb-pi
Tr. base (opt) / rouage base (opt)	A9 / Int
0-100 / 80-120 / V.Max	7,2 s / 5,9 s / 217 km/h
100-0 km/h	41,0 m
Type / ville / route / co$_2$	Sup / 9,9 / 6,6 l/100 km / 3860 kg/an

Autobiography Dynamic / coupé dynamic

Cylindrée, soupapes, alim.	4L 2,0 litres 16 s turbo
Puissance / Couple	285 chevaux / 295 lb-pi
Tr. base (opt) / rouage base (opt)	A9 / Int
0-100 / 80-120 / V.Max	7,1 s (const) / n.d. / 225 km/h
100-0 km/h	n.d.
Type / ville / route / co$_2$	Sup / 9,9 / 6,6 l/100 km / 3860 kg/an

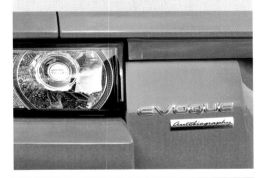

Du nouveau en 2015

Versions Autobiography et Autobiography Dynamic, boîte automatique neuf rapports.

FEU VERT
- Silhouette originale
- Moteur robuste
- Version Autobiography Dynamic
- Tableau de bord élégant

FEU ROUGE
- Piètre visibilité arrière
- Fiabilité inquiétante
- Places arrière difficiles d'accès
- Prix élevé

Photos: Land Rover Canada

LAND ROVER RANGE ROVER EVOQUE

LAND ROVER **RANGE ROVER SPORT**

▶ **Catégorie :** VUS	▶ **Échelle de prix :** 73 990 $ à 91 490 $ (2014)	▶ **Transport et prép. :** 1 470 $
▶ **Cote d'assurance :** $$$$$	▶ **Garanties :** 4 ans/80 000 km, 4 ans/80 000 km	▶ **Ventes CAN 2013 :** 1 806 unités

L'athlète de la marque

Gabriel Gélinas

L ancé au Salon de l'auto de New York en 2013 avec l'alter ego de James Bond lui-même, l'acteur Daniel Craig, au volant, la nouvelle génération du Range Rover Sport a fait tourner les têtes et généré beaucoup de retombées médiatiques pour le constructeur britannique qui a réalisé une belle opération marketing. Tout ça c'est bien beau... mais qu'en est-il du véhicule au juste ?

À la base, le Range Rover Sport n'est plus élaboré sur le châssis en échelle du LR4, mais plutôt sur une structure monocoque en aluminium, émulant ainsi le grand Range Rover. Ce changement très significatif a certainement contribué à l'allégement du véhicule, bonifiant la dynamique, les performances et réduisant sa consommation de carburant. Les qualités en hors route ne sont plus aussi relevées qu'avant mais la clientèle visée n'était sans doute pas du genre à aller s'épivarder dans la boue.

Un essai mené en plein cœur de l'hiver québécois avec le modèle à moteur V6 suralimenté par compresseur nous a permis d'apprécier au plus haut point les qualités dynamiques du véhicule. À l'aise en ville comme sur les routes secondaires recouvertes d'un manteau blanc, le Range Rover Sport maîtrise bien le roulis en virage et sa direction est nette et précise. Ce n'est qu'en roulant plus rapidement sur les routes enneigées d'une région très isolée qu'une tendance au sous-virage, typique des VUS dont le poids est important, s'est manifestée provoquant l'intervention rapide du système de contrôle électronique de la stabilité. Toutefois, la vraie surprise a été de constater à quel point le Range Rover Sport s'est avéré joueur dans ces conditions difficiles. Le V6 suralimenté de 340 chevaux ne livre pas une charge vers l'avant aussi expressif que le V8 suralimenté de 510 chevaux du Range Rover Sport Supercharged, mais il impressionne par sa souplesse livrant un couple maximal abondant à bas régime et il est aussi performant que le V8 atmosphérique qui équipait précédemment ce modèle.

Impressions de l'auteur		Concurrents
Agrément de conduite :	★★★★⯪ 4,5/5	Audi Q7, BMW X5, BMW X6,
Fiabilité :	★★☆☆☆ 2/5	Infiniti QX70,
Sécurité :	★★★★☆ 4/5	Mercedes-Benz Classe M,
Qualités hivernales :	★★★★⯪ 4,5/5	Porsche Cayenne, Volvo XC90
Espace intérieur :	★★★★☆ 4/5	
Confort :	★★★★☆ 4/5	

Au volant du Range Rover Sport, on apprécie la qualité de la finition, le design épuré de la planche de bord et le tableau de bord virtuel qui remplace les cadrans à aiguilles conventionnels. Le confort des sièges en cuir est très bon aux places avant, et le dégagement pour les jambes des passagers arrière a progressé lors de la refonte, bonifiant ainsi le confort. Parmi les options, proposées à grands frais, on retrouve une chaîne audio Meridian de 1700 watts comprenant 23 haut-parleurs et même une glacière logée dans la console centrale capable d'accueillir une bouteille d'eau gazéifiée. D'aucuns y mettront une bouteille de champagne, ce que nous recommandons… à condition de ne l'ouvrir qu'une fois rendus à destination! Quant au style du Range Rover Sport, soulignons qu'il évoque parfaitement les aptitudes dynamiques de ce modèle à vocation nettement plus sportive de la marque.

Un modèle RS en vue?

Par ailleurs, il semble que Land Rover soit tenté de pousser le Range Rover Sport encore plus loin pour ce qui est de la dynamique et des performances puisqu'un prototype camouflé a été aperçu sur la route lors de tests menés par les ingénieurs de la marque. On peut d'ores et déjà parier que ce nouveau modèle portera la désignation RS et qu'il sera probablement animé par une version survitaminée du moteur qui équipe déjà le Range Rover Sport Supercharged et dont la puissance pourrait atteindre 550 chevaux. On ajoute une suspension surbaissée et plus ferme, des modifications apportées à la carrosserie, comme des prises d'air surdimensionnées, en vue d'améliorer l'alimentation et le refroidissement du moteur et le tableau serait complet, ce qui permettrait à Land Rover de concurrencer directement les versions les plus performantes des VUS développés par Porsche, BMW et Mercedes-Benz.

Plus ça change, plus c'est pareil…

Malheureusement, on ne peut passer sous silence le manque de fiabilité à long terme des véhicules de la marque Land Rover, une situation qui perdure encore, du moins si l'on se fie au sondage *Vehicle Dependability Survey* mené par la firme spécialisée J.D. Power and Associates qui mesure la fiabilité des véhicules après trois années d'usage. L'édition 2014 de ce sondage, qui mesure la fiabilité des modèles de l'année 2011, nous révèle que la marque Land Rover se classe au 29e rang sur les 31 marques répertoriées, seules Dodge (30e) et Mini (31e) faisant moins bien à ce chapitre. Pour une marque de prestige, voilà un constat que l'on doit qualifier de navrant. On espère que les modèles plus récents permettront à Land Rover d'améliorer éventuellement sa position à ce classement. À ce sujet, je dois souligner que le modèle d'essai qui a fait l'objet de ce reportage n'a démontré aucun problème.

Châssis - V8 suralimenté

Emp / lon / lar / haut	2923 / 4850 / 2073 / 1780 mm
Coffre / Réservoir	874 à 1 761 litres / 105 litres
Nombre coussins sécurité / ceintures	6 / 5
Suspension avant	indépendante, pneu, double triangulation
Suspension arrière	indépendante, pneu, multibras
Freins avant / arrière	disque / disque
Direction	à crémaillère, ass. variable électrique
Diamètre de braquage	12,6 m
Pneus avant / arrière	P275/40R20 / P275/40R20
Poids / Capacité de remorquage	2310 kg / 1 588 kg (3 494 kg)
Assemblage	Solihull, GB

Composantes mécaniques

V6 suralimenté

Cylindrée, soupapes, alim.	V6 3,0 litres 24 s surcomp
Puissance / Couple	340 chevaux / 332 lb-pi
Tr. base (opt) / rouage base (opt)	A8 / Int
0-100 / 80-120 / V.Max	6,7 s / 4,3 s/ 209 km/h
100-0 km/h	45,2 m
Type / ville / route / co_2Sup	12,8 / 8,5 l/100 km / 5000 kg/an

V8 suralimenté

Cylindrée, soupapes, alim.	V8 5,0 litres 32 s surcomp
Puissance / Couple	510 chevaux / 461 lb-pi
Tr. base (opt) / rouage base (opt)	A8 / Int
0-100 / 80-120 / V.Max	5,3 s (const) / n.d. / 225 km/h
100-0 km/h	n.d.
Type / ville / route / co_2Sup	15,6 / 10,1 l/100 km / 6040 kg/an

Du nouveau en 2015

Aucun changement majeur

- Tenue de route surprenante
- Moteurs performants
- Confort souverain
- Style évocateur

- Poids élevé
- Consommation élevée (V8)
- Fiabilité perfectible
- Aptitudes plus limitées en conduite hors route

Photos : Land Rover Canada

LAND ROVER RANGE ROVER SPORT

LEXUS **CT**

▶ **Catégorie :** Hatchback

▶ **Cote d'assurance :** $$$$$

▶ **Échelle de prix :** 33 120 $ à 40 570 $ (2014)

▶ **Garanties :** 4 ans/80 000 km, 6 ans/110 000 km

▶ **Transport et prép. :** 2 095 $

▶ **Ventes CAN 2013 :** 979 unités

Pour rouler écolo plus chic et plutôt mollo

Marc Lachapelle

On voit de plus en plus cette élégante compacte qu'est la CT 200h sur nos routes. Elle promène sa silhouette profilée avec la douceur et le silence habituels des modèles hybrides du groupe Lexus/Toyota. Elle le fait simplement avec plus de style et de prestance que Sainte Prius, icône écolo par excellence, qui lui prête ses organes mécaniques sans modification ou presque. Amateurs de performance s'abstenir. Si vous cherchez une jolie voiture qui soit également ultrafiable, frugale et plutôt amusante, par contre...

C'est la Prius qui a réussi la première percée sur le marché avec le groupe propulseur hybride du géant nippon. Pas étonnant que Lexus ait voulu en profiter sur son terrain de chasse. La marque de prestige a d'abord tenté sa chance avec la HS 250h, construite sur la même architecture que la Prius. Elle n'a fait que ses trois petits tours avant de disparaître, malgré

son habitacle cossu et ses performances plus relevées. Elle n'a pas plu, tout simplement.

La CT 200h est apparue au moment où la HS 250h tirait sa révérence. Plus élancée, plus légère et plus agile, elle était aussi nettement moins chère. Et elle a vite touché la cible, malgré les performances plus modestes d'un groupe propulseur virtuellement identique à celui de la Prius, d'une puissance totale de seulement 134 chevaux.

Toujours la carte du style

Autant la Prius a un air sérieux et fonctionnel, autant la CT 200h paraît dégourdie. Comme si la fourmi rencontrait la cigale de la fable de La Fontaine! C'est d'abord une question d'apparence et cette première raison d'être de la CT 200h est sans contredit un facteur important de sa réussite chez nous. Mais ce n'est certainement pas sa seule qualité.

Impressions de l'auteur		Concurrents
Agrément de conduite :	★ ★ ★ ½ ★ **3,5**/5	Chevrolet Volt
Fiabilité :	★ ★ ★ ★ ½ **4,5**/5	
Sécurité :	★ ★ ★ ★ **4**/5	
Qualités hivernales :	★ ★ ★ ★ **4**/5	
Espace intérieur :	★ ★ ★ ½ **3,5**/5	
Confort :	★ ★ ★ ★ **4**/5	

L'an dernier, Lexus a néanmoins soigné le style de cette *hatchback* écolo de luxe en lui taillant d'abord une de ces calandres en sablier qui donnent enfin une face reconnaissable et un peu de caractère aux Lexus. On a aussi redessiné son pare-chocs arrière pour souligner sa posture basse et large. Le truc : des réflecteurs nichés dans une paire de découpes en forme de « L » aux deux extrémités et un semblant d'extracteur aérodynamique au milieu. Dernière touche : une antenne en aileron de requin sur le toit, inclinée vers l'arrière. L'effet d'ensemble est plutôt réussi, surtout avec les nouvelles jantes d'alliage de 17 pouces qui remplacent celles d'origine de 16 pouces. Et c'est encore plus vrai avec les jantes au fini plus foncé de la version F Sport qui se reconnaît aussi par une calandre entièrement noire avec une grille en alvéoles.

Dans l'habitacle, le boudin gainé de cuir du nouveau volant est plus petit et la prise impeccable. Ses rayons horizontaux portent des commandes simples et précises pour la chaîne audio, l'affichage, le téléphone mains libres et les commandes vocales. Des systèmes dont l'intégration et le fonctionnement se sont bonifiés, comme annoncé. Tout comme la deuxième génération du pointeur style souris qui restera sans doute toujours une exclusivité Lexus, malgré sa manipulation plus facile et précise, sur la console centrale.

La rançon du luxe

À l'intérieur, le groupe F Sport ajoute des sièges en cuir perforé, un volant plus typé et de l'aluminium pour les pédales, le repose-pied, les seuils et quelques moulures. Ces ajouts s'accompagnent d'une suspension modifiée, une approche qui réussit pleinement aux IS et GS. Or, la CT 200h propose déjà une tenue de route, une qualité de roulement et un aplomb très corrects grâce aux retouches apportées l'an dernier à la suspension standard pour l'harmoniser à la carrosserie plus rigide.

La CT200h est une routière beaucoup plus douée que la Prius. La tenue de cap et la stabilité sont nettement meilleures, tout comme le confort des sièges. Douceur et silence de roulement sont également louables pour une compacte avec hayon, mais il faut apprendre à voyager léger parce que le coffre n'est ni long, ni profond. On apprécie d'autant plus les bacs de rangement additionnels sous le plancher et les dossiers arrière qui se replient, au besoin.

Ce n'est qu'en performance que la CT 200h n'a pas vraiment le ramage de son plumage, comme l'a écrit La Fontaine dans une autre fable... Avec un rouage identique, elle boucle le 0-100 km/h en 11,4 secondes alors que la Prius s'exécute en 10,8 secondes. Et ses cotes de consommation ne sont pas aussi exceptionnelles non plus. La faute aux 40 kg en plus que lui vaut un équipement plus complet ainsi qu'à un coefficient aérodynamique moins favorable (0,29 contre 0,25). Tant pis, puisqu'elle est plus chic et amusante que la cousine Prius et qu'elle a au moins des airs de sportive. De quoi satisfaire les deux hémisphères du cerveau. Et ça, bon nombre d'acheteurs québécois l'ont déjà compris.

Châssis - 200h F Sport

Emp / lon / lar / haut	2600 / 4320 / 1765 / 1440 mm
Coffre / Réservoir	405 à 900 litres / 45 litres
Nombre coussins sécurité / ceintures	8 / 5
Suspension avant	indépendante, jambes de force
Suspension arrière	indépendante, double triangulation
Freins avant / arrière	disque / disque
Direction	à crémaillère, ass. variable électrique
Diamètre de braquage	11,2 m
Pneus avant / arrière	P215/45R17 / P215/45R17
Poids / Capacité de remorquage	1453 kg / n.d.
Assemblage	Kyushu, JP

Composantes mécaniques

200h, 200h F Sport

Cylindrée, soupapes, alim.	4L 1,8 litre 16 s atmos.
Puissance / Couple	98 chevaux / 105 lb-pi
Tr. base (opt) / rouage base (opt)	CVT / Tr
0-100 / 80-120 / V.Max	11,4 s / 9,0 s / 182 km/h
100-0 km/h	41,1 m
Type / ville / route / CO_2	Ord / 4,5 / 4,8 l/100 km / 2116 kg/an

Moteur électrique

Puissance / Couple	80 ch (60 kW) / 153 lb-pi
Type de batterie	Nickel-hydrure métal. (NiMH)
Énergie	1,3 kWh

Du nouveau en 2015

Aucun changement majeur

FEU VERT
- Groupe hybride raffiné et frugal
- Conduite sûre et plutôt agréable
- Silhouette élégante
- Finition soignée
- Grande fiabilité

FEU ROUGE
- Performances modestes
- Volume de chargement limité
- Repose-pied serré
- Mode Éco frustrant en ville
- Places arrière justes

Photos : Lexus Canada

LEXUS **ES**

▶ **Catégorie :** Berline   ▶ **Échelle de prix :** 41 920 $ à 46 270 $ (2014)   ▶ **Transport et prép. :** 2 095 $

▶ **Cote d'assurance :** $$$$ ▶ **Garanties :** 4 ans/80 000 km, 6 ans/110 000 km   ▶ **Ventes CAN 2013 :** 3 096 unités

Option luxe

Denis Duquet

Par le passé, on a souvent reproché à General Motors d'offrir plusieurs de ses véhicules sous plusieurs marques sans trop les différencier, avec les résultats qu'on connaît. Chez le numéro un japonais, on reprend la même recette alors que plusieurs modèles Toyota sont utilisés pour servir de base à des Lexus. Dans ce dernier cas toutefois, cet exercice est effectué avec beaucoup plus de doigté que GM. Nous en avons un bel exemple avec la ES dont les éléments mécaniques de base sont empruntés à la Camry.

Soulignons d'entrée de jeu que cette dernière est entièrement renouvelée pour 2015 tandis que la ES demeure inchangée, du moins pour l'instant. Il ne faudrait pas se surprendre qu'une toute nouvelle version soit dévoilée pour 2016. Mais en attendant...

Parlons confort

Malgré sa partie avant dotée de la calandre en forme de sablier adoptée par la majorité des Lexus et qui lui donne un air plus agressif, les velléités du constructeur de nous laisser croire qu'il s'agit d'une sportive s'évanouissent dès qu'on prend place à bord de la ES. La planche de bord avec ses appliques ligneuses, le volant partiellement cerclé de bois et les sièges avant qui sont davantage des fauteuils que des banquettes, tout nous fait songer à une routière confortable et non pas à une sportive à tous crins.

Comme dans toute Lexus qui se respecte, la qualité des matériaux est impeccable et la finition itou. Et pour suivre la tendance adoptée sur plusieurs berlines de luxe, on retrouve au centre de la planche de bord une pendulette analogique, un vestige du passé quelque peu anachronique. Juste au-dessus, on retrouve l'écran d'affichage qui nous permet de bénéficier du système de navigation. Soit dit en passant, celui-ci n'est pas tellement convivial. À tel point qu'on est en droit de se

Impressions de l'auteur		Concurrents
Agrément de conduite : ★★★☆ 3,5 /5		Acura TLX, Cadillac CTS, Lincoln MKZ,
Fiabilité : ★★★★½ 4,5 /5		Mercedes-Benz Classe C,
Sécurité : ★★★★ 4 /5		Nissan Maxima, Toyota Camry
Qualités hivernales : ★★★☆ 3,5 /5		
Espace intérieur : ★★★★ 4 /5		
Confort : ★★★★½ 4,5 /5		

LEXUS ES

demander si les ingénieurs nippons ne se sont pas inspirés de leurs collègues germaniques à ce chapitre.

L'allongement de la ES il y a deux ans permet aux occupants des places arrière de bénéficier de plus d'espace pour les jambes et une fois assis, on a pratiquement l'impression d'être dans une limousine intermédiaire. Le confort de cette banquette est au-dessus de la moyenne même si la place centrale est théorique tout au plus, car elle est très inconfortable en raison de la bosse causée par la présence d'un appuie-bras escamotable.

Les sièges avant offrent plus de confort que de support, ce qui est en harmonie avec le caractère de la voiture. Soulignons au passage que le volant est chauffant, mais seulement sur les parties recouvertes de cuir. Si on veut trouver quelque chose à redire, on peut mentionner la quasi-absence d'espaces de rangement.

Régulier ou hybride?

Avant de parler de choix de moteurs, il faut souligner que le comportement routier de la ES est plutôt axé sur le confort, le silence de roulement et l'absence de passion dans les courbes. Cette recherche du confort est atténuée si vous optez pour les pneus de 18 pouces aux flancs plus minces qui ont pour effet de rendre la suspension plus ferme. Et si vous abordez une courbe à haute vitesse, que ce soit au volant du modèle régulier ou de l'hybride, vous allez constater un sous-virage marqué et un roulis assez prononcé. Voilà une berline qui préfère les randonnées plus paisibles.

La version régulière est mue par un V6 de 3,5 litres de 268 chevaux qui est le moteur à tout faire de cette division. Il est très doux et sa fiabilité a été démontrée au fil des années. Il est associé à une transmission automatique à six rapports dont les passages des vitesses sont presque imperceptibles. Même sans trop faire attention à votre style de conduite, vous aurez une moyenne de consommation sous la barre des 10 l/100 km.

La version hybride ES 300h est propulsée par un moteur quatre cylindres de 2,5 litres de cycle Atkinson jumelé à un moteur électrique qui permet de porter la puissance à 200 chevaux. Comme il se doit, le moteur travaille de concert avec une transmission à rapports continuellement variables. La consommation moyenne est inférieure à 7 l/100 km tandis que les performances sont moins véloces qu'avec le V6, mais elles sont quand même fort acceptables. Si les ingénieurs pouvaient trouver le moyen de mieux moduler la pédale de frein de cet hybride, ce serait un net progrès!

Enfin, si vous jugez la facture trop salée, il y a la Camry, la quasi-jumelle moins prestigieuse mais vendue moins cher.

Photos: Lexus Canada

Châssis - 350

Emp / lon / lar / haut	2819 / 4895 / 1821 / 1450 mm
Coffre / Réservoir	433 litres / 65 litres
Nombre coussins sécurité / ceintures	10 / 5
Suspension avant	indépendante, jambes de force
Suspension arrière	indépendante, jambes de force
Freins avant / arrière	disque / disque
Direction	à crémaillère, ass. variable électrique
Diamètre de braquage	11,4 m
Pneus avant / arrière	P215/55R17 / P215/55R17
Poids / Capacité de remorquage	1613 kg / n.d.
Assemblage	Kyushu, JP

Composantes mécaniques

300h

Cylindrée, soupapes, alim.	4L 2,5 litres 16 s atmos.
Puissance / Couple	154 chevaux / 152 lb-pi
Tr. base (opt) / rouage base (opt)	CVT / Tr
0-100 / 80-120 / V.Max	8,1 s / n.d. / 180 km/h
100-0 km/h	n.d.
Type / ville / route / CO_2	Ord / 4,7 / 5,1 l/100 km / 2245 kg/an

Moteur électrique

Puissance / Couple	67 chevaux (50 kW) / n.d.
Batterie	Nickel-hydrure métallique (NiMH)
Énergie	1,3 kWh

350

Cylindrée, soupapes, alim.	V6 3,5 litres 24 s atmos.
Puissance / Couple	268 chevaux / 248 lb-pi
Tr. base (opt) / rouage base (opt)	A6 / Tr
0-100 / 80-120 / V.Max	7,0 s / 4,4 s / 209 km/h
100-0 km/h	44,0 m
Type / ville / route / CO_2	Ord / 9,9 / 6,4 l/100 km / 3918 kg/an

Du nouveau en 2015

Aucun changement majeur

FEU VERT
- Insonorisation impressionnante
- Habitabilité garantie
- Fiabilité assurée
- Matériaux de qualité
- Version hybride efficace

FEU ROUGE
- Coffre exigu (hybride)
- Roulis en virage
- Freins difficiles à moduler (ES 300h)
- Espaces de rangement peu nombreux

LEXUS **GS**

▶ **Catégorie :** Berline

▶ **Échelle de prix :** 54 370 $ à 67 070 $ (2014)

▶ **Transport et prép. :** 2 095 $

▶ **Cote d'assurance :** n.d.

▶ **Garanties :** 4 ans/80 000 km, 6 ans/110 000 km

▶ **Ventes CAN 2013 :** 642 unités

Une rivale sérieuse

Gabriel Gélinas

Longtemps reconnue pour ses voitures à la fiabilité légendaire et à la conduite soporifique, Lexus a pris le virage de la sportivité en redessinant sa GS pour l'année-modèle 2013. Nous avons donc eu droit à un modèle d'une dynamique nettement plus affirmée que ce à quoi la marque nous avait habitués dans le passé. Aujourd'hui déclinée en versions propulsion, intégrale ou hybride, la GS se présente comme une rivale sérieuse aux berlines sport allemandes de taille moyenne.

Dotée d'un châssis rigide et d'une répartition des masses établie à 52 % sur le train avant et 48 % sur l'arrière, la GS actuelle compte sur une base solide qui est à la mesure de ses ambitions. Le degré de sportivité diffère selon les modèles et la plus « authentique » berline sport de la gamme est sans contredit la GS 350 F Sport. Avec ses roues arrière motrices et son comportement routier plus affûté, elle se plaît à livrer des sensations de conduite qui sont remarquablement similaires à celles des rivales

allemandes établies. Qui aurait cru qu'un jour on écrirait de telles choses à propos d'une Lexus! Comme quoi l'attente en vaut quelquefois la peine...

Une conduite plus typée...

Au volant des modèles F Sport, il suffit de choisir l'un des trois modes de conduite soit Normal, Sport ou Sport Plus pour voir la voiture adopter un comportement conséquent. La sélection des modes les plus performants permet à la GS d'attaquer les bretelles d'accès ou les sorties d'autoroute avec un aplomb remarquable qui détonne franchement avec celui de plusieurs autres modèles de la marque. On peut cependant émettre un bémol à propos de la direction qui est très rapide mais un peu artificielle concernant le *feedback* qu'elle procure. De plus, la F Sport se contente du même moteur que le modèle de base, soit le V6 atmosphérique de 3,5 litres développant 306 chevaux. Compte tenu des réactions plus incisives typiques de cette version olé-olé, on souhaiterait un peu plus de punch, côté moteur, pour mieux cadrer avec sa vocation plus sportive.

Impressions de l'auteur	
Agrément de conduite : ★★★★☆	4/5
Fiabilité : ★★★★⯪	4,5/5
Sécurité : ★★★★⯪	4,5/5
Qualités hivernales : ★★★★☆	4/5
Espace intérieur : ★★★★☆	4/5
Confort : ★★★★☆	4/5

Concurrents
Acura RLX, Audi A6, BMW Série 5, Infiniti M, Lincoln MKS, Mercedes-Benz Classe E, Volvo S80

Le modèle à motorisation hybride, appelé 450h, est plus fidèle à l'idée que l'on se fait d'une Lexus traditionnelle et l'acheteur typique de la marque ne sera pas dépaysé par la conduite plus aseptisée propre à ce modèle axé sur le confort et le silence de roulement plutôt que sur la dynamique. Animée par un moulin thermique secondé par un moteur électrique, la 450h compte sur une cavalerie combinée de 338 chevaux, livrée aux roues arrière par une boîte à variation continue qui vient malheureusement saper l'agrément de conduite et le réduire à sa plus simple expression. On peut également ajouter qu'il faut s'habituer à la réactivité du système de freinage régénératif de la 450h qui entre en action dès que l'on actionne les freins pour recharger la batterie, rendant le freinage parfois difficile à moduler.

Le comportement routier plus affirmé de la GS trouve son écho dans un style plus affûté d'allure à la fois sportive et sobre. Même constat du côté de l'habitacle où trône un volant sport à trois branches gainé de cuir, mais la GS pèche encore avec son système de contrôle Remote Touch. Ce dernier comprend un bouton carré localisé sur la console centrale qui se manipule un peu comme une souris d'ordinateur et qui s'avère assez frustrant parce que difficile à bien contrôler en roulant.

Une « vraie » GS F en vue?

Il existe déjà une GS 350 F Sport, mais la gamme des GS pourrait bientôt s'enrichir d'une version encore plus performante désignée simplement par la lettre F. Chez Lexus, la division F s'apparente à la division M chez BMW ou la division AMG de Mercedes-Benz et compte la berline IS F et le coupé LFA parmi ses réalisations. Si l'on se fie aux photos-espions saisies sur le vif, un prototype GS F serait en cours de développement, ce qui permettrait à la marque d'opposer une rivale crédible aux BMW M5 et Mercedes-Benz E63 AMG, entre autres.

Selon une rumeur évoquée par un magazine japonais, l'éventuelle GS F serait animée par un V8 atmosphérique de 5,0 litres développant 459 chevaux : c'est à contre-courant de la tendance actuelle, les constructeurs migrant plutôt vers des motorisations turbocompressées. De plus, si Lexus veut vraiment se mesurer directement à la M5 et la E63 AMG qui sont animées par des moteurs turbos développant 550 chevaux, le recours à une forme de suralimentation, par turbo ou par compresseur volumétrique apparaît presque comme une condition sine qua non.

Le prototype ayant été aperçu récemment lors d'essais sur le circuit du Nürburgring, il y a fort à parier que la GS F deviendra prochainement la version la plus performante de la gamme, reste à savoir ce que l'on retrouvera sous son capot.

Châssis - 350 F sport

Emp / lon / lar / haut	2850 / 4845 / 1840 / 1455 mm
Coffre / Réservoir	530 litres / 66 litres
Nombre coussins sécurité / ceintures	10 / 5
Suspension avant	indépendante, double triangulation
Suspension arrière	indépendante, multibras
Freins avant / arrière	disque / disque
Direction	à crémaillère, ass. variable électrique
Diamètre de braquage	10,6 m
Pneus avant / arrière	P235/40R19 / P265/35R19
Poids / Capacité de remorquage	1685 kg / n.d.
Assemblage	Tahara, JP

Composantes mécaniques

450h

Cylindrée, soupapes, alim.	V6 3,5 litres 24 s atmos.
Puissance / Couple	286 chevaux / 254 lb-pi
Tr. base (opt) / rouage base (opt)	CVT / Prop
0-100 / 80-120 / V.Max	5,6 s / n.d. / 209 km/h
100-0 km/h	n.d.
Type / ville / route / CO_2	Sup / 6,5 / 6,2 l/100 km / 2930 kg/an

Moteur électrique

Puissance / Couple	52 chevaux (39 kW) / n.d.
Batterie	Nickel-hydrure métallique (NiMH)
Énergie	1,35 kWh

350, 350 F sport

Cylindrée, soupapes, alim.	V6 3,5 litres 24 s atmos.
Puissance / Couple	306 chevaux / 277 lb-pi
Tr. base (opt) / rouage base (opt)	A6 / Prop (Int)
0-100 / 80-120 / V.Max	6,3 s / 4,0 s / 209 km/h
100-0 km/h	40,1 m
Type / ville / route / CO_2	Sup / 11,1 / 7,6 l/100 km / 4380 kg/an

Du nouveau en 2015

Aucun changement majeur

FEU VERT

- Très bonne tenue de route (F-Sport)
- Silhouette expressive
- Disponibilité du rouage intégral
- Faible consommation du modèle hybride

FEU ROUGE

- Prix des options
- Comportement aseptisé (GS 450h)
- Système Remote Touch peu intuitif
- Direction un peu artificielle

Photos : Lexus Canada

LEXUS **GX**

▶ **Catégorie :** VUS	▶ **Échelle de prix :** 61 070 $ à 68 770 $ (2014)	▶ **Transport et prép. :** 2 095 $
▶ **Cote d'assurance :** n.d.	▶ **Garanties :** 4 ans/80 000 km, 6 ans/110 000 km	▶ **Ventes CAN 2013 :** 351 unités

Traditionnelle et sophistiquée

Denis Duquet

Le Lexus GX… Voilà un modèle qui a la vie dure. En effet, année après année, les journalistes n'ont de cesse d'annoncer sa disparition imminente en raison d'un manque de popularité et de sa configuration mécanique dépassée. Pour plusieurs, un VUS à châssis autonome est aussi démodé qu'un « Ford à pédales ». Pourtant, chez Lexus on continue de produire ce mastodonte, mieux encore, en cours d'année on a modifié sa carrosserie en adoptant surtout cette grille de calandre en forme de sablier qui fait des merveilles pour requinquer un véhicule.

Donc avec ce nouveau nez, le GX n'a plus l'allure d'un véhicule des années soixante-dix, mais bien de son époque. Et pour faire bonne mesure, on a donné des angles aigus aux extrémités des pare-chocs avant, ce qui ajoute à l'impression de sportivité. À l'arrière, les feux ont été modifiés tout comme le pare-chocs qui est doté en sa partie inférieure d'un bouclier

de protection qui me semble plus symbolique qu'autre chose. Comme il ne s'agit que d'un remodelage, les parois latérales sont demeurées inchangées.

Passez au salon

De l'extérieur, le GX ressemble tout simplement à une version Lexus de la 4Runner avec qui il partage son châssis. Mais lorsqu'on prend place à bord, peu importe les affinités mécaniques avec le Toyota, on est dans un véhicule 100 % Lexus par la qualité des matériaux, de la finition et de la présentation qui fait BCBG. Il n'est pas faux d'affirmer que le design de la planche de bord est pratiquement rétro avec ses éléments en aluminium brossé d'un design un peu ringard. Mais il ne faut pas s'arrêter à ce détail. L'impression d'ensemble est positive surtout avec les versions dotées d'appliques en bois foncé qui contrastent avec le reste. Et ces appliques ne sont pas trop grosses ni trop nombreuses, mais juste assez pour faire la différence.

Impressions de l'auteur		Concurrents
Agrément de conduite : ★★★⯪☆	3/5	Acura MDX, Audi Q7, BMW X5,
Fiabilité : ★★★★⯪	4,5/5	Land Rover LR4, Volvo XC90
Sécurité : ★★★★	4/5	
Qualités hivernales : ★★★★⯪	4,5/5	
Espace intérieur : ★★★★	4/5	
Confort : ★★★★⯪	4,5/5	

Il est difficile de mettre le doigt sur la cause de cette impression d'ensemble, mais c'est réussi.

Comme dans toute Lexus qui se respecte, les cadrans indicateurs sont électroluminescents et les deux cadrans principaux sont séparés par un mini-centre d'information très pratique. Sur la version Premium, le système ambiophonique Mark Levinson devrait satisfaire les plus exigeants et le centre de commande escamotable situé derrière le levier de vitesses fait « high-tech ». Aussi, la console centrale avec ses multiples touches de commande du rouage intégral est une réussite sur le plan ergonomique.

Même si les sièges avant offrent un support latéral moyen, leur confort est à souligner et, bien entendu, ils sont climatisés. De plus, la sellerie de cuir semble provenir de bovins qui ont été dorlotés tout au long de leur vie tant le cuir est souple et de qualité. Curieusement, les places arrière ne sont pas des sièges capitaine, mais une banquette pleine longueur dont le dossier est de type 40-20-40 ; voilà un compromis assez pratique. Quant à la troisième rangée, je serai poli et me contenterai de souligner sa présence, sans plus.

Le GX cache bien son jeu

De prime abord, le GX semble être un véhicule d'une autre époque avec son châssis de type échelle, son moteur V8 et ses dimensions encombrantes. À ce sujet, le GX n'est pas le plus gros véhicule chez Lexus, c'est le LX. Mais en examinant le GX de plus près, on est confronté à un véhicule assez poussé sur le plan technologique. Par exemple, sa suspension pneumatique donne le choix entre trois hauteurs : normale pour la conduite de tous les jours, basse pour faciliter le chargement et le déchargement, haute pour accroître la garde au sol. Et ce dernier élément est à souligner, car ce Lexus de luxe est équipé pour rouler hors-piste avec son rouage intégral avec verrouillage central. De plus, des plaques d'acier sous le véhicule protègent le réservoir de carburant et la boîte de transfert.

Le V8 de 4,6 litres produit 301 chevaux et ce n'est pas de trop pour déplacer cette masse de deux tonnes et demie. Il est associé à une transmission manumatique à six rapports qui est d'une telle douceur que les passages de rapports sont imperceptibles. De plus, un système de démarrage en pente et de contrôle de descente est de la partie.

Voilà pour les bonnes nouvelles. En conduite cependant, la voiture penche dans les virages, sa direction ne propose aucune rétroaction de la route tandis que son gabarit imposant rend la conduite hors route parfois délicate. Et ce poids lourd à moteur V8 est assoiffé, car sa moyenne de consommation est d'environ 15 l/100 km si vous ne remorquez rien et traitez l'accélérateur avec délicatesse.

Châssis - 460

Emp / lon / lar / haut	2790 / 4805 / 1885 / 1875 mm
Coffre / Réservoir	692 à 1833 litres / 87 litres
Nombre coussins sécurité / ceintures	10 / 7
Suspension avant	indépendante, double triangulation
Suspension arrière	essieu rigide, ressorts hélicoïdaux
Freins avant / arrière	disque / disque
Direction	à crémaillère, assistée
Diamètre de braquage	11,6 m
Pneus avant / arrière	P265/60R18 / P265/60R18
Poids / Capacité de remorquage	2326 kg / 2948 kg (6499 lb)
Assemblage	Tahara, JP

Composantes mécaniques

Cylindrée, soupapes, alim.	V8 4,6 litres 32 s atmos.
Puissance / Couple	301 chevaux / 329 lb-pi
Tr. base (opt) / rouage base (opt)	A6 / Int
0-100 / 80-120 / V.Max	9,2 s / 7,1 s / 177 km/h
100-0 km/h	42,0 m
Type / ville / route / CO_2	Ord / 14,1 / 9,8 l/100 km / 5566 kg/an

Du nouveau en 2015

Aucun changement majeur. Grille de calandre a été revue en cours d'année.

FEU VERT
- Finition sans failles
- Mécanique sophistiquée
- Excellente habitabilité
- Efficace en hors route
- Bonne capacité de remorquage

FEU ROUGE
- Consommation élevée
- Roulis en virage
- Direction engourdie
- Dimensions encombrantes
- Porte arrière à charnières latérales

Photos : Lexus Canada

LEXUS **IS**

▶ **Catégorie :** Berline, Cabriolet

▶ **Cote d'assurance :** $$$$$

▶ **Échelle de prix :** 39 470 $ à 76 070 $ (2014)

▶ **Garanties :** 4 ans/80 000 km, 6 ans/110 000 km

▶ **Transport et prép. :** 2 095 $

▶ **Ventes CAN 2013 :** 2 579 unités

La fête est finie.
Quelle fête?

Jacques Duval

L a IS est la plus récente offensive de Lexus afin de se faire une place au soleil dans la catégorie des berlines sport de luxe, où les Allemandes règnent depuis toujours. La première génération ne bousculait pas la hiérarchie de l'époque et plusieurs ne se souviennent que de sa superbe instrumentation de style chronographe. Alors que la seconde génération des berlines IS a connu son heure de gloire à sa sortie en 2005, mais que la poussière est vite retombée, qu'en est-il de cette troisième mouture parue l'an dernier?

Si la Lexus IS se distingue de la concurrence, c'est d'abord et avant tout par sa face avant agressive dominée par une calandre en forme de sablier. Ses phares globuleux soulignés par des feux de jour en flèche garnis de diodes électroluminescentes ne manquent pas non plus de faire leur effet. La partie arrière est tout aussi réussie et particulièrement musclée. L'ensemble F Sport substitue la calandre pour une version encore plus racée

formée d'un nid d'abeilles, ajoute des angles au pare-chocs et habille le tout de jantes exclusives de 18 po de teinte sombre.

Et le ramage?

Bien beau avoir des lignes sportives, c'est le cœur qui fait l'athlète. Dans le cas de l'IS250, ses maigres 204 chevaux ne parviennent pas à allumer la flamme. Cette motorisation, accompagnée d'une boîte automatique à six rapports, conviendra surtout à ceux qui recherchent le luxe et la sécurité. D'ailleurs, le rouage intégral optionnel fait un travail honnête et les contrôles dynamiques de l'IS250 AWD sont parmi les plus intrusifs du marché. Ainsi, même si on souhaite s'amuser un peu, impossible de mettre l'arrière en glissade dans la neige.

Pour exploiter pleinement le châssis de la IS, mieux vaut se tourner vers la 350 et ses 306 chevaux ou encore mieux, vers l'ensemble F Sport qui donne droit à des ressorts plus fermes. On découvre ainsi une berline qui peut réellement soutenir la comparaison avec les meneuses de la catégorie. Équilibrée,

Impressions de l'auteur		Concurrents
Agrément de conduite : ★★★★☆	4/5	Acura TLX, Audi A4, BMW Série 3,
Fiabilité : ★★★★⯨	4,5/5	Cadillac ATS, Infiniti Q50,
Sécurité : ★★★★☆	4/5	Mercedes-Benz Classe C, Volvo S60
Qualités hivernales : ★★★★☆	4/5	
Espace intérieur : ★★★⯨☆	3,5/5	
Confort : ★★★★☆	4/5	

elle s'inscrit facilement en virage et dispose d'une bonne réserve de puissance pour reprendre le galop en sortie. À noter que la direction, un brin légère, est beaucoup plus convaincante en mode sport.

Avec ce moteur vient également une autre transmission, toujours automatique, mais à huit rapports cette fois. Malgré les temps de réponse très enthousiastes qui sont annoncés, elle m'a semblé plutôt lente à réagir. Pour les irréductibles, c'est-à-dire ceux qui ne peuvent envisager une voiture sport sans transmission manuelle, sachez qu'il n'en existe aucune sur la IS.

En toute quiétude

Se porter acquéreur d'un produit Lexus, c'est un peu s'acheter la paix aussi. Sous son habillage de luxe, on retrouve la qualité et la fiabilité des produits Toyota. Parlant de tranquillité d'esprit, avaler les kilomètres au volant d'une IS n'a rien d'éprouvant, au contraire. La position de conduite est excellente et étonnamment, la visibilité aussi. De toute façon, on a droit à un système de détection de véhicules dans l'angle mort et à une caméra de recul. Énumérer la liste des équipements serait futile : tous les accessoires auxquels on s'attend dans une voiture de luxe sont présents et souvent pour un peu moins cher que chez les rivales européennes.

Le dessin de la planche de bord est un heureux mélange d'élégance et de sportivité. Le volant, qui semble tout droit emprunté à la LFA, est agréable à prendre en main. Calé au fond d'un siège d'un grand confort (encore davantage avec l'ensemble F Sport), on se sent tout de suite à l'aise. Cependant, ceux qui comme moi conduisent avec le siège passablement avancé, se heurteront les genoux sur ledit volant au moment de prendre place à bord. Si le dégagement en hauteur n'est pas du tout un problème, on remarque que la console centrale est inutilement large et risque de gêner les plus costauds. Par contre, à l'arrière, on a droit à des places généreuses, bien plus que dans une Série 3, par exemple. À noter que le coffre aussi est de bonne dimension et peut être agrandi en abattant en partie ou entièrement le dossier de la banquette.

On peut affirmer que la Lexus IS, à plus forte raison en livrée 350, est la meilleure berline de la marque à ce jour. Encore reste-t-il à convaincre ceux qui ne jurent que par BMW ou Audi de changer pour un produit japonais et un produit qui ne peut être équipé d'une troisième pédale... Pour les autres, il est facile de tomber sous le charme de l'IS350 AWD F Sport qui allie toutes les qualités recherchées dans une berline sportive moderne.

Serait-ce la fin de la fête pour les Allemandes?

Châssis - F

Emp / lon / lar / haut	2730 / 4660 / 1815 / 1415 mm
Coffre / Réservoir	378 litres / 64 litres
Nombre coussins sécurité / ceintures	8 / 4
Suspension avant	indépendante, double triangulation
Suspension arrière	indépendante, multibras
Freins avant / arrière	disque / disque
Direction	à crémaillère, ass. variable électrique
Diamètre de braquage	11,0 m
Pneus avant / arrière	P225/40R18 / P255/35R18
Poids / Capacité de remorquage	1715 kg / n.d.
Assemblage	Tahara, JP

Composantes mécaniques

250, 250 C

Cylindrée, soupapes, alim.	V6 2,5 litres 24 s atmos.
Puissance / Couple	204 chevaux / 184 lb-pi
Tr. base (opt) / rouage base (opt)	A6 / Prop (Int)
0-100 / 80-120 / V.Max	7,7 s (const) / n.d. / 210 km/h
100-0 km/h	n.d.
Type / ville / route / CO_2	Sup / 10,4 / 7,3 l/100 km / 4142 kg/an

350, 350 C

Cylindrée, soupapes, alim.	V6 3,5 litres 24 s atmos.
Puissance / Couple	306 chevaux / 277 lb-pi
Tr. base (opt) / rouage base (opt)	A6 / Int (Prop)
0-100 / 80-120 / V.Max	6,5 s / 4,7 s / n.d.
100-0 km/h	40,7 m
Type / ville / route / CO_2	Sup / 10,7 / 7,3 l/100 km / 4244 kg/an

F

Cylindrée, soupapes, alim.	V8 5,0 litres 32 s atmos.
Puissance / Couple	416 chevaux / 371 lb-pi
Tr. base (opt) / rouage base (opt)	A8 / Prop
0-100 / 80-120 / V.Max	5,5 s / 4,6 s / n.d.
100-0 km/h	37,9 m
Type / ville / route / CO_2	Sup / 13,0 / 8,5 l/100 km / 5060 kg/an

Du nouveau en 2015

Aucun changement majeur

FEU VERT

- Châssis rigide
- Finition exemplaire
- Livrée F Sport dynamique
- Habitacle spacieux et confortable
- Rouage intégral disponible

FEU ROUGE

- Puissance un peu juste (250)
- Absence de boîte manuelle
- Console centrale encombrante
- Aides à la conduite intrusives

Photos : Marie-France Rock

LEXUS **LS**

▶ **Catégorie :** Berline

▶ **Cote d'assurance :** n.d.

▶ **Échelle de prix :** 86 820 $ à 127 920 $ (2014)

▶ **Garanties :** 4 ans/80 000 km, 6 ans/110 000 km

▶ **Transport et prép. :** 2 095 $

▶ **Ventes CAN 2013 :** 216 unités

La perfection peut être un défaut

Denis Duquet

L a LS n'est pas seulement une berline de luxe. Pour les dirigeants de Lexus, la division de prestige de Toyota, elle doit être ce qui se fait de mieux en la matière. Elle doit être la meilleure en fait de finition, de qualité de matériaux, de douceur de roulement, et la liste est presque interminable. D'ailleurs, c'est cette quasi-perfection qui a incité tant de gens à passer dans le camp nippon après avoir été déçu par la fiabilité erratique de leur Allemande ou pire encore de leur Britannique.

Chez Lexus, cette course à la perfection est incessante et on s'attarde aux moindres détails. Par exemple, dans l'une des versions précédentes, on s'était assuré que les couvercles de deux contenants placés sur la console s'ouvraient à la même vitesse. Et on nous en avait fait la démonstration chronomètre en main! Malgré tout, la LS était en recul face à la concurrence, probablement en raison de sa présentation extérieure. En effet, avec sa calandre presque anonyme, cette voiture manquait

carrément de caractère. Alors que les Audi, BMW et Mercedes-Benz affichaient leur grille de calandre si typique, la LS n'avait qu'une proue qui semblait empruntée à la Camry.

Au cours des derniers mois, une mini-refonte de la silhouette a permis de rectifier les choses avec une grille de calandre en forme de sablier qui fait des merveilles pour transformer la présentation de la LS. On aurait pu être plus imaginatif pour la section arrière, mais dans l'ensemble, les résultats sont quand même probants.

Conservateur, vous dites?

Si la silhouette a été requinquée récemment, l'habitacle est demeuré plus ou moins le même. Alors que la concurrence s'évertue à faire de plus en plus moderne en multipliant les gadgets et les présentations tendance, la LS joue la carte du conservatisme et d'une certaine élégance rétro. Son propriétaire va s'émerveiller davantage devant la qualité des cuirs et des

Impressions de l'auteur	
Agrément de conduite :	★ ★ ★ ½ 3,5
Fiabilité :	★ ★ ★ ★ ½ 4,5
Sécurité :	★ ★ ★ ★ ½ 4,5
Qualités hivernales :	★ ★ ★ ½ 3,5
Espace intérieur :	★ ★ ★ ★ ½ 4,5
Confort :	★ ★ ★ ★ ½ 4,5

Concurrents
Audi A8, BMW Série 7, Jaguar XJ, Mercedes-Benz Classe S

surpiqûres qui les décorent, ainsi que devant l'utilisation du fini Shimamoku sur le volant et des appliques sur le tableau de bord. Soit dit en passant, le Shimamoku est un procédé long de 38 jours qui permet à des artisans de superposer de fines couches de bois exotique. Le résultat est tout simplement fantastique.

Il ne faut pas s'imaginer non plus que l'habitacle n'est qu'une affaire de boiseries frôlant l'œuvre d'art et de cuirs fins, la technologie y est omniprésente. Par exemple, l'écran d'affichage et d'information est de 12,3 pouces tandis que le système de climatisation analyse quatre zones de confort afin d'optimiser le niveau de la température sélectionnée. Et les audiophiles pourront profiter de la sonorité exceptionnelle de la chaîne audio Mark Levinson avec ses 450 watts et ses 19 haut-parleurs gérés par un système ambiophonique de classe 7.1.

Somme toute, la LS est destinée aux personnes qui aiment le confort bien avant le comportement routier.

Un défaut majeur

Et cette recherche du confort absolu et de la perfection est en même temps le défaut majeur de cette voiture. En effet, les ingénieurs ont tellement peaufiné ses qualités, éradiqués les irritants et insonorisé l'habitacle que la conduite d'une LS est plus soporifique qu'autre chose. Mais ce qui est un défaut à mes yeux est considéré comme une grande qualité par plusieurs si on se fie à la popularité de cette berline!

C'est sans doute pour intéresser une nouvelle catégorie d'acheteurs que le modèle F Sport a été concocté. N'allez pas vous imaginer qu'on a augmenté la puissance du moteur à la sauce M de BMW ou AMG de Mercedes-Benz. En fait, la puissance demeure la même, soit 386 chevaux produits par un V8 de 4,6 litres associé à une boîte automatique à huit rapports. Parmi les modifications à la mécanique, on peut souligner de puissants freins Brembo, des jantes de 19 pouces, un centre de gravité plus bas, un différentiel à glissement limité et quelques autres modifications du genre. Ces changements ne transforment pas la LS en bombe de la route, mais l'agrément de conduite est plus relevé.

Le modèle de base, si on peut le qualifier ainsi, est une propulsion, tandis qu'il est possible de commander le rouage intégral qui est le seul disponible sur la version à empattement allongé. Cette dernière propose nécessairement des places arrière plus confortables. Quant à la 600h L, elle combine le luxe de l'empattement allongé et du rouage intégral à un groupe propulseur hybride constitué d'un V8 de 5,0 litres assisté d'un moteur électrique qui porte la puissance totale à 438 chevaux. C'est la réplique de Lexus aux moteurs V12 allemands. Malgré cette débauche de technologie, la consommation de carburant du modèle hybride n'est pas trop impressionnante. Par contre, vous vous assurez d'une certaine exclusivité.

Châssis - 460 TI

Emp / lon / lar / haut	2970 / 5090 / 1875 / 1480 mm
Coffre / Réservoir	510 litres / 84 litres
Nombre coussins sécurité / ceintures	10 / 5
Suspension avant	indépendante, pneumatique, multibras
Suspension arrière	indépendante, pneumatique, multibras
Freins avant / arrière	disque / disque
Direction	à crémaillère, ass. électrique
Diamètre de braquage	11,4 m
Pneus avant / arrière	P245/45R19 / P245/45R19
Poids / Capacité de remorquage	1940 kg / n.d.
Assemblage	Tahara, JP

Composantes mécaniques

460, 460 L

Cylindrée, soupapes, alim.	V8 4,6 litres 32 s atmos.
Puissance / Couple	360 chevaux / 347 lb-pi
Tr. base (opt) / rouage base (opt)	A8 / Int
0-100 / 80-120 / V.Max	5,9 s / n.d. / 210 km/h
100-0 km/h	42,6 m
Type / ville / route / CO_2	Sup / 13,5 / 8,7 l/100 km / 5216 kg/an

460, F Sport

Cylindrée, soupapes, alim.	V8 4,6 litres 32 s atmos.
Puissance / Couple	386 chevaux / 367 lb-pi
Tr. base (opt) / rouage base (opt)	A8 / Prop
0-100 / 80-120 / V.Max	7,3 s / 5,7 s / 210 km/h
100-0 km/h	42,6 m
Type / ville / route / CO_2	Sup / 12,9 / 8,1 l/100 km / 4915 kg/an

600h L

Cylindrée, soupapes, alim.	V8 5,0 litres 32 s atmos.
Puissance / Couple	389 chevaux / 385 lb-pi
Tr. base (opt) / rouage base (opt)	CVT / Int
0-100 / 80-120 / V.Max	5,6 s (const) / 4,7 s / 210 km/h
100-0 km/h	46,5 m
Type / ville / route / CO_2	Sup / 10,6 / 9,1 l/100 km / 4566 kg/an

Moteur électrique

Puissance / Couple	221 chevaux (165 kW) / 221 lb-pi
Batterie	Nickel-Hydrure métallique (NiMH)
Énergie	n.d.

Du nouveau en 2015

Aucun changement majeur

- Transmission huit rapports très douce
- Modèle hybride au point
- Fiabilité hors pair
- Finition sans égale
- Rouage intégral de série (empattement allongé)

- Agrément de conduite mitigé
- Direction engourdie
- Antipatinage à revoir
- Conservatisme exagéré

Photos : Lexus Canada

LEXUS **LX**

▶ **Catégorie :** VUS ▶ **Échelle de prix :** 97 620 $ (2014) ▶ **Transport et prép. :** 2 095 $

▶ **Cote d'assurance :** n.d. ▶ **Garanties :** 4 ans/80 000 km, 6 ans/110 000 km ▶ **Ventes CAN 2013 :** 296 unités

Tout petit... à côté d'un Airbus A380

Alain Morin

Le Canadien a connu une belle saison 2013-2014. Steinberg n'existe plus. La marque de voitures de luxe Packard non plus. Les impôts vont revenir. Le Lexus LX570 est gros et cher. Il y a des évidences qu'on ne peut nier.

En fait, dire que le LX est gros est un euphémisme. Lorsqu'on lave ce véhicule à la main, on se rend vite rendre compte qu'il faut un petit banc pour pouvoir essuyer le toit parce que même si on monte sur les marchepieds, ce n'est pas suffisant. Après un essai infructueux avec le banc, on va chercher l'escabeau. Ceux qui travaillent dans la construction peuvent prendre des échafauds. Évidemment, un tel monument ne se stationne pas partout et il est impératif de bien connaitre sa hauteur avant d'entrer dans un stationnement souterrain. Y entrer c'est une chose. En ressortir avec toute la peinture sur le toit, c'en est une autre.

Avec un tel physique, Lexus aurait été bien mal avisé de concocter un habitacle étriqué. Rarement ai-je senti la personne à mes côtés à l'avant aussi éloignée. Pour rejoindre les deux occupants de la troisième rangée, crier est inutile. Il faut un téléphone cellulaire. Il y a trois ceintures pour cette rangée située dans un autre fuseau horaire mais dans la vie de tous les jours, deux personnes y seront bien plus à l'aise. En passant, ces sièges se rabattent sur les côtés plutôt que dans le plancher. Ce n'est pas une solution parfaite, croyez-moi, même si l'on n'a qu'à peser sur un bouton pour que ces sièges se plient ou se déplient. La deuxième rangée est nettement plus conviviale et j'y prendrais place durant des heures sans rechigner. Les meilleures places, on s'en doute, sont à l'avant. Les sièges sont moelleux à souhait, supportent toutes les parties du corps et peuvent accueillir à peu près tous les types de physiques existant sur la planète.

Impressions de l'auteur		Concurrents
Agrément de conduite : ★★★☆☆	3/5	Cadillac Escalade, Infiniti QX80,
Fiabilité : ★★★★⯪	4,5/5	Land Rover Range Rover,
Sécurité : ★★★★☆	4/5	Lincoln Navigator,
Qualités hivernales : ★★★★⯪	4,5/5	Mercedes-Benz Classe GL
Espace intérieur : ★★★★⯪	4,5/5	
Confort : ★★★★⯪	4,5/5	

LEXUS LX

En attendant le VUS de Bentley

Si un prix était donné au tableau de bord le plus imposant (je n'ai pas dit le plus beau…), sans nul doute que celui du LX570 figurerait en haut de la liste. Juste l'écran central de 8 pouces mérite le détour. Comme tout véhicule de luxe qui se respecte, une montre analogique trône au centre. Il y a plusieurs boutons mais ils sont bien intégrés et la plupart sont placés de façon ergonomique. Il faut simplement se laisser un peu de temps pour bien les assimiler. La liste des accessoires de luxe dépasse tout ce qu'on peut désirer dans un véhicule. Sans doute qu'il faudra attendre que Bentley dévoile son VUS pour trouver mieux! Si vous avez du temps à perdre, vous pourrez toujours tenter de repérer une moulure un tantinet croche ou un bout de cuir retroussé. Ça pourrait même devenir un jeu pour occuper les enfants lors d'un long trajet.

Sous l'immense capot, il y a un V8 de 5,7 litres (d'où le 570 dans la dénomination) de 383 chevaux et de 403 livres-pied de couple. Si ces chiffres ne semblent pas élevés pour un VUS de près de 2 700 kg, dans la réalité ils sont étonnamment en forme. Ils réussissent à arracher le LX de sa position stationnaire et à l'amener à 100 km/h en moins de 8 secondes. Ça tient du paranormal. Une telle activité, par contre, assoiffe les chevaux. Déjà qu'en temps normal, ils sont passablement portés sur l'essence… À vitesse constante et légale sur une autoroute plane sans vent, il faut leur donner 12 ou 13 litres à tous les 100 km. Quand on les excite, ils peuvent vous vider un bar à essence en moins de temps qu'il n'en faut pour l'écrire. Imaginez quand ils ont à tirer une remorque qui peut peser jusqu'à 7 000 livres (3 175 kg)

Le chemin de terre qui mène au chalet, ce n'est pas vraiment du hors route…

Une transmission automatique à six rapports transfère tout doucement l'énergie de l'écurie aux quatre roues via un rouage intégral extraordinairement performant. Il y a quelques années, lors d'un événement organisé par Lexus, j'avais eu la chance de mettre un LX570 à l'épreuve et grâce à la panoplie d'aide à la conduite hors route (différentiels bloquants, suspensions ajustables en hauteur, gamme basse, entre autres), il s'était moqué des embûches. Ce qui est drôle, c'est que 99 % des gens n'utiliseront jamais plus que 1 % des capacités en hors route d'un LX570. Ou d'un Range Rover. Ou d'un Mercedes-Benz GL. Mais c'est bon de savoir qu'on a les moyens de se payer du rêve.

Un véhicule très lourd est rarement un parangon de sportivité et le LX570 ne déroge pas à cette règle. La direction est pataude, les suspensions molles et les freins… étonnants de puissance. Une courbe prise avec le moindrement de vélocité entraîne un roulis considérable mais jamais, ô grand jamais, le confort n'est remis en cause. Ni le silence de roulement. Ni la fiabilité. Ni la solidité de la caisse. Ni la finition. Ni…

Photos : Lexus Canada

Châssis - 570	
Emp / lon / lar / haut	2850 / 5005 / 1970 / 1920 mm
Coffre / Réservoir	439 à 2353 litres / 93 litres
Nombre coussins sécurité / ceintures	10 / 8
Suspension avant	indépendante, double triangulation
Suspension arrière	essieu rigide, multibras
Freins avant / arrière	disque / disque
Direction	à crémaillère, ass. variable
Diamètre de braquage	12,8 m
Pneus avant / arrière	P285/50R20 / P285/50R20
Poids / Capacité de remorquage	2680 kg / 3175 kg (6999 lb)
Assemblage	Araco, JP

Composantes mécaniques

570	
Cylindrée, soupapes, alim.	V8 5,7 litres 32 s atmos.
Puissance / Couple	383 chevaux / 403 lb-pi
Tr. base (opt) / rouage base (opt)	A6 / Int
0-100 / 80-120 / V.Max	7,6 s / 5,7 s / 220 km/h
100-0 km/h	42,6 m
Type / ville / route / co$_2$Sup	17,0 / 11,6 l/100 km / 6700 kg/an

Du nouveau en 2015

Aucun changement majeur

FEU VERT
- Confort superlatif
- Silence de roulement extrême
- Capacités de remorquage grandioses
- Hyper solide en hors route
- Luxe inouï

FEU ROUGE
- Poids superlatif
- Dimensions extrêmes
- Consommation grandiose
- Prix hyper solide
- Se stationner, une expérience inouïe…

LEXUS **NX**

▶ **Catégorie :** Multisegment	▶ **Échelle de prix :** 35 000 $ à 51 000 $ (estimé)	▶ **Transport et prép. :** 2 095 $
▶ **Cote d'assurance :** n.d.	▶ **Garanties :** 4 ans/80 000 km, 6 ans/100 000 km	▶ **Ventes CAN 2013 :** 0 unités

Il faut bien attirer les jeunes!

Benjamin Hunting

Il y avait un trou depuis un bon moment dans la gamme des multisegments de Lexus. Il est maintenant comblé avec l'arrivée du tout nouveau NX. Ce modèle compact répondra à l'appel des clients qui désirent un véhicule un peu plus petit − et avec un style nettement plus dynamique − que le très populaire RX.

Pour s'attaquer à une classe où l'on retrouve déjà des modèles bien établis − comme les BMW X3, Acura RDX et Audi Q5 − Lexus a décidé de miser principalement sur les points forts traditionnels de la marque, plutôt que d'essayer de redéfinir son identité. Il en résulte un véhicule à vocation familiale compétent et élégant, qui offre une conduite un peu terne, mais qui brille par son confort et son économie d'essence. Le NX reprend en partie la plate-forme du Toyota RAV4.

Un style affirmé

Le NX affiche des lignes très affirmées et des arêtes vives qui lui donnent une allure absolument unique dans cette classe. La calandre trapézoïdale caractéristique des Lexus ne s'intègre pas toujours aussi naturellement aux différents modèles de la marque, mais dans ce cas-ci, elle semble tout à fait à sa place et elle s'harmonise parfaitement au style du NX.

À l'intérieur, on découvre un habitacle confortable et silencieux qui peut facilement accueillir jusqu'à cinq adultes (mais on sera plus à l'aise à quatre). En abattant les sièges arrière, on obtient un grand espace plat, très pratique pour les gros objets, avec un volume utile de 1543 litres. Pour compléter l'aménagement intérieur bien pensé, Lexus a fait un effort pour bien équiper le NX côté technologie : système de chargement sans fil pour téléphones portables, régulateur de vitesse adaptatif avec freinage automatisé et nouvel écran tactile pour remplacer l'interface Remote Touch de type souris. Dans le dernier cas, toutefois, il ne s'agit pas d'une

Impressions de l'auteur			Concurrents
Agrément de conduite :	★★★★☆	4/5	Acura RDX , Audi Q5, BMW X3,
Fiabilité :	**Nouveau modèle**		Volvo XC60
Sécurité :	★★★★⯪	4,5/5	
Qualités hivernales :	★★★★⯪	4,5/5	
Espace intérieur :	★★★★☆	4/5	
Confort :	★★★★☆	4/5	

LEXUS NX

grande amélioration puisque la présentation visuelle et le fonctionnement sont encore en retard par rapport à la concurrence.

Trois versions – deux qui visent dans le mille

Le Lexus NX 2015 est offert en trois versions distinctes. Le modèle de base, le 200t, est propulsé par un quatre cylindres de 2,0 litres, suralimenté par turbocompresseur, qui produit 235 chevaux et un couple de 258 lb-pi. C'est la première fois que Lexus utilise un moteur turbo dans un de ses modèles et celui-ci a été construit spécialement pour le NX. En combinaison avec la transmission automatique à six vitesses livrée de série (également nouvelle), le NX met 7,2 secondes pour passer de 0 à 100 km/h, ce qui est respectable. Avec la traction intégrale optionnelle (capable de distribuer jusqu'à 50 % du couple aux roues arrière), on gagne 0,2 seconde. La consommation d'essence annoncée est de 10,7 l/100 km en ville, et de 8,4 l/100 km sur la route. Ces données reflètent le fait que ce moteur peut alterner entre le cycle classique Otto et le cycle Atkinson (plus efficace) selon la situation de conduite.

Le 300h est une version hybride. Le groupe motopropulseur est semblable à celui que l'on retrouve dans la Lexus ES 300, c'est-à-dire un quatre cylindres de 2,5 litres appuyé par un moteur électrique. Dans la NX, on obtient ainsi 194 chevaux et une consommation combinée de 7,1 l/100 km. La batterie est disposée de chaque côté des sièges arrière, de façon à empiéter le moins possible sur l'espace de chargement. Et de fait, le volume utile est réduit de seulement 23 litres par rapport au modèle classique. Évidemment, la traction intégrale est également disponible pour la 300h. Dans ce cas, on obtient un deuxième moteur électrique, qui ajoute au besoin une poussée supplémentaire aux roues arrière.

Avec le 200t F Sport, Lexus s'est efforcée de rendre l'expérience de conduite plus conforme à l'image particulièrement dynamique dégagée par la carrosserie. Pour ce faire, on a notamment installé des ressorts et des amortisseurs plus fermes, de même que des roues de 18 pouces. Ce modèle est aussi doté d'un indicateur numérique de force G et de la pression du turbo. Mécaniquement toutefois, le F Sport est identique au modèle de base. Au total, on gagne donc peu en performances, et le châssis plus rigide rend la conduite moins agréable. À notre avis, il est préférable de s'en tenir aux modèles de base ou hybride, parce qu'ils offrent un meilleur équilibre d'ensemble.

Après des années d'attente, Lexus a enfin lancé son multisegment compact de luxe, un véhicule moderne et efficace à l'image de la compagnie. Le NX a ce qu'il faut pour attirer les jeunes acheteurs qui veulent entrer dans le monde des voitures de classe supérieure.

Châssis - 200t

Emp / lon / lar / haut	2660 / 4630 / 1845 / 1645 mm
Coffre / Réservoir	501 à 1543 litres / 60 litres
Nombre coussins sécurité / ceintures	8 / 5
Suspension avant	indépendante, jambes de force
Suspension arrière	indépendante, double triangulation
Freins avant / arrière	disque / disque
Direction	à crémaillère, ass. variable électrique
Diamètre de braquage	12,2 m
Pneus avant / arrière	P225/65R17 / P225/65R17
Poids / Capacité de remorquage	1 791 kg/non-recommandé
Assemblage	Kyushu, JP

Composantes mécaniques

200t, 200t F sport

Cylindrée, soupapes, alim.	4L 2,0 litres 16 s turbo
Puissance / Couple	235 chevaux / 258 lb-pi
Tr. base (opt) / rouage base (opt)	A6 / Tr (Int)
0-100 / 80-120 / V.Max	7,2 s (const) / n.d. / n.d.
100-0 km/h	n.d.
Type / ville / route / CO_2	Sup / 10,7/8,4 l/100 km / 4 446 kg/an

300h

Cylindrée, soupapes, alim.	4L 2,5 litres 16 s atmos.
Puissance / Couple	154 chevaux / 152 lb-pi
Tr. base (opt) / rouage base (opt)	CVT / Tr (Int)
0-100 / 80-120 / V.Max	9,1 (est) / n.d. / 180 km/h
100-0 km/h	n.d.
Type / ville / route / CO_2	Ord / 7,1/7,8/3411 kg/an

Du nouveau en 2015

Nouveau modèle

- Offert aussi en version hybride
- Moteur quatre cylindres turbo
- Style distinctif
- Conception fonctionnelle

- F Sport trop ferme pour un usage quotidien
- Conduite moins emballante que ses rivaux
- Système Remote Touch désuet
- Les sièges sport sont inconfortables

Photos : Lexus Canada

LEXUS **RC**

▶ **Catégorie :** Coupé

▶ **Cote d'assurance :** n.d.

▶ **Échelle de prix :** 90 000 $ à 110 000 $ (estimé)

▶ **Garanties :** 4 ans/80 000 km, 5 ans/110 000 km

▶ **Transport et prép. :** 2 095 $

▶ **Ventes CAN 2013 :** 0 unités

Émotions fortes chez Lexus

Denis Duquet

Le nouveau coupé RC a été dévoilé au Salon de l'auto de Tokyo à l'automne dernier, accompagné des habituels communiqués de presse dithyrambiques vantant non seulement sa silhouette raffinée, mais également son caractère sportif. Nous avions toutefois un doute quant à la véracité de ces promesses. En effet, par le passé, Toyota (et Lexus, sa marque de prestige) nous a inondés de promesses semblables pour nous placer ensuite derrière le volant d'une voiture magnifiquement exécutée mais fort ennuyante à conduire.

Heureusement, les choses ont changé chez Lexus. Sous l'impulsion du grand patron Akio Toyoda, les ingénieurs et les stylistes ont reçu l'ordre de concevoir des voitures non seulement plus excitantes à regarder, mais aussi à piloter. L'IS dévoilée l'an dernier est un pas dans la bonne direction tandis que le RC est la version coupé de cette même voiture.

Look réussi

Une chose est certaine, les stylistes de Lexus ont le coup de crayon nettement plus créatif depuis que leur grand patron leur a donné le feu vert pour laisser libre cours à leur imagination. La grille de calandre en forme de sablier du RC, ses larges prises d'air à chaque extrémité, ses flancs sculptés et une section arrière tronquée montrent qu'on s'éloigne des modèles ennuyeux du passé. De plus, le RC est de 28 mm plus large, 35 mm plus bas et 69 mm plus court au niveau de l'empattement que la Lexus IS. Ce qui lui confère non seulement une allure sportive mais aussi une attitude agressive.

Trois versions seront commercialisées : le RC 350, le RC 350 F Sport et le RC F, ce dernier étant le plus sportif et le plus puissant du lot. Le RC 350 F Sport se démarque par un habitacle plus relevé et une grille de calandre distincte du RC 350. Comme il se doit, le RC F fait bande à part avec son capot bombé, ses larges prises d'air à chaque extrémité du pare-chocs et de larges extracteurs d'air à l'arrière des ailes

Impressions de l'auteur	
Agrément de conduite :	n.d.
Fiabilité :	Nouveau modèle
Sécurité :	★★★★☆ 4/5
Qualités hivernales :	★★★☆ 3,5/5
Espace intérieur :	★★★☆ 3,5/5
Confort :	n.d.

Concurrents
Audi A5, BMW Série 4, Infiniti Q60 Mercedes-Benz Classe C Coupe

avant. Il est non seulement le véhicule le plus puissant du lot et le plus performant, mais son allure est en harmonie avec ces caractéristiques.

L'habitacle est plus moderne et moins bourgeois que celui des Lexus traditionnelles. Au premier coup d'œil, on remarque certaines similitudes avec le tableau de bord du nouveau NX, notamment la partie supérieure centrale. Comme sur ce dernier modèle, on retrouve un pavé tactile permettant de gérer plusieurs fonctions. Selon le modèle, les sièges baquets avant sont de type sport, très sport et ultra sport. Dans ce dernier cas, les bourrelets latéraux sont passablement prononcés. Comme sur tous les coupés sport, les places arrière sont plus symboliques qu'autre chose. Par ailleurs, le dossier arrière se rabat de façon 60/40.

Sport : trois intensités

Le RC et la IS empruntent une partie de leur plate-forme à la plus imposante GS, et le RC 350 partage le V6 de 3,5 litres de l'IS 350. Le RC 350 est peut-être le modèle d'entrée de gamme, mais il impressionne non seulement par sa silhouette mais aussi par ses prestations sur la route. Avec son V6 de 306 chevaux, sa transmission automatique séquentielle à huit rapports et sa plate-forme renforcée, le RC 350 se démarque tant au chapitre de la tenue de route que des performances. Mais voilà que le RC 350 F Sport lui porte ombrage, car même s'il a le même moteur, son châssis est plus sportif. En effet, il propose une suspension variable adaptative, une direction arrière dynamique, une direction à assistance électrique, un système de direction à rapport d'engrenage variable et un système de gestion intégrée de la dynamique du véhicule (VDIM), sans oublier quelques babioles comme un volant sport gainé de cuir, des roues de 19 pouces et une instrumentation spéciale.

Le roi de la famille est cependant le RC F avec son V8 5,0 litres de 460 chevaux associé à un différentiel à répartition vectorielle du couple (TVD – *Torque Vectoring Differential*), une première sur un véhicule à moteur avant et à propulsion arrière. Le TVD offre trois modes de fonctionnement : Standard, Slalom et Track. Ajoutons que la transmission à huit rapports est programmée en fonction de la puissance de ce moteur et gérée par des palettes de changement de vitesse. Parmi les autres astuces techniques et aérodynamiques, mentionnons l'aileron arrière actif qui se déploie à une vitesse de 80 km/h, les conduits de refroidissement derrière le pare-chocs et les ailes avant. Quand à la 300h, la version Hybride, elle ne semble pas dans les plans de Lexus Canada, du moins pour le moment, même si elle est distribuée aux États-Unis.

Cette fois, Lexus a pris les moyens nécessaires pour qu'une de ses créations ne soit pas un autre pétard mouillé. Le coupé RC ne devrait pas décevoir!

Châssis - 350 F Sport	
Emp / lon / lar / haut	2730 / 4694 / 1840 / 1395 mm
Coffre / Réservoir	n.d. / n.d.
Nombre coussins sécurité / ceintures	n.d. / 4
Suspension avant	indépendante, double triangulation
Suspension arrière	indépendante, multibras
Freins avant / arrière	disque / disque
Direction	à crémaillère, ass. variable
Diamètre de braquage	n.d.
Pneus avant / arrière	P235/40R19 / P265/35R19
Poids / Capacité de remorquage	n.d. / n.d.
Assemblage	Kyushu, JP

Composantes mécaniques	
350, 350 F sport	
Cylindrée, soupapes, alim.	V6 3,5 litres 24 s atmos.
Puissance / Couple	306 chevaux / 280 lb-pi
Tr. base (opt) / rouage base (opt)	A8 / Prop
0-100 / 80-120 / V.Max	n.d. / n.d. / n.d.
100-0 km/h	n.d.
Type / ville / route / co$_2$	Sup / n.d. / n.d. / n.d. kg/an
F	
Cylindrée, soupapes, alim.	V8 5,0 litres 32 s atmos.
Puissance / Couple	460 chevaux / 384 lb-pi
Tr. base (opt) / rouage base (opt)	A8 / Prop
0-100 / 80-120 / V.Max	n.d. / n.d. / 270 km/h
100-0 km/h	n.d.
Type / ville / route / co$_2$	Sup / n.d. / n.d. / n.d. kg/an

Du nouveau en 2015
Nouveau modèle

FEU VERT
- Silhouette géniale
- Choix de modèles
- Habitacle bien conçu
- Version RC F enivrante

FEU ROUGE
- Visibilité arrière réduite
- Absence de boîte manuelle
- Prestige à confirmer
- Tableau de bord relativement terne

Photos : Lexus Canada

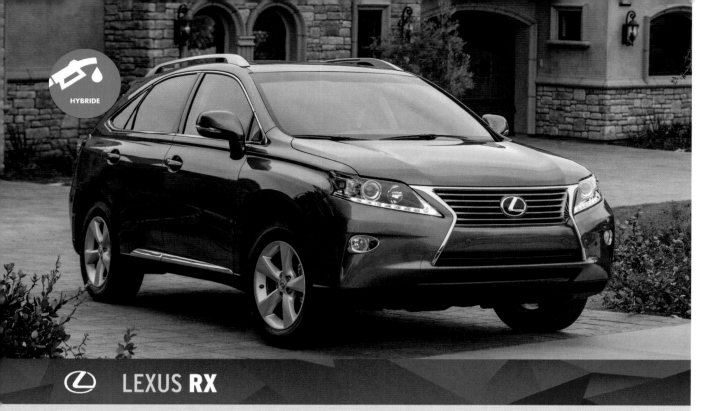

LEXUS **RX**

▶ **Catégorie :** VUS	▶ **Échelle de prix :** 46 320 $ à 62 470 $ (2014)	▶ **Transport et prép. :** 2 095 $
▶ **Cote d'assurance :** $$$$$	▶ **Garanties :** 4 ans/80 000 km, 6 ans/110 000 km	▶ **Ventes CAN 2013 :** 7 789 unités

Opération sportivité

Sylvain Raymond

A près des années à se faire dire que ses produits manquaient d'inspiration, Toyota a compris le message et présente depuis quelques années des modèles affichant beaucoup plus de caractère. Du côté des voitures, il y a quelques années, on a eu droit à la magnifique LFA démontrant tout le savoir-faire du constructeur au niveau technique. Le concept FT1 de Toyota, dévoilé au Salon de Détroit, en a ébloui plusieurs alors que l'arrivée de la nouvelle Lexus RC F représente le dernier aboutissement de Lexus en matière de bolides sports.

Du côté des VUS, Lexus offre une gamme plus classique, mais on tente de répéter la recette qui fonctionne si bien avec les voitures. Le pionnier des VUS de luxe, le RX, a été le premier il y a deux ans à subir une cure de sportivité. On a dynamisé ses lignes, introduit une version F Sport afin de soutenir ses nouvelles prétentions et la livrée de base porte cette année le nom de SPORTDESIGN. Est-ce assez sport à votre goût?

Une chirurgie sportive

En attendant une refonte plus complète, Lexus a doté le RX de lignes plus dynamiques. L'avant arbore la nouvelle signature visuelle des voitures avec sa grille trapézoïdale. Cette année, les designers ont révisé le pare-chocs et la grille, les miroirs latéraux disposent maintenant de clignotants et de nouvelles jantes de 19 pouces font leur apparition. La livrée F Sport possède un peu plus de caractère et s'avère fort réussie. Jamais le RX n'aura été aussi désirable.

Lexus en a aussi profité pour rehausser le niveau d'équipement de série à bord. On a droit notamment à un nouveau système audio et à un écran à cristaux liquides de huit pouces. Lexus nous a habitués à une finition impeccable et à une attention aux détails marquée et c'est toujours le cas avec l'habitacle du RX.

L'instrumentation est fort réussie, tout comme le volant. On est toujours irrité par le *Remote Touch Interface* (RTI) qui

Impressions de l'auteur		Concurrents
Agrément de conduite : ★★★☆ 3,5/5		Acura MDX, Audi Q7, BMW X5,
Fiabilité : ★★★★☆ 4,5/5		Cadillac SRX, Infiniti QX70,
Sécurité : ★★★★☆ 4/5		Lincoln MKX, Mercedes-Benz Classe M,
Qualités hivernales : ★★★★☆ 4,5/5		Volkswagen Touareg, Volvo XC90
Espace intérieur : ★★★★☆ 4/5		
Confort : ★★★★☆ 4,5/5		

permet de régler une panoplie de paramètres avec une commande imitant une souris. On a au moins ajouté des commandes classiques pour ajuster la radio et le climatiseur, un moindre mal.

Tous les passagers se déplaceront dans un grand confort avec amplement de dégagement aux jambes et à la tête. Les nombreuses surfaces vitrées améliorent la visibilité en réduisant les angles morts en marche arrière et l'espace cargo est assez généreux.

Une seule mécanique, même pour le sportif RX F Sport

Côté moteur, c'est toujours le V6 de 3,5 litres qui propulse le RX 350 et il développe 270 chevaux à 6 200 tr/min avec un couple de 248 lb-pi jumelé à une transmission automatique à six rapports. Dommage que le F Sport n'ait pas droit à une mécanique un peu plus puissante, ça lui aurait permis de rivaliser avec les livrées sportives proposées par les autres constructeurs. Au moins, il peut se targuer d'être plus économe en carburant, 11,7 l/100 km en moyenne. Le F Sport hérite tout de même d'une transmission plus sophistiquée, huit rapports au lieu de six.

Le RX 450h est de retour cette année. Il hérite du même moteur V6, mais il est jumelé à deux moteurs électriques aux roues arrière, ce qui porte à 295 chevaux la puissance totale du modèle. Eh oui, le plus vert des RX est plus puissant et plus économique : 8,2 l/100 km plutôt que 11,7 l/100 km. Toutefois, son prix de base est aussi rehaussé de 12 000 $ par rapport au RX 350.

Histoire d'offrir un comportement à la hauteur de ses nouvelles aspirations, on a pourvu les suspensions arrière et avant de barres stabilisatrices tout en les raffermissant légèrement. La conduite est ainsi un peu plus intéressante qu'avant...Moins soporifique, disons. C'est encore plus remarquable dans le cas du RX F Sport dont les ajustements sont davantage axés vers le dynamisme. Il représente d'ailleurs le plus intéressant des RX à notre avis.

La puissance du V6 est livrée d'une manière linéaire, sans délai. Certains VUS de luxe offrent plus de punch, mais le RX ne fait pas office d'enfant pauvre. Son rouage intégral demeure performant, transmettant efficacement son couple aux roues ayant le plus d'adhérence. Si vous décidez d'utiliser le RX pour remorquer, sachez qu'il peut tracter une charge de 1590 kg (3505 lb), et ce, même dans sa version hybride.

Avec tous ces attributs, on comprend pourquoi le RX est l'un des modèles les plus vendus dans sa catégorie. Il est gage de qualité et de fiabilité, deux caractéristiques très importantes pour les acheteurs de VUS de luxe. En plus, il est assemblé au Canada!

Photos : Lexus Canada

Châssis - 350 F sport

Emp / lon / lar / haut	2740 / 4770 / 1885 / 1684 mm
Coffre / Réservoir	1132 à 2273 litres / 73 litres
Nombre coussins sécurité / ceintures	10 / 5
Suspension avant	indépendante, jambes de force
Suspension arrière	indépendante, double triangulation
Freins avant / arrière	disque / disque
Direction	à crémaillère, ass. variable électrique
Diamètre de braquage	12,2 m
Pneus avant / arrière	P235/55R19 / P235/55R19
Poids / Capacité de remorquage	2050 kg / 1590 kg (3505 lb)
Assemblage	Cambridge, ON

Composantes mécaniques

450h

Cylindrée, soupapes, alim.	V6 3,5 litres 24 s atmos.
Puissance / Couple	245 chevaux / 234 lb-pi
Tr. base (opt) / rouage base (opt)	CVT / Int
0-100 / 80-120 / V.Max	8,0 s / 6,1 s / 180 km/h
100-0 km/h	44,1 m
Type / ville / route / CO_2	Sup / 6,7 / 7,2 l/100 km / 3174 kg/an

Moteur électrique

Puissance / Couple	50 ch (37 kW)
Type de batterie	Nickel-hydrure métal.
Énergie	n.d.

350, 350 F sport

Cylindrée, soupapes, alim.	V6 3,5 litres 24 s atmos.
Puissance / Couple	270 chevaux / 248 lb-pi
Tr. base (opt) / rouage base (opt)	A6 / Int
0-100 / 80-120 / V.Max	7,9 s / 6,0 s / 180 km/h
100-0 km/h	45,5 m
Type / ville / route / CO_2	Ord / 11,8 / 8,3 l/100 km / 4692 kg/an

Du nouveau en 2015

Aucun changement majeur

FEU VERT
- Souci du détail
- Qualité d'ensemble
- Style et conduite dynamisée
- Fiabilité reconnue

FEU ROUGE
- Absence d'un modèle véritablement sportif
- Système RTI peu agréable
- Manque de support des sièges

LINCOLN **MKC**

▶ **Catégorie :** VUS

▶ **Cote d'assurance :** n.d.

▶ **Échelle de prix :** 41 790 $ à 51 415 $

▶ **Garanties :** 3 ans/60 000 km, 5 ans/100 000 km

▶ **Transport et prép. :** 1 850 $

▶ **Ventes CAN 2013 :** 0 unités

Le sauveur tant attendu?

Frédéric Mercier

Après avoir officiellement créé la Lincoln Motor Company pour se dissocier de Ford et après avoir revu complètement la berline MKZ, le constructeur américain se lance dans un créneau en pleine effervescence en Amérique du Nord, celui des véhicules utilitaires sport compacts de luxe. Actuellement, de grandes parts de ce marché appartiennent aux Allemands avec des modèles comme l'Audi Q5 ou le BMW X3. Mais Lincoln a la ferme intention de renverser la vapeur avec le MKC, qui sera offert à un prix de base en deçà des 40 000 $.

Fluide et dynamique

À première vue, le MKC fait bonne impression. Ses lignes sont dynamiques et la calandre propre à Lincoln a été bien intégrée au véhicule. À l'intérieur, la sobriété est de mise. Le tableau de bord se distingue par l'absence d'un levier de vitesses, remplacé par des boutons poussoirs installés à la

gauche de la console centrale. La fluidité de l'intérieur dans son ensemble est certes agréable, mais disons que nous n'aurions pas dit non à un peu plus d'espaces de rangement dans ce véhicule qui sera tout de même destiné à une clientèle familiale. Un écran tactile fait partie intégrante de l'environnement du conducteur, et cela n'est qu'un exemple des nombreux éléments technologiques dont le MKC peut être doté. Parmi ceux-ci, notons entre autres un système d'aide au stationnement en parallèle qui fait à peu près tout le travail à la place du conducteur dans cette situation pas toujours évidente et détestée par bien des automobilistes. Lincoln a même poussé la note encore plus loin en proposant un système automatisé de sortie de stationnement qui peut aider à ne pas accrocher les véhicules quand ceux-ci sont trop près.

Deux moteurs, deux turbos

Sous le capot du MKC, deux moteurs à quatre cylindres turbocompressés EcoBoost sont à l'honneur. Le premier présente une cylindrée de 2,0 litres et affiche une puissance de 240

Impressions de l'auteur		Concurrents
Agrément de conduite : ★★★★☆	4/5	Acura RDX, Audi Q5, BMW X3,
Fiabilité :	Nouveau modèle	Infiniti QX50, Land Rover LR2,
Sécurité : ★★★★☆	4/5	Mercedes-Benz Classe SLK,
Qualités hivernales : ★★★★☆	4/5	Volvo XC60
Espace intérieur : ★★★☆☆	3,5/5	
Confort : ★★★★☆	4/5	

chevaux et un couple de 270 livres-pieds. Le deuxième, offert en option avec une cylindrée de 2,3 litres, développe pour sa part 285 chevaux et 305 livres-pieds de couple.

Lincoln a réussi à présenter ces statistiques en utilisant de l'essence super avec un indice d'octane de 93. Dans un monde réel, avec de l'essence super plus courante à indice d'octane 91, les chiffres risquent d'être revus à la baisse. Reste que pour un véhicule dont le poids est tout juste sous les 1800 kilos, la puissance des deux motorisations est très acceptable. Le moteur de base est légèrement plus économique sur papier avec des cotes de 9,0 l/100 km sur route et de 12,4 l/100 km en ville contre des chiffres de 9,2 et 12,9 l/100 km pour le moteur à 2,3 litres. Peu importe la version choisie, le MKC est muni d'un système à quatre roues motrices et d'une transmission automatique à six rapports. Le MKC emprunte la plate-forme qui est aussi utilisée par Ford pour ses Escape et C-Max. Bien qu'ils soient similaires à plusieurs égards, le nouveau venu de chez Lincoln revêt bien des aspects qui lui sont propres et sa conduite est difficilement comparable à ce qui se fait chez Ford. À bord, le confort des sièges est appréciable. Dès les premiers kilomètres, on réalise toutefois que la visibilité n'est pas le point fort du MKC. La trop petite lunette arrière rend les déplacements à reculons hasardeux alors qu'à l'avant, ce sont les larges piliers qui dérangent.

Trois modes de conduite sont offerts avec le MKC: Confort, Normal et Sport. En Confort, le VUS compact semble se prendre pour une grande berline, laissant davantage de mollesse dans la conduite et dans la suspension. Et en Sport, on s'en doute bien, c'est tout le contraire qui se produit. En appuyant sur un simple bouton, la conduite du véhicule devient soudainement plus rigide et plus nerveuse. Petit conseil: Essayez de régler tous ces paramètres informatiques avant votre départ, et non pendant que vous conduisez. Le système interactif du MKC n'est pas le plus intuitif et certaines commandes peuvent prendre un certain temps avant d'être bien maîtrisées.

Se refaire une image

En commercialisant son MKC à un prix de base légèrement au-dessus de 40 000 $, Lincoln espère attirer les jeunes familles en quête d'un peu de confort. Malgré cela, on demeure persuadé que les *baby-boomers* à la recherche d'un VUS plus économique et moins encombrant se tourneront aussi vers ce nouveau VUS compact de luxe. Le MKC est bien construit, bien équilibré et ses moteurs s'avèrent tous deux très intéressants.

Lincoln est sur la bonne voie avec le MKC, il n'y a pas de doute là-dessus. Mais avant que les Allemands puissent le considérer comme un sérieux rival, il faudra donner le temps au MKC de bien s'installer et de faire ses preuves.

Châssis - 2.0 Ecoboost TI

Emp / lon / lar / haut	2690 / 4552 / 2136 / 1656 mm
Coffre / Réservoir	714 à 1504 litres / 59 litres
Nombre coussins sécurité / ceintures	7 / 5
Suspension avant	indépendante, jambes de force
Suspension arrière	indépendante, multibras
Freins avant / arrière	disque / disque
Direction	à crémaillère, ass. variable électrique
Diamètre de braquage	11,6 m
Pneus avant / arrière	P235/50R18 / P235/50R18
Poids / Capacité de remorquage	1798 kg / 909 kg (2004 lb)
Assemblage	Louiseville, KY

Composantes mécaniques

2.0 EcoBoost TI

Cylindrée, soupapes, alim.	4L 2,0 litres 16 s turbo
Puissance / Couple	240 chevaux / 270 lb-pi
Tr. base (opt) / rouage base (opt)	A6 / Int
0-100 / 80-120 / V.Max	n.d. / n.d. / n.d.
100-0 km/h	n.d.
Type / ville / route / CO_2 Sup	12,4 / 9,0 l/100 km / 5000 kg/an

2.3 EcoBoost TI

Cylindrée, soupapes, alim.	4L 2,3 litres 16 s turbo
Puissance / Couple	285 chevaux / 305 lb-pi
Tr. base (opt) / rouage base (opt)	A6 / Int
0-100 / 80-120 / V.Max	n.d. / n.d. / n.d.
100-0 km/h	n.d.
Type / ville / route / CO_2 Sup	12,9 / 9,2 l/100 km / 5768 kg/an

Du nouveau en 2015

Nouveau modèle.

- Style agréable
- Performances au rendez-vous
- Prix de base compétitif
- Sièges confortables
- Quatre roues motrices de série

- Visibilité pénible
- Rares espaces de rangement
- Commandes difficiles à comprendre
- Levier de transmission non conventionnel
- Image de Lincoln encore à refaire

Photos : Lincoln Canada

LINCOLN **MKS**

▶ **Catégorie :** Berline   ▶ **Échelle de prix :** 49 750 $ à 58 750 $ (2014)   ▶ **Transport et prép. :** 1 650 $

▶ **Cote d'assurance :** $$$$$ ▶ **Garanties :** 4 ans/80 000 km, 6 ans/110 000 km   ▶ **Ventes CAN 2013 :** 264 unités

Et si on lui appliquait la recette MKZ?

Alain Morin

Dire de la Lincoln MKS qu'elle n'est pas populaire serait l'euphémisme du siècle. 264 unités ont trouvé preneur l'an dernier au Canada. En fait, c'est le véhicule qui s'est le moins vendu chez Lincoln. Mais surtout, il s'en est écoulé trois fois moins que la concurrente Cadillac XTS. Et ça, ça doit faire suer les bonzes de Lincoln.

La vie étant quelquefois bien faite, l'insuccès de la berline MKS est tout à fait justifié. Un peu comme Cadillac durant les années quatre-vingt, Lincoln cherche désespérément la bonne recette pour revenir au-devant de la scène automobile, place qu'elle a souvent occupée par le passé. La MKZ, une Ford Fusion endimanchée, semble avoir trouvé plusieurs des bons ingrédients pour réussir. L'un d'entre eux est une carrosserie qui ressemble à autre chose qu'à un produit Ford. La MKS, elle, ne s'apparente pas trop à la Ford Taurus dont elle est dérivée mais l'affiliation est quand même trop évidente pour justifier

la différence de prix entre les deux modèles. Et puis, il y a cette grille avant mieux intégrée sur la MKZ. Je ne comprends pas Lincoln de tant vouloir recréer celle des Lincoln de la belle époque, c'est-à-dire fin des années trente, début des années quarante. Ce n'est pas parce que c'était beau dans le temps que ça va l'être aujourd'hui... Remarquez que vous avez le droit de penser exactement le contraire.

Dans l'habitacle, carte blanche semble avoir été donnée au département des achats pour se procurer des kilomètres de cuir fin. Le recouvrement des divers éléments est d'ailleurs vachement réussi. Les tous les sièges invitent aux longs trajets. Cependant, à cause de la ligne de toit courbée, le dégagement pour la tête est moins important.

%*(\$ de !?$ %)_ de *?%)-/

L'habitacle est vaste et silencieux, les trous et les bosses sont bien amortis. Le conducteur se retrouve devant un tableau de bord assez semblable à celui de la prolétaire Taurus, surtout la

Impressions de l'auteur		Concurrents
Agrément de conduite : ★★★⯪ ★	3,5	Acura RLX, Audi A6, BMW Série 5,
Fiabilité : ★★★★	4	Infiniti Q70, Jaguar XF, Lexus GS,
Sécurité : ★★★★⯪	4,5	Mercedes-Benz Classe E, Volvo S80
Qualités hivernales : ★★★★	4	
Espace intérieur : ★★★★	4	
Confort : ★★★★⯪	4,5	

section des jauges. Au moins, elles sont jolies et faciles à lire. Pour l'ergonomie, toutefois, on repassera... La partie verticale au centre est un désastre à utiliser. Il faut tout d'abord apprendre à régler différents paramètres comme le volume de la radio ou le ventilateur du système de chauffage/climatisation en faisant glisser son index (le majeur souvent...) sur une bande horizontale. C'est non intuitif et la moindre bosse dans le revêtement fait sursauter le doigt. Mais on finit par s'y faire. Les autres touches sont aussi à effleurement sauf qu'il faut peser dessus. Comme aucun repère sensitif ne permet de les « voir » avec le doigt, il faut constamment quitter la route des yeux pour les repérer. Et ce n'est rien, attendez de les faire fonctionner l'hiver avec des gants... Enfin, il y a cet incompris qu'est le MyLincoln Touch, une aberration concoctée par des génies de l'informatique laissés sans supervision avec un budget illimité. Ford, pardon Lincoln, a eu beau le rendre plus facile à gérer, n'empêche qu'il réussit encore à me faire sacrer à l'occasion. Une tâche pas très difficile, remarquez...

Le soleil est sous le capot

Sous son capot, la MKS peut recevoir deux moteurs. Mais, pas en même temps ! Le premier est un V6 de 3,7 litres qui développe 304 chevaux et 279 livres-pied de couple. Ses performances sont très respectables et feront l'affaire la plupart du temps. Il y a aussi un V6 de 3,5 litres. Même s'il perd deux dixièmes de litre, l'ajout de deux turbocompresseurs en fait un moteur d'une extraordinaire présence. Ce moulin EcoBoost, que l'on retrouve dans la Taurus SHO, assure des performances de jeune sportive à une berline qui ne semble pourtant pas très jeune. Qu'est-ce que ça avance ! Et dans un grondement qui fait plaisir aux oreilles.

Puisqu'un produit Lincoln doit bien avoir un petit plus par rapport à un produit Ford, la MKS est dotée de série du rouage intégral, peu importe le moteur alors que les versions de base de la Taurus sont des tractions. L'AWD constitue une excellente nouvelle compte tenu de la puissance à gérer. La transmission automatique à six rapports fonctionne généralement à la perfection. L'ensemble génère des accélérations franches, linéaires, solides. Les mêmes remarques s'appliquent au 3,7 litres mais avec un peu moins de panache.

La MKS n'est toutefois pas une voiture sport. Lors de la demi-refonte de 2013, les suspensions ont été revues et assurent un excellent compromis entre la tenue de route et le confort. Sans aucun doute que l'acheteur typique d'une MKS valorise passablement plus ce dernier élément que le premier... Il sera servi. Si en plus, il parvient à maitriser le MyLincoln Touch et les touches à effleurement, son bonheur sera parfait ! Encore faut-il l'amener dans une salle d'exposition Lincoln avant...

Châssis - TI EcoBoost

Emp / lon / lar / haut	2868 / 5222 / 2172 / 1565 mm
Coffre / Réservoir	543 litres / 72 litres
Nombre coussins sécurité / ceintures	6 / 5
Suspension avant	indépendante, jambes de force
Suspension arrière	indépendante, multibras
Freins avant / arrière	disque / disque
Direction	à crémaillère, ass. variable électrique
Diamètre de braquage	12,0 m
Pneus avant / arrière	P245/45R20 / P245/45R20
Poids / Capacité de remorquage	1940 kg / 454 kg (1000 lb)
Assemblage	Chicago, IL

Composantes mécaniques

TI

Cylindrée, soupapes, alim.	V6 3,7 litres 24 s atmos.
Puissance / Couple	304 chevaux / 279 lb-pi
Tr. base (opt) / rouage base (opt)	A6 / Int
0-100 / 80-120 / V.Max	7,4 s (estimé) / 6,3 s / n.d.
100-0 km/h	40,0 m
Type / ville / route / co$_2$	Ord / 11,6 / 7,5 l/100 km / 4508 kg/an

TI EcoBoost

Cylindrée, soupapes, alim.	V6 3,5 litres 24 s turbo
Puissance / Couple	365 chevaux / 350 lb-pi
Tr. base (opt) / rouage base (opt)	A6 / Int
0-100 / 80-120 / V.Max	6,4 s (est) / n.d. / n.d.
100-0 km/h	40,0 m
Type / ville / route / co$_2$	Sup / 12,2 / 7,8 l/100 km / 4692 kg/an

Du nouveau en 2015

Aucun changement majeur

Photos : Lincoln Canada

FEU VERT

• Confort de première classe
• V6 3,5 EcoBoost franchement impressionnant
• AWD de série
• Tenue de route sérieuse
• Finition de haut niveau

FEU ROUGE

• Système MyLincoln Touch encore trop complexe
• Touches à effleurement démoniaques
• Banquette arrière ne se rabat pas
• Peu d'espaces de rangement
• Voiture à la recherche d'une identité

LINCOLN **MKT**

▸ **Catégorie :** Multisegment

▸ **Cote d'assurance :** n.d.

▸ **Échelle de prix :** 50 550 $ (2014)

▸ **Garanties :** 4 ans/80 000 km, 6 ans/110 000 km

▸ **Transport et prép. :** 1 850$

▸ **Ventes CAN 2013 :** 392 unités

Marginal au cœur tendre

Guy Desjardins

Les clients qui entrent chez un concessionnaire Lincoln ne se dirigent pas d'instinct vers le MKT. Dernièrement, plusieurs modèles ont subi des révisions majeures dans la division de luxe chez Ford et le MKT n'en fait pas partie. Son apparence rebute bon nombre de clients, par contre, il ne suffit que d'un essai pour lui trouver de grandes qualités.

D'entrée de jeu, mettons tout de suite au clair le choix de son design extérieur. Sa forme ne fait peut-être pas l'unanimité mais compte tenu de son affiliation avec le Ford Flex, le résultat ne pouvait être autrement : une très longue boîte rectangulaire laissant peu de place à un style flamboyant. Il faut tout de même féliciter les designers pour une partie avant très réussie qui lie le MKT aux autres modèles de Lincoln. Pour ce qui est de la partie arrière, mentionnons seulement qu'un léger coup de crayon suffirait pour lui redonner du galon, un style à la MKZ et hop, ce véhicule deviendrait in pour

2015. Malheureusement, les changements ne touchent pas sa carrosserie et la refonte spectaculaire tant attendue ne s'est pas produite cette année. Mais mis à part sa forme de corbillard, le MKT reste très sobre dans sa présentation extérieure et aucun élément ne vient rappeler qu'il s'agit là d'un véhicule qui se vend au-dessus de 50 000 $.

Outrageusement confortable

Heureusement, à l'intérieur, c'est autre chose. Tous les superlatifs s'appliquent à cet habitacle très cossu et surtout très vaste. Les trois rangées de sièges offrent un dégagement ahurissant, même pour la troisième banquette qui s'avère toutefois un peu difficile d'accès, en particulier pour les gens dont la flexibilité se compare à celle d'un madrier. Une fois assis, les 7 passagers trouveront un confort digne d'une limousine. L'assise moelleuse des sièges jumelée à une insonorisation nettement au-dessus de la moyenne procure une expérience de transport très reposante. La meilleure place dans un véhicule n'est pas toujours celle du conducteur !

Impressions de l'auteur		
Agrément de conduite :	★★★⯪	3,5
Fiabilité :	★★★⯪	3,5
Sécurité :	★★★★	4
Qualités hivernales :	★★★★⯪	4,5
Espace intérieur :	★★★★⯪	4,5
Confort :	★★★★⯪	4,5

Concurrents
Acura MDX, Audi Q7, BMW X5, Buick Enclave, Volvo XC90

Lincoln ne s'empêtre pas dans de nombreuses versions pour son MKT. Une seule offre s'inscrit au catalogue à laquelle s'ajoutent plusieurs options qui font rapidement gonfler le prix. Notre véhicule d'essai montrait d'ailleurs un prix de vente de 63 000 $ qui incluait, entre autres, le toit panoramique, les ensembles Technologique et Élite, des jantes de 20 pouces et le système de divertissement avec lecteur DVD. Mécaniquement, ce MKT ne vient qu'avec un V6 EcoBoost de 3,5 litres, un rouage intégral et une transmission automatique à 6 rapports.

Puissant malgré sa vocation

La vocation première de ce véhicule étant de transporter confortablement ses passagers, il ne sera alors pas étonnant de constater que les prestations dynamiques du MKT n'ont pas été la priorité des concepteurs. Malgré un poids de plus de 2 200 kg, un centre de gravité élevé et des suspensions plutôt axées sur la douceur de roulement, le conducteur éprouve tout de même une légère satisfaction puisque les accélérations s'avèrent dynamiques et inspirantes, réussissant à effectuer le 0-100 km/h en moins de 7 secondes. Évidemment, le MKT mise avant tout sur le confort, c'est pourquoi il est inutile de critiquer ses prouesses peu sportives. La consommation de carburant pour un véhicule de ce gabarit se situe dans la moyenne avec un combiné ville/route de 13 litres aux 100 km.

Au volant du MKT, on remarque avant tout l'insonorisation très poussée. L'isolant disposé partout dans la carrosserie et le vitrage plus épais que la normale filtrent habilement les bruits extérieurs. Le V6 effectue les accélérations en douceur et la transmission s'occupe des changements de rapports sans jamais le faire monter trop haut en régime. La palme revient cependant à la suspension qui contrôle en continu l'amortissement. Sans trop de surprise, un éventail de capteurs électroniques surveillent continuellement les mouvements de la carrosserie, la direction et le freinage du véhicule. L'algorithme utilise alors les données de ces capteurs pour ajuster l'amortisseur en quelques millisecondes, ce qui se traduit par une douceur de roulement exquise, même lorsque le MKT se chausse de pneus à profil bas de 20 pouces.

Le MKT rassemble tous les éléments qui pourraient lui procurer un succès mondial et par conséquent gonfler ses ventes. L'habitacle est volumineux, le moteur puissant à souhait et la conduite très apaisante. Le seul problème dans toute cette équation repose sur son prix élevé, mais surtout sur son allure qui ne semble pas plaire à la majorité des gens. Dommage puisqu'une fois essayé, le MKT s'avère un excellent pugiliste face à de prestigieux véhicules allemands et japonais.

Châssis - TI Ecoboost

Emp / lon / lar / haut	2995 / 5273 / 2177 / 1712 mm
Coffre / Réservoir	507 à 2149 litres / 70 litres
Nombre coussins sécurité / ceintures	6 / 7
Suspension avant	indépendante, jambes de force
Suspension arrière	indépendante, multibras
Freins avant / arrière	disque / disque
Direction	à crémaillère, ass. variable électrique
Diamètre de braquage	12,7 m
Pneus avant / arrière	P235/55R19 / P235/55R19
Poids / Capacité de remorquage	2246 kg / 2045 kg (4508 lb)
Assemblage	Oakville, ON

Composantes mécaniques

TI EcoBoost

Cylindrée, soupapes, alim.	V6 3,5 litres 24 s turbo
Puissance / Couple	365 chevaux / 350 lb-pi
Tr. base (opt) / rouage base (opt)	A6 / Int
0-100 / 80-120 / V.Max	6,8 s (estimé) / n.d. / n.d.
100-0 km/h	40,0 m
Type / ville / route / CO_2	Sup / 13,1 / 8,8 l/100 km / 5152 kg/an

Du nouveau en 2015

Aucun changement majeur

- Confort royal
- Insonorisation poussée
- Habitacle généreux
- Suspension efficace

- Style discutable
- Gabarit imposant
- Options onéreuses
- Accès à la 3e banquette

LINCOLN **MKX**

▶ **Catégorie :** Multisegment   ▶ **Échelle de prix :** 45 890 $ (2014)   ▶ **Transport et prép. :** 1850 $

▶ **Cote d'assurance :** $$$$$ ▶ **Garanties :** 4 ans/80 000 km, 6 ans/110 000 km   ▶ **Ventes CAN 2013 :** 3 238 unités

La relève s'en vient

Denis Duquet

Si vous n'avez pas suivi l'actualité du monde automobile, vous ignorez sans doute que Lincoln n'est plus une simple division de la compagnie Ford mais désormais un constructeur à part entière. Par exemple, si les plus récents modèles sont reconnus pour être plus élégants que précédemment, c'est que Lincoln possède dorénavant son propre département de design. Et si vous trouvez que la silhouette du MKX actuel n'est pas trop jolie, patience car une nouvelle génération s'en vient.

Un véhicule-concept du MKX a d'ailleurs été dévoilé au Salon de l'auto de Beijing en avril 2014 et l'unanimité s'est faite quant à la réussite du design. Il faut ajouter au passage que ce modèle sera commercialisé sur le marché chinois en plus de celui de l'Amérique du Nord. On souligne même que les représentants chinois de Ford, pardon Lincoln, ont eu leur mot à dire sur le design de ce nouveau venu. La section avant est réussie alors qu'on a modifié la calandre en plaçant les languettes chromées

horizontalement et non plus verticalement, tandis que les lignes de la caisse sont plus raffinées. D'après les rumeurs, le tableau de bord serait moins tributaire de touches affleurantes et comprendrait même davantage de boutons de commandes.

Selon toute probabilité, Lincoln délaisserait Microsoft comme fournisseur de son système MyLincoln Touch et se serait tourné vers la compagnie BlackBerry et sa division QNX, responsable du système Uconnect de Chrysler qui a reçu beaucoup d'éloges. Même si les informations techniques sont clairsemées quant à la motorisation, il ne faudrait pas se surprendre si l'acheteur avait le choix entre un ou plusieurs moteurs EcoBoost.

Mais en attendant que le voile se lève sur le futur modèle de production, le MKX continue de se vendre sous sa forme actuelle.

Impressions de l'auteur	
Agrément de conduite :	★★★⯪☆ 3,5/5
Fiabilité :	★★★☆☆ 3/5
Sécurité :	★★★★☆ 4/5
Qualités hivernales :	★★★★⯪ 4,5/5
Espace intérieur :	★★★★☆ 4/5
Confort :	★★★★⯪ 4,5/5

Concurrents
BMW X5, Cadillac SRX, Infiniti QX70, Lexus RX, Mercedes-Benz Classe M, Volkswagen Touareg, Volvo XC90

Un Ford Edge « pimpé »?

Si vous voulez faire grimper un représentant de Lincoln dans les rideaux, dites-lui que son MKX n'est rien d'autre qu'un Ford Edge déguisé en Lincoln! Sa réaction sera instantanée et le déni sera absolu. Il s'agit de part et d'autre de demi-vérité. Il est vrai que depuis sa refonte en 2013, ce Lincoln s'est démarqué de plus en plus du Ford en raison de sa carrosserie modifiée et d'une nouvelle planche de bord. Par ailleurs, la plate-forme et les organes mécaniques sont similaires à celui du Edge mais tandis que celui-ci propose trois moteurs, le Lincoln n'est disponible qu'avec le V6 3,7 litres couplé à une boîte automatique à six rapports, et la transmission intégrale est de série. Comme un nouveau Ford Edge a été présenté au Salon de Los Angeles à la fin novembre 2013, il n'est pas surprenant que le Lincoln suive.

Bien que le restylage ait eu lieu il y a quelques années maintenant, la silhouette demeure élégante. Ce serait encore mieux sans cette calandre double en forme de chute d'eau. La bonne nouvelle, c'est que le modèle de remplacement sera mieux nanti à ce chapitre.

Dès qu'on prend place dans l'habitacle, on découvre une belle planche de bord, pratiquement dénuée de boutons. Ils sont remplacés par des commandes à effleurement. Sans vouloir entrer dans les détails, précisons que la consultation du manuel du propriétaire est obligatoire pour s'y retrouver... En harmonie avec la catégorie, les matériaux sont généralement de qualité et la finition correcte bien que certains détails de finition laissent à désirer.

Presque luxueux

Les vendeurs coréens du centre-ville de Séoul ont une expression pour désigner les bagages en imitation de cuir : almost leather (presque du cuir). C'est un peu la même chose avec le MKX qui est presque luxueux mais pas tout à fait. Malgré les prétentions voulant qu'il s'agisse d'un véhicule huppé, l'insonorisation est déficiente, les passages de rapport de la boîte automatique manquent de douceur, tandis que le comportement routier est adéquat, mais sans être meilleur que celui du Ford Edge vendu moins cher. On a une impression de luxe, mais cependant, ce n'est pas nécessairement la vraie chose. Par ailleurs, ces bémols seront ignorés par les personnes à la recherche d'un véhicule qui offre un niveau de confort supérieur et dont la suspension confortable permet de négocier sans trop de secousses les routes du Québec. Toutefois, il y a de meilleurs choix dans la catégorie.

Et comme si ce n'était pas assez, la fiabilité est incertaine, un autre bémol à apporter à la fiche de ce Lincoln (mais c'est la même situation avec son vis-à-vis chez Ford). Somme toute, ce VUS intermédiaire est un héritage d'une autre époque chez ce constructeur, et la prochaine génération devrait rapidement faire oublier le modèle actuel.

Photos : Lincoln Canada

Châssis - TI 3.7L

Emp / lon / lar / haut	2824 / 4742 / 2222 / 1709 mm
Coffre / Réservoir	915 à 1942 litres / 72 litres
Nombre coussins sécurité / ceintures	6 / 5
Suspension avant	indépendante, jambes de force
Suspension arrière	indépendante, multibras
Freins avant / arrière	disque / disque
Direction	à crémaillère, assistée
Diamètre de braquage	12,0 m
Pneus avant / arrière	P245/60R18 / P245/60R18
Poids / Capacité de remorquage	2009 kg / 907 kg (1999 lb)
Assemblage	Oakville, ON

Composantes mécaniques

TI 3.7L

Cylindrée, soupapes, alim.	V6 3,7 litres 24 s atmos.
Puissance / Couple	304 chevaux / 279 lb-pi
Tr. base (opt) / rouage base (opt)	A6 / Int
0-100 / 80-120 / V.Max	8,1 s / 5,8 s / n.d.
100-0 km/h	42,1 m
Type / ville / route / CO_2	Ord / 12,2 / 8,8 l/100 km / 4876 kg/an

Du nouveau en 2015

Nouveau modèle sera dévoilé en fin d'année.

- Équipement complet
- Sièges avant confortables
- Habitacle luxueux
- Système audio performant

- Modèle en sursis
- Direction trop assistée
- Performances correctes sans plus
- Commandes électroniques à revoir

LINCOLN **MKZ**

▶ **Catégorie :** Berline   ▶ **Échelle de prix :** 40 115 $ à 44 510 $ (2014)   ▶ **Transport et prép. :** 1850 $

▶ **Cote d'assurance :** $$$$$ ▶ **Garanties :** 4 ans/80 000 km, 6 ans/110 000 km   ▶ **Ventes CAN 2013 :** 1625 unités

Défricher de nouveaux sentiers

Sylvain Raymond

On le mentionne depuis longtemps, le défi de Lincoln n'est pas simplement de proposer de nouveaux véhicules plus inspirés, c'est aussi de redorer son image et surtout, de redonner aux gens la fierté de posséder un modèle arborant l'emblème Lincoln. C'est exactement ce que Cadillac a réussi faire il y a plusieurs années.. Entièrement remanié il y a deux ans, la MKZ essaie de se forger une nouvelle identité.

Vrai qu'il y a quelques années, Ford était occupé à se sortir du marasme et à développer ses principaux produits, laissant par le fait même Lincoln sur la ligne de touche. On a aussi enchaîné une série de décisions étranges concernant la marque, par exemple, l'appellation Zephyr qui est devenue MKZ après seulement un an. Toute cette confusion n'a certainement pas aidé les consommateurs à y voir clair.

On aurait voulu frapper fort

Alors que Ford vit maintenant sous un ciel beaucoup moins nuageux, on a entrepris un ambitieux plan de relance de la Lincoln Motor Company, apportant une MKZ de nouvelle génération en 2013. Après deux ans de commercialisation, force est d'admettre que ce modèle n'a pas eu l'impact souhaité sur le marché.

À la base, la voiture n'est pas mauvaise. Elle partage plusieurs de ses composantes, dont sa plate-forme, avec la Ford Fusion. La MKZ se distingue tout de même avec ses lignes beaucoup plus élégantes et sophistiquées, à l'image de son prestige. Chez Lincoln, on a baptisé ce design « simplicité élégante ». On reconnait rapidement à l'avant la grille à bâtonnets — typique à la marque — qui dans ce cas-ci est un peu plus discrète, une bonne chose. L'arrière est tout aussi réussi grâce notamment à la bande de feux à DEL qui traverse le coffre.

Impressions de l'auteur		Concurrents
Agrément de conduite :	★★★★ 4/5	Acura TLX, Cadillac CTS,
Fiabilité :	★★★★ 4/5	Chrysler 300, Hyundai Genesis,
Sécurité :	★★★★ 4/5	Lexus ES, Mercedes-Benz Classe E,
Qualités hivernales :	★★★⯪ 3,5/5	Nissan Maxima, Toyota Avalon,
Espace intérieur :	★★★⯪ 3,5/5	Volvo S60
Confort :	★★★★⯪ 4,5/5	

Une pléiade d'équipements

Afin de se distinguer de la concurrence, Lincoln n'a pas décidé de jouer la carte du plus abordable. À plus de 40 000 $ pour le modèle de base, on est en ligne avec le montant à débourser pour un modèle rival. Là où la MKZ sort un as de sa manche, c'est au chapitre des équipements. Alors que la concurrence nous assomme avec des groupes d'options offerts à gros prix, la MKZ arrive entièrement équipée. Les derniers gadgets sont à bord, incluant le dispositif MyLincoln Touch qui, avec son écran tactile et son système à commande vocale, contrôle à peu près tous les paramètres de la voiture.

La planche de bord n'est pas en reste côté modernité. L'instrumentation se compose d'un écran LCD de 10,1 pouces qui affiche en format numérique toutes les informations vitales à la conduite. On retrouve également des commandes tactiles à glissière qui, tel un iPod, permettent de contrôler notamment le volume en glissant le doigt de gauche à droite. En outre, la voiture ne dispose pas d'un levier de vitesses traditionnel. On a plutôt placé six boutons à portée de la main droite du conducteur, lesquels permettent de démarrer le moteur et de sélectionner le mode d'embrayage. C'est peu commun, mais ça a au moins le mérite de libérer de l'espace entre le siège du conducteur et celui du passager.

Une hybride pour le même prix

Le moteur d'entrée de gamme est un quatre cylindres EcoBoost de 2,0 litres de 240 chevaux pour un couple de 270 lb-pi. Il est marié à une transmission automatique à six rapports qui dirige la puissance uniquement aux roues avant. Si pour vous « berline de luxe » et « quatre cylindres » ne riment pas, il y a le six cylindres de 3,7 litres qui déploie 300 chevaux et 277 lb-pi, un chiffre légèrement supérieur au 2,0 litres EcoBoost. Quant à la consommation, elle est similaire et vous pourriez même perdre le léger avantage du quatre cylindres si vous conduisez trop dynamiquement.

La MKZ hybride est vendue au même prix que la version de base. Voilà donc une alternative intéressante pour profiter d'une consommation réduite pour le même prix, sans faire trop de compromis.

Sur la route, on apprécie le confort de roulement et le silence. Le quatre cylindres turbocompressé brille par sa puissance disponible à bas régime et son couple généreux. Il se tire bien d'affaire si l'on tient compte du gabarit de la voiture. Son seul défaut : il ne peut être jumelé au rouage intégral, contrairement au six cylindres. Nos voisins du Sud ont pourtant droit à cette combinaison !

La MKZ ne prétend pas se frotter aux berlines sport, ce n'est pas sa vocation, mais les ingénieurs nous donnent tout de même la chance de modifier selon nos goûts le caractère de la voiture grâce au système Lincoln Drive Control. Ce dernier — qui comprend trois modes, Sport, Normal et Confort — optimise la conduite en orchestrant automatiquement les ajustements de la suspension, de la direction, du moteur et de la transmission.

Châssis - TA EcoBoost

Emp / lon / lar / haut	2850 / 4930 / 2116 / 1478 mm
Coffre / Réservoir	436 litres / 63 litres
Nombre coussins sécurité / ceintures	8 / 5
Suspension avant	indépendante, jambes de force
Suspension arrière	indépendante, multibras
Freins avant / arrière	disque / disque
Direction	à crémaillère, ass. variable électrique
Diamètre de braquage	11,6 m
Pneus avant / arrière	P245/45R18 / P245/45R18
Poids / Capacité de remorquage	1690 kg / 454 kg (1000 lb)
Assemblage	Hermosillo, MX

Composantes mécaniques

Hybride

Cylindrée, soupapes, alim.	4L 2,0 litres 16 s atmos.
Puissance / Couple	141 chevaux / 129 lb-pi
Tr. base (opt) / rouage base (opt)	CVT / Tr
0-100 / 80-120 / V.Max	9,0 s / 6,5 s / n.d.
100-0 km/h	42,3 m
Type / ville / route / CO_2	Ord / 4,2 / 4,3 l/100 km / 1932 kg/an

Moteur électrique

Puissance / Couple	118 chevaux (88 kW) / 177 lb-pi
Batterie	Lithium-ion (Li-ion)
Énergie	1,4 kWh

TA EcoBoost

Cylindrée, soupapes, alim.	4L 2,0 litres 16 s turbo
Puissance / Couple	240 chevaux / 270 lb-pi
Tr. base (opt) / rouage base (opt)	A6 / Tr
0-100 / 80-120 / V.Max	7,7 s / 5,4 s/ n.d.
100-0 km/h	38,9 m
Type / ville / route / CO_2	Ord / 9,2 / 5,9 l/100 km / 3542 kg/an

TI V6

Cylindrée, soupapes, alim.	V6 3,7 litres 24 s atmos.
Puissance / Couple	300 chevaux / 277 lb-pi
Tr. base (opt) / rouage base (opt)	A6 / Int
0-100 / 80-120 / V.Max	7,6 s / 4,7 s / n.d.
100-0 km/h	42,0 m
Type / ville / route / CO_2	Ord / 11,5 / 7,6 l/100 km / 4508 kg/an

Du nouveau en 2015

Quelques changements dans les couleurs et les groupes d'options.

Photos : Alain Morin

FEU VERT
- Style modernisé
- Conduite silencieuse et confortable
- Rouage intégral offert
- Bon espace de chargement
- Habitacle confortable

FEU ROUGE
- Rouage intégral juste avec le V6
- Image à refaire
- Système MyLincoln Touch pas encore parfait
- Siège arrière plutôt restreint

LOTUS **EVORA**

▶ **Catégorie :** Coupé

▶ **Cote d'assurance :** n.d.

▶ **Échelle de prix :** 78 650 $ à 90 950 $ (2014)

▶ **Garanties :** 3 ans/60 000 km, 3 ans/60 000 km

▶ **Transport et prép. :** n.d.

▶ **Ventes CAN 2013 :** n.d.

À l'impossible nul n'est tenu

Jean-François Guay

Q uiconque s'intéresse à Lotus se souvient du Mondial de Paris en 2010... À la surprise générale, la marque britannique avait annoncé qu'elle allait révolutionner le marché des voitures sport en introduisant cinq nouveaux modèles pour rivaliser avec Porsche et Ferrari. Cette panoplie de concepts comptait une Elite, une Elise, une Elan, une Esprit et un coupé Eterne à quatre portes. Cinq ans plus tard, que reste-t-il de toutes ces belles promesses ?

Dans un premier temps, le constructeur malaisien Proton – propriétaire de Lotus à l'époque – a été racheté en 2012 par son compatriote, le groupe industriel DRB-Hicom. Sans attendre, le nouveau consortium a licencié le jeune patron Dany Brahar qui malgré ses anciens faits d'armes chez Red Bull et Ferrari n'avait engendré que des pertes en instaurant des programmes sans queue ni tête. Comble de malheur, l'Elise et l'Exige ont été supprimées du catalogue canadien la même

année parce qu'elles ne répondaient pas à certaines normes de sécurité en matière de coussins gonflables. Depuis, on attend toujours le dévoilement des nouvelles générations. Quant aux Elite, Elan et Eterne, elles ont pris le chemin des oubliettes.

Reste l'Esprit dont l'avenir demeure toujours incertain malgré l'arrivée de Jean-Marc Gales à la tête de Lotus, lequel a déjà œuvré dans les hautes sphères de Mercedes-Benz et PSA Peugeot-Citroën. Espérons qu'elle rejoindra bientôt l'Evora, cette dernière étant la seule Lotus vendue chez nous en 2015.

La philosophie Lotus

Pendant des décennies, les concepteurs de voitures ont peu pensé au poids de leurs créations. Cette philosophie a été décriée par feu Colin Chapman, fondateur de Lotus en 1952, qui a prouvé au fil de ses créations que c'est exactement le contraire : « Light is right ! », disait-il.

Impressions de l'auteur		Concurrents
Agrément de conduite :	★★★★½ 4,5/5	Alfa Romeo 4C, Audi TT, BMW Z4,
Fiabilité :	★★★ 3/5	Mercedes-Benz Classe SLK,
Sécurité :	★★★★ 4/5	Nissan GT-R, Porsche Cayman
Qualités hivernales :	0/5	
Espace intérieur :	★½ 1,5/5	
Confort :	★★★½ 3,5/5	

Plus lourd que ses sœurs Elise et Exige, le coupé Evora n'en reste pas moins une vraie Lotus malgré ses deux places arrière optionnelles et incroyablement petites. Autant par son prix que sa conception, l'Evora est une concurrente directe de la Porsche Cayman avec son moteur boulonné en position centrale comme l'Allemande, derrière l'habitacle. Si le six cylindres à plat de Porsche est reconnu pour son rendement et sa sonorité atypique, il serait injuste de mettre en doute la fiabilité du V6 Lotus car il provient de chez Toyota. D'une cylindrée de 3,5 litres, ce moteur a fait ses preuves dans plusieurs modèles Lexus et Toyota. Le seul reproche qu'on peut lui faire est son manque de vibrato puisque aucun vrombissement émanant du moteur ou de l'échappement ne vous fera dresser le poil des avant-bras! Ce V6 fait preuve d'une discrétion inopinée dans une voiture aussi racée et contrairement aux pétarades d'une grosse cylindrée américaine ou italienne, vos voisins seront heureux de ne pas se faire réveiller quand vous traverserez le quartier au petit matin.

Qui dit Lotus, dit sport automobile

L'expertise de Lotus en sport automobile se manifeste au niveau du châssis composé d'une structure en aluminium extrudé et collé. Quant à la suspension, elle comprend des amortisseurs Bilstein et des ressorts Eibach. Côté freinage, il est assuré par un système AP Racing avec des étriers à quatre pistons, des disques ventilés de 350 mm à l'avant et de 332 mm à l'arrière. On remarque également des systèmes d'aide au freinage (ABS, HBA, EBD et CBC) et un dispositif de gestion de la stabilité (DPM) qui offre trois réglages pour enrayer le survirage ou le sous-virage. Pour maximiser le contact avec le bitume, le diamètre des pneus (avant/arrière) est de 18/19 pouces, ou 19/20 pouces en option.

En version atmosphérique, le V6 de 3,5 litres développe 276 chevaux. Pour des accélérations plus pétulantes, l'ajout d'un compresseur Harrop avec technologie Eaton augmente la puissance à 345 chevaux. Le couple est transmis aux roues arrière au moyen d'une boîte manuelle à six rapports ou d'une semi-automatique à six rapports avec palettes au volant.

À l'intérieur, la forme des sièges, du volant et de la planche de bord s'inspire des voitures de course. Pour s'installer à bord, il faut être flexible, car l'Evora repose à quelques centimètres du sol. Une fois en route, on a l'impression de conduire une voiture encore plus légère que l'indique son poids grâce à la vivacité de la suspension et de la direction. La puissance du moteur est au rendez-vous avec un 0 à 100 km/h en moins de cinq secondes. Toutefois, pour éviter de se faire humilier par le premier venu sur une ligne droite, il vaut mieux opter pour la livrée S, laquelle est de loin la plus fougueuse et agréable à piloter.

Châssis - 2+0

Emp / lon / lar / haut	2575 / 4350 / 2047 / 1229 mm
Coffre / Réservoir	160 litres / 60 litres
Nombre coussins sécurité / ceintures	2 / 2
Suspension avant	indépendante, leviers triangulés
Suspension arrière	indépendante, leviers triangulés
Freins avant / arrière	disque / disque
Direction	à crémaillère, assistée
Diamètre de braquage	10,1 m
Pneus avant / arrière	P225/40ZR18 / P255/35ZR19
Poids / Capacité de remorquage	1386 kg / n.d.
Assemblage	Hethel, GB

Composantes mécaniques

2+0

Cylindrée, soupapes, alim.	V6 3,5 litres 24 s atmos.
Puissance / Couple	276 chevaux / 258 lb-pi
Tr. base (opt) / rouage base (opt)	M6 (A6) / Prop
0-100 / 80-120 / V.Max	5,0 s / 4,0 s / 262 km/h
100-0 km/h	36,8 m
Type / ville / route / co_2	Sup / 13,2 / 7,1 l/100 km / 4810 kg/an

S 2+0

Cylindrée, soupapes, alim.	V6 3,5 litres 24 s surcomp.
Puissance / Couple	345 chevaux / 295 lb-pi
Tr. base (opt) / rouage base (opt)	M6 (A6) / Prop
0-100 / 80-120 / V.Max	4,6 s / 3,7 s / 286 km/h
100-0 km/h	36,8 m
Type / ville / route / co_2	Sup / 14,2 / 7,5 l/100 km / 5145 kg/an

Du nouveau en 2015

Aucun changement majeur

FEU VERT
- Voiture exclusive
- Tenue de route exceptionnelle
- Performances (Evora S)
- Confort surprenant
- Fiabilité du V6 Toyota

FEU ROUGE
- Sonorité du moteur ordinaire
- Visibilité arrière nulle
- Coffre et espaces de rangement limités
- Prix élevé
- Faible réseau de concessionnaires

Photos : Lotus

MASERATI **GRAN TURISMO**

▶ **Catégorie :** Cabriolet, Coupé

▶ **Échelle de prix :** 142 955 $ à 172 950 $ (2014)

▶ **Transport et prép. :** n.d.

▶ **Cote d'assurance :** n.d.

▶ **Garanties :** 4 ans/80 000 km, 4 ans/80 000 km

▶ **Ventes CAN 2013 :** n.d.

Une histoire de famille

Jean-François Guay

Maserati a célébré son centième anniversaire en 2014. Pour la petite histoire, on se rappellera que Maserati fut fondée en 1914 à Bologne par Alfieri Maserati et cinq de ses frères. Au début, Alfieri fabriquait des bougies d'allumage tandis que Carlo, l'aîné de la famille, construisait des vélos et des motos. En 1926, les deux frangins construisent leur propre voiture de course: la Tipo 26 qui, la même année, gagne la course de Targa Florio.

Lors du décès d'Alfieri en 1932, un autre frère, Bindo, prend la direction de l'entreprise tandis qu'Ettore dirige les finances et Ernesto le développement technique. En 1937, les frères Maserati vendent leurs parts à la riche famille Orsi de Modène. Puis, Maserati connaîtra son apogée en course automobile dans les années 1950 grâce aux prouesses du légendaire pilote Juan Manuel Fangio.

La première voiture de série sort de l'usine en 1946 sous les traits de l'A6 1500. En 1963, la Quattroporte devient la berline la plus rapide au monde. Puis, à la suite de problèmes financiers, Maserati passe sous le contrôle de Citroën en 1968 puis de la firme De Tomaso en 1975. En 1987, Maserati aboutit dans le groupe Fiat pour partager sa destinée avec Ferrari — sa rivale d'antan!

En 2013, les ventes de Maserati ont atteint un volume record de 15 400 unités, soit une hausse de 148 % par rapport à 2012 — année où la marque avait vendu 6 300 voitures. Pour 2014, le grand patron Sergio Marchionne du groupe Fiat avait fixé un objectif de 50 000 ventes. Des chiffres irréalistes ? Pas vraiment puisque Maserati devrait écouler environ 40 000 voitures en 2014 et dépasser aisément ce cap en 2015 avec l'arrivée du VUS Levante.

Impressions de l'auteur	
Agrément de conduite : ★★★★☆	4/5
Fiabilité :	**Données insuffisantes**
Sécurité : ★★★☆☆	3/5
Qualités hivernales : ★½☆☆☆	1,5/5
Espace intérieur : ★★★½☆	3,5/5
Confort : ★★★★☆	4/5

Concurrents

Aston Martin Vantage, Audi R8, BMW Série 6, Chevrolet Corvette, Ferrari F458 Italia, Jaguar XK, Mercedes-Benz Classe SL, Porsche 911

En fin de carrière

Si l'on se fie au concept Alfieri présenté au dernier Salon de Genève, la GranTurismo et sa version décapotable GranTurismo Convertible sont en fin de carrière. Ainsi, la nouvelle Alfieri devrait être commercialisée en 2016 en configurations coupé et cabrioletLa motorisation pressentie dans l'Alfieri, un V6 dont la puissance variera de 410 à 520 chevaux selon la livrée, se situera sous la GranTurismo au niveau hiérarchique. Pour sa part, la GranTurismo devrait être revampée en 2018 et conservera son moteur V8.

Même si la GranTurismo entame sa huitième année sous cette forme, elle demeure l'une des voitures les plus élégantes de sa catégorie. Année après année, les stylistes ont pris soin de rajeunir son allure en lui apportant de petites retouches ici et là, la dernière en liste étant l'apparition de phares aux DEL.

À l'intérieur, la présentation est soignée et la qualité du cuir Poltrona Frau recouvrant les sièges flatte les sens. Le design de la planche de bord est simple et traditionnel, sans fioriture. La position de conduite offre une bonne visibilité, mais n'est pas très typée pour une voiture sport italienne avec une assise un peu haute.

Des gènes de Ferrari

Le cœur des GranTurismo et GranTurismo Convertible s'avère être une motorisation V8, laquelle a été développée en collaboration avec Ferrari. Toutes les versions offertes, « de base » (cabriolet), Sport ou MC (coupé et cabriolet) proposent une tenue de route acérée avec leurs pneus de 20 pouces, mais la MC, abaissée de 10mm, vire à plat sur circuit grâce à ses réglages de suspension plus fermes et ses freins plus efficaces; visuellement, elle se distingue de ses sœurs en intégrant des éléments de carrosserie davantage dynamiques au niveau du capot, de la calandre, des jupes latérales et arrière.

Peu importe la version, le comportement routier et les accélérations de ces Maserati sont tout de même loin d'être aussi explosifs que ceux d'une Ferrari. Plus sages, mais aussi plus confortables que leurs cousines de Maranello, les GranTurismo et GranTurismo Convertible ont plutôt dans leur ligne de mire les Jaguar XK, Mercedes SL, BMW Série 6 et Aston Martin DB9 — pour ne nommer que celles-là.

En consultant la fiche technique, on comprend que la plupart de ces rivales ont une longueur d'avance sur le plan technologique en offrant des aides à la conduite plus sophistiquées et des transmissions plus modernes. Par exemple, la Maserati compte sur une boîte semi-automatique ZF à 6 rapports comparativement à 7 ou 8 rapports pour les marques allemandes. Pour nous convaincre de sa vocation grand tourisme, l'absence d'une boîte manuelle confirme le caractère mielleux de ces belles italiennes dont le charme séduit à coup sûr.

Photos: Maserati

MASERATI GRAN TURISMO

Châssis - Coupé MC

Emp / lon / lar / haut	2942 / 4933 / 2056 / 1343 mm
Coffre / Réservoir	173 litres / 72 litres
Nombre coussins sécurité / ceintures	6 / 4
Suspension avant	indépendante, bras inégaux
Suspension arrière	indépendante, bras inégaux
Freins avant / arrière	disque / disque
Direction	à crémaillère, ass. variable
Diamètre de braquage	10,5 m
Pneus avant / arrière	P255/35ZR20 / P295/35ZR20
Poids / Capacité de remorquage	1973 kg / n.d.
Assemblage	Modène, IT

Composantes mécaniques

Convertible MC

Cylindrée, soupapes, alim.	V8 4,7 litres 32 s atmos.
Puissance / Couple	454 chevaux / 385 lb-pi
Tr. base (opt) / rouage base (opt)	A6 / Prop
0-100 / 80-120 / V.Max	4,9 s (const) / n.d. / 290 km/h
100-0 km/h	35,0 m
Type / ville / route / CO_2	Sup / 18,2 / 11,7 l/100 km / 7027 kg/an

Coupé Sport, Convertible Sport, Coupé MC

Cylindrée, soupapes, alim.	V8 4,7 litres 32 s atmos.
Puissance / Couple	454 chevaux / 384 lb-pi
Tr. base (opt) / rouage base (opt)	A6 / Prop
0-100 / 80-120 / V.Max	4,7 s (const) / n.d. / 298 km/h
100-0 km/h	35,0 m
Type / ville / route / CO_2	Sup / 18,2 / 11,4 l/100 km / 6964 kg/an

Du nouveau en 2015

Aucun changement majeur

FEU VERT
- Sonorité du moteur
- Comportement routier dynamique
- Design élégant
- Voiture confortable
- Habitacle à 4 places

FEU ROUGE
- Poids important
- Absence d'une boîte manuelle
- Version de base sans intérêt
- Réseau de distribution limité
- Modèle en fin de carrière

MASERATI QUATTROPORTE

MASERATI **QUATTROPORTE / GHIBLI**

▶ **Catégorie :** Berline

▶ **Échelle de prix :** 75 800 $ à 159 900 $ (2014)

▶ **Transport et prép. :** n.d.

▶ **Cote d'assurance :** n.d.

▶ **Garanties :** 4 ans/80 000 km, 4 ans/80 000 km

▶ **Ventes CAN 2013 :** n.d.

Le tapis rouge

Jacques Duval

Sans autre forme de préambule, je dois dire que je me suis senti un brin nostalgique en prenant le volant de la Maserati Ghibli. Une foison de souvenirs a rapidement fait surface, et cela même s'il y a un monde de différence entre la Ghibli d'aujourd'hui et celle que j'avais eu le grand bonheur d'essayer il y a de cela 47 ans. (Voir couverture du Guide de l'auto 1969). Je me suis surtout souvenu que j'avais été accueilli à la fabrique de Maserati, à Modène en Italie, avec des égards habituellement réservés à des sommités. Je n'ai d'ailleurs jamais vraiment su pourquoi on avait ainsi déroulé le tapis rouge en ma présence !

Toujours est-il qu'à mon arrivée à l'usine, le directeur des relations publiques m'avait demandé d'attendre une dizaine de minutes, car une voiture toute neuve couleur bronze allait sortir de la chaîne d'assemblage. Et c'est avec cette resplendissante Maserati Ghibli qu'un ami et moi quittâmes la ville de

Modena pour aller jouer les playboys sur la Côte d'Azur. « Gardez-la autant que vous voudrez et laissez-la à l'hôtel au moment de votre départ » furent les dernières paroles de notre hôte. Il faut savoir que la Ghibli du temps était une exotique pleine saveur dont l'unique concurrence émanait du village voisin à Maranello.

Par rapport à son ancêtre devenue voiture de collection, le modèle actuel est une berline 4 ou 5 places plutôt qu'un coupé grand tourisme comme sa devancière. De toute évidence, Maserati veut en faire une concurrente des berlines de luxe de format moyen, une catégorie peuplée par les Mercedes de Classe E, l'Audi A6, la Jaguar XF, la BMW de série 5 et quelques autres. Relativement à ces dernières, je dirais toutefois que la Ghibli s'inscrit dans un créneau très particulier, au-dessus des modèles précités, mais juste en dessous de leurs versions plus musclées telles les Mercedes AMG, les Audi S6, etc.

Impressions de l'auteur		Concurrents
Agrément de conduite : ★★★★	4/5	Audi A8, BMW Série 7, Jaguar XJ,
Fiabilité : ★★★	3,5/5	Mercedes-Benz Classe CLS,
Sécurité : ★★★	3,5/5	Mercedes-Benz Classe S
Qualités hivernales : ★★★	3,5/5	
Espace intérieur : ★★★	3/5	
Confort : ★★★★	4/5	

Un délice à conduire

Des deux modèles à l'affiche, c'est le mieux équipé que j'ai essayé, soit la S Q4 dont la traction intégrale en fait le choix le plus logique pour le Québec. Cette variante hérite aussi d'une version plus poussée du V6 de 3,0 litres dont les deux turbocompresseurs haussent la puissance du moteur de base de 345 à 404 chevaux. La surprime est d'environ 12 000 $, mais dans le cas présent, c'est une somme sagement investie.

Même en mode Sport, la suspension ne rue jamais dans les brancards et seules les anfractuosités du revêtement tendent à faire dévier la voiture de sa trajectoire de temps à autre. Chapeau aussi aux responsables du châssis qui ont su régler les éléments de la suspension au quart de tour dans la constante poursuite du meilleur compromis confort/tenue de route. La Ghibli est parfaitement à l'aise en virage et devient un délice à conduire sur de petites routes tortueuses. La caisse accuse un certain roulis, mais la voiture demeure clouée au bitume. Parions qu'elle pourrait se mesurer à bien des sportives aguerries.

En conduite sportive, il est possible de poser l'extrémité des doigts sur les palettes de la transmission à 8 rapports tout en tenant le volant avec la paume de la main. Ce bel exemple d'ergonomie est toutefois terni par un levier de vitesses dont la gâchette est déroutante au point d'exiger une période d'adaptation. Le freinage aussi demande à être apprivoisé en ville en raison de sa soudaineté. En milieu urbain, la direction est d'une aide précieuse en plus de rendre la conduite reposante grâce à un excellent diamètre de braquage. Toutes ces qualités sont optimisées par un moteur qui paraît un peu mou en attaque, mais dont les meilleures prestations sont obtenues avec le mode manuel de la transmission. On peut même en choisir le niveau de sonorité !

Un bref inventaire de l'intérieur nous fait apprécier le confort des sièges, une visibilité meilleure que la moyenne et un tableau de bord dont le revêtement gagnerait à être plus soigné. S'il y a un domaine où cette Maserati ne semble pas à la hauteur de ses origines, c'est celui de l'esthétique. Ses lignes sont d'une trop grande sobriété et, vue de profil, la Ghibli ne sort pas des sentiers battus en matière de design. Heureusement que le trident en plein centre de la calandre vient sauver la mise !

La Quattroporte pour finir en beauté

Si jamais la Ghibli vous paraissait trop étriquée, Maserati propose une grande berline au nom évocateur, la Quattroporte. Surdimensionnée par rapport à sa jeune sœur, elle mesure une trentaine de centimètres de plus avec un poids accru d'environ 200 kg, ce qui lui confère un habitacle légèrement plus spacieux. La motorisation est la même que la Q4 tout comme le rouage intégral. Le prix lui aussi accuse une hausse marquée.

Châssis - Base

Emp / lon / lar / haut	2997 / 4971 / 2101 / 1461 mm
Coffre / Réservoir	500 litres / 80 litres
Nombre coussins sécurité / ceintures	6 / 5
Suspension avant	indépendante, double triangulation
Suspension arrière	indépendante, multibras
Freins avant / arrière	disque / disque
Direction	à crémaillère, assistée
Diamètre de braquage	11,7 m
Pneus avant / arrière	P235/50R18 / P235/50R18
Poids / Capacité de remorquage	1811 kg / n.d.
Assemblage	Turin, IT

Composantes mécaniques

Base

Cylindrée, soupapes, alim.	V6 3,0 litres 24 s turbo
Puissance / Couple	345 chevaux / 369 lb-pi
Tr. base (opt) / rouage base (opt)	A8 / Prop
0-100 / 80-120 / V.Max	5,6 s (const) / n.d. / 266 km/h
100-0 km/h	36,0 m
Type / ville / route / CO_2	Sup / 13,9 / 7,0 l/100 km / 4460 kg/an

S Q4

Cylindrée, soupapes, alim.	V6 3,0 litres 24 s turbo
Puissance / Couple	404 chevaux / 406 lb-pi
Tr. base (opt) / rouage base (opt)	A8 / Int
0-100 / 80-120 / V.Max	4,8 s (const) / n.d. / 282 km/h
100-0 km/h	35,0 m
Type / ville / route / CO_2	Sup / 15,8 / 7,6 l/100 km / 4920 kg/an

Du nouveau en 2015

Aucun changement majeur

FEU VERT
- Comportement routier d'exception
- Direction à point
- Châssis robuste
- Confort appréciable
- Excellente transmission

FEU ROUGE
- Levier de vitesses déroutant
- Places arrière moyennes
- Ligne générique
- Finition imparfaite

MASERATI GHIBLI

Photos : Maserati

ÉCONOMIQUE

MODÈLE 2016

MAZDA 2

▶ **Catégorie :** Hatchback ▶ **Échelle de prix :** 14 450 $ à 19 450 $ (2014) ▶ **Transport et prép. :** 1 495 $

▶ **Cote d'assurance :** $$$$$ ▶ **Garanties :** 3 ans/80 000 km, 5 ans/100 000 km ▶ **Ventes CAN 2013 :** 4 072 unités

Adieux prolongés

Denis Duquet

C'est officiel, la Mazda2 sera éventuellement remplacée par un modèle plus puissant, plus moderne et dont la silhouette s'harmonisera davantage avec les autres produits du petit constructeur japonais. Cependant, l'édition 2014 de la Mazda2 se prolongera pendant plusieurs mois, éliminant du fait même l'édition 2015. Elle sera remplacée par une version 2016 qui arrivera durant 2015, selon Mazda.

Hecho en Mexico

La première certitude quant au futur modèle, c'est que la voiture sera produite au Mexique. En effet, Mazda a bâti une usine ultramoderne dans ce pays, en collaboration avec Toyota, afin de pouvoir approvisionner plus facilement le marché nord-américain et aussi de réduire les coûts de production. Selon toute évidence, le prochain modèle à sortir de cette usine après la Mazda3 sera celui qui remplacera la Mazda2 (et dont une variante sera produite pour Toyota).

Nous avons eu un sérieux aperçu de ce futur modèle lors du Salon de l'auto de Genève tenu en mars 2013 alors qu'on a dévoilé la voiture concept Hazumi.

Au moment d'écrire ces lignes, selon l'unique photo propagée par Mazda, la prochaine 2 sera élaborée à partir de la philosophie de design Kodo qui a été utilisée sur les CX-5, Mazda3 et Mazda6. On retrouve donc cette calandre à cinq points, véritable signature visuelle de toutes ces voitures, et force est d'admettre que les résultats sont probants. Avec sa partie avant allongée et son arrière tronqué, cette sous-compacte a vraiment fière allure. Selon ce qu'on a pu voir sur la voiture concept, la présentation de l'habitacle est nettement plus luxueuse que celle de la Mazda2 actuelle. D'ailleurs, le concept Hazumi est plus long de 12,2 cm, son empattement a été allongé de 9,6 cm et la caisse est plus large de 3,5 cm. Ces dimensions optimisées laissent croire que la prochaine génération de la Mazda2 sera moins dépouillée et plus luxueuse que le modèle actuel.

Impressions de l'auteur		Concurrents
Agrément de conduite : ★★★★★	3,5/5	Ford Fiesta, Honda Fit, Hyundai
Fiabilité : ★★★★★	4/5	Accent, Kia Rio, Nissan Versa Note,
Sécurité : ★★★★★	3,5/5	Toyota Yaris
Qualités hivernales : ★★★★★	3,5/5	
Espace intérieur : ★★★★★	3/5	
Confort : ★★★★★	3,5/5	

Bien entendu, cette sous-compacte fera appel à la technologie SKYACTIV, ce qui signifie que la plate-forme sera toute nouvelle. Pour le marché canadien, Mazda a retenu les services d'un quatre cylindres de 1,5 litre à essence.

Qui dit nouvelle plate-forme, dit aussi meilleure sécurité et comportement routier encore plus impressionnant. Le véhicule-concept dévoilé à Genève présentait également en primeur un tout nouveau turbodiesel de 1,5 litre associé à une boîte automatique à six rapports. La probabilité que ce moteur diesel soit commercialisé sur notre marché est assez faible vu que l'on n'a pas encore réussi à offrir la Mazda6 à moteur diesel après avoir promis son arrivée à plusieurs reprises. Certains marchés auront aussi droit à un moteur 1,3 litre à essence.

La date de commercialisation de la nouvelle génération de la Mazda2 devrait survenir au début de 2015. De plus, compte tenu de sa production en sol nord-américain, il sera relativement facile pour Mazda de commercialiser une Mazda2 plus luxueuse, mieux équipée et plus performante que le modèle actuel qui sera vendu jusqu'à épuisement des stocks à des prix plus que compétitifs, ce qui la démarquera davantage de la Mazda3 à ce chapitre.

Et la génération actuelle ?

Pour l'instant, Mazda continue de vendre sa 2 2014 qui est loin d'être une mauvaise voiture. Il est intéressant de souligner que lorsque Mazda et Ford étaient associés, les ingénieurs des deux compagnies ont contribué à développer la Mazda2 et la Ford Fiesta. Mais il ne s'agit nullement du clone de l'un par rapport à l'autre. Dans le cas de Mazda, on a conçu une voiture fortement allégée dotée d'un moteur de 100 chevaux, tandis que son concurrent américain offre 120 chevaux dans sa version de base.

La plus petite des Mazda arbore une jolie silhouette tandis que son tableau de bord assez dépouillé ne manque pas d'élégance avec des buses de ventilation circulaires, un module de commandes central et trois gros boutons servant à gérer la climatisation. Il faut ajouter que les places arrière sont relativement spacieuses pour une voiture de cette catégorie.

La tenue de route est très bonne tout comme la précision de la direction. La boîte manuelle à cinq rapports est de série et elle est très agréable d'utilisation, ce qui est important puisqu'avec une puissance de 100 chevaux, on doit souvent passer les rapports pour pouvoir optimiser les performances. Quant à la transmission automatique à quatre rapports, elle est moyenne tout au plus et si l'on fait de la grande route, on déplorera rapidement l'absence d'un cinquième rapport. En terminant, l'insonorisation est perfectible alors que les bruits de la route et du moteur s'infiltrent dans l'habitacle.

MODÈLE 2014

Photos : Mazda Canada

Châssis - GS (données 2014)

Emp / lon / lar / haut	2489 / 3950 / 1694 / 1476 mm
Coffre / Réservoir	377 à 787 litres / 43 litres
Nombre coussins sécurité / ceintures	6 / 5
Suspension avant	indépendante, jambes de force
Suspension arrière	semi-indépendante, poutre de torsion
Freins avant / arrière	disque / tambour
Direction	à crémaillère, ass. variable
Diamètre de braquage	9,8 m
Pneus avant / arrière	P185/55R15 / P185/55R15
Poids / Capacité de remorquage	1043 kg / n.d.
Assemblage	Hiroshima, JP

Composantes mécaniques

Cylindrée, soupapes, alim.	4L 1,5 litre 16 s atmos.
Puissance / Couple	100 chevaux / 98 lb-pi
Tr. base (opt) / rouage base (opt)	M5 (A4) / Tr
0-100 / 80-120 / V.Max	11,9 s / 10,9 s / n.d.
100-0 km/h	42,2 m
Type / ville / route / CO_2	Ord / 7,1 / 5,8 l/100 km / 2990 kg/an

Du nouveau en 2015

Pas de modèle 2015. Nouveau modèle arrivera en 2015 en tant que modèle 2016.

FEU VERT

- Silhouette élégante
- Bonne tenue de route (2014)
- Consommation raisonnable (2014)
- Direction précise (2014)
- Concept Hazumi prometteur pour 2016

FEU ROUGE

- Moteur manque de puissance (2014)
- Boîte automatique 4 rapports (2014)
- Insonorisation perfectible (2014)
- Habitacle dépouillé (2014)
- Modèle en fin de carrière (2014)

MAZDA 3

▶ **Catégorie :** Berline, Hatchback   ▶ **Échelle de prix :** 17 690 $ à 28 550 $ (2014)   ▶ **Transport et prép. :** 1 695 $

▶ **Cote d'assurance :** $$$$$ ▶ **Garanties :** 3 ans/80 000 km, 5 ans/100 000 km   ▶ **Ventes CAN 2013 :** 40 466 unités

La plus européenne des japonaises

Jacques Duval

De nos jours, rares sont les voitures qui ont un levier de frein d'urgence implanté au pied de console centrale. La mode veut que cette commande prenne la forme d'une pédale et aille se nicher sous le tableau de bord à gauche de l'embrayage ou à divers endroits tous plus incommodants les uns que les autres. Chez Mazda, dans le plus parfait respect de son slogan sportif (« Zoom Zoom »), on a respecté la tradition, de sorte que la conduite en hiver devient soudainement plus amusante et, disons-le, plus sécuritaire.

Pendant cet interminable hiver qui passera à l'histoire pour sa méchanceté, je me suis délecté de la facilité avec laquelle je pouvais contrer le sous-virage naturel de cette traction avant au moyen du frein d'urgence. Dans l'éventualité d'un tout droit dans un virage, il suffit d'un petit coup de volant dans le sens contraire appuyé par un bref engagement du frein pour ramener l'auto dans la bonne trajectoire. Et ce n'est pas là la

seule qualité de cette Mazda 3 qui se maintient bon an mal an sur le podium des 3 voitures les plus vendues au Québec. Agile et agréable à conduire en hiver, elle l'est aussi sur des routes plus engageantes grâce à un comportement routier sans faille majeure. Elle témoigne d'un bel équilibre entre confort et tenue de route, méritant du même coup le titre de la plus européenne des créations japonaises.

Dans un face-à-face avec la récente Mercedes-Benz CLA, je ne miserais pas toute ma fortune sur cette dernière et je suis persuadé que la Mazda 3 serait en mesure de donner du fil à retordre à sa rivale allemande.

Face à l'hiver

Confrontée à l'un des pires hivers des dernières décennies, la voiture s'est bien tirée d'embarras, à une exception près. Les portières se sont verrouillées d'elles-mêmes alors qu'il n'y avait personne dans l'auto et que le moteur était en marche ! La mésaventure s'est soldée par un appel à la CAA.

Impressions de l'auteur		Concurrents
Agrément de conduite :	★★★★ 4/5	Chevrolet Cruze, Dodge Dart, Ford
Fiabilité :	★★★★ 4/5	Focus, Honda Civic, Hyundai Elantra,
Sécurité :	★★★★ 4/5	Kia Forte, Mitsubishi Lancer,
Qualités hivernales :	★★★★ 4/5	Nissan Sentra, Subaru Impreza,
Espace intérieur :	★★★½ 3,5/5	Toyota Corolla, Volkswagen Golf
Confort :	★★★½ 3,5/5	

Puisqu'il est question du moteur, le 4 cylindres de 2,5 litres (184 ch) qui équipait notre dernière voiture d'essai est assez expressif tout en manifestant une certaine rugosité à froid et à bas régime. Il s'adoucit toutefois en prenant des tours et recèle une sportivité de bon aloi à haut régime. On peut aussi le créditer d'une discrétion notable en se limitant à 2 000 tr/min à une vitesse de 115 km/h. Quant à la consommation, Mazda fait grand état de sa technologie d'avant-garde (SKYACTIV) qui est en fait l'optimisation de plusieurs éléments salutaires à l'économie de carburant, de l'aérodynamisme à la réduction du poids en passant par l'injection directe et la diminution de la friction des pièces en mouvement. Il en résulte une consommation tournant autour de 7,5 litres aux 100 km avec une hausse d'à peu près 10 % en hiver. Précisons que malgré un déficit d'une trentaine de chevaux, le moteur d'origine est tout aussi souhaitable si l'on ne vise pas la performance optimale. Deux transmissions s'accouplent à la Mazda 3 et, encore là, l'automatique et la manuelle, toutes deux à 6 rapports s'acquittent impeccablement de leur tâche.

En poursuivant notre route, on découvre une direction qui, bien que légère à faible vitesse, est précise quand la route devient plus sinueuse. Détail encore plus important, la carrosserie ne fait entendre aucun bruit suspect, quelle que soit la détérioration du revêtement. On a l'impression d'être au volant d'une allemande. On n'a vraiment pas un mot à redire sur le freinage qui supporte les descentes montagneuses sans crier gare. Quant au confort, il ne souffre nullement du fait que le constructeur japonais ait décidé de privilégier la tenue de route avec la 3.

Un succès mérité

En somme, cette compacte – offerte en version 4 ou 5 portes – mérite vraiment sa popularité et son agrément de conduite. On a toujours hâte de se retrouver au volant, une qualité que peu de voitures de cette catégorie peuvent revendiquer. Les gens qui se soucient peu de ce genre de détails seront sans doute plus attirés par l'excellente chaîne audio Bose qui confère un cachet de luxe à un intérieur déjà très engageant. S'il faut trouver des poux à ce modèle de façon à ce que ce texte ne soit pas une réclame publicitaire, disons que le petit écran de plexi qui projette la vitesse en lecture dite « tête haute » a tout l'air d'un ajout de dernière instance par sa mauvaise intégration à l'ensemble. Soyons pointilleux en ajoutant que la sonorité du klaxon semble empruntée à une bicyclette tandis que le coffre du modèle Sport pourrait être un peu plus volumineux.

La conclusion vient d'elle-même et après un hiver au volant, la Mazda 3 a démontré pourquoi tant d'automobilistes québécois lui font confiance année après année. Les ingénieurs de la firme d'Hiroshima sont allés à la bonne école avant de se pencher sur ce modèle. Gageons que cette école se situe quelque part en Allemagne.

Photos : Mazda Canada, Jacques Duval

Châssis - Berline GT

Emp / lon / lar / haut	2700 / 4580 / 2053 / 1455 mm
Coffre / Réservoir	351 litres / 51 litres
Nombre coussins sécurité / ceintures	6 / 5
Suspension avant	indépendante, jambes de force
Suspension arrière	indépendante, multibras
Freins avant / arrière	disque / disque
Direction	à crémaillère, ass. variable électrique
Diamètre de braquage	10,6 m
Pneus avant / arrière	P215/45R18 / P215/45R18
Poids / Capacité de remorquage	1346 kg / n.d.
Assemblage	Hofu, JP

Composantes mécaniques

GX, GS

Cylindrée, soupapes, alim.	4L 2,0 litres 16 s atmos.
Puissance / Couple	155 chevaux / 150 lb-pi
Tr. base (opt) / rouage base (opt)	M6 (A6) / Tr
0-100 / 80-120 / V.Max	9,9 s / 7,0 s / 200 km/h
100-0 km/h	45,7 m
Type / ville / route / CO_2	Ord / 6,5 / 4,3 l/100 km / 2530 kg/an

GT

Cylindrée, soupapes, alim.	4L 2,5 litres 16 s atmos.
Puissance / Couple	184 chevaux / 185 lb-pi
Tr. base (opt) / rouage base (opt)	A6 / Tr
0-100 / 80-120 / V.Max	8,1 s / 5,2 s/ 200 km/h
100-0 km/h	43,3 m
Type / ville / route / CO_2	Ord / 7,3 / 4,8 l/100 km / 2840 kg/an

Du nouveau en 2015

Aucun changement majeur

FEU VERT
- Pour faire échec à l'ennui
- Comportement routier stimulant
- Bonnes motorisations
- Économie appréciable
- Caisse solide

FEU ROUGE
- Volume restreint du coffre (version 5 portes sport)
- Klaxon risible
- Direction légère à basse vitesse
- Peu d'espaces de rangement

MAZDA 5

▶ **Catégorie :** Fourgonnette	▶ **Échelle de prix :** 21 995 $ à 26 005 $ (2014)	▶ **Transport et prép. :** 1 895 $
▶ **Cote d'assurance :** $$$$$	▶ **Garanties :** 3 ans/80 000 km, 5 ans/100 000 km	▶ **Ventes CAN 2013 :** 3 459 unités

Petite fourgonnette ou grosse compacte?

Denis Duquet

L a Mazda5 est un véhicule à part sur notre marché. En effet, elle a pratiquement les dimensions d'une voiture compacte, mais ses portes coulissantes et sa configuration intérieure l'associent à une fourgonnette. Pour certains, ce mélange des genres est le bienvenu car il répond à un besoin. Pour d'autres, pas question de roule au volant d'une fourgonnette, qu'elle soit compacte ou pas! Et puis à force de mélanger les genres, on finit par mélanger les gens : Est-ce une fourgonnette trop petite, ou un véhicule compact trop gros ?

Stylisme réussi

Un jour, un styliste a affirmé que l'un des défis les plus importants que les gens de sa profession avaient à relever était de dessiner une fourgonnette : ces formes équarries sont difficiles à transformer en quelque chose d'élégant. Mais force est d'admettre que les designers de Mazda ont accompli du bon boulot lors de la refonte de la 5 il y a maintenant quatre

ans. En effet, afin de donner à la silhouette une allure plus sophistiquée et même un peu plus sportive, on a dessiné des volutes sculptées qui se divisent en deux dans les parois latérales. Dans la partie inférieure des parois, on retrouve une ligne de caractère qui se termine près de la roue arrière. En plus, le pare-brise est fortement incliné tandis que le capot est très plongeant, contribuant à octroyer un caractère sportif à cet utilitaire.

À l'intérieur, le tableau de bord est réussi et nous donne l'impression d'être davantage au volant d'une automobile que d'une fourgonnette, quelle soit petite ou grande. Les commandes de la climatisation sont gérées par trois gros boutons tandis que l'on retrouve sur la partie supérieure de la planche de bord un petit écran horizontal diffusant plusieurs informations. Par contre, en conduite avec une version à boîte manuelle, il est possible de heurter l'un des boutons de climatisation lors du passage du troisième et du cinquième rapport. C'est une peccadille, mais cela vaut la peine de noter.

Impressions de l'auteur		Concurrents
Agrément de conduite : ★★★★☆ 4/5		Dodge Journey, Ford C-Max
Fiabilité : ★★★★☆ 4/5		Kia Rondo
Sécurité : ★★★☆☆ 3,5/5		
Qualités hivernales : ★★★☆☆ 3,5/5		
Espace intérieur : ★★★☆☆ 3,5/5		
Confort : ★★★☆☆ 3,5/5		

Les sièges baquets avant sont confortables et procurent un bon support latéral alors que la rangée médiane est constituée de deux sièges de type capitaine. Si vous avez plus de quatre passagers, ils devront s'astreindre à utiliser la petite banquette arrière, plutôt exiguë. Il est certain qu'elle ne sera utilisée qu'à de rares occasions. De plus, en déployant la troisième rangée, on réduit considérablement l'espace de chargement. Tout compte fait, il s'agit d'une fourgonnette quatre places offrant un bon confort à tous les occupants.

Polyvalence et agilité

Cette Mazda est propulsée par un quatre cylindres de 2,5 litres produisant 157 chevaux et 163 livres pieds de couple. Cette puissance est adéquate lorsque vous roulez avec quatre personnes à bord et une quantité moyenne de bagages. En revanche, le moulin dévoile ses limites quand le véhicule est chargé à bloc ou que l'on doit grimper des côtes abruptes.

Sur une note plus positive, la version avec boîte manuelle à six rapports est plus sportive que bien des berlines ! Quant à la boîte automatique à cinq rapports, elle s'accommode convenablement de sa tâche, bien qu'on apprécierait un sixième rapport. Pour l'instant, le constructeur de Hiroshima n'a pas annoncé la possibilité d'équiper ce modèle d'un moteur utilisant la technologie SKYACTIV.

Joindre l'utile à l'agréable

Quoi qu'il en soit, les performances sont correctes et il est important de souligner l'agrément de conduite de ce véhicule à vocation utilitaire. En effet, il est agile dans la circulation, sa direction est précise et sa tenue en virage est surprenante. Avec la Mazda5, il est donc possible d'associer l'utile à l'agréable en conduisant un véhicule d'une grande polyvalence tout en jouissant d'un agrément de conduite relevé pour une fourgonnette. Malgré tout, on se demande pourquoi les ventes de ce véhicule ne sont pas plus importantes, car il répond aux besoins de bien des gens tout en étant relativement économe en carburant.

Puisque la Mazda5 sous sa forme actuelle est sur notre marché depuis quelques années déjà, il ne faudrait pas se surprendre si Mazda décidait un beau matin d'offrir un équipement supérieur à un prix réduit. Ce serait alors une occasion de s'intéresser à un véhicule aussi original qu'agréable à conduire.

Châssis - GS

Emp / lon / lar / haut	2750 / 4585 / 1750 / 1615 mm
Coffre / Réservoir	112 à 857 litres / 60 litres
Nombre coussins sécurité / ceintures	6 / 6
Suspension avant	indépendante, jambes de force
Suspension arrière	indépendante, multibras
Freins avant / arrière	disque / disque
Direction	à crémaillère, ass. variable électrique
Diamètre de braquage	11,2 m
Pneus avant / arrière	P205/55R16 / P205/55R16
Poids / Capacité de remorquage	1551 kg / n.d.
Assemblage	Hiroshima, JP

Composantes mécaniques

Cylindrée, soupapes, alim.	4L 2,5 litres 16 s atmos.
Puissance / Couple	157 chevaux / 163 lb-pi
Tr. base (opt) / rouage base (opt)	M6 (A5) / Tr
0-100 / 80-120 / V.Max	10,2 s / 7,7 s / n.d.
100-0 km/h	44,5 m
Type / ville / route / CO_2	Ord / 9,5 / 6,7 l/100 km / 3818 kg/an

Du nouveau en 2015

Aucun changement majeur

- Agrément de conduite relevé
- Boîte manuelle intéressante
- Habitacle polyvalent
- Portières coulissantes utiles
- Dimensions raisonnables

- Plus un quatre places qu'un six places
- Puissance un peu juste
- Absence du système SKYACTIV
- Insonorisation perfectible

Photos: Mazda Canada

 MAZDA 6

▶ **Catégorie :** Berline   ▶ **Échelle de prix :** 24 495 $ à 32 195 $ (2014)   ▶ **Transport et prép. :** 1 695 $

▶ **Cote d'assurance :** $$$$$ ▶ **Garanties :** 3 ans/80 000 km, 5 ans/100 000 km   ▶ **Ventes CAN 2013 :** 4 224 unités

Belle, simple et efficace

Jacques Duval

L'an dernier a marqué l'entrée en scène de la troisième itération de la berline de format intermédiaire de Mazda. Si la première génération a connu un franc succès, notamment grâce à ses trois différentes formes de carrosserie et même d'une surprenante version « Speed » à rouage intégral, la seconde génération ne fut pas aussi populaire. Mazda a compris le message et a redonné à la 6 le dynamisme qu'elle avait perdu.

Quand la concurrence s'appelle Accord, Camry et Sonata pour ne nommer que celles-là, mieux vaut en offrir davantage pour espérer jouer les trouble-fête. Tandis que la tendance est à l'hybridation, Mazda prend une voie différente en proposant la « technologie » SKYACTIV. Le terme est peut-être ronflant et probablement vendeur, mais cela ne veut pas dire pour autant que c'est inefficace. Les ingénieurs ont augmenté le taux de compression du moteur atmosphérique, réduit la friction de

ses composantes et retravaillé le convertisseur de couple de la transmission automatique afin d'atténuer le glissement. L'aérodynamisme a aussi eu droit à une attention particulière. Au final, on n'a rien inventé mis à part l'appellation « SKYACTIV », mais l'important c'est que ça marche. Comme quoi les solutions simples peuvent être drôlement efficaces. Surtout qu'il n'y a aucune pile ou de moteur secondaire à traîner contrairement à un véhicule hybride, ce qui a une énorme influence sur le poids.

Sobre, mais amusante
Après une semaine d'utilisation un quart en ville et le reste sur la route, la consommation moyenne s'est établie à 7,4 litres aux 100 kilomètres. Les sceptiques sont confondus et la Mazda6 prouve qu'il est possible de consommer peu, sans sabrer l'agrément de conduite. Car oui, elle est dynamique et elle n'a certainement pas usurpé son onomatopée « Vroum Vroum ». Elle bénéficie d'un châssis solide auquel est boulonnée une suspension à la calibration plutôt ferme,

Impressions de l'auteur			Concurrents
Agrément de conduite :	★★★★	4/5	Chevrolet Malibu, Ford Fusion,
Fiabilité :	★★★½	3,5/5	Honda Accord, Hyundai
Sécurité :	★★★½	3,5/5	Sonata, Kia Optima, Nissan Altima,
Qualités hivernales :	★★★½	3,5/5	Subaru Legacy, Toyota Camry,
Espace intérieur :	★★★★	4/5	Volkswagen Passat
Confort :	★★★★	4/5	

MAZDA 6

laissant très peu de place au roulis. En effet, la 6 est d'une étonnante neutralité en virage et on en oublie presque que tous les éléments mécaniques reposent sur le train avant. La direction à assistance variable offre également une bonne sensation de la route.

Malgré une puissance de 184 chevaux qui peut sembler un peu modeste, la Mazda6 parvient à boucler le sprint 0-100 km/h en 8,3 secondes. Un surplus de puissance serait futile et risquerait de créer un effet de couple dans le volant. Remercions Mazda de ne pas avoir franchi le seuil raisonnable de 200 chevaux pour sa berline tractée.

En beauté

Bien que les goûts ne se discutent pas, il faut souligner que la Mazda6 ne manque pas de faire tourner les têtes par son élégance et une certaine communion esthétique avec des voitures beaucoup plus chères. Bref, on peut lui décerner le titre de la plus jolie berline japonais sur le marché, du moins parmi les intermédiaires. En revanche, ses lignes tendues, notamment au niveau du pilier A, rendent l'accès à bord délicat. Ce même pilier étant très large, il obstrue aussi la visibilité à l'occasion.

Une fois à bord, on constate que l'espace ne manque pas et que les places arrière sont plus généreuses que ce que les formes extérieures laissent croire. D'ailleurs, le coffre aussi est vaste avec 419 litres de capacité. Famille et bagages peuvent donc voyager sans problème. Bien que les sièges soient confortables, certaines personnes trouveront peut-être que la suspension cogne un peu sèchement. C'est le prix à payer pour obtenir une tenue de route supérieure à la moyenne.

Derrière le volant, on trouve facilement une bonne position de conduite et toutes les commandes tombent aisément sous la main. Si l'équipement est complet, il y a cependant un gadget dont on pourrait se passer ou que l'on devrait pouvoir condamner. J'explique. Quand on roule à une vitesse stabilisée et surtout sans excéder les limites, le régulateur de vitesse « intelligent » en fonction, on réalise après un certain moment qu'on ne rattrape jamais le véhicule qui nous devance, bien que ce dernier roule moins vite : c'est normal, la Mazda6 a décidé de ralentir à la même vitesse que ce véhicule. Il devrait être possible d'utiliser le régulateur de vitesse de façon classique et de simplement doubler le véhicule qui nous précède lorsque le moment est venu. Comme on ne nous le permet pas, on se retrouve à mettre ce satané régulateur de vitesse hors tension et à s'en passer. Remarquez que cet inconvénient affecte plusieurs véhicules, et pas juste chez Mazda.

La Mazda6 a presque tout pour réussir, pour autant que les acheteurs potentiels daignent l'essayer. Jolie, dynamique, spacieuse et économique en carburant : que demander de plus?

Châssis - GT (auto)

Emp / lon / lar / haut	2830 / 4895 / 1840 / 1450 mm
Coffre / Réservoir	419 litres / 62 litres
Nombre coussins sécurité / ceintures	6 / 5
Suspension avant	indépendante, jambes de force
Suspension arrière	indépendante, multibras
Freins avant / arrière	disque / disque
Direction	à crémaillère, ass. électrique
Diamètre de braquage	11,2 m
Pneus avant / arrière	P225/45R19 / P225/45R19
Poids / Capacité de remorquage	1465 kg / n.d.
Assemblage	Hofu, JP

Composantes mécaniques

GX, GX (auto), GS, GS (auto), GT, GT (auto)

Cylindrée, soupapes, alim.	4L 2,5 litres 16 s atmos.
Puissance / Couple	184 chevaux / 185 lb-pi
Tr. base (opt) / rouage base (opt)	M6 (A6) / Tr
0-100 / 80-120 / V.Max	8,3 s / 5,6 s / n.d.
100-0 km/h	44,0 m
Type / ville / route / co_2	Ord / 7,6 / 5,1 l/100 km / 2980 kg/an

Du nouveau en 2015

Aucun changement majeur

FEU VERT
- Conduite inspirante
- Consommation modérée
- Coffre de grand volume
- Commandes simples
- Ligne flatteuse

FEU ROUGE
- Visibilité délicate
- Suspension sèche
- Sonorité du moteur à essence
- Régulateur de vitesse « intelligent »

Photos : Mazda Canada

MAZDA **CX-5**

▶ **Catégorie :** VUS	▶ **Échelle de prix :** 22 995 $ à 33 250 $	▶ **Transport et prép. :** 1 895 $
▶ **Cote d'assurance :** n.d.	▶ **Garanties :** 3 ans/80 000 km, 5 ans/100 000 km	▶ **Ventes CAN 2013 :** 17 648 unités

L'ADN de la MX-5

Gabriel Gélinas

Depuis plusieurs années, le mythique circuit de Laguna Seca porte le nom de Mazda Raceway at Laguna Seca, et si le constructeur japonais a acquis le droit d'ainsi le désigner, ce n'est pas seulement pour faire un coup de marketing. En effet, cet endroit, situé à environ 160 km au sud de San Francisco, est aussi utilisé à l'occasion par les ingénieurs de la marque afin de mettre au point les nouveaux modèles.

C'est pourquoi mon tout premier contact avec le VUS de taille compacte de Mazda s'est déroulé sur ce circuit où le comportement routier du CX-5 m'a grandement impressionné. En quelques mots, c'est le véhicule le plus performant de la catégorie concernant la tenue de route et l'équilibre du châssis, et on jurerait presque que L'ADN de la MX-5 s'est transposé dans le CX-5.

Une dynamique inspirée et surprenante

Comment les ingénieurs de Mazda ont-ils réussi cet exploit ? La réponse ne se limite pas seulement aux éléments exposés ici, mais notons d'abord le poids du véhicule, les suspensions revues et la calibration du système de contrôle électronique de la stabilité. À l'avant, la géométrie des suspensions affiche un angle de chasse de six degrés – égal à celui de la défunte RX-8 (à titre de référence, une Mazda3 a un angle de chasse de trois degrés), ce qui procure beaucoup de *feedback* dans le volant et donne des indications très claires au conducteur quant à l'adhérence disponible. À propos du système de contrôle de la stabilité, précisons qu'il autorise de légères dérives et qu'il n'intervient que lorsque c'est vraiment nécessaire, comme sur une véritable voiture sportive. Tout ceci fait en sorte que c'est un véritable plaisir de conduire le CX-5 en virage puisque la direction est à la fois rapide et précise et que les mouvements de la caisse sont bien contrôlés.

Impressions de l'auteur		Concurrents
Agrément de conduite :	★★★★ 4/5	Chevrolet Equinox, Ford Escape, GMC Terrain, Honda CR-V, Hyundai Tucson, Jeep Cherokee, Kia Sportage, Mitsubishi Outlander, Nissan Rogue, Subaru Outback, Toyota RAV4, Volkswagen Tiguan
Fiabilité :	★★★★ 4/5	
Sécurité :	★★★★ 4,5/5	
Qualités hivernales :	★★★★ 4/5	
Espace intérieur :	★★★ 3,5/5	
Confort :	★★★★ 4/5	

Avec seulement 155 chevaux, le moteur qui équipe le CX-5 de base délivre une puissance un peu juste qui fait en sorte qu'il n'est pas le plus véloce des véhicules de sa catégorie. Aussi, ce quatre cylindres de 2,0 litres s'avère plutôt bruyant lorsqu'il tourne à plus de 4 000 tours/minute. C'était le seul moulin disponible au lancement du modèle. Depuis, Mazda a corrigé le tir avec un quatre cylindres de 2,5 litres et 184 chevaux, qui équipe les modèles GS et GT, et qui s'avère nettement mieux adapté à la tâche, tout en rendant de très bonnes cotes de consommation.

Le CX-5 est la référence de la catégorie en matière d'agrément de conduite et de dynamique. Ces deux critères ne sont peut-être pas au sommet des priorités pour une partie de la clientèle, mais force est d'admettre que celle-ci sera agréablement surprise par le comportement routier au tempérament sportif du VUS de Mazda. Et ceux qui doivent, à regret, passer d'un coupé sport à un véhicule plus pratique et polyvalent, peut-être en raison de nouvelles obligations familiales, ne regretteront pas le choix du CX-5.

Le style du CX-5 est moderne, dynamique et sportif. Les porte-à-faux sont courts à l'avant comme à l'arrière, et l'inclinaison de la lunette arrière ainsi que la présence d'un déflecteur de toit donnent une indication claire du comportement routier plus affûté du véhicule. Dans l'habitacle, on remarque que toutes les commandes sont bien disposées et que l'ergonomie est sans faille. La présentation est soignée et la vie à bord est toujours agréable. Parmi les points faibles, on peut souligner que la visibilité vers l'arrière est un peu limitée par la forme de la lunette et la découpe du hayon et que l'espace accordé aux passagers arrière est plus compté que dans certains véhicules concurrents. Le coffre non plus n'est pas le plus grand de la catégorie.

On attend toujours le diesel

Mazda planche encore sur le développement d'un moteur diesel adapté aux normes antipollution nord-américaines et destiné aux Mazda6 et CX-5, ce qui fait que la commercialisation au Canada de Mazda carburant au gazole se trouve retardée par rapport à l'échéancier prévu. C'est dommage, car je suis convaincu qu'un moteur diesel conviendrait parfaitement au CX-5 et permettrait probablement de bonifier la consommation de l'ordre de 25 à 30 %. On attend la suite de ce dossier avec impatience...

Avec le CX-5, Mazda reste fidèle à sa philosophie qui est de construire des véhicules qui procurent beaucoup d'agrément de conduite. À une époque où plusieurs constructeurs négligent cet aspect, il faut absolument saluer la démarche de Mazda.

Châssis - GT TI

Emp / lon / lar / haut	2700 / 4555 / 2165 / 1710 mm
Coffre / Réservoir	966 à 1852 litres / 58 litres
Nombre coussins sécurité / ceintures	6 / 5
Suspension avant	indépendante, jambes de force
Suspension arrière	indépendante, multibras
Freins avant / arrière	disque / disque
Direction	à crémaillère, ass. électrique
Diamètre de braquage	11,2 m
Pneus avant / arrière	P225/55R19 / P225/55R19
Poids / Capacité de remorquage	1604 kg / 907 kg (1999 lb)
Assemblage	Hiroshima, JP

Composantes mécaniques

GX

Cylindrée, soupapes, alim.	4L 2,0 litres 16 s atmos.
Puissance / Couple	155 chevaux / 150 lb-pi
Tr. base (opt) / rouage base (opt)	M6 (A6) / Tr (Int)
0-100 / 80-120 / V.Max	10,7 s / 7,9 s / 182 km/h
100-0 km/h	40,3 m
Type / ville / route / co$_2$	Ord / 8,0 / 6,4 l/100 km / 3358 kg/an

GS TA, GS TI, GT TI

Cylindrée, soupapes, alim.	4L 2,5 litres 16 s atmos.
Puissance / Couple	184 chevaux / 185 lb-pi
Tr. base (opt) / rouage base (opt)	A6 / Tr (Int)
0-100 / 80-120 / V.Max	8,0 s (est) / 6,0 s (est) / n.d.
100-0 km/h	39,8 m
Type / ville / route / co$_2$	Ord / 8,5 / 6,6 l/100 km / 3520 kg/an

Du nouveau en 2015

Aucun changement majeur

- Moteur 2,5 litres performant
- Dynamique inspirée
- Finition soignée
- Faible consommation de carburant

- Modèle de base dépouillé
- Puissance un peu juste (moteur 2,0 litres)
- Visibilité limitée vers l'arrière
- Toujours en attente du moteur diesel

Photos : Mazda Canada

MAZDA **CX-9**

▶ **Catégorie :** Multisegment	▶ **Échelle de prix :** 33 995 $ à 44 750 $ (2014)	▶ **Transport et prép. :** 1 895 $
▶ **Cote d'assurance :** $$$$$	▶ **Garanties :** 3 ans/80 000 km, 5 ans/100 000 km	▶ **Ventes CAN 2013 :** 1 436 unités

Le plus sage
de la gamme

Sylvain Raymond

L e succès de Mazda au Québec tient principalement au fait que le constructeur nous propose des véhicules stylisés et surtout, fortement axés sur le plaisir de conduite, un élément que les acheteurs apprécient grandement. Le CX-9 se situe aux antipodes des autres Mazda. Il est le plus imposant, mais aussi le plus sage de la gamme. Il permet tout de même à Mazda de rejoindre une clientèle à la recherche d'un véhicule plus spacieux, capable de transporter jusqu'à sept personnes et surtout, d'avoir plus de panache qu'une fourgonnette.

Introduit en 2007, le CX-9 s'est refait une beauté il y a quelques années alors qu'on l'a remis au goût du jour tout en lui insufflant l'attitude des nouveaux modèles Mazda. Les designers appellent ce design « KODO », soit l'âme du mouvement. En fait, le style du CX-9 est certainement l'élément clé de son succès et la principale raison qui fait qu'on craque pour lui. Pourquoi? Parce que dans ce segment, les constructeurs favorisent

l'aspect pratique au détriment du style tandis que Mazda a su rendre son grand VUS *sexy*, pratique et sportif.

Le CX-9 séduit grâce à ses lignes fluides et sa stature, bien appuyée par des jantes de 18 ou 20 pouces. Son parebrise fortement incliné, son imposante grille à l'avant et son échappement double contribuent à le rendre fort joli. La partie avant est sans doute la plus réussie et s'apparente un peu plus à une voiture qu'à un gros VUS.

Des choix assez simples

Pendant que la concurrence compte bien souvent plusieurs versions et moteurs au catalogue, Mazda fait dans la simplicité. Deux versions, GS et GT, se partagent la même motorisation, soit un V6 de 3,7 litres produisant 273 chevaux pour un couple de 270 lb-pi. La puissance est gérée par la seule transmission offerte, une automatique à six rapports. La version GT, plus cossue, propose un rouage intégral de série alors qu'il est optionnel sur la GS. Bien entendu, il est déconseillé de s'en

Impressions de l'auteur	
Agrément de conduite :	★★★★☆ 4
Fiabilité :	★★★★☆ 4
Sécurité :	★★★★⯪ 4,5
Qualités hivernales :	★★★★⯪ 4,5
Espace intérieur :	★★★★⯪ 4,5
Confort :	★★★★⯪ 4,5

Concurrents
Buick Enclave, Chevrolet Traverse, Ford Flex, GMC Acadia, Honda Pilot, Nissan Murano, Toyota Highlander

priver, même si l'on doit payer 3 000 $ pour l'obtenir, ce qui nous semble une prime assez élevée par rapport à ce que l'on retrouve normalement. Il est plus courant de devoir débourser environ 1 500 $.

À bord, on se réjouit de l'excellente vision tout autour, favorisée par une position de conduite assez haute. Les amateurs de fourgonnettes apprécieront; pour ma part, j'aurais aimé pouvoir baisser l'assise du siège un peu plus. On aime la disposition des commandes qui sont intuitives et simples à comprendre. La partie centrale du tableau incorpore un écran de 5,8 pouces affichant diverses informations, dont l'image de la caméra de recul.

Bien entendu, le CX-9 GT brille par la qualité de sa finition et les matériaux donnent un aspect riche et luxueux à l'habitacle. Il est toutefois beaucoup plus cher. La plupart opteront pour le GS qui propose un meilleur compromis.

Comme il peut transporter plus de cinq passagers, le CX-9 est très pratique pour composer avec les besoins de la famille et les nombreuses activités sportives des enfants. La rangée du milieu permet d'accueillir trois passagers tandis que deux personnes supplémentaires peuvent prendre place dans la troisième rangée. L'accès aux places arrière est facilité par les sièges coulissants de la seconde rangée qui s'avancent. Quant à l'espace de chargement, il varie en fonction du nombre de sièges utilisés, passant de 487 litres avec tous les sièges relevés à 2 851 litres une fois qu'ils sont tous rabattus.

Agréable à conduire

Si plusieurs véhicules de ce type ne sont pas des plus enivrants à conduire, Mazda a su transposer son ADN *zoom-zoom* à bord du CX-9. Certes, il demeure un VUS imposant, mais on le sent dynamique et agréable à conduire. Son moteur déploie une bonne puissance, permettant de dépasser sans gêne les retardataires. Son rouage intégral lui procure un aplomb supérieur en toutes conditions. Dans des situations de conduite ordinaire, 100 % du couple moteur est transmis aux roues avant et lors d'une accélération forcée, ou si l'une des roues avant est sur le point de patiner, un pourcentage du couple est transféré à l'essieu arrière. Le CX-9 se comporte donc comme une traction la majeure partie du temps.

Mazda promet une consommation de 12,8 litres en ville et de 9 litres sur route aux 100 kilomètres. Notre essai s'est soldé par une consommation moyenne de 13,7 l/100 km, mais nous avons dû composer avec des conditions peu favorables et plusieurs dizaines de kilomètres en zone urbaine. On ne peut pas tout avoir, espace et économie!

Si vous cherchez un VUS capable de transporter jusqu'à sept personnes, agréable à conduire et doté d'un style un peu plus dynamique, le CX-9 pourrait bien être un bon candidat.

Châssis - GS TA	
Emp / lon / lar / haut	2875 / 5108 / 1936 / 1728 mm
Coffre / Réservoir	487 à 2851 litres / 76 litres
Nombre coussins sécurité / ceintures	6 / 7
Suspension avant	indépendante, jambes de force
Suspension arrière	indépendante, multibras
Freins avant / arrière	disque / disque
Direction	à crémaillère, ass. variable
Diamètre de braquage	12,4 m
Pneus avant / arrière	P245/60R18 / P245/60R18
Poids / Capacité de remorquage	1927 kg / 1588 kg (3500 lb)
Assemblage	Hiroshima, JP

Composantes mécaniques	
Cylindrée, soupapes, alim.	V6 3,7 litres 24 s atmos.
Puissance / Couple	273 chevaux / 270 lb-pi
Tr. base (opt) / rouage base (opt)	A6 / Tr (Int)
0-100 / 80-120 / V.Max	7,9 s / 6,8 s / 225 km/h
100-0 km/h	39,8 m
Type / ville / route / co_2	Ord / 12,8 / 9,0 l/100 km / 5106 kg/an

Du nouveau en 2015
Aucun changement majeur

FEU VERT
- Style sportif
- Conduite agréable
- Espace intérieur
- Bonne fiabilité

FEU ROUGE
- Version GT chère
- Consommation élevée
- Visibilité arrière difficile
- Jantes de 20 pouces (GT)

Photos : Mazda Canada

MAZDA **MX-5**

▶ **Catégorie :** Roadster

▶ **Cote d'assurance :** $$$$$

▶ **Échelle de prix :** 29 450 $ à 40 250 $ (2014)

▶ **Garanties :** 3 ans/80 000 km, 5 ans/100 000 km

▶ **Transport et prép. :** 1 795 $

▶ **Ventes CAN 2013 :** 554 unités

En attendant le quatrième tome

Sylvain Raymond

L a Mazda MX-5 a fêté ses 25 ans en 2014, elle qui est commercialisée depuis 1989 et qui s'est vendue à près de 950 000 unités dans le monde. C'est un âge plus que vénérable dans le domaine de l'automobile, mais ce qui est encore plus surprenant, c'est que la Miata, devenue MX-5, a connu uniquement trois générations du modèle depuis tout ce temps. Malgré un léger remaniement en 2008, le moment tant attendu par les amateurs de ce roadster classique approche enfin.

La MX-5 est devenue au fil des années une véritable voiture culte. Elle fait un dernier tour de piste telle qu'on la connaît puisque Mazda dévoilera la quatrième génération cet automne, soit une voiture conçue en collaboration avec Alfa Romeo et qui sera commercialisée en modèle 2016. Les amateurs de partout dans le monde scruteront certainement le tout à la loupe.

Mazda nous avait mis l'eau à la bouche au dernier Salon de l'auto de New York en exposant la nouvelle plate-forme du modèle . Cela nous a permis de découvrir que la future MX-5 conservera son moteur avant central et son architecture à propulsion. Profitant de la technologie SKYACTIV maintenant offerte dans plusieurs autres modèles Mazda, elle sera beaucoup plus légère que la génération actuelle, ce qui lui permettra de retrouver sa taille d'antan, perdue au fil des années avec l'ajout d'équipements supplémentaires et de moteurs de plus grosses cylindrées. Sa consommation de carburant en profitera également.

Une édition exclusive pour 2015

Mais tous ces changements ne seront que pour l'an prochain puisque cette année, la MX-5 nous est proposée telle qu'on la connaît et comme on l'imagine, sans véritable changement majeur par rapport à 2014. Les trois versions (GX, GS et GT) se partagent l'unique mécanique, un quatre cylindres de 2,0 litres qui produit 167 chevaux à 6 700 tr/min et un couple

Impressions de l'auteur	
Agrément de conduite : ★★★★⯪	4,5
Fiabilité :	★★★★★ 4
Sécurité :	★★★⯪☆ 3,5
Qualités hivernales :	★★⯪☆☆ 2,5
Espace intérieur :	★★⯪☆☆ 2,5
Confort :	★★★⯪☆ 3,5

Concurrents
MINI Cabriolet

MAZDA MX-5

de 140 lb-pi à 5 000 tr/min. On a un peu plus de choix au chapitre des transmissions. La manuelle cinq rapports équipe la livrée de base (GX) alors que les deux autres MX-5 (GS et GT) profitent d'un rapport de plus.

Si vous n'aimez pas jouer de l'embrayage et que vous ne vous formalisez pas de perdre quelques chevaux, une boîte automatique à six rapports avec mode sport est aussi disponible et livrable avec des sélecteurs de rapports situés derrière le volant. Elle n'est pas inintéressante, mais elle ne rend pas véritablement justice à la voiture. La seule véritable nouveauté pour 2015, c'est l'arrivée de l'édition 25e anniversaire qui propose une carrosserie peinte en rouge « Soul Red » et dispose d'une panoplie d'équipements et d'ajouts esthétiques à l'origine de son exclusivité. Toutefois, avec uniquement 100 unités offertes au Canada, ces modèles numérotés ont tous rapidement trouvé preneur lors de l'ouverture des précommandes plus tôt cette année.

Le plaisir démocratisé

L'attrait de la MX-5, c'est qu'elle représente le roadster sport démocratisé. Difficile de ne pas être attiré par le plaisir de conduire un petit roadster sport par une belle journée d'été, le toit rétracté. C'est ce qu'offrent plusieurs modèles de luxe, mais leur prix beaucoup plus élevé les rend moins accessibles. Tous ne veulent pas débourser un tel montant pour un troisième véhicule ou pour un jouet d'été, ce que la MX-5 permet de faire plus facilement.

À bord, il ne faut pas compter sur l'espace offert par une grande berline. Le conducteur est assis très bas, l'habitacle est étriqué et la portière vous colle à l'épaule et au genou. Vous êtes aussi très intime avec votre passager, bien que dans certains cas, cela puisse s'avérer très agréable! On se contente aussi de peu d'espaces de rangement. Il ne faut pas miser non plus sur la MX-5 pour votre prochain déménagement, même si le coffre dispose tout de même d'un bon volume si l'on tient compte des dimensions réduites de la voiture, soit 150 litres. Ce qu'il y a d'intéressant, c'est que peu importe que le toit soit en place ou rétracté, l'espace de chargement demeure le même puisque le toit se range dans un compartiment séparé.

Ce n'est pas l'aspect pratique de la MX-5 qui la rend agréable à vivre, mais sa candeur. Elle nous redonne rapidement un sentiment qui semble oublié avec sa simplicité et surtout, sans toute la panoplie d'assistances électroniques qui pullulent de nos jours. La MX-5 est centrée sur la voiture et son conducteur. Sa recette? Son architecture à propulsion et sa répartition idéale du poids de 50/50 qui sont la base de son comportement dynamique. Elle n'est certes pas la plus puissante, mais elle pourrait faire rougir bien des sportives de renom sur un circuit serré en raison de son agilité.

En attendant le prochain chapitre, la MX-5 continue de nous faire rêver, cheveux au vent lors des belles journées d'été.

Châssis - GT

Emp / lon / lar / haut	2330 / 4032 / 1720 / 1255 mm
Coffre / Réservoir	150 litres / 48 litres
Nombre coussins sécurité / ceintures	4 / 2
Suspension avant	indépendante, double triangulation
Suspension arrière	indépendante, multibras
Freins avant / arrière	disque / disque
Direction	à crémaillère, ass. variable
Diamètre de braquage	9,4 m
Pneus avant / arrière	P205/45R17 / P205/45R17
Poids / Capacité de remorquage	1182 kg / n.d.
Assemblage	Hiroshima, JP

Composantes mécaniques

GS (auto)

Cylindrée, soupapes, alim.	4L 2,0 litres 16 s atmos.
Puissance / Couple	158 chevaux / 140 lb-pi
Tr. base (opt) / rouage base (opt)	A6 / Prop
0-100 / 80-120 / V.Max	8,3 s / 7,9 s / 194 km/h
100-0 km/h	37,8 m
Type / ville / route / CO_2	Ord / 10,1 / 7,2 l/100 km / 4050 kg/an

GX, GS, GT

Cylindrée, soupapes, alim.	4L 2,0 litres 16 s atmos.
Puissance / Couple	167 chevaux / 140 lb-pi
Tr. base (opt) / rouage base (opt)	M5 / Prop
0-100 / 80-120 / V.Max	7,6 s / 5,1 s / 206 km/h
100-0 km/h	37,8 m
Type / ville / route / CO_2	Sup / 9,7 / 7,1 l/100 km / 3910 kg/an

Du nouveau en 2015

Nouvelle génération attendue en cours d'année.
Version 25e anniversaire.

FEU VERT

- Conduite emballante
- Prix abordables
- Bonne économie de carburant
- Excellente répartition des masses

FEU ROUGE

- Habitacle étroit
- Peu d'espace de rangement
- Boîte automatique moins intéressante
- Pas pratique en hiver

Photos : Mazda Canada

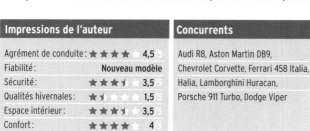

MCLAREN **650S**

▶ **Catégorie :** Coupé, Roadster ▶ **Échelle de prix :** 258 900 $ ▶ **Transport et prép. :** n.d.

▶ **Cote d'assurance :** n.d. ▶ **Garanties :** 3 ans/illimité, 3 ans/illimité ▶ **Ventes CAN 2013 :** n.d.

Le client a toujours raison

David Booth

Les gens de chez McLaren ont sans doute été un peu surpris d'apprendre que des clients auraient voulu que leur MP4-12C soit un peu moins civilisée. Qu'ils auraient souhaité peut-être plus de punch dans le moteur et un peu plus d'exubérance dans le style. Bref, plus de passion à l'italienne et moins de pragmatisme à la britannique !

C'est pourquoi la MP4-12C s'est transformée en 650S. Au passage, elle a gagné 25 chevaux (pour un total de 641), des disques de frein en céramique et carbone, et une suspension plus ferme (ressorts 22 % plus rigides à l'avant, 37 % à l'arrière). Tous ces changements ont pour objectif d'améliorer les performances sur circuit, et de rendre cette voiture super rapide... encore plus rapide !

Alors, est-ce que le client a toujours raison, comme le dit l'adage ? La 650S est-elle un meilleur *supercar* ? La réponse

est oui. Chose certaine, la critique voulant que la MP4-12C manque de personnalité (moteur moins enjoué et direction moins communicative que la Ferrari 458) n'a plus sa raison d'être.

Avec de nouveaux pistons, de nouvelles culasses et un système électronique de gestion moteur révisé, le V8 biturbo est devenu plus vif. Et plus personne ne pourra dire que le son de cette McLaren ressemble à celui d'une Toyota. La musique des échappements est désormais à la hauteur de la puissance du moteur, et elle contribue à hausser d'un cran l'effet spectaculaire, tout comme les phares avant inspirés de ceux de la P1.

Évidemment, McLaren ne manque pas de souligner que la 650S est plus rapide. Pour passer de 0 à 100 km/h, il lui faut dorénavant 3,0 secondes (au lieu de 3,1). Plus impressionnant encore, elle franchit le cap des 200 km/h en 8,4 secondes, au lieu de 8,8. (Si ce n'est pas assez pour vous, vous devrez débourser un million de dollars pour acquérir une P1 ou une

Impressions de l'auteur		Concurrents
Agrément de conduite : ★★★★✦ 4,5		Audi R8, Aston Martin DB9,
Fiabilité : **Nouveau modèle**		Chevrolet Corvette, Ferrari 458 Italia,
Sécurité : ★★★✦ 3,5		Halia, Lamborghini Huracan,
Qualités hivernales : ★✦ 1,5		Porsche 911 Turbo, Dodge Viper
Espace intérieur : ★★★✦ 3,5		
Confort : ★★★★ 4		

MCLAREN 650S

Porsche 918.) Cela dit, je mets au défi quiconque de percevoir la différence d'accélération entre une MP4 et une 650S.

Ce qu'on perçoit tout de suite, par contre, c'est que le pilote est désormais mieux connecté au châssis du bolide, particulièrement par l'intermédiaire du train avant. La direction n'est pas tout à fait aussi incisive que sur la Ferrari 458 (une direction trop rapide est une arme à deux tranchants), mais le *feedback* du volant est maintenant clairement digne d'un *supercar*. Cette amélioration provient des ressorts plus fermes, de l'amortissement révisé du système ajustable ProActive Chassis Control et de l'adhérence supérieure des pneus Pirelli PZero en version Corsa. Mais on doit aussi une fière chandelle à l'ingénieur qui a revu la conception des bagues de caoutchouc qui supportent les bras de la suspension avant. Ces bagues offrent plus de souplesse dans le sens vertical, ce qui permet de maintenir un niveau de confort raisonnable malgré l'installation de ressorts plus rigides. Mais surtout, ces bagues sont nettement plus fermes longitudinalement, renforçant ainsi le lien entre la suspension et le châssis, et donnant un sentiment de confiance accru pour le pilote.

La conséquence directe de ce sentiment de confiance accru, surtout pour un pilote modérément talentueux comme moi (!), c'est qu'on peut faire toutes sortes de folies sur une grande piste dégagée comme celle d'Ascari, en Espagne. La 650S fait maintenant partie de cette catégorie de voitures magiques dont on sent le train avant tellement solidement ancré sur l'asphalte qu'on peut s'amuser (énormément) à faire déraper l'arrière.

Quand on passe du mode Normal au mode Sport, le dispositif de stabilisation électronique vous permet de faire de très élégants dérapages contrôlés par l'accélérateur, mais ne vous laissera pas vous mettre « dans le trouble » si vous avez le pied un peu trop nerveux. En mode Piste, la suspension devient plus ferme encore et le système vous laisse pousser les dérapages aussi loin que vous le voulez. Et c'est ce que j'ai fait. Quand une supervoiture à moteur central de 641 chevaux encourage ce genre de comportement un peu délinquant au lieu de simplement le tolérer, il ne faut pas se priver...

Et pour ceux qui appréciaient le penchant rationnel de la MP4-12C, n'ayez crainte, elle a gardé un côté pragmatique. Malgré tout ce que nous avons dit sur la suspension plus ferme et la direction plus directe, la 650S offre encore une qualité de roulement plus qu'acceptable et son moteur est toujours aussi docile. De plus, l'intérieur a conservé son ergonomie et sa superbe finition. Heureusement, les clients n'ont pas demandé à McLaren de devenir plus italienne à ce chapitre.

La 650S coupé est maintenant vendue au Canada moyennant 287 000 $. Ajoutez 18 500 $ pour la version Spider.

Châssis - Coupé

Emp / lon / lar / haut	2670 / 4512 / 2093 / 1199 mm
Coffre / Réservoir	144 litres / 72 litres
Nombre coussins sécurité / ceintures	6 / 2
Suspension avant	indépendante, double triangulation
Suspension arrière	indépendante, double triangulation
Freins avant / arrière	disque / disque
Direction	à crémaillère, ass. variable électrique
Diamètre de braquage	12,3 m
Pneus avant / arrière	P235/35R19 / P305/30R20
Poids / Capacité de remorquage	1428 kg / n.d.
Assemblage	Woking, GB

Composantes mécaniques

Cylindrée, soupapes, alim.	V8 3,8 litres 32 s turbo
Puissance / Couple	641 chevaux / 500 lb-pi
Tr. base (opt) / rouage base (opt)	A7 / Prop
0-100 / 80-120 / V.Max	3,0 s (const) / n.d. / 329 km/h
100-0 km/h	30,5 m
Type / ville / route / CO_2	Sup / 17,5 / 8,5 l/100 km / 5500 kg/an

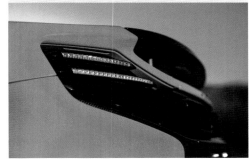

Du nouveau en 2015

Nouveau modèle

FEU VERT

- Gain de puissance
- Meilleures sensations de conduite au volant
- Encore très civilisée (pour une super voiture)
- Finition très haut de gamme

FEU ROUGE

- Manque un peu de sang latin
- L'habitacle pourrait être un peu plus excitant
- Quasiment abordable
- Entretien promet d'être très dispendieux

Photos: McLaren

MCLAREN **P1**

▶ **Catégorie :** Coupé	▶ **Échelle de prix :** 1 150 000 $	▶ **Transport et prép. :** n.d.
▶ **Cote d'assurance :** n.d.	▶ **Garanties :** 3 ans/illimité, 3 ans/illimité	▶ **Ventes CAN 2013 :** n.d.

Hey Jeremy,
t'es dans les patates

David Booth

Je suis sur le circuit de l'aérodrome de Dunsfold, en Angleterre, pour faire l'essai de la superhybride de McLaren, la P1. Selon Jeremy Clarkson, l'animateur de l'émission britannique *Top Gear*, cette voiture est extrêmement difficile à conduire. Or, malgré le temps froid et humide, je roule à pleins gaz au volant de ce *supercar*. Pour être honnête, je la trouve très rapide, mais pas intimidante du tout. Je m'étais préparé à une expérience difficile, et j'ai simplement l'impression de piloter une MP4-12C, désormais remplacée par la 650S, avec quelques chevaux de plus.

Pour faire monter la tension d'un cran, j'ai actionné un petit bouton dans la console centrale et sélectionné le mode Course (*Race*). Il s'en est suivi un élégant ballet électromécanique de 40 secondes qui a, entre autres, abaissé la P1 de 50 mm, élevé son gigantesque aileron arrière de 300 mm et recalibré la suspension pour un comportement plus ferme. Mais, surtout,

ce mode a complètement réveillé le moteur électrique de 176 chevaux qui somnolait jusqu'ici. Il viendra épauler le V8 bi turbo de 3,8 litres afin de transformer ce *supercar* aux bonnes manières en une surpuissante machine de course de type Le Mans.

IPAS

Dans les trois premiers modes (Normal, Sport, Piste (*Track*), c'est le moteur à essence de 727 chevaux qui fait le gros du travail. Le moteur électrique est là surtout pour compenser le trou dans la bande de puissance à bas régime causé par les nouveaux turbocompresseurs plus gros, qui engendrent un délai de réaction, ou encore pour propulser électriquement la voiture pendant quelques kilomètres sur le « E-Mode ». En mode Piste, on peut aussi demander un coup de pouce au moteur électrique en appuyant sur le petit bouton rouge au volant, appelé IPAS (Instant Power AssistSystem). Mais en mode Course, on a accès en tout temps à toute la puissance supplémentaire du moteur électrique, en plus de celle du V8.

Impressions de l'auteur		Concurrents
Agrément de conduite : ★★★★★ **5**/5		Ferrari LaFerrari, Porsche 918 Spyder,
Fiabilité : **Nouveau modèle**		Pagani Huayra
Sécurité : ★★★☆☆ **3**/5		
Qualités hivernales : ☆☆☆☆☆ **0**/5		
Espace intérieur : ★★★☆☆ **3**/5		
Confort : ★★★☆☆ **3,5**/5		

Ce qui veut dire, au total, 903 chevaux. C'est plus que la Porsche 918, mais moins que les 949 annoncés pour la LaFerrari. McLaren affirme que la P1 peut vous propulser de 0 à 100 km/h en seulement 2,8 secondes. Patientez quatre secondes de plus et vous atteindrez 200 km/h. Et si vous appuyez sur le champignon pendant 16,5 secondes en tout, vous atteindrez la vitesse renversante de 300 km/h. La P1 est donc légèrement moins rapide que la Veyron Super Sport, mais plus rapide que la 918, sauf sur le 0 à 100 km qui fait, elle aussi, l'exercice en 2,8 secondes.

Ce qui épate encore plus que l'abondance de puissance de cette P1, c'est la qualité avec laquelle elle est livrée. En mode Course, la réponse de l'accélérateur est vive comme sur une moto de *superbike*, et le punch est immédiat, à tous les régimes.

Pourtant si facile à piloter

Mais – et c'est là que Clarkson est complètement dans les patates – la P1 n'a absolument rien de terrifiant. Au contraire, elle réussit l'exploit d'accélérer jusqu'à 300 km/h en 16,5 secondes dans un calme relatif. Contrairement à la Porsche 918, l'hybride de McLaren livre toute la puissance de ses moteurs – à essence et électrique – aux roues arrière. En théorie, on pourrait s'attendre à ce que les deux pneus se sentent un peu débordés pour gérer une cavalerie de 903 chevaux, même si ce sont des Pirelli PZero Corsa 315/30ZR20 conçus sur mesure pour la voiture. Mais ce n'est pas le cas.

En fait, ce qui est extraordinaire avec la P1, c'est qu'on peut la conduire très vite sans trop s'énerver. Différents facteurs expliquent cet exploit : l'aileron arrière qui se déploie en mode Course contribue à une déportance impressionnante de 600 kg, l'effet aérodynamique engendré par la prise d'air avant pousse le train avant au sol, et le châssis de la P1 affiche un équilibre fondamental étonnamment semblable à celui de la MP4. Ce châssis en fibre de carbone est maintenant complètement enveloppé (plutôt qu'ouvert comme sur la 12C) et la suspension a été sérieusement retravaillée. Il est quand même essentiellement identique à celui de la MP4-12C ; le fait qu'il puisse se comporter avec autant d'aplomb même avec 903 chevaux à contrôler en dit long sur ses qualités de base. Avec sa batterie au lithium-ion de 4,4 kWh pleinement chargée, la P1 peut parcourir 11 km en mode uniquement électrique. Et si l'on se fie à l'évaluation de l'Union européenne, sa consommation d'essence serait de seulement 8,3 litres aux 100 km.

Mais on ne choisit pas une voiture de 903 chevaux pour sa consommation d'essence ! On la choisit parce que la P1 est la réalisation ultime de McLaren, et que McLaren est une des marques les plus renommées dans le monde de la course. Quant à la P1, elle est probablement la voiture de production la plus performante de la planète sur un circuit de course.

Châssis - Coupé

Emp / lon / lar / haut	2670 / 4588 / 2144 / 1188 mm
Coffre / Réservoir	120 litres / 71 litres
Nombre coussins sécurité / ceintures	5 / 2
Suspension avant	indépendante, double triangulation
Suspension arrière	indépendante, double triangulation
Freins avant / arrière	disque / disque
Direction	à crémaillère, assistée
Diamètre de braquage	n.d.
Pneus avant / arrière	P245/35ZR19 / P315/30ZR20
Poids / Capacité de remorquage	1395 kg / n.d.
Assemblage	Woking, GB

Composantes mécaniques

Cylindrée, soupapes, alim.	V8 3,8 litres 32 s turbo
Puissance / Couple	727 chevaux / 531 lb-pi
Tr. base (opt) / rouage base (opt)	A7 / Prop
0-100 / 80-120 / V.Max	2,8 s (const) / n.d. / 350 km/h
100-0 km/h	30,2 m
Type / ville / route / co2	Sup / n.d. / n.d. / 3880 kg/an

Moteur électrique

Puissance / Couple	176 chevaux (131 kW) / 192 lb-pi
Batterie	Lithium-ion
Énergie	4,4 kWh

Du nouveau en 2015

Nouveau modèle

- Vitesse incroyable
- Aplomb extraordinaire
- Assez civilisée pour un usage au quotidien
- Facile à piloter à la limite

- Coût de 1,15 million $US
- En plus, elles sont déjà toutes vendues...
- Entretien promet d'être très dispendieux
- Espace de chargement minimaliste

Photos : McLaren

MERCEDES-BENZ **CLASSE B**

▶ **Catégorie :** Familiale	▶ **Échelle de prix :** 30 900 $ (2014)	▶ **Transport et prép. :** 2 043 $
▶ **Cote d'assurance :** $$$$$	▶ **Garanties :** 4 ans/80 000 km, 4 ans/80 000 km	▶ **Ventes CAN 2013 :** 3 815 unités

La première vague

Gabriel Gélinas

Au Canada, la Classe B de Mercedes-Benz a joué le rôle de pionnière en étant le premier modèle à roues motrices avant de la marque à être commercialisé en Amérique du Nord. Encore et toujours absente du marché des États-Unis, la Classe B de seconde génération poursuit sa route au pays, mais elle est maintenant engagée dans une lutte fratricide avec le multisegment GLA qui devient le troisième modèle à traction de la marque, après la berline CLA.

Même si son étoile risque de pâlir en raison de l'éclat de celle qui s'affiche sur le multisegment GLA qui est plus au goût du jour, il n'en demeure pas moins que la Classe B est un véhicule très pratique pour la vie quotidienne puisqu'elle a une polyvalence bien affirmée et un excellent volume de chargement, malgré ses dimensions compactes. Nos cousins français la qualifient de « monospace », une appellation qui lui va bien. Le design de la Classe B actuelle est plus

moderne que celui du modèle antérieur et, en dépit d'un profil assez massif, elle affiche un très bon coefficient aérodynamique de 0,26.

Grâce à sa forme plutôt singulière, la Classe B offre une habitabilité surprenante et un très bon confort à l'avant où la position de conduite s'apparente à celle d'un véhicule utilitaire sport. À l'arrière, le dégagement pour les jambes et la tête impressionne compte tenu du gabarit du véhicule. Idem pour le volume de chargement qui passe de 488 litres avec tous les sièges en place à plus de 1 500 litres avec les dossiers arrière repliés, ce qui permet à la Classe B de marquer des points sur le plan pratique.

Une plate-forme commune
Au cours de son évolution, la Classe B est passée d'une architecture de type « sandwich » – avec des éléments structurels importants comprimés dans le plancher très épais de la voiture, un peu comme la smart fortwo – à une

Impressions de l'auteur		Concurrents
Agrément de conduite : ★★★⯪☆ **3,5**/5		Mazda 5, Kia Rondo
Fiabilité : ★★★⯪☆ **3,5**/5		
Sécurité : ★★★⯪☆ **3,5**/5		
Qualités hivernales : ★★★⯪☆ **3,5**/5		
Espace intérieur : ★★★⯪☆ **3,5**/5		
Confort : ★★★☆☆ **3**/5		

architecture plus conventionnelle élaborée sur une plate-forme qui sert également de base à la berline CLA ainsi qu'au multisegment GLA, économies d'échelle obligent. Le résultat est probant, car la Classe B affiche un comportement routier sûr et prévisible grâce à des suspensions dont la calibration est un brin ferme et une direction qui permet de bien sentir la route. De ce côté, on n'a pas l'impression de conduire une familiale surélevée mais plutôt une compacte qui fait preuve d'une certaine sportivité. Bien sûr, elle n'offre pas la traction intégrale comme les GLA et CLA, mais la Classe B se débrouille quand même bien en conduite hivernale.

Avec le jumelage de l'injection directe, de la suralimentation par turbocompresseur et d'un système Start-Stop de série, le quatre cylindres de 2,0 litres de la Classe B est plutôt évolué sur le plan technique, mais il est dommage que la livrée de la puissance ne soit pas vraiment linéaire. Au départ, le moteur semble hésiter un peu avant que le turbo n'entre en action et que la cavalerie de 208 chevaux ainsi que le couple de 258 livres-pied ne s'expriment pleinement, permettant à la Classe B d'accélérer avec un aplomb jusque-là insoupçonné. On accorde tout de même une bonne note à la boîte à double embrayage, avec paliers de commande au volant, pour ses changements de rapport tout en souplesse et on remercie le constructeur d'avoir donné une boîte aussi évoluée sur le plan technique à un véhicule dont la vocation est d'être le modèle d'accès à la marque.

À parfaire, SVP...

Un bémol important est cependant à noter côté confort, puisque l'insonorisation laisse à désirer et que l'on entend un peu trop les bruits de roulement à vitesse d'autoroute. Une fois en ville, le système Start-Stop est mis à contribution, coupant l'allumage à chaque feu rouge pour redémarrer le moteur lorsque l'on relâche les freins. Toutefois, cette « réanimation » du quatre cylindres s'accompagne d'une vibration un peu trop perceptible dans l'habitacle. Pour ceux que ça dérange, il est possible de désactiver ce dispositif. Et pour poursuivre au sujet des éléments à améliorer, précisons que la caméra de recul brillait par son absence sur notre modèle d'essai. Compte tenu de la silhouette plus élevée vers l'arrière de la Classe B, et surtout de la forme de la lunette, la caméra de recul nous apparaît essentielle et devrait faire partie de la dotation de série.

Pour le reste, on apprécie la vie à bord d'une Classe B en fonction du design à la fois élégant et fonctionnel de sa planche de bord, qui rappelle celles des modèles plus chers de la marque, et de la présence rassurante d'une panoplie d'aides électroniques à la conduite.

La Classe B n'est plus seule à donner accès à la marque à prix attractif, ayant été rejointe par les CLA et GLA. Cependant, elle continue de proposer une alternative polyvalente pour une clientèle bien ciblée.

MERCEDES-BENZ CLASSE B

Châssis - B250	
Emp / lon / lar / haut	2699 / 4359 / 2010 / 1558 mm
Coffre / Réservoir	488 à 1547 litres / 50 litres
Nombre coussins sécurité / ceintures	11 / 5
Suspension avant	indépendante, jambes de force
Suspension arrière	indépendante, multibras
Freins avant / arrière	disque / disque
Direction	à crémaillère, ass. variable électrique
Diamètre de braquage	11,0 m
Pneus avant / arrière	P225/45R17 / P225/45R17
Poids / Capacité de remorquage	1475 kg / n.d.
Assemblage	Rastatt, DE

Composantes mécaniques

B250	
Cylindrée, soupapes, alim.	4L 2,0 litres 16 s turbo
Puissance / Couple	208 chevaux / 258 lb-pi
Tr. base (opt) / rouage base (opt)	A7 / Tr
0-100 / 80-120 / V.Max	7,2 s / 4,5 s / 210 km/h
100-0 km/h	37,0 m
Type / ville / route / co_2	Sup / 7,9 / 5,5 l/100 km / 3140 kg/an

Du nouveau en 2015

Aucun changement majeur

FEU VERT
- Bonne habitabilité
- Véhicule polyvalent
- Boîte à double embrayage de série
- Bon comportement routier

FEU ROUGE
- Livrée non linéaire de la puissance
- Insonorisation perfectible
- Caméra de recul devrait être de série
- Options nombreuses

Photos : Alain Morin, Mercedes-Benz Canada

MERCEDES-BENZ **CLASSE C**

▶ **Catégorie :** Berline, Coupé
▶ **Échelle de prix :** 40 850 $ à 76 600 $ (estimé)
▶ **Transport et prép. :** 2 041 $

▶ **Cote d'assurance :** $$$$$
▶ **Garanties :** 4 ans/80 000 km, 4 ans/80 000 km
▶ **Ventes CAN 2013 :** 9 356 unités

Choisir son destin

Benjamin Hunting

Mercedes-Benz a décidé qu'il était temps que la Classe C cesse de se lancer à la poursuite de la Série 3 de BMW. La toute nouvelle Classe C 2015 est donc une berline de luxe qui abandonne les prétentions sportives pour se recentrer sur le confort et le prestige. Bref, Mercedes mise désormais sur ses atouts traditionnels plutôt que d'aller jouer dans les plates-bandes de sa rivale.

Intérieur et extérieur redessinés

La Classe C 2015 fait son entrée en scène sur une plate-forme d'un format presque identique à celui des Classe E du milieu des années quatre-vingt-dix. C'est dire combien cette voiture a gagné en dimensions extérieures et en espace pour les passagers. Cette évolution sera appréciée par les acheteurs à la recherche d'une automobile de luxe d'entrée de gamme, car ils profiteront d'un habitacle plus grand et de la stabilité accrue offerte par la largeur et l'empattement supérieurs.

L'intérieur a également été revu en profondeur. Certains trouveront peut-être que l'écran de 7 pouces du système COMAND fait un peu gadget, mais il est difficile de critiquer les recouvrements MB-TEX, les garnitures en bois optionnelles et les plastiques souples. Même si l'habitacle dégage une impression moins techno qu'auparavant, la technologie demeure bien présente. On peut maintenant accéder au système COMAND par un pavé tactile au-dessus de la molette rotative et il est possible d'ajouter un dispensateur de parfums automatisé dans le coffre à gants. En option, il y a moyen d'obtenir une caméra avec vue aérienne et un régulateur de vitesse adaptatif qui peut gérer les arrêts et les départs, et freiner automatiquement en cas de collision imminente.

À l'extérieur, la Classe C a été redessinée pour évoquer la respectabilité plutôt que l'athlétisme, et le résultat est très agréable. De l'avant à l'arrière, on voit que la petite Benz a emprunté quelques éléments stylistiques à la Classe S récemment renouvelée, notamment avec les feux arrière et les phares aux DEL qui

Impressions de l'auteur			Concurrents
Agrément de conduite :	★★★★	4	Acura TLX, Audi A4, BMW Série 3,
Fiabilité :	Nouveau modèle		Cadillac CTS, Infiniti G, Lexus ES,
Sécurité :	★★★★⯨	4,5	Lexus IS, Lincoln MKZ, Volvo S60
Qualités hivernales :	★★★★⯨	4,5	
Espace intérieur :	★★★★	4	
Confort :	★★★★	4	

complètent les différents carrossages avant disponibles. Le client peut également choisir entre le style moderne avec l'étoile Mercedes incorporée dans la calandre (Avantgarde), et l'allure classique avec l'étoile sur le capot (Exclusive).

Un trio de moteurs

Trois groupes motopropulseurs sont au menu. La C300 est propulsée par un quatre cylindres de 2,0 litres suralimenté par turbocompresseur. Il produit 241 chevaux et un couple de 273 lb-pi. Avec la C400 4MATIC, on obtient 329 chevaux grâce au V6 biturbo de 3,0 litres. Il génère un couple très respectable de 354 lb-pi. Une version turbodiesel C250 BlueTEC devrait bientôt s'ajouter à la famille. Toutes les déclinaisons sont munies d'une transmission automatique à sept rapports. La traction intégrale est optionnelle sur la C300 et vient de série dans la C400 4MATIC.

La plupart des conducteurs n'auront pas de problème avec la réponse un peu molle de l'accélérateur de la C300 parce qu'elle se tire bien d'affaire pour les déplacements de tous les jours. Mais il faut dire que les deux cylindres additionnels de la C400 font toute la différence quand on appuie sur le champignon; cette version étonnamment rapide de la classe C est nettement supérieure à la C300 en matière de performances. Cela dit, peu importe le moteur choisi, la conduite offerte penche plus vers le confort que vers les prestations sportives. La direction n'est pas aussi communicative que celle de certaines de ses rivales, et les systèmes électroniques de sécurité interviennent plus tôt.

La suspension ajustable AIRMATIC proposée en option contribue à l'expérience haut de gamme au volant de la classe C. Dans la console centrale, un bouton permet de choisir la position Eco, Confort, Sport ou Sport+. On programme ainsi la hauteur de la suspension et son comportement, de même que la cartographie des changements de rapports de la boîte automatique. La position Eco est peu emballante et purement utilitaire, mais les positions Confort, Sport et Sport+ engendrent des types de conduites nettement différents.

Plus grosse, plus confortable et un peu plus chère que la génération précédente, la Classe C de 2015 assume maintenant son propre destin. En oubliant les modes et les tendances, elle est revenue aux caractéristiques essentielles qui définissent Mercedes-Benz depuis longtemps. La Classe C est désormais un point de départ plus approprié pour les acheteurs qui veulent découvrir l'univers du célèbre fabricant allemand. Elle saura également plaire aux conducteurs qui recherchent la classe et le confort plutôt que la vitesse pure quand vient le moment de choisir une voiture de luxe.

Châssis - C300 4Matic berline

Emp / lon / lar / haut	2840 / 4686 / 2020 / 1442 mm
Coffre / Réservoir	480 litres / 41 litres
Nombre coussins sécurité / ceintures	9 / 5
Suspension avant	indépendante, multibras
Suspension arrière	indépendante, multibras
Freins avant / arrière	disque / disque
Direction	à crémaillère, ass. variable électrique
Diamètre de braquage	11,2 m
Pneus avant / arrière	P205/60R16 / P205/60R16
Poids / Capacité de remorquage	1550 kg / n.d.
Assemblage	Bremen, DE

Composantes mécaniques

C250 BlueTEC berline

Cylindrée, soupapes, alim.	4L 2,1 litres 16 s turbo
Puissance / Couple	195 chevaux / 369 lb-pi
Tr. base (opt) / rouage base (opt)	A7 / Prop
0-100 / 80-120 / V.Max	7,8 s (const) / n.d. / 230 km/h
100-0 km/h	n.d.
Type / ville / route / CO_2	Dié / 5,0 / 3,7 l/100 km / 2384 kg/an

C400 4Matic berline

Cylindrée, soupapes, alim.	V6 3,0 litres 24 s turbo
Puissance / Couple	329 chevaux / 354 lb-pi
Tr. base (opt) / rouage base (opt)	A7 / Int
0-100 / 80-120 / V.Max	n.d. / n.d. / n.d.
100-0 km/h	n.d.
Type / ville / route / CO_2	Sup / 9,4 / 6,3 l/100 km / 3682 kg/an

C63 AMG (Ed. 507) coupé

Cylindrée, soupapes, alim.	V8 6,2 litres 32 s atmos.
Puissance / Couple	507 chevaux / 450 lb-pi
Tr. base (opt) / rouage base (opt)	A7 / Prop
0-100 / 80-120 / V.Max	4,2 s (const) / n.d. / 280 km/h
100-0 km/h	n.d.
Type / ville / route / CO_2	Sup / 18,2 / 8,4 l/100 km / 6343 kg/an

C250 coupé

4L - 1,8 l - 201 ch/229 lb-pi - A7 - 0-100 km/h: 7,2 s - 9,1/5,7 l/100 km

C350 coupé / 4Matic coupé

V6 - 3,5 l - 302 ch/273 lb-pi - A7 - 0-100 km/h: 6,0 s - 9,6/5,6 l/100 km

C300 4Matic berline

4L - 2,0 l - 241 ch/273 lb-pi - A7 - 0-100: n.d. - 8,6 / 5,6 l/100 km

Du nouveau en 2015

Nouveau modèle

FEU VERT
- Style et lignes matures
- Intérieur plus spacieux et plus confortable
- Puissant moteur V6 biturbo
- Moteur turbodiesel sera offert en option
- Systèmes de sécurité avancés disponibles

FEU ROUGE
- Expérience de conduite un peu terne
- Prix à la hausse
- Distributeur de parfum peu utile
- Pavé tactile du système COMAND plutôt gadget

Photos : Mercedes-Benz Canada

MERCEDES-BENZ **CLASSE CLA**

▶ **Catégorie :** Berline ▶ **Échelle de prix :** 34 300 $ à 49 800 $ (2014) ▶ **Transport et prép. :** 2 145 $

▶ **Cote d'assurance :** n.d. ▶ **Garanties :** 4 ans/80 000 km, 4 ans/80 000 km ▶ **Ventes CAN 2013 :** 0 unités

Est-elle indigne de la marque?

Jacques Duval

Il y a une limite à étirer l'élastique et Mercedes-Benz est peut-être allé trop loin avec sa nouvelle « petite » voiture, la CLA. En quête d'une clientèle plus jeune et moins riche, la marque la plus respectée du monde, Mercedes-Benz, ajoute à sa gamme un coupé 4 portes joliment tourné qui n'est pas sans rappeler la coûteuse CLS, mais à un prix considérablement moindre. Que doit-on penser de cette voiture qui, soyons francs, ne donne pas l'impression, de conduire une Mercedes-Benz ? Cette sensation de robustesse qui caractérise l'entièreté de la gamme du constructeur allemand ne semble pas faire partie de l'ADN de la CLA.

J'ai plutôt eu l'impression de conduire une création asiatique. Les soubresauts de la suspension, les bruits de caisse ressentis au passage de revêtements dégradés et la présence de la traction avant ont sans doute contribué à ce complet dépaysement. Pire encore, l'orifice du réservoir d'essence se trouve à gauche comme pour les voitures japonaises alors que toutes les Mercedes, comme la plupart des autos allemandes s'alimentent du côté droit. Ce n'est pas un crime, mais juste un autre exemple de la différenciation de ce modèle par rapport au reste de la gamme. Si l'on a la sagesse d'essayer un modèle de Classe C qui est juste au-dessus de la CLA dans l'échelle de prix, on réalise rapidement que celui-ci est dans une classe à part et représente un bien meilleur achat.

Un coup de circuit
Mais il semble qu'au chapitre de l'esthétique, les stylistes de Mercedes ont réussi un véritable coup de circuit. La voiture est on ne peut plus séduisante si on lui pardonne de ressembler à une CLS rétrécie au lavage. N'empêche qu'elle fait de l'effet. Son prix, toutefois, fait sourciller et dépasse aisément 40 000 $ avec l'ajout de quelques options. C'est beaucoup quand on sait qu'il suffirait d'allonger quelques milliers de dollars de plus pour prendre le volant d'une Classe C.

Impressions de l'auteur		Concurrents
Agrément de conduite : ★★★☆☆	3/5	Audi A3, BMW Série 2
Fiabilité : ★★★⯪☆	3,5/5	
Sécurité : ★★★★☆	4/5	
Qualités hivernales : ★★★★☆	4/5	
Espace intérieur : ★★★☆☆	3/5	
Confort : ★★★⯪☆	3,5/5	

Soyons honnête, la traction avant n'a pas d'effet nocif sur la conduite à l'exception du diamètre de braquage qui n'est pas aussi court que dans les voitures à propulsion de Mercedes, des modèles du genre. En plus, les 208 ch du petit 4 cylindres turbo arrivent facilement à faire patiner les roues avant... Jumelé exclusivement à une transmission automatique à 7 rapports et double embrayage, le moteur marque une pause désagréable avant de répondre à la sollicitation de l'accélérateur. Une fois lancée par contre, la voiture prend de la vitesse promptement, stoppant le chronomètre à 7,1 secondes au passage des 100 km/h.

Je m'attendais à ce que mon désenchantement fasse une pause en essayant la version AMG 4Matic de la CLA. Or, ce n'est pas parce qu'une voiture est plus puissante ou plus rapide qu'elle est meilleure. La CLA AMG déçoit elle aussi avec sa suspension raide, son couple déstabilisant sur route en mauvais état et le même délai à l'accélération que le modèle de base. Ella a beau avoir 355 ch sous le bonnet, elle ne casse rien, d'autant plus que les mécaniques AMG ont un taux élevé de bris.

Une grande tempérance

Pour revenir à la CLA d'entrée de gamme, son moteur n'ébruite jamais sa faible cylindrée, sauf à la pompe où sa consommation est tout à fait remarquable. En roulant entre 100 et 110 km/h, j'ai obtenu une moyenne surprenante de 5,2 litres aux 100 km. C'est vraiment ce que l'on appelle de la tempérance. Même si le comportement routier est honnête, il reste que la voiture perd du mordant à cause de sa traction avant.

L'emballage fait remonter la cote de la CLA et la carrosserie fait preuve d'un soin particulier. Avec sa large bande argentée incorporant 3 grands aérateurs centraux, le tableau de bord capte de suite l'attention. La visibilité arrière est limitée, un problème que la caméra de recul rend toutefois caduc. Comme chez sa grande sœur, la CLS, la CLA fait payer sa ligne plongeante de coupé 4 portes par un accès aux places arrière qui requière une petite révérence. Une fois installé, vos passagers seront au coude à coude dans une ambiance que le revêtement noir du pavillon rend tristounette. Disons aussi que le petit écran de 5,8 pouces renfermant tout ce que l'électronique compte d'accessoire semble un ajout de dernière minute, perché sur le dessus du tableau de bord. Et pour finir le plat, la CLA n'échappe pas à la vilaine habitude des autres produits Mercedes où les leviers du régulateur de vitesse et des clignotants prêtent à confusion.

Admirateur respectueux des produits Mercedes-Benz, je me sens mal à l'aise de transgresser ainsi mes convictions, mais la CLA est loin de réunir les qualités qui ont fait de moi un partisan de la marque allemande. Se pourrait-il que dans son aveugle désir de conquérir les masses, la firme ne soit pas restée fidèle à ses credo ? J'ai beaucoup envie de répondre oui.

Châssis - GLK250 BlueTEC 4Matic	
Emp / lon / lar / haut	2699 / 4630 / 1778 / 1438 mm
Coffre / Réservoir	470 litres / 55 litres
Nombre coussins sécurité / ceintures	7 / 5
Suspension avant	indépendante, jambes de force
Suspension arrière	indépendante, multibras
Freins avant / arrière	disque / disque
Direction	à crémaillère, ass. variable électrique
Diamètre de braquage	11,0 m
Pneus avant / arrière	P225/45R17 / P225/45R17
Poids / Capacité de remorquage	1544 kg / non recommandé
Assemblage	Kecskemet, HU

Composantes mécaniques

CLA250

Cylindrée, soupapes, alim.	4L 2,0 litres 16 s turbo
Puissance / Couple	208 chevaux / 258 lb-pi
Tr. base (opt) / rouage base (opt)	A7 / Tr (Int)
0-100 / 80-120 / V.Max	7,1 s / 4,9 s / 240 km/h
100-0 km/h	43,0 m
Type / ville / route / co_2	Sup / 8,5 / 5,1 l/100 km / 3210 kg/an

CLA45 AMG 4Matic

Cylindrée, soupapes, alim.	4L 2,0 litres 16 s turbo
Puissance / Couple	355 chevaux / 332 lb-pi
Tr. base (opt) / rouage base (opt)	A7 / Int
0-100 / 80-120 / V.Max	5,1 s / 3,9 s / 250 km/h
100-0 km/h	37,0 m
Type / ville / route / co_2	Sup / 9,2 / 5,8 l/100 km / 3520 kg/an

Du nouveau en 2015

Aucun changement majeur

FEU VERT
- Consommation minimale
- Bon moteur
- Présentation intérieure soignée
- Performances relevées (AMG)

FEU ROUGE
- Dilution de la marque
- Délai à l'accélération
- Places arrière étroites
- Une Mercedes qui n'en a que le nom
- Fiabilité douteuse (AMG)

MERCEDES-BENZ **CLASSE CLS**

▶ **Catégorie :** Berline

▶ **Cote d'assurance :** n.d.

▶ **Échelle de prix :** 85 000 $ à 123 250 $ (2014)

▶ **Garanties :** 4 ans/80 000 km, 4 ans/80 000 km

▶ **Transport et prép. :** 2 092 $

▶ **Ventes CAN 2013 :** n.d.

La pionnière

Gabriel Gélinas

Introduite en 2004, puis renouvelée en 2010 avec le modèle de deuxième génération, la CLS de Mercedes-Benz s'est démarquée comme le premier « coupé à quatre portes ». Elle lançait ainsi une nouvelle vague qui a fait naître des concurrentes directes comme la Audi A7 et qui a aussi inspiré la création d'un modèle plus abordable au style similaire, soit la Volkswagen CC. Pour la marque à l'étoile, le lancement de la CLS s'est avéré très profitable, puisqu'il lui permettait de décliner un nouveau modèle au style évocateur à peu de frais, la CLS étant élaborée sur une plate-forme de Classe E.

Le moteur donne le ton

Au sommet de la pyramide, on retrouve la CLS 63AMG, animée par un cœur de feu soit le V8 bi turbo de 5,5 litres produisant la puissance phénoménale de 550 chevaux entre 5 250 et 5 750 tours/minute et un tout aussi phénoménal couple de 531 livres-pied dès 1700 tours/minute. Cette écurie

permet de stopper le chrono à moins de 5 secondes pour le sprint de 0 à 100 kilomètres/heure. Comme la CLS 63AMG est équipée du rouage intégral 4Matic, elle se révèle stable, même lorsque le moteur livre tout ce qu'il a dans le ventre, à tel point qu'on se croirait aux commandes d'une locomotive sur des rails. Ressentir la poussée très linéaire de ce moulin a presque l'effet d'une drogue dure, on s'y habitue rapidement et on en redemande... Les moteurs sont la grande force des modèles AMG, et la CLS 63AMG ne fait pas exception, même si le caractère du V8 bi turbo n'est pas aussi typé que celui du V8 atmosphérique de 6,2 litres qui équipait les modèles antérieurs.

Sur une route sinueuse, il devient vite évident que la tenue de route est excellente et que le freinage est très performant, mais la CLS 63AMG semble toujours un peu lourde et sa direction ne transmet pas parfaitement les sensations de la route. De plus, ce n'est pas une voiture qui apprécie autant les transitions latérales que ses deux rivales directes que sont les

Impressions de l'auteur			Concurrents
Agrément de conduite :	★★★⯪☆	3,5/5	Aston Martin Rapide, Audi A8,
Fiabilité :	★★★★⯪	4,5/5	BMW Série 7, Jaguar XJ,
Sécurité :	★★★★⯪	4,5/5	Maserati Quattroporte,
Qualités hivernales :	★★★★☆	4/5	Porsche Panamera
Espace intérieur :	★★★☆☆	3/5	
Confort :	★★★★☆	4/5	

BMW M6 Gran Coupe et Audi RS7. Sur le plan de la dynamique, la RS7 est véritablement la référence dans cette catégorie ultra-exclusive et ce créneau très typé qu'est celui des versions les plus performantes des coupés à quatre portes.

La poussée livrée par la CLS63 AMG est certes spectaculaire, mais à part d'en profiter sur les bretelles d'accès à l'autoroute, il faut bien admettre que le terrain de jeu d'une voiture aussi performante est sérieusement limité dans le cadre des routes balisées, et c'est pourquoi la CLS550 4Matic n'est pas à dédaigner en usage quotidien. Le style de la CLS550 est un peu moins ravageur que celui de la CLS63, mais le charme opère quand même, et les performances livrées par le V8 de 402 chevaux sont tout à fait respectables.

Comme la CLS550 est équipée de série du rouage intégral 4Matic et de l'armada de systèmes de contrôles électroniques de la stabilité propre aux modèles les plus évolués de la marque, la conduite hivernale ne pose pas problème et la voiture adopte toujours une conduite sûre et prévisible, pourvu que l'on tienne compte de son poids relativement élevé.

Au sujet des autres considérations pratiques, précisons que l'accès aux places arrière est compliqué par la ligne fuyante du toit et que seulement deux personnes de taille moyenne pourront y prendre place puisque la console centrale est prolongée jusqu'à l'arrière de l'habitacle. Quant à la fiabilité à long terme, il convient de souligner que la marque Mercedes-Benz occupe le deuxième rang du plus récent sondage VDS (Vehicle Dependability Study) de la firme spécialisée J.D. Power and Associates où elle n'est devancée que par la marque Lexus.

Un *lifting* en subtilité

Afin de rafraîchir son style, la CLS s'est offert un *lifting*, histoire de faire durer son pouvoir de séduction. C'est donc une évolution subtile qui est proposée avec des pare-chocs reprofilés et des phares plus évolués sur le plan technique. Chez AMG, la transformation s'avère plus radicale avec une calandre constituée de multiples picots et des boucliers plus agressifs, émulant ainsi la petite CLA 45AMG.

L'habitacle de la CLS hérite également de l'écran multimédia de 8,4 pouces ainsi que d'une molette de contrôle comportant une surface tactile. Mais la grande nouveauté est sans contredit l'adoption de la nouvelle boîte automatique à neuf rapports pour les modèles plus conventionnels puisque la CLS 63AMG conserve la boîte Speedshift à sept rapports.

Châssis - CLS 550 4Matic

Emp / lon / lar / haut	2874 / 4956 / 2075 / 1419 mm
Coffre / Réservoir	520 litres / 80 litres
Nombre coussins sécurité / ceintures	10 / 4
Suspension avant	indépendante, pneumatique, multibras
Suspension arrière	indépendante, pneumatique, multibras
Freins avant / arrière	disque / disque
Direction	à crémaillère, ass. variable électrique
Diamètre de braquage	11,3 m
Pneus avant / arrière	P255/40R18 / P285/35R18
Poids / Capacité de remorquage	1940 kg / n.d.
Assemblage	Sindelfingen, DE

Composantes mécaniques

CLS 550 4Matic

Cylindrée, soupapes, alim.	V8 4,6 litres 32 s turbo
Puissance / Couple	402 chevaux / 443 lb-pi
Tr. base (opt) / rouage base (opt)	A9 / Int
0-100 / 80-120 / V.Max	5,2 s (const) / n.d. / 210 km/h
100-0 km/h	n.d.
Type / ville / route / CO_2	Sup / 11,9 / 8,1 l/100 km / 4640 kg/an

CLS 63 AMG 4Matic

Cylindrée, soupapes, alim.	V8 5,5 litres 32 s turbo
Puissance / Couple	550 chevaux / 531 lb-pi
Tr. base (opt) / rouage base (opt)	A7 / Int
0-100 / 80-120 / V.Max	3,7 s (const) / n.d. / 250 km/h
100-0 km/h	n.d.
Type / ville / route / CO_2	Sup / 13,5 / 9,1 l/100 km / 5280 kg/an

CLS 63 AMG S-Model 4Matic

Cylindrée, soupapes, alim.	V8 5,5 litres 32 s turbo
Puissance / Couple	577 chevaux / 590 lb-pi
Tr. base (opt) / rouage base (opt)	A7 / Int
0-100 / 80-120 / V.Max	3,6 s (const) / n.d. / 300 km/h
100-0 km/h	n.d.
Type / ville / route / CO_2	Sup / 13,5 / 9,1 l/100 km / 5280 kg/an

Du nouveau en 2015

Modifications esthétiques apportées à la carrosserie, boîte automatique à neuf rapports (CLS 550), nouvel écran multimédia.

FEU VERT
- Moteur exceptionnel (CLS 63AMG)
- Très bonne tenue de route
- Systèmes de sécurité active très sophistiqués
- Freinage puissant

FEU ROUGE
- Prix élevés
- Coût des options
- Carbure au super
- Accès aux places arrière compliqué

Photos : Mercedes-Benz Canada

MERCEDES-BENZ **CLASSE E**

▸ **Catégorie :** Berline, Familiale   ▸ **Échelle de prix :** 57 800 $ à 112 900 $ (2014)   ▸ **Transport et prép. :** 2 092 $

▸ **Cote d'assurance :** $$$$$ ▸ **Garanties :** 4 ans/80 000 km, 4 ans/80 000 km   ▸ **Ventes CAN 2013 :** 3 359 unités

Le succès de l'étoile

Gabriel Gélinas

C'est le modèle le plus vendu de la marque allemande à l'échelle mondiale, ce qui s'explique partiellement par le nombre élevé de déclinaisons proposées. En Amérique du Nord, la Classe E peut recevoir pas moins de sept moteurs différents. À la base, on retrouve un quatre cylindres turbodiesel, alors qu'une version S du moteur AMG occupe le sommet de la pyramide. Portrait de la moitié d'une gamme pléthorique, les modèles coupé et cabriolet étant traités dans un autre texte.

Qualité d'assemblage et confort sont les deux principales caractéristiques de la Classe E qui intègre également plusieurs dispositifs reliés à la sécurité. La présentation intérieure fait preuve d'une sobriété toute germanique, mais on déplore le fait que la qualité des couleurs et des graphiques présentés par l'écran central fasse vieux jeu. Parmi la gamme, la E350 – équipée du V6 de 3,5 litres alimenté à l'essence –

s'avère le choix le plus populaire tandis que la E250 Bluetec à moteur turbodiesel impressionne avec ses cotes de consommation plus que favorables. Quant au modèle à motorisation hybride, précisons qu'il n'est disponible que sur commande spéciale et qu'il ne représente qu'un très faible pourcentage des ventes de la Classe E en sol canadien.

La chevauchée des Valkyries

La berline et la familiale E63 AMG occupent le sommet de la pyramide avec leur V8 biturbo développant 550 chevaux. Au démarrage, le moteur prend vie avec un « vroum » très puissant qui annonce parfaitement la couleur de l'essai qui se profile. Pour apprécier pleinement la vocation première de ce modèle hors normes, il suffit d'enfoncer l'accélérateur à fond lors d'une entrée sur l'autoroute en faisant jouer *La chevauchée des Valkyries* de Wagner sur la chaine audio haut de gamme qui équipe la voiture. Frissons garantis. Évidemment, accélérer aussi rapidement avec la E63 équivaut à lancer une poignée de pièces d'un dollar par la vitre

Impressions de l'auteur		Concurrents
Agrément de conduite :	★★★☆ 3,5	Audi A6, BMW Série 5, Cadillac XTS,
Fiabilité :	★★★☆ 3,5	Infiniti Q70, Jaguar XF, Lexus GS,
Sécurité :	★★★★☆ 4,5	Lincoln MKS, Volvo S80
Qualités hivernales :	★★★★ 4	
Espace intérieur :	★★★★ 4	
Confort :	★★★★☆ 4,5	

* Toutes Classe E confondues

latérale en ce qui a trait à la consommation. Prenez soin de lever le pied avant d'atteindre une vitesse supralégale qui mettrait votre permis de conduire en danger et rappelez-vous qu'il est préférable d'exploiter le potentiel de performance de cette voiture avec modération...

Tout comme la BMW M5 est dotée d'un bouton « M » sur le volant, la E63 AMG est équipée d'un bouton « AMG » sur la console centrale, qui permet de paramétrer la réponse de la motorisation et l'amortissement de la suspension aux réglages les plus dynamiques. Cela a pour effet de littéralement transformer le comportement de la voiture à la seule pression d'un bouton!

Même le rouage intégral 4Matic est calibré différemment sur ce modèle spécial puisqu'il livre 33 % du couple au train avant et 67 % à l'arrière afin de préserver la dynamique nettement plus sportive de la E63 AMG. Ainsi, la tenue de route et les performances sont assurément au rendez-vous. Cependant, même en mode Confort, la E63 AMG est loin de gommer les imperfections de la route ce que nous avons pu constater lors d'un essai réalisé au printemps, vous serez prévenu...

Dans la boule de cristal

La suite des choses pour la Classe E prendra la forme d'une refonte programmée pour 2016. On anticipe que la carrosserie empruntera plusieurs éléments de style à la récente Classe S ainsi qu'à la CLS, deux des modèles les plus luxueux de la marque. Il y a également fort à parier que la prochaine Classe E suive la tendance adoptée par l'ensemble de l'industrie automobile qui consiste à faire un usage plus étendu de matériaux légers comme l'aluminium afin de bonifier la consommation et, accessoirement, d'améliorer la dynamique. Toujours dans le même but, il faut s'attendre à ce que les motorisations soient revues en profondeur et que la turbocompression soit largement adoptée.

À ce propos, les rumeurs font état que Mercedes-Benz adopterait la même approche que la marque rivale BMW en produisant des moteurs à six cylindres en ligne modulaires, qui pourraient faire leur première apparition sous le capot de la prochaine Classe E. Cela permettrait au constructeur de produire des moulins à quatre, voire même trois cylindres, à partir du six en ligne simplement en réduisant le nombre de cylindres.

De cette façon, le fabricant ferait des économies considérables sur les coûts de production, puisque ces autres moteurs à quatre ou trois cylindres déclinés à partir du six en ligne pourraient se retrouver sous le capot de modèles appartenant aux catégories inférieures. On attend la suite pour 2016...

Châssis - E350 4Matic berline	
Emp / lon / lar / haut	2874 / 4879 / 2071 / 1477 mm
Coffre / Réservoir	540 litres / 80 litres
Nombre coussins sécurité / ceintures	9 / 5
Suspension avant	indépendante, multibras
Suspension arrière	indépendante, multibras
Freins avant / arrière	disque / disque
Direction	à crémaillère, ass. variable électrique
Diamètre de braquage	11,3 m
Pneus avant / arrière	P245/40R18 / P245/40R18
Poids / Capacité de remorquage	1825 kg / n.d.
Assemblage	Sindelfingen, DE

Composantes mécaniques

E250 BlueTEC 4Matic

Cylindrée, soupapes, alim.	4L 2,1 litres 16 s turbo
Puissance / Couple	195 chevaux / 369 lb-pi
Tr. base (opt) / rouage base (opt)	A7 / Int
0-100 / 80-120 / V.Max	8,0 s / 5,8 s / 210 km/h
100-0 km/h	42,7 m
Type / ville / route / co_2	Dié / 7,3 / 4,7 l/100 km / 2820 kg/an

E63 AMG 4Matic / familiale

Cylindrée, soupapes, alim.	V8 5,5 litres 32 s turbo
Puissance / Couple	550 chevaux / 531 lb-pi
Tr. base (opt) / rouage base (opt)	A7 / Int
0-100 / 80-120 / V.Max	4,1 s / 3,3 s / 250 km/h
100-0 km/h	36,4 m
Type / ville / route / co_2	Sup / 13,4 / 8,8 l/100 km / 5200 kg/an

E63S 4Matic / familiale

V8 - 5,5 l - 577 ch/590 lb-pi - A7 - 0-100: 3,6 s / 14,4/8,2 l/100 km

E400 hybride E350 4Matic

V6 - 3,5 l - 302 ch/273 lb-pi - A7 - 0-100: n.d. - 8,3/6,6 l/100 km
V6 - 3,5 l - 302 ch/273 lb-pi - A7 - 0-100: 6,6 s - 10,2/6,8 l/100 km

E300 4Matic

V6 - 3,5 l - 248 ch/251 lb-pi - A7 - 0-100: 7,4 s - 10,4/6,9 l/100 km

E350 4M familiale

V6 - 3,0 l - 329 ch/354 lb-pi - A7 - 0-100: n.d. - 10,6 / 5,8 l/100 km

E550 4Matic

V8 - 4,6 l - 402 ch/443 lb-pi - A7 - 0-100: 4,8 s - 12,2/7,8 l/100 km

Du nouveau en 2015

Aucun changement majeur

FEU VERT
- Systèmes de sécurité avancés
- Gamme étendue
- Luxe garanti
- Performances étincelantes (E63 AMG)
- Consommation du moteur turbodiesel

FEU ROUGE
- Prix contraignant
- Poids élevé
- Consommation honteuse des modèles AMG
- Graphiques de l'écran central font vieux jeu

Photos : Alain Morin, Mercedes-Benz Canada

MERCEDES-BENZ **CLASSE E COUPÉ / CABRIOLET**

▶ **Catégorie :** Cabriolet, Coupé

▶ **Échelle de prix :** 57 800 $ à 112 900 $ (2014)

▶ **Transport et prép. :** 2 092 $

▶ **Cote d'assurance :** $$$$$

▶ **Garanties :** 4 ans/80 000 km, 4 ans/80 000 km

▶ **Ventes CAN 2013 :** 3 359 unités*

Le raffinement dans la variété

Denis Duquet

L a Classe E de Mercedes-Benz est l'une des plus diversifiées qui soient. Il y a tout d'abord la berline et la familiale qui sont commercialisées en différentes moutures et avec un vaste choix de moteurs. Puis, il y a les versions AMG de ces deux voitures. Pour compléter sa palette de modèles, Mercedes-Benz a également dévoilé l'an dernier ses versions coupé et cabriolet de cette même Classe E, mais ces derniers utilisent une plate-forme empruntée à la Classe C de l'ancienne génération. On parle « d'ancienne génération » mais n'allez pas croire que cette plate-forme est dépassée depuis longtemps... la nouvelle génération de la Classe C débarque tout juste cette année !

Même si ça peut paraître diminutif d'utiliser une plate-forme d'une voiture plus petite et d'une génération précédente, il n'y a pas de quoi en faire un plat, d'autant plus que cette politique est appliquée chez Mercedes-Benz depuis quelques

générations de modèles. Et le coupé et le cabriolet de Classe E font partie des offres les plus sophistiquées de la catégorie tant sur le plan mécanique que sur celui de l'assistance à la conduite. Tout au plus peut-on reprocher à cette plate-forme de générer des places arrière assez justes pour des adultes.

Sécurité maximale

Non, je ne parle pas d'une prison, mais bien du niveau de sécurité active et passive qu'offrent ce coupé et ce cabriolet Cette nouvelle génération intègre des systèmes d'aide à la conduite et de prévention des accidents. Regroupés sous l'appellation « Intelligent Drive », ils détectent la somnolence du pilote, maintiennent le véhicule entre les lignes blanches, immobilisent celui-ci face à un obstacle, facilitent le stationne-ment, avertissent le conducteur de l'arrivée d'un véhicule sur une voie transversale, etc.

Parmi les nouveautés sur le plan de la sécurité, toutes les Mercedes-Benz sont équipées cette année du système

Impressions de l'auteur		Concurrents
Agrément de conduite : ★★★★☆	4	Audi A5, Infiniti Q60,
Fiabilité : ★★★☆	3,5	Jaguar XF, Lexus RC
Sécurité : ★★★★☆	4,5	
Qualités hivernales : ★★★★☆	4	
Espace intérieur : ★★★★☆	4	
Confort : ★★★★☆	4,5	

* Toutes Classe E confondues

Collision Prevention Assist Plus. Grâce au radar embarqué de la voiture, le conducteur est informé par un signal visuel et sonore de la proximité du véhicule qui précède. Ces avertissements s'amplifient à mesure qu'on s'en approche. Si le conducteur n'intervient pas assez rapidement, le système de freinage sera actionné de façon autonome.

Somme toute, le niveau de sophistication des systèmes de sécurité est on ne peut plus poussé. La voiture pense littéralement pour le conducteur.

Raffinement et variété

Cette année, on note l'arrivée d'un nouveau moteur V6 qui équipe les modèles E400 coupé et cabrio. Ce V6 bi turbo 3,0 litres remplace un autre V6, soit le 3,5 litres qui produisait 305 chevaux. Le bi turbo est non seulement plus puissant avec 329 chevaux, mais son couple de 354 livres-pied est de loin supérieur aux 273 livres-pied du 3,5 litres. L'utilisation de la turbo compression permet d'obtenir des accélérations nettement plus franches principalement en raison d'un couple élevé à bas régime. Avec ce moteur, le 0-100 km/h est l'affaire de 5,3 secondes.

La gamme de ces deux modèles est complétée par les E550 Cabrio et Coupé, lesquels sont propulsés par un V8 de 4,7 litres et 402 chevaux. Il est important de savoir que ces deux moteurs s'abreuvent à l'essence super... Peu importe le moulin choisi, la transmission 7G-Tronic plus à sept rapports est la seule disponible. Soulignons au passage qu'il n'y a pas de modèle AMG que ce soit pour le cabriolet ou le coupé. En outre, seul le coupé E400 est livré avec le rouage intégral 4Matic. Tous les autres sont des propulsions.

Les versions propulsées par le V6 bi turbo bénéficient d'accélérations et de reprises nettement plus nerveuses qu'avec le modèle E350 commercialisé l'an dernier. Comme il est plus léger que le V8, les E400 coupé et Cabrio sont plus agiles que l'E550. La tenue de route est sans surprise tandis que la voiture offre un niveau de confort relevé. Il s'agit de véhicules de type grand tourisme, mieux adaptés à une conduite en souplesse.

Par ailleurs, l'équipement de série est fort étoffé et les options sont innombrables. Par exemple, l'acheteur peut choisir entre cinq modèles de jantes, quatre couleurs de toit, tandis que l'habitacle est offert en quatre combinaisons différentes! La variété est telle qu'on se demande comment le constructeur peut s'y retrouver. Au chapitre de l'infodivertissement, il y a une nouvelle application disponible. Intégrée au système COMAND, elle permet de naviguer sur le web lorsque le véhicule est arrêté. De plus, il est possible de faire appel à toutes les applications Mercedes-Benz même si la voiture roule. Enfin, par le biais de Google, on peut connaître l'emplacement de restaurants, boutiques et autres.

Châssis - E400 cabriolet

Emp / lon / lar / haut	2760 / 4703 / 2016 / 1398 mm
Coffre / Réservoir	300 à 390 litres / 66 litres
Nombre coussins sécurité / ceintures	9 / 4
Suspension avant	indépendante, multibras
Suspension arrière	indépendante, multibras
Freins avant / arrière	disque / disque
Direction	à crémaillère, ass. variable électrique
Diamètre de braquage	11,1 m
Pneus avant / arrière	P235/40R18 / P255/35R18
Poids / Capacité de remorquage	1845 kg / n.d.
Assemblage	Bremen, DE

Composantes mécaniques

E400 coupé 4Matic, E400 cabriolet

Cylindrée, soupapes, alim.	V6 3,0 litres 24 s turbo
Puissance / Couple	329 chevaux / 354 lb-pi
Tr. base (opt) / rouage base (opt)	A7 / Int (Prop)
0-100 / 80-120 / V.Max	n.d. / n.d. / 210 km/h
100-0 km/h	n.d.
Type / ville / route / co_2	Sup / 10,6 / 5,8 l/100 km / 3857 kg/an

E550 coupé / cabriolet

Cylindrée, soupapes, alim.	V8 4,6 litres 32 s turbo
Puissance / Couple	402 chevaux / 443 lb-pi
Tr. base (opt) / rouage base (opt)	A7 / Prop (Int)
0-100 / 80-120 / V.Max	4,8 s (const) / n.d. / 210 km/h
100-0 km/h	n.d.
Type / ville / route / co_2	Sup / 12,2 / 7,8 l/100 km / 4701 kg/an

Du nouveau en 2015

Abandon de la version E350, arrivée du E400 doté d'un nouveau V6 biturbo.

FEU VERT
- Sécurité très poussée
- Nouveau moteur V6 performant
- Châssis rigide
- Bonne tenue de route
- Système Airscarf (cabriolet)

FEU ROUGE
- Levier de vitesses à revoir
- Boîte automatique parfois hésitante
- Dynamique en retrait
- Mécanique ultracomplexe

Photos: Mercedes-Benz Canada

MERCEDES-BENZ CLASSE E COUPÉ / CABRIOLET

MERCEDES-BENZ **CLASSE G**

▸ **Catégorie :** VUS
▸ **Cote d'assurance :** n.d.
▸ **Échelle de prix :** 121 600 $ à 150 700 $ (2014)
▸ **Garanties :** 4 ans/80 000 km, 4 ans/80 000 km
▸ **Transport et prép. :** n.d.
▸ **Ventes CAN 2013 :** 2 617 unités

Le paroxysme de l'illogisme

Alain Morin

Carl Benz déposa, un jour, un brevet pour une automobile. C'était le 3 juillet 1886, marquant ainsi le début de l'automobile moderne. Depuis, la marque à l'étoile d'argent n'a cessé d'innover. L'an dernier, une visite dans les bureaux de recherche dans Silicon Valley, en Californie, nous a prouvé que Mercedes-Benz entend demeurer à la fine pointe de la technologie, mieux, d'être cette fine pointe.

Alors, comment expliquer que cette auguste marque, qui fabrique une Classe S qui n'est rien de moins qu'un arc-en-ciel de technologies, s'entête à offrir le Classe G, un véhicule dépassé à tous les points de vue ? À tous les points de vue ? Non. Pour quelques riches extravagants, il est, au contraire, superbement *in* !

Le développement du Geländewagen (pour des raisons évidentes, appelons-le tout simplement « le G ») débute en 1972.

Impressions de l'auteur		Concurrents
Agrément de conduite :	★★⯪☆☆ 2,5/5	Cadillac Escalade, Infiniti QX80,
Fiabilité :	★★★★☆ 4/5	Land Rover Range Rover, Lexus LX,
Sécurité :	★★★★☆ 4/5	Lincoln Navigator
Qualités hivernales :	★★★★⯪ 4,5/5	
Espace intérieur :	★★⯪☆☆ 2,5/5	
Confort :	★★★⯪☆ 3,5/5	

En 1975, il amorce une carrière militaire. Puis, en 1979, quelqu'un chez Mercedes-Benz a la brillante idée que quelques richissimes farfelus pourraient avoir envie de se promener dans un véhicule hors de l'ordinaire. Si ce véhicule était à côté de la plaque en 1979, imaginez 35 ans plus tard...

Comme on vient de le voir, le G a été créé pour une utilisation militaire. Ce qui explique sa carrosserie aux angles supracarrés, son aérodynamisme équivalent à celui d'une forteresse, son poids de tank et son habitacle d'une étonnante étroitesse. Encore plus étonnant, il ne s'agit pas d'un gros véhicule. En fait, il est plus court qu'un ML mais comme il est passablement plus haut, les perspectives sont déformées.

On ne peut refaire le passé

Il y a deux ans, le G a connu plusieurs changements esthétiques et c'est dans l'habitacle qu'ils ont été les plus heureux. Il n'est pas plus grand qu'avant mais, au moins, le tableau de bord est enfin moderne et « regardable ». Pour agrémenter la vie à bord, une longue liste d'options, toutes plus dispendieuses les unes que les autres, se retrouvera sous le nez de l'acheteur avant la signature du contrat. Avisons ce dernier que les places arrière ne sont pas des plus accueillantes et que le coffre est moins large que la moyenne même s'il est plus haut. Parfait pour déménager un arbre.

Le G est petit, néanmoins, comme les complexes d'infériorité ne semblent pas sa tasse de thé, il possède de gros moteurs! Le moteur de base (?!?) est un V8 de 5,5 litres développant 382 chevaux et 391 livres-pied de couple. Même si le véhicule pèse plus de 2 500 kilos, cette écurie est suffisante pour le propulser à 100 km/h plus rapidement que bien des berlines soi-disant sportives dans une sonorité qui fait jouir les tympans.

Cependant, les millionnaires veulent davantage qu'un véhicule de base. C'est pour ça que Mercedes-Benz propose aussi un G63 AMG. Dans le domaine de l'inutilité, c'est une réussite totale. Ici, le V8 de 5,5 litres se voit ajouter deux turbos qui amènent la puissance à 536 chevaux et 560 livres-pied de couple disponibles entre 2 000 et 5 000 tr/min. Le 0-100 est abattu en 5,4 secondes et le réservoir d'essence de 96 litres se vide pratiquement aussi rapidement. Avec ce moteur, il est difficile de s'en tirer sous 20,0 litres aux cent kilomètres en conduite tout à fait normale. Et si vous pensez que le « petit » moteur peut faire mieux, vous vous trompez! D'un autre côté, si la consommation d'essence d'un véhicule vous préoccupe, vous n'êtes probablement pas du genre à vous promener dans un Classe G...

Le luxe est dans le pré

S'il est une chose que le G fait bien, c'est quand vient le temps de rouler à côté de la route. Parce que dessus, c'est pénible. Le centre de gravité très élevé, les suspensions trop dures, la direction à billes d'un flou monumental s'unissent pour décourager toute conduite le moindrement sportive. Par contre, dès qu'on quitte le pavé, c'est le bonheur total! Tout d'abord, le châssis est de type à échelle, comme un *truck*. Un gros *truck*. Les suspensions, à essieu rigide autant à l'avant qu'à l'arrière, sont pratiquement indestructibles et le rouage intégral 4Matic à prise constante fait des merveilles que ce soit dans les roches, la boue, le sable ou la neige. Il est même possible de verrouiller les trois différentiels. Inutile de mentionner qu'on retrouve une gamme basse. Il est certes possible de s'enliser avec un Classe G mais il faut beaucoup de volonté. Ou très peu de talent. Dans le domaine du luxe bucolique, seuls un Range Rover ou un Lexus LX peuvent rivaliser avec le G.

Avec un prix de départ bien au-delà de 100 000$, le Mercedes-Benz Classe G550 est réservé à l'élite des excentriques. Le G63 AMG, lui, commande quelques dizaines de milliers de dollars supplémentaires permettant à la crème de l'élite des excentriques de regarder les autres de haut. Si jamais quelqu'un désire encore davantage, il existe une version à six roues motrices, le G63 AMG 6x6 qui coûte plus d'un demi-million de dollars... Essayez de trouver mieux pour faire suer le petit peuple!

Photos : Mercedes-Benz Canada

Châssis - G63 AMG

Emp / lon / lar / haut	2850 / 4763 / 2055 / 1938 mm
Coffre / Réservoir	480 à 2250 litres / 96 litres
Nombre coussins sécurité / ceintures	6 / 5
Suspension avant	essieu rigide, ressorts hélicoïdaux
Suspension arrière	essieu rigide, ressorts hélicoïdaux
Freins avant / arrière	disque / disque
Direction	à billes, assistée
Diamètre de braquage	13,6 m
Pneus avant / arrière	P275/50R20 / P275/50R20
Poids / Capacité de remorquage	2550 kg / 3200 kg (7054 lb)
Assemblage	Graz, AT

Composantes mécaniques

G550 4Matic

Cylindrée, soupapes, alim.	V8 5,5 litres 32 s atmos.
Puissance / Couple	382 chevaux / 391 lb-pi
Tr. base (opt) / rouage base (opt)	A7 / Int
0-100 / 80-120 / V.Max	6,1 s / n.d. / 210 km/h
100-0 km/h	n.d.
Type / ville / route / co$_2$	Sup / 18,1 / 13,6 l/100 km / 7400 kg/an

G63 AMG

Cylindrée, soupapes, alim.	V8 5,5 litres 32 s turbo
Puissance / Couple	536 chevaux / 560 lb-pi
Tr. base (opt) / rouage base (opt)	A7 / Int
0-100 / 80-120 / V.Max	5,4 s / n.d. / 210 km/h
100-0 km/h	n.d.
Type / ville / route / co$_2$	Sup / 17,5 / 13,4 l/100 km / 7200 kg/an

Du nouveau en 2015

Aucun changement majeur

FEU VERT
- Style complètement différent
- Super compétent en hors route
- Construction solide
- Moteurs en pleine forme
- Exclusivité assurée

FEU ROUGE
- Style complètement différent
- Véhicule parfaitement inutile
- Consommation ahurissante
- Habitacle peu logeable
- Comportement routier indigne de Mercedes-Benz

MERCEDES-BENZ **CLASSE GL**

▶ **Catégorie :** VUS
▶ **Échelle de prix :** 74 900 $ à 126 400 $ (2014)
▶ **Transport et prép. :** 2 199 $

▶ **Cote d'assurance :** $$$$$
▶ **Garanties :** 4 ans/80 000 km, 4 ans/80 000 km
▶ **Ventes CAN 2013 :** n.d.

Tout faire en grand

Jacques Duval

Après un essai du tout premier ML envers lequel je n'avais pas été tendre, Mercedes-Benz m'avait invité à prendre le volant du GL. Non seulement les gens de chez Mercedes ne sont pas rancuniers, mais ils avaient, semble-t-il, aussi une grande confiance en leur produit.

Abstraction faite de l'inutile et heureusement peu répandu Geländewagen (le Classe G), le GL tient le haut du pavé chez ce constructeur dans le segment des utilitaires. Ses dimensions le placent comme une solution de rechange aux Cadillac Escalade, Lincoln Navigator et Infiniti QX80 de ce monde. Avec une longueur de plus de 5 mètres et un poids dépassant 5 000 livres, le GL ne fait pas dans la dentelle. Il est d'ailleurs primordial de sortir le ruban à mesurer pour s'assurer qu'il peut entrer dans le garage avant d'en faire l'achat... S'il passe le test, on a quand même droit à un autre chiffre gargantuesque : le prix, qui peut faire dans les 6 chiffres selon la version et les options.

Le mazout ou rien du tout

Malgré son format qui n'a rien de délicat, le GL se laisse conduire facilement. À l'exception d'une direction qui gagnerait à transmettre un peu ce qui se passe sous les roues avant, la tenue de route est saine. Si l'on ajoute à cela le grand confort de la suspension et des sièges, il devient impossible de ressentir toute forme d'inconfort à son volant. Le GL se comporte comme un grand, mais pas comme un gros.

D'ailleurs, c'est avec le moteur de base que les prestations sont les plus intéressantes. Voilà une bonne nouvelle pour les finances. Bien que sa puissance de 240 chevaux puisse paraître chiche compte tenu de la masse à déplacer, il faut savoir que le GL350 BlueTEC carbure au diesel et que les moteurs de ce type sont particulièrement généreux pour ce qui est du couple. Grâce aux 455 lb/pi de couple, le GL350 BlueTEC peut vous emmener de l'arrêt jusqu'à 100 km/h en 8,5 secondes, ou encore accueillir 7 personnes tout en tractant 7 500 livres (3 400 kg). Le plus beau, c'est qu'il autorise une consommation d'environ 8 litres

Impressions de l'auteur			Concurrents
Agrément de conduite :	★★★★☆	4/5	Audi Q7, Cadillac Escalade,
Fiabilité :	★★★⯪☆	3,5/5	Infiniti QX80, Land Rover Range
Sécurité :	★★★★☆	4/5	Rover, Lexus LX, Lincoln Navigator
Qualités hivernales :	★★★★☆	4/5	
Espace intérieur :	★★★★⯪	4,5/5	
Confort :	★★★★⯪	4,5/5	

aux 100 km en moyenne, soit la moitié moins que l'assoiffé de GL63 AMG avec son V8 biturbo de 5,5 litres développant 550 chevaux qui ne seront de toute manière jamais exploités. On peut d'ailleurs se questionner sur la nécessité d'une telle version. Afficher une vitesse de pointe de 250 km/h, c'est une chose qui, selon moi, n'a certainement pas sa place sur un véhicule utilitaire!

Les deux autres moteurs offerts sont certes un peu moins gloutons, mais aucun ne sied aussi bien au GL que l'étonnant V6 BlueTEC. Peu importe le moteur choisi, le rouage intégral est toujours présent, tout comme la boîte automatique à sept vitesses avec palettes de changement des rapports au volant, un dispositif d'une utilité lourdement mise en doute, surtout dans ce genre de véhicule.

Pour baroudeurs bien nantis

Bien peu de propriétaires de GL ont le réflexe d'aller jouer dans les bois. Toutefois, ceux qui veulent le faire n'ont pas à s'inquiéter des aptitudes de ce gros Tonka à l'étoile argentée et n'ont qu'à commander l'ensemble hors route. Ainsi, le GL reçoit un différentiel autobloquant, une gamme de vitesses basses (très démultipliée) et surtout, une suspension ajustable pouvant être rehaussée de 17 centimètres lorsqu'on aborde des terrains accidentés. La motricité sur surface meuble est impressionnante et nul besoin de jouer dans la boue pour s'en apercevoir : le GL fait preuve d'une facilité déconcertante quand vient le moment d'affronter les congères en froide saison.

La bonne affaire

Lorsqu'on place le Mercedes-Benz GL face à ses rivaux américains, on accepte mieux son prix. En comparaison, l'Escalade tient vraiment de la camionnette devenue véhicule utilitaire, puis luxueusement décorée pour faire avaler sa facture impertinemment salée. Le grand Mercedes lui, est brodé de finesse. Son habitacle allie métal brossé, cuirs et boiseries, dans un équilibre judicieux, souvent propre aux constructeurs germaniques. C'est élégant, mais pas clinquant. Si l'affichage est facile à consulter, certaines commandes demandent à être un peu étudiées avant d'être bien maîtrisées.

Sinon, la vie est à bord est agréable. Tous les occupants jouissent d'un espace convenable, y compris ceux de la troisième rangée qui sont plus gâtés que chez la concurrence, surtout pour le dégagement au niveau des jambes. Même avec toutes les commodités et les aides électroniques dont il dispose, il n'en demeure pas moins que le GL est beaucoup plus à l'aise sur la grande route qu'en ville. Pour ceux qui ont réellement besoin d'un véhicule de ce gabarit, il s'agit sans doute du meilleur en son genre.

Châssis - GL450 4Matic

Emp / lon / lar / haut	3075 / 5120 / 2141 / 1850 mm
Coffre / Réservoir	295 à 2300 litres / 100 litres
Nombre coussins sécurité / ceintures	7 / 7
Suspension avant	indépendante, pneumatique, bras inégaux
Suspension arrière	indépendante, pneumatique, multibras
Freins avant / arrière	disque / disque
Direction	à crémaillère, ass. variable électrique
Diamètre de braquage	12,4 m
Pneus avant / arrière	P275/50R20 / P275/50R20
Poids / Capacité de remorquage	2425 kg / 3402 kg (7500 lb)
Assemblage	Tuscaloosa, AL

Composantes mécaniques

GL350 BlueTEC 4Matic

Cylindrée, soupapes, alim.	V6 3,0 litres 24 s turbo
Puissance / Couple	240 chevaux / 455 lb-pi
Tr. base (opt) / rouage base (opt)	A7 / Int
0-100 / 80-120 / V.Max	8,6 s / 6,2 s / 210 km/h
100-0 km/h	42,7 m
Type / ville / route / co_2	Dié / 11,9 / 8,6 l/100 km / 5624 kg/an

GL450 4Matic

Cylindrée, soupapes, alim.	V8 4,7 litres 32 s turbo
Puissance / Couple	362 chevaux / 406 lb-pi
Tr. base (opt) / rouage base (opt)	A7 / Int
0-100 / 80-120 / V.Max	6,3 s (const) / n.d. / 210 km/h
100-0 km/h	n.d.
Type / ville / route / co_2	Sup / 15,4 / 10,9 l/100 km / 6153 kg/an

GL550 4Matic

Cylindrée, soupapes, alim.	V8 4,7 litres 32 s turbo
Puissance / Couple	429 chevaux / 516 lb-pi
Tr. base (opt) / rouage base (opt)	A7 / Int
0-100 / 80-120 / V.Max	5,6 s (const) / n.d. / 210 km/h
100-0 km/h	n.d.
Type / ville / route / co_2	Sup / 15,7 / 11,2 l/100 km / 6291 kg/an

GL 63 AMG

Cylindrée, soupapes, alim.	V8 5,5 litres 32 s turbo
Puissance / Couple	550 chevaux / 560 lb-pi
Tr. base (opt) / rouage base (opt)	A7 / Int
0-100 / 80-120 / V.Max	4,9 s (const) / n.d. / 270 km/h
100-0 km/h	n.d.
Type / ville / route / co_2	Sup / 15,9 / 11,4 l/100 km / 6383 kg/an

Du nouveau en 2015

GL450 reçoit un nouveau V6 biturbo, quelques changements au niveau des groupes d'option et de l'équipement standard.

FEU VERT
- Moteur diesel brillant
- Qualité de construction inégalée
- Espace pour 7 occupants
- Rouage intégral efficace

FEU ROUGE
- Prix élevé
- Encombrement évident
- Version AMG inutile
- Transmission parfois lente

Photos : Mercedes-Benz Canada, Alain Morin

MERCEDES-BENZ **CLASSE GLA**

▶ **Catégorie :** VUS   ▶ **Échelle de prix :** 36 000$ à 46 000$ (estimé)   ▶ **Transport et prép. :** n.d.

▶ **Cote d'assurance :** n.d.   ▶ **Garanties :** 4 ans/80 000 km, 4 ans/80 000 km   ▶ **Ventes CAN 2013 :** 0 unités

Promis à un brillant avenir

Gabriel Gélinas

Le Mercedes-Benz GLA est élaboré sur la nouvelle plate-forme MFA qui sert de base à la Classe A — une voiture n'est pas disponible en Amérique du Nord —, à la classe B ainsi qu'à la récente berline CLA. Côté style, le GLA frappe un grand coup avec son allure musclée mise en valeur par des bossages, lesquels constituent une caractéristique sportive et structurante du capot moteur. À cela, on peut ajouter la calandre verticale à deux lamelles, les rétroviseurs latéraux profilés ou encore le déflecteur de toit. Tous ces éléments contribuent à doter le GLA d'une allure très sportive qui se trouve rehaussée d'un cran sur le modèle GLA 45AMG. Ce dernier jouit d'une calandre qui lui est exclusive, d'un déflecteur avant de couleur titane mat, de jantes en alliage de 19 pouces à cinq rayons de série (des jantes de 20 pouces sont disponibles en option) et d'un échappement double à quatre embouts. L'ensemble donne une impression de vitesse même lorsque le GLA 45AMG est immobile.

Inspiration CLA

L'habitacle du GLA est très semblable à celui de la berline CLA. Le conducteur fait face à deux cadrans localisés de part et d'autre d'un écran couleur de 4,5 pouces, à un volant à trois branches comportant 12 boutons de commande et deux paliers de commande de changement de vitesse. Sans oublier le sélecteur monté sur la colonne de direction pour commander la boîte à double embrayage à sept rapports. Au centre de la planche de bord se trouve un écran couleur mesurant 5,8 ou 7,0 pouces (le plus grand des deux est jumelé à l'option de navigation) et dont la résolution graphique est remarquable.

Le rouage intégral 4Matic est de série de même que le On/Off Road Package qui rehausse la caisse de 30 millimètres et modifie les paramètres de la commande de l'accélérateur, des points de changements de vitesse ainsi que l'intervention des systèmes ABS et ESP afin de permettre la conduite hors route. Toutefois, il y a fort à parier que la majorité des acheteurs de GLA ne quitteront jamais les routes balisées. En prenant place

Impressions de l'auteur		Concurrents
Agrément de conduite : ★★★★	4/5	Audi Q3, BMW X1, Land Rover
Fiabilité :	**Nouveau modèle**	Range Rover Evoque, Porsche Macan
Sécurité : ★★★★	4/5	
Qualités hivernales : ★★★★	4/5	
Espace intérieur : ★★★☆	3,5/5	
Confort : ★★★☆	3,5/5	

à l'arrière, on remarque immédiatement que l'ouverture des portières n'est pas très grande et que le dégagement pour les jambes et la tête est un peu juste pour un adulte, mais le GLA conviendra bien à une famille comptant deux adultes à l'avant et deux enfants à l'arrière.

Sur la route, le GLA 250 s'est avéré très confortable, sauf à haute vitesse alors que le bruit de roulement et de vent affecte inversement le niveau de confort. Sur les routes montagnardes, la direction se montre directe et précise. La conjonction de 208 chevaux et des 258 livres-pied de couple, disponibles entre 1 250 et 4 000 tours/minute, signifie que le GLA 250 accélère avec un certain aplomb et le sprint de 0 à 100 kilomètres/heure se fait en 7,1 secondes.

Un multisegment d'exception

Le GLA 45AMG est une tout autre proposition. Il décolle furieusement en produisant une trame sonore évocatrice, jumelant le bruit d'admission et celui d'un moteur de course à plein régime en route vers un chrono de 4,8 secondes vers les 100 kilomètres/heure… La puissance impressionne et, comme la transmission a été modifiée pour interrompre momentanément l'allumage lors du passage au rapport supérieur, un *backfire* court et sonore ajoute une autre dimension au plaisir de l'accélération franche.

La transmission commande également la montée en régime du moteur au rétrogradage afin d'éviter la compression, ce qui permet au conducteur de donner l'impression qu'il maîtrise parfaitement la technique du talon-pointe même s'il n'a aucune idée de quoi il s'agit! Ajoutez à cela un système de départ canon automatisé (*Race Start*) qui permet d'optimiser le régime moteur et la motricité afin de décoller le plus rapidement possible, ainsi qu'une fonction de chronométrage intégrée à l'écran central et le portrait est complet pour ce multisegment d'exception.

Le comportement routier du GLA 45AMG diffère beaucoup de celui du GLA 250 dans la mesure où la version gonflée aux stéroïdes roule sur des suspensions aux calibrations résolument plus fermes, comportant des barres antiroulis de diamètre supérieur. La tenue de route en virage est tonique et le GLA 45AMG fait preuve d'un aplomb remarquable en virage où l'on peut compter sur une direction relativement ferme qui permet de bien sentir la route. Le seul facteur limitatif de la vitesse de passage en virage est un centre de gravité qui est plus élevé que celui d'un coupé ou d'une berline sport.

Avec un style accrocheur, des performances plus qu'adéquates et toute une panoplie de systèmes de sécurité en dotation de série, le GLA est promis à une brillante carrière.

Châssis - 250 4Matic

Emp / lon / lar / haut	2699 / 4417 / 2022 / 1494 mm
Coffre / Réservoir	421 à 1235 litres / 56 litres
Nombre coussins sécurité / ceintures	8 / 5
Suspension avant	indépendante, jambes de force
Suspension arrière	indépendante, multibras
Freins avant / arrière	disque / disque
Direction	à crémaillère, ass. variable électrique
Diamètre de braquage	11,8 m
Pneus avant / arrière	P235/50R18 / P235/50R18
Poids / Capacité de remorquage	1505 kg / n.d.
Assemblage	Rastatt, DE

Composantes mécaniques

250 4Matic

Cylindrée, soupapes, alim.	4L 2,0 litres 16 s turbo
Puissance / Couple	208 chevaux / 258 lb-pi
Tr. base (opt) / rouage base (opt)	A7 / Int
0-100 / 80-120 / V.Max	7,1 s (const) / n.d. / 210 km/h
100-0 km/h	n.d.
Type / ville / route / CO_2	Sup / 8,3 / 5,6 l/100 km / 3260 kg/an

45 AMG 4Matic

Cylindrée, soupapes, alim.	4L 2,0 litres 16 s turbo
Puissance / Couple	355 chevaux / 332 lb-pi
Tr. base (opt) / rouage base (opt)	A7 / Int
0-100 / 80-120 / V.Max	4,8 s (const) / n.d. / 250 km/h
100-0 km/h	n.d.
Type / ville / route / CO_2	Sup / 9,2 / 6,4 l/100 km / 3650 kg/an

Du nouveau en 2015

Nouveau modèle

- Style accrocheur
- Moteur bien adapté (GLA 250)
- Moteur performant (GLA 45AMG)
- Tenue de route sûre
- Systèmes de sécurité avancés

- Dégagement pour les jambes — places arrière
- Visibilité limitée vers l'arrière
- Suspensions fermes (GLA 45AMG)
- Prix élevés

Photos : Mercedes-Benz Canada

MERCEDES-BENZ **CLASSE GLK**

▶ **Catégorie :** VUS ▶ **Échelle de prix :** 48 600 $ à 50 700 $ (2014) ▶ **Transport et prép. :** 2 098 $

▶ **Cote d'assurance :** $$$$ ▶ **Garanties :** 4 ans/80 000 km, 4 ans/80 000 km ▶ **Ventes CAN 2013 :** 5 979 unités

Dernier tour de piste avant la refonte

Sylvain Raymond

L'engouement marqué ces dernières années pour les VUS a donné l'éclosion à une multitude de déclinaisons procurant encore plus de choix aux amateurs du genre. Du lot, les VUS compacts de luxe qui attirent les acheteurs par leur prix plus alléchant, leur conduite plus emballante, leur consommation réduite et par le prestige de leur emblème. Chez Mercedes-Benz, c'est le GLK qui s'attaque à ce créneau et qui rivalise avec des modèles tels les BMW X3, Audi Q5 et Infiniti QX50.

Lancé en 2009, le GLK est demeuré pratiquement inchangé depuis ce temps, mis à part une légère refonte en 2013. C'est donc son dernier tour de piste en version actuelle puisqu'une toute nouvelle génération devrait être introduite l'an prochain. Si vous aimez être au volant du modèle dernier cri, il vaudrait peut-être mieux attendre une année encore avant de vous procurer un GLK.

Le plus abordable des GLK

Étonnamment, avec son prix inférieur au modèle à essence, c'est le GLK250 BlueTEC à moteur diesel qui fait office de version d'entrée de gamme. Il dispose d'un quatre cylindres de 2,1 litres qui développe 200 chevaux, certes rien de très d'impressionnant, mais c'est surtout son couple de 369 lb-pi qui retient l'attention et qui le rend aussi intéressant. Non seulement on y trouve son compte avec une consommation réduite, en particulier sur l'autoroute, mais le couple généreux de ce type de moulin procure un net avantage en puissance d'accélération. Mercedes-Benz n'est pas le seul à offrir un tel moteur dans son VUS compact. Audi propose son Q5 à la sauce diesel, mais à environ 5 000 $ de plus. Le GLK 350 demeure au catalogue, lui qui comprend en plus l'acronyme 4MATIC dans son appellation. Au Canada, tous les GLK sont équipés de série d'un rouage intégral, même le 250 BlueTEC bien qu'il n'affiche pas le sigle 4MATIC sur sa carrosserie. Depuis sa mise à jour et l'ajout de la technologie d'injection directe, le V6 de 3,5 litres du GLK 350 développe

Impressions de l'auteur		Concurrents
Agrément de conduite : ★★★★☆ 4/5		Acura RDX, Audi Q5, BMW X3,
Fiabilité : ★★★⯪☆ 3,5/5		Infiniti QX50, Land Rover LR2,
Sécurité : ★★★★★ 5/5		Volvo XC60
Qualités hivernales : ★★★★⯪ 4,5/5		
Espace intérieur : ★★★★ 4/5		
Confort : ★★★★☆ 4/5		

302 chevaux, ce qui est nettement mieux aligné avec la concurrence que par le passé.

Alors que les modèles concurrents sont beaucoup plus en rondeur, le GLK se démarque avec ses lignes plus classiques et angulaires. Il imite pratiquement le style des voitures familiales d'antan. Ce design ne nous avait pas séduits initialement, mais il faut avouer qu'avec le temps, on a appris à l'apprécier. Son caractère est encore plus défini avec l'ensemble AMG – comprenant des roues de 20 pouces – qui équipe de série les modèles à moteur à essence et qui est optionnel dans le cas du GLK diesel. Avec le temps, Mercedes-Benz a amélioré l'habitacle du GLK. On a ajouté des matériaux souples aux endroits de contact et revu la planche de bord. Les buses de ventilation rondes tirées de la SLS ont aussi trouvé leur chemin à bord. L'instrumentation est claire et moderne, le volant offre une bonne prise en main et les différentes commandes situées sur la console sont simples à comprendre.

Malgré la taille compacte du véhicule, tous les passagers profitent de bons dégagements. Le GLK peut accommoder jusqu'à trois personnes à l'arrière, mais on y sera beaucoup plus confortable à deux. C'est surtout l'espace de chargement qui souffre le plus. La forme tout en hauteur du véhicule permet de loger des objets assez haut, mais la zone de chargement est peu profonde.

Le comportement d'une voiture

Derrière le volant, on est ravi par l'excellente vision périphérique, élément favorisé par le style carré du véhicule et sa ceinture de caisse plus basse apportant une généreuse fenêtrassions. Les angles morts sont minimes et c'est tant mieux. Sur la route, le GLK se conduit beaucoup plus comme une voiture. Sa hauteur et son format compact ajoutent à cette impression, tout comme sa direction précise. Alors que certains concurrents favorisent un peu plus la sportivité, le comportement du GLK est fidèle aux prémices de Mercedes-Benz : un peu plus confortable.

Si l'on apprécie le moteur diesel pour son pep et sa vigueur en accélération, les chevaux supplémentaires du V6 sont bienvenus, ainsi que sa riche sonorité. Il permet de boucler le 0-100 km/h en 6,5 secondes, soit 1,5 seconde plus rapidement que la livrée diesel. La transmission 7 g-TRONIC appuie bien les performances du moteur et contribue à son silence en maintenant les régimes au minimum, ce qui réduit au passage la consommation de carburant. Le système de Démarrage/Arrêt ECO qui coupe automatiquement le moteur lorsque le véhicule est arrêté permet aussi d'économiser quelques litres.

Drôlement efficace, le GLK représente toujours un modèle de choix, spécialement pour ceux qui recherchent une motorisation diesel, une caractéristique plutôt rare dans ce segment.

Châssis - GLK250 BlueTEC 4Matic	
Emp / lon / lar / haut	2755 / 4536 / 2016 / 1669 mm
Coffre / Réservoir	450 à 1550 litres / 66 litres
Nombre coussins sécurité / ceintures	9 / 5
Suspension avant	indépendante, jambes de force
Suspension arrière	indépendante, multibras
Freins avant / arrière	disque / disque
Direction	à crémaillère, ass. variable électrique
Diamètre de braquage	11,7 m
Pneus avant / arrière	P235/50R19 / P235/50R19
Poids / Capacité de remorquage	1925 kg / 1588 kg (3500 lb)
Assemblage	Bremen, DE

Composantes mécaniques

GLK250 BlueTEC 4Matic

Cylindrée, soupapes, alim.	4L 2,1 litres 16 s turbo
Puissance / Couple	200 chevaux / 369 lb-pi
Tr. base (opt) / rouage base (opt)	A7 / Int
0-100 / 80-120 / V.Max	8,6 s / 7,1 s / 210 km/h
100-0 km/h	41,1 m
Type / ville / route / co_2	Dié / 8,3 / 5,9 l/100 km / 3885 kg/an

GLK350 4Matic

Cylindrée, soupapes, alim.	V6 3,5 litres 24 s atmos.
Puissance / Couple	302 chevaux / 273 lb-pi
Tr. base (opt) / rouage base (opt)	A7 / Int
0-100 / 80-120 / V.Max	7,2 s / 4,9 s / 210 km/h
100-0 km/h	41,2 m
Type / ville / route / co_2	Sup / 11,1 / 8,1 l/100 km / 4465 kg/an

Du nouveau en 2015

Aucun changement majeur

FEU VERT
- Motorisation diesel
- Conduite agréable
- Finition intérieure
- Consommation raisonnable

FEU ROUGE
- Espace de chargement réduit
- Options dispendieuses
- Places arrière serrées pour 3 passagers
- Style carré ne fait pas toujours l'unanimité

Photos: Mercedes-Benz Canada

MERCEDES-BENZ **CLASSE ML**

▶ **Catégorie :** VUS	▶ **Échelle de prix :** 61 000 $ à 103 200 $ (2014)	▶ **Transport et prép. :** 2 045 $
▶ **Cote d'assurance :** $$$$	▶ **Garanties :** 4 ans/80 000 km, 4 ans/80 000 km	▶ **Ventes CAN 2013 :** 4 804 unités

Des sherpas bourgeois et musclés

Marc Lachapelle

L a marque à l'étoile a été la première du clan européen à se lancer dans la catégorie des « utilitaires sport à l'américaine » avec son premier ML il y a plus de quinze ans. Au point de le fabriquer dans une immense usine flambant neuve en Alabama. Le doyen des constructeurs a par la suite transformé sa structure, redessiné sa carrosserie et multiplié les motorisations pour qu'il soit toujours compétitif dans cette guerre des boulevards de banlieue et des quartiers chic. Il y gagne encore un nouveau moteur cette année.

Le premier ML ne manquait pas d'ambition avec sa silhouette trapue, son robuste châssis séparé, ses prouesses en tout-terrain et un rouage à quatre roues motrices inédit qui allait être imité même par Land Rover. Or, qui trop embrasse, mal étreint, comme dit le proverbe. Après un décollage réussi, Mercedes-Benz a dû corriger les ennuis de qualité et de fiabilité des premiers ML, et surtout donner la réplique au

BMW X5 qui jouait plutôt le style, la performance et le plaisir de conduire sur l'asphalte.

Des mutations sur deux générations

Le deuxième ML fut lancé en 2006 avec une coque autoporteuse comme celle des voitures… et du X5. Sa carrosserie était plus longue, plus élégante et plus aérodynamique, son habitacle plus moderne, plus chic et mieux fini. L'année suivante, un premier moteur diesel et une première version AMG sont venus épauler les V6 et V8 à essence déjà offerts. C'était reparti pour la Classe ML qui prêta aussi son architecture au nouveau GL, plus spacieux, qui le libérait du même coup de la nécessité d'avoir une troisième banquette, trop serrée de toute manière.

Pour le troisième acte, il y a trois ans, ce fut le branle-bas de combat dans tous les départements. On a d'abord à nouveau rafraîchi la silhouette avec une calandre plus large et haute, ornée bien sûr de la grande étoile à trois pointes des sportives

Impressions de l'auteur		Concurrents
Agrément de conduite : ★★★⯪ 3,5/5		Acura MDX, Audi Q7, BMW X5,
Fiabilité : ★★★★ 4/5		Cadillac SRX, Infiniti QX70, Lexus RX,
Sécurité : ★★★★⯪ 4,5/5		Lincoln MKX, Porsche Cayenne,
Qualités hivernales : ★★★★⯪ 4,5/5		Volkswagen Touareg, Volvo XC90
Espace intérieur : ★★★★ 4/5		
Confort : ★★★★ 4/5		

de la famille. Les blocs optiques étaient nouveaux eux aussi, leur contour souligné par des rangées de DEL, comme les feux de position juste en dessous.

Double turbo mur à mur

Il y avait aussi plus de muscle sous le capot de toutes les versions. Notamment le ML 350 Bluetec à moteur diesel turbocompressé qui est de loin le plus populaire de cette série avec une forte majorité des ventes chez nous. Son V6 de 3,0 litres produit 240 chevaux mais surtout 450 lb-pi de couple à seulement 1 600 tr/min. Assez pour propulser ce quasi-camion de 0 à 100 km/h en 7,7 secondes avec des cotes ville/route de 11,8 et 8,5 l/100 km selon les nouvelles normes plus réalistes de RNC.

Si le ML 350 Bluetec fait presque jeu égal avec le X5 xDrive35d en performance et en consommation, il le devance nettement par sa douceur, son silence de roulement et la maniabilité impeccable que lui procure un diamètre de braquage étonnamment court. Il ne peut toutefois échanger coup pour coup avec l'athlète de la catégorie en termes de tenue de route et de plaisir de conduite, même avec une servodirection électrique nette et précise en virage.

Cette mission sportive revient toujours au ML 63 AMG, le bolide de la famille, dont le V8 à double turbo de 5,5 litres libère 518 ou 550 chevaux, selon qu'on ajoute ou pas le groupe Performance optionnel. De nouvelles jantes en alliage, noires et optionnelles, de 21 pouces font mieux ressortir ses étriers rouges mais le pilote appréciera plus longuement la jante moulée du volant AMG. Ce ML 63 est une belle bête, assurément. On lui pardonne volontiers son roulement plus ferme pour profiter de sa fougue et d'une tenue de route aussi réjouissante qu'étonnante pour un véhicule aussi lourd.

Le ML 550 et son V8 biturbo de 4,6 litres et 402 chevaux marquent ensuite le point médian vers le nouveau ML 400, animé par un V6 à double turbo de 3,0 litres qui produit 328 chevaux à 5 500 tr/min et 354 lb-pi dès 1 400 tr/min. Un modèle qui remplace le ML 350 comme version à essence la plus abordable de la Classe M. Le prix du ML 400 sera sans doute très semblable à celui de son frère à moteur diesel, le ML 350 Bluetec, puisque le gain en performance est appréciable et que l'écart entre les deux était déjà très mince (seulement 1500 $).

Les ML sont confortables, raffinés, spacieux et pratiques. Costauds aussi pour remorquer, surtout le ML 550 avec le groupe qui ajoute des rapports courts à son boîtier de transfert, un sélecteur avec six modes de conduite et des boucliers de protection. Leur popularité les banalise et les rend par contre quasi invisibles dans le paysage automobile, à l'exception du ML 63 AMG, aussi exubérant que turbulent. Cette injection de style pourrait venir d'une version nouvelle à ligne de toit fuyante. La suite l'an prochain !

Photos: Mercedes-Benz Canada

Châssis - ML400 4Matic

Emp / lon / lar / haut	2915 / 4804 / 2141 / 1796 mm
Coffre / Réservoir	690 à 2010 litres / 93 litres
Nombre coussins sécurité / ceintures	9 / 5
Suspension avant	indépendante, double triangulation
Suspension arrière	indépendante, multibras
Freins avant / arrière	disque / disque
Direction	à crémaillère, ass. variable électrique
Diamètre de braquage	11,8 m
Pneus avant / arrière	P255/50R19 / P255/50R19
Poids / Capacité de remorquage	2130 kg / 3265 kg (7198 lb)
Assemblage	Tuscaloosa, AL

Composantes mécaniques

ML350 BlueTEC 4Matic

Cylindrée, soupapes, alim.	V6 3,0 litres 24 s turbo
Puissance / Couple	240 chevaux / 450 lb-pi
Tr. base (opt) / rouage base (opt)	A7 / Int
0-100 / 80-120 / V.Max	8,7 s / 5,8 s / 210 km/h
100-0 km/h	44,0 m
Type / ville / route / co$_2$	Dié / 11,8 / 8,5 l/100 km / 5570 kg/an

ML400 4Matic

Cylindrée, soupapes, alim.	V6 3,0 litres 24 s turbo
Puissance / Couple	328 chevaux / 354 lb-pi
Tr. base (opt) / rouage base (opt)	A7 / Int
0-100 / 80-120 / V.Max	n.d. / n.d. / 210 km/h
100-0 km/h	44,0 m
Type / ville / route / co$_2$	Sup / 12,3 / 8,9 l/100 km / 4968 kg/an

ML550 4Matic

Cylindrée, soupapes, alim.	V8 4,6 litres 32 s turbo
Puissance / Couple	402 chevaux / 443 lb-pi
Tr. base (opt) / rouage base (opt)	A7 / Int
0-100 / 80-120 / V.Max	5,6 s / n.d. / 210 km/h
100-0 km/h	44,0 m
Type / ville / route / co$_2$	Sup / 14,5 / 10,0 l/100 km / 5750 kg/an

ML63 AMG

Cylindrée, soupapes, alim.	V8 5,5 litres 32 s turbo
Puissance / Couple	518 chevaux / 516 lb-pi
Tr. base (opt) / rouage base (opt)	A7 / Int
0-100 / 80-120 / V.Max	4,8 s (const) / n.d. / 250 km/h
100-0 km/h	44,0 m
Type / ville / route / co$_2$	Sup / 15,5 / 11,5 l/100 km / 6302 kg/an

Du nouveau en 2015

Modèle ML 400 à V6 biturbo, jantes noires en option pour ML 63 AMG, surveillance angles morts et arrêt automatique.

FEU VERT
- Des moteurs pour tous les goûts
- Design et finition de l'habitacle
- Belle maniabilité en conduite urbaine
- Rangements nombreux et grande soute
- Solide capacité de remorquage

FEU ROUGE
- Freinage difficile à moduler
- Commandes vocales frustrantes
- Marchepieds optionnels encombrants
- Une silhouette qui devient banale
- Système de navigation asservi à la radio

MERCEDES-BENZ **CLASSE S**

▶ **Catégorie :** Berline

▶ **Cote d'assurance :** n.d.

▶ **Échelle de prix :** 100 000 $ à 249 500 $ (estimé)

▶ **Garanties :** 4 ans/80 000 km, 4 ans/80 000 km

▶ **Transport et prép. :** 2 199 $

▶ **Ventes CAN 2013 :** 468 unités

Le casse-tête technologique

Jacques Duval

On pourra bientôt rayer du vocabulaire cette insignifiante petite phrase destinée à décrire un accident de la route : « le conducteur a perdu le contrôle de son véhicule ». En effet, il faudrait pratiquement le faire exprès pour être impliqué dans une collision avec la dernière Classe S de Mercedes. La firme allemande présente cette presque limousine comme la voiture à l'épreuve des accidents ! On va même jusqu'à dire que nous sommes présence de la meilleure voiture du monde. Prétention ou réalité ?

Je me suis d'abord permis d'expérimenter le plus impressionnant des divers systèmes électroniques mis au point par la marque allemande, soit celui qui prévient les accidents et qui se rapproche le plus de ce que serait une voiture autonome. C'est ainsi que pendant 2 ou 3 minutes sur l'autoroute, j'ai retiré mes mains du volant dans la voie de gauche avec le régulateur de vitesse à 120 km/h. La voiture

allait « s'appuyer » sur la ligne solide bordant l'autoroute et revenait d'elle-même vers la droite sans que j'intervienne. Dans le jargon de Mercedes, cet accessoire est un « assistant directionnel » qui, avec l'aide du « franchissement de ligne actif », espionne le conducteur et corrige ses distractions. D'ailleurs, une caméra dite 360 scrute constamment le véhicule sous tous ses angles afin que les divers capteurs apportent les corrections nécessaires à la bonne marche de la voiture. Le train de roulement adaptatif est une autre nouveauté qui démontre le côté intelligent de l'ensemble des technologies embarquées. Ce système lit l'état de la route en avance et à l'approche d'une zone délabrée, la suspension se met automatiquement en mode souple pour adoucir les imperfections du revêtement.

La référence

Chez Mercedes, la Classe S a toujours été la bénéficiaire de toutes les innovations d'avant-garde et la dernière version ne fait pas exception à la règle. Parmi celles-là, on peut citer les

Impressions de l'auteur		Concurrents
Agrément de conduite : ★★★★☆ 3/5		Audi A8, Bentley Flying Spur,
Fiabilité : ★★★★☆ 4/5		BMW Série 7, Jaguar XJ,
Sécurité : ★★★★★ 5/5		Lexus LS, Maserati Quattroporte
Qualités hivernales : ★★★★☆ 4/5		
Espace intérieur : ★★★★⯪ 4,5/5		
Confort : ★★★★⯪ 4,5/5		

boucles de ceintures de sécurité éclairées pour un usage plus simple quand il fait noir et, même, un diffuseur de parfum qui embaume l'habitacle... Soyez sans crainte toutefois, ces petites douceurs font partie des options et peuvent être laissées de côté.

Bardée de luxes et de technologies, la S cache son jeu sous une robe très discrète, voire banale. Bref, nous sommes en présence d'une voiture qui a tous les atouts d'une limousine et dont la conduite n'est pas particulièrement inspirante, au point où plusieurs laisseront cette tâche aux bons soins d'un chauffeur.

Gare aux vents

La nouvelle Classe S, c'est la voiture aseptisée par excellence comme en témoigne une direction peu bavarde sur les conditions de la chaussée qui, à l'occasion, se montre aussi d'une trop grande fermeté. L'accélérateur joue parfois le même jeu en se montrant un peu raide et difficile à moduler. On finit toutefois par s'y habituer. À bord de la Classe S, le confort est roi et cela non seulement en raison d'un habitacle très spacieux ou de sièges parfaitement étudiés, mais aussi grâce à un silence de roulement qui rejoint pratiquement celui d'une Tesla Model S électrique. Cette discrétion provient en partie d'un aérodynamisme très soigné, résultant d'un Cx record de 0,24.

Bien que la S550 soit de loin la plus populaire, Mercedes propose également un modèle moins cher, la S400 et quelques-uns beaucoup plus chers comme la S600 à empattement long, mais sans la traction intégrale ou encore la surpuissante S65 AMG dont le V8 biturbo est gratifié de 585 chevaux. Si, comme moi, la berline vous laisse froid, il existe aussi un coupé plus esthétique en version normale ou AMG. Sachez ici que l'entretien des modèles AMG est très coûteux en raison de mécaniques capricieuses.

Pour revenir à la 550, la transmission automatique dont les 7 rapports peuvent être sélectionnés au moyen de palettes sous le volant, illustre bien que sa puissance est largement suffisante avec un percutant chrono de 5,4 secondes entre 0 et 100 km/h. C'est encore là une prime associée à l'allégement de 100 kg de la nouvelle Classe S. Même si la consommation n'est pas le premier critère des acheteurs d'une Classe S, il est bon de savoir que malgré sa forte cylindrée, la voiture peut se contenter de 8,4 litres aux 100 km en conduite stabilisée.

Avec son barrage de mesures de sécurité, son équipement pléthorique, son confort suprême et la cote de prestige et de fiabilité dont jouit son constructeur, la nouvelle Classe S se veut la meilleure voiture au monde. On voudrait bien l'admettre, mais un tel déploiement de technologies n'est-il pas fertile à l'apparition de problèmes sournois souvent difficiles à dépister ? Tempore cognoscemus... ou « Qui vivra verra » pour les érudits.

Châssis - S600 berline

Emp / lon / lar / haut	3165 / 5246 / 2130 / 1497 mm
Coffre / Réservoir	500 litres / 80 litres
Nombre coussins sécurité / ceintures	8 / 5
Suspension avant	indépendante, pneumatique, multibras
Suspension arrière	indépendante, pneumatique, multibras
Freins avant / arrière	disque / disque
Direction	à crémaillère, assistée
Diamètre de braquage	12,3 m
Pneus avant / arrière	P245/40R20 / P275/35R20
Poids / Capacité de remorquage	2185 kg / n.d.
Assemblage	Sindelfingen, DE

Composantes mécaniques

S400 4Matic

Cylindrée, soupapes, alim.	V6 3,0 litres 24 s turbo
Puissance / Couple	329 chevaux / 354 lb-pi
Tr. base (opt) / rouage base (opt)	A7 / Int
0-100 / 80-120 / V.Max	n.d. / n.d. / 210 km/h
100-0 km/h	n.d.
Type / ville / route / co_2	Sup / n.d. / n.d. / n.d. kg/an

S550 4Matic

Cylindrée, soupapes, alim.	V8 4,6 litres 32 s turbo
Puissance / Couple	449 chevaux / 516 lb-pi
Tr. base (opt) / rouage base (opt)	A7 / Int
0-100 / 80-120 / V.Max	5,4 s / 3,2 s / 210 km/h
100-0 km/h	43,6 m
Type / ville / route / co_2	Sup / 12,8 / 7,1 l/100 km / 4220 kg/an

S600

Cylindrée, soupapes, alim.	V12 6,0 litres 36 s turbo
Puissance / Couple	523 chevaux / 612 lb-pi
Tr. base (opt) / rouage base (opt)	A7 / Prop
0-100 / 80-120 / V.Max	4,6 s (const) / n.d. / 250 km/h
100-0 km/h	n.d.
Type / ville / route / co_2	Sup / 16,2 / 8,2 l/100 km / 5180 kg/an

S63 AMG 4Matic

Cylindrée, soupapes, alim.	V8 5,5 litres 32 s turbo
Puissance / Couple	577 chevaux / 664 lb-pi
Tr. base (opt) / rouage base (opt)	A7 / Int
0-100 / 80-120 / V.Max	3,9 s (const) / n.d. / 250 km/h
100-0 km/h	n.d.
Type / ville / route / co_2	Sup / 14,2 / 8,0 l/100 km / 4830 kg/an

Du nouveau en 2015

Nouveau modèle. Coupé 2 portes normal et AMG 63.

FEU VERT
- Performances de haut niveau
- Sécurité optimale
- Habitacle somptueux
- Nombreuses innovations
- Rouage intégral

FEU ROUGE
- Un casse-tête technologique
- Sensibilité au vent latéral
- Certains accessoires fantaisistes
- Lignes banales
- Conduite à assimiler

Photos : Mercedes-Benz Canada

MERCEDES-BENZ **CLASSE S COUPÉ**

▶ **Catégorie :** Coupé ▶ **Échelle de prix :** 127 000 $ à 170 000 $ (estimé) ▶ **Transport et prép. :** 2 199 $

▶ **Cote d'assurance :** n.d. ▶ **Garanties :** 4 ans/80 000 km, 4 ans/80 000 km ▶ **Ventes CAN 2013 :** 0

L'étoile au zénith

Gabriel Gélinas

Un an après l'arrivée d'une nouvelle Classe S, qui représente le summum du savoir-faire de Mercedes-Benz en matière de technologie et de style, c'est au tour du modèle Classe S Coupé de faire son entrée. Après une très longue, voire même trop longue, carrière, le coupé CL cède donc sa place sous les projecteurs à ce tout nouveau modèle dont l'allure est nettement plus typée. Ce nouveau coupé assume pleinement sa gueule de *star* et est même doublé d'une version AMG animée par un V8 bi turbo développant 577 chevaux ainsi qu'un couple monstre de 664 livres-pied.

Frappante dès le premier coup d'œil, la Classe S Coupé affiche un style nettement plus dynamique, impression confirmée par les porte-à-faux plus courts que ceux du coupé CL et par l'empattement réduit de 22 centimètres par rapport à la version nord-américaine de la berline de Classe S dont elle est

dérivée. Sur ce modèle à la personnalité plus débridée, le « facteur bling » trouve son expression par l'ajout, en option, de 30 cristaux Swarovski qui soulignent les clignotants, ainsi que de 17 cristaux lesquels sont greffés aux phares de jour, et qui ne manqueront pas de séduire les *fashionistas*, peu importe leur nationalité.

Dans l'habitacle, on remarque une filiation évidente avec la berline puisque le coupé partage la même planche de bord dominée par ses deux écrans à haute résolution de douze pouces, le premier remplaçant le traditionnel combiné d'instruments et le second servant d'interface avec le système de télématique, ainsi que les buses rondes du système de chauffage/climatisation automatique. Le coupé se démarque par l'adoption d'un volant sport avec méplat qui remplace le volant à deux branches de facture plus traditionnelle de la berline, sportivité oblige. Par ailleurs, le système de télématique COMAND intègre le nouveau pavé tactile, inauguré sur la récente Classe C, qui adopte une fonctionnalité similaire

Impressions de l'auteur		Concurrents
Agrément de conduite : ★★★★☆ 4		Aston Martin Vantage,
Fiabilité : ★★★★☆ 4		Bentley Continental, BMW Série 6,
Sécurité : ★★★★⯪ 4,5		Jaguar XK, Maserati Gran Turismo
Qualités hivernales : ★★★★☆ 4		
Espace intérieur : ★★★⯪☆ 3,5		
Confort : ★★★★⯪ 4,5		

à celle d'un iPad ou d'un iPhone. On peut donc faire défiler les menus en le balayant du doigt, tracer des lettres ou des chiffres avec son doigt sur le pavé pour inscrire une adresse ou « pincer » le pavé avec deux doigts pour reproduire un effet de zoom avant ou arrière.

Une dotation pléthorique

À l'instar de la berline, la Classe S Coupé reçoit une dotation pléthorique de quatorze dispositifs de sécurité avancés. Elle peut également se conduire elle-même de façon semi-autonome puisque le dispositif Distronic Plus lui permet de rester centrée dans sa voie, de conserver une distance sécuritaire avec le véhicule précédent, et même de commander un arrêt d'urgence automatiquement en cas de besoin. Pour souligner la vocation plus sportive du modèle, le système d'échappement du coupé est doté de silencieux avec deux clapets à commande pneumatique qui s'ouvrent et se referment en fonction du régime moteur pour permettre au V8 bi turbo de s'exprimer pleinement. Fort d'une cavalerie de 449 chevaux, le moteur du coupé S550 4Matic permet à cette voiture de 2 090 kg d'atteindre 100 kilomètres/heure en 4,6 secondes. L'empattement plus court du coupé joue un rôle important dans la bonification de la dynamique par rapport à la berline de Classe S puisque le coupé enfile les virages avec un aplomb impressionnant compte tenu de son poids.

Le Coupé S63 AMG

Avec son V8 bi turbo de 577 chevaux, un rouage intégral 4Matic qui répartit le couple moteur selon un rapport de 33 % sur l'essieu avant et 67 % sur l'essieu arrière, et des liaisons au sol adoptant une calibration plus ferme, la S63 AMG Coupé rehausse l'agrément de conduite de plusieurs crans par rapport au coupé S550. En quelques mots, la conduite du coupé S63 AMG est à la fois plus directe et plus précise, et son freinage est plus performant, surtout lorsqu'il est équipé des freins en composite de céramique, offerts en option pour la première fois sur une voiture de Classe S.

Les mouvements de la caisse sont toujours bien maîtrisés et le coupé S63 AMG demeure très stable lors des transitions rapides d'un virage à l'autre. Malgré sa dynamique plus incisive, il ne faut pas confondre le coupé S63 AMG avec une authentique sportive en raison de son poids élevé (2 070 kg) qui représente le principal facteur limitatif concernant sa performance en virage.

Avec son style beaucoup plus ravageur et ses performances inspirées, la nouvelle Classe S Coupé n'aura aucun mal à faire oublier le défunt coupé CL et permettra à Mercedes-Benz de reprendre contact avec une partie de la richissime clientèle qui avait déserté la marque à l'étoile pour flirter avec les coupés de grand luxe commercialisés par des marques rivales comme Aston Martin, Bentley et les autres.

Photos : Mercedes-Benz Canada

Châssis - S63 AMG 4Matic Coupé

Emp / lon / lar / haut	2945 / 5044 / 2108 / 1422 mm
Coffre / Réservoir	400 litres / 80 litres
Nombre coussins sécurité / ceintures	9 / 4
Suspension avant	indépendante, pneumatique, multibras
Suspension arrière	indépendante, pneumatique, multibras
Freins avant / arrière	disque / disque
Direction	à crémaillère, ass. variable électrique
Diamètre de braquage	11,9 m
Pneus avant / arrière	P255/40R20 / P285/35R20
Poids / Capacité de remorquage	2070 kg / n.d.
Assemblage	Sindelfingen, DE

Composantes mécaniques

S550 4Matic coupé

Cylindrée, soupapes, alim.	V8 4,7 litres 32 s turbo
Puissance / Couple	449 chevaux / 516 lb-pi
Tr. base (opt) / rouage base (opt)	A7 / Int
0-100 / 80-120 / V.Max	4,6 s (const) / n.d. / 250 km/h
100-0 km/h	n.d.
Type / ville / route / CO_2	Sup / 12,5 / 7,1 l/100 km / 4632 kg/an

S63 AMG 4Matic coupé

Cylindrée, soupapes, alim.	V8 5,5 litres 32 s turbo
Puissance / Couple	577 chevaux / 664 lb-pi
Tr. base (opt) / rouage base (opt)	A7 / Int
0-100 / 80-120 / V.Max	3,9 s (const) / n.d. / 250 km/h
100-0 km/h	n.d.
Type / ville / route / CO_2	Sup / 14,2 / 8,0 l/100 km / 4830 kg/an

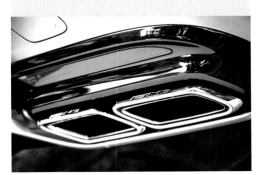

Du nouveau en 2015

Nouveau modèle.

FEU VERT
- Sportivité plus affirmée (S63 AMG Coupe)
- Comportement routier sportif
- Moteurs performants
- Systèmes de sécurité sophistiqués

FEU ROUGE
- Poids important
- Prix élevés
- Tarifs des options
- Espace limité aux places arrière

MERCEDES-BENZ **CLASSE SL**

▶ **Catégorie :** Roadster

▶ **Cote d'assurance :** n.d.

▶ **Échelle de prix :** 123 400 $ à 242 500 $ (2014)

▶ **Garanties :** 4 ans/80 000 km, 4 ans/80 000 km

▶ **Transport et prép. :** 2 092 $

▶ **Ventes CAN 2013 :** 398 unités

Sport Leicht?
Pas vraiment...

Gabriel Gélinas

C'est l'une des voitures les plus marquantes de l'histoire de l'automobile, et la SL actuelle appartient à la sixième génération de ce modèle mythique dont l'origine remonte à la célèbre Gullwing de 1954. Faire le décompte des années entre 1954 et maintenant (60 ans) et des générations (6) de la SL, c'est constater que ce modèle évolue à la vitesse des glaciers...

En allemand, SL signifie *Sport Leicht* (Sport Légère) mais, comme la SL550 actuelle affiche 1 785 kilos à la pesée (1 950 pour la SL65 AMG), on est loin du compte pour ce qui est de la légèreté. Idem pour l'aspect « sport » puisque le comportement routier de la SL est nettement plus typé Grand Tourisme.

Puissante et rapide en ligne droite

L'emblème apposé sur le couvercle du coffre a beau se lire SL550, il ne reflète absolument pas la cylindrée du moteur qui

est de 4,7 litres. La puissance est chiffrée à 429 chevaux et le couple à 516 livres-pied, ce qui permet à la SL550 d'abattre le sprint de 0 à 100 kilomètres/heure en 4,6 secondes. Nul doute que la SL550 est puissante, rapide et stable en ligne droite, mais n'allez pas croire pour une seule minute que vous pourrez donner la chasse à une Porsche 911 Carrera sur une route sinueuse.

Lors de freinages intenses, la course de la pédale de frein s'avère plutôt longue, ce qui n'est pas idéal en conduite sportive, et comme l'intervention du système de contrôle électronique de la stabilité est fréquente lorsqu'on pousse la voiture en virage, on a l'impression qu'elle nous indique que ce n'est pas vraiment une bonne idée de rouler à un tel rythme.

La direction est précise, mais manque de *feedback* et, même si l'on peut passer du mode Confort à Sport, on ne sent pas beaucoup de différence dans la calibration des suspensions, exception faite d'un roulis en virage qui est mieux maîtrisé. En quelques mots, la SL apprécie moins les enchaînements de

Impressions de l'auteur		Concurrents
Agrément de conduite : ★★★⯪☆ 3,5		Aston Martin Vantage, Bentley
Fiabilité : ★★★★☆ 4		Continental, BMW Série 6,
Sécurité : ★★★★⯪ 4,5		Chevrolet Corvette, Ferrari F458
Qualités hivernales : ★★⯪☆☆ 2,5		Italia, Jaguar XK, Porsche 911
Espace intérieur : ★★★☆☆ 3		
Confort : ★★★★☆ 4		

MERCEDES-BENZ CLASSE SL

virages et les transitions rapides en conduite sportive, sa qualité première étant d'assurer le confort du conducteur et du passager avec des suspensions calibrées plus souplement et qui ne mettent pas nécessairement le conducteur en confiance lors d'une conduite plus inspirée.

Mercedes-Benz aime vraiment la magie

La SL peut être équipée de deux dispositifs dont le nom fait usage du mot *magic*, soit le Magic Vision Control et le Magic Sky Roof. Le premier fait référence à un ingénieux système d'essuie-glaces qui distribue le liquide de lave-glace au moyen de trous percés dans la lame chauffante et qui permet de nettoyer le pare-brise sans arroser le conducteur et le passager lors de la conduite à ciel ouvert. Le second système est relatif au panneau du toit en verre dont l'opacité peut passer de claire à foncée à la seule pression d'un bouton, tout comme sur la Mercedes-Benz SLK.

Parmi les autres innovations techniques, retenons le système audio FrontBass qui loge les haut-parleurs pour notes graves dans les deux cavités localisées sous le plancher et devant les pieds des occupants, projetant ainsi leur sonorité directement sur eux. Pensez moins Tony Bennett et plus Jay-Z et vous aurez une bonne idée de ce que ça donne... Avec le toit en place, l'habitacle est bien insonorisé et le confort est souverain. Le repli du toit dans le coffre signifie cependant que l'on doive composer avec un volume de chargement plus limité, mais la conduite à ciel ouvert est tout aussi confortable en raison d'un excellent contrôle du flot d'air.

Parmi les changements apportés à la gamme SL pour 2015, notons que certains ensembles d'options ont été modifiés et que la SL63 AMG voit la puissance de son V8 biturbo passer de 530 à 577 chevaux, alors que le couple maximal est en hausse de 590 à 664 livres-pied, ce qui permet à la voiture de retrancher un dixième de seconde pour le chrono du sprint de 0 à 100 kilomètres/heure. Eh oui, on n'arrête pas le progrès! Si cette cavalerie débridée ne suffit toujours pas à répondre à vos attentes, jetez votre dévolu sur la SL65 AMG et son V12 biturbo développant 621 chevaux et un couple maximal de 737 livres-pied.

Loin d'être une authentique sportive, la SL est plutôt une voiture de Grand Tourisme qui possède à la fois les qualités d'un coupé et d'un roadster. Pour une clientèle plus âgée et plus portée sur le confort que la performance, la SL remplit sa mission en offrant le luxe et le prestige qui sont associés à la marque. Pour ceux que la performance dynamique intéresse, il suffit de regarder du côté de l'autre sportive de Stuttgart, soit la Porsche 911 Carrera...

Châssis - SL550

Emp / lon / lar / haut	2585 / 4612 / 2099 / 1315 mm
Coffre / Réservoir	364 à 504 litres / 65 litres
Nombre coussins sécurité / ceintures	8 / 2
Suspension avant	indépendante, multibras
Suspension arrière	indépendante, multibras
Freins avant / arrière	disque / disque
Direction	à crémaillère, ass. variable électrique
Diamètre de braquage	11,0 m
Pneus avant / arrière	P255/35R19 / P285/30R19
Poids / Capacité de remorquage	1785 kg / n.d.
Assemblage	Bremen, DE

Composantes mécaniques

SL550

Cylindrée, soupapes, alim.	V8 4,7 litres 32 s turbo
Puissance / Couple	429 chevaux / 516 lb-pi
Tr. base (opt) / rouage base (opt)	A7 / Prop
0-100 / 80-120 / V.Max	4,8 s / 2,9 / 250 km/h
100-0 km/h	37,8 m
Type / ville / route / CO_2	Sup / 12,8 / 7,1 l/100 km / 4710 kg/an

SL63 AMG

Cylindrée, soupapes, alim.	V8 5,5 litres 32 s turbo
Puissance / Couple	577 chevaux / 664 lb-pi
Tr. base (opt) / rouage base (opt)	A7 / Prop
0-100 / 80-120 / V.Max	4,2 s (const) / n.d. / 250 km/h
100-0 km/h	n.d.
Type / ville / route / CO_2	Sup / 13,9 / 7,6 l/100 km / 5090 kg/an

SL65 AMG

Cylindrée, soupapes, alim.	V12 6,0 litres 36 s turbo
Puissance / Couple	621 chevaux / 737 lb-pi
Tr. base (opt) / rouage base (opt)	A7 / Prop
0-100 / 80-120 / V.Max	4,1 s / n.d. / 250 km/h
100-0 km/h	n.d.
Type / ville / route / CO_2	Sup / 17,0 / 8,4 l/100 km / 6040 kg/an

Photos: Mercedes-Benz Canada

Du nouveau en 2015

Nouveaux ensembles d'options, puissance et couple en hausse pour le V8 biturbo de la SL63 AMG.

FEU VERT
- Finition soignée
- Modèles AMG performants
- Silence de roulement
- Faible rayon de braquage

FEU ROUGE
- Poids élevé
- Volume du coffre
- Rigidité du châssis perfectible
- Comportement routier plus GT que Sport

MERCEDES-BENZ **CLASSE SLK**

▸ **Catégorie :** Roadster

▸ **Cote d'assurance :** $$$$$

▸ **Échelle de prix :** 52 200 $ à 81 000 $

▸ **Garanties :** 4 ans/80 000 km, 4 ans/80 000 km

▸ **Transport et prép. :** 2 100 $

▸ **Ventes CAN 2013 :** 374 unités

La plus abordable des SL

Guy Desjardins

Chez Mercedes, on est passé maître dans l'art d'ajouter des lettres pour différencier les modèles. On l'a fait avec les CL, CLK et CLA de même que pour les GL, GLK et GLA. La lignée SL ne fait pas exception puisqu'aux côtés de la SL, on trouve les SLK et SLS. De facture beaucoup plus abordable, la SLK reprend tout de même plusieurs éléments de ses deux superbes acolytes.

La légendaire SL n'est pratiquement pas accessible et la SLS l'est encore moins. Heureusement, la SLK se détaille à un prix qui lui permet de se répandre un peu plus sur nos routes. D'ailleurs, si ce style de voiture vous plaît et que votre budget vous y autorise, sachez que les trois versions de la SLK sont vendues sous 85 000 $.

Belle palette de choix
Outre la version SLK55 AMG dont nous parlerons plus loin

Impressions de l'auteur		Concurrents
Agrément de conduite : ★★★★★	4/5	Alfa Romeo 4C, BMW Z4
Fiabilité : ★★★★★	4/5	Lotus Evora, Nissan Z
Sécurité : ★★★★★	4/5	
Qualités hivernales : ★★★★★	3/5	
Espace intérieur : ★★★★★	3/5	
Confort : ★★★★★	4/5	

dans ce texte, le roadster de Mercedes s'offre sous deux autres dénominations, la SLK250 et la SLK350. L'entrée de gamme de la lignée, la 250, montre des choix mécaniques peu conventionnels chez Mercedes soit une motorisation à quatre cylindres, une transmission manuelle et l'absence du rouage 4Matic. Malgré ces « accrocs », cette SLK250 est le produit parfait pour quiconque désire une Mercedes décapotable sans avoir à débourser une fortune. La carrosserie arbore tous les éléments visuels propres à Mercedes alors que sous le capot, c'est une mécanique de base peu gourmande qui s'occupe de déplacer la voiture. Les performances ne sont donc pas affolantes, néanmoins, elles réussissent tout de même à faire sourire la plupart des conducteurs. La boîte manuelle, de série, permet de changer soi-même les rapports mais manque de précision. L'optionnelle automatique à sept rapports s'avère nettement plus agréable.

L'autre modèle, la 350, monte dans la hiérarchie en troquant le quatre cylindres pour un V6, davantage dans la tradition des pures Mercedes. On élimine également la transmission manuelle pour ne garder que l'automatique à sept rapports avec mode manuel, ce qui est étonnant lorsque l'on constate que cette version est la plus équilibrée quand vient le temps de s'amuser un peu. Heureusement, la boîte à 7 rapports est efficace malgré un léger manque de rapidité lors des changements de rapport. La présence d'un embrayage double permettrait sûrement de meilleurs résultats mais compte tenu du public visé par ce type de modèle, les performances extrêmes ne sont probablement pas une priorité. Si le style est plus important pour vous que les performances, Mercedes propose l'ensemble CarbonLOOK, exclusif à la 350, qui ajoute de nombreux éléments esthétiques à la voiture.

OMG, cette AMG !

Sur les réseaux sociaux, lancer un *OMG (Oh My God !)* revient à exprimer notre extase devant quelque chose. Dans le cas de la SLK, la version AMG mérite amplement ces 3 lettres. Trônant au sommet de la hiérarchie des versions, elle se détaille à un prix tout juste sous les 85 000 $, mais livre des performances souvent réservées à des modèles plus onéreux. Le puissant V8 de 415 chevaux permet de très bons temps d'accélération et les reprises décoiffent. Toutefois, ce ne sont pas les performances les plus dynamiques et athlétiques de la catégorie car à ce chapitre, la Porsche Boxster S s'avère nettement plus agile et incisive, surtout sur une piste. L'augmentation de poids apportée par le gros huit cylindres affecte l'équilibre de la voiture en virage en plus de rendre son comportement un peu moins agile. Le gain de puissance est cependant très apprécié puisqu'il donne à la SLK un potentiel énorme, comme celui d'une bête prête à bondir. Une telle motorisation entraîne évidemment quelques modifications aux éléments périphériques, dont une révision des suspensions, une transmission optimisée et la présence de pneus plus imposants.

Qu'importe la version, la présentation intérieure ne diffère guère. La position de conduite basse accentue la hauteur et la longueur du capot, ce qui limite la vision vers l'avant. Autrement, la visibilité est excellente dans toutes les directions sauf vers l'arrière lorsque le toit protège l'habitacle. La direction électrique propose un excellent retour d'information et l'insonorisation mérite une bonne note, gracieuseté d'un toit rétractable rigide. Toutes les commandes sont à portée de main et l'utilisation du système COMMAND s'est grandement améliorée avec la dernière version. Le système audio profite d'une puissance suffisante si le toit est baissé mais le manque de sons graves ne rend pas toute la richesse des pièces musicales à fort volume.

Les dernières refontes de la SLK en ont fait un modèle très attirant. L'échelle de prix se situe à un niveau acceptable et le choix de versions comble adéquatement les besoins d'une clientèle très ciblée. Trois motorisations, trois transmissions et des ensembles d'options très intéressants viennent compléter l'offre.

Châssis - SLK 55 Ang

Emp / lon / lar / haut	2430 / 4146 / 2006 / 1300 mm
Coffre / Réservoir	225 à 335 litres / 70 litres
Nombre coussins sécurité / ceintures	8 / 2
Suspension avant	indépendante, jambes de force
Suspension arrière	indépendante, multibras
Freins avant / arrière	disque / disque
Direction	à crémaillère, ass. variable
Diamètre de braquage	10,5 m
Pneus avant / arrière	P235/40R18 / P255/35R18
Poids / Capacité de remorquage	1610 kg / n.d.
Assemblage	Bremen, DE

Composantes mécaniques

SLK250

Cylindrée, soupapes, alim.	4L 1,8 litre 16 s turbo
Puissance / Couple	201 chevaux / 229 lb-pi
Tr. base (opt) / rouage base (opt)	M6 (A7) / Prop
0-100 / 80-120 / V.Max	6,5 s / n.d. / 210 km/h
100-0 km/h	n.d.
Type / ville / route / CO_2	10,4 / 6,0 l/100 km / 3864 kg/an

SLK350

Cylindrée, soupapes, alim.	V6 3,5 litres 24 s atmos.
Puissance / Couple	302 chevaux / 273 lb-pi
Tr. base (opt) / rouage base (opt)	A7 / Prop
0-100 / 80-120 / V.Max	5,6 s / 5,0 s / 210 km/h
100-0 km/h	36,6 m
Type / ville / route / CO_2	Sup / 10,5 / 6,8 l/100 km / 4048 kg/an

SLK55 AMG

Cylindrée, soupapes, alim.	V8 5,5 litres 32 s atmos.
Puissance / Couple	415 chevaux / 398 lb-pi
Tr. base (opt) / rouage base (opt)	A7 / Prop
0-100 / 80-120 / V.Max	5,0 s / 3,0 s / 250 km/h
100-0 km/h	36,9 m
Type / ville / route / CO_2	Sup / 12,0 / 6,2 l/100 km / 4320 kg/an

Du nouveau en 2015

Ensemble CarbonLOOK disponible sur la SLK350 et roues 18 po AMG noires optionnelles sur la SLK55 AMG.

Photos: Mercedes-Benz Canada

FEU VERT

- Bon choix de motorisations
- Transmission 7 rapports bien étudiée
- Équilibre parfait (SLK350)
- Version AMG enivrante
- Insonorisation poussée

FEU ROUGE

- Transmission manuelle peu agréable
- Visibilité arrière problématique
- Performances justes (SLK250)
- Poids élevé (version AMG)

MERCEDES-BENZ **SLS AMG**

▶ **Catégorie :** Coupé, Roadster

▶ **Cote d'assurance :** n.d.

▶ **Échelle de prix :** 248 000 $ à 254 300 $

▶ **Garanties :** 4 ans/80 000 km, 4 ans/80 000 km

▶ **Transport et prép. :** n.d.

▶ **Ventes CAN 2013 :** 67 unités

Le drapeau à damier

Gabriel Gélinas

C'est la fin de la route pour la SLS AMG GT, et pour clore le chapitre sur la première voiture entièrement conçue et développée par AMG, la haute direction de la marque a décidé d'en produire 350 exemplaires portant la mention « Final Edition », dont 20 sont alloués au marché canadien. En attendant la tombée de son drapeau à damier, la SLS AMG GT continue de faire tourner les têtes, et c'est encore plus vrai dans le cas de cette dernière édition limitée qui reçoit plusieurs éléments inédits.

Elle a toujours eu une gueule de *star*, mais la SLS AMG Final Edition possède des éléments qui semblent avoir été empruntés au modèle de compétition de la catégorie GT3 et qui lui donnent l'air d'une véritable bête de circuit. Ainsi, ce modèle fait un usage étendu de fibre de carbone puisque le capot avant est réalisé avec ce matériau et qu'il est pourvu d'une ouverture permettant de canaliser le flot d'air. Le

déflecteur avant et l'aileron arrière fixe sont également faits en fibre de carbone, tout comme les appliques qui recouvrent les rétroviseurs latéraux. Soulignons au passage qu'il est possible de commander en option des pneus Dunlop Cup de compétition, lesquels sont très adhérents et qui conviendront à un usage sur circuit. Ce traitement singulier trouve son écho dans la présentation intérieure où l'on remarque un volant gainé d'alcantara avec base horizontale et dont le boudin est cerclé d'un bandeau indiquant la position « midi » sur le volant, exactement comme sur plusieurs voitures de course. Le reste de l'habitacle est drapé de cuir designo, d'alcantara et d'appliques en fibre de carbone alors que les ceintures de sécurité sont argentées. Pour rendre la vie à bord plus agréable, la voiture est dotée d'une chaîne audio Bang & Olufsen d'une puissance de mille watts comportant onze haut-parleurs, et deux caissons de graves localisés derrière les sièges, pour ceux qui seraient tentés d'écouter autre chose que la musique évocatrice du V8 atmosphérique de 6,2 litres !

Impressions de l'auteur		Concurrents
Agrément de conduite : ★★★★⯪ **4,5**/5		Aston Martin DB9, Audi R8, Ferrari California, Lamborghini Huracan, Maserati Gran Turismo, Nissan GT-R
Fiabilité : ★★★★☆ **4**/5		
Sécurité : ★★★★☆ **4**/5		
Qualités hivernales : ★☆☆☆☆ **1**/5		
Espace intérieur : ★★★☆☆ **3**/5		
Confort : ★★★★☆ **4**/5		

Une expérience de conduite hors du commun

Au cours des dernières années, j'ai eu l'occasion de conduire le coupé SLS AMG à haute vitesse sur les routes mexicaines – avec escorte policière ! – et le roadster sur les magnifiques routes des Alpes maritimes en France, deux expériences de conduite hors du commun pour ces voitures qui le sont tout autant. Qu'il s'agisse du coupé ou du roadster, les deux modèles font preuve d'un aplomb remarquable et d'une direction très précise. Dans les deux cas, la répartition des masses est de 47 % sur l'avant et de 53 % sur l'arrière, et cet équilibre des masses permet d'inscrire facilement la voiture sur la trajectoire idéale en conduite sportive. Sur les routes sinueuses, le couple prodigieux du V8 fait en sorte que les véhicules plus lents deviennent rapidement de vagues souvenirs disparaissant dans le rétroviseur.

À l'approche d'un virage plus serré, il suffit d'actionner le palier de droite pour rétrograder avec une experte montée en régime de la part du moteur pour ensuite connaître une sortie de virage canon, ou encore de simplement conserver le troisième rapport en profitant du couple abondant du moteur pour réaccélérer quand même de façon très soutenue, mais avec un peu moins d'urgence, dès le point de corde du virage. Elle va nous manquer, cette SLS AMG GT... dont il se vendait au Canada, bon an mal an, plus d'exemplaires que de Honda CR-Z !

La Mercedes-AMG GT programmée pour 2016

Si la SLS AMG GT tire sa révérence, Mercedes-Benz n'entend pas délaisser ce créneau pour autant puisque la nouvelle Mercedes-AMG GT, dont le nom escamote celui du fondateur de la marque, deviendra la seconde voiture sport développée par la division AMG. Ce célèbre préparateur d'Affalterbach, en Allemagne, annonce clairement ses intentions d'en faire une pure sportive afin de cibler directement les Porsche 911 Carrera et Cayman S.

La Mercedes-AMG sera plus courte, plus légère et moins chère que la SLS AMG GT, et sera animée par un V8 bi turbo de 4,0 litres. Mercedes-Benz nous a donné un avant-goût de la présentation intérieure de ce nouveau modèle dont l'habitacle est tendu de cuir rouge et noir et dont la planche de bord comporte un écran logé en position haute surplombant une rangée de quatre buses d'aération circulaires.

Avec ce modèle, la division AMG tentera de rejoindre une clientèle plus jeune et plus portée sur la performance pure. On attend la suite des choses avec impatience...

Châssis - GT roadster

Emp / lon / lar / haut	2680 / 4646 / 2075 / 1264 mm
Coffre / Réservoir	173 litres / 85 litres
Nombre coussins sécurité / ceintures	8 / 2
Suspension avant	indépendante, multibras
Suspension arrière	indépendante, multibras
Freins avant / arrière	disque / disque
Direction	à crémaillère, ass. variable
Diamètre de braquage	12,3 m
Pneus avant / arrière	265/35R19 / 295/30R20
Poids / Capacité de remorquage	1625 kg / n.d.
Assemblage	Sindelfingen, DE

Composantes mécaniques

GT

Cylindrée, soupapes, alim.	V8 6,2 litres 32 s atmos.
Puissance / Couple	583 chevaux / 479 lb-pi
Tr. base (opt) / rouage base (opt)	A7 / Prop
0-100 / 80-120 / V.Max	3,7 s (const) / n.d. / 320 km/h
100-0 km/h	35,7 m
Type / ville / route / co_2	Sup / 16,3 / 10,7 l/100 km / 6339 kg/an

Du nouveau en 2015

Édition finale limitée à 350 exemplaires, arrivée programmée de la Mercedes-AMG GT.

FEU VERT
- Exclusivité assurée
- Moteur V8 atmosphérique exceptionnel
- Finition impeccable
- Style réussi

FEU ROUGE
- Diffusion très limitée
- Prix très élevés
- Accès à bord difficile (coupé)
- Volume du coffre très limité

Photos: Mercedes-Benz Canada

MINI 5 PORTES

MINI **COOPER / COUPÉ / ROADSTER**

▶ **Catégorie :** Hatchback	▶ **Échelle de prix :** 20 490 $ à 25 490 $ (2014)	▶ **Transport et prép. :** 866 $
▶ **Cote d'assurance :** $$$$$	▶ **Garanties :** 4 ans/80 000 km, 4 ans/80 000 km	▶ **Ventes CAN 2013 :** 3 896 unités*

L'une chante mieux, l'autre grogne un peu

Marc Lachapelle

Le constructeur allemand BMW a réussi un coup de maître en achetant la marque britannique MINI, il y a vingt ans, pour la relancer. Le premier rejeton a réussi son entrée en 2002 et on l'a remodelé en 2008. Voici que 2015 nous apporte une troisième génération de cette icône moderne. Une petite voiture qui a grandi et changé, avec des résultats parfois déroutants.

Cette nouvelle MINI mérite encore un peu moins son nom que la précédente. Elle est plus longue de 11,4 cm et un peu plus large et haute, sur un empattement allongé de presque 3 cm et des voies avant et arrière élargies. Si elle est toujours facilement reconnaissable, c'est qu'on lui a taillé une calandre, des phares et des blocs optiques arrière plus grands. L'illusion fonctionne parfaitement.

Les stylistes et designers se sont également affairés à l'intérieur. Le tableau de bord a été redessiné et il y a maintenant des

cadrans pour la vitesse et le régime moteur droit devant. Le grand cadran central est réservé aux contrôles et à l'écran couleur qui accompagnent le système de navigation et la caméra de stationnement optionnels.

Fini la fente pour la clé de contact ronde ! On démarre en appuyant sur un commutateur rouge illuminé qu'on ne peut pas rater. Une touche amusante qui compense le déplacement parfaitement logique des lève-vitres vers les portières. À la base du levier de vitesses, un anneau permet de choisir un des trois modes de conduite qui modifient les réglages et la note d'échappement. En bref, des commandes plus ergonomiques mais plus banales.

Avec le gain en taille, les places arrière offrent un espace et un confort étonnants pour l'adulte moyen. L'accès exige cependant toujours un minimum de souplesse. Sous le hayon à l'arrière, la soute a gagné 50 litres et passe de 211 à 1 076 litres quand on replie les dossiers arrière.

Impressions de l'auteur		Concurrents
Agrément de conduite : ★★★★	4/5	BMW Série 2, Mazda MX-5
Fiabilité : ★★★	3/5	
Sécurité : ★★★★	4/5	
Qualités hivernales : ★★★★	4/5	
Espace intérieur : ★★★½	3,5/5	
Confort : ★★★½	3,5/5	

* Modèles combinés

Trois ou quatre cylindres

L'autre changement majeur, pour ces nouvelles MINI, se remarque en soulevant leur capot. Elles ont effectivement droit à de nouveaux moteurs turbocompressés à injection directe jumelés à une nouvelle boîte manuelle ou une automatique optionnelle, les deux à 6 rapports. Pour la Cooper, un trois cylindres de 1,5 litre qui produit 134 chevaux à 4 500 tr/min et 162 lb-pi à seulement 1 250 tr/min. Une mécanique moderne, douce au ralenti, qui émet le grognement typique d'un trois cylindres en accélération et transforme complètement son caractère. On la conduit immanquablement à bas régime pour profiter du couple, surtout que les rapports de la boîte manuelle sont très longs. La Cooper boucle le 0-100 en 8,1 secondes, soit nettement mieux que le modèle précédent.

Sur la Cooper S, les rapports de la boîte manuelle sont plus courts et les réactions plus vives, avec une belle note d'échappement. Le nouveau quatre cylindres de 2,0 litres produit 189 chevaux et 207 lb-pi de couple à seulement 1 250 tr/min. Elle sprinte de 0 à 100 km/h en 7,2 secondes et parcourt le quart de mille en 15,2 secondes à plus de 150 km/h. Des performances quasi identiques au modèle précédent, même si la bagnole est plus lourde de 42 kilos. Elle freine également de 100 km/h sur 39,1 mètres avec ses pneus de performance et ses disques avant plus grands alors que la Cooper s'exécute sur 42,2 mètres.

Les moteurs se coupent à l'arrêt pour réduire la consommation. Ils sont censés redémarrer aussitôt qu'on appuie sur l'embrayage avec la manuelle ou qu'on relâche le frein avec l'automatique. Ce mode nous a fait enrager à plus d'une reprise en nous forçant à relancer le moteur pour redémarrer. Pas tout à fait au point...

Chassez le naturel...

Dans la Cooper, on a d'abord l'impression d'être perché haut, comme dans une Countryman, mais on s'y fait. La position de conduite est impeccable dans les deux modèles, avec un bon repose-pied et un pédalier bien conçu pour la technique pointe-talon. Les sièges avant sport de la Cooper S sont bien sculptés et offrent confort et maintien.

Combinée à une suspension allégée et raffinée, la direction retouchée de la Cooper S en fait une compacte agile et précise en virage mais pas aussi vive et enjouée que les précédentes, même si elle pèse seulement 1 252 kilos. MINI pèche par excès d'enthousiasme en affichant que le mode Sport produit le « feeling kart maximal ». Chose certaine, qu'on soit au volant de la Cooper ou d'une Cooper S chaussée des pneus de performance optionnels, le roulement est très ferme sur une route bosselée et ça cogne vraiment sec dans le plus petit nid-de-poule.

La Cooper a perdu une part de son charme en gagnant espace et puissance mais c'est une meilleure aubaine. Et MINI d'en remettre une couche en dévoilant une version cinq portes qui arrive bientôt.

Châssis - Cooper S (Hayon)

Emp / lon / lar / haut	2495 / 3858 / 1727 / 1414 mm
Coffre / Réservoir	211 à 1076 litres / 44 litres
Nombre coussins sécurité / ceintures	6 / 4
Suspension avant	indépendante, jambes de force
Suspension arrière	indépendante, multibras
Freins avant / arrière	disque / disque
Direction	à crémaillère, ass. variable électrique
Diamètre de braquage	10,8 m
Pneus avant / arrière	P195/55R16 / P195/55R16
Poids / Capacité de remorquage	1252 kg / non recommandé
Assemblage	Oxford, GB

Composantes mécaniques

Coupé, Roadster, Cabriolet

Cylindrée, soupapes, alim.	4L 1,6 litre 16 s atmos.
Puissance / Couple	121 chevaux / 118 lb-pi
Tr. base (opt) / rouage base (opt)	M6 (A6) / Tr
0-100 / 80-120 / V.Max	9,4 s / n.d. / 199 km/h
Type / ville / route / CO_2	Sup / 7,4 / 5,7 l/100 km / 3036 kg/an

Cooper

Cylindrée, soupapes, alim.	3L 1,5 litre 12 s turbo
Puissance / Couple	134 chevaux / 162 lb-pi
Tr. base (opt) / rouage base (opt)	M6 (A6) / Tr
0-100 / 80-120 / V.Max	8,1 s / 9,3 s / 210 km/h
100-0 km/h	42,2 m
Type / ville / route / CO_2	Sup / 5,7 / 3,8 l/100 km / 2330 kg/an

Cooper S

Cylindrée, soupapes, alim.	4L 2,0 litres 16 s turbo
Puissance / Couple	189 chevaux / 207 lb-pi
Tr. base (opt) / rouage base (opt)	M6 (A6) / Tr
0-100 / 80-120 / V.Max	7,2 s / 6,4 s / 235 km/h
100-0 km/h	39,1 m
Type / ville / route / CO_2	Sup / 7,7 / 4,8 l/100 km / 2940 kg/an

Coupe S, Roadster S, Cabriolet S

4L - 1,6 l - 181 ch/177 lb-pi - M6 (A6) - 0-100: 7,5 s - 7,6/5,6

John Cooper Works: Coupe, Cabriolet

4L - 1,6 l- 208 ch/184 lb-pi - M6 - 0-100: 6,4 s - 8,2/6,0 l/100 km

Roadster John Cooper Works

4L - 1,6 l - 208 ch/192 lb-pi - M6 (A6) - 0-100: 6,3 s - 8,2/6,0 l/100 km

Du nouveau en 2015

Nouvelle génération. Version *hatchback* plus grande à cinq portes sera bientôt dévoilée.

- Version Cooper S vive et réussie
- Moteurs souples et assez puissants
- Meilleure ergonomie des commandes
- Plus spacieuse, y compris à l'arrière
- Prix très compétitif

- Roulement encore très ferme
- Moteur efficace mais contre nature (Cooper)
- Essence super conseillée
- Sensible au vent latéral
- Coupure automatique parfois frustrante

Photos : MINI Canada

MINI 5 PORTES

ÉCONOMIQUE

MINI CLUBMAN

MINI **COUNTRYMAN / CLUBMAN / PACEMAN**

▶ **Catégorie :** Familiale, Multisegment   ▶ **Échelle de prix :** 24 950 $ à 42 015 $ (2014)   ▶ **Transport et prép. :** 866 $

▶ **Cote d'assurance :** $$$\$\$ ▶ **Garanties :** 4 ans/80 000 km, 4 ans/80 000 km   ▶ **Ventes CAN 2013 :** 1843 unités*

Toujours plus gros et plus grand

Jean-François Guay

La MINI est née durant l'été 1959. Sa fiche de naissance indiquait une longueur de 3 054 mm, une largeur de 1 410 mm et un empattement de 2 032 mm. Toute menue, elle pesait tout juste 585 kg. Cinquante-six ans plus tard, les héritières de la MINI ont évolué et pris du coffre puisque les Clubman, Countryman et Paceman pèsent chacune plus du double du poids de leur ancêtre.

L'idée d'engendrer des modèles plus gros et plus grands à partir de la p'tite MINI ne date pas d'hier. Dans les années 1960, il y a eu les Austin Countryman et Morris Traveller alors que les années 1970 ont vu apparaître la Clubman. On connaît la suite. Puis, une nouvelle génération de Clubman a vu le jour en 2008, s'ensuivirent les Countryman en 2011 et Paceman en 2013. Quant à la Clubvan dévoilée l'an dernier — une Clubman utilitaire sans fenestration ou siège à l'arrière —, elle n'est plus vendue chez nous, la faute à la fameuse taxe américaine sur l'importation de véhicules commerciaux.

La Countryman et la Paceman

D'une longueur dépassant 4 mètres, les Countryman et Paceman dérogent aux préceptes de la marque avec leur suspension à long débattement et la possibilité d'opter pour un rouage à traction intégrale. Les deux modèles se différencient au niveau des portières : la Countryman en compte 4 comparativement à 2 pour la Paceman. La ligne de toit et le design des feux arrière sont d'autres caractéristiques qui les démarquent l'une de l'autre, au premier coup d'œil.

Cette année, la Countryman et la Paceman sont l'objet d'un léger restylage. On trouve : une calandre et des boucliers redessinés, des phares antibrouillard aux DEL, de nouvelles jantes et de nouvelles teintes de carrosserie. À l'intérieur, le « mobilier » demeure inchangé. Toutefois, l'équipement de série est plus complet et devrait comprendre un volant multifonction, un régulateur de vitesse, un régulateur automatique de la climatisation, des essuies-glace avec détecteur de pluie, et un système audio à 5 haut-parleurs avec lecteur MP3 etport USB.

* Paceman: 274 unités / Clubman: n.d.

Impressions de l'auteur		Concurrents
Agrément de conduite :	★★★★☆ 4/5	Fiat 500, Kia Soul
Fiabilité :	★★★☆☆ 3/5	
Sécurité :	★★★★☆ 4/5	
Qualités hivernales :	★★★★☆ 4/5	
Espace intérieur :	★★★⯪☆ 3,5/5	
Confort :	★★★★☆ 3/5	

Côté motorisation, le nouveau moteur à trois cylindres est réservé à la MINI « originale » et le trio Clubman / Countryman / Paceman conserve les trois variantes du quatre cylindres de 1,6 litre dont la puissance a été augmentée cette année - une version atmosphérique dans la Cooper de base et deux autres à turbocompresseur dans les Cooper S et John Cooper Works. Pour transmettre la puissance aux roues motrices avant, l'acheteur a le choix entre une boîte manuelle à 6 vitesses ou une automatique à 6 rapports. En optant pour le rouage à traction intégrale, il faut obligatoirement passer aux versions turbocompressées.

Les réglages du châssis, des suspensions et de la direction permettent aux Countryman et Paceman d'enchaîner les virages avec aplomb. Toutefois, les coups de volant sont moins précis que ceux des p'tites MINI à cause de leur centre de gravité plus élevé et de la souplesse des amortisseurs. En contre-partie, la mollesse de la suspension agrémente le confort — surtout que les deux modèles profitent cette année d'une meilleure insonorisation. En ville, ces petits VUS urbains se faufilent avec aisance dans la circulation. Cependant, les manœuvres de stationnement sont handicapées par un diamètre de braquage un peu trop long.

Malgré la présence du système ALL4 à traction intégrale, les habiletés des Countryman et Paceman sont limitées en terrain accidenté. Leur garde au sol est moins élevée que les Subaru XV Crosstrek et BMW X1 par exemple, et on se surprend à râper le sol au moindre dénivellement. Quant au mécanisme à 4 roues motrices, il s'agit d'un dispositif d'appoint qui fonctionne de façon inter-mittente et non pas en permanence. Les roues arrière s'animeront seulement lorsque les roues avant perdront de l'adhérence. Somme toute, ces véhicules sont plus à l'aise sur la neige que dans les sentiers boueux.

La Clubman

Le concept Clubman présenté dans différents salons automobiles laisse supposer que la prochaine génération sera plus imposante et deviendra la plus logeable des MINI. Plus long, plus large et plus haut que l'actuelle Clubman (une MINI allongée avec une troisième demi-porte à droite), le futur modèle devrait enfin se trouver une place bien à lui au sein de la gamme.

Depuis la commercialisation des Countryman et Paceman, il était devenu difficile pour la Clubman de définir son rôle. Mesurant plus de 4,2 mètres et dotée de 4 larges portières latérales, tout laisse croire que la mission première du prochain modèle sera de transporter 5 personnes en tout confort. Pour accéder au coffre, la future Clubman devrait conserver sa double porte arrière à ouverture antagoniste — sa marque de commerce.

Châssis - Countryman S All4

Emp / lon / lar / haut	2595 / 4109 / 1789 / 1561 mm
Coffre / Réservoir	350 à 1170 litres / 47 litres
Nombre coussins sécurité / ceintures	7 / 5
Suspension avant	indépendante, jambes de force
Suspension arrière	indépendante, multibras
Freins avant / arrière	disque / disque
Direction	à crémaillère, ass. variable électrique
Diamètre de braquage	11,6 m
Pneus avant / arrière	P205/55R17 / P205/55R17
Poids / Capacité de remorquage	1465 kg / n.d.
Assemblage	Graz, AT

Composantes mécaniques

Countryman, Clubman, Paceman

Cylindrée, soupapes, alim.	4 l 1,6 litre 16 s atmos.
Puissance / Couple	122 chevaux / 118 lb-pi
Tr. base (opt) / rouage base (opt)	M6 (A6) / Tr
0-100 / 80-120 / V.Max	10,4 s (const) / n.d. / 186 km/h
100-0 km/h	n.d.
Type / ville / route / co_2	Sup / 8,2 / 5,8 l/100 km / 3275 kg/an

Clubman S, Paceman S All4

Cylindrée, soupapes, alim.	4 l 1,6 litre 16 secondes turbo
Puissance / Couple	190 chevaux / 177 lb-pi
Tr. base (opt) / rouage base (opt)	M6 (A6) / Tr (Int - All4)
0-100 / 80-120 / V.Max	7,5 s (const) / 4,5 s / 213 km/h
100-0 km/h	37,7 m
Type / ville / route / co_2	Sup / 9,5 / 5,7 l/100 km / 3583 kg/an

Countryman All4

Cylindrée, soupapes, alim.	4 l 1,6 litre 16 secondes turbo
Puissance / Couple	190 chevaux / 177 lb-pi
Tr. base (opt) / rouage base (opt)	M6 (A6) / Int
0-100 / 80-120 / V.Max	7,7 s (const) / 9,2 s / 213 km/h
100-0 km/h	42,7 m
Type / ville / route / co_2	Sup / 9,5 / 5,5 l/100 km / 3542 kg/an

JCW All4: Paceman, Clubman, Countryman

Cylindrée, soupapes, alim.	4 l 1,6 litre 16 s turbo
Puissance / Couple	218 chevaux / 207 lb-pi
Tr. base (opt) / rouage base (opt)	M6 (A6) / Int
0-100 / 80-120 / V.Max	6,9 s (const) / 7,7 s / 228 km/h
100-0 km/h	n.d.
Type / ville / route / co_2	Sup / 9,1 / 6,0 l/100 km / 3544 kg/an

Du nouveau en 2015

Retouches esthétiques, moteurs plus puissants, multimédia MINI Connected, insonorisation améliorée, équipement plus complet.

FEU VERT
- Tenue de route
- Format passe-partout
- Nombreuses versions
- Faible consommation
- Banquette 3 places 40-20-40 (Countryman)

FEU ROUGE
- Coût des options
- Faible garde au sol
- Suspension sèche
- Ergonomie à revoir
- Accès aux places arrière (Paceman)

MINI COUNTRYMAN

Photos : MINI Canada

MITSUBISHI **I-MIEV**

▸ **Catégorie :** Hatchback   ▸ **Échelle de prix :** 27 998 $ (2013)   ▸ **Transport et prép. :** 1 700 $

▸ **Cote d'assurance :** n.d.   ▸ **Garanties :** 5 ans/100 000 km, 10 ans/160 000 km   ▸ **Ventes CAN 2013 :** 168 unités

Écono et écolo

Denis Duquet

Mitsubishi a fait preuve de détermination dans le développement de sa première voiture électrique. En effet, malgré les multiples difficultés qu'il éprouvait, le constructeur japonais n'a jamais dérogé de son plan de commercialiser une voiture zéro pollution. La mise au point a été relativement longue alors que de nombreux véhicules d'essai ont été confiés à des organisations afin que celles-ci puissent les utiliser dans des conditions différentes.

Tant et si bien que la i-MiEV est l'une des voitures électriques que nous croisons le plus souvent sur les routes du Québec. Comme il n'y en a pas des milliers, elles sont facilement repérables ! En plus, une chaîne de restauration bien connue spécialisée dans le poulet en possède quelques-unes comme voitures de livraison, ce qui augmente la visibilité de cette citadine.

Concept urbain

La silhouette de cette Mitsubishi 100 % électrique est unique en son genre. Tout dépend des goûts ; on peut la trouver intéressante, élégante ou carrément laide. Une chose est certaine, ses formes se plient aux lois de l'aérodynamique dans le but de diminuer la résistance à l'air et ainsi optimiser le rayon d'action du véhicule. Le capot très plongeant et le pare-brise fortement incliné contribuent également à fendre l'air efficacement. Pour maximiser l'espace intérieur, les roues sont placées à chaque extrémité et les porte-à-faux sont quasiment inexistants. Il en résulte une voiture de présentation verticale qui permet à quatre adultes d'y prendre place et de bénéficier d'un excellent dégagement pour la tête. Bref, c'est une voiture à vocation urbaine capable de rouler sur une distance ne dépassant pas 150 km. Cependant, il faut être réaliste… Cette autonomie peut varier en fonction de la température, du nombre de passagers, du trajet emprunté, etc.

Impressions de l'auteur		Concurrents
Agrément de conduite :	★★★★★ 3	Nissan LEAF
Fiabilité :	★★★★★ 4	
Sécurité :	★★★★★ 3	
Qualités hivernales :	★★★★★ 2,5	
Espace intérieur :	★★★★★ 3,5	
Confort :	★★★★★ 3,5	

MITSUBISHI I-MIEV

Si l'espace ne fait pas défaut dans cette petite japonaise écologique, on ne peut que déplorer la présentation simpliste de l'habitacle et l'utilisation de matériaux de qualité très moyenne. Les plastiques sont très durs, la qualité d'assemblage nettement perfectible et on a l'impression de s'asseoir dans une voiture se vendant environ 15 000 $ et non pas le double… Ce n'est pas un hasard, car une version moins coûteuse à essence de cette voiture est vendue ailleurs dans le monde.

Élémentaire

Le comportement routier de cette Mitsubishi est relativement serein mais il pourrait être nettement amélioré. Les ingénieurs ont opté pour des pneus très étroits afin de réduire la résistance à la friction. C'est peut-être bon pour prolonger le rayon d'action de la batterie, mais cela limite la tenue de route. En outre, avec ces pneus, la circulation sur de mauvaises routes n'est pas une expérience positive, d'autant plus que la suspension est assez raide. Par ailleurs, par un fort vent latéral, la hauteur de la carrosserie ainsi que la minceur des pneumatiques risquent de vous faire découvrir ce qu'est une automobile sensible au vent latéral. J'ai eu l'occasion de conduire cette voiture sur une autoroute alors que le vent soufflait par rafales et je vous prie de me croire que c'était comme éprouver des turbulences en avion.

De toute façon, qu'il vente ou pas, la tenue de route de la i-MiEV ne vous incitera pas à conduire vigoureusement. Il suffit d'aborder un virage serré à une vitesse quelque peu supérieure pour réaliser qu'il est plus sage de conduire en respectant les limites de vitesse affichées, ce qui aura pour avantage de réduire la consommation d'énergie de la pile ion-lithium. De toute manière, cette voiture n'est pas conçue pour le gymkhana, mais pour circuler paisiblement en ville.

Son moteur électrique placé sous le coffre et actionnant les roues arrière ne produit que 66 chevaux. Couplé à une boîte automatique à un seul rapport, il lui faut plus de 15 secondes pour effectuer le 0-100 km/h. Ceci dit, la voiture est en mesure de suivre sans problème le flot de la circulation. En plus, la conduite en ville avec ses nombreux arrêts permet de régénérer la puissance de la batterie grâce aux freins qui récupèrent l'énergie. C'est plus stressant sur l'autoroute alors qu'une vitesse constante et la faible utilisation des freins drainent la batterie plus rapidement.

Malgré plusieurs lacunes, cette Mitsubishi électrique vous permet de rouler 100 % écolo tout en ayant à débourser moins qu'avec les autres voitures électriques. Et vous aussi vous pourrez faire un doigt d'honneur aux pétrolières lorsque vous passerez devant une station-service. Rien que l'idée de ne plus se faire flouer par les rois du pétrole nous fait oublier les limites de la i-MiEV!

Châssis - ES

Emp / lon / lar / haut	2550 / 3675 / 1585 / 1615 mm
Coffre / Réservoir	368 à 1416 litres / Aucun
Nombre coussins sécurité / ceintures	6 / 4
Suspension avant	indépendante, jambes de force
Suspension arrière	De Dion
Freins avant / arrière	disque / tambour
Direction	à crémaillère, ass. variable électrique
Diamètre de braquage	9,4 m
Pneus avant / arrière	P145/65R15 / P175/60R15
Poids / Capacité de remorquage	1180 kg / non recommandé
Assemblage	Mizushima, JP

Composantes mécaniques

Moteur	Électrique
Puissance / Couple	66 ch (49 kW) / 140 lb-pi
Tr. base (opt) / rouage base (opt)	Rapport fixe / Prop
0-100 / 80-120 / V.Max	15,2 s / 14,4 s / 130 km/h
100-0 km/h	42,5 m
Type / ville / route / co_2	Ord / 5,3 / 4,4 l/100 km / 2 250 kg/an
Type de batterie	Lithium-ion (Li-ion)
Énergie	16 kWh
Temps de charge (120V / 240V)	12,0 heures / 6,0 heures
Autonomie	135 km

Du nouveau en 2015

Aucun changement majeur

FEU VERT

- Zéro pollution
- Bonne habitabilité
- Prix compétitif
- Conduite urbaine optimisée

FEU ROUGE

- Autonomie moyenne
- Sensible aux vents latéraux
- Finition à revoir
- Matériaux bon marché

Photos : Mitsubishi Canada

MITSUBISHI **LANCER**

▸ **Catégorie :** Berline, Hatchback

▸ **Cote d'assurance :** $$$$$

▸ **Échelle de prix :** 14 998 $ à 51 998 $ (2014)

▸ **Garanties :** 3 ans/60 000 km, 5 ans/100 000 km

▸ **Transport et prép. :** 1 600 $

▸ **Ventes CAN 2013 :** 7 404 unités

À genoux mais pas encore mort

Alain Morin

Dans le monde automobile actuel où les nouveautés se succèdent à un rythme effréné, nous oublions souvent que Mitsubishi, parent pauvre de l'industrie, est en fait une immense corporation qui a des ramifications dans d'innombrables secteurs d'activité partout sur la planète. Et l'automobile n'est qu'une de ces ramifications. Sur le site corporatif de Mitsubishi, on peut lire, une fois qu'on a trouvé la section où l'on parle des véhicules automobiles, que l'entreprise concentre sa stratégie sur les marchés en émergence que sont l'Indonésie, la Russie et la Chine. On comprend alors un peu mieux le peu d'efforts apporté à la gamme en Amérique du Nord.

C'est ainsi qu'on se retrouve avec une Lancer qui est dépassée, selon nos standards. La version actuelle est apparue en 2008 et n'a guère changé depuis, autant en dehors qu'en dedans. Mais puisque la voiture « d'antan » était particulièrement bien

réussie, surtout au niveau de la carrosserie, il lui a fallu plus de temps avant de montrer des signes de fatigue. Sauf qu'une fois le processus de vieillissement amorcé, la dégénérescence va vite. L'auteur de cet essai est de mieux en mieux placé pour en parler...

À défaut de moderniser la Lancer, Mitsubishi a quand même eu la bonne idée de lui donner de nombreuses déclinaisons. On la retrouve sous la forme d'un *hatchback* ou d'une berline. Cette dernière peut être une placide compacte ou, à l'inverse, une bête de course légalisée pour la route. La placide compacte débarque chez les concessionnaires avec un quatre cylindres (tous les moteurs de toutes les Lancer sont des quatre cylindres) de 2,0 litres développant 148 chevaux. Ce n'est pas la mer à boire, néanmoins, les performances sont correctes pour aller du point A au point B sans trop de raffinement mais sans encombre non plus. La boîte manuelle à cinq rapports qui l'accompagne n'est pas la meilleure qu'on puisse trouver dans l'industrie et plusieurs lui préféreront la CVT qui,

Impressions de l'auteur		
Agrément de conduite :	★★★★☆	4/5
Fiabilité :	★★★★☆	4/5
Sécurité :	★★★★☆	4/5
Qualités hivernales :	★★★★☆	4/5
Espace intérieur :	★★★☆☆	3,5/5
Confort :	★★★☆☆	3,5/5

Concurrents
Chevrolet Cruze, Dodge Dart, Ford Focus, Honda Civic, Hyundai Elantra, Kia Forte, Mazda3, Nissan Sentra, Subaru Impreza, Toyota Corolla, Volkswagen Jetta

MITSUBISHI LANCER

bien que faisant dramatiquement augmenter le niveau sonore lors des accélérations, demeure mieux adaptée au moteur.

Ralliart, le meilleur de deux mondes

Vient ensuite un 2,4 litres de 168 chevaux qui change, pour le mieux, la personnalité de la Lancer. Seule la CVT est proposée et elle dirige le couple aux quatre roues. Eh oui, la Lancer est l'une des rares berlines qui puisse être dotée d'un rouage intégral... qu'on peut même verrouiller pour améliorer la traction, lors d'une tempête de neige par exemple. On commence à parler plaisir avec la Ralliart. Son 2,0 litres turbocompressé développe 237 chevaux expédiés aux quatre roues grâce à une boîte automatique à six rapports à double embrayage. Les accélérations et reprises sont nettement bonifiées et la consommation (d'essence super), si le pilote s'amuse à faire entrer le turbo en action, augmente passablement.

Irrésistible EVO

Enfin, il y a le nirvana avec les deux versions de l'EVO catapultées par un 2,0 litres turbocompressé de 291 chevaux et 300 livres-pied de couple. Dans une voiture d'environ 1600 kg, ça avance en p'tit péché routier. Heureusement, le rouage est intégral et passe par une boîte manuelle à cinq rapports dans la version GSR et par une transmission automatique à double embrayage dans la M La GSR aurait mérité une boîte à six rapports minimum, ce qui aurait pu contribuer à faire diminuer les révolutions du moteur et, en même temps, le niveau sonore dans l'habitacle. À 100 km/h, le moteur tourne à près de 3 000 tr/min. De son côté, la boîte à double embrayage de la MR donne à l'EVO un tempérament bouillant avec ses passages bien sentis et quelquefois brusques entre les rapports et, surtout, ses réactions coupées au millième de seconde. Sauf que pour profiter de ces hormones, il faut y mettre le prix. Une GSR débute à plus de 40 000 $ et il faut ajouter 10 000 $ supplémentaires pour une MR... Quelque chose me dit que ces voitures deviendront des voitures de collection. Tout porte à croire que cette EVO de dixième génération ne serait pas reconduite dans le futur, faisant de 2015 la dernière année de production. Mitsubishi a déjà déclaré qu'elle allait se concentrer sur les petites voitures consommant très peu... ou pas du tout. Dans cette optique, l'abandon d'une voiture qui boit comme une défoncée peut être justifié.

Enfin, un mot sur la Sportback, cette *hatchback* qui rend la Lancer plus jolie (opinion personnelle) et plus pratique. Dommage qu'elle ne soit offerte qu'avec le moteur de base.

La gamme Lancer est l'une des plus complètes qui soient mais elle a atteint la fin de son cycle de vie. Il suffit de prendre place à bord de n'importe laquelle pour se rendre compte que le design du tableau de bord, la qualité des plastiques et le noir intégral datent d'une autre époque. Souhaitons que Mitsubishi nous refasse le coup de 2008!

Photos: Mitsubishi Canada, Alain Morin

Châssis - Ralliart	
Emp / lon / lar / haut	2635 / 4570 / 1760 / 1490 mm
Coffre / Réservoir	283 litres / 55 litres
Nombre coussins sécurité / ceintures	7 / 5
Suspension avant	indépendante, jambes de force
Suspension arrière	indépendante, multibras
Freins avant / arrière	disque / disque
Direction	à crémaillère, assistée
Diamètre de braquage	10,0 m
Pneus avant / arrière	P215/45R18 / P215/45R18
Poids / Capacité de remorquage	1570 kg / n.d.
Assemblage	Mizushima, JP

Composantes mécaniques	
DE, SE, Limited, GT	
Cylindrée, soupapes, alim.	4L 2,0 litres 16 s atmos.
Puissance / Couple	148 chevaux / 145 lb-pi
Tr. base (opt) / rouage base (opt)	M5 (CVT) / Tr
0-100 / 80-120 / V.Max	9,1 s / 6,8 s / n.d.
100-0 km/h	n.d.
Type / ville / route / CO_2	Ord / 8,4 / 5,8 l/100 km / 3330 kg/an
SE AWC, GT AWC	
Cylindrée, soupapes, alim.	4L 2,4 litres 16 s atmos.
Puissance / Couple	168 chevaux / 167 lb-pi
Tr. base (opt) / rouage base (opt)	CVT / Int
0-100 / 80-120 / V.Max	9,2 s / 6,3 s / n.d.
100-0 km/h	46,5 m
Type / ville / route / CO_2	Ord / 9,2 / 6,9 l/100 km / 3760 kg/an
Ralliart	
Cylindrée, soupapes, alim.	4L 2,0 litres 16 s turbo
Puissance / Couple	237 chevaux / 253 lb-pi
Tr. base (opt) / rouage base (opt)	A6 / Int
0-100 / 80-120 / V.Max	6,2 s / 4,2 s / n.d.
100-0 km/h	39,6 m
Type / ville / route / CO_2	Sup / 11,9 / 7,9 l/100 km / 4646 kg/an
Evolution GSR, Evolution MR	
Cylindrée, soupapes, alim.	4L 2,0 litres 16 s turbo
Puissance / Couple	291 chevaux / 300 lb-pi
Tr. base (opt) / rouage base (opt)	M5 (A6 - MR) / Int
0-100 / 80-120 / V.Max	5,6 s / 3,9 s / n.d.
100-0 km/h	35,2 m
Type / ville / route / CO_2	Sup / 12,6 / 8,9 l/100 km / 5030 kg/an

Du nouveau en 2015
Nouveau modèle

FEU VERT
- Fiabilité prouvée
- Excellente garantie
- Très bon comportement routier
- Versions EVO démentielles
- Rouage intégral bienvenu

FEU ROUGE
- Design intérieur dépassé
- Consommation élevée des modèles turbo
- Coffre restreint (EVO)
- Modèle en fin de carrière

MITSUBISHI **MIRAGE**

▶ **Catégorie :** Hatchback	▶ **Échelle de prix :** 12 498 $ à 16 598 $ (2014)	▶ **Transport et prép. :** 1 450 $
▶ **Cote d'assurance :** n.d.	▶ **Garanties :** 5 ans/100 000 km, 10 ans/160 000 km	▶ **Ventes CAN 2013 :** 614 unités

Leurre de vérité

Alain Morin

Oh, qu'il s'en est écrit des choses, et pas toujours des belles, sur la Mitsubishi Mirage ! Les journalistes automobiles l'ont trouvée trop chère, mal finie, mal adaptée à notre marché et à notre climat. Ils l'ont vilipendée, descendue en flammes, plantée comme un vieux clou rouillé. Avec raison ?

La Mitsubishi Mirage est une citadine, c'est-à-dire taillée sur mesure pour les centres-villes, tout comme les Scion iQ, smart, Chevrolet Spark et Fiat 500. Les dimensions extérieures de la Mirage sont toutefois plus imposantes, ce qui se traduit par un habitacle d'autant plus vaste — vaste devant être pris avec une certaine modération... Curieusement, la toute nouvelle Nissan Micra, un brin plus longue, possède exactement le même empattement et la même largeur. Donc, au chapitre des dimensions de l'habitacle, la Mirage n'a pas à rougir. Au niveau de la capacité du coffre, elle s'incline toutefois devant les

autres, excepté de la Scion et de la smart qui ont su redéfinir le qualificatif microscopique.

L'incurie de l'écurie

Sous le capot de la Mitsubishi, on retrouve un trois cylindres de 1,2 litre qui, on ne se le cachera pas, n'en mène pas large. La Mirage a beau être un poids plume d'environ 900 kg, les 74 petits chevaux distribués à 6 000 tours/minute demandent plus de 13 secondes pour l'emmener à 100 km/h, une éternité de nos jours où rien ne se fait assez rapidement. Cet exercice entraine une notable augmentation du niveau sonore mais, une fois rendu à une vitesse de croisière, l'habitacle est relativement silencieux.

La transmission à rapports continuellement variables (CVT) fonctionne sans anicroche mais sans passion non plus. Elle permet de conserver les révolutions du moteur à un niveau acceptable en ville mais dès qu'on dépasse les limites permises sur les autoroutes, c'est une autre histoire. La manuelle à cinq

Impressions de l'auteur		Concurrents
Agrément de conduite : ★★⯨☆☆ 2,5/5		Chevrolet Spark, Fiat 500,
Fiabilité : **Nouveau modèle**		Nissan Micra
Sécurité : ★★★☆☆ 3/5		
Qualités hivernales : ★★★☆☆ 3/5		
Espace intérieur : ★★★★☆ 4/5		
Confort : ★★★☆☆ 3/5		

MITSUBISHI **MIRAGE**

rapports fait aussi un bon boulot même si son embrayage et la course de son levier de vitesses me faisaient penser à ceux de mon défunt Suzuki Swift 1990.

Une Mirage à boite CVT essayée en été nous a donné 6,7 l/100 km tandis qu'une à boite manuelle, en plein hiver alors que le ciel s'est payé la traite en nous déversant une trentaine de centimètres de neige sur la tête, a résulté en une consommation moyenne de 8,0 l/100 km. Cette dernière donnée est toutefois à prendre avec un grain de sel, aucune voiture n'aurait réussi une bonne moyenne à cause de la température. Cependant, si l'on achète la Mirage uniquement pour sa consommation d'essence réduite, on risque d'être déçu. Bien des compactes peuvent faire tout aussi bien, sinon mieux tout en étant plus pratiques.

Sur la route, le comportement de la Mirage n'est franchement pas si pire que ça. Certes, si l'on se prend pour un pilote de Porsche sur un circuit, on risque de déchanter rapidement mais comme la plupart des Mirage demeureront sagement en milieu urbain, on se souciera peu d'un roulis fortement exagéré et de freins (à tambour à l'arrière) qui sentent le brûlé après un arrêt d'urgence à partir de 100 km/h. D'ailleurs, 46, 4 mètres pour cet arrêt, compte tenu du poids plume de la voiture, c'est beaucoup trop. La direction ne pèche pas par excès de précision, cependant, pour la catégorie, c'est correct. Le confort, enfin, est plutôt relevé pourvu qu'on roule sur une belle route.

Là où le bât blesse, c'est quand on remarque que la peinture a été très parcimonieusement étendue sur et sous la voiture, que le châssis n'est recouvert d'aucune forme d'antirouille (quoique les joints sont bien protégés), que la suspension avant ressemble à celle d'une Toyota Echo, que la neige se ramasse sur la boite à fusibles, que la qualité des plastiques utilisés dans l'habitacle est d'une navrante désuétude, que le dégivrage est très juste, et que dans quelques années, les pneus de 14 pouces risquent de devenir difficiles à trouver ailleurs que chez les concessionnaires; et j'en passe par charité chrétienne.

La question du prix

Toutes ces récriminations ne seraient pas tellement graves si le prix était conséquent. Peu importe qu'il s'agisse d'un café ou d'une voiture, le consommateur doit en avoir pour son argent. Ce qui n'est pas le cas avec la Mirage, surtout dans sa version la plus équipée qui peut facilement monter à plus de 18 000 $ en puisant joyeusement dans le catalogue d'options. À ce prix-là, une Honda Civic usagée d'un an ou deux devient une alternative de choix. On a beau dire que la Mirage est protégée par une garantie de 10 ans, ce n'est pas suffisant. Il y a aussi une certaine Nissan Micra qui vient brouiller les cartes...

Dans les derniers Salons de l'auto canadiens, Mitsubishi montrait la G4, une Mirage berline. Si la réponse est positive, elle sera mise en marché. Est-ce une bonne nouvelle?

Châssis - ES

Emp / lon / lar / haut	2450 / 3780 / 1665 / 1500 mm
Coffre / Réservoir	235 à 487 litres / 35 litres
Nombre coussins sécurité / ceintures	7 / 5
Suspension avant	indépendante, jambes de force
Suspension arrière	semi-indépendante, poutre de torsion
Freins avant / arrière	disque / tambour
Direction	à crémaillère, ass. électrique
Diamètre de braquage	9,2 m
Pneus avant / arrière	P165/65R14 / P165/65R14
Poids / Capacité de remorquage	895 kg / n.d.
Assemblage	Laem Chabang, Thaïlande

Composantes mécaniques

ES, SE, SE (auto)

Cylindrée, soupapes, alim.	3L 1,2 litre 12 s atmos.
Puissance / Couple	74 chevaux / 74 lb-pi
Tr. base (opt) / rouage base (opt)	M5 (CVT) / Tr
0-100 / 80-120 / V.Max	13,2 s / 10,1 s / n.d.
100-0 km/h	46,4 m
Type / ville / route / CO_2	Ord / 5,3 / 4,4 l/100 km / 2250 kg/an

MITSUBISHI MIRAGE G4

Du nouveau en 2015

Aucun changement majeur

FEU VERT

- Bouille assez sympathique
- Rayon de braquage très court
- Garantie exceptionnelle
- Bonne habitabilité
- Transmission CVT réussie

FEU ROUGE

- Motorisation trop modeste
- Consommation plutôt élevée
- Rapport valeur/prix atroce (certaines versions)
- Peinture très mal (et très peu) appliquée
- Qualité des plastiques décourageante

MITSUBISHI **OUTLANDER**

▶ **Catégorie :** VUS   ▶ **Échelle de prix :** 25 998 $ à 35 998 $ (2014)   ▶ **Transport et prép. :** 1450 $

▶ **Cote d'assurance :** $$$$$ ▶ **Garanties :** 5 ans/100 000 km, 10 ans/160 000 km   ▶ **Ventes CAN 2013 :** 5 262 unités

Nouvelle chirurgie plastique

Sylvain Raymond

Lors de l'arrivée de Mitsubishi au Canada en 2002, plusieurs étaient heureux de voir débarquer en sol canadien l'Eclipse, une sportive précédée d'une belle réputation. D'autres modèles beaucoup moins intéressants ont aussi franchi la frontière, la Galant et le Montero pour ne nommer que ces deux-là. C'est surtout l'Outlander qui était la grande nouveauté du moment. Depuis ce temps, il tire bien son épingle du jeu puisqu'il représente le troisième modèle d'importance pour Mitsubishi, juste derrière la Lancer et le RVR.

L'Outlander a la tâche colossale de rivaliser dans un segment très compétitif, celui des VUS compacts. Le choix est impressionnant et les constructeurs investissent massivement, histoire de conserver leur avance car c'est la nouveauté qui attire les clients. Pas facile de faire face aux Mazda CX-5, Honda CR-V et Toyota RAV4 sans compter les modèles

coréens. Mitsubishi n'a malheureusement pas les capacités pour se battre aussi férocement et surtout pour renouveler ses modèles à la même cadence.

Une retouche rapide pour corriger le tir

En 2010, l'Outlander avait été sérieusement redessiné et son devant plus agressif imitant le design de la Lancer avait fait couler beaucoup d'encre à l'époque. C'était très osé, mais le pari avait été payant. Mitsubishi a relancé le débat l'an passé en présentant un modèle retouché qui, cette fois, marquait un retour en arrière avec des lignes plus classiques. Comme si nous étions revenus avant 2010 !

Preuve que cette nouvelle bouille ne faisait pas l'unanimité, le constructeur japonais a apporté quelques coups de crayon pour 2015 histoire de corriger le tir. La partie avant a été passablement modifiée et marque un retour vers le design qui avait tant amélioré l'Outlander en 2010.

Impressions de l'auteur		Concurrents
Agrément de conduite : ★★★★☆	4/5	Chevrolet Equinox, Ford Escape,
Fiabilité :	★★★☆ 3.5/5	Honda CR-V, Hyundai Santa Fe,
Sécurité :	★★★★☆ 4,5/5	Mazda CX-7, Nissan Rogue, Subaru
Qualités hivernales :	★★★★ 4/5	Forester, Toyota RAV4,
Espace intérieur :	★★★☆ 3.5/5	Volkswagen Tiguan
Confort :	★★★☆ 3.5/5	

MITSUBISHI OUTLANDER

À bord, la dernière génération nous a apporté un modèle mieux ficelé. Les matériaux sont d'apparence plus riche et les détails sont soignés. On a droit de série à bien des équipements incluant une chaine audio de bonne qualité et un port USB afin d'y relier nos appareils mobiles. L'espace demeure généreux et tous les passagers sont à l'aise. L'un des avantages de l'Outlander face à plusieurs de ses rivaux, c'est sa capacité d'accueillir jusqu'à sept personnes. Depuis l'an passé, la banquette de troisième rangée — auparavant pratiquement en carton! — fait place à des sièges confortables, alors que la livrée la plus cossue dispose d'un hayon à commande électrique.

Des choix limités

Côté mécanique, la livrée de base ES est la seule qui peut être équipée du moteur quatre cylindres de 2,4 litres qui produit 166 chevaux et un couple de 162 lb-pi. Il est marié à une transmission à variation continue CVT dont on a revu la programmation afin de rehausser son comportement. Vous avez tout de même le choix entre la traction ou le rouage intégral mais puisqu'il s'agit d'un VUS, il est difficile de vous conseiller de vous en passer.

Alors que plusieurs constructeurs ont mis de côté leurs six cylindres, Mitsubishi mise toujours ce type de moteur pour le reste de sa gamme. L'Outlander SE dispose donc d'un V6 de 3,0 litres qui développe 227 chevaux pour un couple 215 lb-pi. Le rouage intégral est de série, tout comme la transmission automatique à six rapports. L'Outlander GT hérite de la même mécanique, à part son rouage intégral. Il profite du système Super All-Wheel Control (S-AWC), dérivé de la Lancer EVO, qui s'active automatiquement sur pavé glissant. Il comprend quatre modes de conduite maximisant les prestances du véhicule en fonction des conditions de la route. Le mode Eco permet notamment de réduire la consommation du V6 en forçant une conduite en mode deux roues motrices lorsque les conditions s'y prêtent.

Sur la route, les deux moteurs tirent bien leur épingle du jeu. Le quatre cylindres est nerveux alors que sa boîte CTV, sans être des plus agréables, tire bien profit de la puissance disponible. On apprécie également son économie de carburant supérieure.

Le V6 a davantage de souffle et sa puissance plus élevée permet de boucler le 0-100 km/h en un peu plus de huit secondes. La présence de palonniers derrière le volant permet de passer les rapports manuellement si jamais l'envie de conduire un peu plus dynamiquement vous prenait. Le seul désavantage de ce moulin c'est qu'on recommande l'utilisation d'essence super et au prix actuel du carburant, ce n'est pas une bonne nouvelle...

Le Mitsubishi Outlander représente toujours un modèle intéressant. Il fait toutefois face à une concurrence bien ficelée, ce qui lui fait de l'ombre. Il se distingue tout de même par son excellente garantie.

Châssis - ES 4RM

Emp / lon / lar / haut	2670 / 4656 / 1800 / 1680 mm
Coffre / Réservoir	968 à 1793 litres / 60 litres
Nombre coussins sécurité / ceintures	7 / 5
Suspension avant	indépendante, jambes de force
Suspension arrière	indépendante, multibras
Freins avant / arrière	disque / disque
Direction	à crémaillère, ass. variable électrique
Diamètre de braquage	10,6 m
Pneus avant / arrière	P215/70R16 / P215/70R16
Poids / Capacité de remorquage	1573 kg / 682 kg (1503 lb)
Assemblage	Mizushima, JP

Composantes mécaniques

ES

Cylindrée, soupapes, alim.	4 l 2,4 litres 16 s atmos.
Puissance / Couple	166 chevaux / 162 lb-pi
Tr. base (opt) / rouage base (opt)	CVT / Tr (Int)
0-100 / 80-120 / V.Max	9,5 s / n.d. / n.d.
100-0 km/h	n.d.
Type / ville / route / CO_2	Ord / 9,8 / 8,1 l/100 km / 4160 kg/an

SE, GT-S

Cylindrée, soupapes, alim.	V6 3,0 litres 24 s atmos.
Puissance / Couple	227 chevaux / 215 lb-pi
Tr. base (opt) / rouage base (opt)	A6 / Int
0-100 / 80-120 / V.Max	8,3 s / 5,7 s / n.d.
100-0 km/h	43,2 m
Type / ville / route / CO_2	Sup / 11,8 / 8,4 l/100 km / 4720 kg/an

Du nouveau en 2015

Partie avant redessinée, roues de 18 pouces pour le GT.

FEU VERT

- Bonne garantie
- Deux bons moteurs
- Finition rehaussée
- Bon système de sonorisation

FEU ROUGE

- Essence super (V6)
- Lignes toujours un peu rétro
- Dépréciation rapide
- Moins flamboyant que ses rivaux

Photos : Mitsubishi Canada

MITSUBISHI **RVR**

▶ **Catégorie :** VUS	▶ **Échelle de prix :** 19 998 $ à 28 498 $ (2014)	▶ **Transport et prép. :** 1 700 $
▶ **Cote d'assurance :** $$$$$	▶ **Garanties :** 5 ans/100 000 km, 10 ans/160 000 km	▶ **Ventes CAN 2013 :** 7 653 unités

Un compromis qui rapporte

Denis Duquet

Les décisions de Mitsubishi sont parfois intrigantes. Par exemple, comment expliquer la silhouette de la plus récente génération de l'Outlander (heureusement revue cette année!)? Et lorsque le RVR — appelé Outlander Sport chez nos voisins du Sud — est arrivé sur notre marché, plusieurs se sont interrogés quant à la pertinence de ce geste puisque Mitsubishi, qui ne possédait que trois modèles dans sa gamme, se retrouvait avec deux VUS qui, de surcroît, se ressemblaient passablement.

Au moins, avec le renouvellement de l'Outlander, les deux ne se ressemblent plus. Par ailleurs, la ressemblance du RVR avec la berline Lancer est encore présente, ce qui n'est pas mauvais en soi. Mais force est d'admettre que cette décision s'est avérée la bonne sur le plan du marketing car mois après mois, le RVR figure toujours parmi les modèles les plus vendus de Mitsubishi. Mieux encore, il est en harmonie avec une nouvelle génération de VUS sous-compacts qui gagne en popularité. Cependant, il semble que cette popularité n'est pas réalisée au détriment des marques concurrentes, mais bien en cannibalisant en partie les ventes des Lancer et Outlander. Problème...

De l'importance du *look*

Autant la mouture de l'Outlander a déçu, on vient d'ailleurs de modifier son museau, autant le RVR séduit par son apparence. En effet, sa partie avant en forme nez de requin lui confère une allure dynamique et un tantinet sportive. De plus, sur les modèles plus huppés, la calandre est cerclée de chrome ce qui est d'un bel effet. Cette silhouette dynamique est accentuée par une embossure partant de l'aile avant jusqu'à l'aile arrière. En plus, la fenestration qui décroît vers l'arrière contribue également à cette allure.

Impressions de l'auteur			Concurrents
Agrément de conduite :	★★★☆☆	3 /5	Jeep Compass, Jeep Patriot,
Fiabilité :	★★★★☆	4 /5	MINI Countryman, Nissan Juke,
Sécurité :	★★★★☆	4 /5	Volkswagen Tiguan
Qualités hivernales :	★★★★☆	4 /5	
Espace intérieur :	★★★☆	3,5 /5	
Confort :	★★★☆	3,5 /5	

MITSUBISHI RVR

Dans l'habitacle, la planche de bord est d'une élégance sobre, certains diront monotone, et les commandes sont simples de présentation et d'utilisation. Les deux grands cadrans indicateurs sont faciles à lire avec leurs chiffres blancs sur fond noir et sont aussi de bonnes dimensions. Le volant renouvelé l'an dernier pourrait avoir un boudin plus gros, mais les commandes placées sur les rayons horizontaux sont bien disposées. Et pour plusieurs, l'élément le plus spectaculaire de l'habitacle est ce grand toit ouvrant livrable, agrémenté de bandes de lumière à diodes électroluminescentes qui sont d'un bel effet.

Le système audio Rockford Fosgate (optionel dans la version GT) a beau posséder une belle sonorité, cela ne compense pas pour les plastiques de qualité moyenne bien qu'il y ait des progrès à ce chapitre cette année. Il est toujours mauvais de réaliser des économies sous les yeux des occupants. On pourrait économiser ailleurs et recourir à des matériaux de meilleure qualité pour la planche de bord. L'impression serait plus positive.

Choix facile

Les acheteurs potentiels du RVR n'auront pas à se casser la tête lorsque viendra le temps de choisir un moteur, car il n'y en a qu'un au catalogue, le 2,0 litres de base qui est offert sur la berline Lancer. Ses 148 chevaux sont dans la moyenne de la catégorie et assurent des performances adéquates mais sans plus. Par contre, il est possible de choisir entre la boîte manuelle à cinq rapports qui est de série ou la boîte CVT optionnelle. En passant, celle-ci est renouvelée cette année. Et si vous désirez conduire un modèle doté de la transmission intégrale, votre RVR sera obligatoirement équipé de la boîte CVT. Sur les modèles de haut de gamme, cette transmission peut être commandée par des palettes montées sur le volant. Soulignons au passage que le rouage intégral de Mitsubishi est efficace et fortement recommandé.

Les performances du moteur sont correctes mais avec un temps de plus de 11 secondes pour réaliser le 0-100 km/h, on peut se demander pourquoi on l'affuble du qualificatif « Sport » aux États-Unis. La suspension est plus ou moins bien calibrée et le véhicule sursaute allègrement sur les routes dont le revêtement est en mauvais état. Et comme si ce n'était pas suffisant, l'insonorisation est Déficiente (oui, avec un « D » majuscule...) Cette situation est un irritant majeur sur les modèles avec la boîte CVT puisqu'on a l'impression que le moteur est toujours en surrégime. Enfin, malgré les dimensions plutôt réduites du RVR, ce n'est pas un véhicule particulièrement agile sur la route.

Pour conclure, si son prix de base est alléchant, la situation se détériore rapidement à ce chapitre lorsqu'on veut l'équiper le moindrement. On atteint vite le prix d'un Outlander de base.

Châssis - SE TA

Emp / lon / lar / haut	2670 / 4295 / 1770 / 1630 mm
Coffre / Réservoir	614 à 1402 litres / 63 litres
Nombre coussins sécurité / ceintures	7 / 5
Suspension avant	indépendante, jambes de force
Suspension arrière	indépendante, multibras
Freins avant / arrière	disque / disque
Direction	à crémaillère, ass. électrique
Diamètre de braquage	10,6 m
Pneus avant / arrière	P225/55R18 / P225/55R18
Poids / Capacité de remorquage	1375 kg / n.d.
Assemblage	Normal, IL

Composantes mécaniques

Cylindrée, soupapes, alim.	4L 2,0 litres 16 s atmos.
Puissance / Couple	148 chevaux / 145 lb-pi
Tr. base (opt) / rouage base (opt)	M5 (CVT) / Tr (Int)
0-100 / 80-120 / V.Max	11,5 s / 9,2 s / n.d.
100-0 km/h	41,6 m
Type / ville / route / co_2	Ord / 8,6 / 6,6 l/100 km / 3545 kg/an

Du nouveau en 2015

Nouvelle boîte CVT, phares de jour DEL sur version GT, certains matériaux améliorés dans l'habitacle.

FEU VERT

- Garantie rassurante
- Bonne fiabilité
- Style réussi
- Prix de base alléchant
- Rouage intégral efficace

FEU ROUGE

- Insonorisation médiocre
- Plastiques bon marché
- Consommation décevante
- Les options font monter la facture
- Moteur un peu juste

Photos : Mitsubishi Canada

NISSAN **370Z**

▶ **Catégorie :** Coupé, Roadster	▶ **Échelle de prix :** 38 428 $ à 55 008 $ (2014)	▶ **Transport et prép. :** 1740 $
▶ **Cote d'assurance :** $$$$$	▶ **Garanties :** 3 ans/60 000 km, 5 ans/100 000 km	▶ **Ventes CAN 2013 :** 452 unités

La princesse nipponne

Jean-François Guay

L ors de son dévoilement en 1969, la Z avait immédiatement occupé le trône de la gamme Nissan — appelée Datsun à l'époque — en devenant la Fair Lady du constructeur japonais. Même si sa couronne avait perdu quelques pierres au fil des ans avec l'arrivée d'Infiniti au sein de la famille Nissan, la Z a régné pendant 28 ans avant d'être écartée par les dirigeants de la marque en 1997. La crise financière qui a frappé l'industrie automobile japonaise au milieu des années 1990 avait également mené au bûcher plusieurs de ses rivales, la Mazda RX-7 en 1996 et la Toyota Supra en 1998. Seule la Toyota Celica avait survécu à ce régicide, pour s'éteindre finalement en 2006.

Oh, surprise ! La Z est revenue d'entre les morts en 2003. On se rappellera que la Mazda RX-8 avait aussi ressuscité en 2004 pour trépasser à nouveau en 2012. Depuis son retour, la

Z continue à dominer le segment des voitures sport japonaises même si elle compte deux nouvelles rivales sérieuses sous les traits de la Scion FR-S et la Subaru BRZ. La présence de la Z dans les films 3, 4 et 5 de la série *Fast and Furious* démontre que sa popularité ne dérougit pas et qu'elle entretient toujours un certain mythe auprès des amateurs de *tuning* et de voitures sportives.

Mais, est-ce suffisant pour que l'actuelle Z ait une descendance ? La septième génération était attendue pour 2015. Question de ne pas manquer son coup, Nissan a joué de prudence cette année en limitant les changements à des retouches esthétiques, soit en incorporant des feux de jour aux DEL en position transversale et de nouveaux pare-chocs inspirés de la GT-R. À propos de celle-ci, la belle de Nissan se classe dans un autre niveau de prix et de performance. Vendue plus de 100 000 $, la GT-R coûte plus du double de la Z dont les tarifs débutent sous la barre des 39 000 $. Il est juste dommage que les acheteurs québécois ne profitent pas de la générosité de Nissan USA qui offre la Z en format coupé pour moins de 30 000 $. La

Impressions de l'auteur	
Agrément de conduite : ★★★★☆	4/5
Fiabilité : ★★★☆☆	3/5
Sécurité : ★★★★☆	4/5
Qualités hivernales : ★☆☆☆☆	1/5
Espace intérieur : ★★★☆☆	3/5
Confort : ★★☆☆☆	2/5

Concurrents

Alfa Romeo 4C, Audi TT, BMW Série 3, Ford Mustang, Hyundai Genesis Coupe, Infiniti Q60, Mercedes-Benz Classe SLK, Porsche Boxster, Porsche Cayman

NISSAN 370Z

faiblesse du dollar ne peut expliquer une différence de prix aussi importante. Questionné à ce sujet, Nissan Canada mentionne que l'équipement du modèle américain est moins complet. On comprend mieux pourquoi certains consommateurs décident de se procurer un modèle d'occasion chez l'Oncle Sam !

Une mécanique douée

Si la future Z suit la tendance, la prochaine cuvée devrait adopter une motorisation turbocompressée à quatre cylindres. Une telle mécanique dérogera avec la tradition des six générations qui l'ont précédé, lesquelles ont toujours confié leurs déplacements à un moteur à six cylindres — à configuration en ligne (1969-1983) ou en V (1984-1996 et 2003-2015).

Le V6 actuel de 3,7 litres est reconnu comme étant l'un des meilleurs moteurs de la planète. À l'oreille, il se reconnait à cent lieux à cause de sa résonnance rauque et singulière. Pour extirper toute la puissance de ce moulin en alu, l'acheteur a le choix entre une boîte semi-automatique à 7 rapports ou une boîte manuelle à 6 rapports. Cette dernière peut être munie en option du système SynchroRev Match (compris dans l'ensemble Sport et Navigation), lequel contrôle et ajuste automatiquement le papillon des gaz du moteur afin d'adoucir les changements de rapport. Ce dispositif vise à permettre au conducteur (novice ?) de se concentrer sur la conduite et le freinage, selon Nissan. Il est vrai que la conduite s'avère plus coulante lorsque le mécanisme est enclenché. Mais à quoi bon ? Le pilote d'une Z se moque de la douceur de roulement puisque ce vocable ne correspond pas aux ajustements du châssis et des suspensions, et encore moins au profil des pneus de 19 pouces — 245/40R19 à l'avant et 275/35R19 à l'arrière. Pour arpenter les routes du Québec, mieux vaut opter pour les pneumatiques de 18 pouces.

Pour des performances accrues, le moteur du coupé Nismo développe 350 chevaux comparativement à 332 chevaux dans les autres versions.

Coupé ou roadster ?

Offerte en format coupé ou roadster, la Z n'est pas aussi raffinée que les Porsche Cayman et Boxster. De même, elle ne propose pas les qualités hivernales d'une Audi TT. Toutefois, à équipement égal, elle coûte la moitié du prix (ou presque) de ces concurrentes allemandes.

Entre le coupé et le roadster, les puristes choisiront la Z originale avec son toit dur, alors que les amateurs de grand air opteront pour le toit souple et escamotable du cabriolet. Par contre, il faut savoir que l'agrément de conduite n'est pas nécessairement au rendez-vous quand le toit du roadster est relevé: l'habitacle est plus étriqué que dans le coupé, la visibilité nulle et l'insonorisation déficiente. Pour se faire pardonner, le roadster offre des sièges chauffés et climatisés de série avec la possibilité d'obtenir de hauts dossiers, plus confortables.

Châssis - 370Z Coupe

Emp / lon / lar / haut	2550 / 4246 / 1845 / 1315 mm
Coffre / Réservoir	195 litres / 72 litres
Nombre coussins sécurité / ceintures	6 / 2
Suspension avant	indépendante, double triangulation
Suspension arrière	indépendante, multibras
Freins avant / arrière	disque / disque
Direction	à crémaillère, ass. variable
Diamètre de braquage	10,0 m
Pneus avant / arrière	P225/50R18 / P245/45R18
Poids / Capacité de remorquage	1493 kg / n.d.
Assemblage	Tochigi, JP

Composantes mécaniques

370Z Coupe / Roadster / Roadster (auto)

Cylindrée, soupapes, alim.	V6 3,7 litres 24 s atmos.
Puissance / Couple	332 chevaux / 270 lb-pi
Tr. base (opt) / rouage base (opt)	M6 (A7) / Prop
0-100 / 80-120 / V.Max	6,0 s / 6,4 s / n.d.
100-0 km/h	42,1 m
Type / ville / route / CO_2	Sup / 11,7 / 8,0 l/100 km / 4 600 kg/an

Du nouveau en 2015

Boîte semi-automatique à 7 rapports (Nismo), retouches esthétiques (phares de jour et pare-chocs), nouvelles jantes.

 FEU VERT
- Style indémodable
- Sonorité du moteur
- Choix de carrosserie
- Cockpit de voiture de course

 FEU ROUGE
- Habitacle étriqué
- Suspension dure
- Insonorisation du toit souple
- Modèle en fin de carrière

Photos: Sylvain Raymond

NISSAN **ALTIMA**

▶ **Catégorie :** Berline	▶ **Échelle de prix :** 25 373 $ à 34 673 $ (2014)	▶ **Transport et prép. :** 1695 $
▶ **Cote d'assurance :** $$$$$	▶ **Garanties :** 3 ans/60 000 km, 5 ans/100 000 km	▶ **Ventes CAN 2013 :** 10 488 unités

Éteignoir de *party*

Alain Morin

Chez Nissan, il y a sans doute deux équipes de designers. Une composée de grands cerveaux, sérieux comme des papes en deuil et ayant pour tout loisir la contemplation du silence. Dans une autre pièce, on a regroupé des designers jeunes, complètement sautés, qui carburent au Red Bull et, à l'occasion, aux substances illicites... Ceux-là accouchent des Juke, cube, Quest...

La Nissan Altima n'est pas la création de ces derniers... Oh, elle n'est pas laide et on lui trouve même un petit quelque chose d'intéressant. Bien proportionnée, affichant de belles rondeurs et passablement dynamique, sa carrosserie attire le regard de certains. D'autres auraient mis la phrase précédente au négatif. L'habitacle, pour sa part, attire moins les commentaires extrêmes. À peu près tout le monde aime son tableau de bord bien dessiné, facile à consulter et à utiliser. Mais il manque à

l'ensemble l'étincelle, cette émotion rare et qu'on ne peut créer, qui s'allume d'elle-même, celle qui illumine le regard, qui fait qu'on tombe amoureux.

L'Altima, ce n'est pas la passion du siècle mais elle sait tout de même se faire apprécier. Son habitacle est vaste, assurément l'un des plus logeables, des mieux finis et des plus insonorisés de la catégorie. Le conducteur y est assis confortablement sur un siège qui supporte bien les cuisses. Le volant tombe naturellement en main de même que toutes les commandes, sauf le commutateur activant ou désactivant les systèmes de sécurité offerts en option (avertisseur de changement de voie et avertisseur d'angles morts), cachés par le volant. La qualité sonore du système audio ravira la plupart des oreilles même si j'ai trouvé les informations relayées par son écran plus ou moins pertinentes. Les traîneux de la pire espèce seront enthousiasmés par la foule d'espaces de rangement dont un coffre à gants pouvant contenir le Centre Bell au complet. Et ce n'est rien. Attendez de voir le coffre ! Le seul reproche qu'on peut faire à ce dernier

Impressions de l'auteur		
Agrément de conduite : ★★★☆☆		3/5
Fiabilité :	★★★★☆	4/5
Sécurité :	★★★★☆	4/5
Qualités hivernales :	★★★½☆	3,5/5
Espace intérieur :	★★★★☆	4/5
Confort :	★★★★½	4,5/5

Concurrents
Chevrolet Malibu, Dodge Avenger, Ford Fusion, Honda Accord, Hyundai Sonata, Mazda6, Subaru Legacy, Toyota Camry

est l'absence d'une poignée intérieure pour le refermer, ce qui fait qu'en hiver on se salit immanquablement les doigts.

La puissance n'est pas tout

Nissan propose deux moteurs pour son Altima, soit un quatre cylindres de 2,5 litres et un V6 de 3,5 litres. Notre choix se porte sans équivoque sur le 2,5, suffisamment puissant pour mouvoir la voiture sans problèmes avec un raffinement rarement vu pour un quatre cylindres. La consommation est plutôt retenue pour peu qu'on ne visse pas l'accélérateur au plancher à chaque accélération. Remarquez que c'est vrai pour n'importe quel véhicule. La transmission CVT, dont Nissan s'est fait un spécialiste, est un modèle du genre... bien qu'elle demeure une CVT avec cette propension à faire monter le régime du moteur au-delà du convenable en accélération vive. Heureusement, l'insonorisation de l'habitacle est réussie.

Alors que la tendance va de plus en plus vers des quatre cylindres turbocompressés, Nissan conserve un V6 pour sa berline intermédiaire (la version coupé n'est plus offerte. Dommage, elle apportait un brin de gaîté). Il a beau être inutilement puissant, n'empêche qu'il est d'une souplesse et d'une douceur remarquables. De plus, il fait très bon ménage avec la CVT, ce qui est tout en son honneur. Évidemment, une grosse écurie demande plus de liquide qu'une petite et les passages à la pompe sont moins agréables qu'avec le 2,5. Aussi, ce V6 ajoute plus de 100 kg à l'avant de la voiture, ce qui se ressent en conduite.

Coupée du monde

Parlant de conduite, l'Altima fait preuve d'un grand confort, surtout en version V6 et d'une tenue de route très relevée. Néanmoins, une direction sans âme, une pédale de frein dure en freinage d'urgence et sans *feeling*, plus un habitacle trop coupé du monde extérieur, ont tôt fait de réduire le plaisir de conduire. Et n'allez surtout pas croire que la position S sur la grille du sélecteur de la transmission transforme la voiture en une formule un. Que non! Ce S a beau faire augmenter dramatiquement les révolutions du moteur (à 100 km/h, une 2,5 passe de 1 600 tr/min à 3 200!) et simuler des rétrogradations bien senties, il n'ajoute pas de précision à la direction tout comme il n'a aucune incidence sur la fermeté, ou la mollesse c'est selon, de la suspension.

L'Altima est une des leaders dans la catégorie des berlines intermédiaires et ce n'est pas pour rien. Joliment tournée, spacieuse, silencieuse et dotée de mécaniques fiables et bien adaptées, elle a tout pour plaire. Pour plaire aux gens qui recherchent d'abord et avant tout une voiture pouvant les amener du point A au point B en tout confort. N'est-ce pas là ce que recherche la majorité des conducteurs?

Châssis - 3.5 SL berline

Emp / lon / lar / haut	2776 / 4864 / 1829 / 1476 mm
Coffre / Réservoir	436 litres / 68 litres
Nombre coussins sécurité / ceintures	6 / 5
Suspension avant	indépendante, jambes de force
Suspension arrière	indépendante, multibras
Freins avant / arrière	disque / disque
Direction	à crémaillère, ass. variable électronique
Diamètre de braquage	11,4 m
Pneus avant / arrière	P235/45R18 / P235/45R18
Poids / Capacité de remorquage	1525 kg / n.d.
Assemblage	Smyrna, TN

Composantes mécaniques

2.5, 2.5 S, SV, SL

Cylindrée, soupapes, alim.	4L 2,5 litres 16 s atmos.
Puissance / Couple	182 chevaux / 180 lb-pi
Tr. base (opt) / rouage base (opt)	CVT / Tr
0-100 / 80-120 / V.Max	8,6 s / 5,7 s / n.d.
100-0 km/h	47,1 m
Type / ville / route / co_2	Ord / 8,7 / 6,2 l/100 km / 3 485 kg/an

3.5 SL

Cylindrée, soupapes, alim.	V6 3,5 litres 24 s atmos.
Puissance / Couple	270 chevaux / 258 lb-pi
Tr. base (opt) / rouage base (opt)	CVT / Tr
0-100 / 80-120 / V.Max	7,5 s / n.d. / n.d.
100-0 km/h	n.d.
Type / ville / route / co_2	Ord / 10,7 / 7,8 l/100 km / 4 320 kg/an

Du nouveau en 2015

Aucun changement majeur. Version coupé abandonnée.

FEU VERT
- Habitacle généreux et silencieux
- Moteur quatre cylindres suffisant
- Consommation retenue
- Fiabilité éprouvée
- Confort assuré

FEU ROUGE
- Conduite sans passion
- V6 plus ou moins utile
- Direction sans âme
- Transmission CVT peu appréciée par certains

Photos : Nissan Canada

NISSAN **FRONTIER**

▶ **Catégorie :** Camionnette   ▶ **Échelle de prix :** 20 998 $ à 37 598 $ (2014)   ▶ **Transport et prép. :** 1 575 $

▶ **Cote d'assurance :** $$$$ ▶ **Garanties :** 3 ans/60 000 km, 5 ans/100 000 km   ▶ **Ventes CAN 2013 :** 2 964 unités

Un club restreint

Denis Duquet

Jouissant autrefois d'une popularité importante, la catégorie des camionnettes compactes a régressé au fil des ans. La disparition du Dodge Dakota, du Ford Ranger et finalement du duo Chevrolet Colorado et GMC Canyon de GM a considérablement réduit les rangs. Mais la situation semble se redresser avec le dévoilement d'une nouvelle génération du Colorado et du Canyon, et d'autres constructeurs ont manifesté leur intention de retourner dans cette catégorie. D'ailleurs, Nissan a récemment annoncé qu'un successeur au Frontier serait dévoilé d'ici quelques mois.

En attendant...

Même si sa dernière refonte remonte à une décennie, force est d'admettre que la silhouette du Frontier est encore au goût du jour. En fait, elle ressemble à celle du VUS Xterra doté d'une boîte de chargement. Elle a un air macho accentué par

son incontournable calandre où figure une applique chromée en forme de U. Cette allure de baroudeur n'est pas de la frime puisque le Frontier est costaud au chapitre de la plateforme, laquelle est constituée du châssis de type échelle de la grosse camionnette Titan. Toutefois, ce châssis a été modifié pour être utilisé sur une camionnette de plus petites dimensions. Des ressorts elliptiques couplés à un essieu rigide permettent de transporter des charges passablement lourdes. Soit dit en passant, la capacité de remorquage des modèles à moteur V6 est de 2 948 kg, soit 1 360 kg de plus qu'un modèle propulsé par le quatre cylindres de 2,5 litres d'une puissance de 152 chevaux. Une boîte manuelle à cinq rapports est de série tandis que la transmission automatique à cinq vitesses est optionnelle. Ce moulin de série est bruyant mais robuste. Il convient si vous ne prévoyez pas charger votre camion avec des objets lourds comme des blocs de ciment, des sacs de sable ou une importante quantité de feuilles de contreplaqué.

Impressions de l'auteur		Concurrents
Agrément de conduite :	★★★⯨★ 3,5/5	Toyota Tacoma
Fiabilité :	★★★★★ 4/5	
Sécurité :	★★★★★ 4/5	
Qualités hivernales :	★★★★★ 4/5	
Espace intérieur :	★★★⯨★ 3,5/5	
Confort :	★★★⯨★ 3,5/5	

Le moteur optionnel est un V6 de 4,0 litres de 261 chevaux qui a fait ses preuves et dont plusieurs composantes internes ont été révisées l'an dernier. Il est couplé en équipement de base à une boîte automatique à cinq rapports. Il est plus souple, plus puissant et plus performant, mais sa consommation d'environ 15,0 litres/100 km n'est pas vraiment écolo. Ajoutez deux autres occupants, accrochez une remorque et sa cote de consommation vous fera sursauter à chaque plein de carburant...

Certaines versions sont dotées du système Utili-track qui comporte des points d'ancrage mobiles. De plus, à l'usine, on recouvre l'intérieur de la boîte d'un enduit protecteur. Toujours à propos de boîtes de chargement, une caisse longue de 1861 mm est disponible sur le modèle à cabine double. Cette version est également la plus spacieuse tandis que les modèles King Cab, malgré leur appellation, sont dotés d'une cabine allongée seulement.

Oups !

La silhouette de baroudeur du Frontier, son équipement de série fort complet et plusieurs astuces tel un déflecteur monté sur le panneau arrière nous permettent de croire qu'on aura affaire à une camionnette aussi robuste que sophistiquée. Mais une certaine déception s'installe dès qu'on prend place derrière le volant. En premier lieu, la planche de bord est plutôt rétro. Elle est similaire à celle d'autres modèles Nissan de jadis. Toutefois, depuis ce temps, les autres tableaux de bord ont été modernisés. De plus, les plastiques utilisés dans le Frontier sont très durs et la qualité des matériaux moyenne.

Les places avant sont dotées de sièges confortables mais l'espace pour les pieds est limité. Les King Cab offrent des strapontins pour les places arrière et on est à l'étroit. La version à cabine allongée est dotée d'une banquette ordinaire qui se remise à la verticale afin d'optimiser l'espace de chargement. Son assise est étroite et son confort assez limité. Tout comme celui de la suspension qui ne fait pas bon ménage avec les routes en mauvais état alors que le train arrière sautille allègrement. Et l'agrément de conduite est fort mitigé avec une direction offrant peu de *feedback* et manquant sérieusement de précision. Comme si cela n'était pas suffisant, le très grand rayon de braquage ne fait rien pour améliorer les choses !

Malgré ces critiques, il ne faut pas rayer le Frontier de votre liste de camionnettes à considérer. C'est un véhicule solide offrant un bon choix de moteurs tandis que le rouage 4X4 est un peu rustre mais fort efficace. Capable d'en prendre et polyvalent, il propose également un équipement de série complet. Ce qui nous permet de lui pardonner certaines de ses caractéristiques rétro...

Châssis - S 4x2 King Cab

Emp / lon / lar / haut	3200 / 5220 / 1850 / 1745 mm
Coffre / Réservoir	n.d. / 80 litres
Nombre coussins sécurité / ceintures	6 / 4
Suspension avant	indépendante, double triangulation
Suspension arrière	essieu rigide, ressorts à lames
Freins avant / arrière	disque / disque
Direction	à crémaillère, ass. variable
Diamètre de braquage	13,3 m
Pneus avant / arrière	P265/75R16 / P265/75R16
Poids / Capacité de remorquage	1691 kg / 1588 kg (3500 lb)
Assemblage	Canton, MS

Composantes mécaniques

S 4x2

Cylindrée, soupapes, alim.	4L 2,5 litres 16 s atmos.
Puissance / Couple	152 chevaux / 171 lb-pi
Tr. base (opt) / rouage base (opt)	M5 (A5) / Prop
0-100 / 80-120 / V.Max	11,2 s / 8,5 s / n.d.
100-0 km/h	n.d.
Type / ville / route / co_2	Ord / 10,8 / 8,6 l/100 km / 4 515 kg/an

SV / SL / PRO-4X

Cylindrée, soupapes, alim.	V6 4,0 litres 24 s atmos.
Puissance / Couple	261 chevaux / 281 lb-pi
Tr. base (opt) / rouage base (opt)	A5 / Prop (4x4)
0-100 / 80-120 / V.Max	9,0 s / 7,4 s / n.d.
100-0 km/h	n.d.
Type / ville / route / co_2	Ord / 14,9 / 10,4 l/100 km / 5 934 kg/an

Du nouveau en 2015

Aucun changement majeur, nouveau modèle en préparation.

FEU VERT
- Silhouette toujours moderne
- Multiples configurations
- Châssis robuste
- V6 puissant
- Rouage 4X4 efficace

FEU ROUGE
- Habitacle rétro
- V6 gourmand
- Train arrière instable
- Places arrière limitées
- Diamètre de braquage important

Photos : Sylvain Raymond

NISSAN **GT-R**

▶ **Catégorie :** Coupé ▶ **Échelle de prix :** 108 500 $ à 118 000 $ ▶ **Transport et prép. :** 2 300 $

▶ **Cote d'assurance :** n.d. ▶ **Garanties :** 3 ans/60 000 km, 5 ans/100 000 km ▶ **Ventes CAN 2013 :** 125 unités

Dédoublement de personnalité

Gabriel Gélinas

En marge du Salon de l'auto de Tokyo, nous avons pu reprendre contact avec la dernière évolution de la supervoiture iconique de Nissan sur les routes publiques du Japon ainsi que sur le circuit de Sodegaura Forest Raceway. Deux environnements distincts qui reflétaient la nouvelle double personnalité de la GT-R qui se scinde maintenant en deux versions: la GT-R tend vers une personnalité plus typée Grand Tourisme et la GT-R NISMO adopte plusieurs modifications développées pour la GT-R de course évoluant en compétition de type GT3.

Côté style, la GT-R est frappante, mais on ne peut pas dire qu'elle est belle, et le nouveau modèle adopte des phares adaptatifs de type DEL ainsi que de légères modifications apportées aux feux arrière de même qu'à l'emblème GT-R fixé derrière les ailes avant. À bord, il est évident que les designers ont fait des efforts pour créer une ambiance propre à une voiture

haut de gamme avec le volant gainé de cuir ou les sièges qui sont partiellement recouverts de cuir. Néanmoins, le degré de raffinement n'est toujours pas à la hauteur de ce dont Porsche ou Audi sont capables.

Conduire au pays du Soleil-levant

Conduire la GT-R sur des routes publiques au Japon peut devenir une expérience frustrante, car le potentiel de performance est tellement élevé qu'il n'est que très rarement exploitable. Cela dit, la même réflexion s'applique à toutes les voitures qui sont aussi puissantes et rapides que la GT-R. La direction impressionne par son degré de *feedback* et les freins sont très puissants. Pour rendre la voiture plus agréable en conduite de tous les jours, la course des suspensions a été augmentée de 50 % et, avec la sélection de la calibration Confort, le niveau de convivialité est grandement amélioré. La boîte à double embrayage peut être contrôlée en mode automatique ou en mode manuel au moyen de paliers fixés sur la colonne de direction, et non sur le volant. Ces paliers ne suivent donc pas le mouvement

Impressions de l'auteur		Concurrents
Agrément de conduite : ★★★★⯨ 4,5/5		Audi R8, BMW Série 6, Chevrolet
Fiabilité : ★★★★☆ 4/5		Corvette, Ferrari California,
Sécurité : ★★★★⯨ 4,5/5		Porsche 911
Qualités hivernales : ★★★⯨☆ 3,5/5		
Espace intérieur : ★★★☆☆ 3/5		
Confort : ★★★☆☆ 3/5		

NISSAN GT-R

du volant, mais demeurent fixes et qu'il est parfois plus ardu de les atteindre en pleine accélération en sortie de virage par exemple. De plus, la boîte qui équipe la GT-R ne semble pas aussi rapide que celle qui équipe les Porsche.

600 chevaux pour la version NISMO

Par rapport à la GT-R conventionnelle, le modèle NISMO adopte des modifications aérodynamiques qui permettent à la voiture de générer un appui de 100 kilos à 300 kilomètres/heure. Sa carrosserie est plus rigide parce qu'elle est assemblée avec un adhésif très puissant et qu'elle est soudée, des amortisseurs Bilstein sont au programme ainsi qu'une barre antiroulis creuse de 17,3 millimètres montée à l'arrière. La voiture roule sur des pneus spécifiquement développés par Dunlop. Tous ces éléments rendent la voiture extrêmement performante sur circuit, mais ne peuvent pas compenser totalement le fait que la GT-R demeure plutôt lourde. Le modèle conventionnel affiche 1 750 kilos à la pesée et le modèle NISMO en pèse 1 720.

Sur le très court circuit de Sodegaura Forest Raceway, la GT-R NISMO s'est montrée très rapide, mais on pouvait vraiment sentir son poids, particulièrement lors d'une transition rapide droite-gauche qui comportait un changement d'élévation. Ceci avait pour effet de déséquilibrer la voiture et de faire en sorte que le rouage intégral devait s'ajuster pour assurer une bonne motricité. Ce court épisode n'aurait peut-être pas eu lieu avec une voiture plus légère, ce qui met en lumière que la GT-R demeure lourde et qu'une réduction de poids aurait été souhaitable. La performance au freinage était tout de même impressionnante avec des décélérations massives assurées par le système fourni par Brembo. La direction, améliorée par rapport aux versions antérieures, est un modèle de précision et de *feedback*. De son côté, la puissance était plus qu'autoritaire en sortie de virage, même si le niveau sonore ne donne pas cette impression parce que le moteur de la GT-R est turbocompressé et que l'on entend plus le bruit de l'admission qui est moins satisfaisant que le cri de guerre d'un moteur atmosphérique à pleine charge.

La Nissan GT-R est une icône au Japon et elle est, encore et toujours, la démonstration parfaite de ce qui est possible lorsque l'on donne carte blanche à des ingénieurs japonais. Pour ce qui est des performances, elle sont carrément époustouflantes mais elle ne réussissent pas à remuer l'âme à la façon d'une Porsche ou d'une Ferrari. En fait, la GT-R est à la fois une arme de précision presque chirurgicale ainsi qu'une voiture sport « numérique ». Même si elle est incroyablement puissante et rapide, elle semble exister dans un univers parallèle où la logique prend toujours le pas sur l'émotion, ce qui en fait une « machine » de haute performance plus qu'une voiture de haute performance.

Châssis - Black Edition	
Emp / lon / lar / haut	2780 / 4670 / 1902 / 1372 mm
Coffre / Réservoir	249 litres / 74 litres
Nombre coussins sécurité / ceintures	6 / 4
Suspension avant	indépendante, double triangulation
Suspension arrière	indépendante, multibras
Freins avant / arrière	disque / disque
Direction	à crémaillère, ass. variable
Diamètre de braquage	11,2 m
Pneus avant / arrière	P255/40ZR20 / P285/35ZR20
Poids / Capacité de remorquage	1738 kg / n.d.
Assemblage	Tochigi, JP

Composantes mécaniques	
Premium, Black Edition	
Cylindrée, soupapes, alim.	V6 3,8 litres 24 secondes turbo
Puissance / Couple	545 chevaux / 463 lb-pi
Tr. base (opt) / rouage base (opt)	A6 / Int
0-100 / 80-120 / V.Max	3,9 s (estimé) / 3,9 s / 315 km/h
100-0 km/h	37,0 m
Type / ville / route / co$_2$	Sup / 14,3 / 10,5 l/100 km / 5 800 kg/an

Du nouveau en 2015
Modèle NISMO avec moteur de 600 chevaux, modifications apportées à la carrosserie, phares adaptatifs de type DEL.

FEU VERT
- Puissance de 600 chevaux (NISMO)
- Freinage performant (NISMO)
- Très bonne tenue de route
- Suspensions plus souples (GT-R)
- Habitacle un peu plus luxueux (GT-R)

FEU ROUGE
- Poids élevé
- Paliers de changement de vitesse fixes
- Boîte à double embrayage un peu lente
- Places arrière symboliques
- Coffre étriqué

Photos : Sylvain Raymond

NISSAN **JUKE**

▶ **Catégorie :** Multisegment	▶ **Échelle de prix :** 19 998 $ à 29 768 $	▶ **Transport et prép. :** 1 695 $
▶ **Cote d'assurance :** $$$$$	▶ **Garanties :** 3 ans/60 000 km, 5 ans/100 000 km	▶ **Ventes CAN 2013 :** 4 077 unités

Carrément iconoclaste

Denis Duquet

Lorsque le Juke a été présenté pour la première fois au Salon de l'auto de New York en 2010, plusieurs des personnes présentes se sont demandé ce que les stylistes de Nissan avaient mis dans leurs céréales... Si le Cube s'était démarqué par son originalité, le Juke en rajoutait.

Avec ce dernier, les stylistes ont tenté de combiner la silhouette d'un VUS à celle d'une auto sport. Avec ses passages de roue en relief, ses blocs optiques placés sur le capot, ses phares circulaires et sa calandre alvéolée sans oublier la section arrière tronquée, cette Japonaise fort originale n'a aucun équivalent sur la route. Qu'on l'aime ou qu'on la déteste, il est indéniable que le Juke a du caractère. Mais concevoir une silhouette sportive ne garantit pas nécessairement que la voiture sera à la hauteur des attentes.

Agréable surprise

Comme on doit s'y attendre, l'habitacle est tout aussi original – ou presque – que la silhouette. C'est moins déjanté mais quand même hors-norme avec une section centrale surplombée par un dôme sous lequel trône un écran d'affichage. Certains des éléments de la planche de bord sont inspirés de ceux d'une motocyclette, notamment la console centrale. Curieusement, le volant est on ne peut plus conventionnel, tout comme les cadrans indicateurs.

Si les sièges avant sont confortables, la banquette arrière est exiguë et peu invitante tandis que le dégagement pour la tête ne convient pas aux grandes personnes. Quant au coffre à bagages, il est assez limité. Il faut donc absolument rabattre le dossier arrière si l'on a de gros objets ou beaucoup de bagages à déplacer.

Le Juke compte sur un quatre cylindres turbo de 1,6 litre de 188 chevaux pour actionner les roues avant sur le modèle de

Impressions de l'auteur		Concurrents
Agrément de conduite : ★★★★☆	4/5	Kia Soul, MINI Cooper, Scion tC
Fiabilité : ★★★★☆	3,5/5	
Sécurité : ★★★★☆	4/5	
Qualités hivernales : ★★★★☆	4/5	
Espace intérieur : ★★★★☆	3,5/5	
Confort : ★★★★☆	3,5/5	

base ou les quatre roues sur les versions dotées d'une transmission intégrale. Sur certaines versions à traction avant, il est associé à une boîte manuelle à six rapports. En option ou en équipement standard selon le modèle, on peut commander une transmission à rapports continuellement variables, la seule qui peut s'associer à la traction intégrale.

Avec sa garde au sol passablement relevée, on est en droit de s'interroger sur les prétentions sportives du Juke. En premier, les performances sont correctes pour la catégorie puisqu'il faut 8,0 secondes pour boucler le 0-100 km/h. Mais le plus intéressant, c'est que la tenue de route est à la hauteur des prétentions. La voiture est neutre en virage et très maniable, le roulis, quant à lui, est fort bien contrôlé. Sans oublier que le moteur répond à la moindre sollicitation. Dommage qu'il ne carbure qu'à de l'essence super. Parmi les autres bémols, la visibilité arrière est médiocre tandis que l'insonorisation est perfectible. Sur une note plus positive, sans être un VUS pur et dur, l'excellent rouage intégral livrable permet de rouler sur des sentiers en mauvais état.

Un peu plus, SVP

Afin d'optimiser les qualités sportives du Juke, les responsables de la mise en marché ont demandé aux stylistes et ingénieurs de concocter une version Nismo. Nismo est le département de performances de Nissan et cette appellation est le résultat de la contraction de Nis (san) Mo (torsport). Les stylistes ont dessiné une allure plus agressive avec des passages de roue accentués, une nouvelle calandre et un diffuseur arrière, entre autres changements.

Les ingénieurs ont modifié la suspension, fait appel à des pneus sport de 18 pouces et augmenté la puissance du moteur de 9 chevaux alors que le couple a progressé de 7 lb-pi. Le Nismo doté de la boîte manuelle est une traction et la version avec la transmission CVT est à rouage intégral. C'est sans doute pourquoi Nissan a concocté la RS dont le moteur de 215 chevaux garantit de meilleures performances. Cette fois, seule la transmission manuelle et la traction avant sont disponibles. Il vient quelque peu corriger un certain manque de puissance du Nismo. Avec la RS, le ramage est plus important que le plumage. Mais quel que soit le modèle choisi, la suspension manque de souplesse, ce qui devient agaçant à la longue.

Voilà une voiture qui devrait intéresser les personnes qui aiment l'originalité. Soulignons qu'en cours d'année, une version révisée esthétiquement et mécaniquement devrait être commercialisée. La voiture conservera sa silhouette et la mécanique sera peu modifiée.

Châssis - NISMO RS TA

Emp / lon / lar / haut	2530 / 4160 / 1770 / 1570 mm
Coffre / Réservoir	297 à 1017 litres / 50 litres
Nombre coussins sécurité / ceintures	6 / 5
Suspension avant	indépendante, jambes de force
Suspension arrière	semi-indépendante, poutre de torsion
Freins avant / arrière	disque / disque
Direction	à crémaillère, ass. variable électrique
Diamètre de braquage	11,1 m
Pneus avant / arrière	P225/45R18 / P225/45R18
Poids / Capacité de remorquage	1308 kg / n.d.
Assemblage	Oppama, JP

Composantes mécaniques

SV, SV TI, SL

Cylindrée, soupapes, alim.	4L 1,6 litre 16 s turbo
Puissance / Couple	188 chevaux / 177 lb-pi
Tr. base (opt) / rouage base (opt)	M6 (CVT) / Tr (Int)
0-100 / 80-120 / V.Max	8,0 s / 5,7 s / n.d.
100-0 km/h	42,1 m
Type / ville / route / co$_2$	Sup / 8,0 / 6,6 l/100 km / 3390 kg/an

NISMO

Cylindrée, soupapes, alim.	4L 1,6 litre 16 s turbo
Puissance / Couple	197 chevaux / 184 lb-pi
Tr. base (opt) / rouage base (opt)	M6 (CVT) / Tr (Int)
0-100 / 80-120 / V.Max	8,6 s / n.d. / n.d.
100-0 km/h	n.d.
Type / ville / route / co$_2$	Sup / 8,0 / 6,6 l/100 km / 3390 kg/an

NISMO RS TA

Cylindrée, soupapes, alim.	4L 1,6 litre 16 s turbo
Puissance / Couple	215 chevaux / 210 lb-pi
Tr. base (opt) / rouage base (opt)	M6 / Tr
0-100 / 80-120 / V.Max	7,8 s (est) / n.d. / n.d.
100-0 km/h	n.d.
Type / ville / route / co$_2$	Sup / 8,2 / 6,4 l/100 km / 3399 kg/an

Du nouveau en 2015

Modèle revisité sera présenté en cours d'année.

FEU VERT
- Comportement sportif
- Bon moteur
- Rouage intégral
- Commandes ergonomiques

FEU ROUGE
- Silhouette controversée
- Places arrière peu confortables
- Visibilité arrière médiocre
- Coffre réduit

Photos: Sylvain Raymond

NISSAN **LEAF**

▸ **Catégorie :** Hatchback	▸ **Échelle de prix :** 33 788 $ à 40 588 $ (2014)	▸ **Transport et prép. :** 1 990 $
▸ **Cote d'assurance :** n.d.	▸ **Garanties :** 3 ans/60 000 km, 5 ans/100 000 km	▸ **Ventes CAN 2013 :** 470 unités

L'ampère contre-attaque

Marc Lachapelle

L a berline S de Tesla lui a finalement volé la vedette, à trois ou quatre fois le prix, mais c'est quand même la Leaf de Nissan qui est la véritable pionnière des voitures électriques de série. Avec le double de l'autonomie, elle aurait déjà fait la conquête du monde. Or, c'est précisément l'objectif du constructeur nippon. Sinon mieux.

Comment rivaliser avec une *star* comme la Model S et un constructeur comme Tesla qu'on retrouve constamment au bulletin de nouvelles ? Après l'accueil favorable et les prix récoltés à son lancement en 2010, y compris celui de Voiture mondiale de l'année, la Leaf a surtout été l'objet de critiques répétées pour l'autonomie limitée que lui procure sa batterie ion lithium.

On parle maintenant d'environ 135 km pour des conditions favorables selon les données de RNC (Ressources naturelles

Canada) avec une recharge rapide de 5 heures, si vous avez accès à une borne à 220 volts. Nous avons vu jusqu'à 146 kilomètres d'autonomie promise au compteur de la Leaf après une longue nuit de recharge sur une prise régulière à 110 volts. Il faut alors plus de 12 heures pour une recharge complète (Nissan dit même 21 heures). C'est ça la vie avec une Leaf, malgré les améliorations apportées l'an dernier au groupe propulseur et à la batterie.

Il faut également diviser l'autonomie annoncée de moitié en hiver et elle fond carrément à vue d'œil en roulant à 100 km/h sur l'autoroute. Les cotes ville/route/combinées de la RNC sont de 1,9/2,3/2,1 l/100 km en équivalence. Cette réalité incontournable d'une autonomie restreinte condamne la Leaf à une utilisation essentiellement urbaine et au statut de deuxième voiture. Voilà de quoi limiter sérieusement les ventes, ce qui fut le cas au début.

Impressions de l'auteur		Concurrents
Agrément de conduite : ★★★⯪ 3,5/5		Mitsubishi i-MIEV
Fiabilité : ★★★★⯪ 4,5/5		
Sécurité : ★★★★☆ 4/5		
Qualités hivernales : ★★★☆☆ 3/5		
Espace intérieur : ★★★★☆ 4/5		
Confort : ★★★★☆ 4/5		

Le modèle S c'est la plus abordable des trois versions de la Leaf et Nissan a réduit son prix, question que les ventes décollent un peu. Il faut quand même toujours débourser plus de 30 000 $ pour se l'offrir, en se dépêchant de profiter du rabais de 8 000 $ qui est encore consenti par l'état québécois aux acheteurs ou locataires de voitures électriques.

Certains accessoires qu'on ne jugerait pas indispensables dans une compacte traditionnelle deviennent fort attrayants dans une voiture électrique. Nissan a fait un boulot intelligent sous ce rapport. La version S de base est déjà bien équipée pour notre climat avec des sièges avant et arrière chauffants, un volant chauffant à jante gainée de cuir, un chauffe batterie, une caméra de marche arrière et tous les branchements souhaités pour vos bidules numériques. Pas mal !

Il faut par contre se tourner vers les modèles SV et SL pour obtenir par exemple un port de recharge rapide ou le système de chauffage hybride qui est pour le moins intéressant chez nous. Même histoire pour l'interface qui permet de vérifier à distance le niveau de charge et de lancer ou interrompre la recharge, le chauffage ou la climatisation. Le système de navigation, la messagerie texte mains libres et une chaîne audio avec écran couleur de 7 pouces sont également réservés à ce duo. Avec le modèle SL, en sommet de gamme, on ne parle plus de voiture écolo strictement pragmatique. Cette version profite en exclusivité de phares à DEL automatiques et plusaérodynamiques, avec des phares d'appoint, de la sellerie en cuir pour les sièges, d'un ouvre porte de garage, d'un écran à bagages, d'une image vidéo périphérique pour le stationnement, de jantes d'alliage de 17 pouces avec des pneus plus larges et d'un aileron arrière coiffé d'un panneau solaire photovoltaïque qui alimente la climatisation, la prise d'alimentation de 12 volts et la chaîne audio. La facture approche maintenant les 40 000 $, rabais provincial inclus.

Métaphores animales

La conduite d'une Leaf n'a vraiment rien de sportif. Sa servodirection électrique est parfaitement anesthésiée mais nette, son comportement sûr et sans surprise. On dirait une version moderne de la légendaire Citroën DS : spacieuse, futuriste et moelleuse. Douce, silencieuse et très maniable aussi.

Couple instantané du moteur électrique ou pas, la Leaf n'est pas un guépard mais pas une limace non plus. Son sprint 0-100 km/h est correct, toutefois, ses reprises n'ont vraiment rien de foudroyant.Le freinage d'urgence depuis 100 km/h en 42,9 mètres, c'est moyen mais exécuté proprement. On parle d'une autonomie de 300 km pour la prochaine Leaf. Peut-être même de 400 km avec un nouveau type de batterie. Espérons qu'ils lui tailleront également une carrosserie un peu plus *sexy*. Évitez, entre-temps, le blanc nacré qui lui donne vraiment l'air d'un béluga. On adore les « marsouins blancs » nous aussi, mais il y a des limites à être écolo !

Photos : Nissan Canada

Châssis - SL

Emp / lon / lar / haut	2700 / 4445 / 1770 / 1550 mm
Coffre / Réservoir	680 à 850 litres / Aucun
Nombre coussins sécurité / ceintures	6 / 5
Suspension avant	indépendante, jambes de force
Suspension arrière	semi-indépendante, poutre de torsion
Freins avant / arrière	disque / disque
Direction	à crémaillère, ass. variable électrique
Diamètre de braquage	10,4 m
Pneus avant / arrière	P215/50R17 / P215/50R17
Poids / Capacité de remorquage	1514 kg / non recommandé
Assemblage	Smyrna, TN

Composantes mécaniques

Moteur	Électrique
Puissance / Couple	107 ch (80 kW) / 207 lb-pi
Tr. base (opt) / rouage base (opt)	Rapport fixe / Tr
0-100 / 80-120 / V.Max	11,3 s / 10,5 s / n.d.
100-0 km/h	42,9 m
Type de batterie	Lithium-ion (Li-ion)
Énergie	24 kWh
Temps de charge (120V / 240V)	21,0 / 4,0 hres
Autonomie	160 km (const)

Du nouveau en 2015

Couleur « bleu de ciel matinal », roues de 17 pouces (SL), mode « B » (récupération d'énergie) ajouté à la version S.

FEU VERT
- Comportement routier sûr
- Silence et douceur de roulement
- Fiabilité excellente
- Très bonne visibilité
- Caméra périphérique utile (SL)

FEU ROUGE
- Autonomie limitée
- Direction dénuée de toute sensation
- Volant réglable en hauteur seulement
- Frein de stationnement à pédale encombrant
- Chauffage lent

NISSAN **MAXIMA**

▶ **Catégorie :** Berline

▶ **Cote d'assurance :** $$$$$

▶ **Échelle de prix :** 38 680 $ (2014)

▶ **Garanties :** 3 ans/60 000 km, 5 ans/100 000 km

▶ **Transport et prép. :** 1 600 $

▶ **Ventes CAN 2013 :** 1 500 unités

Entre l'arbre
et l'écorce

Denis Duquet

Avez-vous croisé une Maxima sur la route récemment ? C'est possible, mais il s'agit d'un événement rarissime car les ventes sont quasiment confidentielles. Pourtant, cette berline intermédiaire presque luxeuse n'est pas dépourvue de qualités, mais depuis l'arrivée sur le marché en 1992 de sa petite sœur l'Altima, tous les efforts pour raviver les ventes de la Maxima ont été sans résultats. Ce fut encore pire quand l'Altima fut dotée d'un V6 !

En rétrospective, Nissan s'est carrément tiré dans le pied en commercialisant deux berlines dont les caractéristiques générales étaient plus ou moins les mêmes, toutefois différenciées l'une de l'autre par un écart de prix de plusieurs milliers de dollars. Par ailleurs, compte tenu de son prix frôlant 40 000 $, la Maxima vient jouer dans les plates-bandes de l'Infiniti Q50 qui est à la fois plus prestigieuse et dotée d'un moteur plus puissant. La Maxima se retrouve donc entre deux chaises.

Néanmoins, Nissan n'a nullement envie de se débarrasser de cet échec commercial sur roues. Au Salon de Detroit, on a dévoilé le concept Sport Sedan qui annonce la future Maxima et force est d'admettre que le concept est spectaculaire et vraiment avant-gardiste de par ses formes. Souhaitons que la Maxima, qui devrait être dévoilée en cours d'année, ne souffrira pas trop lors du passage à la production. En attendant, le modèle actuel revient avec aucun changement ou presque.

De l'élégance
La silhouette de la Maxima actuelle nous révèle une voiture aux lignes bien équilibrées dotée d'une ceinture de caisse passablement élevée et d'une partie avant rehaussée par une calandre inspirée de certaines berlines de luxe britannique. C'est sobre, trop sobre même pour permettre à cette voiture d'attirer l'attention des acheteurs potentiels. La section la mieux réussie est l'arrière avec son allure formelle dont certaines lignes font songer aux Bentley. En plus, les passages de roue sont

Impressions de l'auteur			Concurrents
Agrément de conduite :	★★★☆☆	3/5	Chevrolet Impala, Chrysler 300
Fiabilité :	★★★★☆	4/5	Dodge Charger, Ford Taurus,
Sécurité :	★★★★☆	4/5	Hyundai Genesis, Lexus ES, Lincoln
Qualités hivernales :	★★★⯪☆	3,5/5	MKZ, Toyota Avalon, Volvo S60
Espace intérieur :	★★★★☆	4/5	
Confort :	★★★★☆	4/5	

soulignés par de légers renflements qui viennent rompre lalinéarité des flancs plutôt plats.

Dans l'habitacle, on prend place dans des sièges vraiment confortables qui soulignent le caractère plus luxueux de la Maxima par rapport à l'Altima. Après tout, avec une telle différence de prix, il faut bien qu'elle se démarque au chapitre du luxe et de la présentation! Et c'est dans la même veine que la planche de bord est totalement différente de celle de l'Altima. Les boutons et diverses commandes sont bien agencés et l'ergonomie exemplaire ou presque. Le volant se prend bien en main en raison de son boudin assez substantiel.

Il faut également ajouter que l'habitabilité est bonne... et aussi qu'il faut se pencher plus que la moyenne pour s'installer à l'arrière. Le véhicule de base est fort bien équipé avec des sièges en cuir, une caméra de recul, des phares au xénon sans oublier la possibilité de commander, par le biais de groupes d'accessoires, le système de navigation et un immense toit ouvrant, entre autres. Par contre, malgré cette débauche d'équipements de série, certains détails de finition et quelques matériaux suspects détonnent dans un habitacle généralement bien fignolé.

Une transmission CVT?

Sans être un devin, je suis persuadé que plusieurs acheteurs potentiels se sont rebiffés lorsqu'ils ont découvert que la seule transmission disponible était une automatique de type CVT. Cette mécanique est souvent associée à de petites voitures économiques et non à une berline grand format. Ce n'est qu'en partie vrai car on retrouve de plus en plus de voitures huppées offrant une telle transmission. Les CVT ont encore mauvaise presse, mais force est d'admettre que Nissan maîtrise fort bien cette technologie et on en a la démonstration avec la Maxima, et on peut toujours se consoler en sachant que l'un des meilleurs V6 sur le marché ronronne sous le capot. Ce V6 de 3,5 litres a fait ses preuves au fil des années. Il assure de bonnes accélérations et reprises sans être trop gourmand en carburant.

Sur la route, la Maxima est douce et silencieuse tandis que sa tenue de route est prévisible et sans surprise. Par contre, sur ma voiture d'essai, l'assistance était trop généreuse à basse vitesse pour devenir trop ferme soudainement. Sans oublier un effet de couple en accélération, une caractéristique qui hante ce modèle depuis des années.

Malgré d'indéniables qualités, cette voiture fait presque tout bien, mais malheureusement, les sensations de conduites sont aseptisées, au mieux. De sorte que les gens optent pour des modèles qui se démarquent davantage.

Châssis - 3.5 SV

Emp / lon / lar / haut	2775 / 4843 / 1860 / 1467 mm
Coffre / Réservoir	402 litres / 76 litres
Nombre coussins sécurité / ceintures	6 / 5
Suspension avant	indépendante, jambes de force
Suspension arrière	indépendante, multibras
Freins avant / arrière	disque / disque
Direction	à crémaillère, ass. variable
Diamètre de braquage	11,4 m
Pneus avant / arrière	P245/45R18 / P245/45R18
Poids / Capacité de remorquage	1621 kg / 454 kg (1000 lb)
Assemblage	Smyrna, TN

Composantes mécaniques

3.5 SV

Cylindrée, soupapes, alim.	V6 3,5 litres 24 s atmos.
Puissance / Couple	290 chevaux / 261 lb-pi
Tr. base (opt) / rouage base (opt)	CVT / Tr
0-100 / 80-120 / V.Max	6,4 s / 4,6 s / n.d.
100-0 km/h	41,2 m
Type / ville / route / CO_2	Ord / 10,9 / 7,7 l/100 km / 4 324 kg/an

Du nouveau en 2015

Modèle en sursis, disponible en tant que 2014, nouveau modèle sera dévoilé en fin d'année.

FEU VERT
- Moteur V6 éprouvé
- Équipement complet
- Fiabilité éprouvée
- Bonne habitabilité

FEU ROUGE
- Faible diffusion
- Valeur de revente problématique
- Conduite presque soporifique
- Effet de couple important

Photos : Nissan Canada

NISSAN **MICRA**

▸ **Catégorie :** Hatchback	▸ **Échelle de prix :** 9 998 $ à 15 748 $	▸ **Transport et prép. :** 1 400 $
▸ **Cote d'assurance :** n.d.	▸ **Garanties :** 3 ans/60 000 km, 5 ans/100 000 km	▸ **Ventes CAN 2013 :** 0 unités

Petite voiture, petit paiement

Sylvain Raymond

I est difficile de nos jours de se passer d'une voiture, surtout si vous habitez hors des grands centres urbains. Toutefois, tous n'ont pas le budget ou le désir de se payer le dernier modèle de luxe. Après tout, la fonction première d'un véhicule est de nous mener du point A au point B! C'est dans cette optique que Nissan a décidé de raviver cette année la Micra, une sous-compacte qui a connu ses heures de gloire au Canada entre 1984 et 1992. Toujours commercialisée depuis ce temps dans plusieurs autres marchés, elle nous arrive pour 2015 en tant que modèle de 4e génération.

La Nissan Micra a constamment joui d'une bonne réputation et c'est surtout son prix attrayant qui la rendait populaire. À l'époque où elle était distribuée au Canada, le prix de l'essence et la consommation de carburant étaient loin d'être une préoccupation majeure, ce qui cette fois s'avère un élément jouant en sa faveur. Avec son prix de base de 9 998 $, elle

mérite, et de loin, le titre de voiture neuve la plus abordable au pays. C'est pratiquement le prix de vente du modèle original et c'est surtout le montant annuel de dépréciation de plusieurs voitures de luxe, rien de moins.

Deux voitures similaires

La Micra est en fait la petite jumelle de la Versa Note. Toutes deux sont assemblées sur la plate-forme V de Nissan et partagent la grande majorité de leurs composantes mécaniques. Pourquoi alors offrir deux sous-compactes dans le même segment, deux modèles à hayon de surcroit puisque Nissan Canada a cessé la commercialisation de la berline Versa l'an passé? Simplement pour profiter de la tendance plus marquée pour les modèles économiques. On a toutefois pris soin de positionner les deux modèles différemment dans la hiérarchie, la Micra s'avérant la plus abordable et plus petite des deux. En fait, seules quelques versions de la Micra et de la Versa se juxtaposent au niveau des prix. L'avenir nous dira si le pari a été payant!

Impressions de l'auteur	
Agrément de conduite : ★★★★★	3
Fiabilité :	Nouveau modèle
Sécurité : ★★★★★	3,5
Qualités hivernales : ★★★★★	3,5
Espace intérieur : ★★★★★	3,5
Confort : ★★★★★	3,5

Concurrents
Chevrolet Spark, Ford Fiesta, Honda Fit, Hyundai Accent, Kia Rio, Mazda2, Mitsubishi Mirage, Nissan Versa Note, Toyota Yaris

Avec une fourchette de prix se situant entre 9 998 $ et 16 000 $, on cherche l'attrape : comment a-t-on réussi à offrir la version de base à ce prix? Ce ne sont pas les composantes mécaniques qui font la différence puisque les trois versions de la Micra (S, SV et SR) renferment toutes un moteur quatre cylindres de 1,6 litre, le même que celui de la Versa Note. Il développe 109 chevaux pour un couple de 107 lb-pi, ce qui est une puissance légèrement inférieure à plusieurs rivales, mais tout de même supérieure à celle de la Mazda2 (100 chevaux) et surtout à celle de la Mitsubishi Mirage qui, avec ses 74 chevaux, est la plus pauvre du lot. La Hyundai Accent trône seule au sommet avec ses 138 chevaux.

La Micra a droit à une transmission manuelle à cinq rapports greffée de série alors qu'une automatique à quatre vitesses est optionnelle. Cette dernière représente d'ailleurs la principale différence mécanique entre la Micra et la Versa. Cette dernière reçoit plutôt une transmission CVT à variation continue, un type de boîte qui aide grandement à réduire la consommation de carburant, mais qui est plus dispendieux. En offrant la boite à quatre rapports, Nissan a donc pu conserver le prix de sa Micra au plus bas.

Style européen ou personnalisé

Rares sont les modèles sous-compacts qui charment par leurs lignes exotiques ou leur style à couper le souffle. Il n'est pas facile de rendre ces petites voitures attrayantes. On a bien souvent l'impression de mettre de côté la passion au nom de la raison. Les designers de Nissan sont tout de même parvenus à rendre la Micra fort jolie malgré tout alors qu'on perçoit son influence européenne.

L'avant est sans doute la partie la plus réussie avec sa grille en V, typique à la marque et ses phares stylisés. Les versions plus huppées en rajoutent avec des jupes latérales, des garnitures en chrome, un béquet arrière fixé au toit, un échappement à embout chromé et des jantes de 16 pouces, mais on s'éloigne aussi du prix de 10 000 $...

L'arrière de la Micra semble faire un peu moins l'unanimité. On le trouve plus générique tandis que les stylistes ont tenté de créer un effet de largeur en positionnant les feux aux extrémités et en porte-à-faux sur la carrosserie. L'intégration étrange de la caméra de recul n'est pas parfaite non plus. Là où la Micra se démarque, c'est qu'on peut accentuer son style et à peu de frais. Nissan vend trois ensembles qui, pour quelques centaines de dollars, ajoutent divers éléments décoratifs. Une voiture blanche avec des rétroviseurs et des poignées de porte peints en orange? C'est possible et très beau!

À bord, il ne faut pas s'attendre à l'espace d'un VUS. C'est une voiture à vocation économique et l'aspect familial n'est pas sa grande force. Avec son format ultracompact, les dégagements

« Le format de la Micra la rend très agréable en ville, là où elle démontre ses plus grands atouts. »

@guideauto

Photos : Nissan Canada, Sylvain Raymond

sont moins importants et il faut partager l'espace disponible entre les passagers avant et arrière, non pas sans quelques compromis. La Nissan Micra, qui n'est pas offerte chez nos voisins du Sud, propose quelques exclusivités canadiennes afin de correspondre un peu plus à nos goûts… ou du moins à notre climat! Ainsi, Nissan a ajouté une buse de chauffage à l'arrière, des rétroviseurs antigivrants ainsi qu'une banquette arrière rabattable 60/40. Celle-ci accroît d'ailleurs l'espace de chargement qui est tout de même assez généreux et pratique.

Du reste, tout est dans la simplicité, surtout dans la livrée de base, la Micra S. À 10 000 $, il faut se passer d'éléments qui de nos jours sont considérés comme de base et essentiels. On doit se contenter de vitres et de miroirs à commande manuelle, d'un volant dégarni, sans oublier le plus important, l'absence de climatiseur. Voilà ici le véritable compromis pour rouler dans une voiture de ce prix. Si jamais vous ne désirez pas souffrir, vous pouvez toujours vous rabattre sur la Micra SV, sans doute la version la plus attrayante.

Sur la route

Une fois au volant, on apprécie l'excellente visibilité apportée par le format compact de la voiture jumelé aux nombreuses zones vitrées. On trouve rapidement une bonne position de conduite et les différentes commandes tombent bien sous la main. Avec 109 chevaux, il ne faut pas s'attendre à de grandes performances de la part du quatre cylindres de 1,6 litre, mais c'est un peu le lot de tous les modèles de cette catégorie. En revanche, le poids réduit de la Micra balance l'équation et améliore les temps d'accélération.

Même si l'on doit prévoir un peu plus les manœuvres de dépassement, on ne sent pas que la voiture est trop sous-motorisée. La boîte manuelle de série permet de tirer un peu mieux parti de la puissance disponible et on remarque que l'embrayage est souple et très permissif, une bonne chose pour les débutants. Pour ceux qui préfèrent la boîte automatique, elle n'est pas un mauvais choix non plus. Le passage des rapports se fait sans accrocs et sans hésitation.

Plaisirs urbains

Le format de la Micra la rend très agréable en ville, là où elle démontre ses plus grands atouts. Elle se faufile partout sans gêne et son excellent diamètre de braquage lui permet de tourner sur un dix sous. Vous devez vous stationner dans une espace un peu plus étroit? Aucun problème, la Micra y sera à l'aise comme un poisson dans l'eau! Autre caractéristique typiquement canadienne, sa suspension renforcie — certainement en raison de l'état de nos routes! — lui procure un comportement un peu plus dynamique alors que les barres stabilisatrices à l'avant et à l'arrière rehaussent le comportement en réduisant au maximum le roulis en virage.

En misant sur une valeur inégalée, Nissan espère attirer les acheteurs de première voiture, ce qui représente un bon moyen de les fidéliser à la marque pour un jour leur vendre, disons… une GT-R! On veut aussi donner une alternative à ceux qui magasinent un véhicule d'occasion en leur proposant un modèle neuf pour pratiquement la même mensualité, les tracas d'un modèle usagé en moins.

Châssis - S

Emp / lon / lar / haut	2450 / 3827 / 1665 / 1527 mm
Coffre / Réservoir	407 à 820 litres / 41 litres
Nombre coussins sécurité / ceintures	6 / 5
Suspension avant	indépendante, jambes de force
Suspension arrière	semi-indépendante, poutre de torsion
Freins avant / arrière	disque / tambour
Direction	à crémaillère, ass. variable électrique
Diamètre de braquage	9,3 m
Pneus avant / arrière	P185/60R15 / P185/60R15
Poids / Capacité de remorquage	1044 kg / n.d.
Assemblage	Aguascalientes, MX

Composantes mécaniques

Cylindrée, soupapes, alim.	4L 1,6 litre 16 s atmos.
Puissance / Couple	109 chevaux / 107 lb-pi
Tr. base (opt) / rouage base (opt)	M5 (A4) / Tr
0-100 / 80-120 / V.Max	10,2 s / 10,0 s / n.d.
100-0 km/h	41,0 m
Type / ville / route / CO_2	Ord / 8,6 / 6,6 l/100 km / 3542 kg/an

Du nouveau en 2015

Nouveau modèle

FEU VERT
- Prix ultra-accessible
- Consommation réduite
- Ergonomie simple et efficace
- Groupes d'options bien étudiés

FEU ROUGE
- Puissance un peu juste
- Version de base très dénudée
- Dégagement réduit à l'arrière
- Fiabilité pas encore prouvée

 NISSAN MURANO

▶ **Catégorie :** Multisegment	▶ **Échelle de prix :** 34 000 $ à 45 598 $ (2014)	▶ **Transport et prép. :** 1 750 $
▶ **Cote d'assurance :** $$$$$	▶ **Garanties :** 3 ans/60 000 km, 5 ans/100 000 km	▶ **Ventes CAN 2013 :** 3 384 unités

Méconnaissable!

Guy Desjardins

Dès son lancement en 2003, le Murano connaît le succès. Ses lignes, très audacieuses, lui permettent d'attirer tous les regards et la presse spécialisée vante sans réserve ce nouveau venu. Le Murano vit plus de 11 ans sous cette forme, mais une clientèle de plus en plus exigeante et une concurrence féroce pousse Nissan à redonner au Murano le style qui lui a valu à l'époque la consécration. C'est alors que Nissan le redessine complètement pour 2015 en empruntant une voie totalement différente.

Les inconditionnels du Murano ne reconnaîtront pratiquement aucun élément des précédentes générations du véhicule, si ce n'est la forme trapue et basse qui le caractérisaient lors des deux premières générations. On note cependant de nombreux emprunts à d'autres modèles Nissan dont les phares en forme de boomerang empruntés aux Z, Altima et Maxima, les feux arrière venant du Juke, la calandre en forme de V copiée du Pathfinder et une carrosserie calquée sur le nouveau Rogue.

Cette dernière génération du Murano s'inspire grandement du concept Resonance présenté comme le multisegment de l'avenir. Dommage toutefois que le véhicule concept n'ait pas été retenu dans son intégralité puisqu'il aurait fait du Murano un nouvel objet de désir, comme à son lancement en 2003.

L'effet spectaculaire

Un des objectifs que l'équipe de conception du nouveau Nissan Murano de troisième génération s'était donné en redéfinissant le véhicule était que seul un retour à l'effet spectaculaire d'origine aurait été jugé acceptable au final. C'est pourquoi le Murano propose maintenant une ligne de toit flottante, un coefficient de traînée de 0,31 et un toit panoramique aux dimensions imposantes. On a également fait table rase à l'intérieur en reprenant la plupart des éléments du concept Resonance dévoilé au Salon de l'auto de New York en 2013. Le large tableau de bord adopte une position basse et dispose d'un grand écran d'information central. On constate également que le nombre de commandes de sonorisation et de navigation a été réduit

Impressions de l'auteur		Concurrents
Agrément de conduite :	n.d.	Chevrolet Traverse, Ford Edge,
Fiabilité :	n.d.	GMC Acadia, Honda Pilot,
Sécurité :	n.d.	Lincoln MKX, Mazda CX-9,
Qualités hivernales :	n.d.	Toyota Highlander
Espace intérieur :	n.d.	
Confort :	n.d.	

NISSAN MURANO

de plus de la moitié et que les concepteurs ont opté pour une console centrale basse et large afin d'encourager les interactions entre les passagers avant et arrière. Et bravo pour l'emplacement du bouton de démarrage, bien en vue et facilement accessible sur la console centrale. Malheureusement, la visibilité trois quart vers l'arrière ne semble pas s'être améliorée avec la présence marquée d'un renflement au-dessus des ailes.

À l'arrière, l'habitacle a été spécialement conçu pour accueillir des adultes, avec plus d'espace pour les jambes comparativement à la précédente génération du Murano. Les passagers profitent également d'un toit panoramique dont la longueur a été augmentée de 40 % et la largeur d'ouverture de 29 % par rapport au design de la génération antérieure. L'espace de chargement du Murano est plus généreux et plus pratique, grâce notamment aux sièges arrière rabattables à plat.

Mécanique similaire

Si l'extérieur est méconnaissable, il en est tout autrement sous le capot puisqu'on y trouve le même moteur V6 de 3,5 litres qu'auparavant. Ce moteur étant couplé à une boîte de vitesses Xtronic, il ne fait aucun doute que la conduite sera plutôt axée sur le confort et non les performances. Le Murano est offert en traction ou en version à rouage intégral et plusieurs caractéristiques de protection et de sécurité sont offertes en option, notamment la fonction de détection des objets en mouvement, le système d'avertissement pour l'angle mort, le système d'avertissement de risque de collision frontale et le système de freinage d'urgence. Et pour se surpasser dans la catégorie, Nissan propose, grâce à l'utilisation d'un radar, un nouveau système d'alerte de trafic qui permet de détecter la présence d'un véhicule se déplaçant derrière le Murano, d'un côté ou de l'autre.

Le Nissan Murano se décline en versions S, SV, SL et Platine et tous disposent du rouage intégral, même l'entrée de gamme S. Malgré cette refonte spectaculaire, le comportement routier du Murano devrait conserver sensiblement les mêmes caractéristiques que la génération précédente. La tenue de route profitera de nombreux ajustements ici et là, mais on ne s'attend pas à une révolution de ce côté, du moins pas aussi surprenante que son nouveau design.

Cette nouvelle génération du Murano s'avère réussie. L'objectif de créer un effet spectaculaire similaire à celui de 2003 est atteint, mais dans cette catégorie, la concurrence est très forte et les nouveaux modèles sont lancés à des intervalles très rapprochés. Il ne fait aucun doute que le Murano aura du succès puisque son allure est « in », sa mécanique fiable et son habitacle doté d'un style épuré.

Châssis - S TA

Emp / lon / lar / haut	2825 / 4887 / 1915 / 1689 mm
Coffre / Réservoir	900 à 1826 litres / 82 litres
Nombre coussins sécurité / ceintures	7 / 5
Suspension avant	indépendante, jambes de force
Suspension arrière	indépendante, multibras
Freins avant / arrière	disque / disque
Direction	à crémaillère, ass. variable électrique
Diamètre de braquage	11,6 m
Pneus avant / arrière	P235/65R18 / P235/65R18
Poids / Capacité de remorquage	1700 kg / 1591 kg (3507 lb)
Assemblage	Canton, MS

Composantes mécaniques

Cylindrée, soupapes, alim.	V6 3,5 litres 24 s atmos.
Puissance / Couple	260 chevaux / 240 lb-pi
Tr. base (opt) / rouage base (opt)	CVT / Tr (Int)
0-100 / 80-120 / V.Max	8,0 s (est) / 6,0 s (est) / n.d.
100-0 km/h	n.d.
Type / ville / route / CO_2	Ord / 9,4 / 7,0 l/100 km / 3827 kg/an

Du nouveau en 2015

Nouveau modèle

FEU VERT
- Look du tonnerre
- Habitacle épuré
- Moteur éprouvé
- Technologies nombreuses

FEU ROUGE
- Changement (trop?) radical
- Mauvaise visibilité vers l'arrière
- Boîte CVT décriée

Photos : Nissan Canada

NISSAN NV200

NISSAN **NV200** / CHEVROLET **CITY EXPRESS**

▶ **Catégorie :** Fourgonnette   ▶ **Échelle de prix :** 22 748 $ à 23 898 $ (2014)   ▶ **Transport et prép. :** n.d.

▶ **Cote d'assurance :** n.d.   ▶ **Garanties :** 3 ans/60 000 km, 5 ans/100 000 km   ▶ **Ventes CAN 2013 :** 733 unités

Une question de respect

Alain Morin

O n ne peut pas dire que Nissan a révolutionné le monde de la camionnette. Certes, à ses débuts vers la fin des années 1970, le King Cab avait refait le monde mais depuis, c'est assez tranquille. Et ce ne sont pas les Frontier et Titan actuels qui vont y changer quoi que ce soit. C'est plutôt du côté des véhicules commerciaux que Nissan semble mieux savoir s'y prendre.

Le NV, cet immense fourgon qui joue dans les plates-bandes des Ford Transit et des Chevrolet Express, n'est pas joli, toutefois, on en voit de plus en plus sur nos routes. Puis, il y a le plus petit, mais pas plus beau (c'est mon opinion), Nissan NV200, concurrent direct du Ford Transit Connect (qui est entièrement revu pour 2015). Même si l'année dernière il s'est vendu trois fois moins de NV200 que de Transit Connect, n'empêche que le Nissan est de plus en plus lorgné par certaines entreprises qui n'ont pas besoin d'un véhicule démesuré.

Le NV200 vient même d'atteindre une certaine notoriété... il a été cloné ! En effet, il se décline désormais en modèle Chevrolet, baptisé City Express. Pour sauver de l'espace de publication, nous ne parlerons que du NV200, le City Express étant une copie identique. Le petit fourgon de Nissan a également fait les manchettes en remportant le contrat du « taxi de demain » pour la ville de New-York. Le NV200 n'est, pour le moment, offert chez nous qu'en version commerciale. Peut-être qu'un jour, une version passagers « civile » sera proposée, comme en Europe. Peut-être aussi aurons-nous le e-NV200 à motorisation électrique. Attardons-nous plutôt sur le modèle présentement distribué ici.

Le raffinement, c'est pour les autres

Évidemment, personne n'achète un NV200 pour transporter un sac d'épicerie de temps en temps. Tout dans ce véhicule respire l'utilitaire. Les deux sièges avant sont étonnamment confortables et leur tissu n'est pas le plus raffiné qu'on puisse trouver sur le marché mais il sera très résistant durant de

Impressions de l'auteur		Concurrents
Agrément de conduite : ★★★★★	3/5	Ford Transit Connect
Fiabilité :	n.d.	Ram Cargo Van
Sécurité : ★★★★★	3,5/5	
Qualités hivernales : ★★★★★	3,5/5	
Espace intérieur : ★★★★★	4,5/5	
Confort : ★★★★★	3,5/5	

nombreuses années. Les plastiques durs règnent et recouvrent un tableau de bord d'une simplicité tout ce qu'il y a de plus volontaire. Les espaces de rangement sont nombreux. On peut déposer son ordinateur portable dans la console centrale, une planche à pince sur le tableau de bord et des cartes routières dans les vide-poches. Parlant de cartes routières, il est possible d'avoir un système de navigation, en option.

Si la visibilité arrière est une préoccupation majeure pour vous, il serait préférable de ne pas vous approcher du NV200. Puisque les côtés et les portes arrière sont pleins, on y voit comme dans un sous-marin. Il est toutefois possible d'opter pour des vitres à l'arrière. La caméra de recul fait partie du même groupe d'options que le GPS. Le groupe Technologie est offert sur la version la plus « luxueuse » du NV200 à un prix de 800 $ au moment d'écrire ces lignes. Je n'y connais rien en matière de gestion de parc de véhicules, mais j'imagine que ce coût se rentabilise très rapidement en réduisant les retards et en sauvant quelques pare-chocs arrière ! En plus, ce groupe ajoute le Bluetooth ! Dans l'espace de chargement, il faudra nécessairement aménager des tablettes ou des tiroirs car un NV200 neuf n'est qu'une boite avec des roues et un volant. Les portes arrière asymétriques s'ouvrent à 90 et à 180 degrés et le plancher est très bas, ce qui facilite le chargement et fatigue moins les jambes à la fin d'une journée passée à monter à bord et à en redescendre.

Sous le capot, on retrouve un quatre cylindres de 2,0 litres et 140 chevaux. C'est évidemment peu et les accélérations sont tout juste correctes... quand le véhicule est vide. Imaginez quand la boite est chargée ! En passant, la charge maximale est de 1500 livres (679 kg), ce qui ne laisse pas beaucoup de poids au matériel une fois que les accessoires (tiroirs, tablettes, etc.) sont installés. La transmission est une CVT, si chère à Nissan. Cette boîte à variation continue favorise l'économie d'essence (Nissan l'a revu pour 2015 pour améliorer davantage cet aspect), mais en accélération, elle amène le moteur à des régimes élevés et l'y laisse là tant que le conducteur ne lève pas le pied. Ce ne serait pas dramatique s'il y avait un peu de matériel insonorisant et si le moteur était plus puissant, ce qui n'obligerait pas le conducteur à toujours peser fort sur le champignon pour que ça avance. Toutefois, à vitesse de croisière, le niveau sonore demeure très bas.

Sur la route, on ne peut pas évaluer le NV200 comme on le fait pour les autres véhicules présentés dans ce Guide. Une courbe prise avec le moindrement de vélocité entraîne un roulis considérable, la direction n'est pas précise (au moins le rayon de braquage est très court) et les petits pneus d'origine, de qualité douteuse sur notre véhicule à l'essai, semblent perdus sous les grands panneaux de tôle du véhicule. Ces détails sont sans doute bien peu importants pour le gestionnaire d'une flotte commerciale qui doit respecter ses budgets bien plus que ses livreurs !

Châssis - SV

Emp / lon / lar / haut	2925 / 4733 / 2010 / 1872 mm
Coffre / Réservoir	3455 litres / 55 litres
Nombre coussins sécurité / ceintures	6 / 2
Suspension avant	indépendante, jambes de force
Suspension arrière	essieu rigide, ressorts à lames
Freins avant / arrière	disque / tambour
Direction	à crémaillère, ass. variable électrique
Diamètre de braquage	11,2 m
Pneus avant / arrière	P185/60R15 / P185/60R15
Poids / Capacité de remorquage	1468 kg / non recommandé
Assemblage	Cuernavaca, MX

Composantes mécaniques

S, SV

Cylindrée, soupapes, alim.	4L 2,0 litres 16 s atmos.
Puissance / Couple	140 chevaux / 147 lb-pi
Tr. base (opt) / rouage base (opt)	CVT / Tr
0-100 / 80-120 / V.Max	11,6 s / 9,2 s / n.d.
100-0 km/h	48,9 m
Type / ville / route / CO_2	Ord / 8,7 / 7,1 l/100 km / 3671 kg/an

NISSAN NV200

Du nouveau en 2015

Transmission CVT revue pour améliorer la consommation.

FEU VERT
- Format idéal pour la ville
- Consommation retenue
- Grand espace de chargement
- Court rayon de braquage
- Sièges étonnamment confortables

FEU ROUGE
- Utilisation commerciale uniquement
- Moteur pas suffisamment puissant
- Accélérations très auditives
- Comportement routier très « utilitaire »

CHEVROLET CITY EXPRESS

Photos : Alain Morin, Chevrolet Canada

NISSAN **NV200** / CHEVROLET **CITY EXPRESS**

NISSAN **PATHFINDER**

▶ **Catégorie :** VUS   ▶ **Échelle de prix :** 29 998$ à 42 098$ (2014)   ▶ **Transport et prép. :** 1 560 $

▶ **Cote d'assurance :** $$$$$ ▶ **Garanties :** 3 ans/60 000 km, 5 ans/100 000 km   ▶ **Ventes CAN 2013 :** 7 936 unités

Moins baroudeur, plus racoleur

Gabriel Gélinas

Avec la quatrième génération de son Pathfinder, Nissan a effectué un virage à 180 degrés par rapport au modèle de la génération précédente. En effet, le Pathfinder actuel est moins baroudeur et plus racoleur, du moins pour les jeunes familles habitant la banlieue qui fréquentent plus les centres commerciaux que les sentiers en forêt. Cette nouvelle vocation s'exprime par une architecture de type monocoque alors que le modèle antérieur était construit sur un châssis à échelle, plus adapté à la conduite hors route. Pour Nissan, l'objectif est clair : rehausser les ventes du Pathfinder qui était autrefois carrément largué par les Ford Explorer, Honda Pilot et Toyoya Highlander, entre autres.

En proposant un modèle à simple traction à prix attractif ainsi que d'autres équipés d'un rouage à quatre roues motrices multimode, en plus d'un modèle à motorisation hybride,

Nissan bonifie son offre en vue de séduire la clientèle la plus large possible. Le changement d'architecture a considérablement allégé le véhicule, et la cylindrée du V6 est passée de 4,0 à 3,5 litres, ce qui permet tout de même de développer une puissance presque égale, puisque chiffrée à 260 chevaux. Mais la nouveauté la plus significative est l'adoption d'une boîte à variation continue (CVT) qui représente une première pour ce créneau du marché. Règle générale, je ne suis pas un adepte de ce type de transmission, toutefois, je dois admettre que celle-ci fonctionne bien. Les modèles ayant le rouage à quatre roues motrices sont dotés d'une commande rotative qui permet de sélectionner soit la simple traction, la traction automatique aux 4 roues qui fait varier la répartition de couple entre les trains avant et arrière selon les conditions d'adhérence, ou la traction « classique » aux 4 roues qui répartit également le couple entre les trains avant et arrière pour faciliter la conduite hors route.

Impressions de l'auteur	
Agrément de conduite :	★★★⯪ 3,5/5
Fiabilité :	★★★★ 4/5
Sécurité :	★★★★ 4/5
Qualités hivernales :	★★★★ 4/5
Espace intérieur :	★★★★⯪ 4,5/5
Confort :	★★★★ 4/5

Concurrents
Ford Explorer, Honda Pilot,
Jeep Grand Cherokee,
Toyota 4Runner

Objectif confort

Sur la route, le Pathfinder se comporte comme une familiale surélevée. La puissance est toujours adéquate et la transmission à variation continue s'avère efficace avec des réactions très linéaires, même si à l'occasion elle hésite pendant une demi-seconde lors des reprises. Le comportement routier est sûr et prévisible, mais la direction pourrait être moins légère et plus communicative. Les liaisons au sol sont assurées par des suspensions généralement efficaces, sauf lors de la traversée de saillies bien évidentes où elles réagissent parfois sèchement.

La grande force du Pathfinder, c'est plutôt son volume d'espace intérieur qui le rend presque aussi pratique et fonctionnel qu'une minifourgonnette. On apprécie particulièrement le dispositif LATCH AND GLIDE qui permet de déplacer le siège de la deuxième rangée du côté droit vers l'avant, même si un siège d'enfant y est installé, afin d'accéder plus facilement à la troisième rangée de sièges. Toutes les familles avec de jeunes enfants raffoleront au plus haut point de ce système bien conçu qui simplifie la vie au quotidien. La dotation de série permet également au Pathfinder de marquer des points, et les modèles plus équipés offrent même des équipements comme le volant chauffant et les sièges avant chauffants et ventilés (sur le modèle Platinum).

Le modèle hybride

Chez Nissan et Infiniti, le Pathfinder et le QX60 sont les premiers utilitaires livrables avec une motorisation hybride qui troque le V6 de 3,5 litres des modèles à motorisation conventionnelle pour un quatre cylindres de 2,5 litres suralimenté par compresseur. Il est jumelé à un moulin électrique développant une puissance équivalente à 20 chevaux et qui est logé entre le moteur thermique et la boîte à variation continue. La puissance combinée des moteurs est de 250 chevaux, soit 10 de moins que les modèles à motorisation conventionnelle, alors que le couple est légèrement supérieur à 243 livres-pied versus 240. Les spécifications de puissance et de couple sont donc remarquablement similaires, mais Nissan annonce des cotes de consommation nettement meilleures pour l'hybride puisqu'elles sont chiffrées à 7,8 litres aux 100 kilomètres en ville et à 7,1 litres sur la route. Cependant, un essai du Pathfinder hybride, réalisé en plein cœur de l'hiver québécois, nous a donné une consommation moyenne de 12,0 litres aux 100 kilomètres et l'essai d'un Infiniti QX60 hybride, qui s'est déroulé dans la même période, n'a fait que confirmer ce verdict avec une consommation identique. Il est clair que les conditions météorologiques que l'on rencontre au cours de l'hiver ne sont pas favorables à l'économie de carburant en général et particulièrement dans le cas des modèles à motorisation hybride parce que le moteur thermique fonctionne constamment. On peut toutefois s'attendre à mieux lors de la conduite en de meilleures conditions, mais les cotes annoncées par Nissan me semblent très optimistes.

Châssis - S 2RM

Emp / lon / lar / haut	2900 / 5009 / 1961 / 1768 mm
Coffre / Réservoir	453 à 2260 litres / 74 litres
Nombre coussins sécurité / ceintures	6 / 7
Suspension avant	indépendante, jambes de force
Suspension arrière	indépendante, multibras
Freins avant / arrière	disque / disque
Direction	à crémaillère, ass. variable électrique
Diamètre de braquage	12,0 m
Pneus avant / arrière	P235/65R18 / P235/65R18
Poids / Capacité de remorquage	1902 kg / 2273 kg (5011 lb)
Assemblage	Smyrna, TN

Composantes mécaniques

SV 4RM hybride

Cylindrée, soupapes, alim.	4L 2,5 litres 16 s surcomp
Puissance / Couple	230 chevaux / 243 lb-pi
Tr. base (opt) / rouage base (opt)	CVT / 4x4
0-100 / 80-120 / V.Max	9,0 s (est) / n.d. / n.d.
100-0 km/h	n.d.
Type / ville / route / CO_2	Ord / 8,6 / 6,4 l/100 km / 3500 kg/an

Moteur électrique

Puissance / Couple	20 ch (15 kW) / 29 lb-pi
Type de batterie	Lithium-ion
Énergie	n.d.

«2RM: S, SL. 4RM: SV, Platine»

Cylindrée, soupapes, alim.	V6 3,5 litres 24 s atmos.
Puissance / Couple	260 chevaux / 240 lb-pi
Tr. base (opt) / rouage base (opt)	CVT / 2RM/2RM (4x4)
0-100 / 80-120 / V.Max	8,2 s / 5,7 s / n.d.
100-0 km/h	41,2 m
Type / ville / route / CO_2	Ord / 10,8 / 7,9 l/100 km / 4235 kg/an

Du nouveau en 2015

Aucun changement majeur

- Conduite sûre et prévisible
- Groupe propulseur souple
- Habitacle spacieux
- Équipement complet
- Système LATCH AND GLIDE ingénieux

- Roulement ferme
- Garde au sol limitée
- Consommation élevée du modèle hybride
- Faible dégagement du hayon

Photos: Nissan Canada, Alian Morin

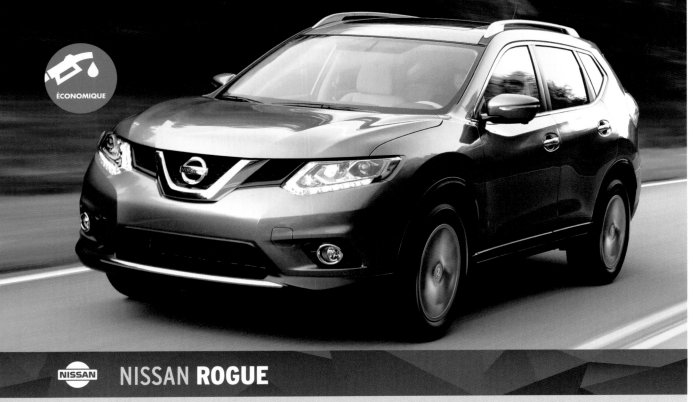

NISSAN **ROGUE**

▶ **Catégorie :** VUS ▶ **Échelle de prix :** 23 498$ à 30 498$ (2014) ▶ **Transport et prép. :** 1 630 $

▶ **Cote d'assurance :** $$$$$ ▶ **Garanties :** 3 ans/60 000 km, 5 ans/100 000 km ▶ **Ventes CAN 2013 :** 16 878 unités

Vive la famille

Jacques Duval

Dans un segment qui a le vent dans les voiles, comme celui des véhicules utilitaires compacts, il est nécessaire pour la santé d'un constructeur d'innover et de renouveler son offre aussi souvent que possible. Nissan ne fait pas exception et a mis son Rogue au goût du jour pas plus tard que l'an dernier. D'ailleurs, il s'agit du meilleur vendeur de la firme nippone, avec plus d'exemplaires écoulés que pour la Versa, la Sentra ou l'Altima.

Qui aurait cru, à l'heure où l'on parle d'environnement et que l'on redoute toute hausse du prix de l'essence, que les véhicules utilitaires demeureraient au sommet des ventes ? Il faut croire que Nissan l'avait prédit, car son offre est plus que complète dans le domaine. Celui qui nous intéresse ici est considéré de taille compacte, bien qu'il fasse osciller la balance à quelque 1 600 kg. N'empêche, il a été possible de réaliser une consommation moyenne de 8 litres aux 100 km

durant cet essai, ce qui n'est pas trop mal. Sa frugalité, il la doit à son groupe motopropulseur.

Juste ce qu'il faut

Puisqu'il n'a aucune prétention sportive et qu'on souhaite le vendre à un tarif abordable, le Nissan Rogue retient les services de l'éternel quatre cylindres de 2,5 litres que Nissan utilise à toutes les sauces. Avec raison d'ailleurs, car il jouit d'une belle fiabilité et délivre tout de même 170 chevaux et 175 lb/pi de couple. C'est bien, mais avec la masse imposante du Rogue, c'est juste. D'autant plus que la livrée SV peut se voir dotée d'une troisième rangée de sièges et ainsi accueillir sept âmes et leurs bagages. Heureusement, la boîte CVT sauve la mise. En tirant le plein potentiel du moteur à tous les régimes, on a rarement l'impression de manquer de puissance.

Sur la route, le Nissan Rogue se conduit lentement, mais facilement. Voyez-vous, c'est qu'il n'aime pas être brusqué. Sa suspension axée sur le confort est appréciable sur surface

Impressions de l'auteur		Concurrents
Agrément de conduite : ★★★★☆	**4**/5	Chevrolet Equinox, Ford Escape,
Fiabilité : ★★★☆	**3,5**/5	Honda CR-V, Hyundai Tucson,
Sécurité : ★★★☆	**3,5**/5	Jeep Compass, Jeep Patriot,
Qualités hivernales : ★★★☆	**3,5**/5	Kia Sportage, Mitsubishi Outlander,
Espace intérieur : ★★★☆	**3,5**/5	Subaru Forester, Toyota RAV4,
Confort : ★★★☆	**3,5**/5	Volkswagen Tiguan

NISSAN ROGUE

cahoteuse, mais très peu coopérative pour les manœuvres pressées. De toute façon, la direction collabore assez peu et tant qu'à se presser à l'aveuglette, aussi bien adopter une conduite décontractée. Ainsi, on a tout le loisir d'apprécier le paysage et le silence de roulement.

En beauté

Si les diodes électroluminescentes qui ornent les phares en équipement de série n'ont su vous charmer, l'habitacle s'en chargera. Outre un dessin flatteur, le tableau de bord jouit également de la présence de matériaux souples de bonne qualité. Comparativement à la plupart de ses rivaux, le Rogue se démarque notamment grâce à sa présentation intérieure un brin plus huppée donnant l'impression que l'on a affaire à un véhicule plus onéreux. On se croirait presque dans un modèle Infiniti dégarni de cuir. L'équipement y est aussi pour beaucoup et la liste est longue, au gré des versions. Le toit panoramique, qui baigne l'habitacle d'une agréable lumière naturelle, est de série dans la livrée SV, avec la clé intelligente et les sièges chauffants, ce qui en fait un excellent choix.

Si le Rogue est généralement facile à vivre, on note toutefois que le système d'autoverrouillage des portières est quelque peu irritant. C'est qu'il ne déverrouille les portières qu'à la coupure du moteur. Autrement dit, même en plaçant le sélecteur de vitesse en position « P », on se claque les doigts en tirant sur une poignée de porte qui ne s'ouvre pas. Pas pratique pour laisser descendre un passager que l'on reconduit ou simplement pour sortir du véhicule un bref instant pour poster une lettre. En contrepartie, au fil des kilomètres, on se réjouit de la qualité des sièges. Ils offrent un bon support latéral et donnent un peu de répit au dos.

Ami des familles, le Nissan Rogue se montre également pratique. Le coffre est modulable et peut se prêter à 18 configurations différentes. Entre autres, il est possible de transporter des objets longs, comme une échelle, en abaissant le dossier du siège avant droit. Avec deux rangées de sièges en place, on a droit à un impressionnant 1113 litres d'espace qui est cependant réduit à 266 litres avec des sièges pour sept personnes. Cet espace est tout de même comparable à ce que propose une Infiniti Q50 hybride que l'on souhaiterait mieux apte à recevoir toute la famille. L'accès à l'espace de chargement est facilité par la grande ouverture du hayon, qui peut également être motorisé en option.

Pour les amateurs de véhicules utilitaires et toutes ces familles qui ne veulent plus rouler en berline, le Nissan Rogue est un sérieux prétendant.

Châssis - SV TI

Emp / lon / lar / haut	2706 / 4630 / 1840 / 1684 mm
Coffre / Réservoir	1113 à 1982 litres / 55 litres
Nombre coussins sécurité / ceintures	6 / 5
Suspension avant	indépendante, jambes de force
Suspension arrière	indépendante, multibras
Freins avant / arrière	disque / disque
Direction	à crémaillère, ass. variable électrique
Diamètre de braquage	11,4 m
Pneus avant / arrière	P225/65R17 / P225/65R17
Poids / Capacité de remorquage	1628 kg / 454 kg (1000 lb)
Assemblage	Smyrna, TN

Composantes mécaniques

Cylindrée, soupapes, alim.	4L 2,5 litres 16 s atmos.
Puissance / Couple	170 chevaux / 175 lb-pi
Tr. base (opt) / rouage base (opt)	CVT / Tr (Int)
0-100 / 80-120 / V.Max	9,5 s (est) / 8,0 s (est) / n.d.
100-0 km/h	n.d.
Type / ville / route / CO_2	Ord / 8,2 / 6,2 l/100 km / 3360 kg/an

Du nouveau en 2015

Aucun changement majeur

FEU VERT
- Transmission CVT transparente
- Faible diamètre de braquage
- Bon soutien latéral des sièges
- Tableau de bord en plastique souple
- Phares à DEL dans toutes les versions

FEU ROUGE
- Puissance un peu juste
- Direction légèrement floue
- Appuie-têtes arrière gênant à la visibilité
- Longue liste d'options

Photos : Nissan Canada.

NISSAN **SENTRA**

▶ **Catégorie :** Berline

▶ **Cote d'assurance :** $$$$$

▶ **Échelle de prix :** 16 665 $ à 23 198 $

▶ **Garanties :** 3 ans/60 000 km, 5 ans/100 000 km

▶ **Transport et prép. :** 1 567 $

▶ **Ventes CAN 2013 :** 14 407 unités

C'est à 30 ans qu'elles sont belles...

Nadine Filion

C'est à 30 ans que les femmes sont belles, dit-on. Et vrai que de tous les designs accordés en trois décennies à la Nissan Sentra, celui de cette 7e génération est probablement le plus réussi. On a (enfin) dit adieu à la grossière calandre en nid d'abeille, les lignes tranchées au couteau ont fait place à des ondulations davantage sensuelles et les phares n'ont plus l'air apposés après coup. Bref, une séduisante... petite Nissan Altima. Mais est-ce suffisant, devant des concurrentes de plus en plus féroces ? Ça dépend.

Si votre priorité automobile, chez les voitures compactes, est la conduite pimentée, ne perdez pas votre temps à lire cette page et allez plutôt nous lire sur la Mazda3 ou la Ford Focus.

Mais si votre priorité est de dégoter une bonne routière, spacieuse et bien équipée, eh bien la Nissan Sentra est... une bonne routière, spacieuse et bien équipée – lorsqu'on opte

pour ses versions les mieux nanties. Nous ajouterons que le tout est très économe en carburant.

Mais pour la sportivité, oubliez ça (du moins, jusqu'à ce qu'une version Nismo ne débarque...). Car la Sentra assemblée sur la plate-forme des Nissan Juke et Nissan Leaf est dotée de l'un des moins vigoureux moteurs de la catégorie. Ce quatre cylindres (1,8 litre) de 130 chevaux livre une vingtaine d'équidés de moins que la moyenne de la compétition.

Certes, il est difficile de jeter la pierre à un constructeur qui mise davantage sur l'économie en carburant que sur la performance. Après tout, notre Nissan Sentra (boîte CVT) a enregistré un très frugal 5,8 l/100 km sur l'autoroute. Mais Dieu qu'on déteste cette CVT... Nissan l'a dotée l'an dernier d'une nouvelle fonction de changement de rapport étagée, mais en vain : les accélérations demeurent lyrantes et bruyantes. On aurait aimé un quelconque mode manuel pour donner un peu de naturel à l'expérience, mais même si

Impressions de l'auteur		Concurrents
Agrément de conduite : ★★★⯨☆	3/5	Chevrolet Cruze, Ford Focus,
Fiabilité : ★★★★☆	4/5	Honda Civic, Hyundai Elantra,
Sécurité : ★★★★☆	4/5	Kia Forte, Mazda3, Mitsubishi Lancer,
Qualités hivernales : ★★★⯨☆	3,5/5	Subaru Impreza, Toyota Corolla,
Espace intérieur : ★★★★☆	4/5	Volkswagen Jetta
Confort : ★★★★☆	4/5	

NISSAN SENTRA

nombre de concurrentes y ont droit (pour leurs CVT ou boîtes automatiques), la Nissan Sentra ne le propose toujours pas. Notez que la boîte manuelle six rapports, exclusivement offerte sur les deux variantes de base, annonce un combiné plus gourmand de presque un litre aux 100 km versus la CVT.

Sinon, la balade en Nissan Sentra est confortable, avec une direction (électrique, évidemment) qui a le bonheur de se préciser à vitesse d'autoroute. Elle demeure toutefois lâche à basse vitesse, mais que voulez-vous : la Nissan Sentra ne sera jamais une Mazda3. En guise de suspension arrière, on mise encore sur la poutre de torsion, mais c'est de bonne guerre, puisque la moitié des compactes concurrentes font de même. Et d'ailleurs, Nissan est l'un de ceux qui réussissent le mieux à discipliner cette suspension non indépendante.

Recherché : punch visuel

Oui, l'habitacle de la Nissan Sentra de 7e génération est différent de l'ancienne mouture, c'est même très ergonomique et bien agencé, on a l'impression de prendre place à bord d'une plus grande berline. Et côté technologie, on a droit (en option) aux systèmes de navigation et assistant de composition de messages parmi les plus faciles à utiliser de toute l'industrie.

Sauf que visuellement, ça n'a pas le punch d'un nouveau modèle. Rien pour s'extasier comme on le fait pour l'intérieur des Ford Focus, Hyundai Elantra et Chevrolet Cruze. En grattant un peu, on se heurte à des matériaux qui sonnent faux – cette simili boiserie semble tirée des années 1980... et l'insonorisation est très moyenne : les bruits éoliens sont causés par le pare-brise et les fenêtres, pendant que la route se fait entendre à travers le plancher.

Ceci dit, parce qu'elle s'offre avec l'un des empattements les plus longs du segment, la Nissan Sentra accorde un bon dégagement aux jambes arrière – presque digne d'une intermédiaire. Sa caisse, aussi l'une des plus hautes, permet un bon dégagement aux têtes. La 5e place, à la banquette, en est une vraie et le coffre est l'un des plus généreux de la catégorie, exception faite de la Volkswagen Jetta (mais pas de beaucoup).

Côté prix, l'étiquette de base, à un cheveu au-dessus des 15 000 $, est intéressante. Mais la variante d'entrée de gamme est trop épurée à notre goût : pas de climatiseur, pas de régulateur de vitesse, ni de démarreur sans clé. La bonne routière qu'est la Nissan Sentra peut – non, *demande* – à être mieux équipée. Notre préférence va donc aux versions SR et SL, qui dépassent les 21 000 $, mais qui sont d'un excellent rapport prix/équipements. Ne manque que la banquette chauffante et l'alerte à la circulation transversale. Deux petites gâteries que certaines concurrentes offrent déjà...

Châssis - 1.8 SV (man)

Emp / lon / lar / haut	2700 / 4625 / 1760 / 1495 mm
Coffre / Réservoir	428 litres / 50 litres
Nombre coussins sécurité / ceintures	6 / 5
Suspension avant	indépendante, jambes de force
Suspension arrière	semi-indépendante, poutre de torsion
Freins avant / arrière	disque / tambour
Direction	à crémaillère, ass. variable électrique
Diamètre de braquage	10,6 m
Pneus avant / arrière	P205/55R16 / P205/55R16
Poids / Capacité de remorquage	1287 kg / n.d.
Assemblage	Aguascalientes, MX

Composantes mécaniques

1.8 S / SV / SR / SL

Cylindrée, soupapes, alim.	4L 1,8 litre 16 s atmos.
Puissance / Couple	130 chevaux / 128 lb-pi
Tr. base (opt) / rouage base (opt)	M6 (CVT) / Tr
0-100 / 80-120 / V.Max	10,4 s / 8,7 s / n.d.
100-0 km/h	41,1 m
Type / ville / route / co_2	Ord / 5,0 / 6,6 l/100 km / 2630 kg/an

Du nouveau en 2015

Aucun changement majeur

FEU VERT

- Jolie silhouette
- Économe en carburant
- Habitacle parmi les plus spacieux
- Coffre très généreux
- L'un des plus petits prix de base

FEU ROUGE

- La plus petite puissance de la catégorie
- CVT désastreuse – sans mode manuel
- Le 0-100km/h en 10,4 secondes, c'est lent
- Habitacle très ordinaire

Photos : Nissan Canada

NISSAN **TITAN**

- ▶ **Catégorie :** Camionnette
- ▶ **Échelle de prix :** 35 608 $ à 53 358 $ (2014)
- ▶ **Transport et prép. :** 1 610 $
- ▶ **Cote d'assurance :** $$$$$
- ▶ **Garanties :** 3 ans/60 000 km, 5 ans/100 000 km
- ▶ **Ventes CAN 2013 :** 3 410 unités

Un moteur diesel à la rescousse

Jean-François Guay

L e Titan avait fait tout un tabac lors de son dévoilement en 2004. Au même titre que le Ram, il est à l'origine de l'évolution accélérée des camionnettes pleine grandeur tellement Ford et GM avaient eu peur de perdre leur monopole à l'époque. Même s'il entreprend sa douzième année sur le marché, le Titan n'a pas encore sa place dans le cœur des acheteurs de camionnette. Résultat, il a perdu de son lustre au fil des ans pour devenir un simple figurant avec des parts de marché estimées à plus ou moins 1 % des ventes au Québec – et il ne fait pas mieux ailleurs sur le continent. Le même constat s'applique au Toyota Tundra dont la popularité n'est guère plus reluisante avec des parts de marché en deçà de 5 %. Le reste appartient aux trois constructeurs américains (Ford, GM et Chrysler), lesquels se partagent une véritable mine d'or avec des ventes annuelles qui dépassent 1,6 million d'unités en Amérique du Nord.

Au même titre qu'avec les courses de NASCAR, le football et les hamburgers, les Américains ont une relation bien particulière avec leur pick-up ! Ils sont reconnus pour être des acheteurs conservateurs (au sens littéral du terme), et il est difficile pour eux de renier leur fidélité à une marque américaine pour sauter la clôture avec un modèle d'origine étrangère. Pourtant, le Titan est construit aux États-Unis, à l'usine de Canton au Mississippi, laquelle emploie des centaines de travailleurs américains...

Pour expliquer le manque d'engouement envers le Titan, il faut admettre que la grande camionnette de Nissan a peu évolué depuis son introduction. Même si la carrosserie et l'habitacle ont été rafraîchis au fil des millésimes, la mécanique est demeurée sensiblement la même. On trouve un seul groupe motopropulseur, soit un V8 de 5,6 litres combiné à une transmission automatique à 5 rapports. En 12 ans, la puissance de cette motorisation a grimpé de 305 à 317 chevaux et le couple de 379 à 385 livres-pied. Pendant ce

Impressions de l'auteur		Concurrents
Agrément de conduite : ★★★⯪☆ 3,5/5		Chevrolet Silverado, Ford F-150,
Fiabilité : ★★★★☆ 4/5		GMC Sierra, Toyota Tundra
Sécurité : ★★★⯪☆ 3,5/5		
Qualités hivernales : ★★★★☆ 4/5		
Espace intérieur : ★★★★☆ 4/5		
Confort : ★★★★☆ 4/5		

temps, les constructeurs américains ont modernisé leurs camionnettes en augmentant considérablement la force des moteurs tout en réduisant leur consommation de carburant. Qui plus est, le Titan ne propose pas de V6 tandis que la concurrence en fait son cheval de bataille.

Un diesel à la rescousse

Mais tout n'est pas perdu pour le Titan puisqu'un moteur diesel arrivera bientôt en renfort. Développant un couple d'environ 550 livres-pied et une puissance de plus de 300 chevaux, ce nouveau V8 turbodiesel Cummins de 5,0 litres devrait allier deux notions qui vont de pair aux yeux des acheteurs de camionnette : bonne capacité de remorquage et faible consommation de carburant. Dans l'optique d'offrir un véhicule entièrement made in USA, ce moteur Cummins sera fabriqué à l'usine Columbus Engine Plant (CEP), à Columbus dans l'État de l'Indiana. De son côté, l'usine de montage des groupes motopropulseurs de Nissan à Decherd, au Tennessee, s'occupera de couler, forger et monter les pièces de ce moteur diesel.

L'arrivée de ce nouveau groupe motopropulseur coïncidera avec des modifications importantes au niveau des configurations de cabine et de benne. Ce pick-up devrait faire son entrée sur le marché après les prochains Salons de Detroit et Chicago, sans doute en tant que modèle 2016 car Nissan ne parle pas de ces améliorations pour 2015. Cette initiative devrait relancer les ventes puisqu'il existe une demande pour des camionnettes d'une demi-tonne à moteur diesel, sans pour autant devoir opter pour une camionnette commerciale de type Heavy Duty.

En attendant la relève

D'ici la présentation de ce Titan amélioré, voyons ce que le modèle actuel nous réserve. Dans un premier temps, il est aisé de grimper dans la cabine – sans recourir au marchepied. Une fois installé au volant, on apprécie la disposition des commandes et leur facilité d'utilisation. Du côté de la finition, la texture des matériaux a fait des progrès et l'ajustement des plastiques est plus affûté. Même si le tableau de bord paraît un peu triste, l'excellente position de conduite et le confort des sièges nous font oublier tout le reste.

Sur la route, le comportement routier se compare à celui d'un VUS grand format. Le secret réside dans les réglages du châssis, de la direction et des suspensions. En conduite hors route, le Titan se défend bien grâce à son rouage à 4 roues motrices avec boîte de transfert (Lo et Hi) en option. Pour affronter les terrains accidentés, la version PRO-4X est équipée de série d'un différentiel arrière à blocage électronique, d'amortisseurs tout-terrain Rancho et de plaques de protection supplémentaires sous le châssis. Quant à la capacité de remorquage, elle atteint 4 309 kg (9 500 lb) avec la version SV à 2 roues motrices, et varie de 4 082 à 4 264 kg (9 000 à 9 400 lb) en version 4x4. La venue du V8 Cummins devrait mettre la barre un peu plus haute.

Châssis - S 4x2 King Cab	
Emp / lon / lar / haut	3550 / 5704 / 2019 / 1895 mm
Boîte / Réservoir	1710 mm (67 pouces) / 106 litres
Nombre coussins sécurité / ceintures	6 / 6
Suspension avant	indépendante, double triangulation
Suspension arrière	essieu rigide, ressorts à lames
Freins avant / arrière	disque / disque
Direction	à crémaillère, ass. variable
Diamètre de braquage	13,9 m
Pneus avant / arrière	P265/70R18 / P265/70R18
Poids / Capacité de remorquage	2214 kg / 2948 kg (6499 lb)
Assemblage	Canton, MS

Composantes mécaniques	
V8 5,6 l	
Cylindrée, soupapes, alim.	V8 5,6 litres 32 s atmos.
Puissance / Couple	317 chevaux / 385 lb-pi
Tr. base (opt) / rouage base (opt)	A5 / Prop (4x4)
0-100 / 80-120 / V.Max	7,8 s / 6,2 s / n.d.
100-0 km/h	41,0 m
Type / ville / route / CO_2	Sup / 17,7 / 12,1 l/100 km / 6992 kg/an

Du nouveau en 2015
Aucun changement majeur. V8 turbodiesel Cummins, modifications des cabines et des bennes, retouches esthétiques à venir.

FEU VERT
- V8 turbodiesel Cummins à venir
- Équipement complet
- Bon comportement routier
- Véhicule exclusif

FEU ROUGE
- Absence d'un V6
- V8 gourmand
- Pas de boîte à 6 rapports
- Valeur de revente moyenne

Photos : Nissan Canada

NISSAN **VERSA NOTE**

▸ **Catégorie :** Hatchback	▸ **Échelle de prix :** 13 348 $ à 20 000 $ (2014)	▸ **Transport et prép. :** 1 567 $
▸ **Cote d'assurance :** $$$$$	▸ **Garanties :** 3 ans/60 000 km, 5 ans/100 000 km	▸ **Ventes CAN 2013 :** 12 297 unités

À son tour de jouer la grande sœur

Marc Lachapelle

La Versa hatchback a fait de l'ombre à sa sœur, la regrettée berline du même nom, dès leur lancement. Elle lui a refait le coup l'an dernier sous les traits de la Versa Note, une jolie sous-compacte amusante et pas chère, avec un grand coffre. L'autre ne s'en n'est pas remise. Nissan a compris que les Québécois aiment les petites voitures de ce type et leur en offre désormais deux qui partagent la même base : cette Versa Note et la nouvelle Micra. À chacune son rôle.

La Versa Note s'est pointée l'an dernier avec une silhouette moderne et bien tournée, construite sur l'architecture mondiale V que les alliés Renault et Nissan utilisent pour d'autres séries de par le monde. Notamment la nouvelle Micra dont l'importateur nous réservait alors la surprise. C'est elle que l'on a choisie pour jouer le rôle d'aubaine incontournable avec une version vendue à moins de dix mille huards. Vitres à manivelle incluses.

C'est elle qui vise directement le marché québécois, toujours friand de petites voitures avec hayon.

La Versa Note et sa frangine partagent effectivement quelques morceaux de structure et sûrement un certain nombre de vis, boulons et autres bidules, économie d'échelle oblige. Ce sont toutefois des voitures différentes et leur mission l'est tout autant. Bien qu'elle soit par exemple plus courte de 33 cm et plus légère de 52 kilos, la Micra consomme plus que la Note en version automatique, même si elle roule avec le même quatre cylindres de 1,6 litre et 109 chevaux. Simplement parce qu'elle est équipée d'une boîte automatique à 4 rapports archaïque si on la compare à la transmission à variation continue moderne de la Versa Note. Question de réduire le coût au maximum.

Toujours plus

En un mot, Versa Note et Micra sont complémentaires dans la gamme de Nissan chez nous. Elles ont des acheteurs différents et ne visent pas les mêmes rivales. La première est plus

Impressions de l'auteur		Concurrents
Agrément de conduite : ★★★☆ 3,5/5		Ford Fiesta, Honda Fit,
Fiabilité : ★★★★ 4/5		Hyundai Accent, Kia Rio,
Sécurité : ★★★★ 4/5		Mazda2, Toyota Yaris
Qualités hivernales : ★★★☆ 3,5/5		
Espace intérieur : ★★★★ 4/5		
Confort : ★★★★ 4/5		

spacieuse, plus raffinée, mieux finie et mieux équipée que la petite sœur. Et la majorité de ses modèles sont plus chers que les plus chères des Micra. À version SV égale, la Versa Note dispose par exemple des éléments suivants : écran d'affichage central, caméra de marche arrière, radio satellitaire Sirius XM, connexion Bluetooth et messagerie texte en mode mains libres, panneau de soute réglable Divide N' Hide et transmission CVT.

Mais tout l'équipement du monde et une fiche technique impressionnante ne font pas une voiture réussie. C'est par sa jolie bouille, son habitacle spacieux, sa position de conduite haute et relaxe, ses accélérations fluides, un bon confort de roulement et une carrosserie solide que la Versa Note nous a plu à son arrivée. C'est en deuxième lieu que nous avons remarqué une série d'accessoires dont on n'est pas habitués à profiter à de tels prix. La caméra de marche arrière pour le stationnement, entre autres.

Elle n'est pas parfaite pour autant, bien sûr. Il y a son volant dont la jante est pur plastique et qu'on peut seulement incliner, même sur la version SL, la plus cossue. Il y a surtout les performances assez timides avec un quatre cylindres de 1,6 litre et 109 chevaux qui peinent à la tâche. Surtout avec la boîte TVC (ou CVT, plus communément) qui fait bondir l'aiguille du compte-tours pour maintenir le régime au meilleur niveau de rendement, ce qui fait jouir les ingénieurs et pester le reste de l'humanité. Statu quo mécanique pour la Versa Note cette année alors que la Honda Fit, sa grande (dans tous les sens) rivale a droit à nouveau groupe de 130 chevaux.

Pseudo-sportive sympathique

Pour l'instant, Nissan joue plutôt la carte du style sportif en ajoutant le nouveau modèle SR aux versions S, SV et SL existantes. Cette SR a ainsi droit à une calandre foncée dans un museau plus sculpté, tout comme les bas de caisse et le bouclier arrière, avec un aileron perché au sommet du hayon. La SR reçoit aussi des phares d'appoint, des rétroviseurs chauffants avec des clignotants à DEL et des jantes d'alliage sport à rayons doubles. À l'intérieur, un volant gainé de cuir (parfait!) des sièges en suède synthétique et un tableau de bord plus jazzé. Si vous préférez le confort au sport, la SL vous donne plutôt le système de navigation avec écran couleur tactile de 5,8 pouces et commandes vocales, le démarrage sans clé, des sièges avant chauffants et l'image périphérique pour le stationnement.

De toute manière, le requin dans l'aquarium, pour la Versa Note, est une Mazda3 Sport qui offre vraiment beaucoup à un prix de départ presque identique. Y compris des cotes de consommation quasi égales pour une cylindrée, une puissance et des performances supérieures. La svelte Note a d'autres rivales aux crocs acérés dans ce marché coupe-gorge des compactes et sous-compactes. Ce qui ne nous empêche aucunement de lui trouver amplement de charme.

Châssis - Note SR (CVT)	
Emp / lon / lar / haut	2600 / 4141 / 1695 / 1537 mm
Coffre / Réservoir	606 à 1500 litres / 41 litres
Nombre coussins sécurité / ceintures	6 / 5
Suspension avant	indépendante, jambes de force
Suspension arrière	semi-indépendante, poutre de torsion
Freins avant / arrière	disque / tambour
Direction	à crémaillère, ass. variable électrique
Diamètre de braquage	10,4 m
Pneus avant / arrière	P195/55R16 / P195/55R16
Poids / Capacité de remorquage	1116 kg / n.d.
Assemblage	Aguascalientes, MX

Composantes mécaniques	
Cylindrée, soupapes, alim.	4L 1,6 litre 16 s atmos.
Puissance / Couple	109 chevaux / 107 lb-pi
Tr. base (opt) / rouage base (opt)	M5 (CVT) / Tr
0-100 / 80-120 / V.Max	11,4 s / 8,3 s / n.d.
100-0 km/h	43,6 m
Type / ville / route / CO_2	Ord / 7,6 / 6,7 l/100 km / 3320 kg/an

Du nouveau en 2015

Nouveau modèle Versa Note SR. Climatisation et connectivité Bluetooth de série sur tous les modèles.

FEU VERT
- Spacieuse et confortable
- Position de conduite saine et dégagée
- Commandes simples et ergonomiques
- Bien équipée pour le prix
- Vraiment jolie

FEU ROUGE
- Puissance et accélération modestes
- Volant seulement inclinable
- Bagues chromées éblouissantes (SL)
- Pas de thermomètre (S)
- Modèle sport SR pour la frime

Photos : Sylvain Raymond

NISSAN XTERRA

NISSAN **XTERRA** / ARMADA

▸ **Catégorie :** VUS

▸ **Cote d'assurance :** n.d.

▸ **Échelle de prix :** 35 148 $ à 37 198 $ (2014)

▸ **Garanties :** 3 ans/60 000 km, 5 ans/100 000 km

▸ **Transport et prép. :** 1 600 $

▸ **Ventes CAN 2013 :** 1 070 unités*

En voie d'extinction

Guy Desjardins

Malgré la tendance du marché à réduire le volume des véhicules, plusieurs constructeurs conservent dans leur rang des mastodontes qui répondent aux besoins d'une fidèle clientèle. Les Nissan Armada et Xterra font partie de ce troupeau, mais pour combien de temps encore?

Le plus gros

Encore cette année, l'Armada n'est disponible qu'en une seule version, la Platinum. Elle propose une motorisation à huit cylindres de 5,6 litres capable de remorquer 9 000 lb (4 082 kg) sans aucun problème grâce à son énorme couple de 385 lb-pi. Sa robustesse, l'Armada la doit à son châssis en échelle, emprunté à la camionnette Titan. Cet ensemble mécanique classique et éprouvé fait équipe avec une transmission automatique ne disposant que de cinq rapports alors que plusieurs concurrents en ont six et même plus. Pas surprenant que la consommation de carburant frôle les 20 litres aux 100 km.

Et pour rendre la tenue de route plus agréable, Nissan a choisi de doter l'Armada d'une suspension arrière indépendante au lieu d'un essieu rigide, habituellement installé sur les véhicules destinés à la conduite hors route. L'imposant VUS a également un efficace système 4RM qui réagit instantanément pour s'adapter aux conditions routières changeantes. Évidemment, ce ne sont pas tous les acheteurs qui font du hors route et la plupart se contenteront de ce dispositif automatisé sans option de réglages manuels.

Mais la force des véhicules de cette catégorie demeure le volume de l'habitacle. Quel autre véhicule est capable d'accueillir 8 personnes et leurs bagages? Je vous entends presque répondre : la fourgonnette! Mais avouez que l'on parait plus viril au volant d'un Armada... La version Platinum arrive avec une panoplie de caractéristiques de série, dont des sonars avant et arrière, des marchepieds, un système de divertissement avec 2 écrans de 7 po et des jantes de 20 pouces chromées. Avec une finition exemplaire

Impressions de l'auteur		Concurrents
Agrément de conduite : ★★★☆☆ 3/5		**Nissan Xterra :**
Fiabilité : ★★★⯪ 3,5/5		Jeep Wrangler
Sécurité : ★★★★ 4/5		**Nissan Armada :**
Qualités hivernales : ★★★★⯪ 4,5/5		Chevrolet Suburban, Ford Expedition,
Espace intérieur : ★★★★ 4/5		Toyota Sequoia
Confort : ★★★⯪ 3,5/5		

* Nissan Armada : 539 unités

se rapprochant de celle des produits Infiniti et des matériaux d'une grande qualité, l'Armada n'a rien à envier aux Mercedes et Cadillac.

Autrefois frère jumeau de l'Infiniti QX56, le design de l'Armada ne s'est pas mis au goût du jour lors de la refonte du nouveau QX80. Aura-t-on droit à un Armada 2016 calqué sur le modèle d'Infiniti ou annoncera-t-on sa mort dès l'an prochain? Les paris sont lancés.

Le plus polyvalent

L'histoire est pratiquement similaire pour le Xterra, lui aussi bâti sur le châssis du Titan. On lui confère de belles qualités mais le produit fait vétuste dans son ensemble. Quelques éléments technologiques de pointe intègrent le polyvalent VUS mais en général, on trouve un produit simple, éprouvé, sans fioritures et capable de traverser la plupart des obstacles. Le Xterra est avant tout un véhicule conçu pour s'aventurer hors route et entre en concurrence directe avec les Jeep Wrangler et Toyota FJ Cruiser, deux sommités dans ce domaine... bien que le Toyota ne soit plus offert. L'Xterra propose une excellente garde au sol, des pneus surdimensionnés et s'équipe d'une galerie de toit emblématique en aluminium. Sous le capot, Nissan lui a greffé un V6 de 4,0 litres capable de livrer assez de chevaux pour déplacer efficacement la masse de 2 000 kg. Une transmission automatique à 5 rapports vient s'ajouter en option à la boîte manuelle à 6 vitesses offerte de série et plus propice aux activités hors sentiers.

Sur la route, le comportement du Xterra surprend par sa douceur et son niveau d'insonorisation. Autrement, les pneus hors route génèrent un léger sifflement agaçant, la direction joue dans la mollesse extrême et les suspensions n'amortissent pas tellement les imperfections de la route malgré une apparence de débattement extrême sous les ailes. Ces inconvénients deviennent cependant de grandes qualités lorsque le véhicule s'aventure à côté de la route. Ces qualités sont d'ailleurs rehaussées par une suspension arrière à essieu rigide avec ressorts à lames, le contrôle de l'adhérence en descente, l'assistance au démarrage en pente et le différentiel arrière à blocage électronique.

À l'intérieur, le Xterra s'offre quelques gadgets, dont une caméra de recul, un écran tactile de 6 pouces et la reconnaissance vocale. Le design du tableau de bord ne gagnera pas de prix mais tous les éléments nécessaires y figurent. Quant aux sièges, ce ne sont pas ceux d'une grande routière mais compte tenu de la vocation du véhicule, on apprécie leur confort sans soutien.

Ces deux véhicules, malgré de belles qualités, sont sur le respirateur artificiel depuis déjà quelques années. Nissan répond toutefois à une demande encore bien présente mais qui s'effrite avec les années. L'Armada risque de disparaitre puisque l'Infiniti QX80 offre un produit similaire alors que le Xterra vise un marché très ciblé et constant année après année.

Châssis - Xterra PRO-4X

Emp / lon / lar / haut	2700 / 4539 / 1849 / 1902 mm
Coffre / Réservoir	991 à 1869 litres / 80 litres
Nombre coussins sécurité / ceintures	6 / 5
Suspension avant	indépendante, double triangulation
Suspension arrière	essieu rigide, ressorts à lames
Freins avant / arrière	disque / disque
Direction	à crémaillère, ass. variable
Diamètre de braquage	11,4 m
Pneus avant / arrière	P265/75R16 / P265/75R16
Poids / Capacité de remorquage	2004 kg / 2268 kg (5000 lb)
Assemblage	Canton, MS

Composantes mécaniques

Xterra

Cylindrée, soupapes, alim.	V6 4,0 litres 24 s atmos.
Puissance / Couple	261 chevaux / 281 lb-pi
Tr. base (opt) / rouage base (opt)	M6 (A5) / 4x4
0-100 / 80-120 / V.Max	7,9 s / 6,2 s / n.d.
100-0 km/h	41,8 m
Type / ville / route / co$_2$	Ord / 13,7 / 10,5 l/100 km / 5658 kg/an

Armada

Cylindrée, soupapes, alim.	V8 5,6 litres 32 s atmos.
Puissance / Couple	317 chevaux / 385 lb-pi
Tr. base (opt) / rouage base (opt)	A5 / 4x4
0-100 / 80-120 / V.Max	9,1 s / 8,2 s / n.d.
100-0 km/h	44,3 m
Type / ville / route / co$_2$	Ord / 17,3 / 11,4 l/100 km / 6762 kg/an

6591-DL

Du nouveau en 2015

Aucun changement majeur

FEU VERT
- Habitacle généreux (Armada)
- Capacité de remorquage (Armada)
- Capacités hors route extrêmes (Xterra)
- Moteurs éprouvés

FEU ROUGE
- Consommation très élevée
- Produits vétustes
- Transmission automatique 5 rapports
- Suspension rigide (Xterra)

NISSAN ARMADA

Photos : Sylvain Raymond, Nissan Canada

PAGANI **HUAYRA**

▶ **Catégorie :** Coupé ▶ **Échelle de prix :** 1 400 000$ ▶ **Transport et prép. :** n.d.

▶ **Cote d'assurance :** n.d. ▶ **Garanties :** n.d. ▶ **Ventes CAN 2013 :** n.d.

Passion, imagination, innovation

David Booth

Difficile de choisir par où commencer pour décrire la Huayra. En combinant l'art et la technologie aérospatiale, Horacio Pagani a créé une automobile que l'on pourrait qualifier de magique. Elle est propulsée par un moteur Mercedes V12 de 6,0 litres biturbo qui produit 730 chevaux; son accélération est comparable à celle des Porsche 918 Spyder, McLaren P1 et autres super-hybrides. Les vis en titane qui servent à l'assembler valent 80 000 euros, et chacune porte la signature gravée de Pagani! Pas étonnant qu'elle se vende 1,4 million de dollars US...

Après une journée en piste et plus de 50 tours à haute vitesse sur l'autodrome de Modène, j'ai le sentiment d'avoir vécu une expérience de conduite absolument unique. Mais je suis tout aussi impressionné et admiratif devant la passion qui a permis à cet ingénieur sans le sou de quitter son Argentine natale et de s'installer en Italie pour y construire les supervoitures les

plus fantasmagoriques de la planète. En fait, cet homme et sa machine sont absolument fascinants.

Le secret ? Le carbotitane

Dans un bâtiment à peine plus grand qu'un atelier de mécanique de banlieue, Horacio Pagani a mis au point un matériau qu'il a appelé le carbotitane. Essentiellement, il s'agit d'un assemblage de titane — un métal très léger — et de fibres de carbone, encore plus légères. On dit que si Mercedes ne construit pas de supervoitures, c'est notamment parce que : a) elle propulse déjà les Pagani avec son V12 M158 biturbo, et b) le géant allemand n'est pas convaincu qu'il pourrait fabriquer un *supercar* vraiment supérieur.

Mais peut-être que la technologie et la mécanique vous laissent complètement froid. Vous êtes plutôt un millionnaire existentialiste qui cherche à épater ses amis avec des objets artistiques? Vous ferez le meilleur choix en optant pour la Pagani. L'intérieur de cette voiture entre carrément dans la catégorie des oeuvres

Impressions de l'auteur		Concurrents
Agrément de conduite :	★★★★☆ 4,5/5	McLaren P1, Ferrari LaFerrari,
Fiabilité :	n.d.	Porsche 918 Spyder
Sécurité :	★★★☆ 3,5/5	
Qualités hivernales :	☆☆☆☆☆ 0/5	
Espace intérieur :	★★★☆ 3,5/5	
Confort :	★★★★ 4/5	

d'art. Pas des oeuvres d'art au sens de « ouais, pour une voiture, c'est une belle création… » Non, je parle de l'art au sens absolu. La console centrale pourrait trouver sa place dans n'importe quel musée du monde. Et le levier de transmission pourrait orner un yacht de grand luxe.

Cela dit, si vous savez apprécier la beauté automobile à sa juste valeur, mais que vous la considérez comme inutile si les performances ne sont pas à l'avenant, là encore la Huayra est pour vous. J'ai piloté cette supervoiture sur une piste qui semblait surtout conçue pour des motos sportives de 600 cc, légères et maniables. Ce circuit de moins de 2 km compte huit virages en épingle à rayon décroissant. Néanmoins, je pouvais enfiler ces virages diaboliques comme si j'étais au volant d'un go-kart de 250 cc. Les supervoitures, surtout quand elles transportent à leur bord un gros V12, ne sont pas censées s'inscrire dans les virages à 180 degrés avec l'agilité d'une Lotus. Et pourtant, c'est ce que j'ai fait tour après tour, sans jamais sentir que les Pirelli PZero cherchaient à décrocher ou à provoquer un sous-virage.

Des freins aérodynamiques

Puis, en sortie de courbe, la Huayra fonce vers l'avant comme une fusée. Oui, on a bien 730 chevaux dans le dos, pas de doute, mais comme la zone rouge est relativement peu élevée (6 000 tr/min), cet engin ne s'exprime pas avec la frénésie d'un moteur de Ferrari qui tourne à hauts régimes. On va donc parfois plus vite qu'on le croit. Et quand on arrive au bout du grand droit, on réalise que la Huayra est extrêmement rapide. C'est le moment de remercier Monsieur Pagani d'avoir installé des freins avec disques en céramique et carbone. Et en prime, les magnifiques volets que vous admiriez sur le capot se déploient. Vous avez à peine le temps de dire : « Wow, des freins aérodynamiques! », que c'est déjà le temps d'enfoncer l'accélérateur à fond de nouveau.

Cette Pagani n'est pas sans défauts. Les freins sont à l'occasion un peu durs et la transmission manuelle automatisée avec palettes au volant est reliée à un embrayage simple. Il en résulte qu'à basse vitesse — 20 km/h et moins — la Huayra peut s'avérer passablement sautillante.

Évidemment, on n'achète pas une voiture de 1,4 million pour se promener en ville à pas de tortue. On achète une Huayra parce qu'on veut une voiture qui réunit la passion d'Enzo Ferrari, l'imagination de Picasso et l'innovation technique de Ferdinand Porsche. Il y a une seule automobile qui répond en même temps à tous ces critères, et elle est construite dans un petit complexe industriel en banlieue de Modène.

Châssis - Base

Emp / lon / lar / haut	2795 / 4605 / 2356 / 1169 mm
Coffre / Réservoir	n.d. / 85 litres
Nombre coussins sécurité / ceintures	n.d. / 2
Suspension avant	indépendante, bras inégaux
Suspension arrière	indépendante, bras inégaux
Freins avant / arrière	disque / disque
Direction	à crémaillère, assistée
Diamètre de braquage	n.d.
Pneus avant / arrière	P255/35ZR19 / P335/30ZR20
Poids / Capacité de remorquage	1350 kg / n.d.
Assemblage	San Cesario sul Panaro, IT

Composantes mécaniques

Cylindrée, soupapes, alim.	V12 6,0 litres 36 s turbo
Puissance / Couple	730 chevaux / 738 lb-pi
Tr. base (opt) / rouage base (opt)	A7 / Prop
0-100 / 80-120 / V.Max	3,0 s (const) / n.d. / 360 km/h
100-0 km/h	n.d.
Type / ville / route / co_2	Sup / 23,5 / 16,8 l/100 km / 9400 kg/an

Du nouveau en 2015

Aucun changement majeur

- Qualité de construction sublime
- L'intérieur relève de l'art
- 730 chevaux
- Exclusivité extrême

- Prix stratosphérique
- Un seul concessionnaire au Canada
- Transmission sautillante à basse vitesse
- Entretien peut s'avérer coûteux…

Photos : Pagani Canada

PORSCHE 911

▸ **Catégorie :** Cabriolet, Coupé ▸ **Échelle de prix :** 96 200 $ à 222 000 $ ▸ **Transport et prép. :** 1 085 $

▸ **Cote d'assurance :** n.d. ▸ **Garanties :** 4 ans/80 000 km, 4 ans/80 000 km ▸ **Ventes CAN 2013 :** 661 unités

L'ADN de Porsche

Gabriel Gélinas

C'est l'icône de Porsche, rien de moins. Au fil des années et des générations, la 911 Carrera est restée LA voiture qui définit le mieux l'ADN de la prestigieuse marque allemande. Aujourd'hui, la 911 Carrera, même la superlative Turbo, est devenue une voiture qui s'avère relativement conviviale au quotidien et qui offre encore et toujours des performances enlevantes.

Mon expérience personnelle des 911 Carrera remonte, non pas aux origines du modèle, mais bien à celles des années 80. À cette époque, il fallait approcher une bête comme la 911 Turbo avec une bonne dose de respect avant de se lancer à l'assaut du circuit Mont-Tremblant, car la voiture était délicate à piloter et, surtout, sa pleine puissance était livrée tout d'un bloc. Bref, elle ne tolérait pas les écarts de conduite, mais pouvait aussi s'avérer absolument délirante lorsqu'elle était bien maîtrisée. Aujourd'hui, les progrès de l'électronique et la présence du rouage intégral font en sorte que la 911 Turbo (et la Turbo S)

sont des machines aux performances démentielles, mais qui peuvent se conduire très facilement en conduite normale.

De l'espresso en intraveineuse

Pour vous donner une idée de l'accélération phénoménale de la 911 Turbo, suivez ces étapes. Démarrez le moteur. Appuyez fermement sur la pédale de frein avec le pied gauche. Placez le levier de vitesse à Drive. Appuyez sur le bouton Sport Plus. Enfoncez l'accélérateur à fond avec le pied droit. Attendez que le message *Launch Control Activated* apparaisse sur le tableau de bord. Tenez bien le volant. Relâchez la pédale de frein brusquement...

La suite des évènements vous réveillera plus rapidement que n'importe quelle dose d'espresso, la Porsche 911 Turbo vous catapultant littéralement vers l'avant alors que les quatre pneus s'agrippent à l'asphalte et que le rouage intégral optimise la livrée du couple phénoménal déployé par le six cylindres biturbo de 3,8 litres. En 3,2 secondes, vous aurez atteint 100 kilomètres/heure. Faites la même chose avec la Turbo S et

Impressions de l'auteur		Concurrents
Agrément de conduite :	★★★★⯪ 4,5/5	Aston Martin Vantage, Audi R8,
Fiabilité :	★★★★⯪ 4,5/5	BMW Série 6, Chevrolet Corvette,
Sécurité :	★★★★ 4/5	Jaguar XK, Maserati Gran Turismo,
Qualités hivernales :	★★★⯪ 3,5/5	Mercedes-Benz Classe SL,
Espace intérieur :	★★★ 3/5	Nissan GT-R
Confort :	★★★⯪ 3,5/5	

le chrono s'arrêtera 1 dixième de seconde plus tôt. Je vous ai bien prévenu de tenir le volant, n'est-ce pas? Au cours de cette spectaculaire démonstration, presque violente, de puissance et de couple, la Porsche 911 Turbo affiche un aplomb remarquable ainsi qu'une parfaite stabilité alors que le paysage défile à la vitesse grand V.

La 911 Turbo ne se contente pas d'être éblouissante en ligne droite puisqu'elle est aussi redoutablement efficace en virage. Avec la 911 Turbo, Porsche inaugure la direction active à l'essieu arrière qui comporte deux servocommandes électro-mécaniques, qui remplacent les bras de commande conventionnels aux extrémités gauche et droite de l'essieu arrière. Ces servocommandes permettent aussi de varier l'angle des roues arrière en fonction de la vitesse de la voiture. Sur un circuit, la voiture s'inscrit en virage avec une précision remarquable et fait preuve d'une adhérence stupéfiante. La Porsche 911 Turbo est également équipée d'un tout nouveau système d'aérodynamique active qui agit sur le déflecteur avant ainsi que sur l'aileron arrière. Avec le mode Performance, la 911 Turbo génère un appui aérodynamique de 132 kilos à 300 kilomètres/heure. Il est également possible de déployer les éléments aérodynamiques à la seule pression d'un bouton si vous voulez simplement donner l'impression que vous circulez à trois fois la vitesse légale permise au pays...

Malgré son incroyable potentiel de performance, la Porsche 911 Turbo affiche aussi une tout autre facette de sa double personnalité puisqu'elle est remarquablement docile lors de la conduite sur routes balisées. Sur une route de campagne, elle passe les rapports très rapidement jusqu'au septième afin de réduire les révolutions-moteur et la consommation de carburant.

Une bête de circuit

L'autre 911 qui mérite le respect est la radicale GT3 avec son moteur qui atteint les 9 000 tours/minute et son châssis optimisé en fonction de la conduite sur circuit. Les roues arrière directrices sont au programme, tout comme la boîte PDK qui est plus rapide que n'importe quelle boîte manuelle, à défaut de satisfaire les puristes... La fiabilité de la marque en a cependant pris pour son rhume avec la récente 911 GT3, puisque ce modèle a fait l'objet d'un important rappel à la suite de deux incendies résultant d'un problème affectant une bielle du moteur. Afin de pallier à la situation, Porsche a corrigé la situation et a également décidé de carrément remplacer tous les moteurs des voitures déjà livrées aux clients.

Si c'est la nouveauté qui vous interpelle, la Targa est faite pour vous ! Avec son toit qui se replie comme par magie, cette Targa rappelle les modèles du passé. Le passé servi à la moderne, quoi !

Châssis - Targa 4S

Emp / lon / lar / haut	2450 / 4491 / 1978 / 1291 mm
Coffre / Réservoir	125 litres / 68 litres
Nombre coussins sécurité / ceintures	6 / 4
Suspension avant	indépendante, jambes de force
Suspension arrière	indépendante, multibras
Freins avant / arrière	disque / disque
Direction	à crémaillère, ass. variable électrique
Diamètre de braquage	11,1 m
Pneus avant / arrière	P245/35ZR20 / P305/30ZR20
Poids / Capacité de remorquage	1555 kg / n.d.
Assemblage	Stuttgart, DE

Composantes mécaniques

Carrera, Carrera 4, Targa 4

Cylindrée, soupapes, alim.	H6 3,4 litres 24 s atmos.
Puissance / Couple	350 chevaux / 288 lb-pi
Tr. base (opt) / rouage base (opt)	M7 (A7) / Prop (Int)
0-100 / 80-120 / V.Max	4,8 s (const) / 6,4 s / 282 km/h
100-0 km/h	n.d.
Type / ville / route / CO_2	Sup / 11,2 / 7,5 l/100 km / 4365 kg/an

Carrera S, Carrera 4S, Targa 4S

Cylindrée, soupapes, alim.	H6 3,8 litres 24 s atmos.
Puissance / Couple	400 chevaux / 325 lb-pi
Tr. base (opt) / rouage base (opt)	M7 (A7) / Prop (Int)
0-100 / 80-120 / V.Max	4,5 s (const) / 5,9 s / 296 km/h
100-0 km/h	n.d.
Type / ville / route / CO_2	Sup / 11,4 / 7,7 l/100 km / 4508 kg/an

Turbo / Cabriolet

Cylindrée, soupapes, alim.	H6 3,8 litres 24 s turbo
Puissance / Couple	520 chevaux / 487 lb-pi
Tr. base (opt) / rouage base (opt)	A7 / Int
0-100 / 80-120 / V.Max	3,2 s / 2,1 s / 315 km/h
100-0 km/h	36,0 m
Type / ville / route / CO_2	Sup / 12,2 / 8,1 l/100 km / 4763 kg/an

GT3

H6 - 3,8 l - 475 ch/325 lb-pi - A7 - 0-100 km: 3,5 s - 18,9/8,9 l/100 km

Turbo S / Cabriolet

H6 - 3,8 l - 560 ch/516 lb-pi - A7 - 0-100 km: 3,1 s - 12,2/8,1 l/100 km

Du nouveau en 2015

Arrivée du modèle Targa.

FEU VERT
- Confort en progrès
- Performances très élevées
- Qualité d'assemblage et de finition
- Freins très performants

FEU ROUGE
- Prix élevé
- Options nombreuses et coûteuses
- Faible volume de chargement
- Coûts d'utilisation élevés

PORSCHE 911 TARGA

Photos : Porsche Canada, Denis Duquet, Jeremy Alan Glover

PORSCHE **918 SPYDER**

▶ **Catégorie :** Roadster	▶ **Échelle de prix :** 845 000 $ à 929 000 $ (US)	▶ **Transport et prép. :** n.d.
▶ **Cote d'assurance :** n.d.	▶ **Garanties :** 4 ans/80 000 km, 4 ans/80 000 km	▶ **Ventes CAN 2013 :** 0 unités

Hot Lap

David Booth

Pas surprenant que la nouvelle 918 Spyder soit rapide, elle coûte un million de dollars... En plus, cette Porsche hybride à la silhouette particulièrement *sexy* est propulsée par trois moteurs, dont un gros V8 à essence au tempérament particulièrement sportif.

Autre particularité : on peut doser sa puissance à l'aide d'une petite molette montée au volant. Par exemple, pour commencer, vous pouvez opter pour le mode tout électrique E-power. En pareil cas, un moteur électrique de 127 chevaux (relié aux roues avant) et un autre de 154 chevaux (relié aux roues arrière) travailleront de concert pour faire accélérer la Spyder de 0 à 100 km/h en 6,2 secondes. Sans même démarrer le moteur à essence, cette Porsche de 1634 kg est donc plus rapide que bien des berlines sport (et que la McLaren P1 qui, en théorie, l'est).

Pas tout à fait assez rapide à votre goût ? Passez au mode hybride, par lequel le V8 de 4,6 litres de 608 chevaux viendra assister le moteur électrique avant au besoin, en fonction de votre vitesse, de la charge des batteries et de la pression que vous exercez sur l'accélérateur. Tournez la molette en position Sport Hybrid et la tension dramatique monte d'un cran. Enfoncez l'accélérateur au tapis, et le consortium formé du moteur à essence associé aux deux moteurs électriques vous permet de suivre facilement la 911 Turbo S qui, lors du lancement médiatique, a joué le rôle de voiture de tête sur le fameux circuit de Formule Un Ricardo Tormo, à Valence. Dans ce mode, le V8 assure sa présence en tout temps, grimpe dans les hauts régimes (9150 tr/min!) et on peut suivre le pilote de la Turbo S qui accélère la cadence.

Tasse-toi, mononcle en 911 Turbo

Pas encore suffisant ? En position R, comme dans *Race* (course), les moteurs électriques à aimants permanents alimentés plus généreusement par le bloc de batterie lithium

Impressions de l'auteur	
Agrément de conduite :	★★★★⯪ 4,5/5
Fiabilité :	★★★★☆ 4/5
Sécurité :	★★★★☆ 4/5
Qualités hivernales :	★★☆☆☆ 2/5
Espace intérieur :	★★★⯪☆ 3,5/5
Confort :	★★★★☆ 4/5

Concurrents
Ferrari LaFerrari, Pagani Huayra, McLaren P1

ion en rajoutent. Maintenant, on peut voir de très près le pare-chocs arrière de la 911 Turbo S chaque fois que la piste devient droite sur quelques centaines de mètres. Malgré ses 560 chevaux, la Turbo S risque de laisser son empreinte dans l'élégante partie avant en fibre de carbone de la 918 si on n'y prend pas garde.

Il existe un mode supplémentaire qui permet d'aller encore plus vite. En appuyant sur un petit bouton rouge au milieu de la molette, les moteurs électriques peuvent consommer sans limite les 6,8 kilowatts heure d'énergie contenue dans l'accumulateur. La grosse batterie donne tout ce qu'elle a, et la 918 tombe en mode glorieusement surpuissant. Ce moment d'extase aura duré environ le temps qu'il faut pour parcourir à bonne vitesse les quatre kilomètres du circuit Ricardo Tormo. Ce mode s'appelle *Hot Lap* (« tour rapide » en jargon de course) et on peut dire qu'il porte bien son nom.

Si facile à piloter

Côté tenue de route, la Porsche est à la hauteur. Le châssis extrêmement rigide est essentiellement composé de deux grandes pièces en fibre de carbone, reliées entre elles par six vis de 12 mm en acier à haute résistance. La suspension à double triangulation est munie d'amortisseurs Bilstein avec ajustements multiples. Le roulis est tellement minime qu'on pourrait croire qu'il s'agit d'une suspension active. La 918 est également dotée de roues arrière directionnelles. Michael Holscher, le directeur de projet technique pour la 918, affirme que cette direction aux quatre roues permet de gagner jusqu'à cinq secondes par tour sur le circuit de Nürburgring. Rappelons aussi que la 918 est une voiture à quatre roues motrices, un attribut qui la rend plus simple à conduire. Dans le cadre de l'inévitable comparaison avec la McLaren P1, c'est là le principal avantage de la 918 : elle est relativement facile à piloter à très haute vitesse. La précédente tentative de Porsche dans le domaine des *supercars*, la Carrera GT, est la supervoiture la plus difficile à conduire que l'auteur de ces lignes n'ait jamais essayé. La 918 est l'une des plus conviviales.

En ce qui concerne le côté « environnemental » de cette automobile « verte », précisons que nous avons pu atteindre une cote de 7 litres aux 100 km lors d'une brève sortie sur la grande route, en mode hybride. En ville, par contre, elle a avalé l'essence à la façon d'un camion : 18 l/100 km. On est très loin des 3 l/100 km annoncés, mais les données sont tout de même impressionnantes. La 918 peut également rouler en mode tout électrique sur une distance d'environ 30 km, soit le double de l'autonomie de la P1.

Cette autonomie peut sembler timide en comparaison de celle d'une Tesla. Mais quand même, connaissez-vous d'autres supervoitures à 845 000 $US qui affichent 887 chevaux tout en pouvant parcourir 30 km sans consommer une seule goutte d'essence ?

Châssis - Spyder Weissach

Emp / lon / lar / haut	2730 / 4643 / 2053 / 1167 mm
Coffre / Réservoir	110 litres / 70 litres
Nombre coussins sécurité / ceintures	6 / 2
Suspension avant	indépendante, bras inégaux
Suspension arrière	indépendante, multibras
Freins avant / arrière	disque / disque
Direction	à crémaillère, ass. variable électrique
Diamètre de braquage	12,7 m
Pneus avant / arrière	P265/35ZR20 / P325/30ZR21
Poids / Capacité de remorquage	1634 kg / n.d.
Assemblage	Stuttgart, DE

Composantes mécaniques

Spyder / Weissach

Cylindrée, soupapes, alim.	V8 4,6 litres 32 s atmos.
Puissance / Couple	608 chevaux / 398 lb-pi
Tr. base (opt) / rouage base (opt)	A7 / Int
0-100 / 80-120 / V.Max	2,8 s (const) / n.d. / 325 km/h
100-0 km/h	n.d.
Type / ville / route / CO_2Sup / 3,1 l/100 km (combiné) / 1400 kg/an	

Moteur électrique

Puissance / Couple	286 ch (213 kW) / n.d.
Type de batterie	Lithium-ion
Énergie	6,8 kWh
Temps de charge (120V / 240 V)	n.d. / 4,0 hres
Autonomie	30 km

Du nouveau en 2015

Nouveau modèle

FEU VERT
- Rapide comme une voiture de course
- Tenue de route imperturbable
- Traction intégrale
- Techniquement très évoluée

FEU ROUGE
- Lourde
- Chère comme une voiture de course
- Consommation urbaine élevée
- Pas autant de cachet qu'une P1 ou une LaFerrari

Photos : Porsche Canada

PORSCHE **BOXSTER**

▸ **Catégorie :** Roadster

▸ **Cote d'assurance :** n.d.

▸ **Échelle de prix :** 58 600 $ à 84 000 $ (estimé)

▸ **Garanties :** 4 ans/80 000 km, 4 ans/80 000 km

▸ **Transport et prép. :** 1 085 $

▸ **Ventes CAN 2013 :** 401 unités

La référence

Gabriel Gélinas

L a Porsche Boxster est une authentique sportive accomplie doublée d'un côté pratique insoupçonné grâce à ses deux coffres à bagages. Encore et toujours, la Boxster demeure la référence de la catégorie des roadsters, et l'arrivée du nouveau modèle GTS rehausse d'un cran son potentiel de performance.

Lancée aux Salons de l'auto de New York et Beijing au printemps 2014, la Boxster GTS est essentiellement une Boxster S dont la programmation du moteur a été revue afin que le six cylindres à plat de 3,4 litres déballe 15 chevaux de plus, ce qui porte la puissance à 330 chevaux. Par ailleurs, la Boxster GTS reçoit l'ensemble Sport Chrono Plus, les points d'ancrage dynamiques du moteur, la suspension adaptative, l'échappement sport et des jantes en alliage de 20 pouces en équipement de série. De plus, la partie avant de la voiture a aussi été considérablement modifiée puisque la GTS affiche des entrées d'air plus grandes, et la GTS est dotée de série du « symposeur sonore » développé par Porsche,

lequel amplifie la sonorité du moteur pour la rendre encore plus évocatrice. La voie choisie par Porsche a donc été d'ajouter de l'équipement et de la puissance à la GTS plutôt que d'alléger le modèle et de le faire évoluer dans la même direction que la récente Boxster Spyder.

Un superbe équilibre

Prendre le volant d'une Boxster S, c'est retrouver le plaisir de conduire à l'état pur. Le centrage des masses fait en sorte que l'équilibre du châssis est parfait et les réactions de la voiture sont vives en toutes circonstances. C'est un véritable bonheur d'enfiler les virages puisque la Boxster S maîtrise parfaitement les transitions latérales en affichant un minimum de roulis, ce qui est le propre des voitures remarquablement équilibrées dont les liaisons au sol sont assurées par des suspensions bien calibrées.

La direction est ferme et d'une grande précision, ce qui permet de placer la voiture sur la trajectoire idéale au millimètre près

Impressions de l'auteur			Concurrents
Agrément de conduite :	★★★★⯪	4,5/5	Audi TT, BMW Z4, Mercedes-Benz
Fiabilité :	★★★★⯪	4,5/5	Classe SLK, Nissan Z
Sécurité :	★★★★	4/5	
Qualités hivernales :	★★⯪	2,5/5	
Espace intérieur :	★★★	3/5	
Confort :	★★★⯪	3,5/5	

et comme le freinage est à la fois puissant et endurant, la Boxster S ne rechigne pas du tout à l'idée de composer avec vos ardeurs. Le modèle de base fait lui aussi preuve d'une dynamique inspirée, mais les 265 chevaux livrés par le six cylindres à plat de 2,7 litres sont un peu justes compte tenu des prouesses dont le châssis est capable, et nous restons par conséquent sur notre appétit. Afin de profiter pleinement de tout ce que la Boxster peut offrir, mieux vaut — pour les puristes — opter pour la S équipée de la boîte manuelle ou de la boîte à double embrayage PDK qui est plus rapide et permet une conduite plus relaxe dans la circulation dense.

Paradoxalement, c'est la plus sportive et la plus accomplie des voitures de sa catégorie et c'est aussi la plus pratique. En effet, la Boxster s'avère toute à fait conviviale en ayant deux coffres à bagages plutôt qu'un seul ce qui la rend idéale en toutes circonstances. La qualité de la finition intérieure est irréprochable, la position de conduite impeccable et les seuls reproches que l'on peut lui adresser se limitent à une visibilité imparfaite avec le toit en place et au manque de rangements dans l'habitacle. Avec l'arrivée de la GTS, la Boxster continue de progresser et de contribuer au succès de la marque qui prépare déjà la suite des choses.

Un quatre cylindres en vue

La haute direction a confirmé que les ingénieurs de Porsche planchent actuellement sur le développement d'un nouveau quatre cylindres de type « boxer » afin d'animer les futures générations du roadster Boxster et du coupé Cayman. Des prototypes animés par ce nouveau moteur roulent déjà sur le circuit allemand du Nürburgring, l'endroit tout désigné pour l'évaluation de modèles de hautes performances.

Ce moteur sera plus puissant que les six cylindres de 2,7 et 3,4 litres montés dans les modèles actuels, puisque la puissance maximale pourrait atteindre 395 chevaux sur la version la plus évoluée qui pourrait faire appel à la turbo-compression, et permettrait à la marque de Stuttgart de réduire ses émissions de CO_2. Pour Porsche, l'arrivée d'un nouveau moteur à quatre cylindres marquera un retour aux sources, car plusieurs modèles ont fait appel à ce type de motorisation dans le passé dont les 356, 912, 944, et 968 pour ne nommer que ceux-là.

Pour l'heure, l'agrément de conduite est au rendez-vous, le côté pratique est assuré par les deux coffres à bagages, la fiabilité à long terme est bien cotée, tout comme la valeur de revente. Que demander de mieux?

Châssis - GTS

Emp / lon / lar / haut	2475 / 4404 / 1979 / 1273 mm
Coffre / Réservoir	280 litres / 64 litres
Nombre coussins sécurité / ceintures	6 / 2
Suspension avant	indépendante, jambes de force
Suspension arrière	indépendante, jambes de force
Freins avant / arrière	disque / disque
Direction	à crémaillère, ass. variable électrique
Diamètre de braquage	11,0 m
Pneus avant / arrière	P235/35ZR20 / P265/35ZR20
Poids / Capacité de remorquage	1348 kg / n.d.
Assemblage	Osnabruck, DE

Composantes mécaniques

Base

Cylindrée, soupapes, alim.	H6 2,7 litres 24 s atmos.
Puissance / Couple	265 chevaux / 206 lb-pi
Tr. base (opt) / rouage base (opt)	M6 (A7) / Prop
0-100 / 80-120 / V.Max	5,7 s / 3,6 s / 262 km/h
100-0 km/h	36,5 m
Type / ville / route / co_2	Sup / 9,4 / 6,2 l/100 km / 3662 kg/an

S

Cylindrée, soupapes, alim.	H6 3,4 litres 24 s atmos.
Puissance / Couple	315 chevaux / 266 lb-pi
Tr. base (opt) / rouage base (opt)	M6 (A7) / Prop
0-100 / 80-120 / V.Max	5,0 s / 6,7 s / 277 km/h
100-0 km/h	n.d.
Type / ville / route / co_2	Sup / 9,9 / 6,6 l/100 km / 3871 kg/an

GTS

Cylindrée, soupapes, alim.	H6 3,4 litres 24 s atmos.
Puissance / Couple	330 chevaux / 273 lb-pi
Tr. base (opt) / rouage base (opt)	M6 (A7) / Prop
0-100 / 80-120 / V.Max	4,7 s (const) / n.d. / 280 km/h
100-0 km/h	n.d.
Type / ville / route / co_2	Sup / 12,7 / 7,1 l/100 km / 4683 kg/an

Photos : Porsche Canada

Du nouveau en 2015

Nouveau modèle GTS.

- Excellente tenue de route
- Freinage puissant
- Direction très précise
- Côté pratique insoupçonné

- Puissance limitée du moteur 2,7 litres
- Coût des options
- Entretien coûteux
- Visibilité moyenne (toit en place)

PORSCHE **CAYENNE**

▸ **Catégorie :** VUS

▸ **Cote d'assurance :** n.d.

▸ **Échelle de prix :** 57 500 $ à 166 600 $ (estimé)

▸ **Garanties :** 4 ans/80 000 km, 4 ans/80 000 km

▸ **Transport et prép. :** 1115 $

▸ **Ventes CAN 2013 :** 2 050 unités

Vert pelouse ou rouge enfer

Sylvain Raymond

L'engouement pour les VUS ne cesse de croître d'année en année, tellement que certains fabricants réfractaires à se lancer dans ce segment songent maintenant sérieusement à y entrer, histoire de profiter de la manne. C'est le cas notamment de Lamborghini et de Jaguar. Porsche a fait le grand saut il y a déjà plusieurs années lui qui a récemment sorti le Macan, le petit frère du Cayenne. Il est difficile de blâmer le constructeur allemand puisque depuis ce temps, les ventes n'ont jamais été aussi bonnes et l'entreprise aussi profitable.

Pour 2015, le Cayenne jouit d'une légère refonte cosmétique et mécanique, similaire à ce qui a été fait sur la Panamera l'an passé. Côté style, on remarque la nouvelle grille d'admission d'air et le pare-chocs retouché qui intègre une barre aux DEL en guise de feux de jour. L'arrière subit aussi quelques retouches, notamment l'échappement, mais du reste, rien pour vous faire courir chez le concessionnaire. Le design du Cayenne est

MODÈLE 2014

maintenant un peu plus en ligne avec celui du Macan. Le Cayenne continue de séduire grâce à ses lignes dynamiques qui l'apparentent davantage à un bolide qu'à un VUS. C'est encore plus vrai dans le cas du Cayenne Turbo, le plus extraverti du lot.

À l'intérieur, on demeure emballé par l'environnement riche et sophistiqué qui transmet rapidement un sentiment de sportivité. Les matériaux sont de qualité et l'attention aux détails omniprésente. L'ergonomie est sans faille alors que le nombre de boutons et de commandes situés sur la console centrale pourrait dérouter tout amateur. Toutefois, on a eu l'excellente idée de donner à l'ensemble la même présentation qu'à bord de la Panamera. C'est surtout l'aspect pratique du Cayenne qui joue en sa faveur.

Réduction de cylindrée

Les changements les plus importants ne sont pas à l'extérieur mais bien sous le capot. Bien entendu, le Cayenne cible

Impressions de l'auteur	
Agrément de conduite :	★★★★⯪ 4,5
Fiabilité :	★★★★⯪ 4,5
Sécurité :	★★★★⯪ 4,5
Qualités hivernales :	★★★★⯪ 4,5
Espace intérieur :	★★★★☆ 4
Confort :	★★★★⯪ 4,5

Concurrents
Acura MDX, Audi Q7, BMW X5, Infiniti QX70, Land Rover Range Rover Sport, Lexus RX, Mercedes-Benz Classe ML, Volkswagen Touareg, Volvo XC90

toujours une gamme étendue d'acheteurs et avec le nombre de versions offertes, difficile de ne pas en trouver une qui convient. Il y a des Cayenne plus verts, d'autres carrément assoiffés d'essence. C'est selon vos goûts et votre budget. D'ailleurs, sachez que le prix de base peut être loin de la réalité si vous plongez allégrement dans le catalogue d'options.

La livrée de base permet de se payer un VUS arborant le célèbre emblème Porsche à un prix plus raisonnable. Le Cayenne s'avère attrayant avec son six cylindres de 3,6 litres qui déploie 300 chevaux, ce qui n'est pas surpuissant — attendez de voir les chiffres des autres motorisations! —, mais, en revanche, il consomme moins. Il est aussi le seul à être offert avec une boîte manuelle. Quant au Cayenne diesel, il représente un choix drôlement intéressant grâce à son couple généreux et à sa consommation réduite, principalement sur l'autoroute. Malgré son prix assez majoré par rapport au Cayenne V6, il demeure le plus équilibré selon nous.

Histoire de satisfaire les normes de consommation de plus en plus sévères, le Cayenne S perd son V8 de 4,8 litres au profit d'un V6 turbocompressé. Ce moteur de 3,6 litres n'est pas en reste avec ses 420 chevaux, soit 20 de plus que l'ancien V8. Grâce à cette mécanique, les visites à la pompe seront moins fréquentes.

Changement de garde aussi du côté du plus vert des Cayenne puisque le S Hybrid tire également sa révérence et laisse place au E-Hybrid plug-in, un modèle plus avancé technologiquement. Le groupe motopropulseur est composé d'un V6 thermique de 3,0 litres qui, jumelé à un moteur électrique, développe une puissance totale de 416 chevaux pour un couple de 435 lb-pi. La grande nouveauté du modèle, c'est qu'il est branchable, ce qui permet — en théorie — de n'utiliser que le mode électrique. L'ensemble de batteries lithium-ion de 10,8 kWh vous procure environ 35 km d'autonomie, cela si vous adoptez une conduite très posée.

La démesure

Le moins gentleman des Cayenne, mais le plus grisant, est le Turbo doté d'un V8 biturbo commandant 500 chevaux qui livre des performances hors du commun. La logique voudrait que ce quatrième modèle trône au sommet de la gamme, mais Porsche commercialise aussi le Cayenne Turbo S, un bolide qui repousse les limites avec ses 550 chevaux. Pour le moment, seul BMW avec son X6 M peut s'y frotter.

Au cœur du Cayenne, on retrouve certes des moteurs efficaces et performants, mais aussi plusieurs composantes destinées à maximiser le plaisir de conduite et la sportivité du modèle : un excellent système de freinage, un châssis ultra-rigide, une direction précise et le système PDCC qui optimise au millième de seconde le comportement du véhicule sous diverses conditions ou en fonction de vos goûts.

Photos: Porsche Canada

Châssis - E-Hybrid

Emp / lon / lar / haut	2895 / 4846 / 2154 / 1705 mm
Coffre / Réservoir	456 à 1210 litres / 85 litres
Nombre coussins sécurité / ceintures	6 / 5
Suspension avant	indépendante, double triangulation
Suspension arrière	indépendante, multibras
Freins avant / arrière	disque / disque
Direction	à crémaillère, ass. variable électrique
Diamètre de braquage	11,9 m
Pneus avant / arrière	P255/55R18 / P255/55R18
Poids / Capacité de remorquage	2410 kg / n.d.
Assemblage	Leitpzig, DE

Composantes mécaniques

Diesel

Cylindrée, soupapes, alim.	V6 3,0 litres 24 s turbo
Puissance / Couple	262 chevaux / 428 lb-pi
Tr. base (opt) / rouage base (opt)	A8 / Int
0-100 / 80-120 / V.Max	n.d.
100-0 km/h	40,6 m
Type / ville / route / CO_2	Dié / 10,8 / 6,7 l/100 km / 4860 kg/an

S

Cylindrée, soupapes, alim.	V6 3,6 litres 24 s turbo
Puissance / Couple	420 chevaux / 406 lb-pi
Tr. base (opt) / rouage base (opt)	A8 / Int
0-100 / 80-120 / V.Max	5,5 s (const) / n.d. / 259 km/h.
100-0 km/h	n.d.
Type / ville / route / CO_2	Sup / 12,4 / 8,1 l/100 km / 4814 kg/an

Base

V6 - 3,6 l - 300 ch/295 lb-pi - M6 (A8) - 0-100: 7,5 s - 14,1/9,3 l/100 km

E-Hybrid

V6 - 3,0 l - 333 ch/325 lb-pi - A8 - 0-100: 5,9 s - 3,5/3,3 l/100 km (est)
Moteur élect: 95 ch/229 lb-pi - Batterie: Lithium-ion - 10,8 kWh

S Diesel

V8 - 4,2 l - 385 ch/627 lb-pi - A8 - 0-100: 5,4 s - 12,8/8,0 l/100 km

Turbo S

V8 - 4,8 l - 550 ch/553 lb-pi - A8 - 0-100: 4,5 s - 14,3/9,3 l/100 km

Du nouveau en 2015

Changements esthétiques, nouveau V6 turbocompressé, version E-Hybrid plug-in.

FEU VERT
- Choix de modèles
- Version diesel économique
- Certaines versions bestiales
- Une Porsche pratique

FEU ROUGE
- Prix et quantité des options
- Prix élevé de certaines versions
- Essence super
- V6 à essence un peu juste

PORSCHE **CAYMAN**

▶ **Catégorie :** Coupé   ▶ **Échelle de prix :** 59 900 $ à 86 000 $ (estimé)   ▶ **Transport et prép. :** 1 085 $

▶ **Cote d'assurance :** n.d.   ▶ **Garanties :** 4 ans/80 000 km, 4 ans/80 000 km   ▶ **Ventes CAN 2013 :** 240 unités

Du sport à l'état pur

Jacques Duval

Si vous adorez conduire, vous ne sauriez trouver de meilleure alliée pour donner libre cours à votre passion que la version coupé de la populaire Porsche Boxster, le Cayman, proposé en trois versions : normale, S et GTS. Cette dernière est la nouveauté de l'année dans cette gamme hautement désirable.

Le dernière Cayman essayé était un modèle de base, c'est-à-dire moins cher, ce qui s'est avéré finalement une bonne chose puisqu'il nous a permis d'analyser la voiture sans la nuée d'accessoires optionnels qui, souvent, faussent la valeur intrinsèque d'un véhicule. Notre Cayman sans fioritures a donc dû se défendre en faisant valoir ses attributs sportifs au lieu de la magnitude de ses équipements. Et chez Porsche, le mot n'est pas fort, car la moindre bricole est chèrement payée.

Alors que les incontournables 911 héritent d'un comportement routier tributaire de leur moteur arrière, les Cayman peuvent compter sur l'implantation centrale de leur groupe propulseur, un atout indéniable lorsque le profil de la route devient plus exigeant. Une répartition quasi parfaite du poids assure un meilleur équilibre et systématiquement une tenue de route difficile à prendre en défaut. Je connais peu de voitures aussi engageantes que le Cayman qui est littéralement vissé au bitume tant dans les virages serrés que dans les longues courbes.

Économique par surcroît

L'agrément est décuplé par le mariage parfait du moteur et de la boîte de vitesse manuelle à 6 rapports qui était d'office dans la voiture d'essai assez dépouillée mise à notre disposition. Le maniement du levier de vitesses parfaitement assorti au régime du moteur par un petit coup d'accélérateur est un délice qui est offert en équipement de série. Idem pour le ronronnement du 6 cylindres à plat de 2,7 litres et 275 chevaux qui s'anime dans votre dos.

Impressions de l'auteur	
Agrément de conduite :	★★★★⯪ 4,5/5
Fiabilité :	★★★★⯪ 4,5/5
Sécurité :	★★★⯪☆ 3,5/5
Qualités hivernales :	★★★☆☆ 3/5
Espace intérieur :	★★★☆☆ 3/5
Confort :	★★★⯪☆ 3,5/5

Concurrents
Alfa Romeo 4C, Audi TT, BMW Z4, Lotus Evora, Nissan Z

Même si l'on préfère lire des temps d'accélération au lieu des cotes de consommation dans le compte rendu d'une voiture sportive, laissez-moi vous dire que Porsche ne ménage aucun effort par les temps qui courent pour assainir l'environnement. Ainsi, à une vitesse stabilisée de 112 km/h sur l'autoroute, j'ai réussi, avec l'aide du régulateur de vitesse, à faire chuter la moyenne aux 100 kilomètres à un chiffre comparable à celui d'une Honda Civic, soit 6,8 litres. Attendez-vous à environ 8 litres aux 100 km en temps normal.

Certains reprocheront au moteur de base des performances manquant un peu de profondeur, mais en tenant compte de nos routes et de toutes les contraintes de la circulation, il est tout à fait satisfaisant et émet une sonorité qui chatouille agréablement les tympans. Le seul bémol ici a trait à l'insonorisation qui pourrait être meilleure afin de rendre la voiture moins bruyante sur l'autoroute. Le son un peu fêlé de la radio n'arrange rien non plus.

De leur côté, le Cayman S repousse les limites avec son 3,4 litres de 325 chevaux tandis que la GTS en offre 15 de plus. Prenez les commentaires de la version de base et multipliez-les par 5 pour la S et par 10 pour la GTS et vous aurez une bonne idée de leur comportement routier!

Quelques discordances

Pour reprendre une expression un peu galvaudée, disons que la direction permet de découper les virages avec une précision chirurgicale. Quant au freinage, il est si impressionnant que l'on se demande si Porsche ne possède pas un brevet spécial lui permettant d'obtenir des décélérations supérieures à la concurrence!

Pour ce qui est de l'aspect plus rationnel du coupé Cayman, soulignons que les sièges sont d'un confort moyen tout en exigeant un réglage manuel en profondeur. Au prix demandé, c'est un peu chiche de la part du constructeur... Dans la cabine, les espaces de rangement font défaut alors que l'abondance de leviers sous le volant prête à confusion. Par contre, les divers boutons sur la console pour désactiver le système de stabilité (PSM) ou placer la voiture en mode Sport sont bien répertoriés.

La bonne visibilité mérite aussi d'être soulignée, mais dans un même temps on ne peut s'empêcher de décocher une flèche au tableau de bord qui se reflète dans le pare-brise par temps ensoleillé. Et dans la voiture d'essai, j'ai noté que le verrou du coffre était défectueux et qu'il était difficile de desserrer le frein d'urgence. Ce sont là des lacunes surprenantes dans une voiture réputée pour la qualité de sa construction et qui figure tout en haut dans les sondages sur la qualité.

Une chose est sûre et c'est que cela n'enlève rien au plaisir que l'on éprouve au volant d'une Porsche Cayman. Si vous n'en avez jamais conduit une, disons que c'est la grâce que je vous souhaite.

Châssis - GTS

Emp / lon / lar / haut	2475 / 4404 / 1978 / 1285 mm
Coffre / Réservoir	425 litres / 64 litres
Nombre coussins sécurité / ceintures	6 / 2
Suspension avant	indépendante, jambes de force
Suspension arrière	indépendante, jambes de force
Freins avant / arrière	disque / disque
Direction	à crémaillère, ass. variable électrique
Diamètre de braquage	11,0 m
Pneus avant / arrière	P235/35ZR20 / P265/35ZR20
Poids / Capacité de remorquage	1413 kg / n.d.
Assemblage	Osnabruck, DE

Composantes mécaniques

Base

Cylindrée, soupapes, alim.	H6 2,7 litres 24 s atmos.
Puissance / Couple	275 chevaux / 214 lb-pi
Tr. base (opt) / rouage base (opt)	M6 (A7) / Prop
0-100 / 80-120 / V.Max	6,2 s / 5,0 s / 264 km/h
100-0 km/h	37,3 m
Type / ville / route / co$_2$	Sup / 9,4 / 6,2 l/100 km / 3662 kg/an

S

Cylindrée, soupapes, alim.	H6 3,4 litres 24 s atmos.
Puissance / Couple	325 chevaux / 273 lb-pi
Tr. base (opt) / rouage base (opt)	M6 (A7) / Prop
0-100 / 80-120 / V.Max	4,9 s (const) / 6,5 s / 281 km/h
100-0 km/h	n.d.
Type / ville / route / co$_2$	Sup / 9,9 / 6,6 l/100 km / 3871 kg/an

GTS

Cylindrée, soupapes, alim.	H6 3,4 litres 24 s atmos.
Puissance / Couple	340 chevaux / 280 lb-pi
Tr. base (opt) / rouage base (opt)	M6 (A7) / Prop
0-100 / 80-120 / V.Max	4,6 s (const) / n.d. / 285 km/h
100-0 km/h	n.d.
Type / ville / route / co$_2$	Sup / 12,7 / 7,1 l/100 km / 4683 kg/an

Photos : Porsche Canada

Du nouveau en 2015

Modèle GTS à moteur 3,4 litres de 340 chevaux, retouches à la carrosserie, garde au sol abaissée.

FEU VERT
- Tenue de route étincelante
- Freinage exceptionnel
- Plaisir garanti
- Soucieuse de l'environnement
- Accord parfait moteur/transmission

FEU ROUGE
- Moteur de base tempéré
- Longue liste d'options
- Piètre insonorisation
- Reflets dans le pare-brise
- Peu d'espaces de rangement

PORSCHE **MACAN**

▸ **Catégorie :** VUS

▸ **Cote d'assurance :** n.d.

▸ **Échelle de prix :** 56 500 $ à 81 000 $ (estimé)

▸ **Garanties :** 4 ans/80 000 km, 4 ans/80 000 km

▸ **Transport et prép. :** 1 115 $

▸ **Ventes CAN 2013 :** 0 unités

Audi Q5 + Porsche 911 = Porsche Macan

Alain Morin

En 2003, quand Porsche avait dévoilé un VUS, plusieurs avaient prédit sa fin. Pourtant, c'est exactement le contraire qui est arrivé et le Cayenne a permis à Porsche de demeurer en vie. Mieux, de faire des profits.

Voilà que Porsche nous refait le coup en présentant cette fois-ci un VUS compact, le Macan. Premièrement, en français, on est porté (du moins l'auteur de ces lignes) à prononcer Macan comme on dit « cormoran ou chenapan ». Parce que prononcé à l'anglaise « Macanne », ça fait un peu « cacanne » ce que n'est pas le Macan ! Cette précision phonétique apportée, soulignons que ledit Macan est fortement dérivé du Audi Q5. Mais adapté à la sauce Porsche.

Une 911 qui a du coffre
À première vue, on pourrait penser que le Macan n'est rien d'autre qu'un Cayenne ayant subi une cure d'amaigrissement.

En fait, il s'agit plutôt d'une 911 plus haute sur pattes ! Tout d'abord, et c'est très personnel, je trouve le Macan visuellement mieux équilibré que le Cayenne et beaucoup plus joli.

Dans l'habitacle, on a droit à du Porsche tout craché. La console centrale, dont le design est repris des autres modèles de la marque, regorge de boutons et de commandes qui portent à confusion. Pendant des années, les journalistes automobiles avons tapé sur la tête d'Acura parce qu'il y avait trop de boutons à ses tableaux de bord. C'est maintenant au tour de Porsche d'avoir droit au même reproche. D'un autre côté, connaissant la propension des Allemands pour compliquer les choses, c'est peut-être mieux de conserver la mer de boutons…

Les sièges avant sont d'un confort et d'un maintien impeccables. Ceux à l'arrière ne sont pas inconfortables, toutefois, l'espace y est visiblement compté. Tout comme dans le coffre, très bien fini mais plus ou moins logeable. Droit

Impressions de l'auteur		Concurrents
Agrément de conduite : ★★★★✦ 4,5		Audi Q5, BMW X4, Infiniti QX50,
Fiabilité : **Nouveau modèle**		Mercedes-Benz GLA,
Sécurité : ★★★★☆ 4		Land Rover Range Rover Evoque,
Qualités hivernales : ★★★★☆ 4		Lexus RX, Volvo XC60,
Espace intérieur : ★★★✦☆ 3,5		
Confort : ★★★✦☆ 3,5		

devant les yeux du conducteur un immense compte-tours, signature de Porsche depuis des lustres. Autre signature Porsche, la clé de contact est toujours située à gauche du volant.

Deux turbos mais un seul modèle Turbo

Si la magie du Macan n'a pas encore opéré, il suffit de tourner la clé de contact… Le modèle de base, S, est doté d'un V6 de 3,0 litres turbocompressé développant 340 chevaux entre 5 500 et 6 500 tr/min pour un couple de 339 livres-pied entre 1 450 et 5 000 tr/min. Selon les standards d'aujourd'hui, c'est relativement peu mais c'est amplement suffisant pour nos routes bombardées. Le Macan S accélère avec autorité dans une belle sonorité. En mode Normal, la transmission à double embrayage PDK fait un bon boulot mais qui n'éblouit pas. Par contre, quand on passe au mode Sport, et encore davantage en Sport +, le comportement entier du Macan se transforme en quasi brute de la route et les passages de rapport sont instantanés.

Le Macan Turbo, de son côté, reçoit un V6 de 3,6 litres turbocompressé développant la bagatelle de 400 chevaux à 6 000 tr/min et 406 livres-pied de couple entre 1 350 et 4 500 tr/min. Qu'est-ce que ça avance! Les oreilles emplies d'une profonde musique, les yeux rivés vers la prochaine courbe qui arrive vite, les mains prêtes à engager le rapport supérieur, l'amateur de perfection automobile goûte le moment. J'ai bien écrit le moment. Car à moins d'avoir accès à une piste de course où le Macan Turbo pourra livrer tout son potentiel, il n'y a pas de routes pour lui chez nous. Ce modèle Turbo, malgré ses qualités plus qu'indéniables, vaut-il les 30 000 $ supplémentaires par rapport à un modèle S ?

Même s'il n'est pas aussi à l'aise qu'un Cayenne en hors route, le Macan l'est bien suffisamment pour franchir des obstacles quand même très intimidants. Son rouage intégral provient de la 911 mais est adapté pour une utilisation plus axée sur le hors route. À noter qu'il n'y a pas de version propulsion proposée, seulement l'intégrale est disponible. S'il y a un autre endroit où le petit VUS de Porsche n'est pas pris au dépourvu, c'est sur une piste de course. C'est là qu'on se dit qu'on pilote une 911 haute sur pattes. On a de la difficulté à croire qu'il s'agit d'un véhicule pesant environ 2 000 kilos tant les transferts de poids sont bien maitrisés. Le rouage intégral, associé au PTM (*Porsche Traction Management*) fait des merveilles pour garder le véhicule sur la bonne trajectoire et même les moins habiles ont quasiment l'air brillants au volant d'un Macan, même sans la suspension pneumatique optionnelle.

Le Macan est une adroite réalisation de Porsche. Même si la version Turbo constitue la quintessence du VUS compact, elle est, selon moi, trop chère. Le S satisfera parfaitement l'amateur de mécanique d'exception. Quant à l'amateur d'espace de chargement, on lui conseille d'aller voir le Honda CR-V…

Châssis - Turbo S

Emp / lon / lar / haut	2807 / 4699 / 2098 / 1624 mm
Coffre / Réservoir	500 à 1500 litres / 75 litres
Nombre coussins sécurité / ceintures	6 / 5
Suspension avant	indépendante, double triangulation
Suspension arrière	indépendante, multibras
Freins avant / arrière	disque / disque
Direction	à crémaillère, ass. variable électrique
Diamètre de braquage	12,0 m
Pneus avant / arrière	P235/55R19 / P255/50R19
Poids / Capacité de remorquage	1929 kg / 750 kg (1653 lb)
Assemblage	Leipzig, DE

Composantes mécaniques

S

Cylindrée, soupapes, alim.	V6 3,0 litres 24 s turbo
Puissance / Couple	340 chevaux / 339 lb-pi
Tr. base (opt) / rouage base (opt)	A7 / Int
0-100 / 80-120 / V.Max	5,4 s (const) / n.d. / 254 km/h
100-0 km/h	n.d.
Type / ville / route / CO_2	Sup / 11,6 / 7,6 l/100 km / 4510 kg/an

Turbo S

Cylindrée, soupapes, alim.	V6 3,6 litres 24 s turbo
Puissance / Couple	400 chevaux / 406 lb-pi
Tr. base (opt) / rouage base (opt)	A7 / Int
0-100 / 80-120 / V.Max	4,8 s (const) / n.d. / 266 km/h
100-0 km/h	n.d.
Type / ville / route / CO_2	Sup / 11,8 / 7,8 l/100 km / 4600 kg/an

Du nouveau en 2015

Nouveau modèle

FEU VERT
- Lignes harmonieuses
- Version Turbo impressionnante
- Tenue de route solide
- Sérieux en hors route
- Davantage 911 que Cayenne

FEU ROUGE
- Suspensions plutôt dures
- Prix corsés
- Habitacle pas très grand
- Consommation assez élevée
- Coûts d'entretien (et des options) explosifs

Photos : Alain Morin, Nadine Filion

PORSCHE **PANAMERA**

▸ **Catégorie :** Hatchback   ▸ **Échelle de prix :** 89 500 $ à 229 100 $ (2014)   ▸ **Transport et prép. :** 1 115 $

▸ **Cote d'assurance :** n.d.   ▸ **Garanties :** 4 ans/80 000 km, 4 ans/80 000 km   ▸ **Ventes CAN 2013 :** 328 unités

La sportive à cinq portes

Gabriel Gélinas

Porsche fait flèche de tout bois avec sa Panamera. Elle est proposée en multiples versions comprenant des configurations à empattement allongé, des motorisations V6 et V8, des turbocompresseurs et même un modèle à motorisation hybride appelé E-Hybrid. Cette dernière version revendique même le titre de première voiture de luxe hybride rechargeable au monde. Avec des moteurs développant entre 420 et 560 chevaux, l'arsenal de la Panamera est large, tout comme son potentiel de performance.

Au sommet de la pyramide Panamera, on retrouve le modèle Turbo Executive qui, comme son nom l'indique, est une version à empattement allongé de 15 centimètres animée par un V8 biturbo produisant ses 520 chevaux aux quatre roues par l'entremise d'une boîte à double embrayage à sept rapports. Au premier coup d'œil, seules les portes arrière plus longues permettent d'identifier le modèle Executive de la

version conventionnelle de la Panamera. Il suffit de les ouvrir pour constater que tout l'espace a été ajouté afin d'accorder un dégagement accru pour les jambes des passagers arrière. Bien que les modèles Executive soient commercialisés ailleurs dans le monde, il est clair qu'ils ont été développés en vue de répondre à la demande d'une richissime clientèle chinoise qui préfère se faire conduire par un chauffeur plutôt que de prendre le volant.

Une puissance parfaitement maîtrisée

Un essai de la Panamera Turbo Executive mené en plein cœur de l'hiver québécois m'a permis de constater que l'ajout de 15 centimètres à l'empattement et d'une cinquantaine de kilos de plus par rapport au modèle conventionnel n'a pas dénaturé la dynamique du modèle. Avec un freinage incisif, une direction qui communique bien les sensations de la route, un rouage intégral finement programmé et un moteur performant, la Panamera Turbo Executive se comporte presque comme une sportive, malgré son gabarit imposant,

Impressions de l'auteur		Concurrents
Agrément de conduite :	★★★★★ 4/5	Audi A8, BMW Série 7, Jaguar XJ,
Fiabilité :	★★★★★ 4,5/5	Maserati Quattroporte,
Sécurité :	★★★★★ 4,5/5	Mercedes-Benz Classe S
Qualités hivernales :	★★★★★ 4/5	
Espace intérieur :	★★★★★ 4/5	
Confort :	★★★★★ 4,5/5	

tout en offrant un niveau de confort bonifié pour les passagers arrière. L'option Sport Chrono Plus permet au conducteur de disposer de la fonction launch control qui ne manque jamais d'impressionner la galerie. Il suffit d'appuyer sur le bouton Sport Plus, d'appliquer les freins avec le pied gauche et d'enfoncer l'accélérateur pour voir le régime monter à près de 5 000 tours/minute. En relâchant les freins d'un seul coup, la Panamera Turbo explose vers l'avant avec une poussée phénoménale et une stabilité déconcertante.

Pour ceux qui sont à la recherche d'une dynamique plus inspirée, le modèle GTS est le choix le plus avisé avec son empattement conventionnel et, surtout, son V8 atmosphérique de 4,8 litres développant 440 chevaux dont la sonorité est nettement plus évocatrice. De son côté, la Panamera S E-Hybrid représente un véritable tour de force sur le plan technique avec son V6 suralimenté par compresseur jumelé à un moteur électrique. Un court essai de 87 kilomètres mené dans des conditions idéales en Europe m'a permis d'obtenir une consommation moyenne de 5,8 litres aux 100 kilomètres parce que le trajet présentait une légère descente sur les premiers 50 kilomètres... Selon les ingénieurs de Porsche, il est envisageable de pouvoir parcourir entre 18 et 36 kilomètres sur la seule puissance électrique dans des conditions de conduite normales.

Une *baby* Panamera en vue

Par ailleurs, il faut s'attendre à ce que Porsche dévoile un nouveau modèle qui ressemblera à une version taille réduite de la Panamera pour 2016. Élaborée sur une plate-forme qui servira également de base à la prochaine A4, cette nouvelle voiture adoptera la configuration berline et sera exclusivement dotée du rouage intégral. Côté motorisations, l'offre sera probablement composée de six cylindres à essence développant de 300 à plus de 400 chevaux, selon les versions. Un moteur diesel sera également proposé en Europe, et pourrait éventuellement faire partie de l'offre faite par Porsche en Amérique du Nord, et il y a fort à parier qu'une version hybride soit également proposée.

Mais revenons à la Panamera actuelle dont la future génération est attendue pour 2017. Malgré la tendance actuelle vers la réduction de la cylindrée, Porsche prévoit toujours l'équiper non seulement d'un nouveau V6 mais également d'un nouveau V8. Elle est en cours de développement et on souhaite que sa carrosserie soit inspirée par le superbe Porsche Panamera Sport Turismo Wagon Concept dévoilée au Mondial de l'automobile de Paris en septembre 2012. Histoire à suivre...

Châssis - S E-Hybrid

Emp / lon / lar / haut	2920 / 5015 / 2114 / 1418 mm
Coffre / Réservoir	337 à 1155 litres / 80 litres
Nombre coussins sécurité / ceintures	8 / 4
Suspension avant	indépendante, double triangulation
Suspension arrière	indépendante, multibras
Freins avant / arrière	disque / disque
Direction	à crémaillère, ass. variable électrique
Diamètre de braquage	11,9 m
Pneus avant / arrière	P245/50ZR18 / P275/45ZR18
Poids / Capacité de remorquage	2095 kg / n.d.
Assemblage	Leipzig, DE

Composantes mécaniques

2, 4

Cylindrée, soupapes, alim.	V6 3,6 litres 24 s atmos.
Puissance / Couple	310 chevaux / 295 lb-pi
Tr. base (opt) / rouage base (opt)	A7 / Prop (Int)
0-100 / 80-120 / V.Max	6,1 s (const) / 4,3 s / 257 km/h
100-0 km/h	37,5 m
Type / ville / route / co$_2$	Sup / 11,6 / 7,4 l/100 km / 4467 kg/an

S E-Hybrid

Cylindrée, soupapes, alim.	V6 3,0 litres 24 s surcomp
Puissance / Couple	333 chevaux / 325 lb-pi
Tr. base (opt) / rouage base (opt)	A8 / Prop
0-100 / 80-120 / V.Max	5,4 s / 3,3 s / 270 km/h
100-0 km/h	37,7 m
Type / ville / route / co$_2$	Sup / 10,4 / 8,0 l/100 km / 4287 kg/an

Moteur électrique

Puissance / Couple	95 ch (71 kW) / 229 lb-pi
Type de batterie	Lithium-ion
Énergie	9,4 kWh

S, 4S / Executive

V6 - 3,0 l - 420 ch/384 lb-pi - A7 - 0-100: 4,8 s - 12,2/7,5 l/100 km

GTS

V8 - 4,8 l - 440 ch/384 lb-pi - A7 - 0-100: 4,4 s - 13,5/8,2 l/100 km

Turbo

V8 - 4,8 l - 520 ch/516 lb-pi - A7 - 0-100: 4,0 s - 13,8/8,3 l/100 km

Turbo S

V8 - 4,8 l -570 ch/553 lb-pi - A7 - 0-100: 3,8 s - 14,9/7,8 l/100 km

Du nouveau en 2015

Aucun changement majeur

FEU VERT
- Très bonne dynamique
- Choix de motorisations
- Freinage puissant
- Confort souverain (Executive)
- Faible consommation (S E-Hybrid)

FEU ROUGE
- Prix élevés
- Tarifs élevés des groupes d'options
- Poids et gabarit imposants
- Volume du coffre réduit (S E-Hybrid)

Photos : Porsche Canada

RAM **1500**

▸ **Catégorie :** Camionnette	▸ **Échelle de prix :** 19 995 $ à 50 590 $ (2014)	▸ **Transport et prép. :** 1 795 $
▸ **Cote d'assurance :** $$$$$	▸ **Garanties :** 3 ans/60 000 km, 5 ans/100 000 km	▸ **Ventes CAN 2013 :** 78 793 unités

Sans complexe

Marc Lachapelle

Chrysler a brisé le moule de la grande camionnette américaine traditionnelle il y a maintenant plus de vingt ans avec le frondeur Dodge Ram dont l'immense calandre évoquait celle d'un Freightliner ou du camion-tracteur de votre choix. Les ventes ont triplé en un an. Le constructeur n'a cessé de jouer d'innovation et d'audace depuis pour s'imposer face à de solides rivales. Son plus récent coup est certainement l'offre d'un premier moteur diesel dans une camionnette d'une demi-tonne.

Diesel contre Hemi : duel musclé

Ce nouveau diesel, un V6 de 3,0 litres turbocompressé fabriqué par le spécialiste italien VM Motori, en est à sa sixième génération. On trouve le même sous le capot du Jeep Grand Cherokee, mais il est plus doux et silencieux pour le Ram 1500. Il faut rouler en ville, vitres abaissées, pour détecter le cliquetis d'un diesel. Rien d'agaçant. La boîte auto-matique à 8 rapports est douce et précise à souhait. Comme avec le V6 Pentastar de 3,6 litres et les versions du V8 Hemi de 5,7 litres qui en sont équipées.

En jouant de ses 420 lb-pi de couple à 2 000 tr/min, l'EcoDiesel emmène le Ram 1500 à 100 km/h en 9,7 secondes et sur quart de mille en 16,9 secondes. Avec le V8 à essence de 395 chevaux, qui produit 407 lb-pi de couple à 3 950 tr/min, le même Laramie Quad Cab inscrit des chronos de 6,97 et 15,1 secondes. La capacité de remorquage du premier est de 4 173 kg (9 050 lb) et l'autre peut tracter jusqu'à 4 740 kg (10 450 lb).

La différence qui nous intéresse est ailleurs. On choisit un diesel pour le couple et la durabilité mais aussi pour une consommation moindre. Les cotes ville/route du diesel sont de 12,1/8,8 l/100 km et celles du V8 Hemi de 16,3/11,5 l/100 km avec la boîte à 8 rapports, soit un gain d'environ 25 %. On parle ici des cotes RNC plus réalistes de 2015. C'est une

Impressions de l'auteur		Concurrents
Agrément de conduite : ★★★⯪ 3,5/5		Chevrolet Silverado, Ford F-150,
Fiabilité : ★★★⯪ 3,5/5		GMC Sierra, Nissan Titan,
Sécurité : ★★★★ 4/5		Toyota Tundra
Qualités hivernales : ★★★⯪ 3,5/5		
Espace intérieur : ★★★★ 4/5		
Confort : ★★★★ 4/5		

différence substantielle, mais seuls les gros rouleurs pourront vraisemblablement récupérer les 3 650 $ additionnels que commande le V6 EcoDiesel.

Les sièges avant du Laramie, drapés de cuir, offrent un confort sans reproche et un maintien des cuisses impeccable. Les places arrière sont étonnamment accueillantes. Dans les versions Quad Cab, les plus populaires, le coussin des sièges arrière se relève et on abaisse un panneau pour transporter sacs et colis. Très pratique. Côté ergonomie, le système UConnect de Chrysler est la meilleure interface de contrôle et d'intégration multimédia actuelle.

Une suspension à ressorts pneumatiques réglables aux quatre roues est disponible. En plus du correcteur d'assiette qui compense automatiquement le poids d'une charge, elle offre cinq hauteurs de caisse qu'on peut même commander à distance. Les boutons qui permettent de faire ces réglages à bord sont petits et un peu perdus parmi plein d'autres.

Le mode d'accès est utile, sinon indispensable avec des passagers de taille normale. Il abaisse le Ram en quelques secondes de 53 mm à l'avant (2,1 po) et 43 mm (1,7 po) à l'arrière. On jurerait que c'est plus, tellement la différence est nette. Il faut d'ailleurs relever la carrosserie au plus tôt ou rouler en ligne droite pendant qu'elle est abaissée, sinon les roues avant frottent dans les ailes en braquage. Le mode Aérodynamique abaisse automatiquement la camionnette de 27 mm (1,1 po) lorsqu'elle atteint 100 km/h. Le but est de réduire le coefficient de traînée et la consommation mais on promet également une réduction du roulis en virage. À l'inverse, on peut aussi surélever le Ram de 30 mm devant et 22 mm derrière pour rouler en terrain accidenté avec le mode Tout-terrain 1 où le faire grimper de 51 mm (2 po) avec le mode 2.

Pas de rodéo

Le roulement est assez ferme et plutôt sautillant sur les chaussées raboteuses avec les Quad Cab, malgré les fameux ressorts hélicoïdaux arrière dont le constructeur fait grand cas. On ne sent par contre aucune flexion de structure à moins de franchir des cratères à répétition, sans doute.

La caisse des modèles Quad Cab mesure 6 pi 4 po (1,94 m). Il y a aussi une caisse de 5 pi 7 po (1,71 m) et une autre ou de 8 pieds (2,5 m) selon la combinaison choisie. Et il y en a des dizaines qui se transforment en centaines lorsqu'on tient compte des nombreuses options et variations mécaniques.

Avec ses sept grands modèles, de la camionnette ST à cabine simple robuste et dépouillée de 19 995 $ à la grande Laramie Limited dont le prix de départ actuel est 48 490 $, on a carrément l'embarras du choix. L'essentiel est de connaître ses véritables besoins, et surtout la taille exacte de son stationnement.

Châssis - SLT 4x2 diesel cab. simple (8')	
Emp / lon / lar / haut	3556 / 5867 / 2017 / 1890 mm
Boîte / Réservoir	2497 mm (98,3 pouces) / 121 litres
Nombre coussins sécurité / ceintures	6 / 3
Suspension avant	indépendante, bras inégaux
Suspension arrière	essieu rigide, multibras
Freins avant / arrière	disque / disque
Direction	à crémaillère, ass. électrique
Diamètre de braquage	13,8 m
Pneus avant / arrière	P265/70R17 / P265/70R17
Poids / Capacité de remorquage	2324 kg / 4173 kg (9199 lb)
Assemblage	Saltillo, MX

Composantes mécaniques

Diesel 3,0 l	
Cylindrée, soupapes, alim.	V6 3,0 litres 24 s turbo
Puissance / Couple	240 chevaux / 420 lb-pi
Tr. base (opt) / rouage base (opt)	A8 / Prop (4x4)
100-0 km/h	45,8 m (est)
Type / ville / route / co_2 Dié / 12,4 / 9,4 l/100 km / 5970 kg/an	

V6 3,6 l	
Cylindrée, soupapes, alim.	V6 3,6 litres 24 s atmos.
Puissance / Couple	305 chevaux / 269 lb-pi
Tr. base (opt) / rouage base (opt)	A8 / Prop (4x4)
100-0 km/h	45,8 m (est)
Type / ville / route / co_2 Ord / 13,0 / 8,5 l/100 km / 5070 kg/an	

V8 5,7 l	
Cylindrée, soupapes, alim.	V8 5,7 litres 16 s atmos.
Puissance / Couple	395 chevaux / 407 lb-pi
Tr. base (opt) / rouage base (opt)	A6 / Prop (4x4)
100-0 km/h	45,8 m
Type / ville / route / co_2 Sup / 14,6 / 9,8 l/100 km / 5720 kg/an	

Du nouveau en 2015

Aucun changement majeur

FEU VERT
- Camionnettes spacieuses et confortables
- Moteur diesel souple, doux, frugal, exclusif
- Excellente interface multimédia
- Groupes propulseurs impeccables
- Rangements pratiques en abondance

FEU ROUGE
- Camionnettes vraiment encombrantes en ville
- La marche est haute pour grimper à bord (4x4)
- Réglages des rétroviseurs non illuminés
- Caisse étroite avec coffres de rangement
- Coût et fiabilité à prouver du V6 diesel

Photos : RAM

® ROLLS-ROYCE **GHOST / WRAITH**

▶ **Catégorie :** Berline, Coupé

▶ **Échelle de prix :** 286 750 $ à 319 400 $

▶ **Transport et prép. :** n.d.

▶ **Cote d'assurance :** n.d.

▶ **Garanties :** 4 ans/illimité, 4 ans/illimité

▶ **Ventes CAN 2013 :** n.d.

La deuxième vague

Gabriel Gélinas

Avec la Ghost Series II et la Wraith, Rolls-Royce donne l'impulsion à la deuxième vague pour son modèle « de base », si l'on peut qualifier ainsi une voiture dont le prix de départ est supérieur à un quart de million de dollars… De plus, comme Rolls-Royce appartient au constructeur allemand BMW, il ne faut pas s'étonner si la marque anglaise adopte la même stratégie, soit celle de décliner plusieurs variantes de modèles existants. En effet, Rolls a récemment développé une version à empattement allongée EWB de la Ghost, principalement pour séduire les acheteurs chinois. Elle prévoit aussi lancer prochainement une version cabriolet du coupé Wraith qui reprendra certainement l'appellation Drophead qui a cours avec le modèle cabriolet de la Phantom.

Dévoilée en primeur mondiale au Salon de l'auto de Genève au printemps 2014, la Ghost Series II présente une subtile refonte

du modèle lancé en 2010, selon les aveux même de la haute direction de la marque. Essentiellement, la carrosserie se veut plus dynamique en adoptant des lignes rappelant celles d'un yacht et des flancs plus athlétiques ainsi qu'un sillon élancé qui file à la suite du *Spirit of Ecstasy* émulant « la vaporeuse traînée blanche d'un avion à réaction », d'après Rolls-Royce. Parions également que les amateurs de la marque ne seront pas déstabilisés par ce *lifting* très léger qui ne dénature pas le style imposant, mais pas vraiment élégant, propre aux Rolls-Royce.

Monter dans l'une de ces voitures, c'est fouler une moquette en laine d'agneau véritable et s'asseoir dans un fauteuil offrant un niveau de confort inégalé. L'aspect de la planche de bord est très classique, mais la Ghost Series II fait tout de même des concessions à la modernité. Ainsi, les informations de l'interface multimédia et du système de navigation s'affichent en haute définition sur un écran de 10,25 pouces. Le système de télématique est contrôlé par une molette

Impressions de l'auteur		Concurrents
Agrément de conduite : ★★★★★	2	Aston Martin Rapide,
Fiabilité : ★★★★	4	Bentley Continental,
Sécurité : ★★★★⯪	4,5	BMW Série 6, Jaguar XJ, Lexus LS,
Qualités hivernales : ★★⯪	2,5	Maserati Quattroporte,
Espace intérieur : ★★★★⯪	4,5	Mercedes-Benz Classe S,
Confort : ★★★★★	5	Porsche Panamera

rotative qui présente une surface tactile. Afin que le conducteur puisse tracer des lettres ou des chiffres avec le doigt sur la molette elle-même ou naviguer au travers des menus du système, plutôt que de laisser des empreintes digitales sur un écran. Autre détail intéressant, cette même commande rotative est gravée de la célèbre icône *Flying Lady*, comme celle de la calandre. Concernant l'instrumentation, le tachymètre est remplacé par une « réserve de puissance », laquelle indique en pourcentage la puissance qui demeure à la disposition de votre pied droit.

Place à la dissonance cognitive

Conduire une Rolls-Royce, c'est faire l'expérience d'une certaine forme de dissonance cognitive dans la mesure où l'on ne s'attend tout simplement pas qu'une voiture au gabarit et au poids aussi imposants se déplace avec autant d'autorité. Le V12 biturbo de 6,6 litres, livré par BMW, développe 563 chevaux et un couple de 575 livres-pied et, même si la Ghost affiche plus de 2 300 kilos à la pesée, est tout de même capable d'atteindre 100 kilomètres/heure en 5 secondes. Ce qui permet au conducteur et aux passagers de ressentir une poussée, ferme, mais très linéaire, qui les colle au dossier, un peu comme celle ressentie à bord d'un avion de ligne au décollage.

Également présentée à Genève, la Wraith se distingue par sa configuration de type fastback marquée par une lunette arrière fortement inclinée. Élaborée sur la même plate-forme que la Ghost, la Wraith est cependant plus courte et roule sur un empattement réduit, alors que les composantes mécaniques sont essentiellement inchangées, quoique le moteur développe plus de puissance, soit 624 chevaux.

Une Wraith Drophead pour 2016 ?

Comme mentionné plus tôt, il est presque assuré que Rolls-Royce offrira une version cabriolet de la Wraith pour l'année-modèle 2016. En effet, de nombreuses photos ont été prises d'un modèle affublé d'un faux toit, dont la forme n'a rien à voir avec celui du modèle de série. Ce qui laisse présager qu'un toit souple, semblable à celui que l'on retrouve sur la Phantom Drophead Coupe, se trouve dessous. Il y a fort à parier que cette nouvelle variante de la Wraith sera animée par le même V12 biturbo qui équipe le modèle coupé, mais que son prix sera nettement supérieur.

Imposantes et exclusives au point de commander le respect, la Ghost et la Wraith font partie de ces voitures d'exception qui en disent presque aussi long sur la personnalité de leurs acheteurs que sur la valeur de leur portefeuille...

Châssis - Ghost, châssis court

Emp / lon / lar / haut	3295 / 5399 / 1948 / 1550 mm
Coffre / Réservoir	490 litres / 82 litres
Nombre coussins sécurité / ceintures	6 / 5
Suspension avant	indépendante, pneu, bras inégaux
Suspension arrière	indépendante, pneu, multibras
Freins avant / arrière	disque / disque
Direction	à crémaillère, ass. variable
Diamètre de braquage	13,4 m
Pneus avant / arrière	P255/50R19 / P255/50R19
Poids / Capacité de remorquage	2490 kg / n.d.
Assemblage	Goodwood, GB

Composantes mécaniques

Ghost

Cylindrée, soupapes, alim.	V12 6,6 litres 48 s turbo
Puissance / Couple	563 chevaux / 575 lb-pi
Tr. base (opt) / rouage base (opt)	A8 / Prop
0-100 / 80-120 / V.Max	5,0 s (const) / n.d. / 250 km/h
100-0 km/h	n.d.
Type / ville / route / CO_2Sup	17,3 / 10,5 l/100 km / 6570 kg/an

Wraith

Cylindrée, soupapes, alim.	V12 6,6 litres 48 s turbo
Puissance / Couple	624 chevaux / 590 lb-pi
Tr. base (opt) / rouage base (opt)	A8 / Prop
0-100 / 80-120 / V.Max	4,6 s (const) / n.d. / 250 km/h
100-0 km/h	n.d.
Type / ville / route / CO_2Sup	16,9 / 10,0 l/100 km / 6346 kg/an

Du nouveau en 2015

Lancement de la Ghost Series II. Ajout d'une version allongée.

FEU VERT
- Confort souverain
- Qualité des matériaux incomparable
- Livrée très linéaire du couple moteur
- Exclusivité assurée

FEU ROUGE
- Poids et gabarit imposants
- Direction manque de *feedback*
- Le poids élevé limite la tenue de route
- Style discutable

Photos: Rolls-Royce

ROLLS-ROYCE GHOST

ROLLS-ROYCE PHANTOM COUPÉ

℞ ROLLS-ROYCE **PHANTOM / COUPÉ / DROPHEAD COUPÉ**

▸ **Catégorie :** Berline, Cabriolet, Coupé   ▸ **Échelle de prix :** 407 400 $ à 480 175 $ ▸ **Transport et prép. :** n.d.

▸ **Cote d'assurance :** n.d.   ▸ **Garanties :** 4 ans/illimité, 4 ans/illimité   ▸ **Ventes CAN 2013 :** n.d.

« Prenez le meilleur et améliorez-le »

Alain Morin

Le titre de cet article représente la philosophie de Sir Henry Royce et Charles Rolls quand ils ont fondé Rolls-Royce en 1906. Encore aujourd'hui, la célèbre marque demeure fidèle à son credo. Reconnue depuis lors pour la très grande qualité de ses voitures, Rolls-Royce est même devenue le qualificatif suprême, comme dans : « La Rolls-Royce des frigidaires ». Les plus raffinés, ceux qui tutoient le luxe, peuvent même se permettre de l'appeler par son petit nom « J'ai vu une Rolls en fin de semaine ». Évidemment, bien peu peuvent se vanter du « J'ai conduit une Rolls en fin de semaine » ! La rareté, c'est ce qui fait la beauté d'une Rolls-Royce.

Si j'étais méchante langue, je dirais que c'est bien la seule chose qui fait la beauté d'une Rolls-Royce... Certes, la Phantom est imposante, tel un barrage sur la rivière Manic, mieux, telle une pyramide dressée en l'honneur de son maître. Aussi aérodynamique qu'une boîte de chaussures (en peau de

crocodile, les chaussures, cela va sans dire !) et dotée d'une grille avant qui transpire le pouvoir, cet hymne à l'ostentation pèse autant qu'un Ford Expedition, mais Rolls-Royce n'a pas cru bon dévoiler ses capacités de remorquage. Pourtant, avec son V12 de 6,7 litres, ce n'est assurément pas une petite remorque qui doit la déranger.

Prestance quasiment religieuse

L'extérieur impressionne ? Attendez de vous asseoir dans un des sièges recouverts d'un cuir provenant sans doute d'une vache royale ou d'un bison élevé aux graines de lin du Sri Lanka. Le confort est apothéotique et l'habitacle est digne d'une cathédrale gothique autant au niveau de l'espace que du respect qui envahit ceux qui y pénètrent. Alors qu'on s'attendait à un tableau de bord glorifiant le design et la technologie, on se retrouve devant une planche massive, recouverte de matériaux que seul Bill Gates peut se payer, qui manque cependant d'originalité. Faut croire qu'une Phantom, c'est fait pour les gens importants assis à l'arrière, pas pour le

Impressions de l'auteur		Concurrents
Agrément de conduite : ★★★⯪ 3,5		Bentley Mulsanne
Fiabilité : n.d.		
Sécurité : ★★★★ 4		
Qualités hivernales : ★★★ 3		
Espace intérieur : ★★★★⯪ 4,5		
Confort : ★★★★★ 5		

chauffeur. Pas un chauffeur comme dans « moé, chu un chauffeur de camion » non, un chauffeur avec des gants blancs, un habit foncé et qui écoute de la musique classique quand le patron est là. Et Slayer le reste du temps.

D'ailleurs, il doit s'ennuyer ce chauffeur. Le V12 a du couple à revendre et la transmission à huit rapports est d'une douceur émouvante. Les suspensions préservent le confort contre toute agression de nos routes mais accusent du roulis en virage. Et puis la direction est d'une légèreté angélique. La même légèreté dans une Toyota Avalon aurait été qualifiée de déconcertante mais on ne dit pas ça d'un demi-million de dollar sur roues. On a beau appartenir à des Allemands, la noblesse anglaise a conservé ses droits. Oh, vous saviez sûrement que Rolls-Royce appartient à BMW.

Si une Phantom ne fait pas votre bonheur puisque le peuple ne peut pas vous voir quand vous vous déplacez, il y a la Drophead Coupé. Cette version décapotable porte un nom bizarre pour nous, mais qui sied parfaitement aux cabriolets ou décapotables anglaises qui ont depuis longtemps adopté ce terme. Bref, cette Phantom possède un toit en toile (pas n'importe quelle toile. Notre stade olympique en est jaloux...) qui se rétracte dans le coffre sous un couvercle souvent recouvert de bois, sinon d'aluminium. Les places arrière sont, curieusement, pas très logeables mais qu'est-ce qu'on s'en fout !

On est quand même loin d'une Lamborghini...

Pour les gens qui aiment conduire leur villa mobile, il y a la Phantom Coupé. Tout aussi imposante et luxueuse que la version berline ou décapotable, cette Coupé est la sportive de la famille. Ses suspensions, sans être le moindrement dures sont un peu plus fermes et la direction, surprise ! est moins angélique que dans les deux autres modèles. La motorisation toutefois demeure la même mais elle suffit amplement.

Acheter une Rolls-Royce, c'est afficher, non, c'est crier haut et fort son pouvoir financier. Personnaliser sa voiture devient alors plus qu'une fantaisie de millionnaire. C'est pour cette raison que la maison de Goodwood en Angleterre a prévu la collection Bespoke qui offre des voitures faites sur mesure pour répondre aux désirs les plus extravagants ou les plus cossus. Des coupes de champagne à 5 000 $ chacune ? Une couleur de carrosserie spéciale ? Une couleur de cuir particulière ? Une essence de bois qu'on retrouve juste sur Uranus ? Une mascotte de radiateur « Spirit of Ectasy » en or massif ? De la classe ou du bling-bling ? Payez, vous recevrez, c'est aussi simple que ça!

Châssis - Drophead Coupé

Emp / lon / lar / haut	3320 / 5612 / 1987 / 1566 mm
Coffre / Réservoir	315 litres / 80 litres
Nombre coussins sécurité / ceintures	6 / 4
Suspension avant	indépendante, pneu, double triangulation
Suspension arrière	indépendante, pneu, multibras
Freins avant / arrière	disque / disque
Direction	à crémaillère, ass. variable
Diamètre de braquage	13,1 m
Pneus avant / arrière	P255/50R21 / P285/45R21
Poids / Capacité de remorquage	2719 kg / n.d.
Assemblage	Goodwood, GB

Composantes mécaniques

Phantom, Coupé, Drophead Coupe

Cylindrée, soupapes, alim.	V12 6,7 litres 48 s atmos.
Puissance / Couple	453 chevaux / 531 lb-pi
Tr. base (opt) / rouage base (opt)	A8 / Prop
0-100 / 80-120 / V.Max	5,8 s (const) / 5,5 s / 240 km/h
100-0 km/h	40,0 m
Type / ville / route / co$_2$Sup	16,8 / 10,3 l/100 km / 6383 kg/an

ROLLS-ROYCE PHANTOM DROPHEAD COUPÉ

Du nouveau en 2015

Plaquettes de frein noires pour tous les modèles, nouveau fini Dark Lacquered pour les roues, nouveau plafond Starlight optionnel.

FEU VERT
- Prestige intact
- Silence de roulement phénoménal
- Moteur étonnamment performant
- Tenue de route héroïque
- Luxe incomparable

FEU ROUGE
- Voitures immenses et lourdes
- Consommation extrême
- Prix tout simplement honteux
- Style très près du kitch
- Pas d'attache pour une remorque

ROLLS-ROYCE PHANTOM

Photos : Rolls-Royce

ROLLS-ROYCE PHANTOM / COUPÉ / DROPHEAD COUPÉ

SCION **FR-S**

▸ **Catégorie :** Coupé

▸ **Cote d'assurance :** n.d.

▸ **Échelle de prix :** 28 170 $ à 29 350 $ (2014)

▸ **Garanties :** 3 ans/60 000 km, 5 ans/100 000 km

▸ **Transport et prép. :** 1 595 $

▸ **Ventes CAN 2013 :** 1 825 unités

L'esprit sportif

Gabriel Gélinas

La marque Toyota est plus associée à la fiabilité qu'à la sportivité. Et pourtant, Akio Toyoda, l'actuel président et chef de la direction du géant japonais et petit-fils du fondateur de la marque, est également un pilote de course à temps partiel qui a participé notamment aux 12 Heures du Nürburgring au volant d'une Lexus LFA de compétition. C'est peut-être cet amour du sport automobile jumelé au constat que la marque manque un peu d'éclat qui explique pourquoi Toyota s'est lancé en coentreprise avec Subaru pour concevoir une vraie sportive, appelée Scion FR-S en Amérique du Nord et Toyota GT86 ailleurs dans le monde.

Dans ce projet conjoint, la répartition des tâches a vu Subaru assurer le développement technique et la construction de tous les modèles, alors que Toyota s'est occupé de l'aspect design. Dès le premier coup d'œil, on peut dire que c'est très réussi côté style, la FR-S affichant les proportions classiques d'un authentique coupé sport. L'usage du moteur à plat, si

cher à Subaru, explique en partie pourquoi le capot avant est aussi plongeant, et le moins que l'on puisse dire c'est que la FR-S a la gueule de l'emploi.

Sur le plan technique, les objectifs de développement étaient clairs : centrer les masses et abaisser le centre de gravité au maximum. C'est la réussite sur les deux plans puisque la répartition des masses de la FR-S est presque idéale, avec son ratio de 53 % sur le train avant et de 47 sur le train arrière, et que le centre de gravité est voisin de celui d'une Ferrari 458.

Dans le cockpit

Prendre place à bord de la FR-S permet de constater que l'ergonomie est sans failles et que l'effet « cockpit » est réussi. Les sièges avant offrent un très bon soutien latéral, le pédalier est bien disposé et la FR-S est dotée d'un repose-pied sur lequel on peut exercer une pression avec la jambe gauche en conduite sur circuit, histoire de bien se caler dans le siège et de ne pas avoir à se cramponner au volant, ce qui assure une

Impressions de l'auteur		Concurrents
Agrément de conduite :	★★★★⯪ 4,5/5	Subaru BRZ, Hyundai Genesis Coupé,
Fiabilité :	★★★★☆ 4/5	Nissan 370Z
Sécurité :	★★★★☆ 4/5	
Qualités hivernales :	★★★☆☆ 3/5	
Espace intérieur :	★★★☆☆ 3/5	
Confort :	★★★☆☆ 3/5	

conduite plus fluide concernant le maniement du volant. Droit devant, on note que le tachymètre occupe la position centrale, tout comme chez Porsche. N'oublions pas que la sportivité est la vocation première de la FR-S.

Sur un circuit, on s'éclate véritablement avec la FR-S qui est légère et très joueuse. La servodirection électrique est d'une précision remarquable, le freinage est puissant et c'est une joie de la piloter, particulièrement dans les transitions de gauche à droite. À ce moment, la voiture répond instantanément au changement de direction et le transfert des masses s'opère avec un minimum de roulis bien contrôlé.

Au sujet de la dynamique, c'est très réussi, et il est facile de provoquer de belles glissades sur le deuxième rapport, si l'on a pris soin de désactiver le système de contrôle de la stabilité au préalable, mais la puissance du moteur est un peu juste pour effectuer ce genre de manœuvres en troisième vitesse.

La haute voltige

Sur circuit, comme on flirte toujours avec la zone rouge du tachymètre, le relatif manque de couple du moteur à bas régime n'est pas aussi marqué que lors de la conduite normale sur des routes balisées. En effet, le moteur boxer de 2,0 litres atmosphérique développe 200 chevaux, soit un rapport de 100 chevaux par litre de cylindrée, ce qui est exceptionnel, mais il ne livre son couple maximal de 151 livres-pied qu'à un régime très élevé de 6 400 tours/minute. Il faut donc sérieusement cravacher la cavalerie pour en extraire tout le potentiel de performance.

Or, cravacher une cavalerie, ça ne pose pas de problème sur un circuit, mais ça devient plus problématique pour la conduite de tous les jours, où l'on préfère disposer d'un couple plus soutenu à bas et moyen régime, ce qui fait défaut sur la FR-S et sa cousine germaine, la Subaru BRZ.

À propos du comportement routier sur les routes balisées, précisons que la direction se révèle toute aussi incisive et que les suspensions fermes sont aussi calibrées afin d'assurer un bon débattement, donnant un roulement tout à fait agréable. Par contre, on perçoit assez bien les bruits de roulement dans l'habitacle. D'un autre côté, l'ajout de matériel insonorisant aurait certainement eu pour effet d'alourdir la voiture, ce qui aurait eu une incidence négative sur le potentiel de performance. Donc, on fait avec le niveau de bruit et on apprécie la conduite directe, précise et enlevante de cet authentique coupé sport.

Châssis - Base

Emp / lon / lar / haut	2570 / 4235 / 1775 / 1425 mm
Coffre / Réservoir	196 litres / 50 litres
Nombre coussins sécurité / ceintures	6 / 4
Suspension avant	indépendante, jambes de force
Suspension arrière	indépendante, multibras
Freins avant / arrière	disque / disque
Direction	à crémaillère, ass. électrique
Diamètre de braquage	10,8 m
Pneus avant / arrière	P215/45R17 / P215/45R17
Poids / Capacité de remorquage	1251 kg / n.d.
Assemblage	Gunma, JP

Composantes mécaniques

Cylindrée, soupapes, alim.	H4 2,0 litres 16 s atmos.
Puissance / Couple	200 chevaux / 151 lb-pi
Tr. base (opt) / rouage base (opt)	M6 (A6) / Prop
0-100 / 80-120 / V.Max	7,3 s / 5,6 s / 225 km/h
100-0 km/h	40,0 m
Type / ville / route / co_2	Sup / 8,3 / 5,8 l/100 km / 3312 kg/an

Du nouveau en 2015

Quelques modifications dans le design intérieur. Ajout de l'édition spéciale RS 1.0.

FEU VERT
- Excellente tenue de route
- Très bonne boîte manuelle
- Freinage puissant
- Ergonomie sans reproches
- Très bonne visibilité

FEU ROUGE
- Manque de couple à bas régime
- Places arrière symboliques
- Coffre peu profond
- Carbure au super

SCION **IQ**

▸ **Catégorie :** Hatchback	▸ **Échelle de prix :** 18 835 $ (2014)	▸ **Transport et prép. :** 1 595 $
▸ **Cote d'assurance :** n.d.	▸ **Garanties :** 3 ans/60 000 km, 5 ans/100 000 km	▸ **Ventes CAN 2013 :** 493 unités

C'est aussi ça, l'automobile

Alain Morin

La catégorie des citadines, ces minivoitures taillées sur mesure pour les centres-villes bondés, s'est récemment agrandie. Après quelques années où la smart avait régné sans partage, voilà que sont débarquées les Fiat 500, Chevrolet Spark, Nissan Micra et Scion iQ. L'an dernier, pour les besoins du *Guide 2014*, nous avions effectué un match comparatif entre ces voitures (sauf la Micra qui n'était pas encore arrivée chez nous et la Mitsubishi Mirage, dont les mesures la rapprochent des sous-compactes). La Scion iQ avait terminé en troisième position sur quatre.

Pourtant, son style extérieur est franchement mignon. En dépit des dimensions de la lilliputienne, il fait plutôt costaud avec son air trapu et sa partie arrière verticale. L'intérieur, lui, s'attire des commentaires aussi positifs que négatifs. Tout d'abord, on est surpris du vaste espace à l'avant, à tel point qu'on se croit dans une voiture plus grande. En fait, ce n'est que lorsqu'un mastodonte de la route nous colle au derrière

qu'on se rend compte que la lunette arrière est située assez près de notre nuque... Scion a beau dire que sa iQ est une quatre places, on s'étonne en voyant celles à l'arrière. Celle de droite offre plus de dégagement que celle de gauche. Malgré tout, quand je me suis assis à droite, quelques objets liturgiques ont coloré mes propos. Et lorsque j'ai tenté de m'asseoir derrière le conducteur, ce qui est carrément impossible pour un être humain normalement constitué, le Divin a sans doute réévalué mon lieu de résidence pour l'éternité...

Le tableau de bord décontenance. Tout d'abord parce que son design est plutôt éclaté dans la section qui fait face au conducteur alors qu'il est des plus ordinaires à droite. Qui plus est, les espaces de rangement sont pratiquement inexistants (il n'y a pas de coffre à gants mais, au moins, on retrouve un bac coulissant sous le siège du passager avant), les plastiques tiennent plus du roc que de l'industrie pétrochimique, la position de conduite n'est pas toujours facile à trouver et le repose-pied... ne repose pas le pied. Quant au coffret (non,

Impressions de l'auteur		Concurrents
Agrément de conduite : ★★★☆☆	3/5	Fiat 500, smart Fortwo
Fiabilité : ★★★★☆	4/5	
Sécurité : ★★★★☆	4/5	
Qualités hivernales : ★★⯪☆☆	2,5/5	
Espace intérieur : ★★★☆☆	3/5	
Confort : ★★★☆☆	3/5	

SCION IQ

non, j'ai bien écrit coffret, pas coffre), on doit impérativement baisser les dossiers des sièges arrière 50/50 pour qu'il devienne le moindrement utile.

Moins de 1 000 kilos

Pour se mouvoir, la iQ fait appel à un quatre cylindres de 1,3 litre développant 94 chevaux et un couple de 89 livres-pied. C'est peu mais comme la voiture ne pèse que 965 petits kilos et est destinée à un usage urbain, c'est suffisant. La transmission est une CVT au comportement, ma foi, intéressant. En fait, je me demande si c'est parce que je m'attendais à des réactions tellement pourries que je n'ai pas été déçu. Enfin, passons. En ville, les accélérations initiales sont assez vives (et pourraient faire péter un sonomètre...), cependant, il n'est pas long que l'ensemble s'essouffle. La iQ préfère les rues bondées du centre-ville aux autoroutes. Lors de nos essais, notre minivoiture a consommé 7,1 litres tous les cent kilomètres, ce qui n'est rien pour encombrer les réseaux sociaux. Cette consommation, bien que passablement plus élevée que celle annoncée par Scion, est dans la norme pour cette catégorie de voitures. Si c'est l'économie d'essence qui vous préoccupe, une Toyota Yaris peut faire mieux tout en offrant beaucoup plus. Par contre, pour le charme, la Yaris est nettement déficitaire!

Même pas un trente sous

En ville, le comportement de la iQ étonne. Tout d'abord, elle vire sur « un dix cennes ». La direction est parfaitement étudiée pour la conduite en milieu urbain. La visibilité vers l'arrière est bonne, une denrée rare de nos jours. Les nids-de-poule qui poussent dans nos rues auront tôt fait de dénoncer des suspensions assez fermes qui, associées à un empattement très court, peuvent rendre la conduite désagréable. Sur une rue bien entretenue (oui, oui, ça existe!), le confort est tout à fait convenable.

Le tableau en ville n'est pas parfait mais attendez d'en sortir! À haute vitesse, sur une autoroute par exemple, la direction est trop légère, ce qui est loin d'arranger les choses quand la journée est venteuse. Si la sécurité vous inquiète, sachez que la iQ possède pas moins de 11 coussins gonflables.

On achète une Scion iQ pour les mêmes raisons qu'on se procure un Jeep Wrangler, parce qu'on en tombe amoureux. La logique et l'amour, vous savez, font rarement bon ménage... Si vous êtes plus du type cérébral, la Toyota Yaris est un choix beaucoup plus approprié, autant en termes d'espace que de comportement routier. Elle ne consomme pas davantage et sa valeur de revente est supérieure.

Quoi qu'il en soit, la iQ n'est pas une mauvaise voiture pour autant. Et quand on s'en sert comme il se doit, en ville, elle peut être vraiment attachante. Ah oui, j'allais oublier! Si vous aviez espéré vous procurer le pendant luxueux de la iQ, l'Aston Martin Cygnet, oubliez ça. Elle ne viendra finalement pas au Canada. On est plus soulagés que déçus!

Châssis - Base

Emp / lon / lar / haut	2000 / 3050 / 1680 / 1500 mm
Coffre / Réservoir	99 à 473 litres / 32 litres
Nombre coussins sécurité / ceintures	11 / 4
Suspension avant	indépendante, jambes de force
Suspension arrière	semi-indépendante, poutre de torsion
Freins avant / arrière	disque / tambour
Direction	à crémaillère, ass. électrique
Diamètre de braquage	8,1 m
Pneus avant / arrière	P175/60R16 / P175/60R16
Poids / Capacité de remorquage	965 kg / n.d.
Assemblage	Toyota City, JP

Composantes mécaniques

Cylindrée, soupapes, alim.	4L 1,3 litre 16 s atmos.
Puissance / Couple	94 chevaux / 89 lb-pi
Tr. base (opt) / rouage base (opt)	CVT / Tr
0-100 / 80-120 / V.Max	11,5 s / 9,3 s / n.d.
100-0 km/h	44,5 m
Type / ville / route / CO_2	Ord / 5,5 / 4,7 l/100 km / 2346 kg/an

Du nouveau en 2015

Aucun changement majeur

FEU VERT
- Jolie binette
- Rayon de braquage très court
- Voiture très à l'aise en ville
- Fiabilité reconnue

FEU ROUGE
- Puissance modeste
- Suspensions dures
- Consommation relativement élevée
- Tableau de bord étrange
- Places arrière inutilisables

Photos: Jeremy Alan Glover, Scion Canada

SCION **TC**

▶ **Catégorie :** Coupé

▶ **Échelle de prix :** 21 490 $ à 22 540 $ (2014)

▶ **Transport et prép. :** 1 595 $

▶ **Cote d'assurance :** $$$$

▶ **Garanties :** 3 ans/60 000 km, 5 ans/100 000 km

▶ **Ventes CAN 2013 :** 1 485 unités

Une simple figurante

Marc Lachapelle

Seul un grand constructeur peut se permettre d'inventer une marque dans le but de cibler un nouveau groupe d'acheteurs. C'est le luxe que s'est payé le géant Toyota en créant la marque Scion. Après avoir offert d'abord ses compactes *cool* aux jeunes Californiens, Scion s'est bravement aventurée au nord de la frontière avec un trio de modèles dont le plus intéressant était le coupé tC aux ambitions vaguement sportives. Cinq ans plus tard, son portrait reste flou malgré les retouches dont il a profité.

Il faut dire que le tC n'est plus l'athlète de la famille Scion, s'il ne l'a jamais été. Ce rôle a été repris par la FR-S, primée Voiture de l'année par le *Guide de l'auto 2013* à son lancement. Un titre partagé avec sa presque jumelle, la Subaru BRZ. Or, le caractère du coupé tC est aussi vague que celui des FR-S/BRZ est net et précis. Il est correct en tout et n'excelle en rien. Sa principale qualité demeure la fiabilité habituelle des produits Scion. Rien pour exciter les passionnés.

Retombées esthétiques positives

Ironiquement, le fait de se retrouver dans l'ombre de la FR-S a profité au tC l'an dernier. Il est effectivement apparu avec une nouvelle partie avant et une calandre dont le dessin plus affirmé s'inspirait du devant ciselé de la FR-S. On a pris soin de l'encadrer de DEL pour que cet avant soit parfaitement au goût du jour. Ses blocs optiques arrière ont été redessinés et truffés de DEL eux aussi. Le tC a également reçu de nouvelles jantes d'alliage de 18 pouces, un nouvel écran tactile et une console dont la texture est désormais souple.

Une version spéciale baptisée Scion 10 tC et tirée en nombre limité a souligné le dixième anniversaire de la marque. Elle se distinguait par la couleur argentée de sa carrosserie, de ses ceintures de sécurité et des surpiqûres de ses sièges. En plus de rétroviseurs noirs et d'une clé repliable, d'un pommeau de vitesse éclairé et d'une plaque numérotée, cette version était décorée à l'avant et à l'arrière de grands écussons Scion argentés et bleus qui s'illuminaient (encore des DEL) en

Impressions de l'auteur		
Agrément de conduite :	★★★⯪★	3,5/5
Fiabilité :	★★★★⯪	4,5/5
Sécurité :	★★★⯪★	3,5/5
Qualités hivernales :	★★★⯪★	3,5/5
Espace intérieur :	★★★★★	4/5
Confort :	★★★⯪★	3,5/5

Concurrents
Honda Civic Coupé, Hyundai Elantra GT, Kia Forte Koup

déverrouillant les portières. Une touche amusante et originale qui mériterait d'être reprise sur tous les modèles.

Même si l'apparence est reine chez Scion, on a heureusement accordé aussi un minimum d'attention aux éléments mécaniques du coupé tC lors de cette dernière révision. En retouchant surtout sa suspension qui en avait grand besoin. Les ingénieurs ont d'abord eu l'excellente idée de renforcer la coque et la structure en ajoutant des points de soudure à la fabrication. Ils ont ainsi pu modifier les articulations des barres antiroulis et revoir les tarages des ressorts et amortisseurs. L'objectif de cette opération était « d'optimiser la tenue de route », mais il fallait espérer qu'elle réduise aussi la fragilité et la vulnérabilité indéniables des « jambes » du coupé tC sur nos routes défoncées.

Un bel effort

Scion mérite une bonne note pour l'intention et les efforts mais pour tout dire, les bienfaits de ces modifications ne sont pas évidents en conduite. Le tC réagit de manière sèche et bruyante à la moindre fente ou saillie sur l'asphalte et il est encore sage d'éviter à tout prix les nids-de-poule. Les prouesses sportives ne sont donc toujours que des promesses, toutefois, le coupé tC est quand même raisonnablement agile et son comportement équilibré et sûr. D'autant plus qu'il est impossible de désactiver complètement son antidérapage.

La boîte de vitesse manuelle à six rapports a censément été resserrée. Elle est assez douce mais la course du levier est un peu longue et il faut surtout apprivoiser un embrayage léger et peu progressif, qui mord vraiment trop sec. Heureusement que le gros quatre cylindres de 2,5 litres est souple et plein de couple, avec une note d'échappement bien ronde. On peut ainsi rester sans peine sur un rapport plus long en ville. Et si vous êtes allergique aux embrayages chatouilleux, la boîte automatique à six rapports optionnelle ajuste maintenant le régime-moteur lorsqu'on rétrograde en mode manuel. Ce qu'on peut faire du bout des doigts avec les manettes installées derrière le volant.

Le coupé tC a toujours proposé une bonne position de conduite et c'est encore vrai. Le baquet est bien sculpté et juste assez ferme. La jante gainée de cuir perforé du volant sport est impeccable, avec une section droite sur la portion inférieure, au goût du jour. Les contrôles sont bien placés et précis mais les cadrans sont trop sombres le jour et l'écran central manque de contraste.

Le mieux est d'y aller doucement, d'admirer le paysage et de profiter de la chaîne audio en bonne compagnie, grâce à des places arrière étonnamment accessibles et accueillantes pour un coupé. Parce que pour les grandes sensations, il faut vraiment chercher ailleurs.

Châssis - Base (auto.)

Emp / lon / lar / haut	2700 / 4485 / 1795 / 1415 mm
Coffre / Réservoir	417 litres / 55 litres
Nombre coussins sécurité / ceintures	8 / 5
Suspension avant	indépendante, jambes de force
Suspension arrière	indépendante, double triangulation
Freins avant / arrière	disque / disque
Direction	à crémaillère, ass. électrique
Diamètre de braquage	11,2 m
Pneus avant / arrière	P225/45R18 / P225/45R18
Poids / Capacité de remorquage	1402 kg / n.d.
Assemblage	Toyota City, JP

Composantes mécaniques

Cylindrée, soupapes, alim.	4L 2,5 litres 16 s atmos.
Puissance / Couple	179 chevaux / 172 lb-pi
Tr. base (opt) / rouage base (opt)	M6 (A6) / Tr
0-100 / 80-120 / V.Max	8,6 s / 5,9 s / n.d.
100-0 km/h	40,5 m
Type / ville / route / CO_2	Ord / 8,9 / 6,3 l/100 km / 3542 kg/an

Du nouveau en 2015

Manettes montées derrière le volant avec la boîte de vitesse automatique et deux nouvelles couleurs.

FEU VERT
- Bonne position de conduite
- Places arrière correctes pour un coupé
- Volant sport agréable
- Soute arrière pratique
- Moteur souple

FEU ROUGE
- Plutôt bruyant sur autoroute
- Suspension vulnérable et fragile
- Direction légère, trop assistée
- Embrayage peu progressif
- Tableau de bord fade

Photos : Scion Canada

SCION **XB**

▸ **Catégorie :** Multisegment

▸ **Cote d'assurance :** n.d.

▸ **Échelle de prix :** 20 680 $ à 21 700 $ (2014)

▸ **Garanties :** 3 ans/60 000 km, 5 ans/100 000 km

▸ **Transport et prép. :** 1 595 $

▸ **Ventes CAN 2013 :** 808 unités

Original mais ignoré

Denis Duquet

Même si le coupé FR-S nous porterait à croire le contraire, la marque Scion a été originalement concoctée pour cibler une clientèle jeune, plus axée sur les ordinateurs, les médias sociaux et la musique que sur les voitures. D'abord commercialisée dans certaines grandes villes américaines, Scion a émigré au Canada pour l'année modèle 2011. Cette gamme de modèles iconoclastes comprenait une offre réduite dont deux boîtes carrées sur roues, les xB et xD, affirmant l'orientation « funkée » de Scion. Des deux, le xB est nettement mieux réussi et même s'il se vend un tantinet plus cher, Toyota, pardon Scion, en écoule bien davantage d'exemplaires.

Donc, si les formes carrées et un peu étranges vous attirent et que le caractère marginal de Scion vous plaît, le xB est pour vous! Certains même craqueront pour une version Release Series 10.0 qui ajoute une foule de lumières DEL, des sièges au

tissu plus vivant et une caméra de recul. Mais avant de vous précipiter chez un concessionnaire, lisez ce qui suit.

Une salle de concert!

Puisque le xB s'adresse aux personnes qui ont une propension à écouter de la musique en roulant, du moins selon les dires du constructeur, et qui recherchent en même temps un véhicule pratique, la priorité a été accordée à un système audio plus sophistiqué que la moyenne des multisegments d'entrée de gamme. Depuis l'an dernier, on a remplacé l'insignifiant système audio par une chaîne Pioneer à écran tactile qui est nettement plus conviviale dans ses réglages et dont la sonorité est supérieure. Il est même possible de commander en option un système encore plus perfectionné intégrant les commandes vocales et un système de navigation par satellite. Quant aux audiophiles, autant vous avertir, le système privilégie les notes graves.

Cet écran d'affichage est placé en plein milieu de la planche de bord et a forcé les designers à loger les cadrans indicateurs

Impressions de l'auteur		Concurrents
Agrément de conduite : ★★★★☆	4/5	Kia Soul, Nissan Juke
Fiabilité : ★★★★⯪	4,5/5	
Sécurité : ★★★★	4/5	
Qualités hivernales : ★★★⯪	3,5/5	
Espace intérieur : ★★★★	4/5	
Confort : ★★★⯪	3,5/5	

sur sa partie supérieure centrale. Ces derniers, au nombre de quatre et relativement petits, ne sont pas toujours de consultation facile et il faut un certain temps pour s'y habituer. En passant, je déplore la piètre qualité des plastiques employés et leur dureté ainsi que quelques commandes dont le design semble dater de plusieurs années... L'assemblage est assez bien fignolé cependant.

Transmissions démodées

Au sujet de la motorisation, le xB fait meilleure figure que le pathétique xD et son moulin de 1,8 litre en manque de puissance. Le xB est propulsé par l'increvable moteur de 2,4 litres qui produit 30 chevaux de plus que celui du xD. Ce n'est toujours pas le pactole mais il y a bien pire... Autant dans le cas du xB que du xD, il faut reprocher à Scion, donc Toyota, de s'être montré chiche au chapitre des transmissions. La boîte manuelle n'est qu'à cinq rapports tandis que l'automatique en possède un de moins. Il faudrait peut-être rappeler aux ingénieurs que nous sommes en 2015 et non pas en 1980! Ces transmissions ne font rien pour réduire la consommation de carburant et rendent le moteur bruyant sur l'autoroute.

Malgré ces quelques bémols, le xB est un véhicule essentiellement polyvalent qui se fait apprécier dans la conduite quotidienne. Les sièges avant sont confortables bien que leur support latéral soit minimal. L'accès à bord est facile, surtout aux places arrière, ce que les enfants vont aimer. La banquette arrière est très spacieuse tout comme le coffre à bagages. Et l'accès à celui-ci est facilité par un seuil de chargement bas. De plus, l'espace de chargement accommodera sans coup férir deux ou trois équipements de hockey. Les golfeurs sauront eux aussi faire bon usage de ce vaste coffre.

Et il ne faut pas se laisser duper par les formes carrées et relativement hautes qui laissent présager un comportement routier élémentaire. Sans être une auto sportive, ce cube sur roues ne se débrouille pas trop mal en fait de tenue de route. Véhicule urbain par excellence, il est agile et le couple élevé de son moteur à bas régime lui permet de se faufiler avec aisance dans la circulation... avec une montée des décibels à la moindre accélération! Par contre, il faudra être vigilant et consulter ses rétroviseurs, car une fenestration étroite et de larges piliers C nuisent à la visibilité. Sans oublier que les manœuvres de stationnement ne sont pas toujours évidentes.

Bref, le xB est le véhicule à tout faire dans la gamme Scion. Ses formes équarries ont été dessinées pour plaire aux jeunes, mais il n'y a pas d'âge pour profiter d'une aubaine. Et en plus, la fiabilité de ce modèle est excellente.

Châssis - Base

Emp / lon / lar / haut	2600 / 4250 / 1760 / 1590 mm
Coffre / Réservoir	329 litres / 53 litres
Nombre coussins sécurité / ceintures	6 / 5
Suspension avant	indépendante, jambes de force
Suspension arrière	semi-indépendante, poutre de torsion
Freins avant / arrière	disque / disque
Direction	à crémaillère, ass. électrique
Diamètre de braquage	10,6 m
Pneus avant / arrière	P205/55R16 / P205/55R16
Poids / Capacité de remorquage	1373 kg / n.d.
Assemblage	Toyota City, JP

Composantes mécaniques

Cylindrée, soupapes, alim.	4L 2,4 litres 16 s atmos.
Puissance / Couple	158 chevaux / 162 lb-pi
Tr. base (opt) / rouage base (opt)	M5 (A4) / Tr
0-100 / 80-120 / V.Max	9,8 s / 7,9 s / n.d.
100-0 km/h	43,7 m
Type / ville / route / co_2	Ord / 9,5 / 7,2 l/100 km / 3910 kg/an

Du nouveau en 2015

Aucun changement majeur

FEU VERT
- Excellente habitabilité
- Fiabilité assurée
- Tenue de route correcte
- Système audio amélioré
- Silhouette originale

FEU ROUGE
- Transmissions dépassées
- Plastiques ultra-durs
- Faible diffusion
- Version Release Series 10.0 futile

Photos : Scion Canada

SCION XD

▸ **Catégorie :** Familiale	▸ **Échelle de prix :** 19 505 $ à 20 405 $ (2014)	▸ **Transport et prép. :** 1 595 $
▸ **Cote d'assurance :** n.d.	▸ **Garanties :** 3 ans/60 000 km, 5 ans/100 000 km	▸ **Ventes CAN 2013 :** 367 unités

Inutilement vôtre

Denis Duquet

L'an dernier, la marque Scion a célébré son dixième anniversaire en Amérique avec quelques éditions spéciales pas trop convaincantes. Cette année, ça fait cinq ans qu'elle est présente au Canada. C'est à se demander si on ne nous proposera une gamme « Scion 5 Release » qui imiterait le « Scion 10 Release » de l'an dernier! Quoi qu'il en soit, le xD nous revient une année de plus et il est loin de nous convaincre.

Pourtant, de prime abord, il pourrait être intéressant. En effet, sa silhouette est « funkée » à souhait, Assez pour attirer une clientèle jeune qui apprécie également la fiabilité de la mécanique Toyota. Sans oublier qu'il est possible de l'équiper d'un système audio de bonne qualité, un atout indispensable pour attirer les jeunes. Et sans oublier le prix de vente compétitif.

Mais il y a un os dans la soupe et cet os c'est le Scion xB, un modèle similaire en apparence et en configuration. Toutefois,

il est plus gros — donc davantage spacieux — tout en étant propulsé par un moteur plus puissant et tout cela pour une différence d'environ 1 000 $. On peut bien se demander quels sont les arguments des vendeurs pour tenter de convaincre un acheteur de choisir le xD par rapport au xB...

La simplicité volontaire

La division Scion a été créée par Toyota pour appâter une clientèle jeune pas tellement intéressée par des performances et un comportement routier sportif. Cette clientèle visée préfère davantage les véhicules pratiques. Le xD est fidèle aux objectifs.

Il semble également que les planificateurs croient que ces acheteurs sont des ignares au chapitre de la mécanique, ce qui leur a permis de faire appel au plus bas dénominateur commun. C'est ainsi que l'incontournable quatre cylindres 1,8 litre se retrouve sous le capot, lui qui remonte à la nuit des temps. Avec ses 128 chevaux, il assure des performances correctes tout

Impressions de l'auteur			Concurrents
Agrément de conduite :	★★★★☆	3/5	Honda Fit, Kia Soul,
Fiabilité :	★★★★⯪	4,5/5	Nissan Versa Note, Toyota Yaris
Sécurité :	★★★★☆	4/5	
Qualités hivernales :	★★★⯪☆	3,5/5	
Espace intérieur :	★★★⯪☆	3,5/5	
Confort :	★★★☆☆	3/5	

au plus. Il est associé de série à une boîte manuelle à cinq rapports tandis que l'automatique en offre un de moins. Cette mécanique est d'une fiabilité à toute épreuve, mais fait vieux jeu face à des concurrents nettement plus sophistiqués.

Toujours dans la même veine, la suspension arrière est à poutre déformante, les freins arrière sont à tambour, tandis que la plate-forme date de plusieurs années. Une touche de modernité cependant : la direction est à assistance électrique. Surprenant qu'elle ne soit pas de type à vis et galet comme dans le bon vieux temps!

Déguisement inutile

Pour mousser les ventes de cette sous-compacte familiale, les responsables de chez Scion ont développé une panoplie d'accessoires provenant de TRD (Toyota Racing Development). Mais ce fardage est bien inutile car au lieu de rendre le véhicule plus attrayant, il ne fait que mettre en évidence ses faiblesses. Ainsi, il est possible de commander un pot d'échappement sport qui rend la sonorité du silencieux plus forte et plus gutturale. Cet accessoire a certainement sa place sur une Mustang par exemple, mais sur une voiture abritant un moteur de 128 chevaux qui s'essouffle à la moindre sollicitation, c'est presque ridicule...

Les modèles de série sont équipés de pneus de 16 pouces qui dévoilent la dureté de la suspension. Mais si l'on opte pour des jantes de 18 pouces, des amortisseurs sport et une suspension abaissée, c'est quasiment un supplice perpétuel. Il faut savoir choisir son itinéraire pour rouler sur des routes en bon état afin de ne pas souffrir.

Malgré ces bémols, le xD a au moins le mérite d'avoir toute une panoplie d'accessoires, ce que plusieurs concurrentes dans la même catégorie n'offrent pas.

Cette auto possède également d'intéressantes qualités, notamment une bonne habitabilité, un accès à bord facile en raison de sa hauteur et un coffre relativement spacieux compte tenu des dimensions extérieures. Le confort des sièges avant est correct, mais la position de conduite est difficile à trouver. Le tableau de bord arbore un cadran indicateur central de consultation facile, tandis que la climatisation est l'affaire de trois boutons placés directement sous la radio. Quant à celle-ci, ses commandes sont trop petites et énigmatiques. Même de jeunes propriétaires de xD interrogés ont avoué avoir sacré pendant au moins quelques semaines avant de s'y retrouver.

Heureusement, le prix du modèle de base est compétitif et la mécanique increvable. Serait-ce la combinaison parfaite pour un véhicule de livraison?

Châssis - Base	
Emp / lon / lar / haut	2460 / 3930 / 1725 / 1510 mm
Coffre / Réservoir	300 litres / 42 litres
Nombre coussins sécurité / ceintures	6 / 5
Suspension avant	indépendante, jambes de force
Suspension arrière	semi-indépendante, poutre de torsion
Freins avant / arrière	disque / tambour
Direction	à crémaillère, ass. électrique
Diamètre de braquage	11,3 m
Pneus avant / arrière	P195/60R16 / P195/60R16
Poids / Capacité de remorquage	1190 kg / n.d.
Assemblage	Toyota City, JP

Composantes mécaniques	
Base, Base (auto.)	
Cylindrée, soupapes, alim.	4L 1,8 litre 16 s atmos.
Puissance / Couple	128 chevaux / 125 lb-pi
Tr. base (opt) / rouage base (opt)	M5 (A4) / Tr
0-100 / 80-120 / V.Max	10,9 s / 9,0 s / n.d.
100-0 km/h	42,6 m
Type / ville / route / co_2	Ord / 7,6 / 5,9 l/100 km / 3128 kg/an

Du nouveau en 2015
Aucun changement majeur

FEU VERT
- Mécanique fiable
- Vaste choix d'accessoires
- Silhouette originale
- Bonne habitabilité

FEU ROUGE
- Mécanique vétuste
- Détails d'aménagement à revoir
- Radio infernale
- Le Scion xB lui est supérieur

Photos : Scion Canada

ÉLECTRIQUE

MODÈLE 2016

smart SMART **FORTWO**

▸ **Catégorie :** Cabriolet, Hatchback
▸ **Échelle de prix :** 17 500 $ à 29 990 $ (estimé)
▸ **Transport et prép. :** 817 $

▸ **Cote d'assurance :** $$$$
▸ **Garanties :** 4 ans/80 000 km, 4 ans/80 000 km
▸ **Ventes CAN 2013 :** 2 237 unités

L'esprit « smart »
est préservé

Nadine Filion

MODÈLE 2016

La deuxième génération de la smart fortwo s'est peu démarquée de la première. Les intimes la reconnaissaient par ses deux feux (et non plus trois) arrière. La troisième génération, qui nous arrivera l'été prochain, sera une autre histoire. Et il n'y a pas que la robe qui différera...

Bien que ladite robe sera ce dont on discourra le plus. Elle cache toujours la cellule de sécurité Tridion et conserve ces porte-à-faux presque absents. L'esprit « smart » est préservé. Mais en vertu des normes européennes de protection des piétons, la bouille plongeante et sympathique fait place à un museau qui se relève, comme celui d'un bouledogue. D'ailleurs, les arrondis aux angles et le redressement du hayon (toujours en deux ouvertures) rappellent la Scion iQ, non ?

Au-delà du style, il y a les transmissions. Vous avez bien lu : *LES* transmissions. D'une part, la manuelle automatisée

décriée par plusieurs cède le pas à une plus moderne – et sûrement plus souple – boîte à double embrayage à six rapports, soit un de plus. Cette Twinamic devrait clouer le bec à ceux qui reprochaient à la smart fortwo des passages de rapports qui donnaient l'impression d'être dans une chaise berçante. Puis, pour la première fois de sa carrière, la smart offrira la boîte manuelle – en l'occurrence, une cinq vitesses. Eh oui, l'Amérique y aura droit, mais que pour la variante de base. Est-ce dire que le prix de départ sera nettement réduit ? Après tout, les 9 998 $ demandés par les Nissan Micra et Mitsubishi Mirage (des quatre places, notez bien) sont venus changer la donne...

La smart n'a toujours pas de moteur diesel, ni en Amérique ni ailleurs sur la planète, mais ses trois cylindres, qu'elle installe encore sous son espace de chargement et qui propulsent ses roues arrière, sont nouveaux. Les deux premiers se différencient essentiellement l'un de l'autre par l'aspiration naturelle (1,0 l, 70 chevaux, 67 lb-pi) et le turbo (0,9 l, 90 chevaux,

Impressions de l'auteur		Concurrents
Agrément de conduite : ★★★⯪☆ 3,5		Chevrolet Spark, Fiat 500, Scion iQ
Fiabilité : ★★★★☆ 4		
Sécurité : ★★★⯪☆ 3,5		
Qualités hivernales : ★★☆☆☆ 2		
Espace intérieur : ★★⯪☆☆ 2,5		
Confort : ★★★⯪☆ 3,5		

100 lb-pi). Surprise : ce sera le plus puissant qui nous parviendra ! Un troisième organe trois cylindres d'à peine 60 chevaux s'ajoutera en route, mais il ne fera pas le chemin jusqu'à nous. La citadine conservera-t-elle une frugalité semblable à son actuel combiné de 5,3 l/100 km (tests deux cycles) ? C'est à voir. L'ajout d'un turbo pourrait troubler la fête, tout comme les 40 kg supplémentaires, bien qu'à 880 kg, la smart fortwo sera encore l'une des plus légères. À l'opposé, le dispositif Stop-and-start qui s'annexe (probablement en option) favorisera la conduite en ville.

Quelle plate-forme se cache là-dessous, maintenant ? Celle de la Renault Twingo, mixée à une suspension avant à jambes de force empruntée à la Mercedes Classe C. L'essieu De Dion demeure à l'arrière, mais on l'a doté d'un débattement plus grand pour, dit-on, plus de confort (évidemment...). De même, la direction à crémaillère reste, mais une direction Direct-Steer (paramétrique à démultiplication variable et à assistance électrique, en bon français) viendra s'adjoindre. Reste à savoir si pareille chose traversera l'Atlantique et, si oui, si elle sera de série ou non.

Ce qu'on sait pour sûr, c'est que les ingénieurs, rencontrés à Berlin en juillet lors du dévoilement mondial de la nouvelle smart fortwo (et de la smart forfour, mais celle-là ne traversera pas l'océan), ont insisté sur le rayon de braquage. Et vrai qu'à 7,3 m, c'est 1,5 m de moins qu'avant – et c'est un beau pied de nez aux 8 m de la Scion iQ !

Pas de panique...

smart nous l'avait juré, promesse tenue : la troisième génération de la fortwo garde ses légendaires 2,695 m de longueur et peut donc encore se stationner de travers. Les designers se sont toutefois vengés avec 10 cm en largeur, pour une meilleure stabilité (d'autant que notre smart fortwo viendra de série avec la technologie Crosswind, qui jouera du frein pour réduire la déportation) et un habitacle plus spacieux.

Justement, parlons cabine, pour dire que l'esprit « smart » est conservé, avec ces yeux de grenouille qui trônent à la planche de bord et ces sièges dits « intégraux » (l'appuie-tête est uni au reste du corps). On assure ces derniers plus confortables, merci à plus de rembourrage. Quand même, quelques améliorations notables : les matériaux montent en grade, le volant se fait plus substantiel, la connectivité sera plus conviviale et le volume de chargement gagnera 20 % (260 litres derrière les sièges). Les alertes aux changements de voie et aux collisions frontales agrémenteront la donne.

Deux histoires à suivre cette année : l'annonce (sans doute) d'une variante décapotable et d'une version électrique (en attendant, la smart fortwo electric drive continue sous sa robe actuelle). Et, peut-être si l'on est chanceux, une smart forfour pour l'Amérique...

Châssis - Pure (2016, Données Préliminaires)

Emp / lon / lar / haut	1873 / 2695 / 1670 / 1550 mm
Coffre / Réservoir	260 à 350 litres / 33 litres
Nombre coussins sécurité / ceintures	5 / 2
Suspension avant	indépendante, jambes de force
Suspension arrière	De Dion
Freins avant / arrière	disque / tambour
Direction	à crémaillère, assistée
Diamètre de braquage	7,3 m
Pneus avant / arrière	P155/60R15 / P175/55R15
Poids / Capacité de remorquage	880 kg / n.d.
Assemblage	Hambach, FR

Composantes mécaniques

Electric Drive coupé / cabriolet (2014)

Tr. base (opt) / rouage base (opt)	Rapport fixe / Prop
0-100 / 80-120 / V.Max	11,5 s (const) / n.d. / 125 km/h
100-0 km/h	n.d.
Type / ville / route / CO_2	Électricité / n.d. / n.d. l/100 km / n.d. kg/an

Moteur électrique

Puissance / Couple	74 ch (55 kW) / 96 lb-pi
Type de batterie	Lithium-ion
Énergie	17,6 kWh
Temps de charge (120V / 240 V)	16,0 / 8,0 hres
Autonomie	138 km

Pure (2014)

Cylindrée, soupapes, alim.	3L 1,0 litre 12 s turbo
Puissance / Couple	70 chevaux / 68 lb-pi
Tr. base (opt) / rouage base (opt)	A5 / Prop
0-100 / 80-120 / V.Max	13,3 s / 13,4 s / 145 km/h
100-0 km/h	42, 0 m
Type / ville / route / CO_2	Sup / 6,9 / 6,2 l/100 km / 3029 kg/an

Pure (2016, données préliminaires)

Cylindrée, soupapes, alim.	3L 1,0 litre 12 s turbo
Puissance / Couple	90 chevaux / 100 lb-pi
Tr. base (opt) / rouage base (opt)	M5 (A6) / Prop
0-100 / 80-120 / V.Max	12,8 s (const) / n.d. / 145 km/h
100-0 km/h	n.d.
Type / ville / route / CO_2	Sup / 6,9 / 6,2 l/100 km / 3029 kg/an

Du nouveau en 2015

Nouvelle génération (2016) attendue pour août 2015.

FEU VERT
- Nouvelles transmissions
- Puissance en hausse
- Suspension révisée – pour le confort
- Toujours aussi facile à stationner
- 20 % plus de chargement (derrière les sièges)

FEU ROUGE
- Style à la Scion iQ, non ?
- Deux places, seulement
- Pas de smart forfour... for nous

MODÈLE 2014

Photos : Smart Canada

SUBARU **BRZ**

▶ **Catégorie :** Coupé	▶ **Échelle de prix :** 27 295 $ à 29 295 $ (2014)	▶ **Transport et prép. :** 1 650 $
▶ **Cote d'assurance :** n.d.	▶ **Garanties :** 3 ans/60 000 km, 5 ans/100 000 km	▶ **Ventes CAN 2013 :** 1 119 unités

Hors normes

Gabriel Gélinas

Chez Subaru, on offre les rutilantes WRX et STI ainsi que le coupé BRZ, mais il faut bien reconnaître que si ces modèles assurent le rayonnement de la marque, ce sont plutôt les Impreza, Forester, Legacy et Outback les responsables du succès commercial de l'entreprise. Le BRZ est même le deuxième véhicule Subaru qui s'est le moins vendu au Canada en 2013 (le premier étant le Tribeca dont on écoulait les stocks!). Tout ça pour dire que le BRZ est vraiment une voiture hors normes pour le constructeur japonais, d'autant plus qu'il est le résultat d'une coentreprise avec le géant Toyota qui commercialise chez nous la FR-S sous la bannière Scion.

On peut qualifier à parts égales le BRZ d'anachronisme et de vision pure de la conduite sportive remise au goût du jour. Anachronisme dans la mesure où très peu de constructeurs se lancent aujourd'hui à l'assaut d'un créneau du marché aussi

pointu que celui qui est ciblé par le BRZ. Vision pure de la conduite sportive remise au goût du jour parce que ce coupé deux places à propulsion émule justement la conduite directe et précise des coupés et roadsters qui appartiennent à une autre époque tout en adoptant une technologie tout à fait actuelle.

Nous avons donc affaire à un authentique coupé sport bien équilibré grâce à une répartition des masses qui est de 53 % sur le train avant et de 47 % sur le train arrière. De plus, le centre de gravité du BRZ est presque aussi bas que celui de la Ferrari 458. En conduite sportive, le coupé BRZ, c'est du pur bonheur parce qu'il répond avec précision à la moindre sollicitation. La direction est acérée, précise et donne un excellent *feedback* sur l'adhérence qui prévaut. Le châssis est très rigide et les suspensions sont calibrées afin d'autoriser une tenue de route plus qu'inspirante. Le comportement de la voiture est toujours prévisible et le freinage est puissant,

Impressions de l'auteur

Agrément de conduite :	★★★★⯪ 4,5/5
Fiabilité :	★★★★ 4/5
Sécurité :	★★★★ 4/5
Qualités hivernales :	★★★ 3/5
Espace intérieur :	★★★ 3/5
Confort :	★★★ 3/5

Concurrents

Hyundai Genesis Coupe, Nissan Z, Scion FR-S

SUBARU BRZ

ce qui ajoute aux sensations de conduite que l'on éprouve au volant de cette voiture qui s'avère très joueuse.

Un moteur qui aime les hauts régimes

Logé en position très basse sous le capot, le moteur de type boxer livre 200 chevaux et 151 livres-pied de couple pour une voiture de 1 259 kilos. Sous 2 300 tours/minute, il ne se passe pas grand-chose, et ce n'est que lorsque l'on atteint 4 000 tours/minute que le moteur exprime pleinement sa vocation en acceptant volontiers qu'on le pousse vers les 6 000 tours/minute avant de changer de vitesse avec la boîte manuelle dont la course du levier est très courte. En quelques mots, le BRZ aime qu'on le cravache pour en exploiter pleinement le potentiel de performance, ce qui n'est pas nécessairement compatible avec la circulation en milieu urbain où le manque de couple à bas régime devient un handicap. Par contre, sur une piste, c'est le bonheur!

La position de conduite est impeccable, avec un volant réglable sur deux axes et un pédalier remarquablement bien positionné, tout comme la visibilité vers l'avant et les côtés en raison d'un capot avant très bas et de la découpe du vitrage. Le cockpit est sobre et fonctionnel, néanmoins, on regrette un peu la présence de certains plastiques durs dans l'habitacle. Les places arrière ne sont que symboliques, mais le dossier rabattable permet d'obtenir un plancher plat pour maximiser l'espace de chargement.

Aozora, un grand ciel bleu...

À l'instar de la direction américaine de la marque qui propose une édition limitée appelée Series Blue aux États-Unis pour 2015, Subaru Canada lance aussi une nouvelle édition du BRZ qui portera chez nous le nom japonais *Aozora* (Ciel bleu). Cette édition spéciale, limitée à cent exemplaires bleus et cent blancs, ne comporte aucune modification à la mécanique ou au châssis et se résume essentiellement à des changements esthétiques pour la carrosserie et l'habitacle. Ainsi, les BRZ Aozora sont dotés de déflecteurs STI à l'avant, à l'arrière, sur les côtés et sous la partie arrière de la voiture afin de bonifier le coefficient aérodynamique. Ces voitures arboreront aussi des jantes en alliage STI de 17 pouces en noir et des étriers de frein rouges. Dans l'habitacle, on note la présence d'un bouton STI de démarrage du moteur, d'un rétroviseur sans cadre, ainsi que de sièges recouverts d'alcantara et de cuir bleu. Un coussinet bleu a été ajouté sur le côté de la console centrale pour éviter que le genou droit du conducteur n'entre en contact avec du plastique dur en conduite sportive. C'est bien joli, mais on espérait également des modifications visant à améliorer le couple moteur à bas régime. Un jour peut-être...

Châssis - Base

Emp / lon / lar / haut	2570 / 4235 / 1775 / 1425 mm
Coffre / Réservoir	196 litres / 50 litres
Nombre coussins sécurité / ceintures	6 / 4
Suspension avant	indépendante, jambes de force
Suspension arrière	indépendante, multibras
Freins avant / arrière	disque / disque
Direction	à crémaillère, ass. électrique
Diamètre de braquage	10,8 m
Pneus avant / arrière	P215/45R17 / P215/45R17
Poids / Capacité de remorquage	1255 kg / n.d.
Assemblage	Gunma, JP

Composantes mécaniques

Cylindrée, soupapes, alim.	H4 2,0 litres 16 s atmos.
Puissance / Couple	200 chevaux / 151 lb-pi
Tr. base (opt) / rouage base (opt)	M6 (A6) / Prop
0-100 / 80-120 / V.Max	7,3 s / 5,5 s / 221 km/h
100-0 km/h	40,8 m
Type / ville / route / co_2	Sup / 9,6 / 6,6 l/100 km / 3818 kg/an

Du nouveau en 2015

Version Aozora ajoutée à la gamme.

FEU VERT
- Très bonne boîte manuelle
- Tenue de route amusante
- Freinage Solide
- Très bonne visibilité
- Excellent ergonomie

FEU ROUGE
- Carbure au super
- Couple peu élevé à bas régime
- Places arrière lilliputiennes
- Coffre peu profond

Photos : Subaru Canada

SUBARU **FORESTER**

▶ **Catégorie :** VUS   ▶ **Échelle de prix :** 25 995 $ à 35 495 $ (2014)   ▶ **Transport et prép. :** 1 650 $

▶ **Cote d'assurance :** $$$$$ ▶ **Garanties :** 3 ans/60 000 km, 5 ans/100 000 km   ▶ **Ventes CAN 2013 :** 11 239 unités

Le choix de la raison, pas de la passion

Gabriel Gélinas

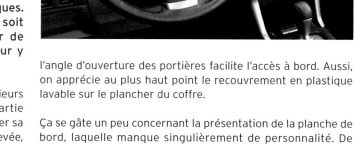

Pour Subaru, le Forester est une valeur sûre. Son rouage intégral permanent de série, son volume d'espace intérieur, son niveau de confort et sa polyvalence en font un choix tout à fait rationnel pour l'automobiliste qui apprécie les considérations pratiques. Il est juste dommage que l'agrément de conduite soit presque complètement absent et que l'amateur de conduite doive se tourner vers la concurrence pour y trouver son compte.

Avec la refonte de l'an dernier, le Forester a conservé plusieurs éléments de style propres à la marque alors que sa partie avant a adopté un style plus baroudeur, histoire de rappeler sa vocation de véhicule utilitaire. Avec sa ligne de toit surélevée, sa fenestration généreuse et ses piliers de toit amincis, le Forester assure une très bonne habitabilité ainsi qu'une bonne visibilité aux occupants. Les places arrière sont accueillantes et offrent un dégagement tout à fait convenable alors que

l'angle d'ouverture des portières facilite l'accès à bord. Aussi, on apprécie au plus haut point le recouvrement en plastique lavable sur le plancher du coffre.

Ça se gâte un peu concernant la présentation de la planche de bord, laquelle manque singulièrement de personnalité. De plus, certains plastiques durs utilisés dans l'habitacle n'impressionnent pas par leur qualité... Ici, tout est fonctionnel et cadre avec la philosophie de la marque, mais le Forester accuse un certain retard par rapport à la concurrence pour ce qui est de la qualité des matériaux et pour le design de l'intérieur. Dommage, car cet aspect prend aujourd'hui plus d'importance pour la clientèle qui passe beaucoup de temps à bord. Pour l'année 2015, Subaru offre maintenant en dotation de série un écran multifonction en couleur, afin d'égayer un peu la présentation intérieure, ainsi qu'une caméra de recul sur tous les modèles du Forester.

Impressions de l'auteur		Concurrents
Agrément de conduite : ★★★☆☆	3/5	Chevrolet Equinox, Ford Escape,
Fiabilité : ★★★★☆	4/5	Honda CR-V, Hyundai Tucson,
Sécurité : ★★★★☆	4/5	Jeep Compass, Jeep Patriot,
Qualités hivernales : ★★★★⯪	4,5/5	Kia Sportage, Mitsubishi Outlander,
Espace intérieur : ★★★★☆	4/5	Nissan Rogue, Toyota RAV4,
Confort : ★★★★☆	4/5	Volkswagen Tiguan

Des performances peu inspirées

Au volant du Forester, on aime le très bon niveau de confort, mais pas les performances qui sont décevantes. Avec la boîte à variation continue adoptée l'an dernier, en remplacement de la désuète boîte automatique qui ne comptait que quatre rapports, le comportement du Forester est devenu un peu déroutant en accélération franche, alors que l'on entend le moteur atteindre les hauts régimes et que l'on attend patiemment que le véhicule accélère. Au sujet des sensations de conduite, on repassera, mais la boîte à variation continue possède au moins le mérite de bonifier la consommation par rapport au modèle antérieur. On pense pouvoir améliorer son sort en choisissant un modèle offert avec la boîte manuelle? Erreur, car celle qui équipe le Forester est dotée d'un levier de vitesses qui fait preuve d'un cruel manque de précision!

Priorité confort

À propos du comportement routier, on note que la souplesse des suspensions, qui est responsable du bon niveau de confort, fait également en sorte que le Forester présente un certain roulis en virage et que la direction est surassistée au point de ne pas livrer beaucoup de *feedback* au conducteur. On ajoute à cela que les sièges avant ne fournissent guère de soutien latéral et ça complète le portrait pour le Forester dont la conduite est compétente mais vraiment pas inspirante. Si l'agrément de conduite fait partie de vos priorités, le CX-5 de Mazda est la référence de la catégorie, et même le Rav4 de Toyota se défend mieux à ce chapitre. Par contre, le Forester marque des points pour son rouage intégral à prise constante qui autorise une conduite sûre et prévisible en toutes circonstances, surtout au plus fort de l'hiver où ce type de rouage s'avère nettement plus efficace que les systèmes de rouage intégral à viscocoupleur de la concurrence.

Subaru propose également le modèle XT — animé par un moteur turbocompressé qui développe 250 chevaux — qui permet au Forester de relever ses performances d'un cran, avec un chrono de 7,4 secondes pour le sprint de 0 à 100 kilomètres/heure, et ses sensations avec l'ajout de paliers de changement de vitesse au volant et de l'étagement des rapports « virtuels » que l'on retrouve sur la boîte à variation continue du modèle.

Avec le Forester, Subaru a adopté la même recette qui a été utilisée précédemment lors de la refonte de l'Impreza, soit celle de miser sur l'amélioration de la consommation de carburant et la bonification du confort afin d'élargir le bassin d'acheteurs potentiels. Ici, la raison prime la passion et c'est très bien ainsi pour ceux qui adoptent une approche rationnelle pour le choix d'un véhicule.

Châssis - 2.5i

Emp / lon / lar / haut	2640 / 4595 / 2031 / 1735 mm
Coffre / Réservoir	974 à 2115 litres / 60 litres
Nombre coussins sécurité / ceintures	7 / 5
Suspension avant	indépendante, jambes de force
Suspension arrière	indépendante, double triangulation
Freins avant / arrière	disque / disque
Direction	à crémaillère, ass. variable
Diamètre de braquage	10,6 m
Pneus avant / arrière	P225/60R17 / P225/60R17
Poids / Capacité de remorquage	1500 kg / 680 kg (1499 lb)
Assemblage	Gunma, JP

Composantes mécaniques

2.5i

Cylindrée, soupapes, alim.	H4 2,5 litres 16 s atmos.
Puissance / Couple	170 chevaux / 174 lb-pi
Tr. base (opt) / rouage base (opt)	M6 (CVT) / Int
0-100 / 80-120 / V.Max	n.d. / n.d. / 196 km/h
100-0 km/h	n.d.
Type / ville / route / co_2	Ord / 8,3 / 6,2 l/100 km / 3385 kg/an

2.0XT

Cylindrée, soupapes, alim.	H4 2,0 litres 16 s turbo
Puissance / Couple	250 chevaux / 258 lb-pi
Tr. base (opt) / rouage base (opt)	CVT / Int
0-100 / 80-120 / V.Max	7,5 s (const) / n.d. / 221 km/h
100-0 km/h	n.d.
Type / ville / route / co_2	Sup / 8,9 / 7,2 l/100 km / 3740 kg/an

Du nouveau en 2015

Caméra de recul et afficheur multifonction de série.

FEU VERT
- Bon niveau de confort
- Volume d'espace intérieur
- Performances relevées (XT)
- Rouage intégral de série

FEU ROUGE
- Qualité de certains matériaux décevante
- Direction surassistée
- Performances peu inspirées (moteur 2,5 litres)
- Boîte CVT peu agréable

Photos : Subaru Canada

SUBARU IMPREZA

SUBARU **IMPREZA** / XV CROSSTREK

▸ **Catégorie :** Berline, Hatchback

▸ **Cote d'assurance :** $$$$

▸ **Échelle de prix :** 19 995 $ à 30 805 $ (2014)

▸ **Garanties :** 3 ans/60 000 km, 5 ans/100 000 km

▸ **Transport et prép. :** 1 650 $

▸ **Ventes CAN 2013 :** 8 052 unités*

La raison a ses raisons

Marc Lachapelle

L'Impreza actuelle est apparue il y a trois ans en s'excusant presque pour des silhouettes jugées trop sages et discrètes, berline ou *hatchback*. C'était pourtant une compacte nettement améliorée qui s'est glissée immédiatement dans le peloton de tête. L'utilitaire sport compact XV Crosstrek est arrivé l'année suivante, construit sur la même architecture mais enveloppé d'une carrosserie plus jazzée. Dans les deux cas, l'essentiel est sous la carrosserie.

En dépit de la taille imposante du conglomérat japonais Fuji Heavy Industries dont il fait partie, Subaru est un petit constructeur où les ingénieurs font manifestement la loi. Tant mieux pour leurs clients et inconditionnels qui y gagnent des voitures et utilitaires conçus avec une minutie et un souci du détail incontestables. Tant pis pour les amateurs de style. Pourtant, l'un n'empêche pas l'autre comme l'ont récemment prouvé les constructeurs coréens.

Des valeurs fondamentales

L'Impreza est donc à la fois confortable, spacieuse, pratique, sûre et d'une belle frugalité pour une compacte à rouage intégral. Tant pis si elle n'est pas tellement sexy, de dire les logiques et les pragmatiques, qui ont parfaitement raison. Sa carrosserie autoporteuse plus rigide et néanmoins plus légère lui a valu des notes et cotes de sécurité exceptionnelles dans les tests sans merci des agences américaines.

Ces diables d'ingénieurs de Subaru ont quand même trouvé le moyen de lui tailler des montants de toit avant plus minces et d'ajouter de petites glaces en trapèze juste derrière pour lui offrir en plus une remarquable visibilité vers l'avant, vers les côtés et sur l'intérieur des virages. Une qualité éminemment discrète et pourtant rare et précieuse dont profitent aussi le XV Crosstrek et les nouvelles berlines WRX et STI, construites sur la même architecture. Parce que ces mêmes ingénieurs n'oublient jamais la sécurité active dans leur quête obligatoire de sécurité passive.

Impressions de l'auteur		Concurrents
Agrément de conduite :	★★★★☆ 4	Chevrolet Cruze, Dodge Dart,
Fiabilité :	★★★★☆ 4	Ford Focus, Honda Civic,
Sécurité :	★★★★⯪ 4,5	Hyundai Elantra, Mazda3,
Qualités hivernales :	★★★★⯪ 4,5	Mitsubishi Lancer, Nissan Sentra,
Espace intérieur :	★★★⯪ 3,5	Toyota Corolla, Volkswagen Jetta
Confort :	★★★⯪ 3,5	

* Subaru XV Crosstrek : 6 115 unités

Si l'Impreza est nettement moins assoiffée que sa devancière avec un moteur qui compte un demi-litre de cylindrée et 22 chevaux en moins, c'est parce que son quatre cylindres à plat de 2,0 litres est à double plutôt qu'à simple arbre à cames en tête et qu'il profite à la fois de l'injection directe et du calage variable en continu de ses soupapes. Le gain est encore plus net avec la transmission automatique à variation continue. Le sprint 0-100 km/h en 10,4 secondes de cette version n'arrache rien mais les cotes ville/route de 8,7/6,6 l/100 km (normes RNC 2015) sont louables.

Le 2,0 litres de 148 chevaux fait grimper le XV Crosstrek à 100 km/h en 10,8 secondes avec la boîte TVC (ou CVT en anglais). Le XV Crosstrek Hybride y parvient en 9,6 secondes grâce au moteur électrique intégré à sa propre transmission TVC. Il ajoute ses 48 lb-pi de couple instantané, alimenté par une batterie au nickel-métal-hydrure (NiMH) de Panasonic. Le groupe propulseur hybride ajoute pourtant 150 kg à la masse du Crosstrek qui y perd également une part de volume de chargement. Son coffre contient 609 litres avec les dossiers arrière en place et 1 422 litres lorsqu'ils sont repliés, tandis que ces données sont de 632 et 1 470 litres pour le XV ordinaire.

La cote de consommation urbaine du Crosstrek Hybride (aux normes RNC 2015) est de 8,1 plutôt que 9,5 l/100 km pour les autres Crosstrek à boîte TVC. Leur cote pour la route est la même à 7,2 l/100 km. Ce gain théorique de 1,4 l/100 km en conduite urbaine est assez faible et exige sans doute des conditions idéales. Lors d'un essai au cœur de l'hiver, le XV Hybride n'a pas roulé en mode électrique une seule fois, même à une température relativement douce de 0°C, alors qu'il est censé pouvoir le faire jusqu'à 42 km/h.

Traits de famille

Quelle que soit la version, le XV Crosstrek se démarque clairement de ses rivaux par son aplomb et sa belle tenue de route. On note toutefois d'abord la facilité d'accès au siège, le confort et le maintien qu'on y trouve de même que la précision et la qualité des contrôles. Toutes ces vertus ajoutées à l'excellente visibilité mentionnée plus haut.

Le XV Hybride s'est révélé impeccable sur des routes de campagne au revêtement méchant. Il s'y trouvait parfaitement à l'aise, stable, agile et prévisible à souhait. Peut-être un effet bénéfique du gène du rallye dans son code génétique. Le roulement est ferme, mais la carrosserie solide et une suspension bien amortie émoussent les chocs pour vous éviter un inconfort sérieux. L'efficacité du rouage intégral est à l'avenant. Pour le XV comme pour l'Impreza, le différentiel central est à viscocoupleur avec la boîte manuelle et de type multidisque à contrôle électronique avec la TVC.

Chose certaine, Impreza ou XV Crosstrek, on gagne beaucoup chez Subaru à chercher la substance au-delà de l'apparence.

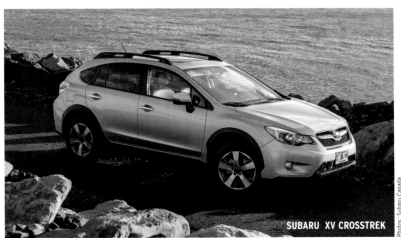

Photos : Subaru Canada

SUBARU XV CROSSTREK

Châssis - Impreza 2.0 Sport 5 portes

Emp / lon / lar / haut	2645 / 4415 / 1988 / 1465 mm
Coffre / Réservoir	638 à 1485 litres / 55 litres
Nombre coussins sécurité / ceintures	7 / 5
Suspension avant	indépendante, jambes de force
Suspension arrière	indépendante, double triangulation
Freins avant / arrière	disque / disque
Direction	à crémaillère, ass. variable électrique
Diamètre de braquage	10,6 m
Pneus avant / arrière	P205/50R17 / P205/50R17
Poids / Capacité de remorquage	1355 kg / n.d.
Assemblage	Gunma et Yajima, JP

Composantes mécaniques

Impreza

Cylindrée, soupapes, alim.	H4 2,0 litres 16 s atmos.
Puissance / Couple	148 chevaux / 145 lb-pi
Tr. base (opt) / rouage base (opt)	M5 (CVT) / Int
0-100 / 80-120 / V.Max	11,1 s / 7,6 s / n.d.
100-0 km/h	43,5 s
Type / ville / route / co$_2$	Ord / 7,5 / 5,5 l/100 km / 3110 kg/an

XV Crosstrek

Cylindrée, soupapes, alim.	H4 2,0 litres 16 s atmos.
Puissance / Couple	148 chevaux / 145 lb-pi
Tr. base (opt) / rouage base (opt)	M5 (CVT) / Int
0-100 / 80-120 / V.Max	10,8 s / 8,1 s / n.d.
100-0 km/h	41,6 m
Type / ville / route / co$_2$	Ord / 8,2 / 6,0 l/100 km / 3320 kg/an

XV Crosstrek Hybride

Cylindrée, soupapes, alim.	H4 2,0 litres 16 s atmos.
Puissance / Couple	148 chevaux / 145 lb-pi
Tr. base (opt) / rouage base (opt)	CVT / Int
0-100 / 80-120 / V.Max	9,6 s / n.d. / n.d.
100-0 km/h	n.d.
Type / ville / route / co$_2$	Ord / 6,9 / 6,0 l/100 km / 3000 kg/an

Moteur Électrique

Puissance / Couple	13 chevaux (10 kw) / 48 lb-pi
Type de Batterie	Nickel - Hybride Métallique (NiMH)
Énergie	n.d.

Du nouveau en 2015

Aucun changement majeur

 FEU VERT
- Comportement agile, sûr et stable
- Excellente visibilité
- Ergonomie et position de conduite
- Très bons sièges
- Frugales pour des intégrales

 FEU ROUGE
- Propulsion hybride superflue (XV)
- Tableau de bord austère
- Roulement ferme (XV)
- Espace de chargement peu spacieux (XV)
- Intégration audio et mains libres désuète

SUBARU **LEGACY**

▸ **Catégorie :** Berline

▸ **Cote d'assurance :** $$$$$

▸ **Échelle de prix :** 23 495 $ à 36 195 $ (2014)

▸ **Garanties :** 3 ans/60 000 km, 5 ans/100 000 km

▸ **Transport et prép. :** 1 595 $

▸ **Ventes CAN 2013 :** 2 022 unités

Les virtuoses discrètes

Marc Lachapelle

L a Legacy, pure création japonaise, est pourtant construite à Lafayette en Indiana, au cœur du Midwest américain, depuis son lancement en 1989. C'est donc en soulignant son 25e anniversaire que Subaru nous présente la sixième génération de cette berline intermédiaire qui a toujours été parmi les plus complètes, fiables et sûres de cette catégorie. Au cœur du marché nord-américain. Surtout pour ces drôles de nordiques que nous sommes.

Subaru a d'abord voulu que la nouvelle Legacy se remarque alors que les précédentes se sont toujours fondues dans le paysage. Défi de taille dans un segment où évoluent des pointures comme les Fusion, Sonata, Optima ou Mazda6. La Legacy est élégante mais pas vraiment époustouflante. Meilleure chance la prochaine fois.

Comme pour ses sœurs les Impreza, WRX et STI, ses montants de toit avant très minces jouxtent des vitres trapézoïdales et ses rétroviseurs sont montés sur les portières pour offrir une visibilité exceptionnelle vers l'avant, les côtés et l'intérieur des virages. La base du pare-brise est également plus avancée de 50 mm. Bon pour l'aérodynamique, le style et le silence de roulement à parts égales. Cette Legacy est un peu plus ongue, large et basse, sur des voies élargies. Habitacle et coffre en profitent.

Sur des bases solides

La coque autoporteuse est plus rigide de 43 % en torsion et 35 % en flexion, ce qui a permis de raffermir les suspensions et d'améliorer la qualité de roulement et la tenue de route. La Legacy possède également le système de transfert de couple qui réduit le sous-virage, comme sur les WRX et STI, et de nouveaux amortisseurs à tarages variables pour les versions Limited. Et si elle n'a pris qu'une vingtaine de kilos, c'est parce qu'on la construit avec plus d'acier à haute résistance.

Impressions de l'auteur		Concurrents
Agrément de conduite : ★ ★ ★ ⯪ ☆	3,5/5	Chevrolet Malibu, Chrysler 200,
Fiabilité :	★ ★ ★ ★ ⯪ 4,5/5	Ford Fusion, Honda Accord,
Sécurité :	★ ★ ★ ★ ⯪ 4,5/5	Hyundai Sonata, Kia Optima,
Qualités hivernales :	★ ★ ★ ★ ⯪ 4,5/5	Mazda6, Nissan Altima,
Espace intérieur :	★ ★ ★ ★ ☆ 4/5	Toyota Camry
Confort :	★ ★ ★ ★ ☆ 4/5	

Le vénérable quatre cylindres de 2,5 litres a eu droit à une série de retouches. Il est plus léger, plus frugal et un peu plus puissant. À quand l'injection directe pour faire encore mieux, comme le 2,0 litres ? On peut obtenir ce moteur avec une boîte manuelle à 6 rapports chez nous. Sinon c'est la transmission à variation continue à laquelle on a ajouté des rapports virtuels pour simuler le fonctionnement d'une boîte traditionnelle, avec des montées et des chutes de régime.

La cabine et le tableau de bord ont été redessinés et leur finition est plus riche et soignée. Les commandes sont bien conçues, logiques, précises et agréables à manier. L'écran entre les cadrans est clair, lisible et moderne. Il y a tous les branchements possibles pour vos lecteurs numériques et la téléphonie mains libres avec un logement pour votre appareil sur la console. On trouve aussi plein de rangements accessibles et pratiques.

Tous les sièges sont plus confortables, sans être le moindrement mous, et tous sont chauffants, quel que soit le modèle. La position de conduite est juste, et tout ce qu'on touche est souple et soyeux. Un progrès assez remarquable pour cette Legacy qui regorge d'accessoires et de dispositifs de toute nature. Un nouveau coussin gonflable pour les cuisses, par exemple, mais surtout la troisième génération du système EyeSight, équipée de nouvelles caméras plus compactes et plus puissantes. Aussi un nouveau dispositif de détection arrière par radar particulièrement efficace. Les multiples fonctions de ces systèmes optionnels sont surtout mieux intégrées et ils sont moins chers.

En pleine maîtrise

La Legacy est solide, stable, sûre et confortable, même sur une route craquelée ou bosselée. En virage, la version 2.5i se révèle plus vive, plus agile et son freinage un peu plus mordant, même si ses disques avant ont un diamètre de 294 mm alors que et ceux de la 3.6R mesurent 300 mm. Les disques arrière ventilés de 300 mm sont identiques, un gain pour la 2,5i. Si elle paraît plus maniable, c'est que son train avant est plus léger d'environ 80 kg avec un moteur Boxer qui compte deux cylindres en moins. Et la 2.5i à boîte manuelle est plus légère d'un autre 55 kg. Le groupe Technologie comprend l'excellent système EyeSight avec un régulateur de vitesse adaptatif tout aussi efficace et quelques autres merveilles.

Les nouvelles Legacy ont effectivement été conçues et développées avec un soin remarquable. Comme toujours chez Subaru, leurs qualités sont souvent aussi discrètes que leur apparence et se révèlent au fil des jours et des semaines. Cette fois-ci, elles impressionnent doucement, dès le coup d'envoi. Chez nous, c'est en plein hiver, en pleine tempête ou sur une route glacée qu'elles seront dans leur élément. Là où une voiture ne devrait avoir aucune excuse.

Châssis - 2.5i

Emp / lon / lar / haut	2750 / 4755 / 2050 / 1505 mm
Coffre / Réservoir	415 litres / 70 litres
Nombre coussins sécurité / ceintures	6 / 5
Suspension avant	indépendante, jambes de force
Suspension arrière	indépendante, double triangulation
Freins avant / arrière	disque / disque
Direction	à crémaillère, ass. variable
Diamètre de braquage	11,2 m
Pneus avant / arrière	P205/60R16 / P205/60R16
Poids / Capacité de remorquage	1520 kg / 453 kg (998 lb)
Assemblage	Lafayette, IN

Composantes mécaniques

2.5i

Cylindrée, soupapes, alim.	H4 2,5 litres 16 s atmos.
Puissance / Couple	173 chevaux / 174 lb-pi
Tr. base (opt) / rouage base (opt)	M6 (CVT) / Int
0-100 / 80-120 / V.Max	n.d. / n.d. / n.d.
100-0 km/h	n.d.
Type / ville / route / CO_2	Ord / 8,4 / 6,1 l/100 km / 3388 kg/an

3.6R Limited

Cylindrée, soupapes, alim.	H6 3,6 litres 24 s atmos.
Puissance / Couple	256 chevaux / 247 lb-pi
Tr. base (opt) / rouage base (opt)	CVT / Int
0-100 / 80-120 / V.Max	9,0 s / n.d. / n.d.
100-0 km/h	n.d.
Type / ville / route / CO_2	Ord / 11,9 / 8,2 l/100 km / 4708 kg/an

Du nouveau en 2015

Série entièrement renouvelée, transmission à variation continue pour les 3.6R.

FEU VERT
- Confort, espace, finition de belle facture
- Comportement sûr et stable
- Qualité de roulement impeccable
- Ergonomie soignée
- Équation prix/consommation/rouage intégral

FEU ROUGE
- Sensible au vent oblique
- Un peu de bruit aérodynamique
- Rapports virtuels superflus en accél. (CVT)
- Moteur 2,5 litres un peu vieillot
- Silhouette encore trop sage

Photos: Subaru Canada

SUBARU **OUTBACK**

▸ **Catégorie :** Familiale	▸ **Échelle de prix :** 29 500 $ à 39 000 $ (estimé)	▸ **Transport et prép. :** 1 650 $
▸ **Cote d'assurance :** $$$$$	▸ **Garanties :** 3 ans/60 000 km, 5 ans/100 000 km	▸ **Ventes CAN 2013 :** 6 120 unités

Un passe-partout plus raffiné

Marc Lachapelle

L'idée était simple : prendre une familiale fiable et pratique à rouage intégral. Allonger sa suspension pour qu'elle se faufile partout. Ajouter des phares d'appoint et des bas de caisse gonflés pour qu'elle ait le physique de l'emploi dans les safaris de banlieue. Voilà le portrait du premier Outback dont le succès fut immédiat et ne s'est jamais démenti par la suite. Le plus récent a battu des records de vente mais le nouveau, plus efficace, solide et raffiné, fera sans doute encore mieux.

Quatre générations d'Outback se sont succédé aux cinq ans depuis le premier en 1995. La progression a été constante mais l'arrivée du quatrième, en 2005, a eu le même effet que l'allumage du deuxième étage d'une fusée. Les ventes ont plus que doublé en une seule année et ont augmenté encore les deux années suivantes.

Subaru avait simplement conçu ce quatrième du nom en fonction des goûts et besoins des Nord-américains. En bref, l'Outback était plus grand, plus spacieux, plus efficace et enveloppé dans une carrosserie plus costaude. Au cœur d'un marché assoiffé d'utilitaires pas tellement sportifs et de multisegments obèses, l'opération pouvait difficilement rater.

Exercices de style et solutions futées

La cinquième génération du Outback marque son vingtième anniversaire alors que la berline Legacy, construite sur la même architecture et remodelée elle aussi, amorce sa sixième génération pour ses vingt-cinq ans. Les deux voitures ont été développées par l'équipe japonaise de Masayuki Uchida et sont produites à l'usine de La Fayette en Indiana.

L'idée, pour ce nouvel Outback, était de jouer sur ses aptitudes reconnues pour les sports et activités de plein air tout en le rendant attrayant pour plus de gens. Y compris pour le style de la carrosserie, la présentation de l'habitacle et la variété

Impressions de l'auteur		Concurrents
Agrément de conduite : ★★★★☆ 4		Buick Enclave, Chevrolet Traverse,
Fiabilité : ★★★★⯪ 4,5		Ford Flex, GMC Acadia,
Sécurité : ★★★★⯪ 4,5		Mazda CX-9, Toyota Venza,
Qualités hivernales : ★★★★⯪ 4,5		Volvo XC70
Espace intérieur : ★★★★⯪ 4,5		
Confort : ★★★★☆ 4		

des systèmes multimédia, tous des éléments jugés faibles sur le modèle précédent, malgré son succès.

La silhouette redessinée est réussie, malgré une grille de calandre hexagonale qui ressemble un peu trop à celles de la Ford Taurus et des Hyundai Genesis et Sonata. Cet Outback se distingue par contre toujours avec de grands phares d'appoint ronds bien protégés par un bouclier inférieur sculpté en plastique couleur charbon.

Des blocs optiques profilés avec des feux de jour à DEL flanquent la calandre juste au-dessus. On retrouve aussi des DEL dans de nouveaux blocs optiques arrière qui bordent un hayon qui s'ouvre maintenant par moteur électrique, sauf sur le modèle le moins cher. Au sommet se perche un aileron fonctionnel qui réduit la consommation de carburant. L'Outback est désormais plus aérodynamique, avec un coefficient de traînée de 0,34, grâce entre autres à un pare-brise plus incliné. Les versions 2.5i possèdent également des volets qui se ferment dans la calandre pour réduire la traînée. Le six cylindres des 3.6i produit trop de chaleur pour en profiter.

Avec des montants avant plus minces pour le toit, des rétroviseurs montés sur les portières et de petites glaces en forme de trapèze à l'avant, la visibilité est exceptionnelle vers l'avant et sur l'intérieur des virages. Ces changements peuvent paraître mineurs mais la différence, en confiance et en sécurité active, est énorme. Subaru prouve encore une fois le soin remarquable qu'elle met à soigner certains détails fondamentaux qu'une majorité de constructeurs semblent considérer comme anodins.

À classer sous la même rubrique, un écran pour le coffre qui se rétracte dans une coquille d'aluminium ultralégère et qu'on peut ranger sous le plancher. Une idée simple, géniale et toujours exclusive à Subaru. Pareillement pour une galerie de toit dont les traverses se replient dans les barres longitudinales et sont maintenant réglables pour les objets longs style kayak. Ils ont même ajouté quatre œillets d'ancrage.

Ce sixième Outback est nettement plus élégant, surtout de profil, avec des bas de caisse plus minces et discrets qui font ressortir les formes sculptées et fluides de ses flancs. À vrai dire, il n'a plus le moindrement l'air d'une familiale, quels que soient son code génétique et ses origines.

La qualité en plus de la quantité
La taille extérieure est presque inchangée. Le cinquième Outback est seulement plus haut de 10 mm, plus large de 20 mm et plus long de 17 mm sur un empattement qui a gagné un petit 5 mm. En redessinant l'habitacle, les concepteurs ont trouvé le moyen d'élargir la cabine de 46 mm, d'ajouter 76 litres de volume aux places arrière et un autre 33 litres à la soute.

« L'Outback est d'une solidité remarquable, même dans un sentier de grosse rocaille. »

@guideauto

Photos : Marc Lachapelle

Ce qu'on remarque surtout, c'est le nouveau tableau de bord et les matériaux plus agréables à l'œil et au toucher. Notamment ce plastique souple qu'on retrouve aussi, en plus mince, sur les contreportes et l'accoudoir de la console. Une moulure simili-aluminium est remplacée, sur toute la largeur, par du similibois sur les versions Limited.

Les commandes au volant sont compactes et précises, la jante gainée de cuir bien moulée. Les cadrans et affichages sont clairs et les autres contrôles efficaces, dans le registre minimaliste. Il faut le système de navigation du groupe Techno pour égayer un peu l'ensemble. Subaru ne donne jamais dans le olé olé et s'assure plutôt d'offrir une abondance de rangements pratiques et bien conçus. Ça nous va.

Les sièges sont nouveaux aussi. Les baquets avant ont une assise plus longue et des appuie-tête réglables en hauteur et en angle. Le confort et le maintien sont impeccables, surtout avec la sellerie en cuir des versions Limited plus cossues. L'assise de la banquette arrière est également plus large et les places extérieures vous chauffent le dos en plus du postérieur, comme les sièges avant. Avec des réglages séparés, de surcroît. Les sections des dossiers arrière se replient facilement d'une seule main, sinon d'un seul doigt, avec des manettes placées de chaque côté à l'arrière de la soute ou avec les boutons au sommet des dossiers.

Une caméra de marche arrière est de série sur tous les modèles. Elle est maintenant installée au centre et couvre un angle plus large. Le groupe Technologie optionnel ajoute une troisième génération, nettement améliorée, du système de sécurité EyeSight qui inclut le régulateur de vitesse adaptatif, des systèmes de freinage préventifs et autres alertes de déviation. Déjà une véritable aubaine, ce groupe est encore moins cher et comprend le démarrage sans clé, des phares d'appoint directionnels et un écran plus grand.

Le grand aplomb partout

La carrosserie autoporteuse toute neuve de l'Outback est plus rigide de 59 % en torsion et 35 % grâce à une abondance d'acier à haute résistance. Les panneaux extérieurs sont plus épais pour favoriser l'insonorisation. Si le gain de poids total est de seulement 30 kg, c'est parce que le capot est resté en aluminium et qu'on a utilisé ce même métal pour des composantes de suspension.

L'Outback est d'une solidité remarquable, même dans un sentier de grosse rocaille. La suspension, entièrement revue, fait un boulot sans reproche, quelle que soit la surface. S'il est impressionnant en tout-terrain, c'est grâce au système X-Mode qui assure une motricité exceptionnelle. En plus des 22 cm de garde au sol, bien sûr. Il n'est limité que par ses grands porte-à-faux et son long empattement.

Le nouvel Outback affiche également un bel aplomb sur la route, malgré une nouvelle servodirection électrique qui manque de sensibilité. Il est agile, maniable et nous donne l'impression de conduire un véhicule beaucoup plus compact, surtout les versions 2.5i, plus légères à l'avant. Le mode qui transfère le couple à la roue motrice extérieure (*torque-vectoring*) fait son boulot, comme sur les Legacy et WRX/STI.

Et s'il est à la fois plus vif en accélération et plus frugal, c'est grâce à des moteurs à plat et des transmissions à variation continue (TVC) retouchés. C'est le six cylindres de 3,6 litres qui en profite le plus en renonçant à sa boîte automatique à 5 rapports. La version 2.5i à quatre cylindres est toujours offerte avec une boîte manuelle à 6 rapports, en exclusivité canadienne.

Plus élégant, raffiné, performant et frugal, mieux équipé, mieux fini et franchement épatant en tout-terrain, ce nouvel Outback mérite amplement le titre de meilleur multisegment qu'il défend depuis six ans au *Guide de l'auto*. Il s'agit sans doute aussi du véhicule le plus complet, sûr, pratique et polyvalent qu'on puisse trouver actuellement au Québec. Pour quelques années encore, très possiblement.

Châssis - 2.5i Limited

Emp / lon / lar / haut	2746 / 4816 / 1839 / 1679 mm
Coffre / Réservoir	1005 à 2076 litres / 70 litres
Nombre coussins sécurité / ceintures	8 / 5
Suspension avant	indépendante, jambes de force
Suspension arrière	indépendante, double triangulation
Freins avant / arrière	disque / disque
Direction	à crémaillère, ass. variable électrique
Diamètre de braquage	11,0 m
Pneus avant / arrière	P225/60R18 / P225/60R18
Poids / Capacité de remorquage	1651 kg / 1227 kg (2705 lb)
Assemblage	Lafayette, IN

Composantes mécaniques

2.5i / Premium / Limited

Cylindrée, soupapes, alim.	H4 2,5 litres 16 s atmos.
Puissance / Couple	175 chevaux / 174 lb-pi
Tr. base (opt) / rouage base (opt)	M6 (CVT) / Int
0-100 / 80-120 / V.Max	n.d. / n.d. / n.d.
100-0 km/h	n.d.
Type / ville / route / co$_2$	Ord / 9,4 / 7,1 l/100 km / 3848 kg/an

3.6R Limited

Cylindrée, soupapes, alim.	H6 3,6 litres 24 s atmos.
Puissance / Couple	256 chevaux / 247 lb-pi
Tr. base (opt) / rouage base (opt)	CVT / Int
0-100 / 80-120 / V.Max	n.d. / n.d. / n.d.
100-0 km/h	n.d.
Type / ville / route / co$_2$	Ord / 11,8 / 8,7 l/100 km / 4786 kg/an

Du nouveau en 2015

Nouveau modèle

FEU VERT
- Silhouette élégante
- Confort et espace en abondance
- Consommation très raisonnable
- Polyvalence, sécurité, visibilité inégalées
- Aptitudes tout-terrain étonnantes

FEU ROUGE
- Puissance et accélérations modestes (2.5i)
- Direction électrique peu sensible
- Console encore dépouillée
- Enjoliveurs de roues sur les versions de base
- Le panneau du coffret de console jure

SUBARU **WRX** / **STI**

▶ **Catégorie :** Berline

▶ **Cote d'assurance :** $$$$$

▶ **Échelle de prix :** 29 995 $ à 42 000 $ (estimé)

▶ **Garanties :** 3 ans/60 000 km, 5 ans/100 000 km

▶ **Transport et prép. :** 1 650 $

▶ **Ventes CAN 2013 :** 1 859 unités

Des bolides plus accessibles

Sylvain Raymond

On est toujours étonné de constater que Subaru a réussi à se forger une réputation très enviable dans le créneau des voitures sport et surtout, comment il a réussi à incarner le rêve accessible chez les jeunes amateurs. On peut bien être emballé par la dernière Ferrari, n'empêche que Subaru démocratise la puissance en produisant des véhicules comportant un rapport prix/performance difficile à égaler. Voilà pourquoi le tandem WRX/STI ne cesse d'alimenter les discussions depuis des années.

Les deux modèles n'ont d'ailleurs pas fini de faire couler de l'encre puisqu'ils nous arrivent cette année sous une toute nouvelle génération, pratiquement au moment où la seule véritable rivale de la STI, la Mitsubishi Lancer Evolution, tire sa révérence. Présentées en grande première au dernier Salon de Los Angles, et de Detroit dans le cas de la STI, les premières images et les nouvelles spécifications mécaniques

n'ont pas impressionné les puristes. On a même crié à la trahison avec la venue d'une transmission CVT pour la WRX. Tous auraient souhaité plus de puissance et une voiture plus radicale, Subaru a plutôt décidé de faire l'inverse et de démocratiser davantage ses sportives.

Une berline uniquement

Les deux voitures profitent cette année d'un nouveau châssis, le même que celui de l'Impreza mais renforci. Étant donné que tout a été repensé de A à Z, on a décidé de ne miser que sur la berline afin de réduire les couts de développement. Dommage, car la familiale à cinq portes en intéresse plus d'un au Canada.

Au chapitre du style, il faut avouer que la WRX est beaucoup plus réussie en réalité qu'en photo. Curieusement, il faut porter grande attention pour la démarquer de l'ancien modèle. C'est de profil que la différence est la plus marquante, notamment en raison de la position des rétroviseurs qui sont

Impressions de l'auteur		Concurrents
Agrément de conduite : ★★★★☆	4/5	Ford Focus ST, MINI Classique JCW,
Fiabilité : ★★★★☆	4/5	Mitsubishi Lancer Ralliart/EVO
Sécurité : ★★★★☆	4/5	Nissan Z, Volkswagen Golf GTI
Qualités hivernales : ★★★★½	4,5/5	
Espace intérieur : ★★★½☆	3,5/5	
Confort : ★★★½☆	3,5/5	

maintenant ancrés dans le haut de la portière, et non plus dans la base du pilier A. La STI est aussi moins distincte par rapport à la WRX que dans le passé, surtout qu'en livrée de base, elle ne dispose pas de son large aileron arrière pourtant si typique. Ses emblèmes et ses jantes uniques sont les témoins les plus évidents de son exclusivité.

On a toujours misé sur les performances dans le développement des WRX et STI et le souci du détail à bord n'était pas en tête des priorités. Certes, la sportivité était soulignée par le pédalier en aluminium, les sièges et le volant sport, mais on retrouvait plusieurs plastiques durs et surtout, un système de sonorisation loin de convenir aux attentes des acheteurs types... On n'est toujours pas au niveau des Allemands en termes de qualité d'habitacle, mais Subaru a su rehausser le tout avec l'ajout de surfaces souples dans les portes et sur le tableau de bord. Plusieurs commandes sont éparpillées à gauche et à droite et auraient intérêt à être regroupées de façon à les rendre plus accessibles.

Performance et CVT

C'est indéniablement quand on en prend le volant que les WRX et STI démontrent toutes leurs aptitudes. La WRX hérite cette année du même moteur qui équipe le Forester, soit un quatre cylindres de 2,0 litres turbocompressé qui développe dans ce cas-ci 268 chevaux pour un couple de 258 lb-pi. Jumelé à une nouvelle transmission manuelle à six rapports, on obtient une voiture qui n'a rien perdu de son ADN et qui se dirige du bout des doigts. Quel aplomb, que ce soit sur un circuit ou une route enneigée! La grande nouveauté est l'arrivée d'une boîte à variation continue CVT, censée attirer ceux qui n'aiment pas jouer de l'embrayage. L'offre d'une boîte à double embrayage aurait certainement été plus judicieuse, mais à sa défense, la CVT est loin d'être désagréable. Subaru a su réduire de belle manière ses désagréments, notamment en raison de ses rapports programmés, six ou huit selon le mode de conduite sélectionné.

Quant à la STI, elle demeure au sommet de son art avec ses performances plus relevées. Son quatre cylindres suralimenté de 2,5 litres jumelé à un refroidisseur d'air produit un bestial 305 chevaux, ce qui permet à la voiture de se frotter sans gêne à de grosses pointures. Équipée de la seule transmission offerte, une manuelle six rapports, ses accélérations sont puissantes mais, surtout, plus linéaires que par le passé. On la sent moins brutale. Non seulement son groupe motopropulseur lui assure des performances relevées, mais elle dispose aussi d'un excellent rouage intégral à prise constante. La STI se distingue à ce chapitre avec son différentiel avant autobloquant hélicoïdal et arrière autobloquant Torsen sensible au couple.

Les Subaru WRX et STI, sont performantes en toutes conditions, dotées d'un bon espace de chargement et de quatre portes. Beau compromis!

Châssis - STI berline

Emp / lon / lar / haut	2650 / 4595 / 1796 / 1476 mm
Coffre / Réservoir	340 litres / 60 litres
Nombre coussins sécurité / ceintures	7 / 5
Suspension avant	indépendante, jambes de force
Suspension arrière	indépendante, double triangulation
Freins avant / arrière	disque / disque
Direction	à crémaillère, ass. variable
Diamètre de braquage	11,0 m
Pneus avant / arrière	P245/40R18 / P245/40R18
Poids / Capacité de remorquage	1539 kg / n.d.
Assemblage	Gunma et Yajima, JP

Composantes mécaniques

WRX

Cylindrée, soupapes, alim.	H4 2,0 litres 16 s turbo
Puissance / Couple	268 chevaux / 258 lb-pi
Tr. base (opt) / rouage base (opt)	M6 (CVT) / Int
0-100 / 80-120 / V.Max	6,0 s / 4,3 s / n.d.
100-0 km/h	36,2 m
Type / ville / route / CO_2	Sup / 11,2 / 8,4 l/100 km / 4570 kg/an

STI

Cylindrée, soupapes, alim.	H4 2,5 litres 16 s turbo
Puissance / Couple	305 chevaux / 290 lb-pi
Tr. base (opt) / rouage base (opt)	M6 / Int
0-100 / 80-120 / V.Max	5,2 s / 4,6 s / n.d.
100-0 km/h	34,9 m
Type / ville / route / CO_2	Sup / 12,6 / 8,8 l/100 km / 5010 kg/an

Du nouveau en 2015

Nouveau modèle

FEU VERT
- Performances relevées
- Tenue de route impeccable
- Bonne puissance
- Habitabilité améliorée

FEU ROUGE
- Ergonomie des commandes fautive
- Présentation intérieure peu impressionnante
- Assise trop haute
- Pas de familiale offerte

ÉLECTRIQUE

TESLA **MODEL S**

▸ **Catégorie :** Berline

▸ **Cote d'assurance :** n.d.

▸ **Échelle de prix :** 78 970 $ à 118 920 $ (2014)

▸ **Garanties :** 4 ans/80 000 km, 4 ans/80 000 km

▸ **Transport et prép. :** n.d.

▸ **Ventes CAN 2013 :** n.d.

L'idole des verts

Jacques Duval

Pour moi, écrire un texte sur la Tesla Model S présente un coefficient élevé de difficulté parce que la démarche équivaut à faire le panégyrique d'un de mes enfants en demeurant parfaitement objectif... Car, avouons-le tout de suite, je suis propriétaire de cette fabuleuse voiture électrique qui ne cesse de faire les manchettes depuis maintenant deux ans. La chose est de notoriété publique puisque je me suis prêté à de multiples manifestations sur les voitures vertes tout en proclamant ma satisfaction dans de nombreux médias.

Cela dit, essayons quand même de ne pas verser dans les louanges dithyrambiques et de séparer distinctement le pour du contre. J'ai pris livraison de ma Model S P85 bleue en août 2013 et la voiture accuse aujourd'hui environ 12 000 km, étant restée à l'abri de décembre à avril. Cela ne doit pas être considéré comme un désaveu de la voiture en conduite hivernale. Bien que

l'autonomie souffre de la froidure et de l'utilisation du chauffage, la voiture n'est pas la savonnette que l'on pourrait imaginer malgré ses deux seules roues motrices postérieures. Une séance d'essai sur les terrains enneigés du complexe motorisé d'ICAR a prouvé que l'on pouvait envisager sans problème majeur de soumettre la Tesla aux méfaits de nos hivers. La traction intégrale n'en serait pas moins un atout non négligeable.

J'ai déjà dit et écrit tout le bien que je pensais de cette voiture qui stupéfait non seulement par son autonomie maximale de 425 km, mais aussi par ses performances tout simplement époustouflantes. Ce sont d'ailleurs ses accélérations phénoménales et son comportement routier d'exception qui m'ont convaincu qu'une Tesla Model S me donnerait la même satisfaction qu'une Porsche 911 S tout en éclipsant la voiture allemande par ses reprises. Je ne connais aucune automobile de la production actuelle capable de doubler un traînard aussi vite que le Model S. C'est le couple instantané propre à la voiture électrique qui permet de telles envolées.

Impressions de l'auteur		Concurrents
Agrément de conduite :	★★★★⯪ 4,5/5	Aucun concurrent
Fiabilité :	★★★★⯪ 4,5/5	
Sécurité :	★★★★★ 5/5	
Qualités hivernales :	★★★☆☆ 3/5	
Espace intérieur :	★★★⯪☆ 3,5/5	
Confort :	★★★★☆ 4/5	

La douceur et le silence font également partie de ce que l'on pourrait appeler l'expérience Tesla.

La question qui tue

Quand il s'agit de voiture électrique, la question qui tue porte sur l'autonomie, un sujet à controverse s'il en est un. Avec la Tesla, elle varie entre 370 et 425 km, selon que l'on se montre respectueux de la durée des batteries ou que l'on fait fi des recommandations du constructeur de procéder à une recharge complète qu'occasionnellement. Comme avec une voiture à moteur thermique, cette autonomie est étroitement liée à votre façon de conduire, à l'environnement (profil de la route) et à la température. Ainsi, il est facile de se laisser griser par les accélérations et d'enfiler tout ce qui se trouve devant vous, mais il faut s'attendre à voir l'afficheur d'autonomie vous priver du 1 pour 1 (1 kilomètre parcouru par 1 km d'autonomie affichée). La température extérieure reste toutefois l'ennemie numéro 1 de la voiture électrique avec une consommation qui grimpe de 30 % lorsque le froid vous oblige à utiliser le chauffage. C'est d'ailleurs dans de telles conditions que j'ai eu ma seule petite frayeur avec la Tesla.

Ayant quitté Ottawa par une température de moins 14 avec 330 km d'autonomie pour un trajet envisagé de 241 km, je me suis retrouvé à 30 km de ma destination avec un compteur affichant 37 km. Ce n'est qu'en acceptant de me geler les foufounes sans chauffage et de rouler à 80 km/h que je suis arrivé à bon port, non sans avoir vécu des moments d'appréhension. En passant, le climatiseur est beaucoup moins exigeant pour les 7 500 batteries de la Tesla. Ce qui n'empêche pas qu'il faille savoir bien planifier ses déplacements et ajuster sa façon de conduire pour rouler en voiture électrique. D'ailleurs, un voyage de 1 200 km effectué en compagnie de Sylvain Juteau, président de roulezelectrique.com, s'est déroulé sans la moindre angoisse parce que celui-ci avait choisi à l'avance les endroits où nous étions assurés de trouver une borne de recharge rapide, équivalent à une prise 220 volts. Oubliez les prises domestiques de 110 volts qui sont d'une lenteur désespérante au moment de faire le plein d'électricité.

Des dimensions démesurées

Il doit quand même y avoir des « feux rouges » avec cette Tesla, direz-vous. Personnellement, je lui reproche d'abord et avant tout ses dimensions démesurées qui la rendent difficile à garer, d'autant plus que ma propre auto ne possède pas les alertes sonores de proximité. L'équipement n'est pas non plus à la hauteur du prix de la voiture qui se prive des détecteurs de présence dans les voies adjacentes que l'on trouve dans des modèles coûtant la moitié moins cher. Ajoutons à cela le manque d'espace de rangement, le piètre rendement du téléphone de bord et l'on aura à peu près fait le tour de cette bagnole distinctive qui laisse entrevoir un avenir automobile brillant et emballant.

Châssis - P85	
Emp / lon / lar / haut	2959 / 4976 / 2187 / 1435 mm
Coffre / Réservoir	745 à 1645 litres / 0 litre
Nombre coussins sécurité / ceintures	8 / 5
Suspension avant	indépendante, double triangulation
Suspension arrière	indépendante, multibras
Freins avant / arrière	disque / disque
Direction	à crémaillère, ass. variable électronique
Diamètre de braquage	11,3 m
Pneus avant / arrière	P245/45R19 / P245/45R19
Poids / Capacité de remorquage	2176 kg / n.d.
Assemblage	Fremont, CA

Composantes mécaniques

60

Moteur	Électrique
Puissance / Couple	302 ch (225 kW) / 317 lb-pi
Tr. base (opt) / rouage base (opt)	Rapport fixe / Prop
0-100 / 80-120 / V.Max	6,2 s (const) / n.d. / 190 km/h
100-0 km/h	n.d.
Type de batterie	Lithium-ion (Li-ion)
Énergie	60 kWh
Temps de charge (120V / 240V)	8,0 / 4,0 hres
Autonomie	370 km

85

Moteur	Électrique
Puissance / Couple	362 ch (270 kW) / 325 lb-pi
Tr. base (opt) / rouage base (opt)	Rapport fixe / Prop
0-100 / 80-120 / V.Max	5,6 s (const) / n.d. / 200 km/h
100-0 km/h	n.d.
Type de batterie	Lithium-ion (Li-ion)
Énergie	85 kWh
Temps de charge (120V / 240V)	10,4 / 5,2 hres
Autonomie	425 km

P85, P85+

Moteur	Électrique
Puissance / Couple	416 ch (310 kW) / 443 lb-pi
Tr. base (opt) / rouage base (opt)	Rapport fixe / Prop
0-100 / 80-120 / V.Max	4,6 s / 3,8 s / 210 km/h
100-0 km/h	n.d.
Type de batterie	Lithium-ion (Li-ion)
Énergie	85 kWh
Temps de charge (120V / 240V)	10,4 / 5,2 hres
Autonomie	480 km, 450 km (estimé)

Du nouveau en 2015

Version AWD du Model S et modèle X (multisegment) à venir.

FEU VERT
- Fiabilité exceptionnelle
- Autonomie rassurante
- Performances éblouissantes
- Comportement routier impeccable
- Expérience de conduite unique

FEU ROUGE
- Graves lacunes d'équipement
- Prix substantiel
- Dimensions démesurées
- Un seul centre de service
- Autonomie diminuée en hiver

Photos : Tesla Motors, Jacques Duval

TOYOTA **4RUNNER**

▶ **Catégorie :** VUS	▶ **Échelle de prix :** 43 715 $ à 49 160 $ (2014)	▶ **Transport et prép. :** 1 495 $
▶ **Cote d'assurance :** $$$$$	▶ **Garanties :** 3 ans/60 000 km, 5 ans/100 000 km	▶ **Ventes CAN 2013 :** 3 110 unités

L'origine des espèces

Jean-François Guay

Les paléontologues estiment que la grande majorité des espèces animales vivent entre 1 et 10 millions d'années avant de s'éteindre ou d'avoir suffisamment évolué pour qu'on puisse parler de nouvelles espèces. En « année-automobile », l'équation se calcule différemment et on parle plutôt de décennie avant de voir une catégorie de véhicule disparaître ou être modifiée génétiquement. Si les berlines et les camionnettes perdurent, il n'en va pas de même pour les utilitaires sport qui se sont transformés, au cours des dernières années, en véhicules multisegments (ou *crossovers*).

Qu'on se le dise, les véhicules utilitaires sport « purs et durs » sont une espèce en voie de disparition. Déjà qu'il restait peu de survivants, cette transmutation a été scellée pour de bon lorsque le Nissan Pathfinder a troqué son châssis en échelle il y a deux ans — pour une plate-forme monocoque — afin de rejoindre les Jeep Grand Cherokee et Ford Explorer dans l'enclos des

multisegments. Abandonné par ses semblables, le Toyota 4Runner est depuis confronté à lui-même et se retrouve un des derniers de sa race avec le Nissan Xterra. Lors de sa naissance il y a 30 ans, on se rappellera que le « 4x4 » de Toyota avait inauguré un nouveau genre aux côtés des Ford Bronco II, GMC Jimmy et Chevrolet Blazer. Si les rivaux de l'époque ont disparu, le 4Runner a évolué de génération en génération pour devenir l'une des références de sa catégorie. Pour cette raison, Toyota persiste et signe en prolongeant l'existence de son tout-terrain.

Fin seul ou presque de son espèce, le 4Runner pourrait tirer avantage de cette situation puisque les acheteurs devront nécessairement jeter leur dévolu sur lui s'ils veulent se procurer un véritable VUS avec son châssis autonome, son rouage à 4 roues motrices avec boîtier de transfert (gamme basse et haute), son différentiel central verrouillable, son régulateur de traction, sa commande d'assistance au démarrage en pente et sa garde au sol démesurée de 24,3 cm.

Impressions de l'auteur		Concurrents
Agrément de conduite : ★★★☆☆ 3/5		Ford Explorer, Jeep Grand Cherokee,
Fiabilité : ★★★★⯪ 4,5/5		Nissan Pathfinder
Sécurité : ★★★⯪☆ 3,5/5		
Qualités hivernales : ★★★★★ 5/5		
Espace intérieur : ★★★★☆ 4/5		
Confort : ★★★⯪☆ 3,5/5		

Pour des aptitudes hors route encore meilleures, la version Trail fait appel à des mécanismes supplémentaires comme un système de réglage à la volée du patinage des roues selon la surface (boue et sable, terrain rocailleux, bosses et grosses roches), un différentiel arrière à verrouillage électronique pour répartir la motricité de façon égale aux roues arrière, un système ABS évolué améliorant le freinage lors d'une décélération dans une courbe ou sur une pente glissante, et une commande de vitesse lente (entre 1,5 et 5 km/h) contrôlant le papillon des gaz du moteur et les freins en terrain accidenté.

La version TRD Pro... pas pour nous!
Aux États-Unis, Toyota offre une série d'accessoires destinés à rehausser les qualités en hors route de son 4Runner... comme si la version Trail n'était pas suffisante! Baptisée TRD Pro, cette version d'exception rend hommage aux courses Baja 500 et 1000 — des épreuves d'endurance de type rallye-raid, lesquelles ont lieu depuis 1967 en Californie.

L'attirail de la version TRD Pro comprend des amortisseurs Bilstein avec réservoir séparé, des ressorts de suspension plus robustes, une garde au sol accrue de 3,8 cm, des plaques supplémentaires de protection sous le moteur, des jantes et pare-chocs peints en noir, une calandre et des décalques distinctifs.

Souhaitons que ce 4x4 ultime vienne un jour faire son tour de notre côté de la frontière.

Un baroudeur pur et dur
Le V6 de 4,0 litres et la boîte automatique à 5 rapports ont fait leur preuve depuis longtemps. Fiable et robuste, cette mécanique sied bien au 4Runner qui s'avère un fidèle compagnon de voyage pour tracter une roulotte, un bateau, des VTT ou motoneiges grâce à sa capacité de remorquage de 2 268 kg (5 000 lb).

Pour faire des économies de carburant, son frère Highlander équipé du V6 de 3,5 litres représente un choix plus logique. Par contre, il est loin d'être aussi robuste et agile en conduite hors route. Si vous hésitez entre le 4Runner et son frère cadet FJ Cruiser, sachez que ce dernier n'est plus offert. De toute façon, il ne pouvait accueillir que cinq personnes comparativement à sept dans le 4Runner. Toutefois, cette troisième banquette sert essentiellement de dépannage puisqu'une fois dépliée l'espace de chargement rétrécit à 255 litres — soit à peine pour transporter des sacs d'épicerie placés en rang d'oignons.

Autant dans les bois que sur les autoroutes, la visibilité du 4Runner est gênée par l'étroitesse de la fenestration. La caméra de recul offerte en équipement de série n'est pas du luxe. Les suspensions sont confortables et lissent bien les imperfections de la chaussée. Dans les courbes, le sautillement du train arrière sur mauvais revêtement est une caractéristique de sa suspension rigide à ressorts hélicoïdaux. Cette dernière est cependant un mal nécessaire pour affronter les obstacles en terrain accidenté.

Photos : Toyota Canada

Châssis - Groupe amélioré

Emp / lon / lar / haut	2790 / 4820 / 1925 / 1780 mm
Coffre / Réservoir	255 à 2514 litres / 87 litres
Nombre coussins sécurité / ceintures	8 / 5
Suspension avant	indépendante, double triangulation
Suspension arrière	essieu rigide, multibras
Freins avant / arrière	disque / disque
Direction	à crémaillère, ass. variable
Diamètre de braquage	11,4 m
Pneus avant / arrière	P265/70R17 / P265/70R17
Poids / Capacité de remorquage	2125 kg / 2268 kg (5000 lb)
Assemblage	Hamura, JP

Composantes mécaniques

Cylindrée, soupapes, alim.	V6 4,0 litres 24 s atmos.
Puissance / Couple	270 chevaux / 278 lb-pi
Tr. base (opt) / rouage base (opt)	A5 / 4x4 (Int)
0-100 / 80-120 / V.Max	8,6 s / 6,6 s / n.d.
100-0 km/h	44,2 m
Type / ville / route / CO_2	Ord / 12,7 / 9,4 l/100 km / 5152 kg/an

Du nouveau en 2015
Version TRD Pro (capacité hors route améliorée), quelques changements au niveau des couleurs.

FEU VERT
- Baroudeur hors pair
- Mécanique fiable et robuste
- Sièges confortables
- Tableau de bord ergonomique

FEU ROUGE
- Consommation d'essence
- Seuil élevé (embarquement)
- Champ de vision limité
- Train arrière sautillant

TOYOTA **AVALON**

- **Catégorie :** Berline
- **Cote d'assurance :** $$$$$
- **Échelle de prix :** 38 800 $ à 40 895 $ (2014)
- **Garanties :** 3 ans/60 000 km, 5 ans/100 000 km
- **Transport et prép. :** 1 495 $
- **Ventes CAN 2013 :** 1 264 unités

Le passé, c'est le passé...

Alain Morin

Alors que les humains qui ont un peu trop « viré » dans leur jeunesse doivent souvent vivre avec les conséquences de leur passé, pour certaines voitures, c'est exactement le contraire. La Toyota Avalon, par exemple, est aujourd'hui piégée par son passé trop sage. Toyota a eu beau lui donner une nouvelle vie en 2013, bien des gens continuent de l'ignorer. À tort.

Remarquez que les ventes de l'Avalon ont progressé de 196 % entre 2012 et 2013, ce qui n'est pas rien. Remarquez aussi que 196 % de pas grand-chose, ça demeure pas grand-chose... On parle ici de 427 unités vendues en 2012 contre 1 264 en 2013. C'est moins que les ténors de la catégorie que sont les Chrysler 300 (5 375 en 2013), Ford Taurus (4 238), Chevrolet Impala (3 802), Nissan Maxima (1 500) mais plus que la Hyundai Genesis (1 062). Ce créneau, on le voit, est fermement détenu par les Américains. Les autres se partagent les miettes.

Ce qui ne fait pas de l'Avalon une mauvaise voiture pour autant ! La berline la plus luxueuse et la plus imposante de Toyota affiche des lignes beaucoup plus agréables à l'œil qu'avant, malgré une immense grille inférieure avant qui rappelle, douloureusement, le sourire béat des anciennes Mazda. Sinon, c'est très réussi. L'habitacle, très vaste, l'est tout autant. La présentation générale fait penser à du Lexus. D'ailleurs, souvent lors de mes différents essais de l'Avalon, je me suis imaginé au volant d'une Lexus...

Quasiment du Lexus

Toujours est-il que le tableau de bord se mérite de bonnes notes. On ne peut trouver à redire sur la qualité des matériaux, sur leur assemblage, sur la disposition des différentes commandes ni sur le confort des sièges avant. En passant, l'Avalon permet encore de changer de station de radio en tournant simplement un bouton, une délicatesse qu'on retrouve de moins en moins et que seule une personne

Impressions de l'auteur		Concurrents
Agrément de conduite : ★★★☆☆	3/5	Chevrolet Impala, Chrysler 300,
Fiabilité : ★★★★☆	4/5	Ford Taurus, Hyundai Genesis,
Sécurité : ★★★★☆	4/5	Lexus ES, Lincoln MKZ, Nissan Maxima
Qualités hivernales : ★★★☆	3,5/5	
Espace intérieur : ★★★★☆	4,5/5	
Confort : ★★★★☆	4,5/5	

TOYOTA AVALON

ayant appris à conduire avant les années 2000 peut apprécier à sa juste valeur, pour ne pas dire à sa juste sécurité.

Les places avant sont confortables ? Celles d'en arrière aussi. Qu'il y a de la place pour les jambes ! Davantage que dans une Ford Taurus, c'est tout dire. L'accès à ces places est facile, au grand ravissement des gens moins souples. Malheureusement, on ne peut baisser les sièges pour agrandir un coffre qui est déjà caverneux. Il y a juste une trappe pour laisser passer des objets longs comme des skis. Enfin, déplorons l'ouverture relativement petite du coffre.

Sous le capot, un seul moteur. Personne ne devrait se plaindre du rendement du V6 de 3,5 litres qui développe 268 chevaux et 248 livres-pied de couple. Ce moulin est d'une douceur et d'une linéarité peu communes. On enfonce l'accélérateur et, grâce à la coopération d'une transmission automatique à six rapports au fonctionnement transparent, ça avance sans à-coups, sans effet de couple et surtout sans effort. La consommation s'avère des plus retenues et une moyenne sous 10,0 l/100 km est facilement atteignable. Ceux qui roulent uniquement en ville pourraient toutefois avoir une autre opinion !

Tout doux, tout doux...

L'Avalon, on s'entend, a tout pour plaire. Même si cette imposante Toyota se révèle beaucoup plus à l'aise sur la route que l'ancienne génération, elle demeure en retrait face à la majorité des voitures de la catégorie. Elle avale les kilomètres en douceur grâce à ses suspensions à jambes de force aux quatre coins et on peut rouler des heures à son volant sans ressentir la moindre fatigue. Mais il n'y a pas de passion, pas d'étincelle qui fait qu'on a juste hâte de reprendre son volant… peut-être, justement, à cause de ce volant relié à une direction engourdie et qui ne renseigne que très peu sur le travail des roues avant.

En courbe, la voiture penche incroyablement moins que l'ancienne version, mais à quoi bon si la direction n'est pas au rendez-vous ? D'ailleurs, le faible maintien latéral des sièges avant découragera les plus téméraires bien avant que la direction le fasse ! Oh, il y a bien un mode Sport qui fait passer la transmission du sixième au quatrième rapport (à 100 km/h, le moteur monte de 1 700 tr/min à 2 800 !), mais outre ce coup de nitroglycérine aux fesses, je n'y ai pas retrouvé le plaisir recherché. Le mode Eco, de son côté, m'est apparu plus efficace. Contraignant, certes, mais efficace.

Les Américains ont droit à une Avalon Hybrid. La voiture étant plus populaire chez nos amis du Sud, il est normal que plus de variantes leur soient proposées. Ici, l'Avalon Hybrid n'est pas offerte. On peut comprendre Toyota Canada…

Châssis - XLE

Emp / lon / lar / haut	2820 / 4960 / 1835 / 1460 mm
Coffre / Réservoir	453 litres / 64 litres
Nombre coussins sécurité / ceintures	10 / 5
Suspension avant	indépendante, jambes de force
Suspension arrière	indépendante, jambes de force
Freins avant / arrière	disque / disque
Direction	à crémaillère, ass. variable électrique
Diamètre de braquage	12,2 m
Pneus avant / arrière	P215/55R17 / P215/55R17
Poids / Capacité de remorquage	1573 kg / n.d.
Assemblage	Georgetown, KY

Composantes mécaniques

XLE, Limited

Cylindrée, soupapes, alim.	V6 3,5 litres 24 s atmos.
Puissance / Couple	268 chevaux / 248 lb-pi
Tr. base (opt) / rouage base (opt)	A6 / Tr
0-100 / 80-120 / V.Max	7,0 s / n.d. / n.d.
100-0 km/h	n.d.
Type / ville / route / CO_2	Ord / 11,2 / 7,6 l/100 km / 4410 kg/an

Du nouveau en 2015

Aucun changement majeur. Quelques changements de couleurs.

- Lignes modernes
- Confort indéniable
- Fiabilité de haut calibre
- Moins chère qu'une Lexus ES équivalente
- Consommation parcimonieuse

- Direction peu motivée
- Image « mon'oncle » persistante
- Moins noble qu'une Lexus
- Mode sport peu excitant

Photos : Toyota Canada

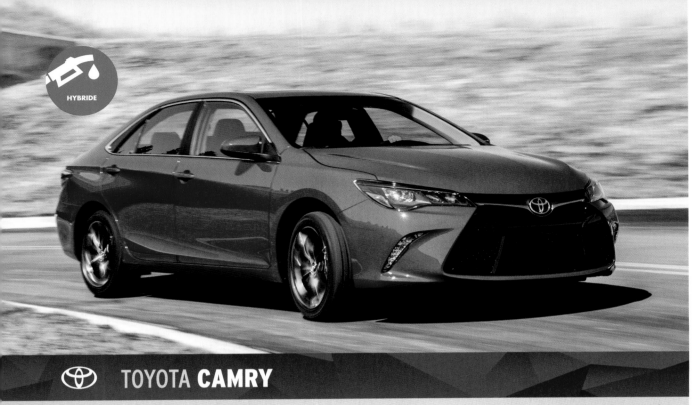

TOYOTA **CAMRY**

▶ **Catégorie :** Berline   ▶ **Échelle de prix :** 26 000 $ à 36 000 $ (estimé)   ▶ **Transport et prép. :** 1 495 $

▶ **Cote d'assurance :** $$$$$ ▶ **Garanties :** 3 ans/60 000 km, 5 ans/100 000 km   ▶ **Ventes CAN 2013 :** 18 245 unités

D'en haut, la vue est si belle

Alain Morin

Le sommet, c'est tout petit. Une pointe en fait. C'est pas très confortable et s'y asseoir entraîne immédiatement une chute. Qu'à cela ne tienne, il y a toujours quelqu'un tout près du sommet qui est là pour prendre la place. Aux États-Unis, la Camry est la voiture la plus vendue, un titre qu'elle mérite amplement mais la compétition ne cherche qu'à lui ravir ce poste privilégié. Au lieu de s'asseoir pour prendre un petit répit, Toyota donne à sa Camry les moyens de rester au sommet.

Au Salon de New York, en avril 2014, Toyota dévoilait sa Camry 2015 qui présentait des changements de mi-génération assez importants. Ils touchent la carrosserie et un peu le tableau de bord, la mécanique étant jugée en parfaite position pour continuer encore quelques années sans améliorations.

Tout d'abord, une autre version a été ajoutée en haut de la pyramide, la XSE, qui sera appelée à jouer un peu le rôle de la S

pour la Corolla. Cette livrée S, pour un prix bien étudié, a amené dans les salles d'exposition des gens qui, autrement, n'auraient même pas pensé regarder une Corolla. Des jeunes, surtout.

Les dimensions extérieures de la nouvelle Camry n'ont pas changé sauf pour la longueur qui a gagné quelques millimètres dans les porte-à-faux. Tous les panneaux de la carrosserie ont été modifiés, à part la ligne de toit et les vitres. La partie avant est toute nouvelle et reprend les thèmes esthétiques déjà vus sur la Corolla. De même, les feux arrière s'inspirent de ceux de la compacte. Décidément, on a toujours besoin d'un plus petit que soi...

Quand on part d'une bonne base...

Dans l'habitacle, on note quelques changements très mineurs. Tous les éléments sont au même endroit, excepté l'emplacement des boutons pour le chauffage des sièges avant. La bonne nouvelle, c'est que le tableau de bord était déjà un modèle d'ergonomie. Les sièges non plus n'ont pas changé et

Impressions de l'auteur		Concurrents
Agrément de conduite :	★★★☆☆ 3/5	Chevrolet Malibu, Chrysler 200,
Fiabilité :	★★★★⯨ 4,5/5	Ford Fusion, Hyundai Sonata,
Sécurité :	★★★★ 4/5	Kia Optima, Mazda6,
Qualités hivernales :	★★★⯨ 3,5/5	Nissan Altima, Subaru Legacy
Espace intérieur :	★★★★ 4/5	
Confort :	★★★★⯨ 4,5/5	

demeureront donc confortables, même sur de longs trajets. Les plus perspicaces auront tôt fait de remarquer que le volant est nouveau.

En fait, les changements les plus importants ne sont pas visibles. Des points de soudure ont été ajoutés autour des portes pour accroître la rigidité du châssis. Aussi, les caoutchoucs des portes ont été améliorés et on a ajouté 30 % de matériel insonorisant, surtout au niveau du plancher. Est-ce que la Camry 2015 sera 30 % plus silencieuse que l'édition 2014? Nous ne l'avons pas encore essayée, mais ça nous semble difficile à croire tant le modèle antérieur laissait peu filtrer les bruits extérieurs. Le coffre ne gagne pas un litre, cependant, puisqu'il était déjà de bonne dimension, nous ne lui en tiendrons pas rigueur. Tout au plus, les pentures seront désormais recouvertes d'un plastique, ce qui augmente la perception de qualité.

Statu quo

Côté mécanique, Toyota fait appel aux solutions connues et éprouvées. À la base, on retrouve encore le quatre cylindres 2,5 litres de 178 chevaux à 6 000 tr/min et 170 livres-pied de couple à 4 100 tr/min. C'est à mon humble, mais toujours très juste avis, le meilleur moteur offert pour la Camry. Il est suffisamment puissant et consomme avec parcimonie. L'autre moteur, un V6 de 3,5 litres déballe 268 chevaux à 6 200 tr/min et 248 livres-pied à 4 700 tr/min. Il autorise des performances de jeune sportive à une berline autrement conservatrice, et apporte aussi une conduite plus feutrée, plus douce. Il consomme environ un litre de plus à tous les 100 km que le quatre cylindres, ce qui n'est pas trop mal.

Enfin, l'hybride est de retour. Son quatre cylindres de 2,5 litres est marié à un moteur électrique pour assurer des performances très relevées et une véritable économie d'essence. Une moyenne sous les 6,5 litres aux 100 km est parfaitement envisageable. Toutefois, l'Hybrid est plus chère, plus lourde d'à peu près 100 kilos et son coffre perd 66 litres et le passage vers l'habitacle quoique les ingénieurs ont réussi à pratiquer une petite ouverture.

La Camry 2015 connait quand même quelques bonifications techniques. Par exemple, pour assurer une meilleure stabilité, les voies avant et arrière ont gagné 10 mm. Toutes les variantes ont droit à une direction revue pour offrir un peu plus de fermeté et à des freins calibrés pour un meilleur « senti » sur la pédale. Les suspensions, de leur côté, seront un tantinet plus sportives, surtout dans la XSE. Je serais par contre très surpris d'avoir affaire à une nouvelle Supra!

Grâce à tous ces petits changements, la Camry 2015 devrait continuer à dominer son marché. Les modifications apportées n'ont rien pour apeurer le client typique et ne devraient pas affecter à la baisse la valeur de revente des modèles actuels. Bref, la Camry vient de donner un coup de pied à ceux qui commençaient à vouloir la détrôner du sommet.

Châssis - XSE

Emp / lon / lar / haut	2775 / 4850 / 1820 / 1470 mm
Coffre / Réservoir	436 litres / 64 litres
Nombre coussins sécurité / ceintures	10 / 5
Suspension avant	indépendante, jambes de force
Suspension arrière	indépendante, jambes de force
Freins avant / arrière	disque / disque
Direction	à crémaillère, ass. variable électrique
Diamètre de braquage	11,2 m
Pneus avant / arrière	P225/45R18 / P225/45R18
Poids / Capacité de remorquage	1459 kg / n.d.
Assemblage	Georgetown, KY

Composantes mécaniques

Hybride

Cylindrée, soupapes, alim.	4L 2,5 litres 16 s atmos.
Puissance / Couple	156 chevaux / 156 lb-pi
Tr. base (opt) / rouage base (opt)	CVT / Tr
0-100 / 80-120 / V.Max	8,6 s / 7,0 s / n.d.
100-0 km/h	42,1 m
Type / ville / route / CO_2	Ord / 4,7 / 5,1 l/100 km / 2250 kg/an

Moteur électrique

Puissance / Couple	141 ch (105 kW) / 199 lb-pi
Type de batterie	Nickel-hydr. métal. (NiMH)
Énergie	1,6 kWh

LE, SE, XLE, XSE

Cylindrée, soupapes, alim.	4L 2,5 litres 16 s atmos.
Puissance / Couple	178 chevaux / 170 lb-pi
Tr. base (opt) / rouage base (opt)	A6 / Tr
0-100 / 80-120 / V.Max	9,1 s / 6,0 s / 220 km/h
100-0 km/h	43,2 m
Type / ville / route / CO_2	Ord / 8,2 / 5,5 l/100 km / 3213 kg/an

V6: SE, XLE

Cylindrée, soupapes, alim.	V6 3,5 litres 24 s atmos.
Puissance / Couple	268 chevaux / 248 lb-pi
Tr. base (opt) / rouage base (opt)	A6 / Tr
0-100 / 80-120 / V.Max	7,4 s / 6,1 s / 220 km/h
100-0 km/h	42,8 m
Type / ville / route / CO_2	Ord / 9,7 / 6,5 l/100 km / 3810 kg/an

Du nouveau en 2015

Un nouveau modèle (XLS), parties avant et arrière modifiées, insonorisation améliorée, châssis plus rigide. Direction, freins et suspension améliorés.

FEU VERT
- Révisions mineures mais appréciées
- Fiabilité toujours au rendez-vous
- Moteur quatre cylindres très bien adapté
- Confort relevé
- Roulement très doux

FEU ROUGE
- Conduite aseptisée (2014)
- V6 plus ou moins utile
- Tenue de route très ordinaire
- Versions huppées assez dispendieuses

Photos : Toyota Canada

TOYOTA **COROLLA**

▶ **Catégorie :** Berline	▶ **Échelle de prix :** 17 740 $ à 21 995 $ (2014)	▶ **Transport et prép. :** 1 495 $
▶ **Cote d'assurance :** $$$$$	▶ **Garanties :** 3 ans/60 000 km, 5 ans/100 000 km	▶ **Ventes CAN 2013 :** 44 449 unités

Elle courtise tout ce qui bouge

Jacques Duval

S oporifique, ennuyante, drabe, plate à mourir. Voilà autant de qualificatifs qui collent aux tôles de la Toyota Corolla depuis des lunes. Pourtant, cela ne l'empêche pas de connaître un succès qui fait l'envie de la concurrence. Sachez qu'il ne s'agit pas seulement de la voiture la plus répandue au Québec, mais aussi du véhicule le plus vendu dans le monde, davantage même que l'iconique Volkswagen Beetle, et ce, même en combinant l'ancienne Coccinelle et sa version rajeunie. Après plus de 40 millions d'exemplaires des 10 premières générations, la 11e compte bien gonfler encore ce palmarès... et se départir de sa réputation de voiture endormante.

Toyota parle d'un nouveau style « jeune, distinct, dynamique, etc. », et il faut bien admettre que cette Corolla est esthétiquement plus aguichante que sa devancière. Par contre, elle ne redéfinit pas la berline compacte non plus et

n'est certainement pas la plus avant-gardiste de l'industrie. Il faut mettre les choses en perspective : pour ceux qui remplacent religieusement une Corolla par une autre, cette nouvelle génération peut paraître bien osée. Comme à l'époque où l'église qualifiait la musique d'Elvis de démoniaque. Sans ébranler les fidèles donc, la nouvelle Corolla est en mesure de courtiser des acheteurs qui ne la considéraient même pas auparavant.

Recette éprouvée

Techniquement, la Corolla reprend certains éléments connus et utilisés dans le passé, mais non pas sans avoir été optimisés au passage. C'est le cas du moteur 4 cylindres de 1,8 litre que l'on dit amélioré et qui se décline en deux versions, soit avec une puissance de 132 ou 140 chevaux. Curieusement, la variante la mieux dotée est exclusive à la Corolla dite Eco. Cela s'explique par l'utilisation d'un système de commande des soupapes à variation continue nommé Valvematic qui accroît la puissance tout en améliorant

Impressions de l'auteur		Concurrents
Agrément de conduite : ★★★☆☆ 3		Chevrolet Cruze, Dodge Dart,
Fiabilité : ★★★★⯪ 4,5		Ford Focus, Honda Civic,
Sécurité : ★★★⯪☆ 3,5		Hyundai Elantra, Kia Forte, Mazda3,
Qualités hivernales : ★★★☆☆ 3		Mitsubishi Lancer, Nissan Sentra,
Espace intérieur : ★★★⯪☆ 3,5		Subaru Impreza, Volkswagen Jetta
Confort : ★★★⯪☆ 3,5		

TOYOTA **COROLLA**

l'efficacité énergétique. Combiné à des pneus à faible résistance au roulement (lire à faible adhérence) et à des carénages spécifiques sous la carrosserie afin de faciliter la pénétration dans l'air, Toyota annonce une réduction de la consommation de 0,2 litre en moyenne (ville et route) comparativement à une Corolla LE équivalente.

Ce qui mérite l'attention, c'est davantage la transmission à variation continue offerte sur les modèles LE, S et ECO. Cette dernière permet de tirer le plein potentiel d'une mécanique à la puissance plutôt juste. Détail intéressant, on a remplacé le train d'engrenages planétaires par une courroie métallique et fait en sorte de masquer l'impression d'embrayage qui glisse, souvent associé à ce type de transmissions. Le résultat est probant et plusieurs croiront être en présence d'une boîte automatique traditionnelle. D'ailleurs, il y en a bien une au programme, mais sa fréquentation est déconseillée... Proposée en option sur le modèle de base en substitution de la transmission manuelle, il s'agit de la vétuste boîte à 4 rapports qui était déjà considérée comme dépassée dans la génération précédente. Si vous ne voulez pas passer les rapports manuellement, c'est la CVT qu'il vous faut.

La jeunesse a parlé

Si la robe de la Corolla vous séduit, attendez de voir l'intérieur. C'est là que Toyota semble avoir mis le plus d'efforts pour briser le moule de la compacte ennuyante qui avait cours auparavant. Le tableau de bord arbore des lignes très horizontales, ainsi qu'un heureux mélange de finitions argentées satinées et de noir métallisé ultra-lustré. Du coup, l'ancienne Corolla produite jusqu'en 2013 semble sortie tout droit des années quatre-vingt-dix. Fini les plastiques ternes et rigides : le dessus de la planche de bord et le centre du volant sont même recouverts d'une finition de similicuir avec coutures apparentes. On reconnaît l'influence de la jeune branche Scion et c'est tant mieux. Il ne faut pas oublier aussi que l'espace intérieur est accru et que le dégagement aux places arrière est impressionnant.

Grâce à un empattement allongé et à un châssis plus rigide, la onzième génération de la Corolla fait oublier ses devancières sur le plan du comportement routier. Si les virages se négocient avec un meilleur aplomb et que la direction communique plus clairement l'état de la chaussée, on ne peut quand même pas parler de conduite sportive. Le moteur n'est pas particulièrement en verve et proteste bruyamment s'il est poussé près de son régime maximal.

Pour autant que l'on respecte son mandat de moyen de transport fiable et économique, la Corolla ne déçoit pas. Du côté de l'agrément de conduite, même s'il y a encore un peu de chemin à faire, j'hésiterais à lui coller les adjectifs péjoratifs d'autrefois. Reste à voir si son image de « voiture de comptable » lui collera encore longtemps à la peau.

Photos: Denis Duquet, Alain Morin

Châssis - LE

Emp / lon / lar / haut	2700 / 4639 / 1776 / 1455 mm
Coffre / Réservoir	368 litres / 50 litres
Nombre coussins sécurité / ceintures	8 / 5
Suspension avant	indépendante, jambes de force
Suspension arrière	semi-indépendante, poutre de torsion
Freins avant / arrière	disque / tambour
Direction	à crémaillère, ass. variable électrique
Diamètre de braquage	11,5 m
Pneus avant / arrière	P205/55R16 / P205/55R16
Poids / Capacité de remorquage	1290 kg / n.d.
Assemblage	Cambridge, ON

Composantes mécaniques

CE, S, LE

Cylindrée, soupapes, alim.	4L 1,8 litre 16 s atmos.
Puissance / Couple	132 chevaux / 128 lb-pi
Tr. base (opt) / rouage base (opt)	M6 (A4, CVT) / Tr
0-100 / 80-120 / V.Max	10,5 s / 7,3 s / n.d.
100-0 km/h	44,6 m
Type / ville / route / co₂	Ord / 6,8 / 4,9 l/100 km / 2735 kg/an

LE ECO

Cylindrée, soupapes, alim.	4L 1,8 litre 16 s atmos.
Puissance / Couple	140 chevaux / 126 lb-pi
Tr. base (opt) / rouage base (opt)	CVT / Tr
0-100 / 80-120 / V.Max	11,0 s (est) / n.d. / n.d.
100-0 km/h	n.d.
Type / ville / route / co₂	Ord / 6,5 / 4,6 l/100 km / 2597 kg/an

Du nouveau en 2015

Aucun changement majeur. Quelques changements dans les couleurs et les groupes d'options.

FEU VERT
- Transmission CVT innovante
- Direction précise
- Phares DEL de série
- Consommation en baisse (modèle Eco)
- Intérieur engageant

FEU ROUGE
- Moteur sonore à haut régime
- Puissance modeste
- Modifications timides
- Transmission automatique désuète (CE)
- Agrément toujours mitigé

TOYOTA **HIGHLANDER**

▶ **Catégorie :** VUS	▶ **Échelle de prix :** 33 595 $ à 54 610 $ (2014)	▶ **Transport et prép. :** 1 495 $
▶ **Cote d'assurance :** $$$$$	▶ **Garanties :** 3 ans/60 000 km, 5 ans/100 000 km	▶ **Ventes CAN 2013 :** 7 648 unités

Un rajeunissement réussi

Jacques Duval

Jusqu'à sa toute récente refonte, le Toyota Highlander semblait se chercher un peu. D'ailleurs, il fallait aussi chercher si on voulait en voir un, car les ventes n'ont jamais été exceptionnelles chez nous comparativement aux autres produits de la marque. Trop haut pour être une familiale, pas assez costaud pour se mêler aux VUS, il était d'une certaine façon le précurseur des multisegments, un rôle aujourd'hui imparti au Venza. Il fallait donc réinventer le Highlander et j'admets d'entrée de jeu que l'exercice est réussi.

Remanié l'an dernier, il s'affirme désormais avec une carrure plus musclée. Ainsi, il comble l'écart entre le RAV4 et le 4Runner et s'attaque directement à la catégorie des VUS de taille inter- médiaire. Malgré ses traits robustes, il est élaboré sur la même plate-forme que les Camry et Avalon, ce n'est donc pas un camion pure race et c'est tant mieux. Ainsi, le comportement se rapproche de celui d'une grande berline. Si presque toutes les

dimensions ont progressé lors de la refonte, la garde au sol elle, a été abaissée de 3 cm.

8 places, vraiment?

L'habitacle du Toyota Highlander est non seulement spacieux, mais aussi bien garni. Le tableau de bord est sobre et la finition est sans reproche. Disposant de trois rangées de sièges, ce grand Toyota peut théoriquement accueillir jusqu'à huit personnes à son bord, à condition que ceux qui prennent place tout à l'arrière aient des talents de contorsionniste. Aux places avant et médianes, qui sont chauffantes dans les versions Limited, les nouvelles dimensions du Highlander se remarquent et le dégagement est impressionnant.

Suspendu au moyen de ressorts hélicoïdaux à l'avant et de barres triangulées à l'arrière, le châssis du Highlander filtre efficacement les imperfections du pavé et les occupants ne s'en portent que mieux. Pour avaler les kilomètres en famille, il est tout désigné. À ce propos, les espaces de rangement ne

Impressions de l'auteur			Concurrents
Agrément de conduite :	★★★☆☆	3	Buick Enclave, Chevrolet Traverse,
Fiabilité :	★★★★☆	4	Ford Flex, GMC Acadia, Honda Pilot,
Sécurité :	★★★☆☆	3,5	Mazda CX-9, Nissan Murano
Qualités hivernales :	★★★★☆	4	
Espace intérieur :	★★★★☆	4,5	
Confort :	★★★☆☆	3,5	

font pas défaut et celui intégré à la console centrale peut même accueillir un ordinateur portable. Au chapitre des commodités, il ne faut pas oublier le hayon à commande électrique qui s'ouvre sur un coffre de 390 litres (quand tous les dossiers sont relevés) et dont la vitre se relève indépendamment au besoin.

Mécaniques éprouvées

Sous son capot, le Toyota Highlander accueille une mécanique familière et aboutie sous la forme du V6 de 3,5 litres qui, dans cette application, développe 270 chevaux. Accouplé à une boîte automatique à six rapports, il peut transmettre sa puissance par le biais de deux ou quatre roues selon la version choisie. Si certains ne jurent que par le rouage intégral, sachez que le modèle strictement tracté représente des économies substantielles à l'achat comme à l'utilisation et qu'il se débrouille fort bien dans la neige lorsqu'équipé de pneus conséquents.

Ceux qui ont la fibre environnementale un peu plus développée ne sont pas laissés pour compte, puisque le Highlander se décline également avec une motorisation hybride. Le V6 est toujours présent, mais sa puissance est ramenée à 231 chevaux, tandis qu'un trio de moteurs électriques contribue à élever la puissance totale à 280 équidés, permettant au final de damer le pion au Highlander courant par 10 chevaux. S'il est aussi livré avec quatre roues motrices, le Highlander hybride diffère au niveau de la transmission en proposant une CVT plutôt qu'une automatique traditionnelle.

Malgré un poids pouvant dépasser 2 000 kilos, en fonction de la motorisation, le Highlander est d'une étonnante facilité à conduire. D'ailleurs, il offre une des meilleures visibilités toutes catégories confondues, à ce point où la caméra de recul de série est presque inutile. En courbe, le roulis est plutôt bien contrôlé, alors que la direction, pourtant à assistance électrique, se montre plus communicative que sur d'autres véhicules de ce genre. Cependant, le Highlander ne se conduit pas tout seul et il faut tout de même garder les yeux sur la route. Ça semble évident, mais avec la quantité de réglages incorporés à l'écran central et l'absence d'une commande rotative sur la console, il faut constamment s'étirer pour toucher les trop nombreuses touches.

Il y a très peu de reproches à faire au Toyota Highlander qui, de plus, jouit de la réconfortante réputation de fiabilité de Toyota. Ne reste qu'à choisir la bonne version, car plus de 20 000 $ séparent le modèle de base du plus luxueux. Aussi, si vous favorisez le confort plutôt que l'apparence, mieux vaut vous en tenir aux jantes de 18 po, car celles de 19 po proposées en option rendent l'amortissement un brin plus sec.

Châssis - 4RM LE

Emp / lon / lar / haut	2790 / 4855 / 1925 / 1730 mm
Coffre / Réservoir	390 à 2370 litres / 73 litres
Nombre coussins sécurité / ceintures	8 / 8
Suspension avant	indépendante, jambes de force
Suspension arrière	indépendante, double triangulation
Freins avant / arrière	disque / disque
Direction	à crémaillère, ass. variable électrique
Diamètre de braquage	11,8 m
Pneus avant / arrière	P245/60R18 / P245/60R18
Poids / Capacité de remorquage	1995 kg / 2268 kg (5000 lb)
Assemblage	Princeton, IN

Composantes mécaniques

Hybride

Cylindrée, soupapes, alim.	V6 3,5 litres 24 s atmos.
Puissance / Couple	231 chevaux / 215 lb-pi
Tr. base (opt) / rouage base (opt)	CVT / Int
0-100 / 80-120 / V.Max	8,0 s / 5,6 s / n.d.
100-0 km/h	n.d.
Type / ville / route / CO_2	Ord / 6,8 / 7,2 l/100 km / 3211 kg/an

Moteur électrique

Puissance / Couple	68 ch (51 kW) / 103 lb-pi
Type de batterie	Nickel-hydrure métallique (NiMH)
Énergie	4,5 kWh

2RM, 4RM

Cylindrée, soupapes, alim.	V6 3,5 litres 24 s atmos.
Puissance / Couple	270 chevaux / 248 lb-pi
Tr. base (opt) / rouage base (opt)	A6 / Tr (Int)
0-100 / 80-120 / V.Max	7,6 s / 4,2 s / n.d.
100-0 km/h	40,0 m
Type / ville / route / CO_2	Ord / 11,1 / 7,9 l/100 km / 4444 kg/an

Photos : Toyota Canada

Du nouveau en 2015

Aucun changement majeur

- Fiabilité reconnue
- Bonne visibilité
- De la place pour 8
- Équipement de série généreux
- Mécanique éprouvée

- Options coûteuses
- Écran central distrayant
- Pneus de 19 po peu souhaitables
- 3e rangée de sièges difficile d'accès

TOYOTA PRIUS V

![Toyota logo] **TOYOTA PRIUS / PRIUS V**

▶ **Catégorie :** Hatchback
▶ **Cote d'assurance :** $$$$

▶ **Échelle de prix :** 22 285 $ à 37 550 $ (2014)
▶ **Garanties :** 3 ans/60 000 km, 5 ans/100 000 km

▶ **Transport et prép. :** 1 495 $
▶ **Ventes CAN 2013 :** 2 140 unités*

La règle de trois, version écolo

Marc Lachapelle

Qui aurait cru qu'une petite voiture trapue, lente, pas très jolie et plutôt désagréable à conduire puisse être à l'origine d'une transformation aussi profonde de l'industrie automobile? Remarquez qu'on peut en dire autant des légendaires Coccinelle de Volkswagen ou Citroën 2 CV. La première Prius occupera certainement une place de choix dans l'histoire de l'automobile mais pour l'instant, ses descendantes ne cessent de se multiplier, de se transformer et de répandre la bonne nouvelle.

Le géant japonais a largement gagné son pari de quelques milliards sur un premier groupe propulseur hybride combinant un moteur à essence et des moteurs électriques. Le tout régulé par une poignée d'ordinateurs et synchronisé par une transmission à variation continue qui fonctionne avec des engrenages planétaires plutôt que la courroie et les poulies habituelles. Sa réussite est d'autant plus insolente que ce

TOYOTA PRIUS V

rouage « hybride synergétique », comme on l'a baptisé, s'est révélé jusqu'à maintenant d'une fiabilité exemplaire.

Les sceptiques joyeusement confondus

Mieux encore, sa batterie de propulsion à hydrure métallique de nickel a dépassé allègrement les pronostics de longévité les plus optimistes. Elle fait mentir, du même coup, les pessimistes qui prédisaient des remplacements prématurés à un coût faramineux. Une Prius a déjà parcouru plus de 1,5 million de kilomètres comme voiture-taxi sans réparation importante. Et il y en a des milliers d'autres.

Pour profiter pleinement du succès de la première, lancée chez nous en 2001, Toyota a sorti une deuxième génération de la Prius en 2004 et une troisième en 2010. L'année 2012 vit apparaître la Prius V, plus spacieuse et pratique, qui partageait la même architecture et le même rouage hybride. Un an plus tard, ce fut au tour de la petite Prius C, présentée dans ces pages avec la Yaris dont elle reprend la carrosserie. On

Impressions de l'auteur			Concurrents
Agrément de conduite :	★★⯨	2,5	Honda Insight, Lexus CT,
Fiabilité :	★★★★★	5	Ford Fusion Hybride,
Sécurité :	★★★⯨	3,5	Hyundai Sonata Hybride,
Qualités hivernales :	★★★⯨	3,5	Kia Optima Hybride,
Espace intérieur :	★★★★	4	Honda Civic Hybride
Confort :	★★★	3	

* Toyota Prius branchable: 212 unités, Toyota Prius V: 2 640 unités

peut s'offrir aussi, depuis l'an dernier, une version rechargeable de la Prius en format ordinaire.

La somme de ses paradoxes

La Prius est l'objet d'un véritable culte et jouit d'une vénération sans borne auprès d'une légion d'inconditionnels. Dans un registre plus rationnel, elle offre la meilleure valeur globale selon les analystes de *Consumer Reports*, toutes catégories confondues. Un classement établi en fonction du coût sur cinq années d'utilisation, de la note générale et de la fiabilité probable.

Cette star écolo est-elle parfaite pour autant? Certainement pas! La première avait quelque chose de caricatural avec sa silhouette en bulle, sa direction dénuée de toute sensation et un freinage impossible à moduler. Le bond vers l'avant est survenu en 2004 avec le lancement de la deuxième génération. Une voiture plus attrayante, spacieuse, performante, pratique et frugale. On avait augmenté sa puissance et réduit la taille de sa batterie de propulsion en plus de la coucher sous la banquette arrière pour transformer la Prius en *hatchback*. Génial. Elle était même nettement plus stable et agréable à conduire.

La troisième Prius, en scène depuis 2010, est encore plus spacieuse, puissante, performante, aérodynamique et frugale. Grâce à un groupe hybride dont le cœur thermique a gagné en cylindrée et en puissance, passant de 1,5 à 1,8 litre et de 110 à 134 chevaux, respectivement. Assez pour passer de 0 à 100 km/h en 10,84 plutôt que 11,16 secondes et mériter des cotes de consommation de 4,7 et 4,9 l/100 km, selon les nouvelles normes de RNC. Elle freine également plus courtement avec ses quatre freins à disque.

C'est pourtant une déception en termes de raffinement, de confort, d'ergonomie et de ce plaisir de conduite qu'a constamment célébré et recherché le Guide de l'auto. Un plaisir qui n'est jamais incompatible avec les autres vertus recherchées. La Prius se plait en ville, même si sa direction est toujours aussi dénuée de sensations. Elle aime beaucoup moins la route, surtout sur de longs trajets. Ses places avant sont inconfortables, sa tenue de cap aléatoire et sa consommation décevante aux vitesses habituelles.

L'écran qui rend compte du fonctionnement des principaux systèmes est également glauque et tristement monochrome. En net recul sur la précédente et encore plus sur les affichages de la concurrence. La Prius PHV (rechargeable ou enfichable, au choix) c'est essentiellement la même chose, avec 20 km d'autonomie électrique en prime, pour un surpoids d'une cinquantaine de kilos et quelques milliers de dollars de plus. La Prius V est un peu plus spacieuse et pratique. Un peu moins performante et frugale.

Aimer la Prius actuelle, c'est avoir la foi. On en tire au moins la satisfaction de conduire une voiture rigoureusement fiable et frugale. Vivement la prochaine qui devrait se pointer d'ici un an. Une voiture qu'on promet plus légère, performante, compacte, frugale et moins chère. Tiens, ont-ils lu dans nos pensées?

Photos: Toyota Canada

TOYOTA PRIUS V

Châssis - Hybride

Emp / lon / lar / haut	2700 / 4481 / 1745 / 1491 mm
Coffre / Réservoir	445 à 612 litres / 45 litres
Nombre coussins sécurité / ceintures	7 / 5
Suspension avant	indépendante, jambes de force
Suspension arrière	semi-indépendante, poutre de torsion
Freins avant / arrière	disque / disque
Direction	à crémaillère, ass. variable électrique
Diamètre de braquage	10,4 m
Pneus avant / arrière	P195/65R15 / P195/65R15
Poids / Capacité de remorquage	1383 kg / n.d.
Assemblage	Toyota City, JP

Composantes mécaniques

Hybride, Hybride V

Cylindrée, soupapes, alim.	4L 1,8 litre 16 s atmos.
Puissance / Couple	98 chevaux / 105 lb-pi
Tr. base (opt) / rouage base (opt)	CVT / Tr
0-100 / 80-120 / V.Max	10,8 s / 8,5 s / 180 km/h
100-0 km/h	43,6 m
Type / ville / route / co_2	Ord / 4,3 / 4,8 l/100 km / 2116 kg/an

Moteur électrique (hybride)

Puissance / Couple	80 chevaux (60 kW) /153 lb-pi
Type de batterie	Nickel-Hydrure métallique (NiMH)
Énergie	1,3 kW

Hybride branchable

Cylindrée, soupapes, alim.	4L 1,8 litre 16 s atmos.
Puissance / Couple	98 chevaux / 105 lb-pi
Tr. base (opt) / rouage base (opt)	CVT / Tr
0-100 / 80-120 / V.Max	12,0 s / n.d. / n.d.
100-0 km/h	n.d.
Type / ville / route / co_2	Ord / 4,6 / 4,8 l/100 km / 2160 kg/an

Moteur électrique (branchable)

Puissance / Couple	80 chevaux (60 kW) /153 lb-pi
Type de batterie	Lithium-ion (Li-ion)
Énergie	4,4 kW
Temps de charge	(120 V / 240 V) 3,0 / 1,5 hres
Autonomie	20 km

Du nouveau en 2015

Aucun changement majeur. Quelques changements dans les couleurs.

FEU VERT
- Fiabilité exceptionnelle
- Frugalité inégalée, en ville
- Rouage hybride éprouvé
- Places arrière accueillantes
- Excellente valeur de revente

FEU ROUGE
- Peu à l'aise sur les longs trajets
- Direction légère et insensible
- Tableau de bord terne
- Versions cossues très chères
- Mauvaise visibilité arrière

TOYOTA **RAV4**

▶ **Catégorie :** VUS

▶ **Cote d'assurance :** $$$$$

▶ **Échelle de prix :** 25 785 $ à 34 775 $ (2014)

▶ **Garanties :** 3 ans/60 000 km, 5 ans/100 000 km

▶ **Transport et prép. :** 1 495 $

▶ **Ventes CAN 2013 :** 33 156 unités

Pas le plus sexy, pas le plus techno...

Nadine Filion

L e Toyota Rav4 n'est pas le plus beau ni le plus *sexy*. Il n'est pas le plus sportif, surtout pas le plus techno et il ne figure plus parmi les plus puissants de sa catégorie. Mais il se la joue sécuritaire, avec un prix très avantageux pour un véhicule si logeable, à grande valeur de revente et réputé quasi-indestructible.

Mine de rien, c'est le Toyota Rav4 qui a créé la catégorie des utilitaires compacts, il y a deux décennies. Mais bon, sa 4e génération, débarquée l'an passé, ne réinvente rien, et surtout pas le style, beaucoup trop anonyme pour se démarquer dans un marché qui bouillonne de nouveaux compétiteurs.

Pas de grandes innovations non plus du côté de la motorisation. Au contraire : la nouvelle génération a perdu son V6 (3,5 litres) de 269 chevaux − une puissance certes outrancière pour la catégorie, mais qui permettait de remorquer jusqu'à 1 588 kg (3 500 lb). Ceux qui veulent tirer autant doivent désormais se

rabattre sur les Mitsubishi Outlander V6, Ford Escape 2,0T ou Chevrolet Equinox V6.

L'un des plus économes

La contrepartie de la disparition du V6 ? Le bon vieux quatre cylindres de 2,5 litres, jumelé à sa boîte automatique six rapports, s'est montré lors de nos tests maison l'un des plus économes en carburant du segment (avec le Honda CR-V). Et ce, au nez et à la barbe de tous les autres qui, contrairement à lui (et au Honda CR-V), misent sur l'injection directe, les turbos, les boîtes CVT, alouette.

Vite de même, on pourrait croire que les 176 chevaux du Toyota Rav4 sont limites. Étonnamment, la puissance est convenable et bien déliée, et la transmission passe ses rapports en transparence, bien qu'on doive composer avec un levier en « escalier » plus ou moins instinctif.

Impressions de l'auteur		Concurrents
Agrément de conduite :	★★★⯪☆ 3,5/5	Chevrolet Equinox, Ford Escape, Honda CR-V, Hyundai Santa Fe, Mitsubishi Outlander, Nissan Rogue, Subaru Forester, Volkswagen Tiguan
Fiabilité :	★★★★ 4/5	
Sécurité :	★★★★ 4/5	
Qualités hivernales :	★★★★ 4/5	
Espace intérieur :	★★★★ 4/5	
Confort :	★★★⯪☆ 3,5/5	

TOYOTA RAV4

Il faut le dire : pour le Toyota Rav4, pas de grande excitation sur la route. La direction, toujours à assistance électrique, livre bien peu de sensations. À la belle saison, la tenue de route s'est avérée solide, merci à l'une des gardes au sol (160 mm) la plus près du sol – la moyenne de la catégorie tourne plutôt autour de 190 mm. Mais en hiver, contrairement à ce que nous avions escompté de la part d'un utilitaire « quatre pattes », notre variante AWD s'est montrée moins assurée. Les diverses aides passives, qui peinaient à suivre le tempo, n'étaient pas des plus efficaces dans la tempête. En outre, il fallait quitter les yeux de la route pour dégoter, cachée à gauche du volant, la commande qui verrouille le dispositif en mode 50-50. Aussi, son insonorisation a beau être dans la bonne moyenne, l'habitacle n'a pas l'atmosphère enveloppante et douillette des produits coréens, encore moins l'ambiance techno haut de gamme de certains concurrents américains.

Bye bye, la 3ᵉ rangée

Sinon, tout le reste est ce que l'on attend d'un utilitaire compact, d'autant que le Toyota Rav4 est l'un des plus spacieux de sa catégorie, pour son espace de chargement (avec plus de 2 000 litres une fois la banquette rabattue) et pour son dégagement intérieur. À l'arrière, le plancher plat rend heureux le 5ᵉ passager, qui n'a pas les genoux au front. Les dossiers s'inclinent – parfaits pour la sieste – mais la banquette n'accepte plus de s'avancer et de se reculer. Dommage, nombre d'autres utilitaires proposent pareille solution, qui accorde plus de marge de manœuvre au gré des besoins. Oh, et la 3ᵉ rangée n'est plus : exit, kaput, bye-bye. Pour loger les amis nᵒ 6 et nᵒ 7, il faut plutôt se tourner vers le Mitsubishi Outlander ou le Nissan Rogue.

Certes, le Toyota Rav4 ne remportera pas de récompense pour une technologie exubérante ou des équipements à tout casser, mais l'essentiel y est : caméra de recul, alerte à la circulation transversale et lecture des textos, selon les options et versions. Deux regrets : pas de banquette arrière chauffante (ce qu'offrent pourtant presque tous les produits coréens) et pas de toit panoramique. Sinon, l'intérieur apporte un côté macho qui n'est pas pour déplaire, avec cette planche aérée qui s'allonge tout du long, alors que l'industrie veut plutôt des consoles minces en hauteur où sont agglutinées les commandes. De fait, le Toyota Rav4 est l'un des véhicules les plus simples à apprivoiser du marché, avec ses grosses molettes ergonomiques disposées logiquement (un bémol pour l'écran, cependant, qui s'efface trop sous les rayons du soleil).

Bref, cette 4ᵉ génération de Toyota Rav4 est pile-poil ce que recherchent les acheteurs du moment : il fait tout ce qu'il faut, là où il le faut, comme il le faut et – parce qu'elle est bien révolue, l'ère où le Toyota Rav4 était parmi les plus coûteux de sa catégorie – à un prix comme il le faut.

Châssis - Limited

Emp / lon / lar / haut	2660 / 4570 / 1845 / 1705 mm
Coffre / Réservoir	1087 à 2076 litres / 60 litres
Nombre coussins sécurité / ceintures	8 / 5
Suspension avant	indépendante, jambes de force
Suspension arrière	indépendante, double triangulation
Freins avant / arrière	disque / disque
Direction	à crémaillère, ass. électrique
Diamètre de braquage	12,0 m
Pneus avant / arrière	P235/55R18 / P235/55R18
Poids / Capacité de remorquage	1620 kg / 680 kg (1499 lb)
Assemblage	Woodstock, ON

Composantes mécaniques

Cylindrée, soupapes, alim.	4L 2,5 litres 16 s atmos.
Puissance / Couple	176 chevaux / 172 lb-pi
Tr. base (opt) / rouage base (opt)	A6 / Tr (Int)
0-100 / 80-120 / V.Max	9,9 s / 6,9 s / n.d.
100-0 km/h	44,1 m
Type / ville / route / CO_2	Ord / 9,3 / 6,8 l/100 km / 3772 kg/an

Du nouveau en 2015

Aucun changement majeur. Quelques changements dans les couleurs.

FEU VERT
- L'un des plus spacieux de la catégorie
- Grande valeur de revente
- Frugal en carburant
- Excellent rapport qualité-prix
- Véhicule très facile à apprivoiser

FEU ROUGE
- Pas le plus *sexy*, pas le plus techno
- Exit, la 3ᵉ rangée
- Capacité de remorquage en baisse
- Suspension quelquefois camion
- AWD perfectible

Photos : Toyota Canada

TOYOTA **SEQUOIA**

▶ **Catégorie :** VUS

▶ **Cote d'assurance :** $$$$$

▶ **Échelle de prix :** 60 925 $ à 69 590 $ (2014)

▶ **Garanties :** 3 ans/60 000 km, 5 ans/100 000 km

▶ **Transport et prép. :** 1 495 $

▶ **Ventes CAN 2013 :** 744 unités

Membre du club des Immuables

Alain Morin

Eh oui, il existe un club des Immuables de l'automobile (le CIA…). Il regroupe des véhicules qui ont horreur du changement. La Volvo S80 est membre du conseil d'administration, tandis que le Mercedes-Benz Classe G est leur président. Dès que ce dernier quittera la scène après des décennies de loyaux services, le Toyota Sequoia sera là pour le remplacer…

Malgré tout ce qu'on peut en penser, il est tout à fait normal qu'avec un nom comme Sequoia, les évolutions prennent des années avant d'être visibles. Le Sequoia demeure le plus gros VUS proposé par Toyota en Amérique, puisqu'il est construit sur la plate-forme du titanesque Tundra (décidément, la nature est appréciée chez Toyota… surtout pour les véhicules qui polluent). Toujours est-il que le Sequoia, une réponse aux Ford Expedition, Chevrolet Suburban et Nissan Armada, est un géant de la route. Il suffit de devoir déglacer les vitres un petit matin de février pour se rendre compte qu'à 5 pieds 6 pouces,

le journaliste n'est pas de taille et que l'utilisation du lave-vitre est peut-être le comble de la lâcheté mais c'est tellement pratique et rapide…

Conduire un séquoia

Évidemment, stationner un véhicule de la taille du stade olympique dans un centre-ville bondé représente un exercice éminemment délicat. Mais qu'est-ce qu'on peut bien faire avec un Sequoia dans un centre-ville bondé? Me demanderez-vous… En fait, il y a plusieurs raisons. Il peut s'agir d'un entrepreneur en construction qui se rend sur un chantier, une famille nombreuse qui va voir un spectacle, une personne qui doit aller chercher plusieurs boites ou qui doit tirer une lourde remorque… Il y en a aussi quelques-uns qui veulent tout simplement montrer qu'ils ont suffisamment d'argent pour se promener avec un immense arbre. Heureusement, il y en a de moins en moins!

Impressions de l'auteur	
Agrément de conduite :	★★½☆☆ 2,5/5
Fiabilité :	★★★★ 4/5
Sécurité :	★★★★ 4/5
Qualités hivernales :	★★★★½ 4,5/5
Espace intérieur :	★★★★½ 4,5/5
Confort :	★★★★½ 4,5/5

Concurrents
Chevrolet Tahoe, Ford Expedition, GMC Yukon, Nissan Armada

Une chose est sûre, ceux qui possèdent un Toyota Sequoia sont transportés en tout confort dans un habitacle vaste comme une cathédrale. Les sièges sont bien adaptés aux physiques imposants et les supportent comme bien peu de sièges savent le faire. Selon la version, la deuxième rangée est constituée d'une banquette ou de deux sièges capitaines. La troisième rangée accueille trois personnes dans un confort relatif. Le conducteur fait face à une instrumentation complète et facilement lisible, gracieuseté de cadrans très gros. D'ailleurs, tout dans le tableau de bord est gros et on peut manipuler n'importe quel bouton avec de gros gants de construction. Les espaces de rangement sont nombreux et de bonnes dimensions. Le contraire aurait été surprenant!

Un éléphant sur la brosse

Un seul moteur s'occupe d'arracher ce monstre de près de 3 000 kilos à sa position stationnaire. Il s'agit d'un V8 de 5,7 litres de 381 chevaux. Même si l'on est porté à croire que les accélérations sont pénibles, il n'en est rien. Évidemment, moins les accélérations sont pénibles, plus les arrêts à la pompe le seront. Lors de notre dernière prise en main, nous avons réussi, après maints efforts pour retenir les ardeurs du pied droit, à obtenir une moyenne de 15,0 l/100 km. Cependant, une moyenne de 16 ou 17 l/100 nous semble plus réaliste, surtout si le véhicule est le moindrement conduit en ville. La transmission automatique égrène ses six rapports avec une douceur satinée. Elle contribue à sa façon à « l'économie » d'essence en gardant les révolutions du moteur très basses. Par exemple, à 100 km/h, il ne tourne qu'à 1 600 tr/min. Quant au rouage 4x4, il n'est pas le plus sophistiqué qui soit, néanmoins, son efficacité ne peut être mise en doute. Lors d'un récent essai, le Sequoia s'est littéralement moqué d'une virée dans un champ très boueux. Il n'a certes pas l'aisance du défunt FJ Cruiser mais pour l'enliser, il faut vraiment le vouloir.

Sur la route, le Sequoia se comporte comme ses lignes le suggèrent, c'est-à-dire avec la grâce d'un éléphant ivre. Les suspensions sont responsables d'un impressionnant confort, cependant, elles autorisent un roulis considérable en virage. La direction semble déconnectée des roues avant mais, ô surprise, le rayon de braquage est court. Pour un gros VUS, s'entend. Malgré tout, la tenue de route est correcte et on peut prendre les courbes à des vitesses légales sans aucun problème.

Il serait facile de dire que le Sequoia appartient à une époque révolue. Pourtant, elle ne doit pas l'être tant que ça à voir les efforts que General Motors et Ford mettent cette année dans l'amélioration de leurs mastodontes respectifs. N'empêche que si Toyota ne veut pas perdre sa mince part du marché des grands VUS, elle aurait intérêt à moderniser son Sequoia. Tout en conservant ses dimensions et ses capacités en hors route et de remorquage.

Châssis - Platinum V8 5.7L	
Emp / lon / lar / haut	3100 / 5210 / 2030 / 1955 mm
Coffre / Réservoir	535 à 3400 litres / 100 litres
Nombre coussins sécurité / ceintures	8 / 7
Suspension avant	indépendante, double triangulation
Suspension arrière	indépendante, pneu, double triangulation
Freins avant / arrière	disque / disque
Direction	à crémaillère, ass. variable
Diamètre de braquage	12,5 m
Pneus avant / arrière	P275/55R20 / P275/55R20
Poids / Capacité de remorquage	2721 kg / 3175 kg (6999 lb)
Assemblage	Princeton, IN

Composantes mécaniques	
Cylindrée, soupapes, alim.	V8 5,7 litres 32 s atmos.
Puissance / Couple	381 chevaux / 401 lb-pi
Tr. base (opt) / rouage base (opt)	A6 / 4x4
0-100 / 80-120 / V.Max	7,1 s / 6,1 s / n.d.
100-0 km/h	42,9 m
Type / ville / route / CO_2	Ord / 17,2 / 11,9 l/100 km / 6808 kg/an

Du nouveau en 2015
Aucun changement majeur

FEU VERT
- Confort indéniable
- Habitacle très vaste
- Fiabilité reconnue
- Bonne capacité de remorquage
- Solide en hors route

FEU ROUGE
- Peut vider une raffinerie en moins de deux
- Poids pachydermique
- Roulis considérable en virage
- Agrément de conduite bien peu présent
- Habitacle manque de raffinement

Photos : Toyota Canada

TOYOTA **SIENNA**

▸ **Catégorie :** Fourgonnette	▸ **Échelle de prix :** 31 035 $ à 43 340 $ (2014)	▸ **Transport et prép. :** 1 495 $
▸ **Cote d'assurance :** $$$$$	▸ **Garanties :** 3 ans/60 000 km, 5 ans/100 000 km	▸ **Ventes CAN 2013 :** 11 756 unités

Comme les impôts

Alain Morin

I l y a des choses immuables : les saisons, le jour et la nuit, les impôts, les anniversaires et la Toyota Sienna. Oh, n'allez pas croire que la Sienna ne change pas ! La génération actuelle, en service depuis 2011, a connu un gros changement en 2014 alors que Toyota a retiré le quatre cylindres. Si c'est pas du changement, ça...

La Sienna en est à sa cinquième année dans sa plus récente mouture, ce qui est loin d'être un record de longévité dans l'automobile. Reconnue pour sa fiabilité mécanique, elle est aussi très fidèle à ses origines, en 1998. Supra-pragmatique, aucunement sportive et toujours confortable... en cela, elle est immuable.

La Sienna actuelle poursuit donc son gros bonhomme de chemin, affichant des lignes qui manquent peut-être de punch mais qui ont le mérite de bien vieillir. D'ailleurs, le but premier d'une fourgonnette n'est pas d'être aguichante mais bien d'être

pratique. Concilier les deux donne une Nissan Quest... qui n'est plus offerte !

La philosophie du pragmatisme se poursuit dans le vaste habitacle. Détail peu anodin, même si la Sienna est la plus courte et pas la plus haute de toutes les fourgonnettes actuellement sur le marché, c'est elle qui possède le plus grand habitacle. De l'espace, il y en a, peu importe l'endroit où l'on s'assoit. Les sièges avant et de la deuxième rangée, surtout ceux en cuir, sont très confortables et très faciles d'accès. Ceux de la troisième rangée sont probablement les meilleurs de la catégorie même si l'on y est assis un peu bas. La plupart des modèles de la Sienna offrent sept places, certains disposent de huit places. À ce moment, on retrouve une banquette à la deuxième rangée plutôt que des sièges capitaines.

Attention aux jointures

Au chapitre de la modularité, par contre, on est loin du Stow'n Go de Chrysler/Dodge. La Sienna possède une troisième rangée qui

Impressions de l'auteur			Concurrents
Agrément de conduite :	★★★☆☆	3/5	Chrysler Town & Country,
Fiabilité :	★★★★☆	4/5	Dodge Grand Caravan,
Sécurité :	★★★★☆	4/5	Honda Odyssey, Kia Sedona
Qualités hivernales :	★★★★☆	4/5	
Espace intérieur :	★★★★★	5/5	
Confort :	★★★★☆	4/5	

s'escamote très facilement dans une cavité (et en ressort tout aussi simplement). Là où ça se complique, c'est quand vient le temps de transporter des objets très volumineux. On peut avancer les sièges de la deuxième rangée mais s'il faut davantage d'espace, on doit les enlever point à la ligne. Et à 32 kg (70 livres) chacun, on ne les enlève pas pour des peccadilles ! En plus, les rails restent sur le plancher, ce qui peut compliquer certains déménagements. Je sais de quoi je parle. Chaque fois que j'ai une fourgonnette en essai, j'ai soudain un paquet de nouveaux amis qui, coïncidence, doivent justement déménager...

Le tableau de bord est nouveau cette année. Il reprend, grosso modo, le design de celui d'une Lexus CT200h. Les gros cadrans, qui ne rappellent plus ceux de la Venza, se consultent aisément, les commandes sont faciles à manipuler, et les espaces de rangement pullulent.

On oublie le quatre cylindres

Comme mentionné au début de cet article, Toyota a abandonné le quatre cylindres. Sage décision. Ce moteur devait toujours travailler très fort pour faire bouger le poids élevé de la Sienna. Allège. Imaginez le désarroi de ce moteur quand il avait affaire à un gars comme moi qui a le don d'attirer les nouveaux amis en manque de remorque. Ça, c'est le passé. Désormais, le seul moteur offert est un V6 de 3,5 litres qui déballe une écurie amplement suffisante pour assurer des accélérations et des reprises vigoureuses, que le véhicule soit vide ou chargé à bloc. La consommation d'essence n'est évidemment pas celle d'une Prius. En conduite normale, il faut s'attendre entre 10,5 et 11 litres aux cent kilomètres pour une version à roues avant motrices. C'est davantage que la Honda Odyssey.

La transmission est une automatique à six rapports dont le principal mérite est de se faire oublier. D'office, les roues avant sont motrices, cependant certains modèles offrent le rouage intégral faisant de la Sienna la seule fourgonnette offrant l'AWD. Il faut toutefois calculer environ 1 litre de plus aux 100 km.

Nul ne sera étonné d'apprendre qu'on ne s'amuse guère au volant d'une Sienna. Ses suspensions sont manifestement étudiées pour offrir un bon confort et sa direction est à la fois lente et peu bavarde sur le travail des roues avant. Toutefois, sa conduite est d'une déconcertante facilité et elle avale les kilomètres sans broncher, sauf s'il y a un vent latéral.

On a beau critiquer les fourgonnettes, leur trouver un paquet de défauts, quelquefois à raison, n'empêche que pour transporter sept ou huit personnes et leurs bagages (ou pour se faire de nouveaux amis), rien ne les approche. La Sienna en est la preuve !

Châssis - LE AWD 7 Places

Emp / lon / lar / haut	3030 / 5085 / 1985 / 1811 mm
Coffre / Réservoir	1110 à 4250 litres / 79 litres
Nombre coussins sécurité / ceintures	8 / 7
Suspension avant	indépendante, jambes de force
Suspension arrière	semi-indépendante, poutre de torsion
Freins avant / arrière	disque / disque
Direction	à crémaillère, ass. variable électrique
Diamètre de braquage	11,2 m
Pneus avant / arrière	P235/55R18 / P255/55R18
Poids / Capacité de remorquage	2045 kg / 1585 kg (3494 lb)
Assemblage	Princeton, IN

Composantes mécaniques

Cylindrée, soupapes, alim.	V6 3,5 litres 24 s atmos.
Puissance / Couple	266 chevaux / 245 lb-pi
Tr. base (opt) / rouage base (opt)	A6 / Tr (Int)
0-100 / 80-120 / V.Max	8,8 s / 5,3 s / n.d.
100-0 km/h	42,6 m
Type / ville / route / co$_2$	Ord / 12,3 / 8,6 l/100 km / 4890 kg/an

Du nouveau en 2015

Parties avant, arrière et tableau de bord redessinés. Options revues, ajout d'un coussin gonflable.

- V6 bien adapté
- Habitacle très vaste
- La seule fourgonnette AWD
- Fiabilité assurée
- Confort de haut calibre

- Conduite sans grande passion
- Modularité des sièges à revoir
- Version de base assez « de base »
- Il y a toujours quelque chose à déménager...

Photos : Toyota Canada

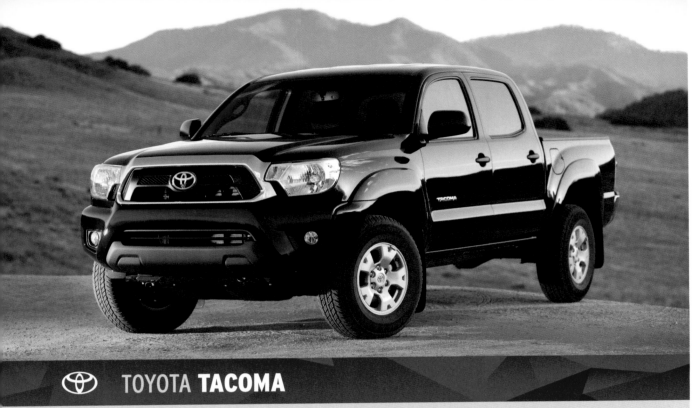

TOYOTA **TACOMA**

▶ **Catégorie :** Camionnette

▶ **Cote d'assurance :** $$$$$

▶ **Échelle de prix :** 24 265 $ à 33 065 $ (2014)

▶ **Garanties :** 3 ans/60 000 km, 5 ans/100 000 km

▶ **Transport et prép. :** 1 495 $

▶ **Ventes CAN 2013 :** 7 400 unités

Quasiment exclusif

Denis Duquet

Le marché des camionnettes compactes est squelettique. En effet, on dénombre pour l'instant le Nissan Frontier et le Toyota Tacoma dans cette catégorie tandis que le Honda Ridgeline est aux abonnés absents depuis cette année. Le Toyota est le plus vendu des deux survivants. Par contre, l'arrivée prochaine des Chevrolet Canyon et GMC Colorado risque de venir changer la donne. Sans oublier que Honda prépare la nouvelle génération du Ridgeline. Bien que plusieurs annoncent la disparition de cette catégorie, il est possible que les prix sans cesse croissants du pétrole créent une demande accrue pour ces camionnettes plus petites et théoriquement moins énergivores. Cela pourrait inciter certains acheteurs à se désintéresser des camionnettes pleine grandeur malgré une lutte sans merci dans cette catégorie qui se caractérise par une guerre des prix.

En attendant, la proposition de Toyota est à ne pas négliger car malgré sa silhouette qui commence à dater, le costaud Tacoma, qui se décline en de multiples configurations, est doté d'une mécanique fiable.

De beaux restes

Si vous trouvez sa silhouette un peu vieillotte, vous avez raison : la dernière révision date d'une décennie. Heureusement, la calandre lui donne un air agressif. Celle-ci est verticale et surplombe un pare-chocs très imposant qui sied bien à une camionnette qu'elle soit compacte ou non.

Le Tacoma est disponible en deux configurations de cabine : Accès et Double Cab. La première est constituée d'un espace relativement étroit derrière les places avant, comprenant des sièges dont la fonction première devrait être de recevoir des bagages et non des humains... On accède à ces places par des panneaux d'accès et non par des portières conventionnelles.

Impressions de l'auteur			Concurrents
Agrément de conduite :	★★★☆☆	3,5/5	Nissan Frontier
Fiabilité :	★★★★☆	4,5/5	
Sécurité :	★★★☆☆	3,5/5	
Qualités hivernales :	★★★★	4/5	
Espace intérieur :	★★★☆☆	3,5/5	
Confort :	★★★☆☆	3,5/5	

Celles-ci sont toutefois présentes sur la version Double Cab qui est dotée de places arrière nettement plus spacieuses et plus confortables.

La silhouette est accentuée par des passages de roue en relief. La version X-Runner 4x2 à cabine Accès est le modèle le plus sportif avec un ensemble complet de jupes, une prise d'air sur le capot, une suspension sport et un équipement de série incluant un système audio AVN à écran de 6,1 po avec navigation, un volant et un pommeau de levier de vitesses gainés de cuir, une caméra de recul, etc. Les roues arrière motrices et le V6 ajoutent au caractère sportif de ce modèle.

Au chapitre de la mécanique, deux moulins sont au catalogue. Le modèle de base du Tacoma est propulsé par un quatre cylindres de 2,7 litres produisant 159 chevaux. De série, il est associé à une boîte manuelle à cinq rapports. Indice de la vétusté des origines de cette camionnette, la boîte automatique est à quatre rapports... Si vous prévoyez transporter ou tracter de lourdes charges, il est préférable de choisir le V6 4,0 litres de 236 chevaux qui reçoit d'office une boîte manuelle à six rapports tandis que l'automatique est à cinq vitesses. Il faut ajouter que le V6 n'est livré qu'avec le rouage 4X4 sauf pour le X-Runner.

Confort moyen, fiabilité garantie

Prendre place dans un Tacoma n'est pas tellement facile en raison d'un plancher haut et un plafond bas. Il est fréquent de se heurter la tête dans l'encadrement de la portière... Une fois installé, le pilote est confronté à un tableau de bord bien disposé et relativement ergonomique. Mais son design date un peu par rapport aux modèles plus récents.

S'il faut trouver à redire quant à l'aménagement de l'habitacle, on parlera alors de l'assise fort basse des sièges qui rend la conduite inconfortable, et ce, peu importe votre taille. Par ailleurs, la qualité des matériaux et de la finition est à la hauteur de la réputation du constructeur.

Le moteur quatre cylindres est adéquat pour la plupart des situations, mais sachez que même s'il est offert en option avec un rouage 4X4, c'est un peu juste sur des chemins boueux ou des pentes raides. De plus, les transmissions disponibles ne privilégient pas une faible consommation de carburant. Le V6 est un meilleur choix. Chose certaine, quel que soit le moulin choisi, les deux sont bruyants!

Malgré un équipement complet et une fiabilité supérieure à la moyenne, la suspension trop sèche rend toute randonnée prolongée inconfortable. Et la situation est encore pire avec la suspension sport TRD. Soulignons en terminant que le catalogue des accessoires est fort bien fourni.

Photos: Toyota Canada

Châssis - 4x2 cab. accès

Emp / lon / lar / haut	3246 / 5286 / 1835 / 1670 mm
Boîte / Réservoir	1 866 mm (73,5 pouces) / 80 litres
Nombre coussins sécurité / ceintures	6 / 4
Suspension avant	indépendante, double triangulation
Suspension arrière	essieu rigide, ressorts à lames
Freins avant / arrière	disque / tambour
Direction	à crémaillère, ass. variable
Diamètre de braquage	13,6 m
Pneus avant / arrière	P215/70R15 / P215/70R15
Poids / Capacité de remorquage	1614 kg / 1587 kg (3498 lb)
Assemblage	San Antonio, TX

Composantes mécaniques

4x2

Cylindrée, soupapes, alim.	4L 2,7 litres 16 s atmos.
Puissance / Couple	159 chevaux / 180 lb-pi
Tr. base (opt) / rouage base (opt)	M5 (A4) / Prop (4x4)
0-100 / 80-120 / V.Max	10,9 s / 9,0 s / n.d.
100-0 km/h	39,5 m (est)
Type / ville / route / co_2	Ord / 11,5 / 9,2 l/100 km / 4784 kg/an

4x4

Cylindrée, soupapes, alim.	V6 4,0 litres 24 s atmos.
Puissance / Couple	236 chevaux / 266 lb-pi
Tr. base (opt) / rouage base (opt)	M6 (A5) / 4x4
0-100 / 80-120 / V.Max	7,3 s / 6,2 s / n.d.
100-0 km/h	40,3 m
Type / ville / route / co_2	Ord / 13,1 / 9,8 l/100 km / 5382 kg/an

Du nouveau en 2015

Aucun changement majeur

FEU VERT

- Fiabilité assurée
- Finition soignée
- Moteur V6 adéquat
- Choix de modèles

FEU ROUGE

- Suspension sèche
- Consommation décevante
- Prix élevé
- Sièges avant plutôt inconfortables

TOYOTA **TUNDRA**

▶ **Catégorie :** Camionnette

▶ **Cote d'assurance :** $$$$$

▶ **Échelle de prix :** 28 665 $ à 48 865 $ (2014)

▶ **Garanties :** 3 ans/60 000 km, 5 ans/100 000 km

▶ **Transport et prép. :** 1495 $

▶ **Ventes CAN 2013 :** 7 535 unités

À la guerre comme à la guerre

Sylvain Raymond

Lorsque l'on parle de camionnettes, chaque marque dispose d'une clientèle aussi fidèles qu'irréductibles, prêts à la défendre corps et âme. Depuis son introduction au début des années 2000, le Tundra a son lot d'amateurs qui n'hésitent pas à prêcher la bonne parole lorsque l'occasion se présente. Pas facile de rivaliser avec les trois constructeurs américains !

Toyota n'a pas ménagé les efforts au fil des années afin d'obtenir sa part du gâteau dans ce lucratif marché. On a étudié les stratégies adverses et on a même déployé différentes stratégies destinées à convaincre les puristes, notamment avec une participation en course NASCAR dans la série des camionnettes, en plus de déplacer la production du modèle au Texas, le berceau des *pick-up* !

Style robuste à l'américaine

L'an passé, histoire de maintenir le rythme, Toyota a remanié son modèle pleine grandeur. Côté style, le Tundra hérite de lignes un peu plus robustes. La stature du véhicule est bien mise en évidence par une large grille qui est 40 % plus imposante. Le capot sculpté est aussi un peu plus élevé de quelques centimètres alors que les bandes aux DEL intégrées aux phares de jour ajoutent de la modernité.

L'intérieur est aussi beaucoup mieux présenté. Tout est agencé logiquement et est rapidement accessible pour le conducteur. Les matériaux sont de qualité supérieure et l'attention aux détails est en hausse. On remarque une panoplie d'éléments surdimensionnés incluant les poignées de portière, les boutons de la radio, les buses de ventilation et l'immense console centrale qui bénéficie d'un volume d'espace de plus de 23 litres, rien de moins. L'espace à bord est généreux, mais la concurrence en offre plus aux places arrière.

Impressions de l'auteur		Concurrents
Agrément de conduite :	★★★⯪☆ 3,5/5	Chevrolet Silverado, Ford F-150,
Fiabilité :	★★★★☆ 4/5	GMC Sierra, Nissan Titan
Sécurité :	★★★★☆ 4/5	
Qualités hivernales :	★★★★☆ 4/5	
Espace intérieur :	★★★⯪☆ 3,5/5	
Confort :	★★★★☆ 4/5	

Autant de choix que la concurrence

Le succès d'un modèle pleine grandeur passe bien souvent par le nombre de possibilités offertes. À ce chapitre, le Tundra est dans les normes par rapport à ses concurrents puisqu'il dispose de deux types de rouages (deux et quatre roues motrices), trois types de cabines (Régulière, Double et CrewMax) et trois longueurs de caisse (5,6 — 6,6 et 8 pieds). En tout, vous pourrez opter pour dix versions différentes, dont certaines maintenant très cossues.

Si l'on a retravaillé la présentation globale du Tundra, la mécanique de cette troisième génération n'a rien de nouveau. Le moteur de base est toujours le huit cylindres de 4,6 litres qui produit 310 chevaux pour un couple de 327 lb-pi. Le fer de lance du Tundra demeure le V8 de 5,7 litres qui produit 381 chevaux et un couple de 401 lb-pi. Ce sont tout de même des chiffres supérieurs au V8 de 5,3 litres de GM et au V8 de 5,0 litres de chez Ford.

Si Toyota est dans le coup en termes de puissance, les technologies destinées à maximiser l'économie de carburant sont beaucoup plus déficientes... GM et Dodge ont adopté la technologie de désactivation des cylindres, Dodge propose un moteur diesel et une transmission à huit rapports alors que Ford mise sur son V6 turbo compressé Ecoboost. Au final, le Tundra affiche les chiffres de consommation les moins reluisants. Avec le prix du carburant sans cesse à la hausse, le nerf de la guerre n'est plus seulement la puissance mais bien le rendement à la pompe. C'est assez étonnant de la part d'un constructeur qui domine le marché des véhicules hybrides!

En conduite, la visibilité est excellente, mais on aimerait pouvoir abaisser un peu plus l'assise du siège. On est assis très haut! La direction offre un bon compris, elle n'est pas trop assistée et transmet bien les sensations de la route.

Grâce aux ajustements faits à la suspension, le véhicule est plus stable et l'effet de roulis moins marqué. La capacité de remorquage est en deçà de la concurrence avec un chiffre moyen se situant dans les 9 000 lb. Seule la version à cabine simple et à deux roues motrices peut tirer près de 10 200 lb. En comparaison, le F-150 peut tracter 11 300 lb avec la version à cabine double et quatre roues motrices. Même avec l'ensemble Remorquage, le Tundra ne dispose pas d'un contrôle de frein électrique pour remorque, composante importante et d'ailleurs proposée par Nissan. La seule option est de se rabattre vers des systèmes de marché secondaire. Pareillement pour les miroirs de remorquage, c'est une option vendue par le concessionnaire. Bref, la concurrence fait beaucoup mieux au chapitre des fonctionnalités. C'est surtout à ce sujet que l'on fait le plus de reproches au Tundra. Pour se battre avec les grands, il faut offrir autant.

Le Tundra n'est certainement pas une mauvaise camionnette et représente un effort plus que louable de la part du constructeur nippon. Il est simplement très difficile de rivaliser dans un créneau occupé depuis des décennies par un trio qui ne cesse d'investir massivement dans ses produits.

Châssis - 4x4 SR5 5.7L CrewMax

Emp / lon / lar / haut	3700 / 5810 / 2030 / 1940 mm
Boîte / Réservoir	1695 mm (66,7 pouces) / 100 litres
Nombre coussins sécurité / ceintures	8 / 5
Suspension avant	indépendante, double triangulation
Suspension arrière	essieu rigide, ressorts à lames
Freins avant / arrière	disque / disque
Direction	à crémaillère, ass. variable
Diamètre de braquage	13,4 m
Pneus avant / arrière	P275/65R18 / P275/65R18
Poids / Capacité de remorquage	2551 kg / 4080 kg (8994 lb)
Assemblage	San Antonio, TX

Composantes mécaniques

Cylindrée, soupapes, alim.	V8 4,6 litres 32 s atmos.
Puissance / Couple	310 chevaux / 327 lb-pi
Tr. base (opt) / rouage base (opt)	A6 / Prop (4x4)
0-100 / 80-120 / V.Max	10,9 s / 9,0 s / n.d.
100-0 km/h	39,5 m (est)
Type / ville / route / CO_2	Ord / 15,0 / 10,4 l/100 km / 5980 kg/an
Cylindrée, soupapes, alim.	V8 5,7 litres 32 s atmos.
Puissance / Couple	381 chevaux / 401 lb-pi
Tr. base (opt) / rouage base (opt)	A6 / Prop (4x4)
0-100 / 80-120 / V.Max	7,3 s / 6,2 s / n.d.
100-0 km/h	40,3 m
Type / ville / route / CO_2	Ord / 16,6 / 12,2 l/100 km / 6716 kg/an

Du nouveau en 2015

Aucun changement majeur

FEU VERT
- Finition intérieure améliorée
- Fiabilité
- Bon choix de modèles
- Style réussi

FEU ROUGE
- Consommation élevée
- Structure moins rigide que celle des rivaux
- Dimensions encombrantes
- Capacités de remorquage moindres

Photos : Toyota Canada

TOYOTA **VENZA**

▶ **Catégorie :** Multisegment

▶ **Cote d'assurance :** $$$$

▶ **Échelle de prix :** 30 610 $ à 34 165 $ (2014)

▶ **Garanties :** 3 ans/60 000 km, 5 ans/100 000 km

▶ **Transport et prép. :** 1 495 $

▶ **Ventes CAN 2013 :** 9 167 unités

Multisegment pur et dur

Alain Morin

Avant, tout était facile. On achetait un Ford ou un Chevrolet. Les plus riches se procuraient une Cadillac ou une Lincoln. Les excentriques roulaient en Fiat ou en AMC. Il y avait des autos, des *pick-up* et, entre les deux, des familiales qu'on appelait *station-wagon*. Puis un jour quelqu'un chez Ford a décidé d'offrir quelque chose entre les autos et les *pick-up*, créant ainsi le Ranchero, une auto-camionnette. Puis un autre a pensé à remplir l'espace entre les familiales et les *pick-up* (le Chevrolet Carryall Suburban 1935 est sans doute le précurseur dans le créneau des VUS). Ensuite, il a fallu un véhicule pour « fitter » entre les autos-camionnettes et les VUS, puis un autre pour s'insérer entre les VUS et les camionnettes, puis un autre... jusqu'au Toyota Venza.

Pas vraiment VUS, pas vraiment familiale, plus qu'une automobile mais moins qu'un 4x4, la Venza est l'archétype même du multisegment. Le résultat d'autant de racines aurait facilement

pu être négatif. Heureusement, ce n'est pas le cas. Par exemple, malgré des dimensions plus que respectables, la Venza est agréable à regarder. Ses immenses pneus de 19 ou 20 pouces, selon la version, ajoutent au punch visuel... mais coûteront une fortune à remplacer.

Gros Tonka

La Venza est apparue dans le *Guide de l'auto 2010*. Depuis ce temps, les changements ont été fort peu nombreux, signe que la voiture était bien née puisqu'elle continue de bien se vendre. Le propriétaire d'une Venza 2008, l'année de son dévoilement, ne sera absolument pas dépaysé en prenant place à bord d'un modèle 2015. Rien n'a changé. On retrouve donc toujours ces immenses jauges qui redéfinissent la locution « facile à lire », ce levier de vitesses qui tombe parfaitement sous la main, ces gros boutons qu'on manipule aisément même avec des gants et ce gros plastique veiné dur qui semble provenir d'une usine Tonka. Dans son environnement, le conducteur retrouve de nombreux espaces de rangement, un

Impressions de l'auteur	
Agrément de conduite :	★ ★ ★ ⯨ ☆ 3,5
Fiabilité :	★ ★ ★ ★ ☆ 4
Sécurité :	★ ★ ★ ★ ☆ 4
Qualités hivernales :	★ ★ ★ ⯨ ☆ 3,5
Espace intérieur :	★ ★ ★ ★ ☆ 4
Confort :	★ ★ ★ ★ ☆ 4

Concurrents
Dodge Journey, Ford Edge, Hyundai Santa Fe, Nissan Murano

écran central facile à lire et un autre, plus haut, très petit et à l'allure 1980. La visibilité vers l'arrière est parfaitement pourrie et les rétroviseurs seraient trop petits pour y faire quoi que ce soit si ce n'était d'un petit rétroviseur convexe dans le coin supérieur qui élargit le champ de vision. C'est aussi sécuritaire qu'un système de caméras ou de radars et ça coûte infiniment moins cher.

Les sièges avant sont confortables et accommodent les physiques plus volumineux. La banquette arrière est un peu moins accueillante mais n'est pas insultante non plus. Le coffre est vaste et il est même possible de retourner le plancher de tapis pour avoir une surface en plastique qui se lave facilement. Bravo Toyota!

Quatre ou six ?

La fiche technique de la Venza montre deux moteurs, un quatre cylindres et un V6. Ceux qui ne prévoient pas aller souvent en vacances avec des adultes et leurs bagages dans Charlevoix ou qui n'auront pas à tirer de remorque pourront opter pour le quatre cylindres de 2,7 litres. Évidemment, un moteur de 182 chevaux dans un véhicule de près de 1800 kg enlève toute velléité sportive. La plupart choisiront le V6, nettement plus déjanté et qui traine sans rouspéter les nombreux kilos sous sa responsabilité. L'utilisateur qui sait contrôler son pied droit sera gratifié d'une consommation somme toute très correcte et pas tellement plus élevée qu'avec le malingre 2,7. C'est que ce dernier doit toujours travailler très fort pour arracher la Venza de sa position stationnaire contrairement au V6 qui « dort » la plupart du temps. Soulignons enfin qu'une Venza quatre cylindres peut remorquer jusqu'à 2 500 livres (1134 kg) et une dotée du V6, jusqu'à 3 498 (1587).

Chaleureuse poignée de main à celui ou celle qui, chez Toyota, a pensé offrir la Venza avec les roues avant motrices ou le rouage intégral, peu importe le moteur. Toutefois, avec notre climat nordique, les 1800 $ demandés pour l'AWD seront amplement compensés par une conduite plus assurée en hiver et seront repris lors de la revente.

La Venza, on s'en doute, n'est pas un parangon de sportivité. Les suspensions MacPherson à l'avant comme à l'arrière promettent un bon niveau de confort, mais sont responsables d'un roulis assez prononcé quand on exagère la vélocité en courbe. La direction n'est pas très dégourdie ni bavarde sur le travail des roues avant et les freins stoppent la voiture dans des distances raisonnables, quoique sans grande conviction.

Bref, la Venza fait à peu près tout bien et c'est sans doute exactement ce que recherchent ses propriétaires. En plus, elle est fiable. C'est le bonheur, quoi!

Châssis - V6 AWD	
Emp / lon / lar / haut	2775 / 4800 / 1905 / 1610 mm
Coffre / Réservoir	870 à 1990 litres / 67 litres
Nombre coussins sécurité / ceintures	7 / 5
Suspension avant	indépendante, jambes de force
Suspension arrière	indépendante, jambes de force
Freins avant / arrière	disque / disque
Direction	à crémaillère, ass. électrique
Diamètre de braquage	11,9 m
Pneus avant / arrière	P245/50R20 / P245/50R20
Poids / Capacité de remorquage	1835 kg / 1587 kg (3498 lb)
Assemblage	Georgetown, KY

Composantes mécaniques

Base

Cylindrée, soupapes, alim.	4L 2,7 litres 16 s atmos.
Puissance / Couple	182 chevaux / 182 lb-pi
Tr. base (opt) / rouage base (opt)	A6 / Tr (Int)
0-100 / 80-120 / V.Max	10,5 s / 7,5 s / n.d.
100-0 km/h	42,1 m
Type / ville / route / co_2	Ord / 10,2 / 7,1 l/100 km / 4048 kg/an

V6

Cylindrée, soupapes, alim.	V6 3,5 litres 24 s atmos.
Puissance / Couple	268 chevaux / 246 lb-pi
Tr. base (opt) / rouage base (opt)	A6 / Tr (Int)
0-100 / 80-120 / V.Max	8,4 s / 6,8 s / n.d.
100-0 km/h	43,0 m
Type / ville / route / co_2	Ord / 11,4 / 7,9 l/100 km / 4508 kg/an

Du nouveau en 2015

Aucun changement majeur

FEU VERT
- Silhouette réussie
- Habitacle vaste et confortable
- Espaces de rangement nombreux
- Fiabilité reconnue
- Une fourgonnette qui n'en est pas une

FEU ROUGE
- Dimensions intimidantes
- Poids tout aussi intimidant
- Plastiques d'une autre époque
- Visibilité arrière pourrie
- Quatre cylindres peu à l'aise

Photos : Toyota Canada

TOYOTA YARIS

TOYOTA **YARIS / PRIUS C**

▶ **Catégorie :** Hatchback

▶ **Échelle de prix :** 15 875 $ à 20 975 $ (2014)

▶ **Transport et prép. :** 1 495 $

▶ **Cote d'assurance :** $$$$

▶ **Garanties :** 3 ans/60 000 km, 5 ans/100 000 km

▶ **Ventes CAN 2013 :** 7 633 unités

Du Japon à la France

Sylvain Raymond / Denis Duquet

L a Toyota Yaris rivalise dans un créneau des plus importants au pays, celui des voitures sous-compactes. Avec le prix du carburant qui ne cesse de nous faire souffrir avec ses hausses marquées, il est facile de s'imaginer que cette catégorie de véhicule ne baissera pas en popularité de sitôt. La concurrence est plus féroce que jamais avec l'arrivée de variantes plus abordables, plus sportives ou tout aussi équipées que des modèles de grand luxe.

La Toyota Yaris est commercialisée chez nous en modèle de 3e génération depuis 2011. Après trois ans, le moment est déjà venu d'opérer une refonte de milieu de cycle car dans un segment aussi compétitif, il serait suicidaire de prendre du retard sur ses rivaux. On a donc droit à une Yaris revue et corrigée, principalement sur le plan esthétique.

Changement de nationalité

Afin de s'assurer que le modèle corresponde aux goûts et aux besoins de ses principaux marchés, Toyota a décidé de confier le design et la conception de sa sous-compacte à sa filiale européenne, qui en assurait déjà la production pour l'Amérique du Nord depuis 2013. On répète en fait la stratégie adoptée dans le cas de la Camry et du Tundra, deux modèles conçus en Amérique du Nord pour le marché nord-américain. La Yaris 2015 n'est donc plus japonaise mais européenne, une bonne chose pour nous qui apprécions les subtilités propres aux modèles provenant du Vieux Continent.

Le style de la Yaris est désormais beaucoup plus audacieux, tant mieux car on a souvent accusé Toyota de manquer d'inspiration. L'avant hérite d'une imposante grille qui semble abaisser l'avant du véhicule, ce qui lui donne un air plus dynamique. L'arrière profite aussi de quelques retouches avec, entre autres, un nouveau pare-chocs. Les feux et phares aux DEL ajoutent une

Impressions de l'auteur		Concurrents
Agrément de conduite : ★★★☆★	3,5/5	Chevrolet Sonic, Ford Fiesta,
Fiabilité : ★★★★☆	4,5/5	Honda Fit, Hyundai Accent,
Sécurité : ★★★☆★	3,5/5	Kia Rio, Mazda2, Nissan Versa Note
Qualités hivernales : ★★★☆★	3,5/5	
Espace intérieur : ★★★☆★	3,5/5	
Confort : ★★★☆★	3,5/5	

belle touche et deviennent la signature visuelle de la Yaris. Bref, Toyota semble enfin avoir compris que le style vend, tout autant que la fiabilité.

L'habitacle a également subi quelques retouches. On a surtout voulu accroître l'impression de qualité avec, notamment, l'adoption de matériaux souples à certains endroits critiques. La planche de bord a été redessinée, elle est beaucoup moins en hauteur et plus allongée. La vision est ainsi plus dégagée et la sensation d'espace est accentuée. La nouveauté techno est l'apparition d'un écran d'information de 6,1 pouces pour toutes les livrées, ce dernier améliorant la présentation des informations du système multimédia.

Rien de nouveau sous le capot

Côté mécanique, c'est du pareil au même. On conserve pour toutes les livrées le quatre cylindres de 1,5 litre. Avec 106 chevaux et 103 lb-pi de couple, il n'est pas le plus puissant du segment, mais il convient toujours à tâche tout en demeurant économique. Ce moteur est marié de série à une transmission manuelle à cinq rapports et à une automatique à quatre rapports en option. Quatre rapports? Eh oui, voilà sans doute l'élément où Toyota a manqué le bateau dans sa refonte car chez la concurrence, on dispose de boîtes automatiques à cinq et même six rapports. On a décidé de repousser les changements mécaniques à la refonte complète du modèle.

Sur la route, le comportement de la voiture a tout de même été amélioré. La rigidité structurelle est en hausse avec l'utilisation de matériaux de collage à certains endroits névralgiques. Les ingénieurs ont aussi redessiné la suspension arrière en incorporant une nouvelle poutre de torsion plus rigide, et ils ont rendu la direction électrique plus communicative que par le passé. On a ainsi réussi à maintenir le confort tout en rehaussant l'impression de contrôle.

Et la Prius C?

La Prius C, la plus économique — et la plus petite — des voitures hybrides de Toyota est, en fait, une Yaris à moteur hybride, les deux modèles partageant la même plate-forme. La différence entre les deux est tout au moins suffisante pour être à l'avantage du modèle hybride même si la tenue de route de la Prius C est moyenne et que sa suspension est toujours assez sèche. L'élément le plus important est la consommation de carburant qui, en conduite urbaine, peut être inférieure à 4,0 l/100 km en certaines occasions pourvu que le conducteur adopte une conduite écologique. Cette frugalité se paie alors que les performances sont bien malingres. Aussi, toute accélération vive est accompagnée d'un grognement désagréable provenant du moteur. Raison supplémentaire pour conduire en douceur.

En résumé, la Prius C est une voiture plus homogène et davantage poussée techniquement que la Yaris et sa consommation de carburant est très faible. Sans oublier qu'elle produit moins de CO_2 que la Yaris à moteur conventionnel.

Châssis - CE 3 portes Hatchback

Emp / lon / lar / haut	2510 / 3950 / 1695 / 1510 mm
Coffre / Réservoir	286 à 737 litres / 42 litres
Nombre coussins sécurité / ceintures	9 / 5
Suspension avant	indépendante, jambes de force
Suspension arrière	semi-indépendante, poutre de torsion
Freins avant / arrière	disque / tambour
Direction	à crémaillère, ass. variable électrique
Diamètre de braquage	9,6 m
Pneus avant / arrière	P175/65R15 / P175/65R15
Poids / Capacité de remorquage	1030 kg / n.d.
Assemblage	Miyagi, JP

Composantes mécaniques

Yaris

Cylindrée, soupapes, alim.	4L 1,5 litre 16 s atmos.
Puissance / Couple	106 chevaux / 103 lb-pi
Tr. base (opt) / rouage base (opt)	M5 (A4) / Tr
0-100 / 80-120 / V.Max	9,4 s (est) / 7,7 s (est) / n.d.
100-0 km/h	41,8 m (est)
Type / ville / route / co_2	Ord / 6,6 / 5,2 l/100 km / 2746 kg/an

Prius C

Cylindrée, soupapes, alim.	4L 1,5 litre 16 s atmos.
Puissance / Couple	72 chevaux / 82 lb-pi
Tr. base (opt) / rouage base (opt)	CVT / Tr
0-100 / 80-120 / V.Max	11,7 s / 9,7 s / n.d.
100-0 km/h	40,9 m
Type / ville / route / co_2	Ord / 3,6 / 4,0 l/100 km / 1739 kg/an

Moteur électrique - Hybride c

Puissance / Couple	60 ch (45 kW) / 125 lb-pi
Type de batterie	Nickel-hydrure métal.
Énergie	19,3 kW

Du nouveau en 2015

Modèle redessiné, suspension arrière revue (Yaris).
Aucun changement majeur (Prius C).

FEU VERT
- Fiabilité reconnue
- Consommation raisonnable (Yaris)
- Style plus dynamique
- Bonne valeur de revente
- Prius C très économe en carburant

FEU ROUGE
- Automatique quatre rapports seulement (Yaris)
- Performances modestes
- Assise du siège élevée
- Sensible aux vents latéraux

TOYOTA PRIUS C

Photos: Toyota Canada

VOLKSWAGEN **BEETLE**

▸ **Catégorie :** Cabriolet, Hatchback

▸ **Cote d'assurance :** $$$$$

▸ **Échelle de prix :** 22 675 $ à 32 500 $ (2014)

▸ **Garanties :** 4 ans/80 000 km, 5 ans/100 000 km

▸ **Transport et prép. :** 1 395 $

▸ **Ventes CAN 2013 :** 2 399 unités

Sœurs Sourire

Marc Lachapelle

L es stylistes et ingénieurs ont eu le coup de crayon et de calculatrice heureux en donnant une troisième vie à la Coccinelle il y a maintenant quatre ans. Tout en les enveloppant de nouvelles carrosseries qui évoquent les courbes classiques de leur illustre ancêtre, ils ont fait du coupé et de la décapotable des voitures meilleures en tout point. Une progression qui se poursuit entre autre cette année avec de nouveaux moteurs plus modernes et efficaces.

Les Beetle ont vraiment bonne mine depuis leur dernière mue. Leur silhouette plus longue, plus large et plus basse a d'abord transcendé le profil tout en rondeur de la New Beetle qui était devenu plus caricatural qu'autre chose au fil des années. Ces nouvelles proportions ont permis de leur tailler un habitacle plus spacieux et nettement plus ergonomique. Des choses rendues possibles par une carrosserie qui s'est allongée de 18,5 cm pour gagner aussi 8,4 cm en largeur.

Du style partout

Le tableau de bord des Beetle est une merveille de clarté et de simplicité. Un clin d'œil brillant et néanmoins parfaitement moderne à la première Coccinelle. Le panneau central en forme d'ovale allongé, dont la couleur est assortie à celle de la carrosserie, s'étend d'une portière à l'autre, bordé par de grandes buses d'aération circulaires. Droit devant le conducteur, une imposante nacelle en demi-cercle loge trois grands cadrans entrelacés qui sont d'une netteté irréprochable. L'écran central est clair et dégagé avec des touches et boutons de bonne taille. On ne fait toujours pas mieux, non plus, que ces trois grandes molettes rectangulaires pour régler la climatisation juste en dessous.

Les passagers avant sont les plus choyés pour l'espace, surtout que les sièges sont confortables et bien sculptés, sans excès. La jante du volant est d'une élégante minceur et ses branches horizontales sont serties de commandes pour la chaîne audio, le téléphone mains libres et les affichages.

Impressions de l'auteur			Concurrents
Agrément de conduite :	★★★★☆	4/5	MINI Classique
Fiabilité :	★★★☆☆	3/5	
Sécurité :	★★★★☆	4/5	
Qualités hivernales :	★★★⯪☆	3,5/5	
Espace intérieur :	★★★⯪☆	3,5/5	
Confort :	★★★⯪☆	3,5/5	

Au plancher, un repose-pied large et plat complète une position de conduite impeccable. Tant pis si la console centrale est trop large pour certains, une tare (mineure) qui affecte plusieurs Volkswagen et Audi depuis des lustres.

Deux adultes de taille moyenne trouveront juste assez de place à l'arrière dans le coupé et un peu moins dans la décapotable. Le confort y est douteux, avec un coussin un peu court et un dossier plutôt bombé. Au moins, il se replie en deux sections pour allonger un coffre arrière étonnamment pratique qui devient cependant plus étroit avec le caisson de basses de la chaîne audio numérique Fender du nouveau groupe Technologies optionnel.

En redessinant la Beetle, on a bonifié du même coup la visibilité. Vers l'avant et les côtés, à tout le moins. Parce que cette ligne de toit fuyante et les gros appuie-tête aux places arrière bloquent joyeusement le coup d'œil vers l'arrière. Les concepteurs se sont par contre assurés que la capote souple de la décapotable se range le plus bas possible pour éviter justement qu'elle ne se transforme en écran opaque comme c'était le cas jadis.

Beaux, les moteurs

Cure de Jouvence sous le capot cette année pour les Beetle. Le cinq cylindres de 2,5 litres, souple et sonore mais plutôt lourd et glouton, est d'abord remplacé par la troisième génération du quatre cylindres turbocompressé à injection directe de type EA888, en version 1,8 litre. Ce moteur produit 170 chevaux à 4 800 tr/min et 184 lb-pi de couple à seulement 1 500 tr/min, des gains qui pourraient réduire la consommation de 19 % avec la décapotable. La version 2,0 litres diesel (TDI) de cette famille de moteurs, en option sur la version Comfortline du coupé, est maintenant cotée à 150 chevaux, soit dix de mieux.

Finalement, l'excellent quatre cylindres turbo de 2,0 litres et 210 chevaux est réservé aux modèles R-Line, les plus sportifs. Ils profitent également de disques de freins avant plus grands (312 vs 288 mm) – pincés par des étriers rouges –, d'un différentiel autobloquant électronique, de pneus de performance montés sur roues d'alliage de 19 pouces et d'un trio de cadrans additionnels qu'ils partagent avec le modèle TDI. Avec les R-Line, on retrouve essentiellement les performances (0-100 km/h en 7,0 secondes avec la boîte DSG), mais surtout la tenue de route précise et le plaisir indéniable de la GSR offerte l'an dernier en édition limitée, gros aileron et couleur criarde en moins.

Toutes les Beetle partagent désormais une suspension entièrement indépendante, quatre freins à disque, une servodirection électrique et un comportement réjouissant. Chose certaine, elles ne font pas sourire seulement parce qu'elles sont jolies, dedans comme dehors.

Châssis - 2.0 TDI décapotable

Emp / lon / lar / haut	2540 / 4278 / 1808 / 1473 mm
Coffre / Réservoir	200 litres / 55 litres
Nombre coussins sécurité / ceintures	4 / 4
Suspension avant	indépendante, jambes de force
Suspension arrière	indépendante, multibras
Freins avant / arrière	disque / disque
Direction	à crémaillère, ass. variable électrique
Diamètre de braquage	10,8 m
Pneus avant / arrière	P215/60R16 / P215/60R16
Poids / Capacité de remorquage	1498 kg / n.d.
Assemblage	Puebla, MX

Composantes mécaniques

2.0 TDI

Cylindrée, soupapes, alim.	4L 2,0 litres 16 s turbo
Puissance / Couple	150 chevaux / 236 lb-pi
Tr. base (opt) / rouage base (opt)	M6 (A6) / Tr
0-100 / 80-120 / V.Max	9,3 s / 6,6 s / n.d.
100-0 km/h	42,7 m
Type / ville / route / CO_2	Dié / 7,2 / 4,8 l/100 km / 3294 kg/an

1.8

Cylindrée, soupapes, alim.	4L 1,8 litre 16 s turbo
Puissance / Couple	170 chevaux / 184 lb-pi
Tr. base (opt) / rouage base (opt)	M5 (A6) / Tr
0-100 / 80-120 / V.Max	n.d. / n.d. / n.d.
100-0 km/h	n.d.
Type / ville / route / CO_2	Sup / 8,3 / 6,3 l/100 km / 3404 kg/an

2.0 TSI

Cylindrée, soupapes, alim.	4L 2,0 litres 16 s turbo
Puissance / Couple	210 chevaux / 207 lb-pi
Tr. base (opt) / rouage base (opt)	M6 (A6) / Tr
0-100 / 80-120 / V.Max	7,0 s / n.d. / 223 km/h
100-0 km/h	44,0 m
Type / ville / route / CO_2	Sup / 9,9 / 6,5 l/100 km / 3864 kg/an

Photos: Volkswagen Canada, Sylvain Raymond

Du nouveau en 2015

Nouveau 1,8 L essence turbo, 2,0 L diesel plus puissant, versions Trendline, surveillance angles morts, feux à DEL.

FEU VERT

- Silhouette toujours sympathique
- Nouveaux moteurs plus efficaces
- Tableau de bord superbe
- Conduite fine et amusante
- Décapotable réjouissante

FEU ROUGE

- Régulateur de vitesse archaïque
- Visibilité arrière moyenne
- Antidérapage impossible à désactiver
- Places arrière peu confortables
- Console large

VOLKSWAGEN **CC**

▶ **Catégorie :** Berline

▶ **Cote d'assurance :** $$$$$

▶ **Échelle de prix :** 36 050 $ à 49 690 $ (2014)

▶ **Garanties :** 4 ans/80 000 km, 5 ans/100 000 km

▶ **Transport et prép. :** 1 395 $

▶ **Ventes CAN 2013 :** 824 unités

Élégance à l'européenne

Guy Desjardins

Ce n'est pas la plus spectaculaire voiture sur le marché ni la plus exotique qui soit. Elle n'est pas celle qui attire les acheteurs chez les concessionnaires Volkswagen et on ne se retourne plus sur son passage. Pourtant, sous l'acronyme CC se cache une voiture plus intéressante qu'elle ne le laisse paraître.

Certains modèles sont vénérés pour leur style d'enfer alors que d'autres vont être choisis pour leur motorisation. Dans le cas de la CC, ni l'un ni l'autre ne s'applique car la grande berline – ou plutôt le grand coupé allemand – ne cherche pas à se faire remarquer. En fait, c'est après avoir conduit et apprivoisé cette bagnole que l'on peut en apprécier les belles qualités.

Si la Passat s'est américanisée, on ne peut pas en dire autant de la CC et c'est tant mieux. À défaut de revêtir une carrosserie typique des berlines traditionnelles, la CC montre une allure plus effilée, plus stylisée et nettement plus dynamique que celle de la Passat. Il ne fait aucun doute, la partie arrière est beaucoup plus réussie que la calandre, qui joue dans la sobriété. La faible surface vitrée, l'évasement des ailes ainsi que les pneus de 17 pouces ajoutent une prestance que seul un coupé peut avoir.

Suivant la règle non écrite des voitures de ce gabarit, Volkswagen propose deux motorisations pour sa CC, un quatre cylindres et un V6. Il faut toutefois mentionner que seul le V6 bénéficie du rouage intégral, ce qui rend la comparaison difficile à faire entre les deux versions. Équipée du 4 cylindres, la CC ne déborde pas de puissance. Curieusement, c'est le même moteur qui gronde dans la Jetta GLI et la GTI, pourtant deux machines de guerre. Évidemment, le poids de la voiture joue beaucoup dans l'équation, ce qui atténue les 200 chevaux sous le capot. Heureusement, le mode Sport et les changements de rapports semi-automatiques permettent de dynamiser les balades du dimanche après-midi avec les enfants.

Impressions de l'auteur	
Agrément de conduite :	★★★★½ 4,5/5
Fiabilité :	★★★★ 4/5
Sécurité :	★★★★ 4/5
Qualités hivernales :	★★★★ 4/5
Espace intérieur :	★★★½ 3,5/5
Confort :	★★★★ 4/5

Concurrents
Acura TLX, Audi A4, BMW Série 3, Lexus IS, Mercedes-Benz Classe C

Un V6 qui décolle

À l'autre bout du spectre, la version Highline V6 4Motion dotée de l'ensemble R-Line surpasse de loin les performances des GLI et GTI. Équipée de la sorte, la CC hérite du terme sleeper sans hésitation. Cette voiture, très anonyme (si on la compare à une Mustang, par exemple) rend possible des accélérations de 0 à 100 km en deçà de 6,5 secondes. Munie de palettes au volant et placée en mode Sport, la CC V6 décolle comme une fusée et les changements de rapports se font en un éclair grâce à la parfaite synchronisation de la boîte DSG à double embrayage.

Que l'on soit au volant du 4 cylindres ou du V6, le comportement routier conserve des bases similaires. Dans les deux cas, la suspension ferme permet de garder la voiture bien campée sur la route. Par contre, le modèle V6 avec l'option R-Line et ses pneumatiques de 18 pouces accentuent la sportivité du véhicule en permettant d'aborder les virages de façon plus incisive tandis que la tenue de route est améliorée et les manœuvres de slalom beaucoup plus agréables à effectuer.

À l'intérieur, la présentation plutôt classique et sobre vieillit bien. La console centrale inclinée et le design tout en largeur de la planche de bord donnent à la CC des allures de voiture plus onéreuse. La position de conduite élevée permet d'avoir une bonne vue dans toutes les directions en dépit d'une lunette arrière très étroite. La qualité de finition est excellente et le cuir des sièges aérés ajoute une touche luxueuse à l'ensemble. À l'arrière, malgré la ligne descendante du toit, deux adultes de grande taille peuvent facilement s'asseoir sans se sentir à l'étroit. Une troisième personne au centre serait bien inconfortable puisque seule l'assise des deux sièges aux extrémités s'enfonce dans la banquette pour un meilleur dégagement de la tête. Quant au coffre, l'ouverture fournit suffisamment d'espace pour y engouffrer une grosse glacière.

Ça grimpe rapidement

La CC de base se détaille à 36 000 $ alors que la version la plus équipée vous fera débourser plus de 52 000 $. Évidemment, cette CC full equiped propose une motorisation V6, le rouage intégral 4Motion et l'ensemble R-Line qui comprend des roues de 18 pouces, un ensemble aérodynamique et un volant sport avec palettes de changements de rapports. À ce prix, une Lexus IS350 nous paraît beaucoup plus intéressante visuellement et surtout plus amusante à conduire.

La CC de Volkswagen vise un public très ciblé et la diffusion du modèle est très limitée. Ce n'est d'ailleurs pas le modèle sur lequel Volkswagen mise le plus afin d'augmenter ses ventes. Ce coupé confortable (la signification des lettres CC) est en fait une Volkswagen à l'européenne, ce que la Jetta et la Passat ont perdu en s'américanisant au fil du temps.

Photos : Volkswagen Canada

Châssis - 2.0 TSI Sportline

Emp / lon / lar / haut	2711 / 4799 / 1855 / 1417 mm
Coffre / Réservoir	400 litres / 70 litres
Nombre coussins sécurité / ceintures	8 / 5
Suspension avant	indépendante, jambes de force
Suspension arrière	indépendante, multibras
Freins avant / arrière	disque / disque
Direction	à crémaillère, ass. variable électrique
Diamètre de braquage	11,4 m
Pneus avant / arrière	P235/45R17 / P235/45R17
Poids / Capacité de remorquage	1523 kg / n.d.
Assemblage	Emden, DE

Composantes mécaniques

2.0 TSI

Cylindrée, soupapes, alim.	4L 2,0 litres 16 s turbo
Puissance / Couple	200 chevaux / 207 lb-pi
Tr. base (opt) / rouage base (opt)	M6 (A6) / Tr
0-100 / 80-120 / V.Max	7,5 s / n.d. / 209 km/h
100-0 km/h	n.d.
Type / ville / route / CO_2	Sup / 9,7 / 6,6 l/100 km / 3820 kg/an

Highline V6

Cylindrée, soupapes, alim.	V6 3,6 litres 24 s atmos.
Puissance / Couple	280 chevaux / 265 lb-pi
Tr. base (opt) / rouage base (opt)	A6 / Int
0-100 / 80-120 / V.Max	6,5 s / n.d. / 209 km/h
100-0 km/h	n.d.
Type / ville / route / CO_2	Sup / 12,7 / 8,3 l/100 km / 4922 kg/an

Du nouveau en 2015

Ajout du système d'aide au dépassement.
Changements dans les couleurs de carrosserie.

FEU VERT
- Motorisations intéressantes
- Tenue de route solide
- Places arrière confortables
- Style racé (V6 R-Line)

FEU ROUGE
- Allure sobre (version de base)
- 4Motion indisponible sur le 4 cylindres
- Version ultime onéreuse
- Seuil du coffre élevé

VOLKSWAGEN **EOS**

▶ **Catégorie :** Cabriolet	▶ **Échelle de prix :** 47 550 $ (2014)	▶ **Transport et prép. :** 1 395 $
▶ **Cote d'assurance :** $$$$	▶ **Garanties :** 4 ans/80 000 km, 5 ans/100 000 km	▶ **Ventes CAN 2013 :** 504 unités

Comme une belle journée de printemps

Alain Morin

On s'en souviendra longtemps du printemps 2014, un printemps bien peu motivé pour pousser l'hiver hors du ring. À moins que l'hiver ait juste été trop fort. Quoi qu'il en soit, par une journée ensoleillée d'avril, un peu frisquette tout de même, j'ai vu pour la première fois de l'année un cabriolet le toit baissé. À l'intérieur des vitres remontées, le conducteur avait beau avoir le collet de son manteau tout aussi remonté et une casquette de guingois, n'empêche que le message était là : les belles journées s'en viennent !

Et ce cabriolet, c'était une Volkswagen Eos. Le gars savait-il qu'avec cette voiture, il n'avait pas besoin de retirer le toit au complet ? Savait-il qu'il pouvait simplement ouvrir la partie avant comme un toit ouvrant ordinaire ? Eh oui, c'est là l'astuce la plus judicieuse de l'Eos. Un toit ouvrant dans un toit rigide rétractable. Il fallait le faire ! Mieux, ce couvre-chef ne semble pas avoir été source de problèmes ou de cliquetis, du

moins selon les quelques propriétaires rencontrés au fil des années et les différents rapports lus ici et là. Mais c'était une autre histoire pour tout le reste de la voiture... Évidemment, un toit rigide rétractable, ça prend de la place et enlève pas moins de 110 litres au coffre une fois remisé (297 contre 187).

Édition Wolfsburg

La Volkswagen Eos poursuit sa carrière avec, comme seule nouveauté pour 2015, une édition Wolfsburg, édition qui sera d'ailleurs la seule à être offerte. Elle comprend des roues de 18 pouces Vincenza, des phares bixénon avec feux de jour aux DEL, des sièges en cuir deux tons, une suspension sport, un pédalier en alliage et, enfin, le système Climatronic. Sinon, c'est un copié-collé sur l'an dernier. Et l'autre avant. Et l'autre avant...

L'habitacle est à l'image des autres produits Volkswagen, c'est-à-dire peu jojo mais suprafonctionnel. L'espace réservé aux passagers avant est étonnant même quand le toit est

Impressions de l'auteur		Concurrents
Agrément de conduite :	★★★★☆ 4/5	Ford Mustang, MINI Classique
Fiabilité :	★★★☆☆ 3/5	
Sécurité :	★★★★⯪ 4,5/5	
Qualités hivernales :	★★★⯪☆ 3,5/5	
Espace intérieur :	★★★⯪☆ 3,5/5	
Confort :	★★★★☆ 4/5	

relevé. À l'arrière, le dégagement pour la tête est incroyable... pour autant que le toit soit remisé. D'ailleurs, accéder à ces places requiert une gymnastique bien peu harmonieuse et, une fois installé, on ne désire qu'une chose : ressortir ! Si, toutefois, vous vouliez rouler à quatre le toit baissé, il vous sera impossible de mettre le pare vent. De toute façon, son efficacité ne m'est jamais apparue très grande. Lorsque le toit est relevé, la visibilité vers l'arrière est pénible.

Un moteur de GTI ne fait pas d'une Eos une GTI

L'Eos ne vient qu'avec un seul moteur. Il s'agit d'un quatre cylindres turbocompressé (TSI) de 2,0 litres développant 200 chevaux entre 5100 et 6000 tr/min pour un couple de 207 livres-pied déballés entre 1700 et 5000 tr/min. Ce moulin, qu'on retrouve – quoiqu'un peu plus déluré – dans les Jetta GLI et Golf GTI, assure des accélérations et des reprises vigoureuses même s'il doit trainer environ 100 kg de plus. Un toit rétractable (avec un toit ouvrant) c'est bien beau mais ça ajoute au poids. Les renforts pour rigidifier la structure aussi.

Ce moteur est associé à une transmission automatique DSG à six rapports. DSG, en passant, veut dire *Direct-Shift Gearbox* ou, si vous préférez, boîte à double embrayage. Si vous êtes techniquement au fait des transmissions modernes, vous savez ce que ça veut dire. Sinon, ce n'est pas grave. Vous allez juste trouver que cette transmission ne perd pas de temps pour passer d'un rapport à l'autre. Surtout en mode Sport. Cet ensemble est responsable d'une consommation assez retenue et malgré toute ma mauvaise volonté, j'ai eu de la difficulté à la faire monter au-delà de 9,0 l/100 km lors de ma dernière prise en main d'une Eos une semaine où j'avais l'accélération facile.

Même si le moteur est puissant et que la transmission est vive comme l'éclair, l'Eos n'est pas pour autant un parangon de sportivité. Grâce à des suspensions bien calibrées et à une direction précise, sa tenue de route inspire la confiance, toutefois, une GTI sera nettement supérieure dans une enfilade de courbes. Par contre, pour les routes défoncées, l'Eos est un meilleur choix. Ses systèmes de contrôle de la traction et de la stabilité latérale sont très intrusifs, ce qui pose bien peu de problèmes l'été (à moins de se retrouver, par erreur, sur une piste de course), mais qui peut devenir dérangeant l'hiver. Les sièges, comme ceux des Allemands en général, retiennent très bien en courbe.

L'Eos en est sans doute à sa dernière année parmi nous, du moins dans sa forme actuelle. Les signes ne mentent pas : on n'y apporte aucun changement cette année, la Golf, sur laquelle elle est basée est toute nouvelle, et ses ventes sont pratiquement confidentielles. On s'en reparle l'an prochain !

Châssis - 2.0 TSI Wolfsburg	
Emp / lon / lar / haut	2578 / 4423 / 1791 / 1444 mm
Coffre / Réservoir	187 à 297 litres / 55 litres
Nombre coussins sécurité / ceintures	4 / 4
Suspension avant	indépendante, jambes de force
Suspension arrière	indépendante, multibras
Freins avant / arrière	disque / disque
Direction	à crémaillère, ass. variable électrique
Diamètre de braquage	10,9 m
Pneus avant / arrière	P235/40R18 / P235/40R18
Poids / Capacité de remorquage	1591 kg / n.d.
Assemblage	Palmela, PT

Composantes mécaniques

2.0 TSI

Cylindrée, soupapes, alim.	4L 2,0 litres 16 s turbo
Puissance / Couple	200 chevaux / 207 lb-pi
Tr. base (opt) / rouage base (opt)	A6 / Tr
0-100 / 80-120 / V.Max	7,9 s / 5,8 s / 232 km/h
100-0 km/h	40,3 m
Type / ville / route / CO_2	Sup / 9,5 / 6,7 l/100 km / 3772 kg/an

Du nouveau en 2015

Disponible en édition Wolfsburg uniquement.

FEU VERT
- Lignes très sobres
- Toit escamotable bien pensé
- Boite automatique bien adaptée
- Bonne finition
- Voiture confortable

FEU ROUGE
- Lignes trop sobres
- Fiabilité quelquefois déprimante
- Places arrière repoussantes
- Coffre bon pour deux acariens (trois peut-être)
- Voiture en fin de carrière

Photos : Volkswagen Canada

VOLKSWAGEN **GOLF**

▸ **Catégorie :** Hatchback   ▸ **Échelle de prix :** 18 995 $ à 30 000 $ (estimé)   ▸ **Transport et prép. :** 1 395 $

▸ **Cote d'assurance :** $$$$ ▸ **Garanties :** 4 ans/80 000 km, 5 ans/100 000 km   ▸ **Ventes CAN 2013 :** 11 871 unités

Une 7ᵉ génération plus « premium »

Gabriel Gélinas

C'est maintenant un air connu : la Golf – et ses nombreuses variantes – se pointe finalement en Amérique du Nord, plus d'un an après avoir été lancée sur le marché européen, le groupe Volkswagen ayant choisi pour stratégie de servir d'abord les marchés les plus importants, selon les modèles. C'est pourquoi la Golf fait toujours ses débuts en Europe, alors que la Jetta est d'abord lancée en Amérique du Nord. Cependant, il y a fort à parier que ce décalage affectant la commercialisation de la Golf en Amérique du Nord n'aura plus cours puisque la production des modèles destinés à notre marché est désormais localisée à l'usine de Puebla au Mexique, ce qui devrait logiquement réduire, voire éliminer, le délai qui prévalait jusqu'à maintenant. Histoire à suivre...

Toutes les variantes de la Golf sont élaborées sur la plate-forme modulaire MQB qui sert également de base pour

d'autres modèles du groupe Volkswagen comme l'Audi A3, entre autres, économies d'échelle obligent. Cette nouvelle plate-forme fait en sorte que la Golf de septième génération devient plus longue et plus large que sa devancière tout en étant légèrement plus basse. L'empattement a aussi progressé, ce qui signifie que le nouveau modèle s'ouvre sur un habitacle plus spacieux, notamment en ce qui a trait au dégagement pour les jambes des passagers arrière, lequel est plus généreux. La présentation intérieure a également évolué, la nouvelle Golf étant dotée d'une console centrale un peu plus orientée vers le conducteur et la qualité d'assemblage des modèles essayés témoignait d'un grand souci de qualité.

La GTI

La GTI de septième génération défend les honneurs de la marque dans le créneau qu'elle a elle-même inauguré et s'inscrit comme une concurrente directe aux Ford Focus ST, Honda Civic Si, et Subaru WRX. Difficile de ne pas tomber sous le charme de cette sportive au comportement à la fois inspiré

Impressions de l'auteur	
Agrément de conduite :	★★★★☆ 4/5
Fiabilité :	★★★☆☆ 3/5
Sécurité :	★★★★☆ 4/5
Qualités hivernales :	★★★★⯪ 4,5/5
Espace intérieur :	★★★★☆ 4/5
Confort :	★★★★☆ 4/5

Concurrents
Chevrolet Cruze, Ford Focus,
Kia Forte 5, Mazda3 Sport,
Mitsubishi Lancer Sportback,
Subaru Impreza

et civilisé. La caisse est très rigide et les suspensions permettent à la voiture de s'accrocher au bitume avec ténacité sans trop nous faire payer le prix côté confort. Le roulis en virage est bien maîtrisé et la direction est rapide et précise, mais elle est aussi un peu trop légère en conduite sportive. Le moteur 2,0 litres turbocompressé permet à la voiture de s'exprimer avec vivacité et on ne ressent aucun effet de couple en accélération franche, la GTI demeurant stable en toutes circonstances. La boîte à double embrayage DSG est réactive en conduite normale, alors qu'elle rétrograde au freinage, et se montre joueuse en mode manuel tandis que l'on se plaît à jouer des paliers de changement de vitesse montés sur le volant. La position de conduite est impeccable et les sièges avant maintiennent bien en place. Vivre au quotidien avec la GTI s'annonce comme une très belle proposition. Au moment d'écrire ces lignes, Volkswagen Canada est en train de finaliser un groupe d'option qui s'ajouterait à la GTI (ou un nouveau modèle baptisé Performance Package qui serait une coche au-dessus de la GTI). Ce *Performance Package* hausserait la puissance du moteur à 220 chevaux en plus d'ajouter des freins plus puissants ainsi qu'un différentiel vectoriel à glissement limité qui remplacerait le système XDS+ qui équipe le modèle actuel.

La Golf TDI et TSI

Pour ceux qui parcourent de longues distances, le modèle TDI s'impose avec son moteur de 150 chevaux et, surtout, de 236 livres-pied de couple qui permet à la voiture de s'exprimer tout en souplesse. Même si l'on perçoit un peu la sonorité caractéristique d'un diesel au volant de la Golf TDI, on note que ce moteur fait preuve d'un certain raffinement en maîtrisant bien les vibrations typiquement associées aux moteurs à quatre cylindres carburant au gazole. Il faut cependant préciser que les modèles TDI sont équipés d'une suspension arrière à poutre de torsion, et non d'une suspension indépendante, afin de loger le réservoir d'urée qui permet à ces modèles de satisfaire les normes antipollution nord-américaines. On s'attendait à mieux de la part des ingénieurs de Volkswagen qui plancheraient actuellement sur une nouvelle solution pour intégrer à la fois le réservoir d'urée et la suspension indépendante.

La Golf de base obtient enfin un quatre cylindres de 1,8 litre bien adapté et qui est à la page sur le plan technique avec la turbocompression. Avec ses 170 chevaux et 184 livres-pied de couple, il permet à la Golf d'adopter une conduite qui est vive et un comportement routier sûr et prévisible en toutes circonstances. Parmi les bémols, on note que le système Start/stop brille par son absence sur tous les modèles de la lignée Golf, ce qui est vraiment dommage...

Polyvalente, la nouvelle Golf affiche un style plus « premium » que le modèle qu'elle remplace. On espère toutefois que la fiabilité à long terme soit au rendez-vous.

Photos : Volkswagen Canada

Châssis - Comfortline 5-portes

Emp / lon / lar / haut	2631 / 4255 / 1798 / 1450 mm
Coffre / Réservoir	380 à 1270 litres / 50 litres
Nombre coussins sécurité / ceintures	6 / 5
Suspension avant	indépendante, jambes de force
Suspension arrière	indépendante, multibras
Freins avant / arrière	disque / disque
Direction	à crémaillère, ass. variable électrique
Diamètre de braquage	10,9 m
Pneus avant / arrière	P205/55R16 / P205/55R16
Poids / Capacité de remorquage	1225 kg / n.d.
Assemblage	Puebla, MX

Composantes mécaniques

TDI

Cylindrée, soupapes, alim.	4L 2,0 litres 16 s turbo
Puissance / Couple	150 chevaux / 236 lb-pi
Tr. base (opt) / rouage base (opt)	M6 (A6) / Tr
0-100 / 80-120 / V.Max	8,6 s (const) / 9,5 s / 216 km/h
100-0 km/h	n.d.
Type / ville / route / CO_2	Dié / 6,7 / 4,6 l/100 km / 3108 kg/an

Trendline, Comfortline

Cylindrée, soupapes, alim.	4L 1,8 litre 16 s turbo
Puissance / Couple	170 chevaux / 184 lb-pi
Tr. base (opt) / rouage base (opt)	M6 (A6) / Tr
0-100 / 80-120 / V.Max	n.d. / n.d. / n.d.
100-0 km/h	n.d.
Type / ville / route / CO_2	Sup / 8,4 / 5,5 l/100 km / 3264 kg/an

GTI

Cylindrée, soupapes, alim.	4L 2,0 litres 16 s turbo
Puissance / Couple	217 chevaux / 258 lb-pi
Tr. base (opt) / rouage base (opt)	M6 (A6) / Tr
0-100 / 80-120 / V.Max	6,5 s (const) / 6,0 s / 244 km/h
100-0 km/h	n.d.
Type / ville / route / CO_2	Sup / 8,1 / 5,3 l/100 km / 3146 kg/an

Du nouveau en 2015

Nouveau modèle

 FEU VERT
- Moteurs bien adaptés
- Performances relevées (GTI)
- Boîte DSG souple et réactive
- Comportement routier sûr
- Finition soignée

 FEU ROUGE
- Arrivée tardive
- Direction légère (GTI)
- Suspension arrière à poutre de torsion (TDI)
- Fiabilité perfectible

VOLKSWAGEN **JETTA**

▶ **Catégorie :** Berline	▶ **Échelle de prix :** 14 990 $ à 35 300 $ (2014)	▶ **Transport et prép. :** 1 395 $
▶ **Cote d'assurance :** $$$$	▶ **Garanties :** 4 ans/80 000 km, 5 ans/100 000 km	▶ **Ventes CAN 2013 :** 30 413 unités

Relookée pour 2015

Gabriel Gélinas

Après des changements aux motorisations l'an dernier, voilà maintenant que Volkswagen apporte de légères modifications à la plastique de sa Jetta qui reçoit de nouveaux pare-chocs et de nouvelles roues, alors que quelques retouches sont également apportées à l'habitacle pour l'année-modèle 2015. Portrait d'une gamme étendue qui mise soit sur la suralimentation par turbocompresseur, la motorisation hybride, le carburant diesel ou le comportement routier sportif pour séduire une clientèle variée .

La Jetta 2015 a été dévoilée au Salon de l'auto de New York où nous avons pu constater que le restylage est d'inspiration Passat, mais qu'il est à ce point subtil que seuls les connaisseurs feront la différence entre les modèles 2015 et ceux des années antérieures. En effet, la Jetta reçoit maintenant des phares avec accents de type DEL et des feux arrière légèrement restylés ainsi que quelques modifications

aérodynamiques comme un déflecteur intégré au couvercle du coffre, mais c'est à peu près tout pour ce qui est de la carrosserie. Même constat du côté de l'habitacle où l'on note la présence d'un nouvel écran multifonction et de nouvelles touches de chrome sur les modèles plus équipés, ainsi que l'ajout d'une panoplie d'aides à la conduite proposées en option.

Plus d'efficience pour le moteur turbodiesel

Sous le capot du modèle TDI, on découvre une nouvelle version du 4 cylindres de 2,0 litres carburant au diesel et suralimenté par turbocompression qui développe 150 chevaux et livre 236 livres-pied de couple, des données qui sont très similaires à celles du moteur précédent (10 chevaux de plus). Toutefois, ce nouveau moulin est plus efficace en consommation, surtout à vitesse d'autoroute, et ce gain d'efficience est bonifié par l'ajout de volets mobiles intégrés à la calandre de la Jetta TDI, volets qui peuvent se refermer afin de rendre la voiture plus aérodynamique. En raison de sa

Impressions de l'auteur		Concurrents
Agrément de conduite : ★★★★ 4/5		Chevrolet Cruze, Dodge Dart,
Fiabilité : ★★★☆ 3,5/5		Ford Focus, Honda Civic, Mazda3,
Sécurité : ★★★★ 4/5		Mitsubishi Lancer, Nissan Sentra,
Qualités hivernales : ★★★★ 4/5		Subaru Impreza, Toyota Corolla
Espace intérieur : ★★★★ 4/5		
Confort : ★★★☆ 3,5/5		

VOLKSWAGEN JETTA

frugalité, le modèle TDI continuera donc d'être le choix de prédilection pour ceux qui parcourent de longues distances sur l'autoroute.

Les autres motorisations proposées sur la Jetta demeurent essentiellement inchangées comparativement aux modèles de l'année dernière, et reprennent du service sous le capot de la compacte allemande. Du nombre, la motorisation hybride composée d'un moteur thermique de 1,4 litre turbocompressé et d'un moteur électrique de 20 kilowatts livrant une puissance totale de 170 chevaux et un couple de 184 livres-pied n'est pas dénuée d'intérêt. Ce modèle plus écolo surprend par sa dynamique et ses performances qui sont relevées d'un cran par rapport aux voitures hybrides concurrentes qui sont d'une facture plus conventionnelle.

Hybride et performance vont de pair.

En fait, on dirait presque que pour concevoir la Jetta hybride, Volkswagen s'est inspirée de la recette développée par BMW, dont les Série 3 et 5 hybrides sont des modèles très performants. On peut donc la conduire avec enthousiasme, mais en payant le prix par une consommation qui se chiffre à plus de 8,0 litres aux 100 kilomètres en conduite sportive.

Pour ceux qui roulent majoritairement dans un environnement urbain où la contribution du moteur électrique est plus fréquente, il est possible de réduire la consommation moyenne en été lorsque les conditions sont idéales, mais notre essai de ce modèle en hiver nous a permis de constater que la consommation de carburant n'est pas améliorée au point où le jeu en vaut la chandelle. Cela explique peut-être pourquoi le modèle hybride ne connaît qu'une diffusion très imitée comparativement aux autres déclinaisons animées par le moteur atmosphérique 4 cylindres de 2,0 litres ainsi que par le 4 cylindres turbocompressé de 1,8 litre.

La génétique de la Golf GTI

Au sommet de la pyramide Jetta, on retrouve la GLI qui emprunte le code génétique de la Golf GTI et qui livre la dynamique la plus inspirée de la gamme. La tenue de route est excellente, la direction est précise et le freinage est sûr. Les sièges avant offrent un très bon soutien latéral et la dotation d'équipement affiche complet.

L'ensemble de ses qualités fait en sorte que la GLI deviendra rapidement le choix numéro un des amateurs de conduite sportive parmi la gamme Jetta. Mais ils devront y mettre le prix, car l'achat de ce modèle gonflé aux stéroïdes signifie que l'on accepte de payer une facture qui est tout aussi gonflée par rapport au modèle de base puisqu'on passe presque du simple au double, ce qui n'est pas banal.

Châssis - GLI 2.0 TSL DSG

Emp / lon / lar / haut	2651 / 4628 / 1778 / 1453 mm
Coffre / Réservoir	440 litres / 55 litres
Nombre coussins sécurité / ceintures	6 / 5
Suspension avant	indépendante, jambes de force
Suspension arrière	indépendante, multibras
Freins avant / arrière	disque / disque
Direction	à crémaillère, ass. variable électrique
Diamètre de braquage	11,6 m
Pneus avant / arrière	P225/45R17 / P225/45R17
Poids / Capacité de remorquage	1432 kg / n.d.
Assemblage	Puebla, MX

Composantes mécaniques

Hybride

Cylindrée, soupapes, alim.	4L 1,4 litre 16 s turbo
Puissance / Couple	150 chevaux / 162 lb-pi
Tr. base (opt) / rouage base (opt)	A7 / Tr
0-100 / 80-120 / V.Max	8,9 s / n.d. / 210 km/h
100-0 km/h	n.d.
Type / ville / route / CO_2	Sup / 4,5 / 4,2 l/100 km / 2010 kg/an

Moteur électrique

Puissance / Couple	27 ch (20 kW) / 114 lb-pi
Type de batterie	Lithium-ion
Énergie	1,1 kWh

2.0 TDI (man / auto)

Cylindrée, soupapes, alim.	4L 2,0 litres 16 s turbo
Puissance / Couple	150 chevaux / 236 lb-pi
Tr. base (opt) / rouage base (opt)	M6 (A6) / Tr
0-100 / 80-120 / V.Max	n.d. / n.d. / n.d.
100-0 km/h	n.d.
Type / ville / route / CO_2	Dié / 6,7 / 4,7 l/100 km / 3132 kg/an

GLI 2.0 TSI

Cylindrée, soupapes, alim.	4L 2,0 litres 16 s turbo
Puissance / Couple	210 chevaux / 207 lb-pi
Tr. base (opt) / rouage base (opt)	M6 (A6) / Tr
0-100 / 80-120 / V.Max	6,6 s (estimé) / 5,0 s / 201 km/h
100-0 km/h	44,2 m
Type / ville / route / CO_2	Sup / 8,9 / 6,2 l/100 km / 3535 kg/an

2.0 (man / auto)

4L - 2,0 l - 115 ch/125 lb-pi - M5 (A6) - 0-100: 13,2 s - 9,3/6,7 l/100 km

1.8 (man / auto)

4L - 1,8 l - 170 ch/184 lb-pi - M5 (A6) - 0-100: n.d. - 8,1/5,6 l/100 km

Du nouveau en 2015

Restylage de la carrosserie, nouvel écran multifonction, nouveau moteur turbodiesel.

- Vaste choix de motorisations
- Prix attractif (modèle de base)
- Dynamique relevée (GLI)
- Bonne habitabilité

- Puissance un peu juste du moteur 2,0 litres
- Avantage peu marqué en consommation (Hybride)
- Prix élevés (GLI et Hybride)
- Modifications très subtiles

Photos: Volkswagen Canada

VOLKSWAGEN **PASSAT**

▸ **Catégorie :** Berline

▸ **Cote d'assurance :** $$$$$

▸ **Échelle de prix :** 23 975 $ à 35 475 $ (2014)

▸ **Garanties :** 4 ans/80 000 km, 5 ans/100 000 km

▸ **Transport et prép. :** 1 395 $

▸ **Ventes CAN 2013 :** 7 085 unités

Exclusivité nord-américaine

Gabriel Gélinas

La Passat, telle que nous la connaissons en Amérique du Nord, est un modèle exclusivement conçu pour la clientèle américaine et canadienne de la marque et ne partage presque rien avec les autres versions de la Passat qui sont commercialisées ailleurs dans le monde. Ainsi, la version européenne de la Passat, dévoilée au Mondial de l'automobile de Paris en septembre 2014, ne roulera pas sur nos routes en 2015, puisque le modèle « américain » poursuivra son petit bonhomme de chemin chez nous en ne subissant que quelques retouches mineures.

En concevant une Passat entièrement dédiée au marché nord-américain dès l'année-modèle 2011, et en l'assemblant au Tennessee par surcroît, Volkswagen s'est donné la mission d'accroître ses ventes et ses parts de marché en Amérique du Nord, dans l'espoir de devenir le constructeur numéro un à l'échelle mondiale. Aujourd'hui, Volkswagen doit reconnaître

que cette stratégie n'a pas porté ses fruits puisque les ventes de la Passat, et de ses autres modèles aux États-Unis, ne sont pas à la hauteur des attentes. Au Canada, Volkswagen fait mieux, mais comme notre marché n'est pas aussi important que celui de nos voisins du Sud, cela est un casse-tête de taille pour la haute direction du géant allemand.

Le problème principal de la Passat, c'est qu'elle évolue dans un créneau du marché où la concurrence est très vive, et où elle est largement distancée au chapitre des ventes par des modèles très bien établis sur notre marché comme la Toyota Camry et la Ford Fusion pour ne nommer que ceux-là. De plus, le design de la Passat nord-américaine est ultraconservateur, au point de la rendre presque invisible lorsqu'elle est stationnée à côté de rivales directes comme la précitée Fusion ou la Mazda6 qui ont un style plus expressif et plus moderne.

Impressions de l'auteur		Concurrents
Agrément de conduite : ★★★⯪☆ 3,5/5		Buick LaCrosse, Chevrolet Malibu,
Fiabilité : ★★★⯪☆ 3,5/5		Ford Fusion, Honda Accord,
Sécurité : ★★★★☆ 4/5		Hyundai Sonata, Kia Optima,
Qualités hivernales : ★★★★☆ 4/5		Mazda6, Nissan Altima,
Espace intérieur : ★★★★⯪ 4,5/5		Subaru Legacy, Toyota Camry
Confort : ★★★★☆ 4/5		

Écho, écho, écho...

Et pourtant, la Passat n'est pas dénuée d'intérêt. Il s'agit d'une grande, voire très grande voiture qui dispose d'une cabine très spacieuse pour la catégorie. Il suffit de prendre place à l'arrière et de constater à quel point le dégagement pour les jambes est important pour s'en rendre compte. De ce côté, la Passat fait aussi bien que des modèles américains de la catégorie supérieure, et le même constat s'impose pour ce qui est du volume du coffre. La sobriété de la carrosserie trouve son écho dans le design très conservateur de l'habitacle où le poste de pilotage fait cependant preuve d'une ergonomie sans faille. Les matériaux utilisés pour la planche de bord sont de bonne qualité et l'assemblage est soigné, mais la dotation d'équipement de série souffre parfois de la comparaison avec certaines rivales directes.

À propos du comportement routier, la Passat actuelle n'offre pas une conduite aussi inspirée que celle des modèles antérieurs, mais la calibration des suspensions a tout de même conservé une petite touche européenne. Heureusement, car la vocation de cette voiture est de séduire les automobilistes américains qui sont plus portés sur le confort que sur la tenue de route. Le nouveau quatre cylindres à injection directe turbocompressé de 1,8 litre effectue un bon boulot et ne nous fait pas regretter l'ancien moteur à cinq cylindres en ligne de 2,5 litres, en livrant des performances tout à fait correctes, lesquelles sont toutefois en retrait par rapport à certains moulins qui peuvent équiper des rivales. Force est de constater que la conduite directe, précise et sportive n'est plus la grande force de la Passat qui a maintenant pour mission de transporter plusieurs personnes et leurs bagages en tout confort sur de longs trajets.

10 chevaux de plus pour le turbodiesel

Le moteur cinq cylindres en ligne ayant cédé sa place au quatre cylindres turbocompressé, deux autres moulins complètent le trio pour la Passat et le plus intéressant des deux est sans contredit le quatre cylindres turbodiesel de 2,0 litres dont la puissance a progressé de dix chevaux, passant de 140 à 150, et qui offre un couple plus que satisfaisant. La Passat pour les « gros rouleurs », c'est la TDI avec ses cotes de consommation qui font pâlir d'envie plusieurs compactes... Le V6 atmosphérique de 3,6 litres développant 280 chevaux apparaît toujours au catalogue pour 2015, mais les ventes des versions haut de gamme de la Passat qui sont équipées de ce moteur demeurent presque confidentielles.

La suite des choses pour la Passat nord-américaine prendra la forme d'un restylage, programmé pour l'année-modèle 2016, qui sera doublé d'une offre renouvelée concernant les équipements.

Châssis - TDI Highline (auto)

Emp / lon / lar / haut	2803 / 4868 / 1835 / 1487 mm
Coffre / Réservoir	450 litres / 70 litres
Nombre coussins sécurité / ceintures	6 / 5
Suspension avant	indépendante, jambes de force
Suspension arrière	indépendante, multibras
Freins avant / arrière	disque / disque
Direction	à crémaillère, ass. électrique
Diamètre de braquage	11,1 m
Pneus avant / arrière	P215/55R17 / P215/55R17
Poids / Capacité de remorquage	1541 kg / n.d.
Assemblage	Chattanooga, TN

Composantes mécaniques

TDI

Cylindrée, soupapes, alim.	4L 2,0 litres 16 s turbo
Puissance / Couple	150 chevaux / 236 lb-pi
Tr. base (opt) / rouage base (opt)	M6 (A6) / Tr
0-100 / 80-120 / V.Max	10,0 s / 7,4 s / n.d.
100-0 km/h	45,1 m
Type / ville / route / CO_2	Dié / 6,9 / 4,9 l/100 km / 3240 kg/an

1.8 TSI

Cylindrée, soupapes, alim.	4L 1,8 litre 16 s turbo
Puissance / Couple	170 chevaux / 184 lb-pi
Tr. base (opt) / rouage base (opt)	M5 (A6) / Tr
0-100 / 80-120 / V.Max	n.d. / n.d. / n.d.
100-0 km/h	n.d.
Type / ville / route / CO_2	Ord / 9,6 / 6,7 l/100 km / 3816 kg/an

3.6 Comfortline, 3.6 Highline

Cylindrée, soupapes, alim.	V6 3,6 litres 24 s atmos.
Puissance / Couple	280 chevaux / 258 lb-pi
Tr. base (opt) / rouage base (opt)	A6 / Tr
0-100 / 80-120 / V.Max	6,5 s / n.d. / n.d.
100-0 km/h	n.d.
Type / ville / route / CO_2	Sup / 10,9 / 7,4 l/100 km / 4310 kg/an

Du nouveau en 2015

10 chevaux de plus pour le moteur turbodiesel, quelques changements dans les couleurs.

- Habitabilité exceptionnelle
- Disponibilité du moteur turbodiesel
- Tenue de route saine
- Finition soignée

- Style très conservateur
- Version de base dépouillée
- Absence d'une version hybride
- Prix des versions haut de gamme

Photos : Volkswagen Canada

VOLKSWAGEN **TIGUAN**

- ▶ **Catégorie :** VUS
- ▶ **Cote d'assurance :** $$$$$
- ▶ **Échelle de prix :** 24 990 $ à 37 440 $ (2014)
- ▶ **Garanties :** 4 ans/80 000 km, 5 ans/100 000 km
- ▶ **Transport et prép. :** 1 610 $
- ▶ **Ventes CAN 2013 :** 7 385 unités

Sur la pointe des griffes

Marc Lachapelle

Il s'est fait discret, le Tiguan, pour un utilitaire dont la première moitié du nom est empruntée à celui d'un des fauves les plus splendides et sanguinaires de la planète. On pourrait croire que c'est la moitié iguane qui a calmé le tigre, mais ce sont avant tout les tarifs corsés des options et modèles les plus cossus qui l'ont empêché de se multiplier à l'infini. Parce qu'il n'est certainement pas dépourvu de qualités et l'a prouvé à maintes reprises.

C'est un Tiguan en pleine maturité qui entreprend son septième tour de piste cette année. Longévité exceptionnelle pour un modèle qui évolue dans une des catégories les plus populaires et compétitives du moment. Il ne faut pas s'inquiéter outre mesure pour le svelte utilitaire compact de Volkswagen qui s'était effectivement classé troisième sur onze dans un match comparatif de l'édition 2013 du *Guide*.

Il avait alors devancé huit rivaux qui étaient presque tous beaucoup plus récents.

Le Tiguan s'était imposé en douceur par son comportement équilibré, un plaisir de conduite jamais démenti, une finition soignée, des sièges avant confortables et une motorisation impeccable. Nous ne tarissons jamais d'éloges à l'endroit de son quatre cylindres turbocompressé à injection directe de 2,0 litres et 200 chevaux. Un moteur souple, vif et brillant, à la sonorité réjouissante. Son seul défaut est de réclamer parfois un peu trop d'huile à une époque où la consommation en lubrifiant est à peu près nulle.

Le choix pragmatique

La fiabilité et la qualité d'assemblage du Tiguan n'ont cessé de progresser au fil des années. Volkswagen a également eu la sagesse de maintenir et parfois même d'ajuster ses tarifs légèrement à la baisse alors que plusieurs des nouveaux concurrents les plus en vue le rattrapaient à ce chapitre.

Impressions de l'auteur		Concurrents
Agrément de conduite :	★★★★ 4/5	Chevrolet Equinox, Ford Escape,
Fiabilité :	★★★⯪ 3,5/5	Honda CR-V, Hyundai Tucson,
Sécurité :	★★★★ 4/5	Jeep Compass, Jeep Patriot,
Qualités hivernales :	★★★★ 4/5	Kia Sportage, Mazda CX-5,
Espace intérieur :	★★★⯪ 3,5/5	Mitsubishi Outlander, Nissan Rogue,
Confort :	★★★★ 4/5	Subaru Forester, Toyota RAV4

Le choix le plus pragmatique est certainement la version Trendline, la plus abordable, à laquelle on ajoute immédiatement le rouage 4Motion. La pure version de base est une traction, offerte avec boîte manuelle ou automatique à six rapports. On passe aux quatre roues motrices par simple logique pour un véhicule utilitaire, donc plus haut et lourd, qui sera conduit sur les routes du Québec. D'autant plus que cette option s'accompagne de la connectivité sans fil Bluetooth, quasi obligatoire, en plus d'un volant multifonction et d'un pommeau de sélecteur drapés de cuir. Pour le reste, ce modèle sans prétention possède l'essentiel: un climatiseur manuel, le régulateur de vitesse, une chaîne audio à huit haut-parleurs et une kyrielle d'accessoires de sécurité et de commodité.

La position de conduite est juste, les réglages faciles et les contrôles bien conçus et bien placés. Le constructeur aurait quand même pu, depuis tout ce temps, moderniser les contrôles du régulateur de vitesse – toujours fixés au levier des clignotants – et offrir une intégration meilleure des lecteurs numériques. C'est par ce genre de détails que le Tiguan trahit son âge face à ses rivaux plus jeunes. Paradoxe de sécurité fréquent, les grands appuie-tête arrière encombrent sérieusement le champ de vision du conducteur quand ces places ne sont pas occupées.

Déjà du luxe

Avec le modèle Comfortline, on passe déjà à une autre catégorie. D'abord parce qu'il est couronné d'office de cet immense toit ouvrant vitré et de sièges enveloppés de similicuir et chauffants qui demeurent impeccablement confortables pendant des heures, sur de longs trajets. Puis parce que le Tiguan aime la route et s'y démarque de plusieurs de ses rivaux par un silence de roulement louable, une tenue de cap solide et une direction fine et précise qui permet d'en profiter.

De bonnes notes aussi pour le groupe Technologie, disponible sur les Comfortline et sur les Highline, en sommet de gamme. Pour les phares au xénon orientables et puissants qui précèdent votre regard en virage et un système de navigation qui offre une excellente vue en 3D et affiche les limites de vitesse. La caméra de marche arrière vient maintenant de série sur ces deux modèles, mais la suspension sport est désormais réservée au groupe R-Line avec les roues d'alliage de 19 pouces et une série de retouches esthétiques.

Un nouveau Tiguan, construit sur la nouvelle architecture modulaire MQB, doit arriver l'an prochain. Il sera à la fois plus grand, plus léger et plus moderne, comme les nouvelles Golf. On lui taillera sûrement des places arrière et un espace de chargement plus spacieux. Espérons aussi que le moteur diesel sera au menu pour cette deuxième génération.

Châssis - 4Motion Comfortline

Emp / lon / lar / haut	2604 / 4427 / 1809 / 1686 mm
Coffre / Réservoir	674 à 1589 litres / 64 litres
Nombre coussins sécurité / ceintures	6 / 5
Suspension avant	indépendante, jambes de force
Suspension arrière	indépendante, multibras
Freins avant / arrière	disque / disque
Direction	à crémaillère, ass. électrique
Diamètre de braquage	11,9 m
Pneus avant / arrière	P235/55R17 / P235/55R17
Poids / Capacité de remorquage	1629 kg / 998 kg (2200 lb)
Assemblage	Wolfsburg, DE

Composantes mécaniques

Cylindrée, soupapes, alim.	4L 2,0 litres 16 s turbo
Puissance / Couple	200 chevaux / 207 lb-pi
Tr. base (opt) / rouage base (opt)	M6 (A6) / Tr (Int)
0-100 / 80-120 / V.Max	9,2 s / 7,2 s / 200 km/h
100-0 km/h	44,3 m
Type / ville / route / co$_2$	Sup / 9,8 / 7,4 l/100 km / 4048 kg/an

Du nouveau en 2015

Nouvelles couleurs métallisées Brun écossais et Beige titane, chaîne audio Fender en option.

FEU VERT
- Groupe propulseur raffiné
- Conduite souple et précise
- Sièges avant toujours confortables
- Abondance de rangements pratiques
- Phares au xénon puissants et nets

FEU ROUGE
- Espace de chargement arrière un peu juste
- Contrôles du régulateur de vitesse
- Intégration minimale des lecteurs numériques
- Dernière année pour cette génération
- Préfère l'essence super

Photos: Volkswagen Canada. Marc Lachapelle

VOLKSWAGEN TIGUAN

VOLKSWAGEN **TOUAREG**

▸ **Catégorie :** VUS

▸ **Cote d'assurance :** $$$$$

▸ **Échelle de prix :** 50 975 $ à 62 275 $ (2014)

▸ **Garanties :** 4 ans/80 000 km, 5 ans/100 000 km

▸ **Transport et prép. :** 1 610 $

▸ **Ventes CAN 2013 :** 2 087 unités

Subtile évolution

Gabriel Gélinas

À l'instar de la Jetta, le Touareg se paye lui aussi un lifting pour 2015. Sortez cependant la loupe pour faire la différence entre le Touareg relooké, présenté en première mondiale au Salon de l'auto de Pékin, et les modèles antérieurs, car les modifications apportées semblent avoir été réalisées avec un grand souci de discrétion. Est-ce pour ne pas dépayser la clientèle ou plutôt parce que la refonte complète du modèle se fera prochainement ? Difficile de répondre avec précision à cette question existentielle, mais toujours est-il que le « nouveau » Touareg partage une filiation plus qu'évidente avec le précédent.

Côté style, deux baguettes horizontales ont été ajoutées à la calandre et les phares bixénon ont été redessinés, de même que les entrées d'air du bouclier avant et le pare-chocs arrière, ce qui fait que le design plutôt sobre et très équilibré du Touareg ne connaît qu'une subtile évolution. De nouvelles

roues font leur apparition sur le VUS de Volks qui sera désormais disponible en douze couleurs. Dans l'habitacle, on note la présence de nouveaux matériaux et boutons, mais la disposition des cadrans demeure inchangée, quoiqu'ils soient maintenant illuminés en blanc et non plus en rouge, et l'ensemble reste très fidèle à la tradition établie chez Volkswagen pour qui le Touareg est le véhicule le plus luxueux vendu par la marque en Amérique du Nord.

Recherche d'efficience programmée

Afin de bonifier la consommation, Volkswagen s'inspire de Porsche en ajoutant une fonction « roue-libre » à tous les modèles Touareg. Cette fonction était auparavant une exclusivité du modèle hybride. Les ingénieurs de la marque ont aussi revu le fonctionnement de la boîte automatique à huit rapports dans le but d'amoindrir les frottements. D'après Volkswagen, les modifications apportées permettraient d'obtenir un gain en consommation pouvant atteindre 6 % selon les motorisations. Notons également que l'aspect

Impressions de l'auteur		Concurrents
Agrément de conduite : ★★★★☆	4/5	Acura MDX, Audi Q7, BMW X5,
Fiabilité : ★★★☆☆	3/5	Cadillac SRX, Infiniti QX70,
Sécurité : ★★★★☆	4/5	Land Rover LR4, Lexus RX,
Qualités hivernales : ★★★★½	4,5/5	Lincoln MKX,
Espace intérieur : ★★★½☆	3,5/5	Mercedes-Benz Classe ML,
Confort : ★★★★☆	4/5	Porsche Cayenne, Volvo XC90

sécurité est rehaussé par un nouveau dispositif de freinage postcollision, développé afin de réduire la possibilité que le véhicule subisse un deuxième impact.

Par ailleurs, Volkswagen offre depuis quelques années une version à motorisation hybride du Touareg (qui est animé par un V6 de 3,0 litres suralimenté par compresseur jumelé à un moteur électrique développant une puissance totale de 380 chevaux) dans certains marchés, notamment celui des États-Unis, mais la commercialisation au Canada devra encore attendre. Les deux moulins qui font partie de l'offre au Canada sont des V6, soit un moteur atmosphérique de 3,6 litres carburant à l'essence et un turbodiesel de 3,0 litres. Ces motorisations sont complétées par une excellente boîte automatique à huit rapports et le rouage intégral 4Motion.

Le choix numéro un : le modèle TDI

Le turbodiesel n'a beau développer que 240 chevaux, il livre néanmoins un couple impressionnant de 406 livres-pied. Conduire le Touareg TDI, c'est tomber sous le charme d'une force d'accélération soutenue et linéaire qui se déploie dès que l'on franchit la barre des 2 000 tours/minute, point à partir duquel le couple maximal est offert. La boîte automatique passe les rapports avec douceur et célérité et s'accorde parfaitement avec le moteur turbo-diesel pour livrer cette poussée très fluide vers l'avant, ce qui rend la conduite très agréable. Croyez-moi, le Touareg TDI n'a aucun mal à composer avec les manœuvres de dépassement sur les routes secondaires ou les entrées d'autoroute. Les longs trajets interurbains sont également l'affaire du Touareg TDI qui avance comme une locomotive tout en consommant comme une voiture de taille intermédiaire, ce qui est tout un exploit étant donné qu'il s'agit d'un utilitaire à rouage intégral qui pèse plus de deux tonnes.

Le Touareg fait preuve d'un comportement routier sûr, équilibré et prévisible, mais il n'a pas de prétentions sportives comme son cousin Cayenne de chez Porsche ou le X5 de BMW. La direction est à la fois vive et précise, et le Touareg se distingue par son rayon de braquage qui facilite les manœuvres de stationnement ou de demi-tour, un atout non négligeable compte tenu de son gabarit d'utilitaire.

Dans l'habitacle, on est séduit par la sobriété de la présentation, la qualité des matériaux et ainsi que par le confort des sièges. À l'arrière, la banquette est inclinable et le volume de chargement est convenable, préciser que certains concurrents font mieux à ce chapitre.

Le Touareg est un véhicule de qualité à l'apparence sobre, mais force est d'admettre que le nom Volkswagen n'a pas le prestige qui est associé aux autres marques de luxe qui offrent des VUS concurrents. En ce qui me concerne, c'est très bien ainsi.

Châssis - V6 Comfortline

Emp / lon / lar / haut	2893 / 4795 / 1940 / 1732 mm
Coffre / Réservoir	909 à 1812 litres / 100 litres
Nombre coussins sécurité / ceintures	6 / 5
Suspension avant	indépendante, double triangulation
Suspension arrière	indépendante, multibras
Freins avant / arrière	disque / disque
Direction	à crémaillère, assistée
Diamètre de braquage	11,9 m
Pneus avant / arrière	P255/55R18 / P255/55R18
Poids / Capacité de remorquage	2137 kg / 3500 kg (7716 lb)
Assemblage	Bratislava, SK

Composantes mécaniques

TDI

Cylindrée, soupapes, alim.	V6 3,0 litres 24 s turbo
Puissance / Couple	240 chevaux / 406 lb-pi
Tr. base (opt) / rouage base (opt)	A8 / Int
0-100 / 80-120 / V.Max	9,1 s / 6,7 s / n.d.
100-0 km/h	40,8 m
Type / ville / route / CO_2	Dié / 11,2 / 6,8 l/100 km / 4240 kg/an

V6

Cylindrée, soupapes, alim.	V6 3,6 litres 24 s atmos.
Puissance / Couple	280 chevaux / 266 lb-pi
Tr. base (opt) / rouage base (opt)	A8 / Int
0-100 / 80-120 / V.Max	9,0 s / 6,3 s / n.d.
100-0 km/h	42,9 m
Type / ville / route / CO_2	Sup / 12,3 / 8,8 l/100 km / 4922 kg/an

Du nouveau en 2015

Restylage de la carrosserie.

FEU VERT
- Très bon comportement routier
- Modèle TDI performant et efficient
- Habitacle luxueux
- Bonnes aptitudes en conduite hors route
- Consommation faible sur autoroute (TDI)

FEU ROUGE
- Manque de prestige de la marque
- Espace de chargement limité
- Prix élevés
- Fiabilité perfectible

Photos : Volkswagen Canada

VOLVO S60

▶ **Catégorie :** Berline   ▶ **Échelle de prix :** 37 750 $ à 54 000$ (estimé)   ▶ **Transport et prép. :** 1 715 $

▶ **Cote d'assurance :** n.d.   ▶ **Garanties :** 4 ans/80 000 km, 4 ans/80 000 km   ▶ **Ventes CAN 2013 :** 1 374 unités

En transition

Gabriel Gélinas

Volvo est en transition, et le millésime 2015 de la S60 en est un exemple patent. En quelques mots, l'offre de la marque suédoise comportera du neuf et du vieux en fonction du choix du rouage intégral ou de la simple traction. Ainsi, les modèles à traction seront animés par des versions suralimentées d'un nouveau quatre cylindres, alors que les S60 2015 disposant du rouage intégral feront usage des « anciens » cinq et six cylindres en ligne qui seront éventuellement délaissés au profit du nouveau quatre cylindres.

La stratégie de Volvo est claire, on mise tout sur les variantes du nouveau moteur à quatre cylindres Drive-E qui servira éventuellement à tous les modèles de la marque, même les utilitaires. Au programme : des quatre cylindres turbo-compressés (versions T5), des quatre cylindres suralimentés à la fois par un turbo et un compresseur (versions T6), des quatre cylindres jumelés à une motorisation électrique

(à venir) et des quatre cylindres turbocompressés carburant au diesel (non-confirmés pour l'Amérique du Nord). Sauf que tout ça ne peut pas se produire en claquant des doigts, et c'est la raison pour laquelle les moteurs à cinq et six cylindres en ligne seront encore mis à contribution cette année avant de disparaître complètement de la carte.

Intéressante Polestar

Ainsi, le moteur à cinq cylindres en ligne de 250 chevaux équipe les S60 T5 à rouage intégral alors que le six cylindres en ligne de 300 chevaux anime les S60 T6 à traction intégrale. L'ajout de la touche R-Design permet de porter la puissance à 325 chevaux, mais les férus de performance voudront jeter leur dévolu sur la S60 Polestar, proposée en édition limitée, avec son moteur de 345 chevaux et son chrono de 4,7 secondes pour le sprint de 0 à 100 kilomètres/heure.

Au volant d'un T6 R-Design, on aime la tenue de route sûre et prévisible, mais on remarque aussi que la voiture n'adopte pas

Impressions de l'auteur		Concurrents
Agrément de conduite : ★★★★	4	Acura TLX, Audi A4, BMW Série 3,
Fiabilité : ★★★	3	Cadillac ATS, Infiniti Q50, Lexus IS,
Sécurité : ★★★★✯	4,5	Mercedes-Benz Classe C
Qualités hivernales : ★★★★✯	4,5	
Espace intérieur : ★★★★	4	
Confort : ★★★★	4	

une conduite aussi inspirée que certaines rivales allemandes dont les châssis sont plus récents et, par conséquent, plus rigides. Une répartition de poids très élevée sur le train avant est un facteur limitatif en conduite sportive. Comme plus de 60 % du poids de la S60 repose justement sur l'essieu avant, cela explique en partie pourquoi elle n'apprécie pas vraiment les transitions latérales rapides en virage, malgré sa monte pneumatique performante.

Pour ce qui est de la fiabilité à long terme, la marque suédoise se classe au 21e rang sur les 31 marques répertoriées lors de l'édition 2014 du sondage *Vehicle Dependability Study* de la firme spécialisée J.D. Power and Associates, qui mesure la fiabilité après trois ans d'usage (ce classement couvre donc l'année-modèle 2011). Cette fiabilité perfectible fait en sorte que Volvo se situe sous la moyenne de l'industrie.

Une motorisation hybride rechargeable à l'horizon

Par ailleurs, j'ai étudié avec beaucoup d'intérêt la Volvo S60L à motorisation hybride rechargeable lors de ma visite au Salon de l'auto de Beijing, où ce concept a été dévoilé en première mondiale. Le « L » désigne le fait que ce modèle est doté d'un empattement allongé, crucial pour la commercialisation en Chine, mais l'aspect le plus intéressant de cette S60L est sans contredit la motorisation hybride rechargeable qui pourrait éventuellement se retrouver sur des Volvo conçues pour le marché nord-américain. Le concept présenté à Beijing était animé par la motorisation Drive-E à quatre cylindres turbocompressée auquel les ingénieurs de la marque ont jumelé un moteur générateur logé entre le moteur thermique et la boîte automatique à huit rapports, ainsi qu'un moulin électrique localisé sur le train arrière de la voiture. Ce dernier développe 68 chevaux et 147 livres-pied de couple et peut faire avancer la voiture à lui seul sur une distance évaluée à 50 kilomètres grâce à un ensemble de piles au lithium-ion de 11,2 kilowatts/heure. De plus, la S60L hybride rechargeable est dotée d'un bouton AWD (All-Wheel-Drive), ce qui permet de faire fonctionner à la fois le moteur thermique relié au train avant et le moteur électrique relié aux roues arrière pour en faire une voiture à quatre roues motrices. Parions que cette nouvelle motorisation se retrouvera sous le capot du prochain véhicule utilitaire sport XC90 avant d'être éventuellement déclinée sur d'autres modèles de Volvo.

Au cours des dernières années, le statu quo était le modus operandi de la marque sino-suédoise, et il était grand temps que Volvo se mette à la page sur le plan technique, un processus qui semble bien engagé à première vue. On attend la suite avec impatience...

Châssis - T6 AWD R-DESIGN

Emp / lon / lar / haut	2776 / 4635 / 2097 / 1484 mm
Coffre / Réservoir	340 litres / 71 litres
Nombre coussins sécurité / ceintures	6 / 5
Suspension avant	indépendante, jambes de force
Suspension arrière	indépendante, multibras
Freins avant / arrière	disque / disque
Direction	à crémaillère, ass. variable électrique
Diamètre de braquage	11,9 m
Pneus avant / arrière	P235/40R18 / P235/40R18
Poids / Capacité de remorquage	1720 kg / 1591 kg (3507 lb)
Assemblage	Gand, BE

Composantes mécaniques

T5 Drive-E FWD

Cylindrée, soupapes, alim.	4L 2,0 litres 16 s turbo
Puissance / Couple	240 chevaux / 258 lb-pi
Tr. base (opt) / rouage base (opt)	A8 / Tr
0-100 / 80-120 / V.Max	6,0 s (const) / n.d. / n.d.
100-0 km/h	n.d.
Type / ville / route / co_2	Sup / 9,4 / 6,4 l/100 km / 3703 kg/an

T6 Drive-E FWD

Cylindrée, soupapes, alim.	4L 2,0 litres 16 s turbo
Puissance / Couple	302 chevaux / 295 lb-pi
Tr. base (opt) / rouage base (opt)	A8 / Tr
0-100 / 80-120 / V.Max	5,6 s (estimé) / n.d. / n.d.
100-0 km/h	n.d.
Type / ville / route / co_2	Ord / 9,8 / 6,7 l/100 km / 3866 kg/an

T6 AWD R-Design

Cylindrée, soupapes, alim.	6L 3,0 litres 24 s turbo
Puissance / Couple	325 chevaux / 354 lb-pi
Tr. base (opt) / rouage base (opt)	A6 / Int
0-100 / 80-120 / V.Max	5,8 s (estimé) / n.d. / 210 km/h
100-0 km/h	42,8 m
Type / ville / route / co_2	Sup / 13,1 / 9,0 l/100 km / 5177 kg/an

T5 AWD
5L - 2,5 l - 250 ch/266 lb-pi - A6 - 0-100: 7,5 s - 10,2 /7,0 l/100 km

T6 AWD
6L - 3,0 l - 300 ch/325 lb-pi - A6 - 0-100: 6,6 s - 11,7 / 8,0 l/100 km

Polestar
6L - 3,0 l - 345 ch/369 lb-pi - A6 - 0-100: 4,7 s - n.d. l/100 km

Du nouveau en 2015

Nouveaux moteurs 4 cylindres (traction avant), boîte automatique 8 rapports (4 cylindres).

FEU VERT
- Moteurs performants
- Rouage intégral efficace
- Confort des sièges avant
- Bonne tenue de route
- Systèmes de sécurité avancés

FEU ROUGE
- Modèle en transition
- Volume de chargement
- Visibilité limitée vers l'arrière
- Options coûteuses
- Fiabilité perfectible

VOLVO S60

VOLVO **S80**

▶ **Catégorie :** Berline	▶ **Échelle de prix :** 49 000 $ à 56 000 $	▶ **Transport et prép. :** 1 715 $
▶ **Cote d'assurance :** n.d.	▶ **Garanties :** 4 ans/80 000 km, 4 ans/80 000 km	▶ **Ventes CAN 2013 :** 59 unités

Timidité, frustration, mort et éternité

Alain Morin

L a Volvo S80 de la génération actuelle est apparue en 2007. Dans le *Guide de l'auto 2011*, soit cinq ans plus tard, l'excellent auteur du texte sur la S80 titrait son essai « La mort d'une étoile ». Au fil des années, d'autres titres aussi évocateurs que « L'éternité c'est long, surtout vers la fin », « Frustrations » et « Changements timides pour voiture discrète » ont coiffé les essais des journalistes.

Dans un monde où tout bouge vite, la berline de luxe de Volvo n'a pas connu de changements majeurs depuis… 2007. Elle fait donc partie du club sélect des Immuables et si ce n'était de son habitacle revampé en 2011 et des subtiles retouches esthétiques de l'an dernier, elle pourrait en être la présidente. C'est au Mercedes-Benz Classe G qu'appartient ce titre mais ça, c'est une autre histoire.

Chez les Immuables, on vit longtemps avec ses défauts, mais heureusement, on vit aussi longtemps avec ses qualités! Les sièges, en avant en particulier, sont d'un grand confort, supportent parfaitement les passagers et semblent même les inviter à la détente. Bref, je les ai bien aimés. La banquette arrière est tout aussi agréable, mais l'espace y est nettement plus restreint. Le tableau de bord est particulièrement bien fignolé, ses commandes sont intuitives, les jauges sont faciles à lire et le volant au gros boudin se prend très bien en main. Évidemment, qui dit Volvo, dit sécurité. Même si l'entreprise désormais aussi suédoise que chinoise (Volvo appartient maintenant au Chinois Geely) n'a plus le monopole de la sécurité qu'elle a longtemps détenu, il n'en demeure pas moins qu'elle est encore une des plus avancées à ce chapitre.

Quatre cylindres Drive-E

Lorsqu'elle est apparue sur le marché, la S80 proposait un V8 de 4,4 litres et un six en ligne de 3,2 litres de 235 équidés. Avec le temps, elle a laissé tomber le V8. Aujourd'hui, le

Impressions de l'auteur		Concurrents
Agrément de conduite : ★ ★ ★ ☆ ☆	3/5	Acura RLX, Audi A6, BMW Série 5,
Fiabilité : ★ ★ ★ ☆ ☆	3/5	Cadillac CTS, Infiniti Q70, Jaguar XF,
Sécurité : ★ ★ ★ ★ ⯪	4,5/5	Lexus GS, Mercedes-Benz Classe E
Qualités hivernales : ★ ★ ★ ★ ⯪	4,5/5	
Espace intérieur : ★ ★ ★ ⯪ ☆	3,5/5	
Confort : ★ ★ ★ ⯪ ☆	3,5/5	

VOLVO S80

moteur de base est un quatre cylindres (bien que son appellation T5 prête à confusion — dans ce domaine alphanumérique, les Suédois sont en retard, les Allemands ayant compliqué les choses avant eux et avec bien plus de succès...). Toujours est-il que ce nouveau quatre cylindres fait partie d'une nouvelle génération de moteurs qui se retrouve sur plusieurs Volvo. Les modèles dans lesquels il se trouve ont droit à l'appellation Drive-E. Bien que cette appellation puisse amener à penser qu'il s'agit d'une technologie tout électrique, ce n'est pas le cas. Ces moteurs livrent une bonne puissance grâce à l'apport d'un turbo (T5) et d'un duo turbocompresseur/surcompresseur (T6). Les ingénieurs ont aussi abaissé le niveau de friction interne, un peu comme ceux de Mazda avec leur SKYACTIV. Le Drive-E possède aussi une fonction marche/arrêt et un récupérateur d'énergie des freins, et le conducteur peut choisir entre différents modes Eco. Une version diesel de ce Drive-E est aussi offerte en Europe et, éventuellement, une version hybride enfichable pourrait être distribuée.

Consommation à la baisse

Tout ça pour dire que le quatre cylindres 2,0 litres de la T5 développe 240 chevaux à 5 600 tr/min et un couple de 258 lb-pi entre 1 500 et 4 800 tr/min, soit 22 lb-pi de plus que le six en ligne de 3,2 litres qu'il remplace. La transmission gagne deux rapports dans l'opération et en compte maintenant huit. Nous n'avons pas pu en faire l'essai avant la date de tombée, mais avec de tels efforts techniques, la consommation d'essence devrait être à la baisse. Il s'agit d'une excellente nouvelle puisque la S80 n'a jamais été reconnue pour sa sobriété.

La technologie Drive-E n'est réservée, pour l'instant, qu'aux versions à roues avant motrices. Il est toujours possible d'opter pour une S80 à rouage intégral, mais il faut alors se tourner obligatoirement vers le six en ligne de 3,0 litres turbocompressé, qui n'a pas changé d'une molécule et qui procure des accélérations musclées. Sa transmission est demeurée la même, soit une automatique à six rapports. Sur la route, la S80, du moins celle avec le six cylindres, est tout sauf sportive, malgré des suspensions que j'ai trouvé plutôt dures. La direction est précise et procure un bon retour d'information. Cependant, le rayon de braquage est démesurément grand.

Depuis déjà plusieurs années, nous annonçons la mort de la S80. Si son style était dans le coup il y a neuf ans, il est maintenant loin de faire tourner les têtes. Les performances ont beau être correctes et le confort être décent, n'empêche que la compétition se raffine de plus en plus, et de plus en plus rapidement. La S80 est depuis quelques années déjà à la traîne face aux Audi A6, BMW Série 5 et Mercedes-Benz Classe E. De plus, son réseau de concessionnaires n'est pas très étendu, les frais d'entretien sont assez dispendieux et la fiabilité n'est pas à son maximum... En 2013, Volvo Canada a vendu 59 exemplaires de la S80. Si l'entreprise veut espérer vendre davantage un jour, il faudra, je crois, plus qu'un nouveau moteur...

Châssis - T5 Drive-E FWD

Emp / lon / lar / haut	2835 / 4851 / 2106 / 1493 mm
Coffre / Réservoir	422 litres / 70 litres
Nombre coussins sécurité / ceintures	6 / 5
Suspension avant	indépendante, jambes de force
Suspension arrière	indépendante, multibras
Freins avant / arrière	disque / disque
Direction	à crémaillère, assistée
Diamètre de braquage	11,2 m
Pneus avant / arrière	P225/50R17 / P225/50R17
Poids / Capacité de remorquage	1687 kg / 1590 kg (3505 lb)
Assemblage	Torslanda, SE

Composantes mécaniques

T5 Drive-E FWD

Cylindrée, soupapes, alim.	4L 2,0 litres 16 s turbo
Puissance / Couple	240 chevaux / 258 lb-pi
Tr. base (opt) / rouage base (opt)	A8 / Tr
0-100 / 80-120 / V.Max	n.d. / n.d. / n.d.
100-0 km/h	n.d.
Type / ville / route / CO_2	Ord / 9,4 / 6,4 l/100 km / 3703 kg/an

T6 AWD

Cylindrée, soupapes, alim.	6L 3,0 litres 24 s turbo
Puissance / Couple	300 chevaux / 325 lb-pi
Tr. base (opt) / rouage base (opt)	A6 / Int
0-100 / 80-120 / V.Max	6,9 s / n.d. / 250 km/h
100-0 km/h	39,5 m
Type / ville / route / CO_2	Sup / 11,7 / 8,0 l/100 km / 4600 kg/an

Du nouveau en 2015

Nouveau quatre cylindres, nouvelle boîte automatique à 8 rapports.

FEU VERT

- Sièges avant d'anthologie
- Tableau de bord encore d'actualité
- Six en ligne enjoué
- Niveau de sécurité élevé

FEU ROUGE

- Style de plus en plus discret
- Fiabilité décevante
- Valeur de revente dramatique
- En manque de prestige
- Grand rayon de braquage

Photos: Volvo Canada

VOLVO **V60**

▸ **Catégorie :** Familiale

▸ **Cote d'assurance :** n.d.

▸ **Échelle de prix :** 39 800 $ à 46 050 $

▸ **Garanties :** 4 ans/80 000 km, 4 ans/80 000 km

▸ **Transport et prép. :** 1 715 $

▸ **Ventes CAN 2013 :** 0 unité

Beauté scandinave chic et pratique

Marc Lachapelle

La familiale sport V60 marque le retour du constructeur suédois dans une catégorie dont il a longtemps été reconnu comme le maître chez nous. Question d'atomes crochus entre Nordiques, peut-être. La V60 nous arrive avec une motorisation qui va du moteur écolo au cœur d'athlète. Ce n'est, parait-il, que le début d'une renaissance des familiales chez Volvo. Comme entrée en matière, c'est prometteur.

Les familiales Volvo, spacieuses, sûres et solides, ont eu leurs inconditionnels au Québec pendant quelques décennies. Surtout les séries 850 et V70, construites sur une architecture moderne à traction ou quatre roues motrices, qui ont grandement rajeuni l'image et la clientèle.

C'est ce que tente à nouveau le constructeur suédois avec la V60, une familiale svelte et racée qui partage la même structure que la berline intermédiaire S60. Leurs dimensions

extérieures sont identiques mais la V60 est évidemment plus spacieuse, avec une ligne de toit et des glaces latérales qui s'incurvent et se referment doucement vers l'arrière. Elle n'a vraiment rien des familiales Volvo anguleuses d'antan et ressemble plutôt à un long coupé de l'arrière.

Le hayon, flanqué de blocs optiques verticaux qui épousent le galbe des ailes, s'ouvre sur un coffre de 430 litres, sous la ligne de vision. On peut tripler son volume, ou presque, en repliant le dossier de la banquette arrière, découpé en trois sections asymétriques (20/40/20). D'une main, on extrait aussi de l'assise les sièges d'appoint pour jeunes enfants.

De sage à légèrement sauvage

Quatre moteurs possibles pour la V60, tous turbocompressés. Pour la T5 Drive-E, la seule traction de la famille et la seule à profiter d'une boîte automatique à 8 rapports, un quatre cylindres de 2,0 litres et 241 chevaux. Ensuite un cinq cylindres en ligne

Impressions de l'auteur		Concurrents
Agrément de conduite : ★★★★☆ 4		Audi allroad, Subaru Outback
Fiabilité : ★★★☆ 3,5		
Sécurité : ★★★★☆ 4,5		
Qualités hivernales : ★★★★☆ 4,5		
Espace intérieur : ★★★★☆ 4		
Confort : ★★★★☆ 4		

de 2,5 litres et 250 chevaux pour la T5 à quatre roues motrices, un six cylindres en ligne de 3,0 litres et 300 chevaux pour la T6 et un autre qui fournit 325 chevaux à la R-Design. Celle-là atteint les 100 km/h en 6,2 secondes et parcourt le quart de mille en 14,4 secondes avec une pointe à 159,5 km/h. Le tout dûment vérifié.

Il y a aussi la V60 Polestar, un modèle de performance mis au point par la division de performance de Volvo et offert en nombre très limité. À l'autre extrême de ce spectre, Volvo a vendu des milliers d'exemplaires de sa V60 Hybride rechargeable en Europe. Elle combine un cinq cylindres diesel de 2,4 litres et un moteur électrique pour une consommation de 1,8 l/100 km et 50 km d'autonomie électrique. Elle ne viendra pas chez nous, mais Volvo promet plus écolo et frugal encore avec de nouveaux moteurs à essence Drive-E.

En finesse plus qu'en vitesse

Le tableau de bord de la V60 R-Design, découvert dans la S60, comporte des cadrans et affichages électroniques regroupés en trois thèmes : élégance, éco (en vert) et performance, sur fond rouge, où un compte-tours remplace l'indicateur de vitesse. C'est superbement clair, amusant et utile.

Par contraste, l'écran central paraît petit et vieillot si on le compare à ce qu'on voit chez les meilleures rivales actuelles. Sans compter que la navigation à travers les différents menus est souvent aux antipodes de l'ergonomie et de la convivialité. On s'ennuie également de l'affichage d'alertes en temps réel sur la circulation, par exemple, dans un système de navigation qui n'est plus à la fine pointe.

Le régulateur de vitesse adaptatif, par contre, est vraiment au point. Il maintient l'écart choisi, ajuste la vitesse progressivement et amène la V60 à l'arrêt en plein trafic, sans limites de temps apparentes. Il suffit de toucher l'accélérateur pour repartir ensuite en douceur. À la rubrique verte, il n'y a d'ailleurs pas de coupe-moteur dans la V60 R-Design.

Les sièges avant sont bien sculptés et offrent une fusion à peu près idéale de confort, de maintien et de facilité d'accès. C'est ce à quoi le constructeur suédois nous a habitués depuis des lustres. La position de conduite est à l'avenant, avec une mise en mémoire des réglages du siège efficace, sauf pour la contorsion du poignet qu'elle exige. Le repose-pied est par contre étroit pour la pointe de votre soulier gauche.

La qualité de roulement est dans le registre sport. La carrosserie est solide et les chocs bien filtrés, sans les réactions sèches des modèles R d'antan. Volvo a donc enfin trouvé la recette de structures plus rigides et de tarages d'amortisseurs justes. Les passionnés du groupe Polestar y sont sans doute pour quelque chose. Tant mieux. Cela augure bien pour la suite.

Châssis - T5 Drive-E FWD

Emp / lon / lar / haut	2776 / 4635 / 2097 / 1484 mm
Coffre / Réservoir	430 à 1240 litres / 68 litres
Nombre coussins sécurité / ceintures	6 / 5
Suspension avant	indépendante, jambes de force
Suspension arrière	indépendante, multibras
Freins avant / arrière	disque / disque
Direction	à crémaillère, ass. variable électrique
Diamètre de braquage	11,3 m
Pneus avant / arrière	P215/50R17 / P215/50R17
Poids / Capacité de remorquage	1603 kg / 1500 kg (3306 lb)
Assemblage	Gand, BE

Composantes mécaniques

T5 Drive-E FWD

Cylindrée, soupapes, alim.	4L 2,0 litres 16 s turbo
Puissance / Couple	241 chevaux / 258 lb-pi
Tr. base (opt) / rouage base (opt)	A8 / Tr
0-100 / 80-120 / V.Max	6,1 s (est) / n.d. / 210 km/h
100-0 km/h	n.d.
Type / ville / route / CO_2	Ord / 9,4 / 6,4 l/100 km / 3703 kg/an

T6 AWD R-Design

Cylindrée, soupapes, alim.	6L 3,0 litres 24 s turbo
Puissance / Couple	325 chevaux / 354 lb-pi
Tr. base (opt) / rouage base (opt)	A6 / Int
0-100 / 80-120 / V.Max	6,2 s / n.d. / 210 km/h
100-0 km/h	39,0 m
Type / ville / route / CO_2	Sup / 12,4 / 8,4 l/100 km / 4876 kg/an

Polestar

Cylindrée, soupapes, alim.	6L 3,0 litres 24 s turbo
Puissance / Couple	345 chevaux / 369 lb-pi
Tr. base (opt) / rouage base (opt)	A6 / Int
0-100 / 80-120 / V.Max	4,7 s (const) / n.d. / 250 km/h
100-0 km/h	n.d.
Type / ville / route / CO_2	Sup / n.d. / n.d. / n.d.

T5 AWD

5L - 2,5 l - 250 ch/266 lb-pi - A6 - 0-100: 6,8 s - 11,8/8,1 l/100 km

T6 AWD

6L - 3,0 l - 300 ch/325 lb-pi - A6 - 0-100: 6,0 s - n.d. l/100 km

Du nouveau en 2015

Nouveau moteur 4 cylindres (traction avant), automatique 8 rapports (4 cylindres).

FEU VERT
- Silhouette élégante et racée
- Excellent confort des sièges
- Comportement agile et sûr
- Cadrans principaux superbes
- Régulateur de vitesse impeccable

FEU ROUGE
- Menus de réglage dispersés et confus
- Système de navigation incomplet
- Repose-pied étroit vers le haut
- Réglages de température non synchronisés

VOLVO **XC60**

▶ **Catégorie :** VUS   ▶ **Échelle de prix :** 40 950 $ à 48 450 $ ▶ **Transport et prép. :** 1 715 $

▶ **Cote d'assurance :** $$$$ ▶ **Garanties :** 4 ans/80 000 km, 4 ans/80 000 km   ▶ **Ventes CAN 2013 :** 1 681 unités

Après le look,
la mécanique

Denis Duquet

Même si certaines sources prédisent la disparition de Volvo sur notre marché d'ici cinq ans, la marque sino-suédoise a entrepris une vaste campagne de développement de nouveaux modèles, sans oublier le rajeunissement des véhicules composant la gamme actuelle. C'est ainsi que le XC90 sera renouvelé prochainement pendant que le XC60, le modèle le plus populaire de Volvo sur notre marché, connaît une révision en deux étapes. La première a eu lieu l'an dernier alors que ce sont les constituantes esthétiques qui ont été revues tandis que pour 2015 c'est la motorisation qui est transformée.

Dès son lancement en 2009, plusieurs avaient déclaré qu'il s'agissait de la meilleure voiture dans l'histoire de la Volvo et l'accueil du public a plébiscité cette déclaration. Malheureusement, les tribulations de la compagnie, sa vente par Ford au chinois Geely ainsi que des changements à la direction avaient mis du plomb dans l'aile de ce constructeur. Toutefois, tout

semble être réglé et Volvo s'est empressé de mettre ce véhicule au goût du jour.

L'an dernier

Comme mentionné plus haut, la première étape du programme de rajeunissement du XC60 fut celle de la présentation générale. C'est ainsi que la calandre et le capot ont été transformés. La voiture affiche maintenant un style à la fois plus sportif et plus agressif. Lors de cette révision, la calandre a été mise en évidence, et l'imposante prise d'air qu'elle surplombe amène de l'air frais aux nouveaux moteurs turbocompressés qui en ont besoin pour mieux performer. Enfin, une plaque de protection visible donne un petit air de baroudeur à cette Volvo. Les garnitures de bas de caisse sont dorénavant de la même couleur que la carrosserie qui bénéficie également d'une multitude de petites retouches. La section arrière est pratiquement inchangée si ce n'est le remplacement des sorties d'échappement rondes par des unités rectangulaires chromées. Les feux arrière

Impressions de l'auteur		Concurrents
Agrément de conduite : ★★★★☆	4	Acura RDX, Audi Q5, BMW X3,
Fiabilité : ★★★☆	3,5	Infiniti QX50, Land Rover LR2,
Sécurité : ★★★★☆	4,5	Mercedes-Benz Classe GLK
Qualités hivernales : ★★★★☆	4,5	
Espace intérieur : ★★★★	4	
Confort : ★★★★☆	4	

VOLVO XC60

verticaux sont plus ou moins de même forme, mais les éléments lumineux qu'ils contiennent sont modifiés.

Dans l'habitacle, on a modernisé la planche de bord tout en conservant la console verticale et sa série de commandes faciles d'accès, tandis que des pavés disposés en forme de silhouette humaine permettent de gérer instinctivement le flot d'air de la climatisation. En outre, le cadran indicateur principal est de type électronique. Soulignons le confort des sièges, les places arrière accueillantes – bien qu'un peu justes –, la bonne capacité du coffre, l'excellente qualité des matériaux ainsi que la finition impeccable.

Cette année, maintenant...

Après avoir abandonné son moteur V8 il y a quelques années, Volvo délaisse maintenant les six cylindres pour se tourner vers une nouvelle génération de quatre cylindres turbocompressés permettant de concilier une cylindrée réduite et des performances relevées tout en économisant plus de carburant. Ces moteurs de la génération Drive-E sont le T5, un quatre cylindres turbocompressé de 2,0 litres produisant 241 chevaux et 258 lb-pi de couple, et le T6. Le mode Overboost de ces moulins augmente momentanément la pression du turbo pour rehausser les performances. Le couple passe alors à 280 lb-pi pour quelques secondes. Le T5 produit la même puissance que le six cylindres de 3,2 litres qu'il remplace, mais il est plus léger et consomme beaucoup moins.

Les modèles T6 font appel à un moteur de même cylindrée mais dont la puissance est de 302 chevaux. Cette fois, les ingénieurs ont combiné un turbo et un compresseur volumétrique (*supercharger*). Le but est d'utiliser le compresseur à bas régime pour ensuite faire appel à la turbocompression. Ainsi, les performances sont meilleures – 0-100 km/h 6,9 secondes – et la consommation de carburant passe de 12 l/100 km à 8,6. Ces deux moulins sont jumelés à une transmission manumatique à huit rapports. Cependant, ils ne sont pas offerts avec le rouage intégral. On continuera donc à offrir les six cylindres de 3,0 et 3,2 litres sur une brochette de modèles, tous à rouage intégral.

Sur les versions dotées du quatre cylindres Drive-E, l'agrément de conduite est amélioré alors que le train avant bénéficie de la légèreté des nouveaux groupes propulseurs. La direction répond plus rapidement et on enfile les virages avec davantage de facilité. La voiture est mieux équilibrée et la tenue de route en général est meilleure. Quant à la sécurité qui était l'apanage de Volvo, elle est toujours relevée mais les concurrents dans cette catégorie sont maintenant au même niveau...

Châssis - T5 TA

Emp / lon / lar / haut	2774 / 4644 / 2120 / 1713 mm
Coffre / Réservoir	490 à 1455 litres / 70 litres
Nombre coussins sécurité / ceintures	6 / 5
Suspension avant	indépendante, jambes de force
Suspension arrière	indépendante, multibras
Freins avant / arrière	disque / disque
Direction	à crémaillère, assistée
Diamètre de braquage	11,7 m
Pneus avant / arrière	235/60R18 / 235/60R18
Poids / Capacité de remorquage	1834 kg / 750 kg (1653 lb)
Assemblage	Gand, BE

Composantes mécaniques

3.2 AWD

Cylindrée, soupapes, alim.	6L 3,2 litres 24 s atmos.
Puissance / Couple	240 chevaux / 236 lb-pi
Tr. base (opt) / rouage base (opt)	A6 / Int
0-100 / 80-120 / V.Max	9,1 s (est) / n.d. / 210 km/h
100-0 km/h	39,0 m
Type / ville / route / CO_2	Ord / 13,1 / 9,4 l/100 km / 5260 kg/an

T5

Cylindrée, soupapes, alim.	4L 2,0 litres 16 s turbo
Puissance / Couple	241 chevaux / 258 lb-pi
Tr. base (opt) / rouage base (opt)	A8 / Tr
0-100 / 80-120 / V.Max	6,9 s (est) / n.d. / 210 km/h
100-0 km/h	39,0 m
Type / ville / route / CO_2	Ord / 9,8 / 7,6 l/100 km / 4053 kg/an

T6 AWD

Cylindrée, soupapes, alim.	6L 3,0 litres 24 s turbo
Puissance / Couple	300 chevaux / 325 lb-pi
Tr. base (opt) / rouage base (opt)	A6 / Int
0-100 / 80-120 / V.Max	6,9 s (est) / n.d. / 210 km/h
100-0 km/h	39,0 m
Type / ville / route / CO_2	Sup / 13,8 / 9,8 l/100 km / 5520 kg/an

T6 TA

Cylindrée, soupapes, alim.	4L 2,0 litres 16 s turbo
Puissance / Couple	302 chevaux / 295 lb-pi
Tr. base (opt) / rouage base (opt)	A8 / Tr
0-100 / 80-120 / V.Max	6,9 s / n.d. / 210 km/h
100-0 km/h	39,0 m
Type / ville / route / CO_2	Ord / 10,7 / 8,1 l/100 km / 4384 kg/an

Du nouveau en 2015

Arrivée des moteurs Drive-E.

- Silhouette élégante
- Moteurs Drive-E
- Sièges confortables
- Bonne tenue de route

- Places arrière moyennes
- Prix élevé
- Moteurs six cylindres gourmands
- Systèmes de sécurité intrusifs

Photos : Volvo Canada

VOLVO **XC70**

▶ **Catégorie :** Multisegment   ▶ **Échelle de prix :** 42 100 $ à 47 900 $ ▶ **Transport et prép.:** 1 715 $

▶ **Cote d'assurance :** $$$$$ ▶ **Garanties :** 4 ans/80 000 km, 4 ans/80 000 km   ▶ **Ventes CAN 2013 :** 624 unités

Malheureusement méconnue

Denis Duquet

Depuis des décennies, le modèle que Volvo réussit le mieux est la familiale. Même si celle-ci est toujours dérivée d'une berline, les ingénieurs de Göteborg sont toujours en mesure d'en tirer le meilleur pour offrir un produit de grande qualité. Pourtant, au cours des dernières années, la direction de ce constructeur semblait plus encline à retirer ses familiales du marché qu'à tirer profit de sa maîtrise de la catégorie. C'est ainsi qu'au fil des années, les V50 et V70 ont tiré leur révérence et avant la récente introduction de la V60, il ne restait que la version « cross country » de la V70, la XC70, pour tenir le fort.

Cette dernière est un modèle relativement similaire à la V70, mais dotée d'une suspension relevée et de quelques autres attributs destinés à accentuer le caractère « coureur des bois » de ce modèle, un peu comme c'est le cas avec les Subaru Outback et Audi Allroad. Avant de l'oublier, il est important de souligner que Volvo a toujours été un pionnier de la sécurité

et ses ingénieurs ont innové à plus d'une reprise. Cependant, leur exemple a fait boule de neige et de nombreux autres constructeurs ont suivi et même surpassé la marque suédoise sous certains égards. Par exemple, la XC70 s'immobilisera devant un obstacle, autrefois une exclusivité de la marque, mais on retrouve maintenant un système similaire en option sur le Mitsubishi Outlander, par exemple

Sobre élégance

L'an dernier, la XC70 a bénéficié de quelques modifications esthétiques, notamment à la partie avant alors que la calandre a été modifiée et l'écusson qui trône en son centre a été élargi. On a également changé les modules destinés à accueillir les phares antibrouillard qui ne sont plus encerclés d'aluminium brossé, mais uniquement accentués par une pièce en alu sur la partie supérieure. La section arrière a aussi été transformée, mais de peu.

Impressions de l'auteur		Concurrents
Agrément de conduite : ★★★★☆	4/5	Audi Allroad, Subaru Outback
Fiabilité :	★★★½ 3,5/5	
Sécurité :	★★★★½ 4,5/5	
Qualités hivernales :	★★★★½ 4,5/5	
Espace intérieur :	★★★★☆ 4/5	
Confort :	★★★★☆ 4/5	

VOLVO **XC70**

Depuis l'an dernier, la planche de bord comprend un nouvel écran d'affichage de sept pouces faisant appel à la technologie infrarouge, de sorte que le port des gants ne sera pas un obstacle. Par ailleurs, plusieurs des commandes électroniques ne sont pas de tout repos et il est difficile par exemple de communiquer avec le système Bluetooth. Toutefois, l'ergonomie est excellente tandis que les sièges avant sont la référence en fait de confort, de réglages et de support latéral. À l'arrière, la banquette est confortable sauf pour l'occupant du centre qui doit composer avec le renflement causé par l'appui-bras. Le coffre est spacieux et devient caverneux lorsqu'on abaisse le dossier de la banquette arrière. En outre, la qualité de la finition et des matériaux est exemplaire.

Imbroglio moteur

Sur plusieurs modèles de sa gamme, Volvo fait appel cette année à une nouvelle génération de moteurs appelée Drive-E. Il s'agit de deux quatre cylindres 2,0 litres turbo. Le premier est installé sur les versions T5 de la XC70 et produit 241 chevaux. Il bénéficie de l'injection directe, du système arrêt-départ et du cycle Eco. Sur d'autres modèles de la gamme Volvo, les variantes T6 feront appel à une version à la fois turbocompressée et suralimentée de ce même 2,0 litres. Cette fois, la puissance est de 302 chevaux. Ces deux moulins sont offerts avec une transmission manumatique à huit rapports. Pour l'instant, ils ne sont disponibles qu'avec la traction avant.

Les versions T6 de la XC70, dotées du rouage intégral Haldex, font encore appel au six cylindres en ligne de 3 litres turbocompressé produisant 300 chevaux et associé à une transmission automatique à six rapports. Vous avouerez que Volvo aurait pu simplifier sa gamme s'il avait été en mesure d'utiliser ses nouveaux moteurs avec le rouage intégral.

C'est d'autant plus dommage que la nouvelle motorisation permet non seulement d'économiser du carburant, mais les performances sont supérieures. Et comme le poids de ce quatre cylindres est inférieur à celui du gros « six en ligne », la conduite en bénéficie.

Malgré tout, la familiale de luxe qu'est la XC70 se comporte avec aisance dans toutes les conditions routières et son aplomb en virage est rassurant. Il ne faut pas ignorer non plus que c'est le grand confort dans l'habitacle. Outre les sièges avant ultraconfortables et une suspension bien calibrée, l'insonorisation est excellente. Quant au rouage intégral Haldex, il hésite parfois à transférer le couple aux roues arrière en certaines circonstances, mais c'est quand même un mécanisme efficace et éprouvé.

Comme les autres Volvo, la XC70 est une voiture de qualité. On peut se demander pourquoi les responsables de la mise en marché ne sont pas aussi doués que les ingénieurs! D'autant plus que la fiabilité de ce modèle est généralement bonne.

Châssis - T5 TA

Emp / lon / lar / haut	2815 / 4838 / 2119 / 1604 mm
Coffre / Réservoir	575 à 1600 litres / 70 litres
Nombre coussins sécurité / ceintures	6 / 5
Suspension avant	indépendante, jambes de force
Suspension arrière	indépendante, multibras
Freins avant / arrière	disque / disque
Direction	à crémaillère, assistée
Diamètre de braquage	11,5 m
Pneus avant / arrière	P235/55R17 / P235/55R17
Poids / Capacité de remorquage	1789 kg / 750 kg (1653 lb)
Assemblage	Torslanda, SE

Composantes mécaniques

T5

Cylindrée, soupapes, alim.	4L 2,0 litres 16 s turbo
Puissance / Couple	241 chevaux / 258 lb-pi
Tr. base (opt) / rouage base (opt)	A8 / Tr
0-100 / 80-120 / V.Max	6,8 s (const) / n.d. / 210 km/h
100-0 km/h	39,0 m
Type / ville / route / co_2	Ord / n.d. / n.d. / 3060 kg/an

T6

Cylindrée, soupapes, alim.	6L 3,0 litres 24 s turbo
Puissance / Couple	300 chevaux / 325 lb-pi
Tr. base (opt) / rouage base (opt)	A6 / Int
0-100 / 80-120 / V.Max	6,5 s (const) / n.d. / 210 km/h
100-0 km/h	39,0 m
Type / ville / route / co_2	Sup / 13,8 / 10,2 l/100 km / 5603 kg/an

Du nouveau en 2015

Moteurs Drive-E maintenant offerts.

FEU VERT

• Finition soignée
• Rouage intégral efficace
• Bonne tenue de route
• Sièges avant confortables
• Moteur Drive-E économique

FEU ROUGE

• Bluetooth capricieux
• Console flottante peu efficace
• Moteur six cylindres trop lourd
• Place centrale arrière peu confortable

Photos : Volvo Canada

MODÈLE 2014

VOLVO **XC90**

▸ **Catégorie :** VUS   ▸ **Échelle de prix :** 52 000 $ à 62 000 $ (estimé)   ▸ **Transport et prép. :** 1 715 $

▸ **Cote d'assurance :** $$$$$ ▸ **Garanties :** 4 ans/80 000 km, 4 ans/80 000 km   ▸ **Ventes CAN 2013 :** 500 unités

Pourra-t-il répéter l'exploit une deuxième fois?

Alain Morin

Lorsque le XC90 avait été dévoilé en 2002, tous les espoirs étaient permis. Il avait même été nommé l'utilitaire sport de l'année dans le *Guide de l'auto 2003*, un titre qui n'était pas usurpé considérant le succès qu'il a connu au chapitre des ventes mondiales. De là à dire qu'il a permis à Volvo de garder les narines hors de l'eau les années suivantes, il n'y a qu'un pas que je franchis allègrement. Mais il y a un temps pour tout et celui du XC90 tel qu'on le connait est terminé. Douze ans avec la même plate-forme, c'est beaucoup. Beaucoup trop diront certains.

Complètement largué, ce VUS sera entièrement renouvelé d'ici quelques mois. Au moment d'écrire ces lignes, été 2014, Volvo a commencé à laisser des informations se répandre sur le web.

Le prochain XC90 semble avoir bénéficié des importantes ressources financières de Geely, son propriétaire chinois. Il sera construit

sur une plate-forme SPA (Scalable Product Architecture), ce qui veut dire qu'elle sera utilisée par la suite pour d'autres véhicules de dimensions et de vocations différentes. Volvo dit de ce châssis qu'il permettra l'inclusion des dernières technologies en matière de sécurité et de connectivité, améliorera l'espace intérieur et la conduite. Évidemment, il nous faudra valider ces informations.

Au niveau de l'aspect extérieur, il y a bien quelques photos qui circulent dans le cyberespace mais rien n'a émané de Volvo. On le voit tantôt osé, tantôt conservateur même si tous s'entendent pour dire qu'il sera basé sur le concept XC Coupe vu à Detroit en janvier 2014. Souhaitons qu'il nous refasse le coup de 2003. On est beaucoup mieux fixé pour l'habitacle. Le tableau de bord promet d'être à la fois spectaculaire et sobre avec en plein centre, un grand écran tactile, à la Tesla, d'une dimension et d'un fonctionnement le rapprochant davantage des tablettes que de l'écran simple. Cet écran sera relié à un système tête haute (HUD) et le conducteur pourra voir, directement devant lui, les informations nécessaires, ce qui lui évitera de quitter la

Impressions de l'auteur			Concurrents
Agrément de conduite :	★★★☆☆	3 5	Acura MDX, Audi Q7, BMW X5,
Fiabilité :	★★★☆☆	3 5	Cadillac SRX, Infiniti QX70, Lexus RX,
Sécurité :	★★★★☆	4 5	Lincoln MKX, Mercedes-Benz
Qualités hivernales :	★★★★☆	4 5	Classe ML, Porsche Cayenne,
Espace intérieur :	★★★★☆	4 5	Volkswagen Touareg
Confort :	★★★★☆	4 5	

VOLVO XC90

route des yeux. Androïd sera le système d'exploitation puisque Volvo et Google ont signé une entente de partenariat. On remarque aussi que le tableau de bord est dégagé de pratiquement tout bouton. Si ce système fonctionne bien, ça pourrait être le paradis sur terre. Sinon, ce sera l'enfer.

Pour son futur XC90, Volvo parle de sièges novateurs... quand on connaît la qualité des sièges actuels de Volvo, on a bien hâte d'essayer ces nouveaux sièges! Il y aura même des sièges optionnels Contour. Le prochain XC90, tout comme l'actuel, pourra accueillir sept personnes et on espère que les occupants de la troisième rangée auront droit à plus d'espace et, tant qu'à espérer, que le coffre soit plus grand. Détail peut-être pas si anodin que ça : pour marquer l'emplacement des coussins gonflables dans les sièges, Volvo utilise de petits morceaux de tissus ornés de la croix jaune sur fond bleu, drapeau de la Suède. Merci, les Chinois, de nous permettre de vivre, mais nous demeurons Suédois...

Que des quatre cylindres!

Côté mécanique, deux moteurs à essence seront proposés et devraient se rendre de ce côté-ci de la boule. Il y aura tout d'abord un Drive-E (le nom de la nouvelle génération des moteurs Volvo, tous des quatre cylindres) T5 de 254 chevaux et 258 livres-pied de couple et un T6 de 320 chevaux et d'un couple maximal de 295 lb-pi. La cylindrée n'a pas été dévoilée. Ailleurs dans le monde, les acheteurs d'un XC90 auront droit à deux moteurs diesels.

Volvo parle de plus en plus ouvertement d'un XC90 hybride branchable. À l'avant, un quatre cylindres à essence de 2,0 litres active les roues avant tandis que les roues arrière sont prises en charge par un moteur électrique de 80 chevaux (60 kW). Le conducteur pourra choisir entre un mode Eco très éco bon pour une autonomie électrique de 40 km et un mode plus olé olé à la simple pression d'un bouton, alors que les deux moteurs s'uniront pour déployer environ 400 chevaux et un couple 470 livres-pied. Est-ce que cette hybride branchable sera importée ici? Nous le souhaitons ardemment!

Quant au XC90 actuel, même s'il n'est plus dans le coup, il continue d'offrir des sièges drôlement confortables, un niveau de sécurité très élevé et un style qui en fait encore craquer quelques-uns. Du même coup, il continue malheureusement d'offrir un diamètre de braquage qui ferait honte à un paquebot, une direction sans consistance et une motorisation qui livre des performances très moyennes doublées d'une solide consommation d'essence. D'essence super en plus... Pas super comme comportement!

Bref, la prochaine génération sera la bienvenue. Nous lui souhaitons d'être à la fois avant-gardiste mais pas trop, puissante mais économique à la pompe, sécuritaire mais pas trop lourde, prestigieuse mais de prix réaliste...

Châssis - T5 (Données 2014)

Emp / lon / lar / haut	2857 / 4807 / 2112 / 1784 mm
Coffre / Réservoir	249 à 1837 litres / 80 litres
Nombre coussins sécurité / ceintures	6 / 7
Suspension avant	indépendante, jambes de force
Suspension arrière	indépendante, multibras
Freins avant / arrière	disque / disque
Direction	à crémaillère, assistée
Diamètre de braquage	12,5 m
Pneus avant / arrière	P235/60R18 / P235/60R18
Poids / Capacité de remorquage	2139 kg / 750 kg (1653 lb)
Assemblage	Torslanda, SE

Composantes mécaniques

T5	(Données préliminaires)
Cylindrée, soupapes, alim.	4L 2,0 litres 16 s turbo
Puissance / Couple	254 chevaux / 258 lb-pi
Tr. base (opt) / rouage base (opt)	A8 / Int
0-100 / 80-120 / V.Max	n.d. / n.d. / n.d.
100-0 km/h	n.d.
Type / ville / route / co$_2$	Sup / 13,2 / 8,8 l/100 km / 5150 kg/an

T6	(Données préliminaires)
Cylindrée, soupapes, alim.	4L 2,0 litres 16 s turbo
Puissance / Couple	316 chevaux / 295 lb-pi
Tr. base (opt) / rouage base (opt)	A8 / Int
0-100 / 80-120 / V.Max	n.d. / n.d. / n.d.
100-0 km/h	n.d.
Type / ville / route / co$_2$	Sup / 13,2 / 8,8 l/100 km / 5150 kg/an

T8	(Données préliminaires)
Cylindrée, soupapes, alim.	4L 2,0 litres 16 s turbo
Puissance / Couple	320 chevaux / 295 lb-pi
Tr. base (opt) / rouage base (opt)	A8 / Int
0-100 / 80-120 / V.Max	n.d. / n.d. / n.d.
100-0 km/h	n.d.
Type / ville / route / co$_2$	Sup / n.d. / n.d. / 1200 kg/an

Moteur électrique	
Puissance / Couple	80 ch (60 kW) / 177 lb-pi
Type de batterie	n.d.
Énergie	n.d.

Du nouveau en 2015

Nouvelle génération sera dévoilée à l'automne 2014.

FEU VERT
- Nouvelle génération prometteuse
- Sièges très confortables (2014)
- Rouage intégral efficace (2014)
- Version hybride branchable prometteuse

FEU ROUGE
- Performances ordinaires (2014)
- Diamètre de braquage indigne (2014)
- Fiabilité quelquefois erratique (2014)
- Triste valeur de revente (2014)
- Génération en fin de carrière (2014)

MODÈLE 2014

Photos: Volvo Canada

jan haacke

À VENIR...

BMW
SÉRIE 2 ACTIVE TOURER

Avec ce nouveau modèle, BMW s'attaque au marché du Mercedes-Benz Classe B. Toutefois, il se veut plus plus polyvalent que ce dernier. Le BMW de Série 2 Active Tourer permet à BMW d'entrer pour la toute première fois dans le vaste monde de la traction. Jusqu'ici, toutes les BMW étaient des véhicules à propulsion ou à traction intégrale. L'espace de chargement passe de 468 à 1 510 litres, une fois la banquette abaissée. Pour le marché nord-américain, on devrait retrouver le moteur des modèles de Série 2, c'est-à-dire un quatre cylindres suralimenté de 2,0 litres, développant 241 chevaux pour un couple de 258 lb-pi. Une version à sept places est en préparation.

près quelques années d'absence, voici que les camionnettes intermédiaires Chevrolet Colorado et GMC Canyon, reviennent sur le marché. Elles sont offertes en versions à deux ou quatre roues motrices. Puis à configurations à cabine simple, allongée ou double, associées à une caisse de 5'2'' ou 6'2''. Leur moteur d'entrée de gamme est un quatre cylindres de 2,5 litres de 193 chevaux, lequel est suivi par un V6 de 3,6 litres de 302 chevaux. Une motorisation turbodiesel sera éventuellement au programme. Le duo Colorado / Canyon a une capacité de remorquage maximale de 3 039 kg (6 700 lb). Technologie aidant, ces deux véhicules accueillent un écran tactile de 8 pouces, par lequel passe une multitude d'informations, dont certaines en provenance de votre téléphone intelligent.

CHEVROLET COLORADO

GMC CANYON

CHEVROLET **COLORADO** & **GMC CANYON**

HONDA **HR-V**

Le Honda HR-V fera partie d'une catégorie qui gagne rapidement en popularité, celle des VUS urbains. Elle regroupe déjà les Buick Encore, Chevrolet Trax, Kia Soul et Nissan Juke. Petit frère du CR-V, le HR-V a été conçu autour des principaux éléments mécaniques de la Honda Fit 2015. Ainsi, on devrait retrouver son quatre cylindres de 1,5 litre et 130 chevaux, accouplé soit à une boîte manuelle à six vitesses, ou à une transmission à variation continue (CVT). Bien que ses dimensions le classent sous le CR-V, le HR-V peut tout de même accueillir cinq personnes. La section chargement de ce petit véhicule compact offrira également un plancher tout plat, une fois la banquette abaissée.

Infiniti, la marque de véhicules de luxe de Nissan, va bientôt commercialiser deux nouveaux modèles compacts de luxe, conçus en collaboration avec Mercedes-Benz et utilisant la plate-forme MFA du constructeur allemand. Il s'agit de la berline Q30 à hayon, dont la signature stylistique anticonformiste sera similaire à celle du concept éponyme, dévoilé au Salon de l'auto de Francfort. Cette voiture servira également de base au développement du multisegment QX30. Ils viendront faire la lutte aux Audi A3/Q3, BMW Série 2 Active Tourer/X1, Lexus CT200h/NX et Mercedes-Benz CLA/GLA. Les Q30 et QX30, destinés à une clientèle de jeunes professionnels, seront assemblés dans une toute nouvelle usine britannique, située à Sunderland. Parmi les différentes motorisations qui seront proposées, on retrouve une approche hybride.

INFINITI Q30 CONCEPT

INFINITI Q30 CONCEPT

INFINITI
Q30 & QX30

JEEP **RENEGADE**

Il est passé à un cheveu de porter le nom Jeepster, mais les dirigeants de Jeep ont préféré l'appeler Renegade. Les ingénieurs américains et italiens ont contribué à sa conception, ce qui explique l'utilisation de la plate-forme de la Fiat 500L qui, pour la circonstance, a dû être modifiée. D'ailleurs, le Renegade aura un petit cousin appelé Fiat 500X. Le petit Jeep est le premier véhicule à disposer de l'architecture Small Wide 4x4. De série, il est propulsé par un moteur quatre cylindres Fiat MultiAir turbo de 1,4 litre de 160 chevaux, accouplé à une boîte manuelle à six vitesses. , Sinon, on retrouvera un autre moteur Fiat, le TigerShark de 2,4 litres de 184 chevaux, associé à une transmission automatique à neuf rapports, en option. L'espace de chargement varie entre 525 et 1 440 litres avec la banquette repliée.

Après le dévoilement de sa toute nouvelle MINI Cooper, la marque britannique s'apprête à faire de même avec sa Clubman qui deviendra la MINI la plus imposante jamais conçue jusqu'à présent. Du moins, si l'on se fie aux dimensions du concept dévoilé à Genève, lequel ressemblerait à s'y méprendre au modèle de série à venir. La MINI Clubman 2015 reste fidèle au principe des deux portes battantes à l'arrière. Elle pourra accueillir plus aisément jusqu'à cinq personnes, en plus d'offrir une section de chargement plus volumineuse. La prochaine MINI Clubman héritera des motorisations turbocompressées à trois cylindres de 1,5 litre de 134 chevaux ou quatre cylindres de 2,0 litres de 189 chevaux, des nouvelles MINI Cooper et Cooper S. Elle va également se décliner en version John Cooper Works.

MINI
CLUBMAN CONCEPT

RAM
PROMASTER CITY

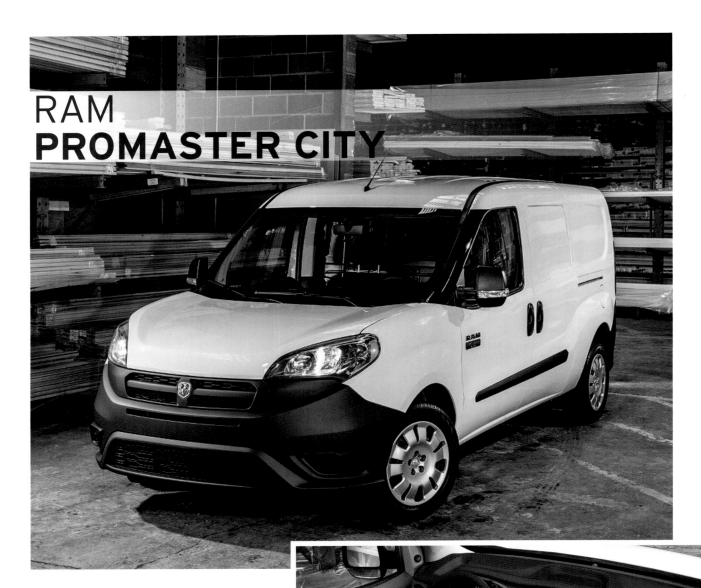

L e marché des fourgonnettes commerciales de
gabarit compact fait de plus en plus d'adeptes.
Ainsi, après les Chevrolet Express City, Ford
Transit Connect et Nissan NV200, voici que s'annonce
le RAM Promaster City, conçu sur la base du Fiat
Doblo. Sous son capot, on retrouve le moteur quatre
cylindres Tigershark MultiAir de 2,4 litres, également
utilisé par les Dodge Dart et Jeep Cherokee. Le tout
est accouplé à une transmission automatique à neuf
rapports. Malgré ses dimensions compactes, le
véhicule offre un volume de chargement maximal de
3 729 litres. Pour faciliter l'accès à tout cet espace, il
vient de série avec deux portières latérales coulissantes,
auxquelles viennent se joindre deux portes à l'arrière
du véhicule.

Ce concept est sur le point de devenir un modèle de série. Il épousera les formes du concept Crossblue, dévoilé l'année dernière à Detroit. Il devient ainsi le deuxième modèle de la marque allemande à être assemblé à l'usine américaine de Chattanooga. On le retrouvera aux côtés de la Passat, réservée aux marchés nord-américains. Le VUS de gabarit intermédiaire sera le premier modèle Volkswagen à disposer de trois rangées de sièges, à dessein d'accueillir jusqu'à sept passagers. Il sera propulsé, entre autre, par une motorisation hybride rechargeable, regroupant un moteur TDI de 2,0 litres, associé à deux moteurs électriques.

VOLKSWAGEN
CROSSBLUE CONCEPT

STATISTIQUES

TABLEAU **DE CONSOMMATION**

ÉCONOMIQUE

La plupart des données de consommation d'essence que vous consultez dans les fiches techniques de ce Guide proviennent de Ressources naturelles Canada. Lorsqu'un moteur est associé à plus d'une transmission, nous utilisons les données de la version de base. Il arrive aussi que RNC n'ait pas encore pu certifier la consommation d'une voiture. À ce moment, nous prenons soit la consommation annoncée par le constructeur ou une donnée estimée. Dans ce dernier cas, nous indiquons (est.) Aux fins de ce tableau, nous avons limité notre recherche à la consommation en ville.

À partir de l'année-modèle 2015, la procédure d'essai pour déterminer la consommation de tous les véhicules changera. Au lieu d'établir une cote de consommation à partir de tests à deux cycles, ces tests compteront désormais cinq cycles. La consommation ainsi obtenue devrait être de 10 à 20% plus élevée qu'actuellement et reflétera davantage la réalité. Bien que le *Guide de l'auto* traite des modèles 2015, la date de tombée nous oblige à utiliser la méthode à deux cycles puisque les cotes à cinq cycles n'ont pas encore toutes été dévoilées.

* La consommation des véhicules électriques se mesure en le/100 km. Il s'agit d'un litre équivalent d'essence. Un litre d'essence contient l'équivalent en énergie de 8,9 kWh.

VOITURES ÉLECTRIQUES *

SMART **FORTWO ED**	**1,5 l**/100 km
Ford **Focus EV**	**1,7 l**/100 km
Mitsubishi **i-MiEV**	**1,9 l**/100 km
Nissan **Leaf**	**2,2 l**/100 km
Tesla **Model S** (batterie 60 kWh)	**2,5 l**/100 km

SOUS-COMPACTES ET CITADINES

FORD **FIESTA 1,0 ECOBOOST**	**5,3 l**/100 km
Mitsubishi **Mirage**	**5,4 l**/100 km
Scion **iQ**	**5,5 l**/100 km
Nissan **Versa Note**	**6,1 l**/100 km
Chevrolet **Spark**	**6,4 l**/100 km
Fiat **500**	**6,4 l**/100 km

COMPACTES

TOYOTA **PRIUS C HYBRID**	**3,6 l**/100 km
Toyota **Prius V Hybrid**	**4,3 l**/100 km
Honda **Civic Hybrid**	**4,4 l**/100 km
Volkswagen **Jetta Hybrid**	**4,5 l**/100 km
Toyota **Prius Hybrid Plug-In**	**4,6 l**/100 km

INTERMÉDIAIRES

HONDA **ACCORD HYBRID** 3,7 l/100 km

Ford **Fusion Hybrid**	**4,0** l/100 km
Lincoln **MKZ Hybrid**	**4,2** l/100 km
Ford **Fusion Energi**	**4,3** l/100 km
Toyota **Camry Hybrid**	**4,5** l/100 km

VUS, MULTISEGMENTS ET FOURGONNETTES

PORSCHE **CAYENNE S E-HYBRID 4,0** l/100 km

Ford **C-Max**	**4,6** l/100 km
BMW **X3 xDrive 28d**	**6,2** l/100 km
Lexus **NX300h**	**6,7** l/100 km
Lexus **RX350h**	**6,7** l/100 km
Toyota **Highlander Hybrid**	**6,7** l/100 km
Volkswagen **Golf TDI / Jetta TDI**	**6,7** l/100 km

CABRIOLETS ET ROADSTERS

FIAT **500C** 6,7 l/100 km

MINI **Cooper Cabriolet / Roadster**	**7,4** l/100 km
Volkswagen **Beetle 1.8**	**8,3** l/100 km
BMW **Z4 sDrive 28i**	**9,0** l/100 km
Audi **TT Roadster**	**9,1** l/100 km

VOITURES DE LUXE

PORSCHE **CAYENNE S E-HYBRID 4,0** l/100 km

Mercedes-Benz **C250 Bluetec**	**5,0** l/100 km
Audi **A3 TDI**	**5,2** l/100 km
Acura **RLX SH-AWD**	**6,3** l/100 km
Lexus **GS450h**	**6,5** l/100 km

NOTE : les prix identifiés avec un X sont les prix des modèles 2014.
Il ne s'agit pas d'une liste exhaustive.
Pour plus de renseignements, veuillez contacter le concessionnaire.

ACURA

ILX	30 141 $	
ILX Hybride	37 441 $	
MDX	52 141 $	
MDX Elite	66 141 $	
RDX	43 541 $	
RLX	49 990 $	X
RLX Elite	62 190 $	X
TLX	34 990 $	
TLX V6 Elite	45 290 $	
TLX SH-AWD	39 990 $	

ALFA ROMEO

4C	75 995 $

ASTON MARTIN

DB9	197 000 $
Rapide S	209 500 $
V8 Vantage	127 441 $
V12 Vantage S	n.d.
Vanquish	295 000 $

AUDI

A3 Berline 1.8T Komfort	31 100 $
A3 Berline 2.0 TDI Komfort	34 900 $
A4 Berline 2.0T FWD Komfort CVT	37 800 $
A4 Berline 2.0T Technik quattro tiptronic	47 800 $
A4 Allroad 2.0T Komfort quattro	46 600 $
A5 Coupé 2.0T Progressiv quattro man	48 300 $
A5 Cabriolet 2.0T Technik quattro	63 700 $
A6 Berline 2.0T Progressiv quattro	54 900 $
A6 Berline 3.0 TDI Progressiv quattro	64 800 $
A7 3.0T Progressiv quattro	72 000 $
A7 3.0 TDI Progressiv quattro	74 500 $
A8 3.0T quattro	83 900 $
A8 3.0 TDI quattro	89 200 $
A8 4.0T quattro	101 600 $
A8L W12 6.3 quattro	169 000 $
Q3 2.0T FWD Progressiv	35 800 $
Q3 2.0T Progressiv quattro	38 300 $
Q5 2.0T Komfort quattro	41 900 $
Q5 3.0T Technik quattro	50 800 $
Q5 3.0 TDI Progressiv quattro	49 200 $
Q5 2.0T Hybride quattro	57 000 $
Q7 3.0T Progressiv quattro	58 200 $
Q7 3.0 TDI Progressiv quattro	63 200 $
R8 Coupé 5.2 man	168 800 $
R8 Coupé 5.2 V10 Plus man	187 800 $
R8 Spyder 4.2 man	148 800 $
R8 Spyder 5.2 man	182 800 $
RS 5 Coupé 4.2 quattro	82 900 $
RS 5 Cabriolet 4.2 quattro	94 900 $
RS 7 4.0T quattro	116 000 $
S3 Berline 2.0T Progressiv quattro	44 000 $
S4 3.0T Progressiv quattro man	54 100 $
S5 Coupé 3.0T Progressiv quattro man	57 000 $
S5 Cabriolet 3.0T Progressiv quattro	69 900 $
S6 4.0T quattro	85 600 $
S7 4.0T quattro	92 900 $
S8 4.0T quattro	126 900 $
SQ5 3.0T Progressiv quattro	57 400 $
TT Coupé 2.0T quattro	51 600 $
TT Roadster 2.0T quattro	54 600 $
TTS Coupé 2.0T quattro	60 800 $

BENTLEY

Continental GT	224 000 $	X
Continental Flying Spur	227 335 $	X
Continental Supersports	357 685 $	X
Mulsanne	362 635 $	X

BMW

i3	44 950 $	
i8	145 000 $	
M3 Berline	74 000 $	
M4 Coupé	75 000 $	
M5 Berline	101 500 $	X
M6 Coupé	124 900 $	
M6 Gran Coupé	127 900 $	
Série 2 Coupé 228i	36 000 $	X
Série 3 320i	35 990 $	X
Série 3 335i	51 200 $	X
Série 3 Touring 328i xDrive	47 850 $	X
Série 4 428i	44 900 $	X
Serie 4 Cabriolet 435i	67 400 $	X
Série 5 528i	54 600 $	X
Série 5 ActiveHybrid5	71 150 $	X
Série 5 535d xDrive	68 150 $	X
Série 5 550i xDrive Gran Turismo	81 900 $	X
Série 6 Gran Coupé 640i xDrive	87 900 $	X
Série 6 Coupé 650i xDrive	98 800 $	X
Série 6 Cabriolet 650i xDrive	109 900 $	X
Série 7 740Li xDrive	99 800 $	X
X1 2.8i xDrive	36 990 $	
X3 2.8i xDrive	43 300 $	
X3 2.8d xDrive	45 000 $	
X4 2.0i xDrive	46 300 $	
X4 3.5i xDrive	54 950 $	
X5 3.5i xDrive	62 990 $	X
X5 3.5d xDrive	64 490 $	X
X6 3.5i xDrive	67 300 $	X
X6 5.0i xDrive	82 700 $	X
X6 M	102 900 $	X
Z4 Roadster 2.8i	54 300 $	X

BUGATTI

Veyron	1 400 000 $

BUICK

Enclave Commodité	44 245 $	X
Encore Commodité	29 785 $	X
Encore Commodité (TI)	31 785 $	X
LaCrosse	37 745 $	X
LaCrosse (TI)	43 845 $	X
Regal Turbo	35 045 $	X
Regal Turbo (TI)	37 325 $	X
Regal GS (TI)	44 875 $	X
Verano	25 455 $	X

CADILLAC

ATS 2.0 Turbo	39 550 $	X
ATS 3.6 Luxe	46 500 $	X
CTS 2.0L Turbo	52 945 $	X
CTS 3.6L	59 090 $	X
CTS-V	76 545 $	X
CTS Coupe	45 095 $	X
CTS Familiale 3.0L	50 115 $	X
ELR	80 300 $	X
Escalade	81 950 $	
Escalade ESV	84 950 $	
SRX	42 835 $	X
SRX Premium (TI)	58 190 $	X
XTS	51 490 $	X
XTS Platine		
Twin turbo V sport (TI)	76 295 $	X

CHEVROLET CAMIONS

City Express	29 771 $	
Colorado	n.d.	
Equinox LS	28 325 $	X
Equinox LS (TI)	30 525 $	X
Silverado 1500, à cabine multiplace, caisse courte (2RM)	34 690 $	
Silverado 1500, à cabine multiplace, caisse courte (4RM)	38 455 $	
Suburban 1500 LS	54 555 $	
Suburban 1500 LTZ (4RM)	72 785 $	
Tahoe LS	51 565 $	
Tahoe LTZ (4RM)	69 795 $	
Traverse LS	35 245 $	X
Traverse LTZ (TI)	51 495 $	X

CHEVROLET

Camaro LS	30 445 $	X
Camaro ZL1	61 260 $	X
Camaro Z/28	79 250 $	X
Camaro Convertible SS	47 200 $	X
Corvette Coupé LT	56 895 $	X
Corvette Z06	n.d.	
Corvette Z06 Cabriolet	n.d.	
Cruze LS	17 845 $	X
Cruze Diesel	26 995 $	X
Impala LS	30 395 $	X
Malibu LZ	34 945 $	X
Sonic Berline LS man	15 795 $	X
Sonic 5 portes LT man	20 345 $	X
Spark LS man	13 745 $	X
Spark EV	19 185 $ US	
Trax LS	20 545 $	X
Trax LTZ AWD	32 295 $	X
Volt	38 845 $	X

CHRYSLER

200 LX	22 495 $	
200 C AWD	32 495 $	
300 Touring	34 595 $	X
300 SRT	49 695 $	X
Town & Country Touring	42 295 $	

DODGE

Challenger SXT	26 995 $	X
Challenger SRT Hellcat	n.d.	
Charger SE	29 995 $	X
Charger SRT	48 995 $	X
Dart SE	15 995 $	
Dart Limited	22 995 $	
Durango SXT	39 995 $	X
Grand Caravan CVP	27 995 $	
Journey CVP	21 495 $	
Journey R/T Rallye AWD	34 795 $	
Viper	99 995 $	X
Viper SRT	119 995 $	X

FERRARI

458 Italia Coupe	235 000 $
California T	265 000 $
F12 Berlinetta	398 000 $
FF	298 000 $
LaFerrari	1 700 000 $

FIAT

500 Pop	15 995 $	
500 Turbo	21 395 $	
500 Abarth	24 995 $	
500c Cabrio Pop	19 995 $	
500L Pop	19 995 $	X

FORD

C-Max SE	25 714 $	X
C-Max Energi	34 169 $	X
Edge SE V6	30 339 $	
Edge Sport (TI)	40 933 $	X
Escape S	23 499 $	
Escape Titanium (4RM)	34 199 $	
Expedition SSV	47 399 $	
Expedition Platinum MAX	68 899 $	
Explorer	31 499 $	
Explorer Sport (4RM)	48 799 $	
F150 XL	21 164 $	X
F150 King Ranch	49 190 $	X
F150 Limited	52 888 $	X
Fiesta berline S	14 999 $	
Fiesta hatchback S	14 999 $	
Fiesta hatchback ST	24 599 $	
Flex SE	28 674 $	X
Flex Limited Ecoboost	43 789 $	X
Focus 5 portes SE	19 367 $	X
Focus 5 portes Électrique	34 507 $	X
Focus Berline S	14 444 $	X
Fusion S	22 499 $	
Fusion Hybride S	28 699 $	
Fusion Energi Titanium	40 599 $	
Mustang Coupé V6	24 999 $	
Mustang Coupé GT	36 999 $	
Mustang Cabriolet V6	29 999 $	
Mustang Cabriolet GT Premium	47 999 $	

GMC

Acadia SLE	38 445 $	X
Acadia Denali (TI)	57 945 $	X
Sierra 1500, à cabine classique, caisse normale (2RM)	29 200 $	
Sierra 1500 SLT, à cabine multiplace, caisse normale (4RM)	52 180 $	
Terrain SLE	30 245 $	X
Yukon SLE	53 090 $	
Yukon XL SLE	56 080 $	
Yukon XL Denali (TI)	78 530 $	

HONDA

Accord Coupé EX	28 306 $	X
Accord Coupé V6 EX-L	37 406 $	X
Accord Crosstour EX-L (4RM)	41 396 $	X
Civic Berline DX	17 241 $	X
Civic Berline Si	28 366 $	X
Civic Coupé LX	20 546 $	X
Civic Coupé Si	28 361 $	X
Civic Hybride	28 696 $	X
CR-V LX	27 841 $	X
CR-V Touring	37 301 $	X
CR-Z	24 406 $	X
Fit DX man	16 186 $	X
Odyssey LX	31 841 $	X
Odyssey Touring	49 901 $	X
Pilot LX	36 841 $	X
Pilot Touring	50 661 $	X

HYUNDAI

Accent 5 portes L man	13 899 $	X
Accent Berline L man	13 549 $	X
Elantra Berline L man	15 999 $	
Elantra Coupe GL man	18 999 $	X
Elantra GT L man	18 449 $	X
Equus Signature	64 799 $	
Genesis 3.8 Premium	43 000 $	
Genesis 5.0 Ultimate	62 000 $	
Genesis Coupe 2.0T man	26 699 $	X
Santa Fe Sport 2.4 FWD	26 799 $	X
Santa Fe Sport 2.0T AWD Premium	32 799 $	X
Santa Fe XL FWD	31 099 $	X
Santa Fe XL Limited	43 299 $	X
Sonata GL	23 999 $	
Sonata Sport 2.0T Ultimate	34 799 $	
Sonata Hybrid	28 499 $	
Tucson GL FWD man	21 999 $	
Veloster man	18 299 $	
Veloster turbo man	26 749 $	

INFINITI

Q50 3.7	39 595 $	X
Q60 Coupe Privilège	48 895 $	X
Q60 Cabriolet Sport	60 495 $	X
Q70 3.7 Privilège	62 195 $	X
Q70 5.6 Privilège	78 595 $	X
Q70 Hybride	70 595 $	X
QX50	37 045 $	X
QX60	45 095 $	X
QX60 Hybride Privilège TI	56 595 $	X
QX70 3.7	55 595 $	X
QX80	76 295 $	X

JAGUAR

F-Type Coupé	72 900 $
F-Type Coupé R	109 900 $
F-Type Cabriolet	76 900 $
F-Type Cabriolet V8 S	100 900 $
XF 2.0T	53 500 $
XFR-S	104 500 $
XJ (TI)	89 490 $
XJR (emp long)	122 990 $
XKR Coupé	109 125 $
XKR-S Cabriolet	146 000 $

TAURUS (FORD)

Taurus SE	29 699 $
Taurus SHO (TI)	47 299 $
Transit Connect	27 849 $

Pourquoi changer de voiture quand il suffit d'aller chez Unipneu ?

UNIPNEU, c'est 110 détaillants passionnés par les pneus, mais aussi par l'entretien et la mécanique.

Envie que votre véhicule sente le neuf ? Passez nous voir.

UNIPNEU
VOTRE DESTINATION DE CONFIANCE

UNIPNEU.COM
Une bannière du réseau Pneus Unimax Ltée

JEEP

Model	Prix	
Cherokee Sport	23 695 $	
Cherokee Sport 4X4	25 895 $	
Compass Sport	18 995 $	
Compass Sport 4X4	21 895 $	
Grand Cherokee Laredo	39 995 $	
Grand Cherokee SRT	64 495 $	
Patriot Sport	17 995 $	
Patriot Sport 4X4	20 895 $	
Wrangler Sport	23 195 $	
Wrangler Unlimited Rubicon	37 995 $	

KIA

Cadenza	37 995 $	
Forte LX man	15 995 $	
Forte5 LX man	19 495 $	
Forte Koup EX man	21 295 $	
K900 V8 Elite	69 995 $	
Optima LX	24 795 $	
Optima SX Turbo	34 895 $	
Rio LX man	14 095 $	
Rio5 LX man	14 495 $	
Rio5 SX Navigation	22 795 $	
Rondo LX man	21 295 $	
Sedona LX	28 595 $	x
Sorento LX	26 995 $	
Sorento LX V6	29 795 $	
Soul LX	16 995 $	
Soul SX Luxe	27 295 $	
Sportage LX man	22 995 $	
Sportage SX Luxe	38 495 $	

LAMBORGHINI

Aventador LP700-4	440 500 $	
Huracán LP610-4	295 000 $	

LAND ROVER

LR2	39 990 $	
LR4	59 990 $	
Range Rover	98 990 $	
Range Rover Supercharged	119 990 $	
Range Rover Evoque Pure	47 695 $	
Range Rover Evoque Coupé Pure Plus	53 295 $	
Range Rover Sport SE	73 990 $	

LEXUS

CT 200h	33 120 $	x
ES 300h	46 270 $	x
ES 350	41 920 $	x
GS 350 RWD	54 370 $	x
GS 450h	67 070 $	x
GX 460	61 070 $	x
IS 250 RWD	39 470 $	x
IS 350 RWD	46 670 $	x
IS 250C	55 970 $	x
IS F	76 070 $	x
LS 460	86 820 $	x
LS 600h L Executive	154 020 $	x
LX 570	97 620 $	x
NX 200t	n.d.	
RX 350 Sportdesign	52 770 $	
RX 450h Sportdesign Exécutif	72 520 $	

LINCOLN

MKC 2.0L (TI)	39 940 $	
MKS 3.7 (TI)	48 000 $	
MKS 3.5 EcoBoost (TI)	57 000 $	
MKT	47 050 $	
MKT (TI)	50 050 $	
MKX (TI)	46 240 $	
MKZ 2.0L Premiere	38 640 $	
MKZ 3.7L Preferred	47 700 $	
MKZ Hybride Premiere	38 350 $	
Navigator	75 110 $	
Navigator L	78 110 $	

LOTUS

Evora	78 650 $	x
Evora S	90 950 $	x

MASERATI

Ghibli	95 000 $	
Ghibli S	112 000 $	
Gran Turismo	n.d.	
Quattroporte	125 000 $	
Quattroporte Sport GT S	136 000 $	

MAZDA

CX-5 GX man	24 890 $	
CX-5 (TI)	35 390 $	
CX-9 GT (TI)	47 890 $	x
Mazda2 GX man	15 945 $	x
Mazda3 berline GX man	17 690 $	x
Mazda3 Sport GX man	18 690 $	x
Mazda5 GS man	23 890 $	x
Mazda6 GX man	24 495 $	
Mazda6 GT man	32 295 $	
MX-5 GX man	31 245 $	x
MX-5 GT man	40 925 $	

MCLAREN

650S Coupé	287 000 $	
650S Spider	305 500 $	
P1	1 500 000 $	

MERCEDES-BENZ

B250	30 500 $	x
C300 Berline 4MATIC	42 250 $	
C63 Berline AMG	n.d.	
C250 Coupé	44 650 $	
C63 Coupé AMG Edition 507	76 600 $	
CL550 4MATIC	141 500 $	x
CL65 AMG	243 000 $	x
CLA250	34 300 $	x
CLA45 AMG	49 800 $	x
CLS63 AMG 4MATIC	113 500 $	x
E250 Berline 4MATIC BlueTEC	57 800 $	x
E400 Berline Hybride	n.d.	
E63 Familiale AMG	105 900 $	x
E400 Coupé 4MATIC	n.d.	
E550 Coupé	73 800 $	x
E550 Cabriolet	69 800 $	x
G550	120 900 $	x
G63 AMG	154 950 $	x
GL350 BlueTEC	74 900 $	x
GL63 AMG	126 400 $	x
GLA250 4MATIC	n.d.	
GLA45 AMG 4MATIC	n.d.	
GLK250 BlueTEC 4MATIC	48 600 $	
GLK350 4MATIC	50 700 $	
ML350 BlueTEC 4MATIC	61 400 $	x
ML63 AMG	103 200 $	x
S400 4MATIC	100 200 $	
S550 4MATIC	108 200 $	
S600	204 500 $	
S65 AMG	249 500 $	
SL550	123 400 $	
SL65 AMG	242 500 $	
SLK250 man	52 200 $	
SLK55 AMG	81 000 $	
SLS Coupé AMG GT Final Edition	248 000 $	
Sprinter 2500 Fourgon	39 900 $	x

MINI

Cooper	20 990 $	x
Cooper Cabriolet	29 500 $	x
Cooper Coupé	25 950 $	x
Cooper Clubman	24 950 $	x
Cooper Clubman John Cooper Works	38 400 $	x
Cooper Countryman	25 500 $	x
Cooper Countryman John Cooper Works ALL4	38 500 $	x
Cooper Paceman	26 800 $	x
Cooper Roadster	28 900 $	x
Cooper Roadster John Cooper Works	39 900 $	x

MITSUBISHI

i-MiEV ES	27 998 $	
Lancer DE man	14 998 $	
Lancer Ralliart	32 398 $	
Lancer Evolution GSR	41 998 $	
Lancer Evolution MR	51 998 $	
Lancer Sportback GT	24 298 $	
Mirage ES	12 498 $	
Mirage SE	15 998 $	
Outlander ES (2RM)	25 998 $	
Outlander ES (4RM)	27 998 $	
Outlander GT S-AWC	36 198 $	
RVR ES (2RM)	19 998 $	
RVR GT (4RM)	28 898 $	

NISSAN

370Z Coupé Tourisme	40 268 $	x
370Z Roadster Tourisme	49 318 $	x
Altima Berline 2.5	25 493 $	
Altima Berline 3.5 SL	35 293 $	
Armada Platine	62 898 $	x
Frontier King Cab S	20 998 $	x
Frontier Cabine double SV	27 748 $	x
GT-R Black Edition	120 400 $	x
Juke SV	21 793 $	x
Juke SV (TI)	25 273 $	x
Juke NISMO RS	30 093 $	x
Leaf	33 888 $	
Maxima SV	40 380 $	x
Micra S	11 398 $	
Murano S	36 348 $	x
NV200	22 748 $	x
Pathfinder S	31 658 $	x
Pathfinder Hybride Platine	51 358 $	x
Rogue S	25 228 $	x
Rogue S (TI)	27 228 $	x
Sentra S	16 665 $	x
Sentra SV	19 565 $	x
Titan King Cab S	34 198 $	x
Titan Cabine double SL 4X4	52 148 $	x
Versa Note S man	15 965 $	x
Xterra PRO-4X	37 398 $	x

PAGANI

Huayra	1 400 000 $	

PORSCHE

911 Carrera	96 200 $	
911 Carrera Targa 4S	132 600 $	
911 Carrera Turbo S	208 500 $	
911 Carrera Turbo S Cabriolet	222 000 $	
911 GT3	148 800 $	
918 Spyder Weissach	929 000 $ US	
Boxster	58 600 $	
Boxster GTS	83 900 $	
Cayenne	57 500 $	
Cayenne Diesel	71 300 $	
Cayenne Turbo	128 200 $	
Cayman	59 900 $	
Cayman GTS	85 800 $	
Macan S	54 300 $	
Macan Turbo	82 200 $	
Panamera	89 500 $	
Panamera S E-Hybride	110 000 $	
Panamera Turbo S Executive	229 100 $	

RAM

1500 ST	19 995 $	x
1500 Laramie Limited	48 490 $	x
Fourgon	24 295 $	x
Promaster	29 795 $	x

ROLLS-ROYCE

Ghost	350 000 $	
Phantom	407 000 $	
Phantom Drophead Coupé	480 000 $	
Wraith	414 195 $	x

SCION

FR-S	26 670 $	
iQ	17 115 $	x
tC	21 490 $	
xB	18 860 $	x
xD	17 785 $	x

SMART

Model	Prix	
Fortwo Coupé Pure	14 800 $	x
Fortwo Cabriolet Electrique	29 990 $	x

SUBARU

BRZ	27 395 $	
BRZ Aozora	31 395 $	
Forester 2.5i	25 995 $	
Forester 2.0XT Limited	36 695 $	
Impreza 5 portes 2.0i	20 895 $	x
Impreza berline 2.0i	19 995 $	x
Legacy 2.5i	23 495 $	x
Legacy 3.6R Limited	36 195 $	x
Outback 2.5i	27 995 $	
Outback 3.6R Limited Technologie	40 095 $	
WRX	29 995 $	
WRX STI	37 995 $	
XV Crosstrek Tourisme	24 495 $	x
XV Crosstrek Hybride	29 995 $	x

TESLA

Model S 85	88 500 $	
Model S P85	103 300 $	

TOYOTA

4Runner	39 815 $	x
Avalon XLE	39 200 $	x
Camry LE	25 595 $	x
Camry Hybride SE	31 385 $	x
Corolla CE man	17 640 $	x
Corolla LE	21 245 $	x
Highlander LE FWD	33 595 $	x
Highlander Hybride Limited	54 610 $	x
Prius	27 950 $	x
Prius Plug-In	37 550 $	x
Prius c	22 285 $	x
Prius v	29 325 $	x
RAV4 LE	25 785 $	x
RAV4 LE (4RM)	28 050 $	x
Sequoia Platinum	70 190 $	x
Sienna 7 places	31 035 $	x
Sienna LE AWD 7 places	38 105 $	x
Sienna XLE Limited AWD 7 places	52 535 $	x
Tacoma Access Cab 4X4 man	29 360 $	x
Tacoma Access Cab V6 4X4 man	30 345 $	x
Tacoma Double Cab V6 4X4	31 835 $	x
Tundra Cab régulière 4X4 5,7 litres	33 125 $	x
Tundra Cab double SR5 4X4 4,6 litres	38 785 $	x
Tundra Cab double SR5 4X4 5,7 litres	40 610 $	x
Venza	30 610 $	x
Venza V6	32 365 $	x
Venza V6 (TI)	34 165 $	x
Yaris Hatchback 3 portes CE man	15 875 $	x
Yaris Hatchback 5 portes SE man	20 975 $	x

VOLKSWAGEN

Beetle 1.8T Trendline	n.d.	
Beetle 2.0 TDI Comfortline	24 675 $	x
Beetle GSR	33 635 $	x
Beetle Cabriolet 1.8T Trendline+	n.d.	
Beetle Cabriolet 2.0T Sportline	36 850 $	x
CC 3.6 Execline 4Motion	50 175 $	
Eos 2.0T Wolfsburg	42 990 $	
Golf 3 portes 1.8T Trendline man	18 995 $	
Golf 5 portes 2.0 TDI Trendline man	23 095 $	
Golf Familiale 2.0 TDI Trendline man	26 375 $	x
GTI 2.0T 3 portes Autobahn man	31 995 $	
GTI 2.0T 5 portes Autobahn man	32 895 $	
Jetta 2.0L Trendline	14 990 $	
Jetta 2.0 TDI Trendline+	22 490 $	
Jetta 1.8T Comfortline	22 290 $	
Jetta Turbo Hybride Highline	35 300 $	x
Passat 1.8T Trendline	23 975 $	
Passat 2.0 TDI Trendline	26 575 $	
Passat 3.6 Comfortline	30 575 $	
Tiguan Trendline man	24 990 $	
Touareg Comfortline	50 975 $	
Touareg Execline	60 975 $	

VOLVO

S60 T5 FWD	37 750 $	
S60 T5 AWD	39 950 $	
S60 T6 FWD	42 850 $	
S60 T6 AWD	45 150 $	
S60 T6 R-Design AWD	49 950 $	
S80 T5 FWD	49 000 $	
S80 T6 AWD	56 000 $	
V60 T5 Drive-E	39 800 $	
V60 T5 AWD	41 800 $	
V60 T6 AWD	46 050 $	
V60 T6 R-Design AWD	50 950 $	
XC60 T5 Drive-E FWD	40 950 $	
XC60 3.2 AWD	43 150 $	
XC60 T6 Drive-E FWD	46 350 $	
XC60 T6 AWD	48 450 $	
XC60 T6 R-Design AWD	55 050 $	
XC70 T5 Drive-E FWD	42 100 $	
XC70 T6 AWD	47 900 $	
XC90 3.2 AWD	50 800 $	x
XC90 3.2 R-Design AWD	57 700 $	x

Modèle	Variante	Longueur (mm)	Largeur (mm)	Hauteur (mm)	Empattement (mm)	Poids (kg)	Répartition poids av (%)	Coffre min. (litres)	Coffre max (litres)	Réservoir (litres)	Capacité de remorquage (kg)	Pneus avant	Pneus arrière
ACURA													
ILX	Base	4550	1794	1412	2670	1330	61,4	350		50		P205/55R16	P205/55R16
ILX	Hybride	4550	1794	1412	2670	1356	59	283		50		P205/55R16	P205/55R16
MDX	Base	4917	1962	1716	2820	1944		425	2364	79		P245/60R18	P245/60R18
MDX	Elite	4917	1962	1716	2820	1984		425	2364	79		P245/55R19	P245/55R19
RDX	Base TI	4660	1872	1678	2685	1741	59	739	2178	60	680	P235/60R18	P235/60R18
RDX	Technologie TI	4660	1872	1678	2685	1747	59	739	2178	60	680	P235/60R18	P235/60R18
RLX	Base	4982	1890	1465	2850	1784	61	423		70		P245/45R18	P245/45R18
RLX	SH - AWD	4982	1890	1466	2850	1956	57	340		57		P245/40R19	P245/40R19
TLX	Technologie Elite	4831	n.d.	n.d.	2775	1633							
TLX	Technologie Elite AWD	4831	n.d.	n.d.	2775	1633							
A ROMEO													
4C	Coupé	4000	1868	1183	2380	1118	41	105		40		P205/45ZR17	P235/40ZR18
ASTON MARTIN													
DB9	Coupé	4720	2061	1282	2740	1785	51	142		78		P245/35ZR20	P295/30ZR20
Rapide	S	5020	2140	1350	2989	1990	48	317	886	91		P245/40ZR20	P295/35ZR20
Vanquish	Volante	4728	2067	1294	2740	1844	51			78		P255/35ZR20	P305/30ZR20
Vantage	V12 Coupé S	4385	2022	1250	2600	1665	52	300		80		P255/35ZR19	P295/30ZR19
Vantage	V8 Coupé	4385	2022	1260	2600	1630		300		80		P245/40ZR19	P285/35ZR19
Vantage	V8 Roadster S	4385	2022	1270	2600	1690		144		80		P245/40ZR19	P285/35ZR19
AUDI													
A3	1.8 TFSI	4456	1960	1416	2637	1440		310	642	50		P225/45R17	P225/45R17
A3	2.0 TDI	4456	1960	1416	2637	1390		310	642	50		P225/45R17	P225/45R17
A3	2.0 TFSI	4456	1960	1416	2637	1525		283	544	55		P225/45R17	P225/45R17
A3	Cabriolet	4421	1960	1409	2595	1505		234	416	50		P225/45R17	P225/45R17
A3	S3	4469	1960	1392	2631	1430		283	544	55		P225/40R18	P225/40R18
A4	2.0 TFSI Berline Quattro	4703	2006	1427	2808	1640	60	352		64		P245/45R17	P245/45R17
A4	allroad	4721	2006	1473	2805	1765		782		61	750	P215/55R17	P215/55R17
A4	S4 Berline Quattro	4717	2006	1406	2811	1745	60	352		64		P245/40R18	P245/40R18
A5	2.0 TFSI Premium Quattro	4626	2020	1372	2751	1625		346	440	61		P245/40R18	P245/40R18
A5	2.0 TFSI Quattro Cabriolet	4626	2020	1383	2751	1835		280		61		P245/40R18	P245/40R18
A5	RS 5 cabriolet	4649	2020	1380	2751	1920		320	380	61		P265/35R19	P265/35R19
A5	S5 coupé	4640	2020	1369	2751	1750		346	440	61		P245/40R18	P245/40R18
A6	2.0T	4925	2086	1468	2912	1674		530		75		P245/45R18	P245/45R18
A6	3.0 TDI	4915	2086	1455	2912	1795		530		75	750	P245/45R18	P245/45R18
A6	3.0T Berline Quattro	4925	2086	1468	2912	1835		530		75		P245/45R18	P245/45R18
A6	S6 berline	4931	2086	1440	2916	1895		530		75		P255/40R19	P255/40R19
A7	3.0 TDI Quattro	4969	2139	1420	2914	1895		535	1390	73	750	P255/40R19	P255/40R19
A7	3.0 TFSI Quattro Premium	4969	2139	1420	2914	1910		535	1390	75		P255/40R19	P255/40R19
A7	4.0 RS7 Quattro	5012	2139	1419	2915	1920		535	1390	75		P275/35R20	P275/35R20
A7	4.0 TFSI S7 Quattro	4980	2139	1408	2914	1945		535	1390	75		P255/40R19	P255/40R19
A8	3.0T	5137	2111	1460	2992	1985		374		90		P255/45R19	P255/45R19
A8	4.0T	5137	2111	1460	2992	2055		374		90		P255/45R19	P255/45R19
A8	6.3L W12	5267	2111	1471	3122	2165		374		90		P265/40R20	P265/40R20
A8	L 3.0 TDI	5267	2111	1471	3122	1965		374		90	750	P255/45R19	P255/45R19
A8	S8	5146	2111	1458	2992	2105		374		90		P265/35R21	P265/35R21
Q3	2.0 Quattro	4385	1831	1590	2603	1640		356	1261	64	750	P215/65R16	P215/65R16
Q5	2.0 Quattro	4639	2089	1655	2807	1850		540	1560	75	2000	P235/60R18	P235/60R18
Q5	Hybride	4639	2089	1652	2807	2010		460	1480	72	2000	P235/55R19	P235/55R19
Q5	S Quattro	4647	2089	1658	2807	2000		540	1560	75		P255/45R20	P255/45R20
Q5	TDI	4639	2089	1655	2807	2030		540	1560	75	2400	P235/60R18	P235/60R18
Q7	3.0 Quattro Sport	5089	2177	1737	3002	2455	52	308	2053	100	2495	P295/35R21	P295/35R21
Q7	TDI quattro	5089	2177	1737	3002	2525	52	308	2053	100	2495	P255/55R18	P255/55R18
R8	V10 plus Coupé	4435	1930	1252	2650	1635		100		75		P235/35R19	P305/30R19
R8	V8 Coupé	4445	1905	1252	2650	1625		100		90		P235/40R18	P285/35R18
R8	V8 Spyder	4430	1905	1245	2650	1695		100		80		P235/40R18	P285/35R18
TT	Coupé	4187	1952	1353	2468	1430		371	700	60		P245/40R18	P245/40R18
TT	S Roadster	4198	1952	1345	2468	1540		290		60		P245/40R18	P245/40R18
BENTLEY													
Continental	GT	4806	2227	1404	2746	2320	58	358		90		P275/40ZR20	P275/40ZR20
Continental	GT convertible	4806	2227	1403	2746	2495	56,5	260		90		P275/40ZR20	P275/40ZR20
Continental	GT V8 S	4806	2227	1404	2746	2295	57,5	358		90		P275/40ZR20	P275/40ZR20
Flying Spur	Base	5295	2208	1488	3065	2475		442		90		P275/45ZR19	P275/45ZR19
Flying Spur	V8	5299	2208	1488	3065	2425		442		90		P275/45ZR19	P275/45ZR19
Mulsanne	Base	5575	2208	1521	3266	2585		443		96		P265/45ZR20	P265/45ZR20
BMW													
i3	avec (Range Extender)	3999	2039	1578	2570	1315		260	1100	9		P155/70R19	P155/70R19
i3	Loft Design	3999	2039	1578	2570	1195	50	260	1100			P155/70R19	P155/70R19
i8	Base	4689	1942	1293	2800	1485	49	154		30		P195/50R20	P215/45R20
Série 2	228i coupé	4432	1984	1418	2690	1440		390		52	680	P225/40R18	P245/40R18
Série 2	M235i xDrive coupé	4454	1984	1408	2690	1600		390		52		P225/40R18	P245/40R18
Série 3	320i berline	4627	2031	1429	2810	1474	49,5	480		60		P225/50R17	P225/50R17
Série 3	320i xDrive berline	4627	2031	1434	2810	1565	51,9	480		60		P225/50R17	P225/50R17
Série 3	328d xDrive berline	4627	2031	1434	2810	1642	50,8	480		57		P225/45R18	P225/45R18
Série 3	328i xDrive GT	4824	2047	1508	2920	1776	48,9	520	1600	60		P225/45R18	P225/45R18
Série 3	335i xDrive berline	4627	2031	1434	2810	1676	52,2	480		60		P225/45R18	P225/45R18
Série 3	335i xDrive GT	4824	2047	1508	2920	1819	50,2	520	1600	60		P225/45R18	P225/45R18
Série 3	ActiveHybrid 3	4627	2031	1429	2810	1735	49,9	390		57		P225/45R18	P225/45R18
Série 3	M3 berline	4671	2037	1430	2812	1595		480		60		P255/35R19	P275/35R19
Série 4	428i cabriolet	4638	1825	1384	2810	1775		220	370	60		P225/50R17	P225/50R17
Série 4	428i Gran Coupé	4638	1825	1389	2810	1637		480	1300	60		P225/45R18	P225/45R18
Série 4	428i xDrive Gran Coupé	4638	1825	1389	2810	1696		480	1300	60		P225/45R18	P225/45R18

Modèle	Variante	Longueur (mm)	Largeur (mm)	Hauteur (mm)	Empattement (mm)	Poids (kg)	Répartition poids av (%)	Coffre min. (litres)	Coffre. max (litres)	Réservoir (litres)	Capacité de remorquage (kg)	Pneus avant	Pneus arrière
BMW													
Série 4	435i coupé	4638	1825	1377	2810	1637	52,1	445		60		P225/40R19	P255/35R19
Série 4	435i Gran Coupé	4638	1825	1389	2810	1696		480	1300	60		P225/40R19	P255/35R19
Série 4	435i xDrive coupé	4638	1825	1392	2810	1703	53,5	445		60		P225/40R19	P255/35R19
Série 4	M4 coupé	4671	2014	1383	2812	1497		445		60		P255/35R19	P275/35R19
Série 5	528i	4899	2094	1464	2968	1730	49,4	520		70	750	P245/45R18	P245/45R18
Série 5	528i xDrive	4899	2094	1464	2968	1815	50,1	520		70	750	P245/45R18	P245/45R18
Série 5	535d xDrive	4899	2094	1464	2968	1930	51,6	520		70		P245/40R19	P245/40R19
Série 5	535i xDrive	4899	2094	1464	2968	1920	52,9	520		70	750	P245/45R18	P245/45R18
Série 5	550i GT xDrive	4999	2132	1559	3070	2295	50,3	440	1700	70	750	P245/45R19	P245/45R19
Série 5	550i xDrive	4899	2094	1464	2968	2050	53,9	520		70	750	P245/40R19	P245/40R19
Série 5	ActiveHybrid 5	4899	2094	1464	2968	1980	49,1	375		67		P245/45R18	P245/45R18
Série 5	M berline	4916	2119	1456	2964	1990	52,5	520		80	750	P265/35ZR20	P295/30ZR20
Série 6	640i Gran Coupé xDrive	5009	2081	1392	2968	1980	53,7	460	1265	70		P245/40R19	P245/40R19
Série 6	650i Gran Coupé xDrive	5009	2081	1392	2968	2089	53,1	460	1265	70		P245/40R19	P245/40R19
Série 6	650i xDrive cabriolet	4896	2081	1365	2855	2109	52,2	300	350	70		P245/40R19	P245/40R19
Série 6	B6 xDrive Gran Coupe	5009	2081	1398	2968	2168	53,1	460	1265	70		P255/35ZR20	P265/30ZR20
Série 6	M6 cabriolet	4903	2106	1368	2851	2045	50,9	300	350	80		P265/35R20	P295/30R20
Série 6	M6 coupé	4903	2106	1374	2851	1930	52,6	460		80		P265/35R20	P295/30R20
Série 6	M6 Gran Coupé	5011	2106	1393	2964	2009	52,3	460	1265	80		P265/35R20	P295/30R20
Série 7	740Ld xDrive	5214	2134	1481	3210	2130	50,3	500		80		P245/50R18	P245/50R18
Série 7	740Li xDrive	5214	2134	1481	3210	2053	51,5	500		80	750	P245/50R18	P245/50R18
Série 7	750i xDrive	5074	2134	1471	3070	2152	52,4	500		80	750	P245/45R19	P245/45R19
Série 7	ActiveHybrid 7L	5214	2134	1481	3210	2123	48,7	360		76		P245/50R18	P245/50R18
Série 7	B7L Alpina xDrive	5232	2134	1488	3210	2160		500		80	750	P245/35R21	P285/30R21
X1	xDrive 28i	4484	2044	1545	2760	1690	50,6	420	1350	63		P225/50R17	P225/50R17
X1	xDrive 35i	4484	2044	1545	2760	1765	52,1	420	1350	63		P225/50R17	P225/50R17
X3	xDrive 28d	4657	2098	1661	2810	1820		550	1600	67	750	P245/50R18	P245/50R18
X3	xDrive 35i	4657	2098	1661	2810	1890		550	1600	67	750	P245/50R18	P245/50R18
X4	xDrive 28i	4680	2088	1624	2810	1873	49,4	500	1400	67	750	P245/50R18	P245/50R18
X4	xDrive 35i	4680	2088	1624	2810	1932	50,7	500	1400	67	750	P245/40R20	P275/35R20
X5	xDrive 35d	4886	2184	1762	2933	2236	49	650	1870	85		P255/50R19	P255/50R19
X5	xDrive 50i	4886	2184	1762	2933	2336	49,5	650	1870	85		P255/50R19	P255/50R19
X6	xDrive 35i	4909	2170	1702	2933	2155		580	1525	85		P255/50R19	P255/50R19
X6	xDrive 50i	4909	2170	1702	2933	2345		580	1525	85		P255/50R19	P255/50R19
Z4	sDrive 28i	4239	1951	1291	2496	1480	47,3	180	310	55		P225/45R17	P225/45R17
Z4	sDrive 35is	4244	1951	1284	2496	1610	49,4	180	310	55		P225/40R18	P255/35R18
BUGATTI													
Veyron	Vitesse	4462	1998	1204	2710	1990				100		PAX245/30R20	PAX335/30R20
BUICK													
Enclave	Commodité TA	5127	2006	1822	3021	2143		660	3263	83	2045	P265/65R18	P265/65R18
Enclave	Commodité TI	5127	2006	1822	3021	2233		660	3263	83	2045	P265/65R18	P265/65R18
Encore	TA	4280	1775	1646	2555	1447		533	1372	53		P215/55R18	P215/55R18
Encore	TI	4280	1775	1646	2555	1501		533	1372	53		P215/55R18	P215/55R18
LaCrosse	Cuir TA	5001	1857	1504	2837	1772		377		70	454	P235/50R17	P235/50R17
LaCrosse	Cuir TI	5001	1857	1504	2837	1904		377		70	454	P245/45R19	P245/45R19
LaCrosse	eAssist	5001	1857	1504	2837	1708		306		60		P235/50R17	P235/50R17
Regal	eAssist	4831	1857	1483	2738	1633		314		59		P235/50R17	P235/50R17
Regal	GS	4831	1857	1483	2738	1615		402		70		P245/40R19	P245/40R19
Regal	Turbo TI	4831	1857	1483	2738	1733		402		70		P235/50R17	P235/50R17
Verano	Base	4671	1815	1484	2685	1497		405		59	454	P225/50R17	P225/50R17
Verano	Turbo	4671	1815	1476	2685	1610		396		59		P235/45R18	P235/45R18
CADILLAC													
ATS	2.0 turbo	4643	1805	1421	2775	1530	52	290		61		P225/45R17	P225/45R17
ATS	2.0 turbo coupé TI	4663	1841	1399	2775	1627	51	295		61		P225/40R18	P225/40R18
ATS	2.0 turbo TI	4643	1805	1421	2775	1607	51	290		61		P225/45R17	P225/45R17
ATS	2,5	4643	1805	1421	2775	1503	50	290		61		P225/45R17	P225/45R17
ATS	3.6 V6 coupé	4663	1841	1399	2775	1590	52	295		61	454	P225/40R18	P225/40R18
ATS	3.6 V6 TI	4643	1805	1421	2775	1646	52	290		61	454	P225/45R17	P225/45R17
CTS	2.0L	4966	1833	1454	2910	1640	49,7	388		72		P245/45R17	P245/45R17
CTS	2.0L TI	4966	1833	1454	2910	1715		388		72		P245/45R17	P245/45R17
CTS	3.0L TI Sportwagon	4877	1842	1473	2880	1905	52	720	1642	68	454	P235/55R17	P235/55R17
CTS	3.6L TI	4966	1833	1454	2910	1768		388		72	454	P245/50R18	P245/50R18
CTS	3.6L TI Coupé	4788	1882	1422	2880	1858		298		68	454	P235/50R18	P265/45R18
CTS	CTS Vsport	4966	1833	1454	2910	1796		388		72	454	P245/40R18	P275/35R18
CTS	CTS-V Coupé	4789	1883	1422	2880	1913	54	298		68		P255/40R19	P285/35R19
CTS	CTS-V Sportwagon	4877	1842	1473	2880	1994	54	720	1642	68		P255/40R19	P285/35R19
ELR	Base	4724	1847	1420	2695	1846		255		35		P245/45R20	P245/45R20
Escalade	Base	5180	2044	1889	2946	2651		433	2667	98	3628	P275/55R20	P275/55R20
Escalade	ESV	5698	2044	1880	3302	2760		1096	3412	117	3492	P275/55R20	P275/55R20
SRX	De Luxe TA	4834	1910	1669	2807	2480	59	844	1733	80	1136	P235/65R18	P235/65R18
SRX	De Luxe TI	4834	1910	1669	2807	2520	57	844	1733	80	1136	P235/65R18	P235/65R18
XTS	3.6 TA	5131	1852	1510	2837	1817		509		71	454	P245/45R19	P245/45R19
XTS	3.6 TI	5131	1852	1510	2837	1912		509		74	454	P245/45R19	P245/45R19
XTS	Vsport biturbo	5131	1852	1510	2837	1912		509		74	454	P245/45R20	P245/45R20
CHEVROLET													
Camaro	LS	4836	1918	1377	2852	1715	52	320		72		P245/55R18	P245/55R18
Camaro	LT cabriolet	4836	1918	1389	2852	1806	52	221	289	72		P245/55R18	P245/55R18
Camaro	SS (auto)	4836	1918	1377	2852	1775	52	320		72		P245/45R20	P275/40R20
Camaro	Z/28	4884	1953	1330	2852	1733		320		72		P305/30R19	P305/30R19
Camaro	ZL1 cabriolet	4836	1918	1389	2852	1987		221	289	72		P285/35R20	P305/35ZR20
City Express	LT	4733	2010	1872	2925	1468	61	3474		55		P185/60R15	P185/60R15
Colorado	WT 4x2 cab. all. (6.2')	5287	1860	1998	3247	1789				76		P265/70R16	P265/70R16
Colorado	WT 4x2 cab. multi. (6.2')	5402	1886	1998	3258	1831				76		P265/70R16	P265/70R16
Colorado	WT 4x4 cab. multi. (6.2')	5713	1886	1998	3568	1935				76	3039	P265/70R16	P265/70R16
Colorado	Z71 4x4 cab. all. (6.2')	5287	1860	2005	3247	1898				76		P265/60R18	P265/60R18

MA|tv

CLIENTS VIDÉOTRON, C'EST VOTRE TÉLÉ.

LE GUIDE
DE L'AUTO

LUNDI
20 H

> HD
609

CHAÎNE 9 | MATV.CA

illico
DE VIDÉOTRON

Modèle	Variante	Longueur (mm)	Largeur (mm)	Hauteur (mm)	Empattement (mm)	Poids (kg)	Répartition poids av (%)	Coffre min. (litres)	Coffre max. (litres)	Réservoir (litres)	Capacité de remorquage (kg)	Pneus avant	Pneus arrière
CHEVROLET													
Colorado	Z71 4x4 cab. multi. (5.2')	5402	1886	2005	3258	1933				76		P265/60R18	P265/60R18
Colorado	Z71 4x4 cab. multi. (6.2')	5713	1886	2005	3568	2037				76		P265/60R18	P265/60R18
Corvette	Stingray cabriolet	4492	1877	1243	2710	1525	49	283		70		P245/40ZR18	P285/35ZR19
Corvette	Stingray coupé	4492	1877	1239	2710	1495	49	425		70		P245/40ZR18	P285/35ZR19
Corvette	Stingray Z51 coupé	4492	1877	1239	2710	1496	49	425		70		P245/35ZR19	P285/30ZR20
Corvette	Z06 Coupe	4492	1929	1235	2710	1525	50			70		P285/30ZR19	P335/25ZR20
Cruze	Eco	4597	1796	1476	2685	1366		436		48		P215/55R17	P215/55R17
Cruze	LTZ Turbo	4597	1796	1476	2685	1431		425		59	454	P225/50R17	P225/50R17
Cruze	Turbo Diesel	4597	1796	1476	2685	1576		377		59	454	P215/55R17	P215/55R17
Equinox	LS TA	4771	1842	1684	2857	1713	56	889	1803	71	680	P225/60R17	P225/60R17
Equinox	LS TI	4771	1842	1684	2857	1781	56	889	1803	71	680	P225/65R17	P225/65R17
Equinox	LTZ TI (V6)	4771	1842	1760	2857	1881	58	889	1803	79	1588	P235/65R18	P235/65R18
Impala	LS Ecotec 2.5	5113	1854	1496	2837	1661		532		70	454	P235/50R18	P235/50R18
Impala	LTZ V6	5113	1854	1496	2837	1754		532		70	454	P245/45R19	P245/45R19
Malibu	LS	4865	1854	1463	2737	1539		462		70		P215/60R16	P215/60R16
Malibu	LTZ	4865	1854	1463	2737	1656		462		70		P245/40R19	P245/40R19
Silverado	4x4 cab. multiplace (5.7')	5843	2032	1879	3645	2424	58			98	4355	P275/55R20	P275/55R20
Silverado	4x4 cab. multiplace (6.5')	6085	2032	1875	3886	2460	59			98	4309	P275/55R20	P275/55R20
Silverado	LTZ 4x4 cab. all. (6.5')	5843	2032	1877	3645	2408	59			98	2994	P265/65R18	P265/65R18
Silverado	WT 4x2 cab. all. (6.5')	5843	2032	1876	3645	2204	58			98	2722	P255/70R17	P255/70R17
Silverado	WT 4x2 cab. class. (6.5')	5221	2032	1879	3023	1990	58			98	2903	P255/70R17	P255/70R17
Silverado	WT 4x2 cab. class. (8.0')	5701	2032	1867	3378	2071	58			128	2858	P255/70R17	P255/70R17
Silverado	WT 4x2 cab. multi. (5.7')	5843	2032	1884	3645	2241	56			98	2242	P255/70R17	P255/70R17
Silverado	WT 4x2 cab. multi. (6.5')	6085	2032	1873	3886	2268	57			98	2242	P255/70R17	P255/70R17
Sonic	LS berline	4399	1735	1517	2685	1237		422		46		P195/65R15	P195/65R15
Sonic	LT hatchback (auto)	4039	1735	1517	2525	1262		538	1351	46		P195/65R15	P195/65R15
Sonic	RS hatchback	4039	1735	1506	2525	1275		538	1351	46		P205/50R17	P205/50R17
Spark	LS	3675	1596	1549	2375	1029		323	884	35		P185/55R15	P185/55R15
Spark	LT	3675	1596	1549	2375	1029		323	884	35		P185/55R15	P185/55R15
Suburban	1500 LS 4x2	5699	2044	1889	3302	2569	51	1098	3429	117	3765	P265/65R18	P265/65R18
Suburban	1500 LTZ 4x4	5699	2044	1889	3302	2674	51	1098	3429	117	3628	P275/55R20	P275/55R20
Tahoe	LT 4x2	5181	2044	1889	2946	2426	52	433	2681	98	3855	P265/65R18	P265/65R18
Tahoe	LTZ 4x4	5181	2044	1889	2946	2577	52	433	2681	98	3765	P265/65R18	P265/65R18
Traverse	1LT TA	5173	1993	1792	3021	2112		691	3293	83	2359	P255/65R18	P255/65R18
Traverse	LTZ TI	5173	1993	1792	3021	2248		691	3293	83	2359	P255/55R20	P255/55R20
Trax	LS	4280	2035	1674	2555	1363		530	1371	53		P205/70R16	P205/70R16
Trax	LTZ TI	4280	2035	1674	2555	1476		530	1371	53		P215/55R18	P215/55R18
Volt	Volt	4498	1788	1439	2685	1715		300		35		P215/55R17	P215/55R17
CHRYSLER													
200	C	4885	1871	1491	2742	1625		453		60		P215/55R17	P215/55R17
200	C AWD	4885	1871	1491	2742	1675		453		60		P215/55R17	P215/55R17
300	C	5044	1902	1485	3052	1962	55	462		72	454	P225/60R18	P225/60R18
300	C AWD	5044	1902	1504	3052	2048	56	462		72	454	P235/55R19	P235/55R19
300	SRT8	5088	1885	1480	3052	1980	54	462		72		P245/45R20	P245/45R20
Town & Ctry	Limited	5151	2247	1725	3078	2115	56	934	4072	76	1633	P225/65R17	P225/65R17
DODGE													
Challenger	Hemi Scat Pack (auto)	5023	1923	1449	2946	1891		459		72		P245/45ZR20	P245/45ZR20
Challenger	SXT	5023	1923	1449	2946	1735	52,4	459		72	454	P235/55R18	P235/55R18
Charger	SE	5040	1905	1479	3052	1785	52	455		70	454	P215/65R17	P215/65R17
Charger	SXT AWD	5040	1905	1479	3052	1900	53	455		70	454	P235/55R19	P235/55R19
Dart	Aero	4672	1830	1465	2703	1439		370		50		P205/55R16	P205/55R16
Dart	Limited	4672	1830	1465	2703	1439		370		60	454	P225/45R17	P225/45R17
Durango	Citadel	5110	2172	1801	3042	2312		490	2393	93	2812	P265/50R20	P265/50R20
Durango	Limited	5110	2172	1801	3042	2262		490	2393	93	2812	P265/60R18	P265/60R18
Grand Cara.	R/T	5151	2247	1725	3078	2050	56	934	4072	76	1633	P225/65R17	P225/65R17
Grand Cara.	SE Canada Value Pack	5151	2247	1725	3078	2050	56	934	4072	76	1633	P225/65R17	P225/65R17
Journey	Limited	4887	2127	1692	2891	1843	58	1121	1914	78	454	P225/55R19	P225/55R19
Journey	SE Canada Value Pack	4887	2127	1692	2891	1735	57	1121	1914	78	454	P225/65R17	P225/65R17
Viper	GTS	4463	1941	1246	2510	1556	49,6	415		70		P295/30ZR18	P355/30ZR19
FERRARI													
458	Speciale	4571	1951	1203	2650	1395	42			86		P245/35ZR20	P325/30ZR20
458	Spider	4527	1937	1211	2650	1535	42	58	230	86		P235/35ZR20	P295/35ZR20
California	T	4570	1910	1322	2670	1730	47	240	340	78		P245/40ZR19	P285/40ZR19
F12 Berlinetta	Base	4618	1942	1273	2720	1630	46	320	500	92		P255/35ZR20	P315/35ZR20
FF	Base	4907	1953	1379	2990	1880	47	450	800	91		P245/35ZR20	P295/35ZR20
LaFerrari	Base	4702	1992	1116	2650	1370	41					P265/30ZR19	P345/20ZR20
FIAT													
500	Abarth	3667	1866	1502	2300	1142	64	268	759	40		P195/45R16	P195/45R16
500	POP	3547	1627	1519	2300	1074	64	268	759	40		P185/55R15	P185/55R15
500	TURBO	3667	1627	1519	2300	1224	65	268	759	40		P195/45R16	P195/45R16
500L	LOUNGE	4249	2036	1670	2612	1453	61	343	1310	50		P225/45R17	P225/45R17
FORD													
C-Max	Energi SEL	4409	2085	1621	2649	1754		544	1212	53		P215/55R17	P215/55R17
C-Max	Hybrid SE	4409	2085	1623	2649	1640		694	1489	51		P215/55R17	P215/55R17
Edge	SE TA	4779	2179	1742	2849	1820		1110	2149		1588	P245/60R18	P245/60R18
Edge	Sport TI	4779	2179	1742	2849	2000		1110	2149			P265/40R21	P265/40R21
Escape	S 2.5 TA	4524	2078	1684	2690	1598		971	1928	57	680	P235/55R17	P235/55R17
Escape	SE 1.6 EcoBoost TI	4524	2078	1684	2690	1657		971	1928	57	907	P235/55R17	P235/55R17
Escape	Titanium 2.0 EcoBoost TI	4524	2078	1684	2690	1696		971	1928	57	907	P235/45R19	P235/45R19
Expedition	EL 4x4	5608	2332	1974	3327	2768		1206	3704	127	4136	P275/65R18	P275/65R18
Expedition	Platinum 4x4	5232	2332	1961	3023	2631		527	3067	106	4182	P275/55R20	P275/55R20
Explorer	Base V6 TA	5006	2291	1788	2860	2067		595	2285	70	907	P245/65R17	P245/65R17
Explorer	EcoBoost TA	5006	2291	1788	2860	2043		595	2285	70	907	P245/65R17	P245/65R17
Explorer	Limited V6 4WD	5006	2291	1803	2860	2146		595	2285	70	907	P255/50R20	P255/50R20

RESTEZ EN POLE POSITION DE L'ACTUALITÉ SPORTIVE
GRÂCE À NOS CHRONIQUEURS EXPERTS.

Modèle	Variante	Longueur (mm)	Largeur (mm)	Hauteur (mm)	Empattement (mm)	Poids (kg)	Répartition poids av (%)	Coffre min. (litres)	Coffre max (litres)	Réservoir (litres)	Capacité de remorquage (kg)	Pneus avant	Pneus arrière
F-150	4x4 cab. Super Crew (5.5')	5890	2459	1953	3683	2220				136		P275/65R18	P275/65R18
F-150	4x4 cab. Super Crew (6.5')	6190	2459	1953	3983	2300				136		P275/65R18	P275/65R18
F-150	XL 4x2 cab. double (8.0')	6363	2459	1910	4158	2160				136		P245/75R17	P245/75R17
F-150	XL 4X2 cab. simple (6.5')	5316	2459	1910	3110	1810				98		P235/75R17	P235/75R17
F-150	XL 4x2 cab. simple (8.0')	5889	2459	1900	3660	1850				136		P235/75R17	P235/75R17
F-150	XL 4x4 cab. double (8.0')	6363	2459	1945	4158	2300				136		LT245/75R17	LT245/75R17
F-150	XL 4x4 cab. simple (6.5')	5316	2459	1948	3110	1915				98		P235/75R17	P235/75R17
F-150	XL 4x4 cab. simple (8.0')	5889	2459	1945	3660	1950				136		P235/75R17	P235/75R17
F-150	XL Eco 4x2 cab. dble (6.5')	5890	2459	1910	3683	2050				98		P235/75R17	P235/75R17
F-150	XL Eco 4x4 cab. dble (6.5')	5890	2459	1910	3683	2170				136		P235/75R17	P235/75R17
Fiesta	1.0 EcoBoost Hatchback	4056	1976	1476	2489	1153		422	719	45		P195/60R15	P195/60R15
Fiesta	S Berline	4409	1976	1473	2489	1172		363		45		P185/65R15	P185/65R15
Fiesta	ST	4067	1976	1453	2489	1236		286	719	47		P205/40R17	P205/40R17
Fiesta	Titanium Hatchback	4056	1976	1476	2489	1153		422	719	45		P195/50R16	P195/50R16
Flex	Limited TI EcoBoost	5125	2256	1726	2994	2173		415	2355	70	907	P235/55R19	P235/55R19
Flex	SE TA	5125	2256	1726	2994	2028		415	2355	70	907	P235/60R17	P235/60R17
Flex	SEL TI	5125	2256	1726	2994	2106		415	2355	70	907	P235/60R18	P235/60R18
Focus	Électrique	4393	2045	1488	2649	1647		411	1269	0		P225/50R17	P225/50R17
Focus	Hatchback 1.0 EcoBoost	4358	2060	1466	2649	1300		674	1269	54		P215/55R16	P215/55R16
Focus	S berline	4534	2060	1466	2649	1321		374		54	454	P195/65R15	P195/65R15
Focus	ST	4359	2045	1466	2649	1465	60	674	1269	54		P235/40R18	P235/40R18
Focus	Titanium hatchback	4358	2045	1465	2649	1337		674	1269	54	454	P215/50R17	P215/50R17
Fusion	AWD Titanium	4869	2121	1476	2850	1560		453		66	907	P235/45R18	P235/45R18
Fusion	Hybride	4872	2121	1473	2850	1643		340		53		P225/50R17	P225/50R17
Fusion	SE Energi	4871	2121	1478	2850	1779		232		53		P235/50R17	P235/50R17
Fusion	SE TA 1.5 EcoBoost	4871	2121	1478	2850	1563		453		63	454	P235/50R17	P235/50R17
Mustang	2.3 Turbo coupé	4783	1915	1382	2720	1525		382		59		P235/55R17	P235/55R17
Mustang	GT 5.0 cabriolet	4783	1915	1395	2720	1608		323		61		P235/50R18	P235/50R18
Mustang	V6 3.7 coupé	4783	1915	1382	2720	1500		382		61		P235/55R17	P235/55R17
Taurus	Limited TI	5154	2177	1542	2868	1907		569		72	454	P255/45R19	P255/45R19
Taurus	SE EcoBoost TA	5154	2177	1542	2868	1814		569		75	454	P235/60R17	P235/60R17
Taurus	SHO TI	5154	2177	1542	2868	1973		569		72	454	P245/45R20	P245/45R20
Transit Connect	Fourgon Titanium	4818	2136	1829	3063	1786		561	3681	60	907	P215/50R17	P215/50R17
Transit Connect	Fourgonnette XL	4417	2136	1844	2662	1608		2832		60	907	P215/55R16	P215/55R16
Acadia	Denali	5101	2003	1846	3020	2203		683	3286	83	2268	P255/55R20	P255/55R20
Acadia	SLE TA	5101	2003	1846	3020	2112		683	3286	83	2268	P255/65R18	P255/65R18
Acadia	SLE TI	5101	2003	1846	3020	2203		683	3286	83	2268	P255/65R18	P255/65R18
Sierra	4x2 cab. classique (6.5')	5207	2032	1879	3023	1990	58			98	2903	P255/70R17	P255/70R17
Sierra	4x2 cab. classique (8.0')	5687	2032	1867	3378	2071	58			128	2858	P255/70R17	P255/70R17
Sierra	4x2 cab. double (6.5')	5829	2032	1876	3645	2204	58			98	2722	P255/70R17	P255/70R17
Sierra	4x2 cab. multiplace (5.7')	5829	2032	1884	3645	2242	56			98	2676	P255/70R17	P255/70R17
Sierra	4x2 cab. multiplace (6.5')	6071	2032	1873	3886	2268	57			98	2631	P255/70R17	P255/70R17
Sierra	4x4 cab. classique (6.5')	5207	2032	1883	3023	2080	60			98	3266	P255/70R17	P255/70R17
Sierra	4x4 cab. classique (8.0')	5687	2032	1874	3378	2184	59			128	3175	P255/70R17	P255/70R17
Sierra	4x4 cab. double (6.5')	5829	2032	1877	3645	2315	59			98	3039	P255/70R17	P255/70R17
Sierra	Denali TI multiplace (5.7')	5829	2032	1879	3645	2420	58			98	4355	P275/55R20	P275/55R20
Sierra	Denali TI multiplace (6.5')	6071	2032	1875	3886	2456	59			98	4309	P275/55R20	P275/55R20
Terrain	Denali TA	4707	1850	1760	2857	1764	56	894	1809	71	680	P235/55R18	P235/55R18
Terrain	Denali TI (V6)	4707	1850	1760	2857	1873	56	894	1809	79	1588	P235/55R19	P235/55R19
Terrain	SLE TA	4707	1850	1684	2857	1748	56	894	1809	71	680	P235/60R17	P235/60R17
Terrain	SLE TI	4707	1850	1684	2857	1823	56	894	1809	71	680	P235/60R17	P235/60R17
Yukon	Denali	5179	2045	1890	2946	2606		433	2682	98	3682	P275/55R20	P275/55R20
Yukon	SLE 4X2	5179	2045	1890	2946	2408	52	433	2682	98	3856	P265/65R18	P265/65R18
Yukon	XL 1500 Denali	5697	2045	1890	3302	2713		1102	3430	117	3590	P275/55R20	P275/55R20
Yukon	XL 1500 SLE 4X2	5697	2045	1890	3302	2511	51	1102	3430	117	3765	P265/65R18	P265/65R18
Accord	EX coupé	4805	1850	1436	2725	1480	60	379		65		P215/55R17	P215/55R17
Accord	EX-L berline	4862	1849	1465	2775	1531	61	439		65		P215/55R17	P215/55R17
Accord	EX-L V6 berline	4862	1849	1465	2775	1615	62	439		65		P235/45R18	P235/45R18
Accord	EX-L V6 NAVI coupé	4805	1850	1436	2725	1603	63	379		65		P235/45R18	P235/45R18
Accord	Hybride	4882	1849	1460	2775	1617	60	360		60		P225/50R17	P225/50R17
Civic	DX berline	4556	1752	1435	2670	1190	60	353		50		P195/65R15	P195/65R15
Civic	EX coupé	4458	1752	1397	2620	1278	61	331		50		P205/55R16	P205/55R16
Civic	Hybride berline	4557	1752	1430	2670	1305	59	303		50		P195/65R15	P195/65R15
Civic	Si coupé	4472	1752	1397	2620	1314	62	331		50		P215/40R18	P215/40R18
CR-V	EX 2RM	4530	1820	1644	2620	1526	58	1054	2007	58	680	P225/65R17	P225/65R17
CR-V	LX 4RM	4530	1820	1654	2620	1554	58	1054	2007	58	680	P215/70R16	P215/70R16
CR-Z	Base	4076	1740	1395	2435	1205	59	286	710	40		P195/55R16	P195/55R16
CR-Z	Base CVT	4076	1740	1395	2435	1229	60	286	710	40		P195/55R16	P195/55R16
Fit	DX (CVT)	4064	1703	1525	2530	1136		455	1492	40		P185/55R16	P185/55R16
Fit	RS	4064	1703	1525	2530	1119		455	1492	40		P185/55R16	P185/55R16
Odyssey	EX	5153	2011	1737	3000	2030	57	846	4205	80	1588	P235/65R17	P235/65R17
Odyssey	Touring	5153	2011	1737	3000	2090	56	846	4205	80	1588	P235/60R18	P235/60R18
Pilot	LX 2RM	4861	1995	1846	2775	1956	56	589	2464	80	905	P235/60R18	P235/60R18
Pilot	Touring 4RM	4861	1995	1846	2775	2091	54	589	2464	80	2045	P235/60R18	P235/60R18
Accent	GLS hatchback (auto)	4115	1700	1450	2570	1195		600	1345	43		P195/50R16	P195/50R16
Accent	L berline	4370	1700	1450	2570	1087		389		43		P175/70R14	P175/70R14
Accent	L hatchback	4115	1700	1450	2570	1129		600	1345	43		P175/70R14	P175/70R14
Elantra	GLS coupé	4540	1775	1430	2700	1270		420		50		P205/55R16	P205/55R16
Elantra	GT SE	4300	1780	1470	2650	1377		651	1444	50		P215/45R17	P215/45R17
Elantra	L berline	4550	1775	1430	2700	1258		420		48		P195/65R15	P195/65R15
Elantra	Limited berline	4550	1775	1430	2700	1342		420		50		P215/45R17	P215/45R17
Equus	Ultimate	5160	1890	1490	3045	2106		473		77		P245/45R19	P275/40R19

Modèle: FORD, GMC, HONDA, HYUNDAI

Modèle	Variante	Longueur (mm)	Largeur (mm)	Hauteur (mm)	Empattement (mm)	Poids (kg)	Répartition poids av (%)	Coffre min. (litres)	Coffre max (litres)	Réservoir (litres)	Capacité de remorquage (kg)	Pneus avant	Pneus arrière
HYUNDAI													
Genesis	3.8 Luxe	4990	1890	1480	3010	2069		433		73		P245/45R18	P245/45R18
Genesis	5.0 Ultimate	4990	1890	1480	3010	2143		433		73		P245/40R19	P275/35R19
Genesis Cpe	3.8 GT (auto.)	4630	1865	1385	2820	1580	56	332		65		P225/40R19	P245/40R19
Santa Fe	Sport 2.0T LTD TI	4690	1880	1680	2700	1752		1003	2025	66	1590	P235/55R19	P235/55R19
Santa Fe	XL Limited TI	4905	1885	1700	2800	1968		383	2265	71	2268	P235/55R19	P235/55R19
Santa Fe	XL TA	4905	1885	1700	2800	1790		383	2265	71	2268	P235/60R18	P235/60R18
Sonata	2.0T	4854	1864	1476	2804	1593		462		70		P235/45R18	P235/45R18
Sonata	Hybride	4820	1835	1465	2795	1571		344		65		P205/65R16	P205/65R16
Sonata	Limited	4854	1864	1476	2804	1576		462		70		P215/55R17	P215/55R17
Sonata	Sport	4854	1864	1476	2804	1576		462		70		P215/55R17	P215/55R17
Tucson	GL TA (man)	4400	1820	1655	2640	1443		728	1580	58	454	P225/60R17	P225/60R17
Tucson	Limited TI	4400	1820	1655	2640	1560		728	1580	58	907	P225/55R18	P225/55R18
Veloster	Base	4220	1790	1399	2650	1172		440		50		P215/45R17	P215/45R17
Veloster	Turbo	4250	1805	1399	2650	1255		440		50		P215/40R18	P215/40R18
INFINITI													
Q50	Berline	4783	1824	1443	2850	1624	55	382		76		P225/55R17	P225/55R17
Q50	Berline hybride	4803	1824	1443	2850	1779	53	266		67		P225/55R17	P225/55R17
Q50	Berline TI hybride	4801	1824	1453	2850	1857	55	266		67		P225/55R17	P225/55R17
Q60	Cabriolet M6 sport	4657	1852	1400	2850	1864	52	56	292	76		P225/45R19	P225/45R19
Q60	Coupé TI	4650	1823	1406	2850	1745	56	210		76		P225/50R18	P225/50R18
Q70	3.7x TI	4945	1845	1515	2900	1815	55	422		76		P245/50R18	P245/50R18
Q70	5.6x TI	4945	1845	1515	2900	1881	57	422		76		P245/50R18	P245/50R18
Q70	Hybride	4945	1845	1501	2900	1815	51	320		67		P245/50R18	P245/50R18
QX50	TI	4631	1803	1589	2850	1795	54	476	1291	76		P225/55R18	P225/55R18
QX60	3.5 TA	4989	1961	1742	2901	1965	55	447	2500	74	2273	P235/65R18	P235/65R18
QX60	3.5 TI	4989	1961	1742	2901	2028	55	447	2500	74	2273	P235/65R18	P235/65R18
QX60	Hybride	4989	1961	1742	2901	2048	55	447	2500	74	1588	P235/65R18	P235/65R18
QX70	3,7	4859	1928	1680	2885	1943	53	702	1756	90	1588	P265/60R18	P265/60R18
QX80	5.6 (8 pass.)	5290	2030	1925	3075	2656	42,1	470	2693	98	3855	P275/60R20	P275/60R20
QX80	Limited	5290	2030	1925	3075			470	2693	98	3855	P275/50R22	P275/50R22
JAGUAR													
F-Type	Coupé	4470	1923	1309	2622	1577		324		72		P245/45R18	P275/40R18
F-Type	R Coupé	4470	1923	1321	2622	1650		311		72		P255/35ZR20	P295/30ZR20
F-Type	V8 S Décapotable	4470	1923	1307	2622	1665		200		72		P255/35R20	P295/30R20
XF	2.0T	4961	2053	1460	2909	1660		501	963	70	750	P245/45R18	P245/45R18
XF	RS	4961	2053	1460	2909	1891		501	963	70		P265/35ZR20	P295/30ZR20
XF	V6 Supercharged TI	4961	2053	1460	2909	1880		501	963	70		P245/40R19	P245/40R19
XJ	R (SWB)	5127	2105	1456	3032	1946		430		82		P245/40R20	P275/35R20
XJ	XJ L 3.0 TI	5252	2105	1456	3157	1878		430		82		P245/45R19	P275/40R19
XJ	XJ Supercharged	5127	2105	1456	3032	1946		430		82		P245/40R20	P275/35R20
XK	Coupé	4794	2032	1322	2752	1710		331		71		P255/35R20	P285/35R20
XK	R Coupe	4794	2032	1322	2752	1800		331		71		P255/35R20	P285/35R20
XK	RS cabriolet	4794	2032	1329	2752	1850		201	314	71		P255/35R20	P295/30R20
JEEP													
Cherokee	Trailhawk TI	4623	1903	1722	2700	1862	57	702	1555	60	2046	P245/65R17	P245/65R17
Compass	North 2RM (2.0)	4448	1811	1651	2634	1408	59	643	1519	51		P205/70R16	P205/70R16
Compass	Sport 4RM (CVT)	4448	1811	1651	2634	1520	58	643	1519	51	454	P215/60R17	P215/60R17
Gr. Cherokee	Overland D	4821	2154	1761	2916	2393	54	994	1945	93	3300	P265/50R20	P265/50R20
Gr. Cherokee	SRT	4859	2156	1756	2916	2336	54	994	1945	93	3266	P295/45R20	P295/45R20
Patriot	Limited 2RM	4414	1757	1664	2634	1481	58	651	1515	51	454	P215/60R17	P215/60R17
Patriot	Limited 4RM	4414	1757	1697	2634	1530	57	651	1515	51	454	P215/60R17	P215/60R17
Wrangler	Rubicon	4161	1872	1839	2423	1874		340	1557	70	907	LT255/75R17	LT255/75R17
Wrangler	Rubicon Unlimited	4684	1877	1798	2946	2051		892	1999	85	1588	LT255/75R17	LT255/75R17
KIA													
Cadenza	Base	4970	1850	1475	2845	1660		451		70		P245/45R18	P245/45R18
Forte	5 EX	4351	1781	1450	2700	1324		657		50		P205/55R16	P205/55R16
Forte	Berline EX	4560	1780	1445	2700	1264		421		50		P215/45R17	P215/45R17
Forte	Koup EX	4529	1781	1410	2700	1248		377		50		P205/55R16	P205/55R16
K900	V6	5095	1890	1486	3046	1944		450		75		P245/50R18	P245/50R18
K900	V8	5095	1890	1486	3046	2071		450		75		P245/45R19	P275/40R19
Optima	EX	4845	1830	1455	2795	1462	59	437		70		P215/55R17	P215/55R17
Optima	Hybride EX	4845	1830	1450	2795	1643		305		65		P215/55R17	P215/55R17
Optima	SX Turbo	4845	1830	1455	2795	1535	61	437		70		P225/45R18	P225/45R18
Rio/Rio5	5 EX	4045	1720	1455	2570	1187		425	1410	43		P185/65R15	P185/65R15
Rio/Rio5	Berline EX	4365	1720	1455	2570	1185		389	1374	43		P195/55R16	P195/55R16
Rondo	EX 5 places	4525	1805	1610	2750	1477		912	1840	58		P225/45R18	P225/45R18
Rondo	LX 7 places (auto)	4525	1805	1610	2750	1505		232	1840	58		P205/55R16	P205/55R16
Sedona	EX 3.3	5116	1984	1740	3061	2117		912	4007	80	453	P235/65R17	P235/65R17
Sorento	EX V6 TI	4685	1885	1735	2700	1777	59	1047	2052	66	1588	P235/60R18	P235/60R18
Soul	EV	4140	1800	1600	2570	1476		532	1402	0		P205/60R16	P205/60R16
Soul	EX	4140	1800	1600	2570	1287		532	1402	54		P215/55R17	P215/55R17
Sportage	EX	4440	1855	1645	2640	1445		740	1547	58	907	P235/55R18	P235/55R18
Sportage	EX TI	4440	1855	1645	2640	1525		740	1547	58	907	P235/55R18	P235/55R18
LAMBO													
Aventador	LP 700-4 roadster	4780	2260	1136	2700	1625	43			90		P255/35R19	P335/30ZR20
Aventador	LP-700-4 coupé	4780	2260	1136	2700	1575	43			90		P255/35R19	P335/30ZR20
Huracan	LP610-4	4459	2236	1165	2620	1422						P245/30R20	P305/30R20
LAND ROVER													
LR2	Base	4496	2197	1800	2660	1775		756	1668	70	1585	P235/65R17	P235/65R17
LR4	HSE V6	4829	2176	1882	2885	2684		280	2557	86	3500	P255/55R19	P255/55R19
Range Rover	Supercharged V6	4999	2220	1845	2922	2230		549	2030	105	3500	P235/65R19	P235/65R19
Range Rover	Supercharged V8	4999	2220	1845	2922	2330		549	2030	105	3500	P275/45R21	P275/45R21
Range Rover	Evoque Coupé dynamic	4365	2125	1605	2660	1640		550	1350	70	750	P235/55R19	P235/55R19
Range Rover	Evoque Dynamic	4355	2125	1635	2660	1670		550	1350	70	750	P235/55R19	P235/55R19
Range Rover	Sport V6 suralimenté	4850	2073	1780	2923	2144		874	1751	105	3500	P255/50R19	P255/50R19

LA SECTION
HOMMES

INTERDIT AUX FEMMES

canoe.ca

Modèle	Variante	Longueur (mm)	Largeur (mm)	Hauteur (mm)	Empattement (mm)	Poids (kg)	Répartition poids av (%)	Coffre min. (litres)	Coffre max. (litres)	Réservoir (litres)	Capacité de remorquage (kg)	Pneus avant	Pneus arrière
Range Rover	Sport V8 suralimenté	4850	2073	1780	2923	2310		874	1761	105	3500	P275/40R20	P275/40R20
LEXUS													
CT	200h	4320	1765	1440	2600	1453		405	900	45		P215/45R17	P215/45R17
ES	300h	4895	1821	1450	2819	1664	59	343		65		P215/55R17	P215/55R17
GS	350	4845	1840	1455	2850	1685	52	530		66		P235/45R18	P235/45R18
GS	450h	4845	1840	1455	2850	2320	51	464		66		P235/45R18	P235/45R18
GX	460	4805	1885	1875	2790	2326		692	1833	87	2948	P265/60R18	P265/60R18
IS	250	4665	1810	1430	2800	1570		310		66		P225/45R17	P245/45R17
IS	F	4660	1815	1415	2730	1715		378		64		P225/40R18	P255/35R18
LS	460	5090	1875	1475	2970	1920		510		84		P245/45R19	P245/45R19
LS	600h L	5210	1875	1480	3090	2370		368		84		P245/45R19	P245/45R19
LX	570	5005	1970	1920	2850	2680	51	439	2353	93	3175	P285/50R20	P285/50R20
NX	200t	4630	2131	1645	2660	1791		501	1546	60	909	P225/65R17	P225/65R17
NX	300h AWD	4630	2131	1645	2660	1900		476	1521	56	682	P225/65R17	P225/65R17
RC	350	4694	1840	1395	2730							P235/40R19	P265/35R19
RX	350	4770	1885	1684	2740	2050		1132	2273	73	1590	P235/60R18	P235/60R18
RX	450h	4770	1885	1684	2740	2115		1132	2273	65	1590	P235/60R18	P235/60R18
LINCOLN													
MKC	2.0 EcoBoost TI	4552	2136	1656	2690	1798		714	1504	59	909	P235/50R18	P235/50R18
MKS	TI	5222	2172	1565	2868	1940		543		72	454	P255/45R19	P255/45R19
MKT	TI EcoBoost	5273	2177	1712	2995	2246		507	2149	70	2045	P235/55R19	P235/55R19
MKX	TI 3.7L	4742	2222	1709	2824	2009	58	915	1942	72	907	P245/60R18	P245/60R18
MKZ	TI V6	4930	2116	1478	2850	1819		436		66	900	P245/45R18	P245/45R18
Navigator	4X4	5268	2332	1988	3023	2723	51	513	2925	106	3946	P275/55R20	P275/55R20
Navigator	4X4 L	5647	2332	1988	3327	2832	50	1206	3630	128	3856	P275/55R20	P275/55R20
LOTUS													
Evora	2+0	4350	2047	1229	2575	1386	39	160		60		P225/40ZR18	P255/35ZR19
Evora	S 2+0	4361	2047	1229	2575	1440	39	160		60		P225/40ZR18	P255/35ZR19
MASERATI													
Ghibli	S Q4	4971	2101	1461	2997	1871	51	500		80		P235/50R18	P275/45R18
Gran Turismo	MC	4933	2056	1343	2942	1973		173		72		P255/35ZR20	P295/35ZR20
Quattroporte	GTS (V8)	5262	2100	1481	3171	2039	50	530		80		P245/40ZR20	P285/35ZR20
MAZDA													
CX-5	GS TA	4555	2165	1710	2700	1553		966	1852	56	907	P225/65R17	P225/65R17
CX-5	GS TI	4555	2165	1710	2700	1604		966	1852	58	907	P225/65R17	P225/65R17
CX-9	GS TA	5108	1936	1728	2875	1927		487	2851	76	1588	P245/60R18	P245/60R18
Mazda2	GS	3950	1694	1476	2489	1043		377	787	43		P185/55R15	P185/55R15
Mazda3	Berline GS	4580	2053	1455	2700	1275	59	350		50		P205/60R16	P205/60R16
Mazda5	GS	4585	1750	1615	2750	1551		112	857	60		P205/55R16	P205/55R16
Mazda6	GS	4895	1840	1450	2830	1442		419		62		P225/55R17	P225/55R17
MX-5	GX	4032	1720	1245	2330	1115	52	150		48		P205/50R16	P205/50R16
MCLAREN													
650S	Coupé	4512	2093	1199	2670	1428	42,5	144		72		P235/35R19	P305/30R20
P1	Coupé	4588	2144	1188	2670	1395		120		71		P245/35ZR19	P315/30ZR20
MERCEDES-BENZ													
Classe B	B250	4359	2010	1558	2699	1475	62	488	1547	50		P225/45R17	P225/45R17
Classe C	C250 BlueTEC berline	4686	2020	1442	2840	1550		480		41		P205/60R16	P205/60R16
Classe C	C250 coupé	4590	1997	1406	2760	1550	52	450		66		P225/45R17	P245/40R17
Classe CLA	250 4Matic berline	4630	1778	1438	2699	1544		470		55		P225/45R17	P225/45R17
Classe CLA	45 AMG 4Matic	4691	1777	1416	2699	1585		470		56		P235/40ZR18	P255/35R18
Classe CLS	63 AMG S-Model 4Matic	4995	2075	1416	2874	1870	54,8	520		80		P255/35R19	P285/30R19
Classe E	250 BlueTEC 4Matic berl.	4879	2071	1477	2874	1845		540		80		P245/40R18	P245/40R18
Classe E	E350 4Matic familiale	4905	2071	1509	2874	1935		695	1950	80		P245/40R18	P245/40R18
Classe E	E400 cabriolet	4703	2016	1398	2760	1845		300	390	66		P235/40R18	P255/35R18
Classe G	G63 AMG	4763	2055	1938	2850	2550		480	2250	96	3200	P275/50R20	P275/50R20
Classe GL	GL 63 AMG	5146	2141	1850	3075	2580	53	295	2300	100	3175	P295/40R21	P295/40R21
Classe GLA	250 4Matic	4417	2022	1494	2699	1505	60	421	1235	56		P235/50R18	P235/50R18
Classe GLA	45 AMG 4Matic	4445	2022	1479	2699	1585	60	421	1235	56		P235/45R19	P235/45R19
Classe GLK	GLK250 BlueTEC 4Matic	4536	2016	1669	2755	1925	53	450	1550	66	1588	P235/50R19	P235/50R19
Classe GLK	GLK350 4Matic	4536	2016	1669	2755	1845	53	450	1550	66	1588	P235/45R20	P235/45R20
Classe M	ML350 BlueTEC 4Matic	4804	2141	1796	2915	2175	56	690	2010	93	3265	P255/50R19	P255/50R19
Classe S	S400 4Matic	5116	2130	1496	3035	1900		530		79		P245/45R19	P275/40R19
Classe S	S65 AMG	5287	2130	1499	3165	2250		510		80		P255/40R20	P285/35R20
Classe SL	SL550	4612	2099	1315	2585	1785	52	364	504	65		P255/35R19	P285/30R19
Classe SLK	SLK250	4134	2006	1303	2430	1475	52	225	335	60		P225/45R17	P245/40R17
SLS AMG	GT coupé	4638	2075	1262	2680	1695	47	176		85		P265/35R19	P295/30R20
MINI													
Cabriolet	Cooper	3723	1913	1414	2467	1260	59,2	170	660	50		P195/55R16	P195/55R16
Clubman	Cooper	3961	1913	1426	2547	1265	57,3	260	930	50		P195/55R16	P195/55R16
Countryman	Cooper	4097	1789	1561	2595	1340		350	1170	47		P205/60R16	P205/60R16
Coupé	Cooper	3728	1913	1378	2467	1195	61,6	280		40		P175/65R15	P175/65R15
Hayon	Cooper	3837	1727	1414	2495	1160		211	1076	40		P175/65R15	P175/65R15
Paceman	Cooper	4109	1786	1518	2595	1330		330	1090	47		P205/60R16	P205/60R16
Paceman	Cooper All4	4109	1786	1518	2596	1405		330	1090	47		P205/60R16	P205/60R16
Roadster	Cooper	3728	1913	1384	2467	1230	59,8	240		50		P175/65R15	P175/65R15
MITSUBISHI													
i-MIEV	ES	3675	1585	1615	2550	1180		368	1416			P145/65R15	P175/60R15
Lancer	DE	4570	1760	1480	2635	1310	60	348		59		P205/60R16	P205/60R16
Lancer	Evolution GSR	4495	1810	1480	2650	1595	56,7	195		55		P245/40R18	P245/40R18
Lancer	Evolution MR	4495	1810	1480	2650	1630	57,4	195		55		P245/40R18	P245/40R18
Lancer	Sportback SE	4585	1760	1505	2635	1340	59	391	1492	59	454	P205/60R16	P205/60R16
Mirage	ES	3780	1665	1500	2450	895		235	487	35		P165/65R14	P165/65R14
Outlander	ES 2RM	4656	1800	1680	2670	1488	57	968	1793	63	682	P215/70R16	P215/70R16
Outlander	ES 4RM	4656	1800	1680	2670	1573	56	968	1793	60	682	P215/70R16	P215/70R16
RVR	ES TA	4295	1770	1630	2670	1375	59	614	1402	63		P225/55R18	P225/55R18

AU RYTHME DE VOS ESCAPADES.

#1

de sa catégorie
encore une fois.

"Vous serez époustouflé
devant le design pur,
élaboré sans compromis,
de sa programmation
musicale."

Aimée par
plus de 2,3 millions***
d'auditeurs.

Votre choix est de la musique à nos oreilles.

rythme 105.7
Montréal

***Source : Sondages BBM, données PPM, 24 février 2014 au 25 mai 2014,
Rayonnement total, Portée Tous 2+, Lu-Di 2 h - 2 h CFGLFM (ou selon les heures d'émission).

Modèle	Variante	Longueur (mm)	Largeur (mm)	Hauteur (mm)	Empattement (mm)	Poids (kg)	Répartition poids av (%)	Coffre min. (litres)	Coffre. max (litres)	Réservoir (litres)	Capacité de remorquage (kg)	Pneus avant	Pneus arrière
RVR	SE TI	4295	1770	1630	2670	1470	59	614	1402	60		P225/55R18	P225/55R18
NISSAN													
Altima	2.5 berline	4864	1829	1471	2776	1413	60	436		68		P215/60R16	P215/60R16
Altima	3.5 SL berline	4864	1829	1476	2776	1525	62	436		68		P235/45R18	P235/45R18
Armada	Platine (7 pass.)	5276	2014	1981	3130	2652	52	566	2750	105	4082	P275/60R20	P275/60R20
Armada	Platine (8 pass.)	5276	2014	1981	3130	2652	52	566	2750	105	4082	P275/60R20	P275/60R20
Frontier	SV 4x2 cab. double	5574	1850	1780	3554	1946	55	0		80	2858	P265/70R16	P265/70R16
Frontier	SV 4x4 cab. double	5574	1850	1780	3554	2019	57	0		80	2767	P265/70R16	P265/70R16
Frontier	SV 4x4 King Cab	5220	1850	1770	3200	1953	58	0		80	2858	P265/70R16	P265/70R16
GT-R	Black Edition	4670	1902	1372	2780	1738	53	249		74		P255/40R20	P285/35ZR20
Juke	NISMO TA	4160	1770	1570	2530	1308	62	297	1017	50		P225/45R18	P225/45R18
Juke	NISMO TI	4160	1770	1570	2530	1430	60	297	1017	45		P225/45R18	P225/45R18
Juke	SL TI	4125	1765	1570	2530	1442	60	297	1017	45		P215/55R17	P215/55R17
LEAF	SV	4445	1770	1550	2700	1495	59	680	850			P205/55R16	P205/55R16
Maxima	3.5 SV	4843	1860	1467	2775	1621	61	402		76	454	P245/45R18	P245/45R18
Micra	S	3827	1665	1527	2450	1044		407	820	41		P185/60R15	P185/60R15
Micra	SR	3827	1665	1527	2450	1067		407	820	41		P185/55R16	P185/55R16
Murano	Platine TI	4887	1915	1689	2825	1830		900	1826	82	1591	P235/55R20	P235/55R20
Murano	S TA	4887	1915	1689	2825	1700		900	1826	82	1591	P235/65R18	P235/65R18
Murano	S TI	4887	1915	1689	2825	1770		900	1826	82	1591	P235/65R18	P235/65R18
NV200	SV	4733	2010	1872	2925	1468	61	3455		55		P185/60R15	P185/60R15
Pathfinder	S 2RM	5009	1961	1768	2900	1902		453	2260	74	2273	P235/65R18	P235/65R18
Pathfinder	S 4RM	5009	1961	1768	2900	1966		453	2260	74	2273	P235/65R18	P235/65R18
Pathfinder	SV 4RM hybride	5009	1961	1783	2900	2100		453	2260	74	1588	P235/65R18	P235/65R18
Rogue	S TA	4630	1840	1684	2706	1547	59	1113	1982	55	454	P225/65R17	P225/65R17
Rogue	S TI	4630	1840	1684	2706	1607	58	1113	1982	55	454	P225/65R17	P225/65R17
Sentra	1.8 S (CVT)	4625	1760	1495	2700	1288	60	428		50		P205/55R16	P205/55R16
Sentra	1.8 S (man)	4625	1760	1495	2700	1273	59	428		50		P205/55R16	P205/55R16
Sentra	1.8 SR (CVT)	4635	1760	1495	2700	1293	60	428		50		P205/50R17	P205/50R17
Titan	PRO-4X 4x4 King Cab	5704	2019	1946	3550	2430	56	0		106	4218	P275/70R18	P275/70R18
Titan	S 4x2 King Cab	5704	2019	1895	3550	2214	55	0		106	2948	P265/70R18	P265/70R18
Titan	S 4x4 cab. double	5704	2019	1938	3550	2418	57	0		106	2948	P265/70R18	P265/70R18
Versa	Note S Hayon	4141	1695	1537	2600	1094		606	1500	41		P185/65R15	P185/65R15
Versa	Note SR hayon (CVT)	4141	1695	1537	2600	1116		606	1500	41		P195/55R16	P195/55R16
Xterra	PRO-4X	4539	1849	1902	2700	2004	53	991	1869	80	2268	P265/75R16	P265/75R16
Z	370Z Coupe	4246	1845	1315	2550	1493	54	195		72		P225/50R18	P245/45R18
Z	370Z Roadster	4246	1845	1326	2550	1573	54	119		72		P225/50R18	P245/45R18
PAGANI Huayra	Base	4605	2356	1169	2795	1350	44			85		P255/35ZR19	P335/30ZR20
PORSCHE													
911	Carrera 4	4491	1852	1304	2450	1430		125		68		P235/40ZR19	P295/35ZR19
911	Carrera 4 cabriolet	4491	1852	1300	2450	1500		125		68		P235/40ZR19	P295/35ZR19
911	Turbo S Cabriolet	4506	1978	1292	2450	1675		115		68		P245/35ZR20	P305/30ZR20
918	Spyder	4643	2053	1167	2730	1678	43	110		70		P265/35ZR20	P325/30ZR21
918	Spyder Weissach	4643	2053	1167	2730	1634	43	110		70		P265/35ZR20	P325/30ZR21
Boxster	Base	4374	1979	1282	2475	1310		280		64		P235/45ZR18	P265/45ZR18
Boxster	S (PDK)	4374	1979	1281	2475	1350		280		64		P235/40ZR19	P265/40ZR19
Cayenne	Base	4846	2154	1705	2895	2070		670	1780	85	3500	P255/55R18	P255/55R18
Cayenne	E-Hybrid	4846	2154	1705	2895	2410		456	1210	85		P255/55R18	P255/55R18
Cayman	Base	4380	1978	1294	2475	1310		425		64		P235/45ZR18	P265/45ZR18
Cayman	S (PDK)	4380	1978	1295	2475	1350		425		64		P235/40ZR19	P265/40ZR19
Macan	S	4681	2098	1624	2807	1869		500	1500	71	750	P235/60R18	P255/55R18
Macan	Turbo S	4699	2098	1624	2807	1929		500	1500	75	750	P235/55R19	P255/50R19
Panamera	2	5015	2114	1418	2920	1770		445	1263	80		P245/50ZR18	P275/45ZR18
Panamera	S E-Hybrid	5015	2114	1418	2920	2095		337	1155	80		P245/50ZR18	P275/45ZR18
Panamera	Turbo S Executive	5165	2114	1425	3070	2155		432	1250	100		P255/40ZR20	P295/35ZR20
RAM													
1500	Big H. 4x2 cab. all. (6.3')	5817	2017	1961	3556	2379	58			98	3719	P275/60R20	P275/60R20
1500	Big H. 4x2 cab. dble (5.6')	5817	2017	1953	3556	2404	58			98	3697	P275/60R20	P275/60R20
1500	SLT 4x4 cab. simple (8')	5867	2017	1905	3556	2219	58			121	1996	P265/70R17	P265/70R17
1500	SLT 4x4 die. cab. simple (8')	5867	2017	1905	3556	2424	59			121	3614	P265/70R17	P265/70R17
ROLLS-ROYCE													
Ghost Series II	allongée	5569	1948	1550	3465	2570	51,2	490		82		P255/50R19	P255/50R19
Phantom	Coupé	5612	1987	1598	3320	2629	49,4	395		100		P255/50R21	P285/45R21
Phantom	Drophead Coupe	5612	1987	1566	3320	2719	47,5	315		80		P255/50R21	P285/45R21
Wraith	Base	5281	1947	1507	3112	2440	50,4	470		83		P255/45R20	P285/40R20
SCION													
FR-S	Base	4235	1775	1425	2570	1251	53	196		50		P215/45R17	P215/45R17
iQ	Base	3050	1680	1500	2000	965		99	473	32		P175/60R16	P175/60R16
tC	Base	4485	1795	1415	2700	1377		417		55		P225/45R18	P225/45R18
xB	Base	4250	1760	1590	2600	1373		329		53		P205/55R16	P205/55R16
xD	Base	3930	1725	1510	2460	1190		300		42		P195/60R16	P195/60R16
SMART Fortwo	Electric Drive	2695	1559	1542	1867			220	340			P155/60R15	P175/55R15
SUBARU													
BRZ	Base	4235	1775	1425	2570	1255	53	196		50		P215/45R17	P215/45R17
BRZ	Sport-tech	4235	1775	1425	2570	1259	53	196		50		P215/45R17	P215/45R17
Forester	2.0XT Limited	4595	2046	1735	2640	1613		974	2115	60	680	P225/55R18	P225/55R18
Forester	2.5i	4595	2031	1735	2640	1500		974	2115	60	680	P225/60R17	P225/60R17
Impreza	2.0 5 portes	4415	1988	1465	2645	1320		638	1485	55		P195/65R15	P195/65R15
Impreza	2.0 Berline	4580	1988	1465	2645	1320		340		55		P195/65R15	P195/65R15
Impreza	2.0 Limited 5 portes (CVT)	4415	2002	1465	2645	1350		638	1485	55		P205/50R17	P205/50R17
Impreza	2.0 Limited berline (CVT)	4580	2002	1465	2645	1350		340		55		P205/50R17	P205/50R17
Impreza	2.0 Sport berline	4580	1988	1465	2645	1355		340		55		P205/50R17	P205/50R17
Legacy	2.5i	4755	2050	1505	2750	1520		415		70	453	P205/60R16	P205/60R16

ÇA SENT LE NEUF CHEZ AUTONET !

Votre nouveau Cahier Autonet continue de vous guider
dans l'actualité automobile : essais routiers, sport motorisé,
conseils de nos chroniqueurs experts, ainsi que tous les détails
à connaître sur les véhicules neufs et d'occasion.

CHAQUE DIMANCHE

Modèle	Variante	Longueur (mm)	Largeur (mm)	Hauteur (mm)	Empattement (mm)	Poids (kg)	Répartition poids av (%)	Coffre min. (litres)	Coffre max (litres)	Réservoir (litres)	Capacité de remorquage (kg)	Pneus avant	Pneus arrière
SUBARU													
Impreza	2.0 Sport berline	4580	1988	1465	2645	1355		340		55		P205/50R17	P205/50R17
Legacy	2.5i	4755	2050	1505	2750	1520		415		70	453	P205/60R16	P205/60R16
Legacy	2.5i Tourisme	4755	2050	1505	2750	1520		415		70	453	P215/50R17	P215/50R17
Legacy	3.6R Limited	4755	2050	1505	2750	1623		415		70	453	P225/50R17	P225/50R17
Outback	2.5i	4816	1839	1679	2746	1633		1005	2076	70	1227	P225/65R17	P225/65R17
Outback	2.5i Premium	4816	1839	1679	2746	1633		1005	2076	70	1227	P225/65R17	P225/65R17
Outback	3.6R Limited	4816	1839	1679	2746	1732		1005	2076	70	1364	P225/60R18	P225/60R18
WRX	Berline	4595	1796	1476	2650	1485		340		60		P235/45R17	P235/45R17
WRX	Berline Premium	4595	1796	1476	2650	1485		340		60		P235/45R17	P235/45R17
WRX	STI berline	4595	1796	1476	2650	1539		340		60		P245/40R18	P245/40R18
WRX	STI berline Limited	4595	1796	1476	2650	1566		340		60		P245/40R18	P245/40R18
XV Crosstrek	Hybride	4450	2000	1615	2635	1575		609	1422	52		P225/55R17	P225/55R17
XV Crosstrek	Limited (auto)	4450	2000	1615	2635	1425		632	1470	60	680	P225/55R17	P225/55R17
XV Crosstrek	Limited (man)	4450	2000	1615	2635	1400		632	1470	60	680	P225/55R17	P225/55R17
XV Crosstrek	Sport	4450	1986	1615	2635	1400		632	1470	60	680	P225/55R17	P225/55R17
TESLA													
Model S	60	4976	2187	1435	2959	2108	48	745	1645			P245/45R19	P245/45R19
Model S	P85+	4976	2187	1435	2959	2176	48	745	1645			P245/35R21	P245/35R21
TOYOTA													
4Runner	SR5 Trail	4820	1925	1885	2790	2159		1311	2514	87	2268	P265/70R17	P265/70R17
Avalon	Limited	4960	1835	1460	2820	1608		453		64		P225/45R18	P225/45R18
Avalon	XLE	4960	1835	1460	2820	1573		453		64		P215/55R17	P215/55R17
Camry	Hybride LE	4850	1820	1470	2775	1550		370		64		P205/65R16	P205/65R16
Camry	LE	4850	1820	1470	2775	1441		436		64		P205/65R16	P205/65R16
Camry	SE V6	4850	1820	1470	2775	1523		436		64		P225/45R18	P225/45R18
Corolla	CE	4639	1776	1455	2700	1265		368		50		P195/65R15	P195/65R15
Corolla	S	4650	1776	1455	2700	1285		368		50		P215/45R17	P215/45R17
Highlander	2RM LE	4855	1925	1730	2790	1925		390	2370	73	2268	P245/60R18	P245/60R18
Highlander	4RM LE	4855	1925	1730	2790	1995		390	2370	73	2268	P245/60R18	P245/60R18
Highlander	Hybride XLE	4855	1925	1780	2790	2190		390	2356	65	1587	P245/55R19	P245/55R19
Prius	Hybride	4481	1745	1491	2700	1383		445	612	45		P195/65R15	P195/65R15
Prius	Hybride branchable	4481	1745	1491	2700	1439		445	612	40		P195/65R15	P195/65R15
Prius	Hybride c	3995	1695	1445	2550	1132		481		36		P175/65R15	P175/65R15
Prius	Hybride V	4615	1775	1575	2780	1485		971	1900	45		P205/60R15	P205/60R15
RAV4	2RM LE	4570	1845	1660	2660	1545		1087	2076	60	680	P225/65R17	P225/65R17
RAV4	4RM XLE	4570	1845	1705	2660	1615		1087	2076	60	680	P225/65R17	P225/65R17
Sequoia	Limited V8 5.7L	5210	2030	1955	3100	2714		535	3400	100	3220	P275/55R20	P275/55R20
Sienna	LE 8 Places	5085	1985	1811	3030	1965		1110	4250	79	1585	P235/60R17	P235/60R17
Sienna	LE AWD 7 Places	5085	1985	1811	3030	2045		1110	4250	79	1585	P235/55R18	P255/55R18
Tacoma	4x2 cab. accès	5286	1835	1670	3246	1614				80	1587	P215/70R15	P215/70R15
Tacoma	4x4 cab. accès	5286	1895	1775	3246	1794				80	1587	P245/75R16	P245/75R16
Tacoma	4x4 V6 cab. accès	5286	1895	1775	3246	1834				80	1587	P245/75R16	P245/75R16
Venza	Base	4800	1905	1610	2775	1705		870	1990	67	1134	P245/55R19	P245/55R19
Venza	V6 AWD	4800	1905	1610	2775	1835		870	1990	67	1587	P245/50R20	P245/50R20
Yaris	CE 3 portes Hatchback	3950	1695	1510	2510	1030		286	737	42		P175/65R15	P175/65R15
Yaris	LE 5 portes Hatchback	3950	1695	1510	2510	1030		286	737	42		P175/65R15	P175/65R15
VOLKSWAGEN													
Beetle	1.8 Comfortline	4278	1808	1486	2537	1337		436	847	55	386	P215/60R16	P215/60R16
Beetle	1.8 Comfortline décap.	4278	1808	1473	2540	1469		200		55		P215/60R16	P215/60R16
Beetle	2.0 TDI Comfortline	4278	1808	1486	2537	1394		436	847	55		P215/60R16	P215/60R16
Beetle	2.0 TSI Sportline (auto.)	4278	1808	1486	2537	1401		436	847	55	376	P235/45R18	P235/45R18
Beetle	2.0 TSI Sportline (man.)	4278	1808	1486	2537	1380		436	847	55	377	P235/45R18	P235/45R18
CC	Highline V6	4799	1855	1417	2711	1748		400		70		P235/40R18	P235/40R18
Eos	2.0 TSI Wolfsburg	4423	1791	1444	2578	1591		187	297	55		P235/40R18	P235/40R18
Golf	Comfortline 5-portes	4255	1798	1450	2631	1225		380	1270	50		P205/55R16	P205/55R16
Golf	GTI 3-portes	4268	1798	1442	2631	1370		380	1270	50		P225/45R17	P225/45R17
Golf	GTI 5-portes	4268	1798	1442	2631	1370		380	1270	50		P225/45R17	P225/45R17
Golf	TDI Comfortline 3-portes	4255	1798	1450	2631	1354		380	1270	50		P205/55R16	P205/55R16
Golf	Trendline 3-portes	4255	1798	1450	2631	1225		380	1270	50		P195/65R15	P195/65R15
Jetta	1.8 Comfortline	4628	1778	1453	2651	1381		440		55		P195/65R15	P195/65R15
Jetta	1.8 Highline (auto)	4628	1778	1453	2651	1393		440		55		P225/45R17	P225/45R17
Jetta	2.0 Comfortline (auto.)	4628	1778	1453	2651	1325		440		55		P195/65R15	P195/65R15
Jetta	2.0 TDI Comfortline	4628	1778	1453	2651	1434		440		55		P205/55R16	P205/55R16
Jetta	2.0 TDI Highline (auto)	4628	1778	1453	2651	1456		440		55		P225/45R17	P225/45R17
Jetta	2.0 Trendline	4628	1778	1453	2651	1289		440		55		P195/65R15	P195/65R15
Jetta	GLI 2.0 TSI (man.)	4628	1778	1453	2651	1417		440		55		P225/45R17	P225/45R17
Jetta	GLI 2.0 TSI DSG	4628	1778	1453	2651	1432		440		55		P225/45R17	P225/45R17
Jetta	Hybride Trendline	4628	1778	1453	2651	1505		320		45		P195/65R15	P195/65R15
Passat	1.8 TSI Comfortline	4868	1835	1487	2803	1458		450		70		P215/55R17	P215/55R17
Passat	1.8 TSI Highline (auto)	4868	1835	1487	2803	1512		450		70		P215/55R17	P215/55R17
Passat	3.6 Highline	4868	1835	1487	2803	1563		450		70		P235/45R18	P235/45R18
Passat	TDI Comfortline	4868	1835	1487	2803	1542		450		70		P215/55R17	P215/55R17
Tiguan	4Motion Comfortline	4427	1809	1686	2604	1629		674	1589	64	998	P235/55R17	P235/55R17
Tiguan	Trendline	4427	1809	1683	2604	1539		674	1589	64	998	P215/65R16	P215/65R16
Touareg	TDI Execline	4795	1940	1732	2893	2256		909	1812	100	3500	P275/40R20	P275/40R20
Touareg	V6 Comfortline	4795	1940	1732	2893	2137		909	1812	100	3500	P255/55R18	P255/55R18
VOLVO													
S60	Polestar	4635	2097	1484	2776	1752		340		67		P245/35R20	P245/35R20
S60	T5 AWD	4635	2097	1484	2776	1604		340		67	1591	P215/50R17	P215/50R17
S80	T6 AWD	4851	2106	1493	2835	1842		422		70	1590	P245/40R18	P245/40R18
V60	T6 AWD R-Design	4635	2097	1484	2776	1723		430	1240	68	1500	P235/40R18	P235/40R18
XC60	3.2 AWD	4644	2120	1713	2774	1932		490	1455	70	750	P235/60R18	P235/60R18
XC70	T5 TA	4838	2119	1604	2815	1789		575	1600	70	750	P235/55R17	P235/55R17
XC70	T6 AWD	4838	2119	1604	2815	1887		575	1600	70	750	P235/55R17	P235/55R17
XC90	T8	4807	2112	1784	2857	2139		249	1837	80	750	P235/60R18	P235/60R18

Achevé d'imprimer au Canada
sur les presses d'Imprimerie Transcontinental Inc., en juillet 2014